중학교

수학 2 자습서

장경윤 교과서편

머리말

"수학은
거대한 사고의
모험이다."

-스트루익

우리는 생활 주변에서 일어나는 여러 가지 현상 속에서 수학을 만납니다. 일기 예보, 교통 통계, 경제 뉴스, 새로운 건축 양식, 우주 공간의 진화, 정보의 팽창, 각종 게임 속의 수와 공간 등 이 모든 상황에서 수학은 중요한 역할을 합니다. 수학은 우리가 만나는 주변의 상황과 현상을 표현하고 설명하며, 문제를 합리적이고 창의적으로 해결하게 하는 귀중한 도구입니다.

이처럼 수학은 실제적인 문제 해결을 위하여 고안된 학문이며 학교에서 다루는 수학 내용 중 맥락과 무관하게 생겨난 것은 없습니다. 우리는 수학 학습을 통하여 수학의 개념, 원리, 법칙을 이해하고 기능을 습득하여, 논리적으로 사고하고 소통하며 합리적으로 문제를 해결하는 능력과 태도를 기를 수 있습니다.

이 자습서는 2015 개정 교육과정에 따라 집필된 교과서를 토대로 학생들의 적극적인 활동을 유도하여 수학을 쉽게 이해할 수 있도록 저술되었습니다. 이 자습서의 기획 방향은 다음과 같습니다.

첫째, 친절한 개념 정리로 교과서 내용의 깊은 이해가 가능하도록 하였습니다.
둘째, 자세한 문제 풀이로 스스로 학습이 가능하도록 하였습니다.
셋째, 중단원별 '교과서 문제 뛰어 넘기'와 대단원별 '도전! 창의 · 융합 사고력 문제'로 문제 해결 능력을 향상시킬 수 있도록 하였습니다.
넷째, 추가로 제공되는 실전 대비 문제로 내신을 정복할 수 있도록 하였습니다.

학생들이 이 자습서를 통하여 수학에 관심을 가지고, 창의적 인성과 수학적 역량을 갖춘 미래 사회의 주역으로 성장해 나아가길 기원합니다.

저자 일동

구성과 특징

이 자습서는 2015 개정 교육과정에 따라 집필된 교과서를 토대로 학생들이 손쉽게 자기주도적 학습을 할 수 있도록 하였습니다.

특히, 친절한 교과서 개념 정리와 자세한 문제 풀이를 하였고, 부록으로 실전 대비 문제를 수록하여 수학에 대한 흥미와 자신감을 가지고 내신을 정복할 수 있도록 구성하였습니다.

- **단원의 계통도 살펴보기**
  대단원 학습의 흐름을 가시화하여 한 눈에 볼 수 있도록 하였습니다.

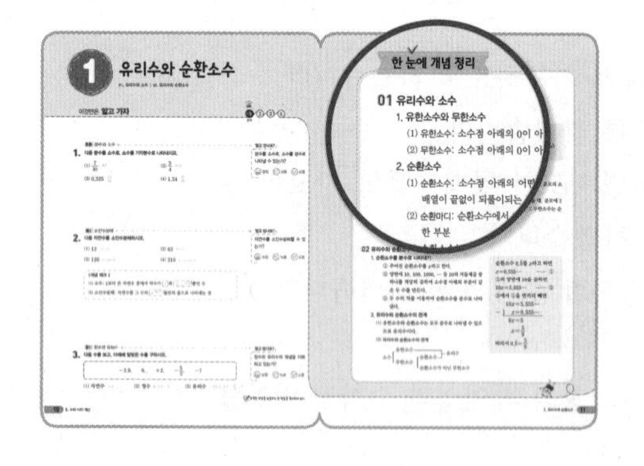

- **한 눈에 개념 정리**
  중단원별 개념 정리를 제시하여 학습 내용을 쉽게 이해하도록 하였습니다.

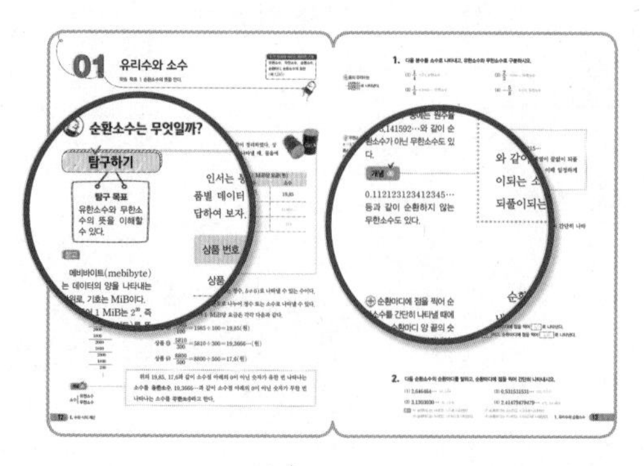

- **탐구 목표**
  '탐구하기'를 학습하는 목표를 제시하였습니다.

- **개념 쏙**
  교과서 본문의 개념이나 '함께해 보기'에서 꼭 알아야 할 핵심 내용들을 정리하였습니다.

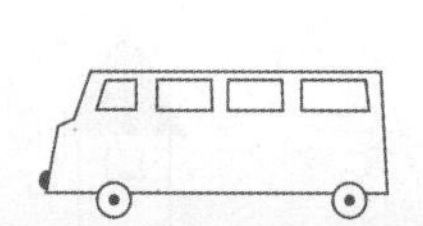

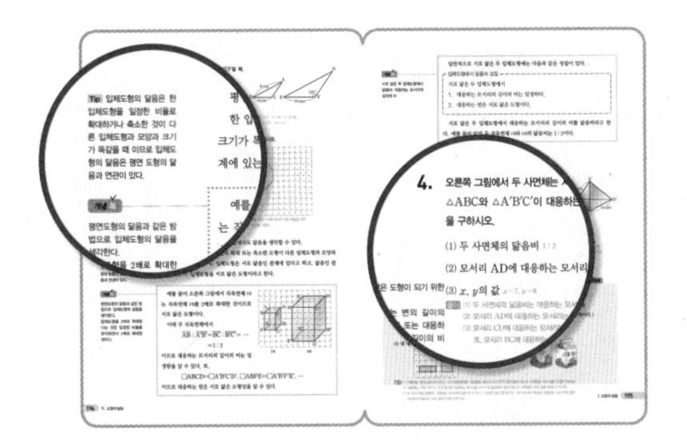

• Tip

본문 내용 중에 꼭 알아야 하거나 주의해야 하는 내용을 한 번 더 짚어 주었습니다.

• 문제 풀이

본문에 수록된 문제의 풀이를 자세하게 설명하였습니다.

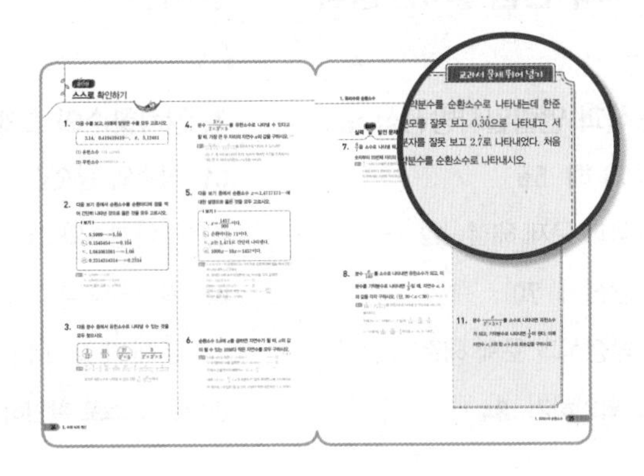

• 교과서 문제 뛰어넘기

중단원별로 꼭 알아야 하는 문제 또는 교과서 심화 문제로 실력을 키울 수 있도록 하였습니다.

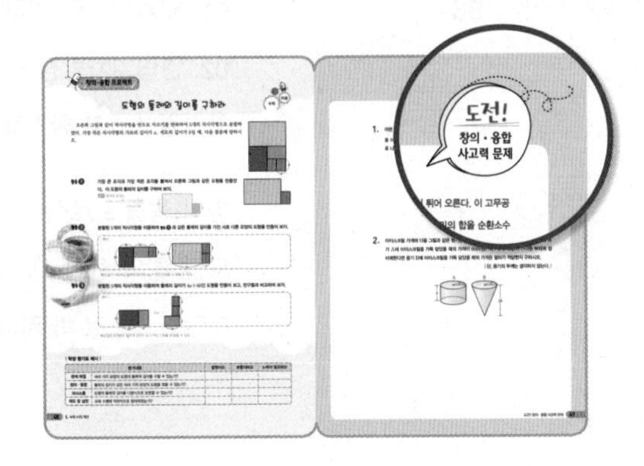

• 도전! 창의 · 융합 사고력 문제

다양한 해결 방법을 찾을 수 있는 문제로 창의 · 융합 사고력을 키울 수 있도록 하였습니다.

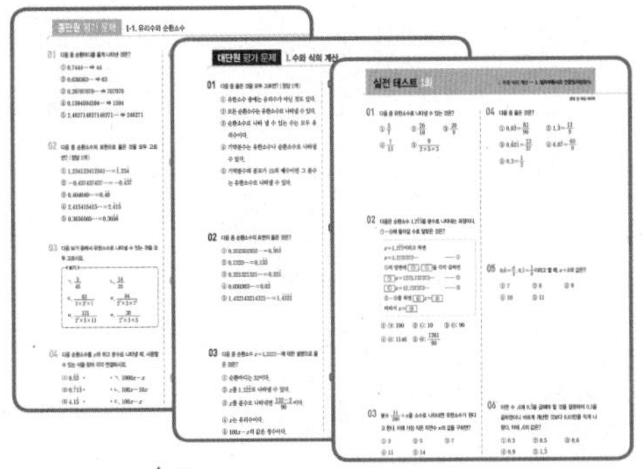

• 실전 대비 문제

'중단원 평가 문제', '대단원 평가 문제', '실전 테스트'를 부록으로 제공하여 학교 시험에 대비할 수 있도록 하였습니다.

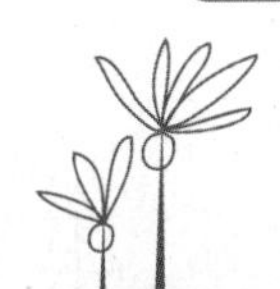

차례

I. 수와 식의 계산

II. 일차부등식과 연립일차방정식

III. 일차함수

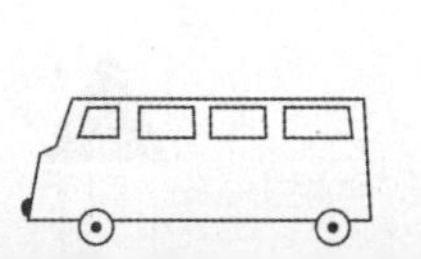

Ⅳ. 도형의 성질

Ⅴ. 도형의 닮음

Ⅵ. 확률

부록/

식탁 위에서 찾은 분수와 소수

식탁에 오르는 식품의 라벨을 보면 일반적으로 영양소의 함량은 보통 소수로, 조리법의 재료량은 보통 분수로 표기되어 있는 것을 볼 수 있다.

이렇듯 일상생활에서 쉽게 만날 수 있는 분수와 소수의 관계를 알아보자.

또, 둘레의 길이와 넓이 등 수량 사이의 관계를 명확하고 간결하게 표현하는 방법을 알아보자.

I

수와 식의 계산

1. 유리수와 순환소수
2. 식의 계산

| 단원의 계통도 살펴보기 |

이전에 배웠어요.

| 초등학교 5~6학년군 |
- 약분과 통분
- 분수와 소수의 관계

| 중학교 1학년 |
- 소인수분해
- 정수와 유리수
- 문자의 사용과 식의 계산

이번에 배워요.

Ⅰ-1. 유리수와 순환소수
01. 유리수와 소수
02. 유리수와 순환소수

Ⅰ-2. 식의 계산
01. 지수법칙
02. 단항식의 곱셈과 나눗셈
03. 다항식의 계산

이후에 배울 거예요.

| 중학교 3학년 |
- 제곱근과 실수
- 다항식의 곱셈과 인수분해

유리수와 순환소수

01. 유리수와 소수 | 02. 유리수와 순환소수

이것만은 알고 가자

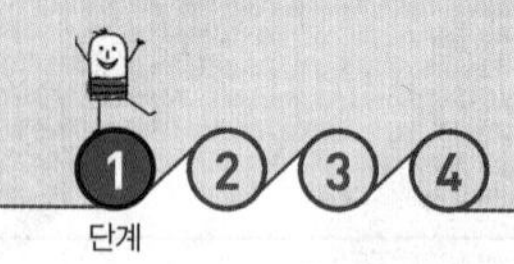

초등 분수와 소수

1. 다음 분수를 소수로, 소수를 기약분수로 나타내시오.

(1) $\frac{7}{10}$ 0.7 (2) $\frac{3}{4}$ 0.75

(3) 0.325 $\frac{13}{40}$ (4) 1.24 $\frac{31}{25}$

알고 있나요?
분수를 소수로, 소수를 분수로 나타낼 수 있는가?
잘함 보통 모름

중1 소인수분해

2. 다음 자연수를 소인수분해하시오.

(1) 12 $2^2\times3$ (2) 63 $3^2\times7$

(3) 120 $2^3\times3\times5$ (4) 210 $2\times3\times5\times7$

| 개념 체크 |
(1) 소수: 1보다 큰 자연수 중에서 약수가 1과 자기 자신뿐인 수
(2) 소인수분해: 자연수를 그 수의 소인수들만의 곱으로 나타내는 것

알고 있나요?
자연수를 소인수분해할 수 있는가?
잘함 보통 모름

중1 정수와 유리수

3. 다음 수를 보고, 아래에 알맞은 수를 구하시오.

$$-3.9, \quad 0, \quad +2, \quad -\frac{5}{3}, \quad -7$$

(1) 자연수 $+2$ (2) 정수 $0, +2, -7$ (3) 유리수 $-3.9, 0, +2, -\frac{5}{3}, -7$

알고 있나요?
정수와 유리수의 개념을 이해하고 있는가?
잘함 보통 모름

부족한 부분을 보충하고 본 학습을 준비하여 보자.

한 눈에 개념 정리

01 유리수와 소수

1. 유한소수와 무한소수

(1) 유한소수: 소수점 아래의 0이 아닌 숫자가 유한 번 나타나는 소수

(2) 무한소수: 소수점 아래의 0이 아닌 숫자가 무한 번 나타나는 소수

2. 순환소수

(1) 순환소수: 소수점 아래의 어떤 자리에서부터 일정한 숫자의 배열이 끝없이 되풀이되는 무한소수

(2) 순환마디: 순환소수에서 일정하게 되풀이되는 소수점 아래의 한 부분

(3) 순환소수는 순환마디의 양 끝의 숫자 위에 점을 찍어 간단히 나타낼 수 있다.

$0.aaa\cdots \Rightarrow 0.\dot{a}$
↳ 순환마디: a

$0.ababab\cdots \Rightarrow 0.\dot{a}\dot{b}$
↳ 순환마디: ab

3. 유한소수로 나타낼 수 있는/없는 유리수

(1) 유한소수로 나타낼 수 있는 유리수: 정수가 아닌 유리수를 기약분수로 나타내었을 때, 분모의 소인수가 2나 5뿐이면 그 유리수는 유한소수로 나타낼 수 있다.

(2) 유한소수로 나타낼 수 없는 유리수: 정수가 아닌 유리수를 기약분수로 나타내었을 때, 분모에 2나 5 이외의 소인수가 있으면 그 유리수는 무한소수로 나타낼 수 있으며, 그 무한소수는 순환소수가 된다.

02 유리수와 순환소수

1. 순환소수를 분수로 나타내기

① 주어진 순환소수를 x라고 한다.

② 양변에 10, 100, 1000, ⋯ 등 10의 거듭제곱 중 하나를 적당히 곱하여 소수점 아래의 부분이 같은 두 수를 만든다.

③ 두 수의 차를 이용하여 순환소수를 분수로 나타낸다.

순환소수 $0.\dot{5}$를 x라고 하면

$x=0.555\cdots$ ⋯⋯ ①

①의 양변에 10을 곱하면

$10x=5.555\cdots$ ⋯⋯ ②

②에서 ①을 변끼리 빼면

$$\begin{array}{r} 10x=5.555\cdots \\ -\big)\quad x=0.555\cdots \\ \hline 9x=5 \end{array}$$

$$x=\frac{5}{9}$$

따라서 $0.\dot{5}=\frac{5}{9}$

2. 유리수와 순환소수의 관계

(1) 유한소수와 순환소수는 모두 분수로 나타낼 수 있으므로 유리수이다.

(2) 유리수와 순환소수의 관계

소수
- 유한소수 ─ 유리수
- 무한소수
  - 순환소수 ─ 유리수
  - 순환소수가 아닌 무한소수

01 유리수와 소수

학습 목표 | 순환소수의 뜻을 안다.

이 단원에서 배우는 용어와 기호
유한소수, 무한소수, 순환소수, 순환마디, 순환소수의 표현 (예 $7.\dot{2}1\dot{5}$)

순환소수는 무엇일까?

탐구 목표
유한소수와 무한소수의 뜻을 이해할 수 있다.

참고

메비바이트(mebibyte)는 데이터의 양을 나타내는 단위로, 기호는 MiB이다. 예를 들어 1 MiB는 2^{20}, 즉 1048576 B(바이트)를 뜻한다.

인서는 통신사 데이터 상품을 찾아 다음 표와 같이 정리하였다. 상품별 데이터 1 MiB당 요금을 분수와 소수로 각각 나타낼 때, 물음에 답하여 보자.

상품 번호	데이터양(MiB)	요금(원)	1 MiB당 요금(원)	
			분수	소수
상품 ❶	100	1985	$\frac{1985}{100}$	19.85
상품 ❷	300	5810	$\frac{5810}{300}$	19.3666 ⋯
상품 ❸	500	8800	$\frac{8800}{500}$	17.6

활동 ❶ 표를 완성하여 보자.

```
          19.3666⋯
300 ) 5810
      300
      2810
      2700
       1100
        900
       2000
       1800
        2000
        1800
         2000
         1800
          200
           ⋮
```

유리수는 $\frac{1}{2}$, $-\frac{4}{3}$와 같이 분수 $\frac{a}{b}$(a, b는 정수, $b \neq 0$)로 나타낼 수 있는 수이다. 이때 분수로 나타낸 유리수는 분자를 분모로 나누어 정수 또는 소수로 나타낼 수 있다.

탐구하기 에서 상품별 데이터 1 MiB당 요금은 각각 다음과 같다.

상품 ❶ $\frac{1985}{100}=1985\div100=19.85$(원)

상품 ❷ $\frac{5810}{300}=5810\div300=19.3666\cdots$(원)

상품 ❸ $\frac{8800}{500}=8800\div500=17.6$(원)

개념 쏙

소수 { 유한소수 / 무한소수 }

위의 19.85, 17.6과 같이 소수점 아래의 0이 아닌 숫자가 유한 번 나타나는 소수를 **유한소수**, 19.3666⋯과 같이 소수점 아래의 0이 아닌 숫자가 무한 번 나타나는 소수를 **무한소수**라고 한다.

1. 다음 분수를 소수로 나타내고, 유한소수와 무한소수로 구분하시오.

⊕ 음의 유리수는 $-\frac{(\text{자연수})}{(\text{자연수})}$로 나타낸다.

(1) $\frac{1}{4}$ 0.25, 유한소수

(2) $\frac{2}{3}$ 0.666…, 무한소수

(3) $\frac{1}{6}$ 0.1666…, 무한소수

(4) $-\frac{5}{8}$ −0.625, 유한소수

⊕ 무한소수 중에는 원주율 $\pi=3.141592\cdots$와 같이 순환소수가 아닌 무한소수도 있다.

0.112123123412345… 등과 같이 순환하지 않는 무한소수도 있다.

무한소수 중에는

$$0.555\cdots,\ 0.1444\cdots,\ 1.353535\cdots,\ 7.215215215\cdots$$

와 같이 소수점 아래의 어떤 자리에서부터 일정한 숫자의 배열이 끝없이 되풀이되는 소수가 있다. 이와 같은 무한소수를 **순환소수**라 하고, 이때 일정하게 되풀이되는 소수점 아래의 한 부분을 **순환마디**라고 한다.

⊕ 순환마디에 점을 찍어 순환소수를 간단히 나타낼 때에는 최소 순환마디 양 끝의 숫자 위에 점을 찍어 나타낸다.

예 1.353535…의 최소 순환마디는 35이므로 $1.\dot{3}\dot{5}$로 나타낸다.

주의 $1.\dot{3}53\dot{5}$ (×)
$1.35\dot{3}\dot{5}$ (×)
$1.\dot{3}5\dot{3}$ (×)

순환소수는 순환마디의 양 끝의 숫자 위에 점을 찍어 다음과 같이 간단히 나타낼 수 있다.

$0.555\cdots=\mathbf{0.\dot{5}}$ 순환마디: 5

$0.1444\cdots=\mathbf{0.1\dot{4}}$ 순환마디: 4

$1.353535\cdots=\mathbf{1.\dot{3}\dot{5}}$ 순환마디: 35

$7.215215215\cdots=\mathbf{7.\dot{2}1\dot{5}}$ 순환마디: 215

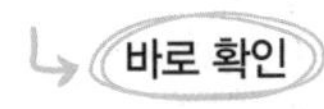

(1) 1.777…의 순환마디는 [7]이고, 순환마디에 점을 찍어 [$1.\dot{7}$]로 나타낸다.

(2) 1.414141…의 순환마디는 [41]이고, 순환마디에 점을 찍어 [$1.\dot{4}\dot{1}$]로 나타낸다.

2. 다음 순환소수의 순환마디를 말하고, 순환마디에 점을 찍어 간단히 나타내시오.

(1) $2.646464\cdots$ 64, $2.\dot{6}\dot{4}$

(2) $0.531531531\cdots$ 531, $0.\dot{5}3\dot{1}$

(3) $3.1303030\cdots$ 30, $3.1\dot{3}\dot{0}$

(4) $2.41479479479\cdots$ 479, $2.41\dot{4}7\dot{9}$

풀이 (1) 순환마디는 64이고, $2.\dot{6}\dot{4}$로 나타낸다.
(2) 순환마디는 531이고, $0.\dot{5}3\dot{1}$로 나타낸다.
(3) 순환마디는 30이고, $3.1\dot{3}\dot{0}$으로 나타낸다.
(4) 순환마디는 479이고, $2.41\dot{4}7\dot{9}$로 나타낸다.

어떤 유리수를 유한소수로 나타낼 수 있을까?

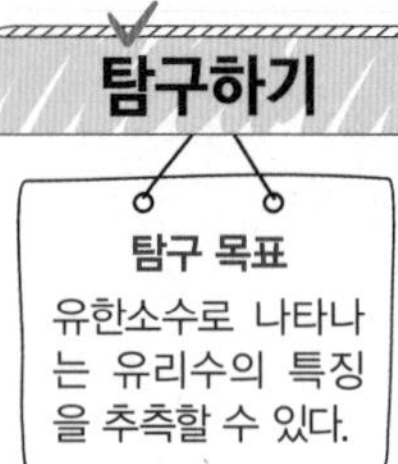

다음 표는 소수를 분수로, 분수를 소수로 나타내고 분모의 소인수를 구한 것이다. 물음에 답하여 보자.

	유한소수				무한소수	
소수	0.7	0.51	0.12	0.35	$0.\dot{3}57142\dot{8}$	$0.5\dot{3}$
분수	$\frac{7}{10}$	$\frac{51}{100}$	$\frac{3}{25}$	$\frac{7}{20}$	$\frac{5}{14}$	$\frac{8}{15}$
분모의 소인수	2, 5	2, 5	5	2, 5	2, 7	3, 5

활동 1 표를 완성하여 보자.

활동 2 유한소수, 무한소수를 분수로 나타내었을 때, 분모에 어떤 차이점이 있는지 친구와 이야기하여 보자. 풀이 유한소수를 분수로 나타내면 분모의 소인수가 2나 5뿐이다. 또, 순환소수를 분수로 나타내면 분모에 2나 5 이외의 소인수가 있다.

모든 유한소수는 분모가 10의 거듭제곱인 분수로 나타낼 수 있다.
10^n을 소인수분해하면 $10^n=2^n\times5^n$이므로 분모는 아무리 약분해도 2 또는 5만을 소인수로 갖게 되므로 유한소수를 분수로 고치면 분모의 소인수는 2나 5뿐이다.

탐구하기 에서 0.7, 0.51과 같은 유한소수는 분모가 10의 거듭제곱인 분수로 나타낼 수 있다.

$$0.7=\frac{7}{10},\ 0.51=\frac{51}{100}=\frac{51}{10^2}$$

이때 분모를 각각 소인수분해하면

$$10=2\times5,\ 10^2=2^2\times5^2$$

이므로 그 소인수가 2와 5뿐임을 알 수 있다.

⊕ $\frac{5}{14}$와 같이 분모에 2나 5 이외의 소인수가 있는 기약분수는 분모를 10의 거듭제곱의 꼴로 고칠 수 없으므로 유한소수로 나타낼 수 없다.

한편, $\frac{3}{25}$, $\frac{7}{20}$과 같이 기약분수로 나타내었을 때, 분모의 소인수가 2나 5뿐인 분수는 분모에 적당한 수를 곱하여 분모를 10의 거듭제곱인 수로 고칠 수 있으므로 유한소수로 나타낼 수 있다.

$$\frac{3}{25}=\frac{3}{5^2}=\frac{3\times2^2}{5^2\times2^2}=\frac{12}{100}=0.12$$

$$\frac{7}{20}=\frac{7}{2^2\times5}=\frac{7\times5}{2^2\times5^2}=\frac{35}{100}=0.35$$

분모의 소인수가 2나 5뿐이라는 것은 2와 5를 모두 소인수로 가진다는 뜻이 아니라 2만 가지거나 5만 가지거나 2와 5를 모두 가져도 된다는 의미이다. 즉, 2와 5 이외의 소인수를 가지지 않는다는 뜻이다.

이상을 정리하면 다음과 같다.

유한소수로 나타낼 수 있는 유리수

정수가 아닌 유리수를 기약분수로 나타내었을 때, 분모의 소인수가 2나 5뿐이면 그 유리수는 유한소수로 나타낼 수 있다.

함께해 보기 1

다음은 유한소수로 나타낼 수 있는 것을 찾는 과정이다. □ 안에 알맞은 수를 써넣어 보자.

$$\frac{1}{8},\quad \frac{1}{15},\quad \frac{9}{120},\quad \frac{1}{150}$$

분수를 기약분수로 고친 다음 분모의 소인수를 확인하여 보면 다음과 같다.

$\frac{1}{8}=\frac{1}{2^3}$ ➡ 분모의 소인수: 2

$\frac{1}{15}=\frac{1}{\boxed{3}\times5}$ ➡ 분모의 소인수: $\boxed{3}$, 5

$\frac{9}{120}=\frac{3}{\boxed{40}}=\frac{3}{2^3\times\boxed{5}}$ ➡ 분모의 소인수: $\boxed{2}$, $\boxed{5}$

$\frac{1}{150}=\frac{1}{\boxed{2}\times\boxed{3}\times5^2}$ ➡ 분모의 소인수: $\boxed{2}$, $\boxed{3}$, $\boxed{5}$

따라서 주어진 분수 중 유한소수로 나타낼 수 있는 것은 기약분수로 나타내었을 때 분모의 소인수가 2나 5뿐인 $\frac{1}{8}$, $\boxed{\frac{9}{120}}$ 이다.

Tip 기약분수가 아니라면 먼저 기약분수로 고치는 과정이 필요하다.

3. 다음에서 유한소수로 나타낼 수 있는 것을 모두 찾으시오.

(1) $\frac{18}{45}$

(2) $-\frac{7}{80}$

(3) $\frac{25}{12}$

(4) $\frac{6}{2^2\times5\times7}$

풀이 분수를 기약분수로 고친 다음 분모를 소인수분해하면

(1) $\frac{18}{45}=\frac{2}{5}$ (2) $-\frac{7}{80}=-\frac{7}{2^4\times5}$ (3) $\frac{25}{12}=\frac{25}{2^2\times3}$ (4) $\frac{6}{2^2\times5\times7}=\frac{3}{2\times5\times7}$

따라서 유한소수로 나타낼 수 있는 것은 (1), (2)이다.

Tip 분모가 2나 5 이외의 소인수를 가지는 유리수 $\frac{a}{b}(b>0)$를 소수로 나타내기 위해 a를 b로 나누면 나머지가 0인 경우는 없다. 따라서 나머지로 나타날 수 있는 수는 $1, 2, \cdots, b-1$의 최대 $(b-1)$개이다.
따라서 b번의 나눗셈 이내에 앞에 나왔던 나머지와 같은 나머지가 나오게 되고 그 후에는 앞의 나눗셈이 되풀이된다.

이제 유한소수로 나타낼 수 없는 유리수를 알아보자.

예를 들어 $\frac{5}{7}$를 소수로 나타내기 위하여 오른쪽 계산과 같이 5를 7로 나누어 보면 각 단계에서 나머지는 1, 2, 3, 4, 5, 6 중 하나로 나타난다. 각 계산 단계에서 나머지를 차례대로 적어 보면

5, 1, 3, 2, 6, 4, 5, ⋯

이고 나머지가 처음과 같이 5가 되면 그 후에는 앞의 과정이 되풀이되므로 순환마디가 생기게 된다. 즉,

$$\frac{5}{7}=0.714285714285714285\cdots$$
$$=0.\dot{7}1428\dot{5}$$

가 됨을 알 수 있다.

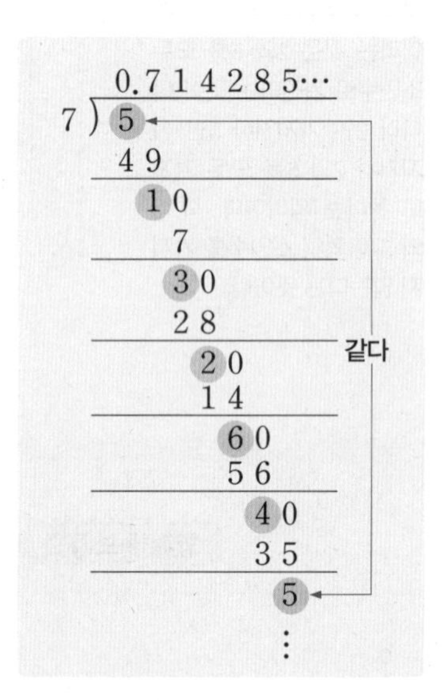

이와 같이 정수가 아닌 유리수를 기약분수로 나타내었을 때, 분모에 2나 5 이외의 소인수가 있으면 그 분수는 무한소수로 나타낼 수 있으며, 그 무한소수는 순환소수가 된다.

이상을 정리하면 다음과 같다.

유한소수로 나타낼 수 없는 유리수

정수가 아닌 유리수를 기약분수로 나타내었을 때, 분모에 2나 5 이외의 소인수가 있으면 그 유리수는 무한소수로 나타낼 수 있으며, 그 무한소수는 순환소수가 된다.

Tip $\frac{1}{6}=0.1666\cdots$

바로 확인 $\frac{1}{6}=\frac{1}{2\times\boxed{3}}$ 이므로 $\frac{1}{6}$의 분모 6은 2나 5 이외의 소인수 $\boxed{3}$을 가진다.
따라서 $\frac{1}{6}$은 순환소수로 나타낼 수 있다.

Tip 분모를 소인수분해한 뒤 주어진 분수가 기약분수인가 아닌가를 우선적으로 판단하여야 한다.

4. 다음에서 유한소수로 나타낼 수 없는 것을 모두 찾고, 그 수를 순환소수로 나타내시오.

(1) $\dfrac{4}{15}$ $0.2\dot{6}$　　(2) $\dfrac{7}{40}$

(3) $-\dfrac{3}{90}$ $-0.0\dot{3}$　　(4) $\dfrac{21}{2\times5\times7}$

풀이 (1) $\frac{4}{15}=\frac{4}{3\times5}$는 분모가 2나 5 이외의 소인수를 가지므로 유한소수로 나타낼 수 없다. 따라서 $\frac{4}{15}=0.2\dot{6}$과 같이 순환소수로 나타낼 수 있다.

(2) $\frac{7}{40}=\frac{7}{2^3\times5}$은 분모의 소인수가 2나 5뿐이므로 유한소수로 나타낼 수 있다.

(3) $-\frac{3}{90}=-\frac{1}{30}=-\frac{1}{2\times3\times5}$은 분모가 2나 5 이외의 소인수를 가지므로 유한소수로 나타낼 수 없다.

따라서 $-\frac{3}{90}=-\frac{1}{30}=-0.0\dot{3}$과 같이 순환소수로 나타낼 수 있다.

(4) $\frac{21}{2\times5\times7}=\frac{3}{2\times5}$은 분모의 소인수가 2나 5뿐이므로 유한소수로 나타낼 수 있다.

의사소통 **5.** $\dfrac{5}{7}$는 유한소수로 나타낼 수 없다. 그런데 계산기에서 $5\div7$을 계산한 결과가 유한소수로 나오는 까닭을 친구들과 이야기하시오.

풀이 $\frac{5}{7}$는 분모에 2나 5 이외의 소인수가 있으므로 소수로 나타내면 순환소수이다.

하지만 계산기 화면에서는 유한개의 숫자로 나타나므로 보통 $\frac{5}{7}=5\div7=0.\dot{7}1428\dot{5}$의 소수점 아래 17번째 자리에서 반올림한 유한소수로 나타난다.

생각 나누기

추론 의사소통 태도 및 실천

일상생활에서 분수와 소수는 다양하게 사용되는데 다음과 같이 요리책에서 재료의 양을 나타낼 때에는 주로 분수를 사용하고, 야구에서 승률을 나타낼 때에는 주로 소수를 사용한다. 소수 표현과 분수 표현의 편리한 점을 비교하여 친구들과 이야기하여 보자.

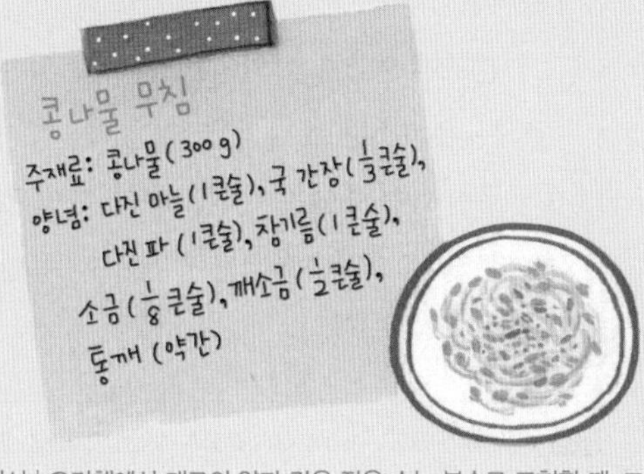

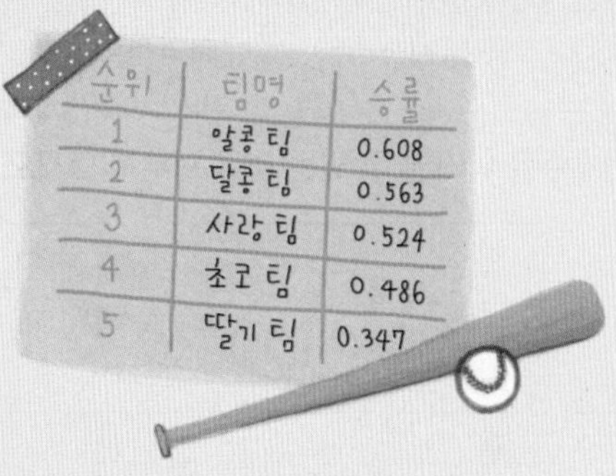

순위	팀명	승률
1	알콩 팀	0.608
2	달콩 팀	0.563
3	사랑 팀	0.524
4	초코 팀	0.486
5	딸기 팀	0.347

풀이 | 예시 | 요리책에서 재료의 양과 같은 작은 수는 분수로 표현할 때, 그 양을 짐작하기 쉽다.

예를 들어 소금 $\frac{1}{8}$큰술은 숟가락의 $\frac{1}{8}$ 정도로 그 양을 짐작하기 쉽지만 이를 소수로 나타낸 0.125큰술은 그 양을 짐작하기 어렵다.

야구에서 승률은 분수보다 소수로 표현할 때, 그 크기를 비교하기 쉽다. 예를 들어 알콩 팀의 승률이 달콩 팀보다 높음을 소수 표현으로 쉽게 알 수 있지만, 두 팀의 승률을 각각 분수로 나타내면 $\frac{76}{125}$, $\frac{563}{1000}$으로 비교하기가 어렵다.

스스로 점검하기

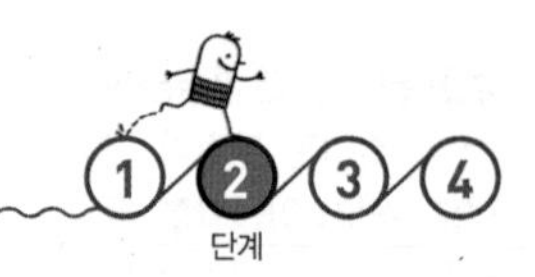

개념 점검하기

(1) 유한소수: 소수점 아래의 0이 아닌 숫자가 유한 번 나타나는 소수

(2) [무한소수]: 소수점 아래의 0이 아닌 숫자가 무한 번 나타나는 소수

(3) [순환소수]: 소수점 아래의 어떤 자리에서부터 일정한 숫자의 배열이 끝없이 되풀이되는 무한소수

① [순환마디]: 순환소수에서 일정하게 되풀이되는 소수점 아래의 한 부분

② 순환소수는 순환마디의 양 끝의 숫자 위에 점을 찍어 간단히 나타낼 수 있다.

예 $0.777\cdots=$ [$0.\dot{7}$], $0.0313131\cdots=$ [$0.0\dot{3}\dot{1}$], $1.415415415\cdots=$ [$1.\dot{4}1\dot{5}$]

(4) 정수가 아닌 유리수를 기약분수로 나타내었을 때, 분모의 소인수가 [2]나 [5]뿐이면 그 수는 유한소수로, 그렇지 않으면 [순환소수]로 나타낼 수 있다.

1 ●●● (13쪽)

다음 순환소수의 순환마디를 말하고, 순환마디에 점을 찍어 간단히 나타내시오.

(1) $3.141414\cdots$ 14, $3.1\dot{4}$

(2) $0.0010101\cdots$ 01, $0.00\dot{1}$

(3) $1.779779779\cdots$ 779, $1.\dot{7}7\dot{9}$

(4) $17.2641641641\cdots$ 641, $17.2\dot{6}4\dot{1}$

2 ●●● (13쪽)

$\frac{1}{11}$을 소수로 나타낼 때, 소수점 아래 100번째 자리의 숫자를 구하시오. 9

풀이 $\frac{1}{11}=0.\dot{0}\dot{9}$이므로 순환마디 09의 2개의 숫자가 반복된다.
이때 $100=2\times50$이므로 소수점 아래 100번째 자리의 숫자는 9이다.

3 ●●● (15쪽)

다음에서 유한소수로 나타낼 수 있는 것을 모두 찾으시오.

$\frac{3}{16}$, $\frac{2}{18}$, $\frac{3}{2^2\times3^2}$, $\frac{7}{2^2\times5\times7}$

풀이 $\frac{3}{16}=\frac{3}{2^4}$, $\frac{2}{18}=\frac{1}{9}=\frac{1}{3^2}$, $\frac{3}{2^2\times3^2}=\frac{1}{2^2\times3}$, $\frac{7}{2^2\times5\times7}=\frac{1}{2^2\times5}$
이므로 유한소수로 나타낼 수 있는 것은 $\frac{3}{16}$, $\frac{7}{2^2\times5\times7}$이다.

4 ●●● (15쪽)

분수 $\frac{a}{24}$를 소수로 나타내면 유한소수가 된다고 한다. 이때 10보다 작은 자연수 a의 값을 모두 구하시오. 3, 6, 9

풀이 $\frac{a}{24}=\frac{a}{2^3\times3}$를 유한소수로 나타낼 수 있으려면 a는 3의 배수여야 한다.
따라서 주어진 조건을 만족시키는 10보다 작은 자연수 a의 값은 3, 6, 9이다.

5 ●●● (16쪽)

다음 보기 중에서 옳은 것을 모두 고르시오.

| 보기 |
ㄱ. 분모에 2나 5 이외의 소인수가 있는 기약분수는 유한소수로 나타낼 수 없다.
ㄴ. 무한소수 중에는 순환소수가 아닌 것이 있다.
ㄷ. 분모의 소인수가 2뿐인 분수는 유한소수로 나타낼 수 없다.

풀이 ㄷ. 예를 들어 $\frac{1}{2}=0.5$와 같이 분모의 소인수가 2뿐인 분수는 유한소수로 나타낼 수 있다.
따라서 옳은 것은 ㄱ, ㄴ이다.

02 유리수와 순환소수

학습 목표 | 유리수와 순환소수의 관계를 이해한다.

순환소수를 분수로 어떻게 나타낼까?

탐구하기

탐구 목표
순환소수를 분수로 나타내는 과정을 이해할 수 있다.

순환소수 $0.\dot{4}$, $0.\dot{2}\dot{5}$를 각각 x, y라고 할 때, 다음 물음에 답하여 보자.

x	$0.444\cdots$
$10x$	$4.444\cdots$
$100x$	$44.444\cdots$

y	$0.252525\cdots$
$10y$	$2.525252\cdots$
$100y$	$25.252525\cdots$

활동 1 $10x-x$의 값을 구하여 보자. 4

풀이 $10x-x=4$

활동 2 표를 완성하고, y, $10y$, $100y$ 중에서 소수점 아래의 부분이 같은 두 수를 찾아보자. 또, 그 두 수의 차를 구하여 보자. y, $100y$ / $100y-y=25$

풀이 $10y=2.525252\cdots$, $100y=25.252525\cdots$이고 소수점 아래의 부분이 같은 두 수는 y, $100y$이다. 또, 그 두 수의 차는 $100y-y=25$이다.

탐구하기 와 같이 순환소수에 10, 100, 1000, … 등 10의 거듭제곱 중 하나를 적당히 곱하면 소수점 아래의 부분이 같은 순환소수를 만들 수 있고 그 두 수의 차는 정수가 된다.

이 사실을 이용하여 순환소수 $0.\dot{4}$를 분수로 나타내어 보자.

순환소수 $0.\dot{4}$를 x라고 하면

$$x=0.444\cdots \quad \cdots\cdots ①$$

이고, ①의 양변에 10을 곱하면

$$10x=4.444\cdots \quad \cdots\cdots ②$$

이다. 이때 ①과 ②는 소수점 아래의 부분이 같으므로 ②에서 ①을 변끼리 빼면 $9x=4$, 즉 $x=\frac{4}{9}$가 된다.

따라서 $0.\dot{4}=\frac{4}{9}$임을 알 수 있다.

$$\begin{array}{rr} & 10x=4.444\cdots \\ -) & x=0.444\cdots \\ \hline & 9x=4 \end{array}$$

이와 같은 방법으로 순환소수를 분수로 나타낼 수 있다.

함께해 보기 1

소수점 아래의 부분이 같아지도록 10, 100, 1000, … 들 중에서 적당한 수를 찾아 곱한다.

다음은 순환소수 $0.\dot{2}\dot{5}$를 분수로 나타내는 과정이다. □ 안에 알맞은 수를 써넣어 보자.

$0.\dot{2}\dot{5}$를 x라고 하면

$x=0.252525\cdots$ …… ①

①의 양변에 100을 곱하면

$100x=$ [25.252525] $\cdots$ …… ②

②에서 ①을 변끼리 빼면

[99] $x=25$, $x=\frac{[25]}{[99]}$

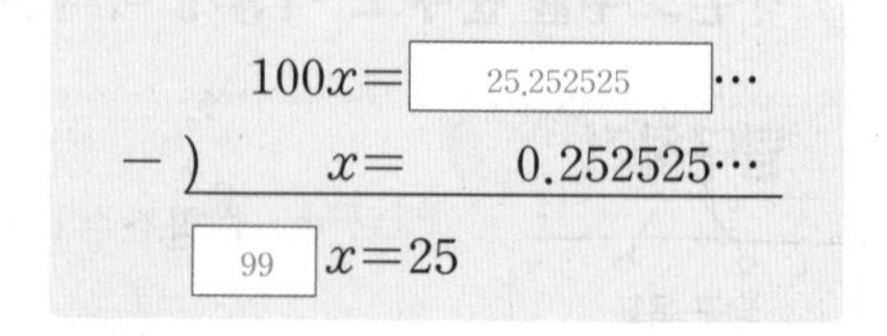

따라서 $0.\dot{2}\dot{5}=\frac{[25]}{[99]}$이다.

1. 다음 순환소수를 분수로 나타내시오.

(1) $0.\dot{7}$ $\frac{7}{9}$

(2) $3.\dot{6}$ $\frac{11}{3}$

(3) $0.\dot{3}\dot{5}$ $\frac{35}{99}$

(4) $1.\dot{1}0\dot{8}$ $\frac{41}{37}$

풀이 (1) $0.\dot{7}$을 x라고 하면 $x=0.777\cdots$ …… ①
①의 양변에 10을 곱하면 $10x=7.777\cdots$ …… ②
②에서 ①을 변끼리 빼면 $9x=7$
따라서 $x=\frac{7}{9}$이다.

(2) $3.\dot{6}$을 x라고 하면 $x=3.666\cdots$ …… ①
①의 양변에 10을 곱하면 $10x=36.666\cdots$ …… ②
②에서 ①을 변끼리 빼면 $9x=33$
따라서 $x=\frac{33}{9}=\frac{11}{3}$이다.

(3) $0.\dot{3}\dot{5}$를 x라고 하면 $x=0.353535\cdots$ …… ①
①의 양변에 100을 곱하면
$100x=35.353535\cdots$ …… ②
②에서 ①을 변끼리 빼면 $99x=35$
따라서 $x=\frac{35}{99}$이다.

(4) $1.\dot{1}0\dot{8}$을 x라고 하면 $x=1.108108108\cdots$ …… ①
①의 양변에 1000을 곱하면
$1000x=1108.108108108\cdots$ …… ②
②에서 ①을 변끼리 빼면 $999x=1107$
따라서 $x=\frac{1107}{999}=\frac{41}{37}$이다.

함께해 보기 2

다음은 순환소수 $0.3\dot{9}\dot{2}$를 분수로 나타내는 과정이다. □ 안에 알맞은 수를 써넣어 보자.

$0.3\dot{9}\dot{2}$를 x라고 하면

$x=0.3929292\cdots$ …… ①

①의 양변에 10, 1000을 각각 곱하면

$10x=$ [3.929292] $\cdots$ …… ②

$1000x=$ [392.929292] $\cdots$ …… ③

③에서 ②를 변끼리 빼면

[990] $x=389$, $x=\frac{[389]}{[990]}$

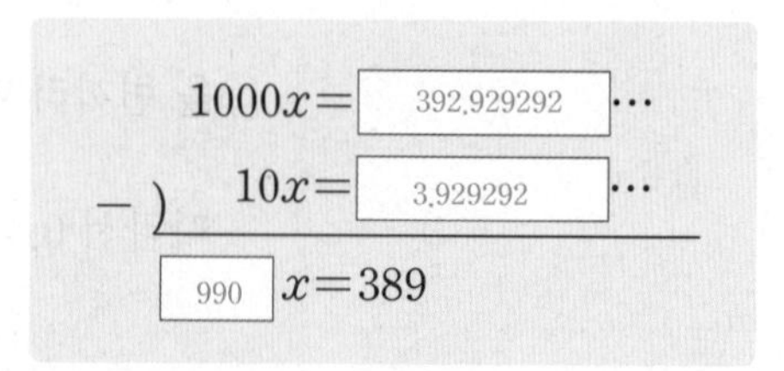

따라서 $0.3\dot{9}\dot{2}=\frac{[389]}{[990]}$이다.

2. 다음 순환소수를 분수로 나타내시오.

(1) $0.4\dot{5}$ $\frac{41}{90}$　　　(2) $0.23\dot{6}$ $\frac{71}{300}$

(3) $0.1\dot{1}\dot{3}$ $\frac{56}{495}$　　　(4) $1.1\dot{3}\dot{6}$ $\frac{25}{22}$

풀이 (1) $0.4\dot{5}$를 x라고 하면

$x=0.4555\cdots$ …… ①

①의 양변에 10, 100을 각각 곱하면

$10x=4.555\cdots$ …… ②

$100x=45.555\cdots$ …… ③

③에서 ②를 변끼리 빼면 $90x=41$

따라서 $x=\frac{41}{90}$

(2) $0.23\dot{6}$을 x라고 하면

$x=0.23666\cdots$ …… ①

①의 양변에 100, 1000을 각각 곱하면

$100x=23.666\cdots$ …… ②

$1000x=236.666\cdots$ …… ③

③에서 ②를 변끼리 빼면 $900x=213$

따라서 $x=\frac{213}{900}=\frac{71}{300}$

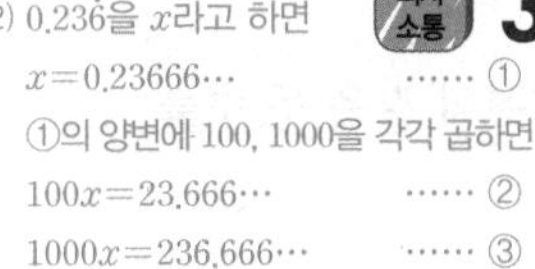

(3) $0.1\dot{1}\dot{3}$을 x라고 하면

$x=0.1131313\cdots$ …… ①

①의 양변에 10, 1000을 각각 곱하면

$10x=1.131313\cdots$ …… ②

$1000x=113.131313\cdots$ …… ③

③에서 ②를 변끼리 빼면 $990x=112$

따라서 $x=\frac{112}{990}=\frac{56}{495}$

(4) $1.1\dot{3}\dot{6}$을 x라고 하면

$x=1.1363636\cdots$ …… ①

①의 양변에 10, 1000을 각각 곱하면

$10x=11.363636\cdots$ …… ②

$1000x=1136.363636\cdots$ …… ③

③에서 ②를 변끼리 빼면 $990x=1125$

따라서 $x=\frac{1125}{990}=\frac{25}{22}$

의사소통 3. 다음 우진이의 말이 틀린 까닭을 친구들과 이야기하시오.

풀이 $0.4\dot{1}\dot{3}$을 x라고 하면 $x=0.4131313\cdots$ …… ①

①의 양변에 10, 100, 1000을 각각 곱하면 $10x=4.131313\cdots$

$100x=41.313131\cdots$

$1000x=413.131313\cdots$

따라서 소수점 아래의 부분이 같은 두 수 $10x$와 $1000x$의 차는 정수가 된다. 즉, $1000x-10x$가 정수이다.

이와 같이 모든 순환소수는 분수로 나타낼 수 있다. 따라서 유한소수와 순환소수는 분수로 나타낼 수 있으므로 유리수임을 알 수 있다.

이상을 정리하면 다음과 같다.

유리수와 순환소수의 관계

유한소수와 순환소수는 모두 유리수이다.

- 소수
  - 유한소수 ─ 유리수
  - 무한소수
    - 순환소수 ─ 유리수
    - 순환소수가 아닌 무한소수

개념 쏙

$\frac{a}{b}$($b\neq0$, a, b는 정수)와 같이 분수로 나타낼 수 있는 수를 유리수라고 한다.

생각 나누기

추론 의사소통 태도 및 실천

다음 네 학생 중 유리수에 대하여 잘못 설명한 학생을 모두 찾고, 그 까닭을 친구들과 이야기하여 보자.

유리수는 항상 유한소수로 나타낼 수 있어.

선우

순환소수는 유리수야.

하영

풀이 잘못 설명한 학생은 민하와 선우이다.

민하: $\frac{6}{30}$의 경우 분모에 2나 5 이외의 소인수 3이 있지만, $\frac{6}{30}=\frac{2}{10}=0.2$가 되어 유한소수로 나타낼 수 있다.

선우: $\frac{1}{3}=0.333\cdots$과 같이 분모에 2나 5 이외의 소인수가 있는 유리수는 유한소수로 나타낼 수 없다.

소단원

스스로 점검하기

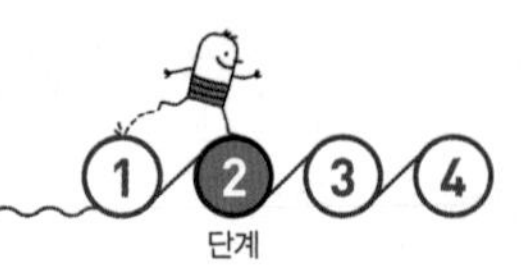

개념 점검하기

(1) 순환소수를 분수로 나타내기

① 주어진 순환소수를 x라고 한다.

② 양변에 10, 100, 1000, ⋯ 등 10의 거듭제곱 중 하나를 적당히 곱하여 소수점 아래의 부분이 같은 두 수를 만든다.

③ 두 수의 차를 이용하여 순환소수를 분수로 나타낸다.

(2) 유한소수와 순환소수는 모두 분수로 나타낼 수 있으므로 [유리수] 이다.

풀이 (1) $1.\dot{5}3\dot{6}$을 x라고 하면 $x=1.536536536\cdots$이고
$1000x=1536.536536536\cdots$이므로 x와 $1000x$의 소수점 아래의 부분이 같다.
따라서 $1000x-x$를 사용하여 분수로 나타낼 수 있다.

1 ●●●

19쪽

다음 각 순환소수를 x라 하고 분수로 나타낼 때, 사용할 수 있는 식을 각각 연결하시오.

(1) $1.\dot{5}3\dot{6}$ •   • $1000x-10x$

(2) $3.11\dot{4}$ •   • $1000x-x$

(3) $0.2\dot{5}\dot{7}$ •   • $1000x-100x$

(2) $3.11\dot{4}$를 x라고 하면 $100x=311.444\cdots$이고
$1000x=3114.444\cdots$이므로 $100x$와 $1000x$의 소수점 아래의 부분이 같다.
따라서 $1000x-100x$를 사용하여 분수로 나타낼 수 있다.

(3) $0.2\dot{5}\dot{7}$을 x라고 하면 $10x=2.575757\cdots$이고
$1000x=257.575757\cdots$이므로 $10x$와 $1000x$의 소수점 아래의 부분이 같다.
따라서 $1000x-10x$를 사용하여 분수로 나타낼 수 있다.

풀이 (1) $0.\dot{5}$를 x라고 하면 $x=0.555\cdots$ ⋯⋯ ①
①의 양변에 10을 곱하면 $10x=5.555\cdots$ ⋯⋯ ②
②에서 ①을 변끼리 빼면 $9x=5$ 따라서 $x=\frac{5}{9}$

(2) $2.\dot{7}\dot{1}$을 x라고 하면 $x=2.717171\cdots$ ⋯⋯ ①
①의 양변에 100을 곱하면 $100x=271.717171\cdots$ ⋯⋯ ②
②에서 ①을 변끼리 빼면 $99x=269$ 따라서 $x=\frac{269}{99}$

(3) $3.3\dot{1}$을 x라고 하면 $x=3.3111\cdots$ ⋯⋯ ①
①의 양변에 10, 100을 각각 곱하면
$10x=33.111\cdots$ ⋯⋯ ②, $100x=331.111\cdots$ ⋯⋯ ③
③에서 ②를 변끼리 빼면 $90x=298$ 따라서 $x=\frac{298}{90}=\frac{149}{45}$

2 ●●●

20쪽

다음 순환소수를 기약분수로 나타내시오.

(1) $0.\dot{5}$ $\frac{5}{9}$ (2) $2.\dot{7}\dot{1}$ $\frac{269}{99}$

(3) $3.3\dot{1}$ $\frac{149}{45}$ (4) $0.40\dot{7}$ $\frac{367}{900}$

(4) $0.40\dot{7}$을 x라고 하면 $x=0.40777\cdots$ ⋯⋯ ①
①의 양변에 100, 1000을 각각 곱하면
$100x=40.777\cdots$ ⋯⋯ ②, $1000x=407.777\cdots$ ⋯⋯ ③
③에서 ②를 변끼리 빼면 $900x=367$ 따라서 $x=\frac{367}{900}$

3 ●●●

21쪽

분수 $\frac{x}{6}$를 소수로 나타내면 $2.\dot{3}$일 때, 자연수 x를 구하시오. 14

풀이 $2.\dot{3}$을 분수로 나타내면 $\frac{21}{9}=\frac{7}{3}$이므로 $\frac{x}{6}=\frac{7}{3}$
따라서 $x=14$이다.

4 ●●●

21쪽

순환소수 $0.\dot{7}$의 역수를 구하시오. $\frac{9}{7}$

풀이 $0.\dot{7}$을 분수로 나타내면 $\frac{7}{9}$이므로 이 수의 역수는 $\frac{9}{7}$이다.

5 ●●●

21쪽

다음은 유리수에 대한 설명이다. ( ) 안에 옳으면 ○, 옳지 않으면 ×를 써넣으시오.

(1) 순환소수는 유리수이다. ⋯ (○)

(2) 유한소수는 유리수이다. ⋯ (○)

(3) 정수가 아닌 유리수는 모두 유한소수로 나타낼 수 있다. ⋯ (×)

풀이 (1) 순환소수는 분수로 나타낼 수 있으므로 유리수이다.(○)
(2) 유한소수는 분수로 나타낼 수 있으므로 유리수이다.(○)
(3) 정수가 아닌 유리수 $\frac{1}{6}$은 유한소수로 나타낼 수 없다.(×)

순환소수로 그린 그림

영국의 한 설치 미술가는 정해진 색상표 범위 안의 색점들을 사용하여 작품을 완성하였다. 우리도 색점을 사용하여 순환소수의 일부를 그림으로 나타내어 보자.

활동 ① 자신만의 색상표를 만들어 보자. (단, 각각 다른 색으로 정한다.)

풀이 | 예시 |

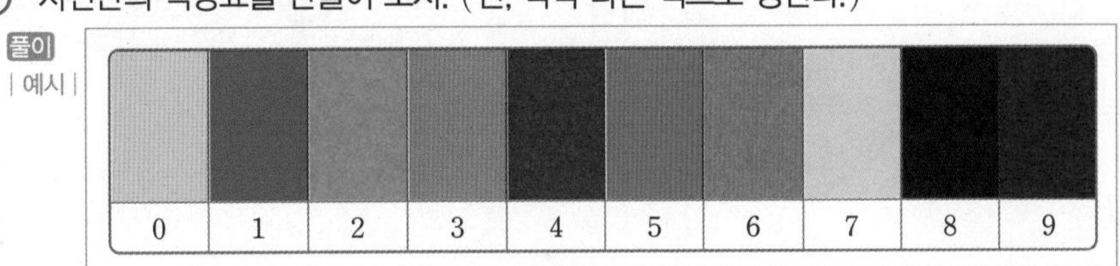

활동 ② 활동 ①의 색상표를 이용하여 다음 순환소수의 소수점 아래 25자리를 그림으로 나타내어 보자.

풀이 (1) $0.1\dot{4}3\dot{2}$

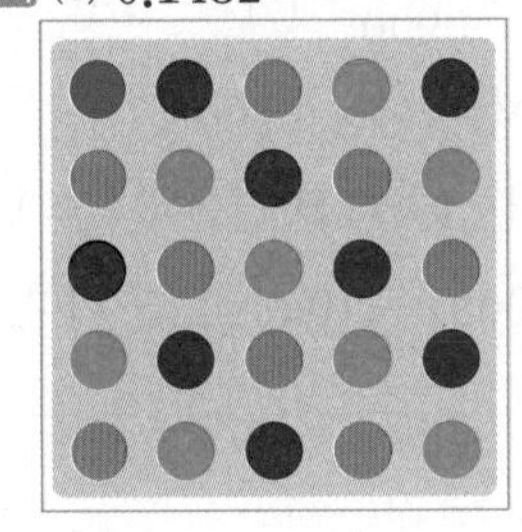

(2) $0.0\dot{5}9\dot{1}$ | 예시 |

(3) $0.7\dot{6}\dot{8}$ | 예시 |

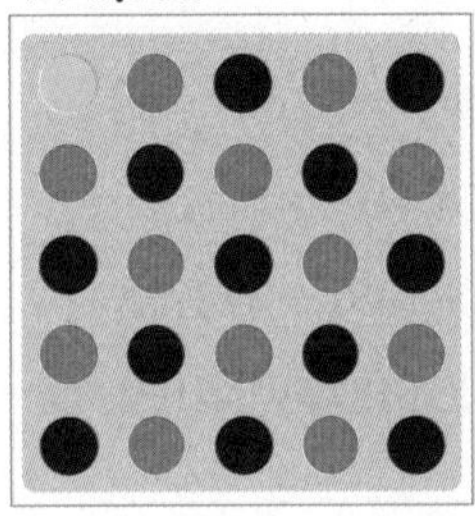

활동 ③ 정수 부분이 0인 어떤 순환소수의 소수점 아래 25자리를 그림으로 나타내면 오른쪽과 같다. 이때 이 순환소수를 분수로 나타내어 보자.

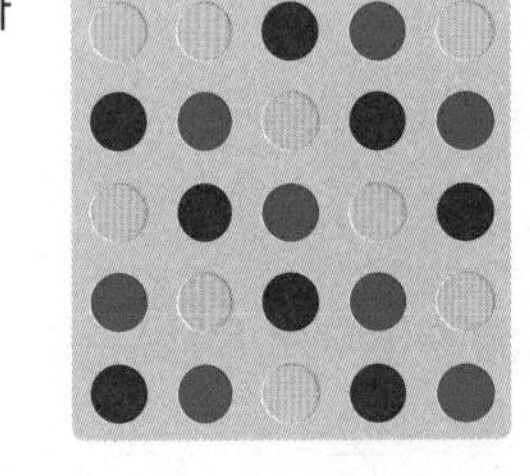

풀이 노란색은 0, 파란색은 4, 빨간색은 1을 나타내므로 그림이 나타내는 정수 부분이 0인 순환소수는 $0.0041041041\cdots=0.0\dot{0}4\dot{1}$이다.

따라서 이를 분수로 나타내면 $\frac{41}{9990}$이다.

이 활동에서 재미있었던 점과 어려웠던 점을 적어 보자.

재미있었던 점	어려웠던 점

* 색점 대신 무늬점을 사용하여 같은 활동을 할 수도 있습니다.

스스로 확인하기

1. 다음 수를 보고, 아래에 알맞은 수를 모두 고르시오.

$3.14,\quad 0.419419419\cdots,\quad \pi,\quad 5.12481$

(1) 유한소수 3.14, 5.12481

(2) 무한소수 $0.419419419\cdots$, π

2. 다음 보기 중에서 순환소수를 순환마디에 점을 찍어 간단히 나타낸 것으로 옳은 것을 모두 고르시오.

보기

ㄱ. $5.5999\cdots=5.\dot{5}\dot{9}$

ㄴ. $0.1545454\cdots=0.1\dot{5}\dot{4}$

ㄷ. $1.081081081\cdots=\dot{1}.0\dot{8}$

ㄹ. $0.2314314314\cdots=0.2\dot{3}1\dot{4}$

풀이 ㄱ. $5.5999\cdots=5.5\dot{9}$

ㄷ. $1.081081081\cdots=1.\dot{0}8\dot{1}$

따라서 옳은 것은 ㄴ, ㄹ이다.

3. 다음 분수 중에서 유한소수로 나타낼 수 있는 것을 모두 찾으시오.

$\frac{3}{12},\quad \frac{32}{15},\quad \frac{27}{3^2\times5},\quad \frac{3}{2^2\times3^2\times5}$

풀이 $\frac{3}{12}=\frac{1}{4}=\frac{1}{2^2}$, $\frac{32}{15}=\frac{32}{3\times5}$, $\frac{27}{3^2\times5}=\frac{3}{5}$, $\frac{3}{2^2\times3^2\times5}=\frac{1}{2^2\times3\times5}$

이므로 유한소수로 나타낼 수 있는 것은 $\frac{3}{12}$, $\frac{27}{3^2\times5}$이다.

4. 분수 $\frac{3\times a}{2\times3^3\times5}$를 유한소수로 나타낼 수 있다고 할 때, 가장 큰 두 자리의 자연수 a의 값을 구하시오. 99

풀이 $\frac{3\times a}{2\times3^3\times5}=\frac{a}{2\times3^2\times5}$를 유한소수로 나타낼 수 있으려면 a는 3^2, 즉 9의 배수여야 한다. 따라서 주어진 조건을 만족시키는 가장 큰 두 자리의 자연수 a의 값은 99이다.

5. 다음 보기 중에서 순환소수 $x=1.4717171\cdots$에 대한 설명으로 옳은 것을 모두 고르시오.

보기

ㄱ. $x=\frac{1457}{900}$이다.

ㄴ. 순환마디는 71이다.

ㄷ. x는 $1.\dot{4}7\dot{1}$로 간단히 나타낸다.

ㄹ. $1000x-10x=1457$이다.

풀이 $1.4717171\cdots$의 순환마디는 71이므로 순환마디에 점을 찍어 간단히 나타내면 $1.4\dot{7}\dot{1}$이다.

또, 주어진 순환소수의 양변에 10, 1000을 각각 곱하면

$10x=14.717171\cdots$ …… ①

$1000x=1471.717171\cdots$ …… ②

②에서 ①을 변끼리 빼면 $990x=1457$, $x=\frac{1457}{990}$

따라서 옳은 것은 ㄴ, ㄹ이다.

6. 순환소수 $5.\dot{6}$에 a를 곱하면 자연수가 될 때, a의 값이 될 수 있는 10보다 작은 자연수를 모두 구하시오. 3, 6, 9

풀이 $5.\dot{6}$을 x라고 하면 $x=5.666\cdots$ …… ①

①의 양변에 10을 곱하면 $10x=56.666\cdots$ …… ②

②에서 ①을 변끼리 빼면 $9x=51$, $x=\frac{17}{3}$

이때 $5.\dot{6}\times a=\frac{17}{3}\times a$가 자연수가 되게 하려면 a는 3의 배수여야 하므로 a의 값이 될 수 있는 10보다 작은 자연수는 3, 6, 9이다.

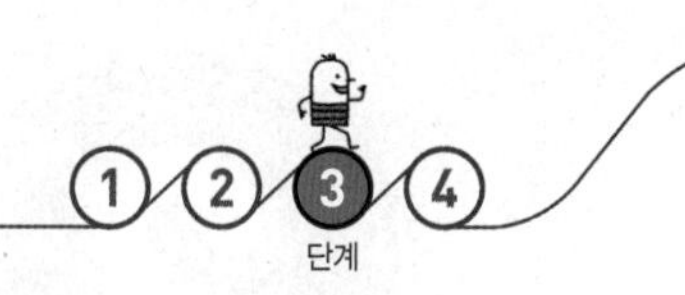

실력 업(UP) 발전 문제

7. $\frac{6}{7}$을 소수로 나타낼 때, 소수점 아래 첫째 자리의 숫자부터 25번째 자리의 숫자까지의 합을 구하시오. 116

풀이 $\frac{6}{7}=0.\dot{8}5714\dot{2}$에서 순환마디는 857142이고, 6개의 숫자가 반복된다. 이때 $25=6\times4+1$이므로 순환마디는 4번 반복되고 25번째 자리의 숫자는 8이다. 따라서 구하는 합은 $(8+5+7+1+4+2)\times4+8=27\times4+8=116$이다.

8. 분수 $\frac{a}{140}$를 소수로 나타내면 유한소수가 되고, 이 분수를 기약분수로 나타내면 $\frac{1}{b}$일 때, 자연수 a, b의 값을 각각 구하시오. (단, $20<a<30$) $a=28$, $b=5$

풀이 $\frac{a}{140}=\frac{a}{2^2\times5\times7}$를 유한소수로 나타낼 수 있으므로 a는 7의 배수이다.

이때 $20<a<30$에서 $a=21$일 때, $\frac{a}{140}=\frac{21}{140}=\frac{3}{20}$

$a=28$일 때, $\frac{a}{140}=\frac{28}{140}=\frac{1}{5}$이므로 $a=28$, $b=5$이다.

교과서 문제 뛰어 넘기

9. 어떤 기약분수를 순환소수로 나타내는데 한준이는 분모를 잘못 보고 $0.\dot{3}\dot{0}$으로 나타내고, 서하는 분자를 잘못 보고 $2.\dot{7}$로 나타내었다. 처음의 기약분수를 순환소수로 나타내시오.

10. 한 자리의 자연수 a, b에 대하여 두 순환소수 $0.\dot{a}\dot{b}$와 $0.\dot{b}\dot{a}$의 합이 $0.\dot{4}$일 때, $a+b$의 값을 구하시오.

11. 분수 $\frac{a}{2^3\times3\times7}$를 소수로 나타내면 유한소수가 되고, 기약분수로 나타내면 $\frac{1}{b}$이 된다. 이때 자연수 a, b의 합 $a+b$의 최솟값을 구하시오.

식의 계산

01. 지수법칙 | 02. 단항식의 곱셈과 나눗셈 | 03. 다항식의 계산

이것만은 알고 가자

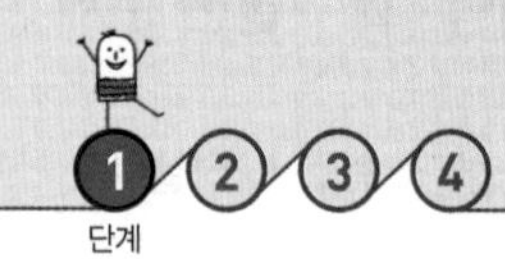

중1 거듭제곱

1. 다음을 거듭제곱을 이용하여 나타내시오.

(1) $3\times3\times3\times3$ 3^4

(2) $2\times2\times2\times5\times5$ $2^3\times5^2$

| 개념 체크 |

$2\times2\times2=2^3$에서 곱하는 수 2를 거듭제곱의 [밑], 곱하는 횟수를 나타내는 3을 거듭제곱의 [지수]라고 한다.

알고 있나요?

수 또는 문자의 곱을 거듭제곱을 이용하여 나타낼 수 있는가?

잘함 보통 모름

중1 일차식과 수의 곱셈, 나눗셈

2. 다음 식을 계산하시오.

(1) $3x\times5$ $15x$

(2) $2a\times(-3)$ $-6a$

(3) $12x\div(-6)$ $-2x$

(4) $(-8a)\div2$ $-4a$

알고 있나요?

일차식과 수의 곱셈, 나눗셈의 원리를 이해하고, 그 계산을 할 수 있는가?

잘함 보통 모름

중1 일차식의 덧셈과 뺄셈

3. 다음 식을 계산하시오.

(1) $2a+3a$ $5a$

(2) $5x-2x$ $3x$

(3) $(4a+3)+(2a-1)$ $6a+2$

(4) $(3x+2)-(2x-1)$ $x+3$

알고 있나요?

일차식의 덧셈과 뺄셈의 원리를 이해하고, 그 계산을 할 수 있는가?

잘함 보통 모름

부족한 부분을 보충하고 본 학습을 준비하여 보자.

한 눈에 개념 정리

01 지수법칙

m, n이 자연수일 때,

1. $a^m \times a^n = a^{m+n}$
2. $(a^m)^n = a^{m \times n}$
3. $a \neq 0$일 때,
   (1) $m > n$이면 $a^m \div a^n = a^{m-n}$
   (2) $m = n$이면 $a^m \div a^n = 1$
   (3) $m < n$이면 $a^m \div a^n = \dfrac{1}{a^{n-m}}$
4. (1) $(ab)^n = a^n b^n$ (2) $\left(\dfrac{a}{b}\right)^n = \dfrac{a^n}{b^n} (b \neq 0)$

02 단항식의 곱셈과 나눗셈

1. 단항식의 곱셈

단항식의 곱셈은 계수는 계수끼리, 문자는 문자끼리 곱하여 계산한다.

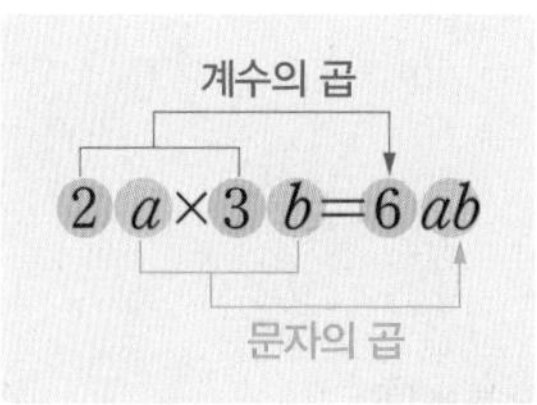

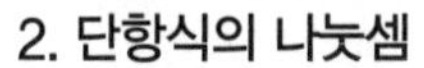

2. 단항식의 나눗셈

(1) 단항식의 나눗셈은 나눗셈을 곱셈으로 고치거나 분수 꼴로 나타낸 다음 계수는 계수끼리, 문자는 문자끼리 계산한다.

(2) 곱셈과 나눗셈이 혼합된 단항식끼리의 계산에서는 나눗셈을 곱셈으로 고쳐서 계산하면 편리하다.

03 다항식의 계산

1. 문자가 2개 이상인 다항식의 덧셈과 뺄셈

괄호를 풀고 동류항끼리 모아서 계산한다.

2. 이차식의 덧셈과 뺄셈

(1) 이차식: 차수가 2인 다항식

(2) 이차식의 덧셈, 뺄셈에서도 일차식의 덧셈, 뺄셈과 마찬가지로 먼저 괄호를 풀고 동류항끼리 모아서 계산한다.

(3) 여러 가지 괄호가 있는 다항식의 덧셈과 뺄셈: 괄호를 풀 때에는 소괄호, 중괄호, 대괄호 순으로 풀어서 간단히 한다.

3. (단항식)×(다항식)

(1) 전개: 단항식과 다항식의 곱셈에서 분배법칙을 이용하여 하나의 다항식으로 나타내는 것

(2) (단항식)×(다항식): 분배법칙을 이용하여 단항식을 다항식의 각 항에 곱하여 계산한다.

4. (다항식)÷(단항식)

단항식의 나눗셈과 마찬가지로 나눗셈을 곱셈으로 고치거나 분수 꼴로 나타내어 계산한다.

01 지수법칙

학습 목표 ▎지수법칙을 이해한다.

$a^m \times a^n$은 어떻게 간단히 할까?

탐구하기

탐구 목표
지수법칙(1)을 이해할 수 있다.

$2^2 \times 2^3$의 계산에 대하여 다음 물음에 답하여 보자.

활동 ❶ $2^2 \times 2^3$은 2를 몇 번 곱한 것인지 구하여 보자. 5번

풀이 $2^2 \times 2^3 = 2 \times 2 \times 2 \times 2 \times 2$이므로 $2^2 \times 2^3$은 2를 5번 곱한 것이다.

활동 ❷ $2^2 \times 2^3$을 간단히 나타내는 방법을 친구들과 이야기하여 보자.

풀이 2를 5번 곱한 것이므로 거듭제곱을 이용하여 2^5으로 나타낼 수 있다.

이전 내용 톡톡

탐구하기 에서 2^2은 2를 두 번 곱한 것이고, 2^3은 2를 세 번 곱한 것이므로 두 수의 곱은

$$2^2 \times 2^3 = (2 \times 2) \times (2 \times 2 \times 2)$$
$$= 2 \times 2 \times 2 \times 2 \times 2 = 2^5$$

으로 2를 5번 곱한 것이다.

이와 같은 방법으로 $a^2 \times a^3$은 다음과 같이 간단히 나타낼 수 있다.

$$a^2 \times a^3 = \underbrace{(a \times a)}_{2개} \times \underbrace{(a \times a \times a)}_{3개}$$
$$= \underbrace{a \times a \times a \times a \times a}_{5개} = a^5$$

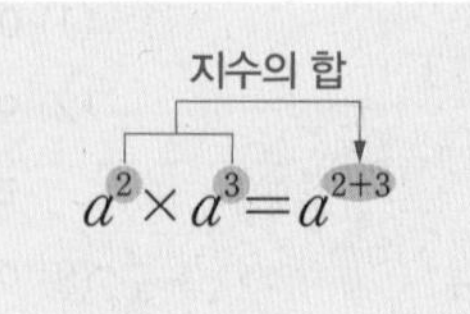

이때 a^5의 지수 5는 $a^2 \times a^3$의 두 지수 2와 3의 합과 같음을 알 수 있다.

Tip 지수법칙(1)을 사용할 때, 다음과 같은 오류를 범하지 않도록 주의한다.
$5^2 \times 5^3 = 5^{2 \times 3}$ (×)
$5^2 + 5^3 = 5^{2+3}$ (×)

일반적으로 거듭제곱으로 나타낸 수의 곱셈에서는 다음 법칙이 성립한다.

지수법칙 (1)

m, n이 자연수일 때,

$$a^m \times a^n = a^{m+n}$$

함께해 보기 1

지수법칙을 이용하여 다음 식을 간단히 하여 보자.

(1) $3^2\times3^4=3^{2+4}=3^{\boxed{6}}$

(2) $a\times a^3\times a^6=a^{1+3}\times a^6=a^4\times a^6=a^{4+6}=a^{\boxed{10}}$

(3) $a^2\times b^3\times a^4\times b^5=a^2\times a^4\times b^3\times b^5=a^{2+4}\times b^{3+5}=a^{\boxed{6}}b^{\boxed{8}}$

⊕ $a=a^1$이다.

① 지수법칙(1)은 세 수 이상의 곱셈에도 적용할 수 있다.
$a^l\times a^m\times a^n=a^{l+m+n}$

② 교환법칙을 이용하여 밑이 같은 두 수에 대해서 지수법칙(1)을 적용하며, $a^6\times b^8$의 경우 더 이상 간단히 할 수 없다.

1. 다음 식을 간단히 하시오.

(1) $3\times3^3\times3^4$ 3^8

(2) $a^2\times a^5\times a$ a^8

(3) $2^3\times5^2\times5^3\times2^4$ $2^7\times5^5$

(4) $x^5\times y^3\times x^2\times y^2$ x^7y^5

풀이 (1) $3\times3^3\times3^4=3^{1+3+4}=3^8$
(2) $a^2\times a^5\times a=a^{2+5+1}=a^8$
(3) $2^3\times5^2\times5^3\times2^4=2^3\times2^4\times5^2\times5^3=2^{3+4}\times5^{2+3}=2^7\times5^5$
(4) $x^5\times y^3\times x^2\times y^2=x^5\times x^2\times y^3\times y^2=x^{5+2}\times y^{3+2}=x^7y^5$

$(a^m)^n$은 어떻게 간단히 할까?

함께해 보기 2

$(2^5)^3$을 2의 거듭제곱을 이용하여 나타내어 보자.

$(2^5)^3$은 2^5을 3번 곱한 것이므로

$$(2^5)^3=2^5\times2^5\times2^5$$
$$=2^{5+5+5}$$
$$=2^{\boxed{15}}$$

함께해 보기 2 와 같은 방법으로 $(a^5)^3$은 다음과 같이 간단히 나타낼 수 있다.

$$(a^5)^3=a^5\times a^5\times a^5$$
$$=a^{5+5+5}=a^{15}$$

지수의 곱
$(a^5)^3=a^{5\times3}$

이때 a^{15}의 지수 15는 $(a^5)^3$의 두 지수 5와 3의 곱과 같음을 알 수 있다.

Tip 지수법칙(2)를 사용할 때, 다음과 같은 오류를 범하지 않도록 주의한다.
$(5^2)^3=5^{2+3}$ (×)
$(5^2)^3=5^{2^3}$ (×)

일반적으로 거듭제곱으로 나타낸 수의 거듭제곱에서는 다음 법칙이 성립한다.

지수법칙 (2)

m, n이 자연수일 때,
$$(a^m)^n=a^{m\times n}$$

2. 다음 식을 간단히 하시오.

(1) $(3^2)^4$ 3^8 (2) $(x^3)^4$ x^{12}

(3) $(a^3)^2\times a^4$ a^{10} (4) $(x^5)^2\times(x^3)^3$ x^{19}

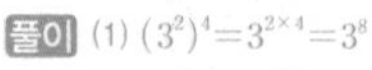

풀이 (1) $(3^2)^4=3^{2\times4}=3^8$

(2) $(x^3)^4=x^{3\times4}=x^{12}$

(3) $(a^3)^2\times a^4=a^{3\times2}\times a^4=a^6\times a^4=a^{6+4}=a^{10}$

(4) $(x^5)^2\times(x^3)^3=x^{5\times2}\times x^{3\times3}=x^{10}\times x^9=x^{10+9}=x^{19}$

$a^m\div a^n$은 어떻게 간단히 할까?

함께해 보기 3

$2^5\div2^2$을 2의 거듭제곱을 이용하여 나타내어 보자.

$$2^5\div2^2=\frac{2^5}{2^2}=\frac{\overbrace{2\times2\times2\times2\times2}^{5개}}{\underbrace{2\times2}_{2개}}=\underbrace{2\times2\times2}_{\boxed{3}개}=2^{\boxed{3}}$$

개념 쏙

거듭제곱으로 나타낸 수의 나눗셈은 분수 꼴로 나타내어 계산할 수 있다.

함께해 보기 3 과 같은 방법으로 $a\neq0$일 때, $a^5\div a^2$, $a^2\div a^2$, $a^2\div a^5$은 다음과 같이 간단히 나타낼 수 있다.

$$a^5\div a^2=\frac{a^5}{a^2}=\frac{a\times a\times a\times a\times a}{a\times a}=a\times a\times a=a^3$$

지수의 차

$a^5\div a^2=a^{5-2}$

$$a^2\div a^2=\frac{a^2}{a^2}=\frac{a\times a}{a\times a}=1$$

$$a^2\div a^5=\frac{a^2}{a^5}=\frac{a\times a}{a\times a\times a\times a\times a}=\frac{1}{a\times a\times a}=\frac{1}{a^3}$$

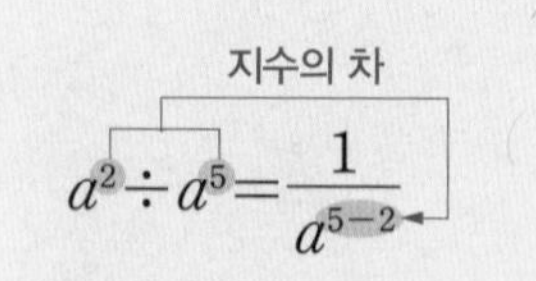

이때 a^3의 지수 3은 $a^5\div a^2$의 두 지수 5와 2의 차와 같고, 지수가 같은 거듭제곱의 나눗셈은 1이 된다. 또, $\frac{1}{a^3}$의 분모 a^3의 지수 3은 $a^2\div a^5$의 두 지수 2와 5의 차와 같다.

Tip 지수법칙(3)을 사용할 때, 다음과 같은 오류를 범하지 않도록 주의한다.

$5^6 \div 5^2 = 5^{6 \div 2}$ (×)

$3^2 \div 3^6 = \frac{3^2}{3^6} = \frac{2}{6}$ (×)

일반적으로 거듭제곱으로 나타낸 수의 나눗셈에서는 다음 법칙이 성립한다.

지수법칙 (3)

$a \neq 0$이고, m, n이 자연수일 때,

1. $m > n$이면 $a^m \div a^n = a^{m-n}$
2. $m = n$이면 $a^m \div a^n = 1$
3. $m < n$이면 $a^m \div a^n = \frac{1}{a^{n-m}}$

함께해 보기 4

지수법칙을 이용하여 다음 식을 간단히 하여 보자.

(1) $2^4 \div 2^2 = 2^{4-2} = 2^{\boxed{2}}$

(2) $3^2 \div 3^5 = \frac{1}{3^{5-2}} = \frac{1}{3^{\boxed{3}}}$

(3) $a^7 \div a^3 \div a^2 = a^{7-3} \div a^2 = a^4 \div a^2 = a^{4-2} = a^{\boxed{2}}$

(4) $(x^3)^2 \div x^8 = x^6 \div x^8 = \frac{1}{x^{8-6}} = \frac{1}{x^{\boxed{2}}}$

3. 다음 식을 간단히 하시오.

(1) $a^8 \div a^3 \div a$ a^4

(2) $a^{12} \div (a^3)^4$ 1

(3) $(x^3)^2 \div x^6$ 1

(4) $(x^4)^2 \div x^{10}$ $\frac{1}{x^2}$

풀이 (1) $a^8 \div a^3 \div a = a^{8-3} \div a = a^5 \div a = a^{5-1} = a^4$

(2) $a^{12} \div (a^3)^4 = a^{12} \div a^{12} = 1$

(3) $(x^3)^2 \div x^6 = x^6 \div x^6 = 1$

(4) $(x^4)^2 \div x^{10} = x^8 \div x^{10} = \frac{1}{x^{10-8}} = \frac{1}{x^2}$

$(ab)^n$과 $\left(\frac{a}{b}\right)^n$은 어떻게 간단히 할까?

개념 쏙

거듭제곱의 정의에 따라 주어진 식의 거듭제곱을 풀어 정리한 후, 곱셈의 성질을 이용하여 밑이 같은 수끼리 모아 다시 거듭제곱으로 나타낸다.

함께해 보기 5

$(ab)^3$과 $\left(\frac{a}{b}\right)^3 (b \neq 0)$을 a와 b의 거듭제곱을 이용하여 나타내어 보자.

(1) $(ab)^3 = ab \times ab \times ab$
$= (a \times a \times a) \times (b \times b \times b)$
$= a^{\boxed{3}} b^{\boxed{3}}$

(2) $\left(\frac{a}{b}\right)^3 = \frac{a}{b} \times \frac{a}{b} \times \frac{a}{b}$
$= \frac{a \times a \times a}{b \times b \times b} = \frac{a^{\boxed{3}}}{b^{\boxed{3}}}$

함께해 보기 5 에서 a^3b^3의 a, b 각각의 지수 3은 $(ab)^3$의 지수 3과 같고, $\frac{a^3}{b^3}$의 a, b 각각의 지수 3은 $\left(\frac{a}{b}\right)^3$의 지수 3과 같다.

지수가 같다.
$(ab)^3=a^3b^3$

지수가 같다.
$\left(\frac{a}{b}\right)^3=\frac{a^3}{b^3}$

Tip 지수법칙(4)를 사용할 때, 다음과 같은 오류를 범하지 않도록 주의한다.

$(3a)^2=3a^2$ (×)

$\left(\frac{a}{3}\right)^2=\frac{a^2}{3}$ (×)

$(-a)^2=-a^2$ (×)

개념 쏙

$(-a)^n=\begin{cases}-a^n & (n\text{은 짝수})\\ a^n & (n\text{은 홀수})\end{cases}$

일반적으로 밑이 곱으로 이루어진 수의 거듭제곱 또는 밑이 분수인 수의 거듭제곱에서는 다음 법칙이 성립한다.

지수법칙 (4)

n이 자연수일 때,

1. $(ab)^n=a^nb^n$
2. $\left(\frac{a}{b}\right)^n=\frac{a^n}{b^n}\,(b\neq 0)$

4. 다음 식을 간단히 하시오.

(1) $(ab)^5$ a^5b^5

(2) $\left(\frac{a^2}{b}\right)^3$ $\frac{a^6}{b^3}$

(3) $(x^3y^2)^4$ $x^{12}y^8$

(4) $\left(\frac{x^4}{2y^2}\right)^3$ $\frac{x^{12}}{8y^6}$

풀이 (1) $(ab)^5=a^5b^5$

(2) $\left(\frac{a^2}{b}\right)^3=\frac{(a^2)^3}{b^3}=\frac{a^6}{b^3}$

(3) $(x^3y^2)^4=(x^3)^4\times(y^2)^4=x^{12}y^8$

(4) $\left(\frac{x^4}{2y^2}\right)^3=\frac{(x^4)^3}{(2y^2)^3}=\frac{x^{12}}{2^3\times(y^2)^3}=\frac{x^{12}}{8y^6}$

생각 키우기

추론 의사소통

컴퓨터에서 정보를 저장하는 최소 단위를 1 bit라고 한다. 오른쪽 그림과 같이 4 TiB는 4194304 MiB로 환산할 수 있다. 다음 표를 보고, 4 TiB는 몇 MiB인지 2의 거듭제곱을 이용하여 나타내어 보자. 또, 그 과정을 친구에게 설명하여 보자.

2^{22} MiB

컴퓨터의 정보 저장 단위

단위	1 bit 1비트	1 B 1바이트	1 KiB 1키비바이트	1 MiB 1메비바이트	1 GiB 1기비바이트	1 TiB 1테비바이트
하위 단위 환산	—	2^3 bit	2^{10} B	2^{10} KiB	2^{10} MiB	2^{10} GiB

풀이 4 TiB ⇒ 4×2^{10} GiB ⇒ $4\times2^{10}\times2^{10}$ MiB ⇒ $2^2\times2^{10}\times2^{10}$ MiB ⇒ $2^{2+10+10}$ MiB ⇒ 2^{22} MiB

따라서 4 TiB는 2^{22} MiB이다.

스스로 점검하기

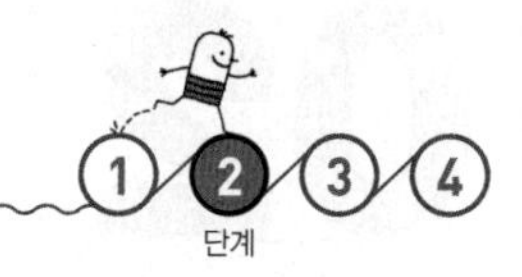

개념 점검하기

잘함 보통 모름

m, n이 자연수일 때,

(1) $a^m \times a^n = a^{\square}$

(2) $(a^m)^n = a^{\square}$

(3) $a \neq 0$일 때,

① $m > n$이면 $a^m \div a^n = a^{\square}$ ② $m = n$이면 $a^m \div a^n = \square$ ③ $m < n$이면 $a^m \div a^n = \dfrac{1}{a^{\square}}$

(4) $(ab)^n = a^n b^n$, $\left(\dfrac{a}{b}\right)^n = \dfrac{a^n}{b^n} (b \neq 0)$

풀이 (1) $m+n$ (2) $m \times n$ (3) ① $m-n$ ② 1 ③ $n-m$

1

다음 식을 간단히 하시오.

(1) $a^3 \times a^2$ a^5 (2) $x^3 \times x^4$ x^7

(3) $a^2 \times a^3 \times a^5$ a^{10} (4) $x \times x^2 \times x^4$ x^7

풀이 (1) $a^3 \times a^2 = a^{3+2} = a^5$
(2) $x^3 \times x^4 = x^{3+4} = x^7$
(3) $a^2 \times a^3 \times a^5 = a^{2+3} \times a^5 = a^5 \times a^5 = a^{5+5} = a^{10}$
(4) $x \times x^2 \times x^4 = x^{1+2} \times x^4 = x^3 \times x^4 = x^{3+4} = x^7$

2

다음 식을 간단히 하시오.

(1) $(a^3)^2$ a^6 (2) $(x^4)^3$ x^{12}

(3) $(a^2)^3 \times a^4$ a^{10} (4) $(x^2)^4 \times x^3$ x^{11}

풀이 (1) $(a^3)^2 = a^{3 \times 2} = a^6$
(2) $(x^4)^3 = x^{4 \times 3} = x^{12}$
(3) $(a^2)^3 \times a^4 = a^{2 \times 3} \times a^4 = a^6 \times a^4 = a^{10}$
(4) $(x^2)^4 \times x^3 = x^{2 \times 4} \times x^3 = x^8 \times x^3 = x^{11}$

3

다음 식을 간단히 하시오.

(1) $a^6 \div a^2$ a^4 (2) $x^5 \div x^4$ x

(3) $a^7 \div a^3 \div a^2$ a^2 (4) $x^6 \div (x^2)^5$ $\dfrac{1}{x^4}$

풀이 (1) $a^6 \div a^2 = a^{6-2} = a^4$
(2) $x^5 \div x^4 = x^{5-4} = x$
(3) $a^7 \div a^3 \div a^2 = a^{7-3} \div a^2 = a^4 \div a^2 = a^{4-2} = a^2$
(4) $x^6 \div (x^2)^5 = x^6 \div x^{10} = \dfrac{1}{x^{10-6}} = \dfrac{1}{x^4}$

4

32쪽

다음 식을 간단히 하시오.

(1) $(a^3b^2)^4$ $a^{12}b^8$ (2) $(x^2y^4)^3$ x^6y^{12}

(3) $\left(\dfrac{a^2}{b^3}\right)^2$ $\dfrac{a^4}{b^6}$ (4) $\left(\dfrac{x^4}{y^5}\right)^3$ $\dfrac{x^{12}}{y^{15}}$

풀이 (1) $(a^3b^2)^4 = a^{3 \times 4}b^{2 \times 4} = a^{12}b^8$
(2) $(x^2y^4)^3 = x^{2 \times 3}y^{4 \times 3} = x^6y^{12}$
(3) $\left(\dfrac{a^2}{b^3}\right)^2 = \dfrac{a^{2 \times 2}}{b^{3 \times 2}} = \dfrac{a^4}{b^6}$
(4) $\left(\dfrac{x^4}{y^5}\right)^3 = \dfrac{x^{4 \times 3}}{y^{5 \times 3}} = \dfrac{x^{12}}{y^{15}}$

5

다음 규칙에 따라 빈칸에 알맞은 식을 써넣으시오.

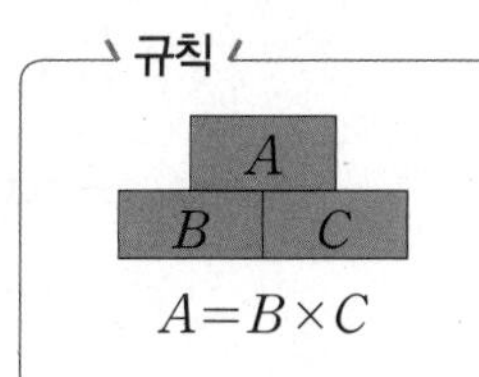

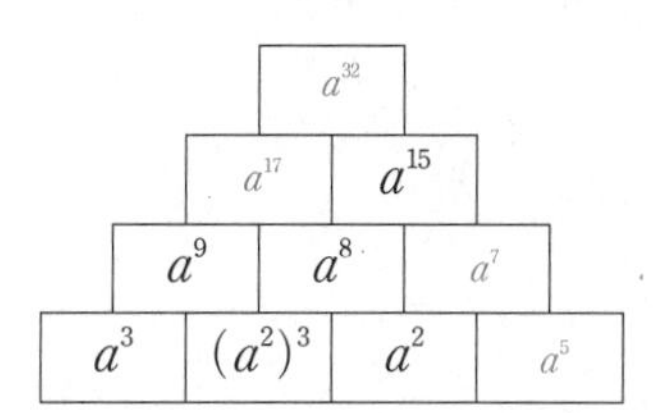

02 단항식의 곱셈과 나눗셈

학습 목표 ‖ 단항식의 곱셈과 나눗셈을 할 수 있다.

단항식의 곱셈은 어떻게 할까?

탐구하기

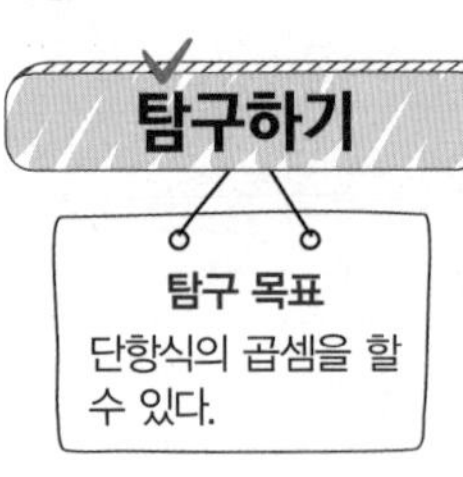

오른쪽 그림과 같이 주차장 지붕을 직사각형 모양의 태양 전지판 12개로 덮었다. 태양 전지판 1개의 가로의 길이가 a, 세로의 길이가 b일 때, 다음 물음에 답하여 보자.

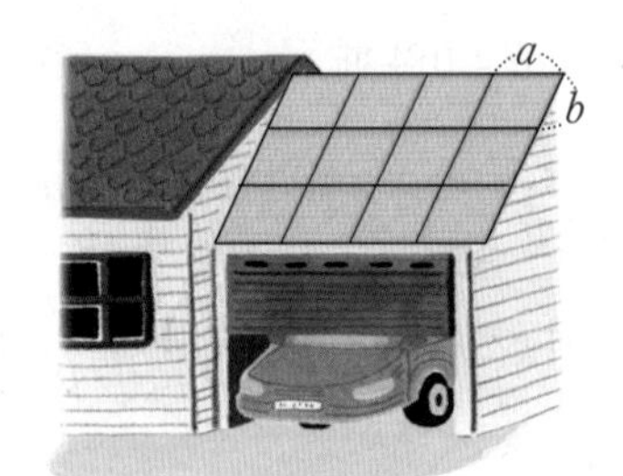

활동 ① 다음 문장을 완성하여 보자.

(1) 태양 전지판 1개의 넓이는 $\boxed{ab}$ 이다.

(2) 주차장 지붕은 가로의 길이가 $\boxed{4a}$, 세로의 길이가 $\boxed{3b}$ 이므로 그 넓이는 $\boxed{4a} \times \boxed{3b}$ 이다.
또는 $3b$ $4a$

활동 ② 주차장 지붕의 넓이는 태양 전지판 1개의 넓이의 몇 배인지 구하여 보자. 12배

풀이 주차장 지붕은 태양 전지판 12개로 덮여 있으므로 주차장 지붕의 넓이는 태양 전지판 1개 넓이의 12배이다.

탐구하기 에서 주차장 지붕의 넓이는 태양 전지판 1개의 넓이의 12배이므로

$$4a \times 3b = 12ab$$

임을 알 수 있다. 이 식은 교환법칙과 결합법칙을 이용하여 다음과 같이 계산한 것과 같다.

$$\begin{aligned} 4a \times 3b &= 4 \times a \times 3 \times b \\ &= 4 \times 3 \times a \times b \\ &= (4 \times 3) \times (a \times b) \\ &= 12ab \end{aligned}$$

교환법칙
결합법칙

계수의 곱
$4\,a \times 3\,b = 12ab$
문자의 곱

이와 같이 단항식의 곱셈은 계수는 계수끼리, 문자는 문자끼리 곱하여 계산한다.

함께해 보기 1

다음을 계산하여 보자.

(1) $2x \times (-3y) = 2 \times x \times (-3) \times y = 2 \times (-3) \times x \times y =$ $\boxed{-6xy}$

(2) $(3a)^2 \times 2b = 3^2 \times a^2 \times 2 \times b = 9 \times 2 \times a^2 \times b =$ $\boxed{18a^2b}$

1. 다음을 계산하시오.

(1) $3a^3 \times 2a$ $6a^4$

(2) $(-2x) \times 5y$ $-10xy$

(3) $5a \times (-2b)^2$ $20ab^2$

(4) $ab^2 \times (a^2b)^3$ a^7b^5

풀이 (1) $3a^3 \times 2a = 3 \times 2 \times a^3 \times a = 6a^4$

(2) $(-2x) \times 5y = (-2) \times 5 \times x \times y = -10xy$

(3) $5a \times (-2b)^2 = 5 \times a \times (-2)^2 \times b^2 = 20ab^2$

(4) $ab^2 \times (a^2b)^3 = a \times b^2 \times (a^2)^3 \times b^3 = a^7b^5$

단항식의 나눗셈은 어떻게 할까?

탐구하기

탐구 목표
단항식의 나눗셈을 할 수 있다.

오른쪽 그림과 같은 직사각형 모양의 화단의 넓이가 $24ab$이고 가로의 길이가 $6a$일 때, 다음 물음에 답하여 보자.

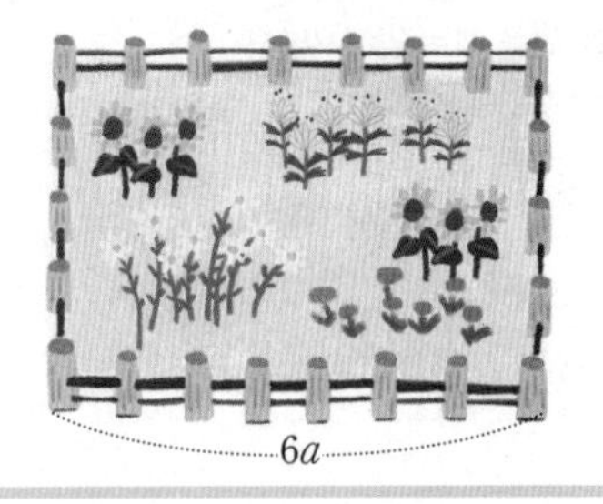

활동 1 화단의 세로의 길이를 식으로 나타내어 보자. $24ab \div 6a$

⊕ $24ab \div (6a)$는 괄호를 생략하여 $24ab \div 6a$로 나타낸다.

참고
$A \div B = A \times \frac{1}{B}$
$A \div B = \frac{A}{B}$

탐구하기 에서 화단의 세로의 길이를 식으로 나타내면 $24ab \div 6a$이다.
이 식은 다음과 같이 두 가지 방법으로 계산할 수 있다.

$$24ab \div 6a = 24ab \times \frac{1}{6a} = 24 \times \frac{1}{6} \times ab \times \frac{1}{a} = 4b$$

$$24ab \div 6a = \frac{24ab}{6a} = \frac{24}{6} \times \frac{ab}{a} = 4b$$

이와 같이 단항식의 나눗셈은 나눗셈을 곱셈으로 고치거나 분수 꼴로 나타낸 다음 계수는 계수끼리, 문자는 문자끼리 계산한다.

Tip $xy \div ab$를 $x \times y \div a \times b$로 잘못 생각하면 안 된다. $xy \div ab$는 $(xy) \div (ab)$와 같이 생각해야 한다. 즉, $xy \div ab = \frac{xy}{ab}$이다.

함께해 보기 2

다음을 계산하여 보자.

(1) $8x^3 \div 4x = 8x^3 \times \frac{1}{4x} = 8 \times \frac{1}{4} \times x^3 \times \frac{1}{x} =$ $\boxed{2x^2}$

(2) $(-2a)^2 \div 2ab = \frac{(-2a)^2}{2ab} = \frac{4a^2}{2ab} = \frac{4}{2} \times \frac{a^2}{ab} = \frac{\boxed{2a}}{b}$

2. 다음을 계산하시오.

(1) $4a^3b \div 2ab$ $2a^2$ (2) $6xy^2 \div (-2y)$ $-3xy$

(3) $(3a^3b)^2 \div 9ab$ a^5b (4) $8x^5y \div (-2x^2y)^2$ $\frac{2x}{y}$

풀이 (1) $4a^3b \div 2ab = \frac{4a^3b}{2ab} = 2a^2$ (2) $6xy^2 \div (-2y) = \frac{6xy^2}{-2y} = -3xy$

(3) $(3a^3b)^2 \div 9ab = 9a^6b^2 \div 9ab = \frac{9a^6b^2}{9ab} = a^5b$ (4) $8x^5y \div (-2x^2y)^2 = 8x^5y \div 4x^4y^2 = \frac{8x^5y}{4x^4y^2} = \frac{2x}{y}$

곱셈과 나눗셈이 혼합된 단항식끼리의 계산에서는 나눗셈을 곱셈으로 고쳐서 계산하면 편리하다.

함께해 보기 3

다음을 계산하여 보자.

(1) $6a^3b \times 2ab^2 \div 4a^2b = 6a^3b \times 2ab^2 \times \frac{1}{4a^2b}$

$= 12a^4b^3 \times \frac{1}{4a^2b}$

$= 3a^2b$ 2

(2) $8x^2y^4 \div 4xy^2 \times 3x^2y = 8x^2y^4 \times \frac{1}{4xy^2} \times 3x^2y$

$= 2xy^2 \times 3x^2y$

$= 6x^3y$ 3

개념 쏙

단항식의 곱셈과 나눗셈이 섞여 있을 때는 앞에서부터 순서대로 계산한다.

풀이 (1) $(ab)^2 \times 2a^2b \div 3a^2b = a^2b^2 \times 2a^2b \times \frac{1}{3a^2b} = 2a^4b^3 \times \frac{1}{3a^2b} = \frac{2}{3}a^2b^2$

(2) $6x^2y^3 \div 2x^2y \times 3x^2y = 6x^2y^3 \times \frac{1}{2x^2y} \times 3x^2y = 3y^2 \times 3x^2y = 9x^2y^3$

3. 다음을 계산하시오.

(1) $(ab)^2 \times 2a^2b \div 3a^2b$ $\frac{2}{3}a^2b^2$ (2) $6x^2y^3 \div 2x^2y \times 3x^2y$ $9x^2y^3$

(3) $-3ab^2 \times 2a^2b \div (-6ab)$ a^2b^2 (4) $(-2x^2y)^2 \div 2x^2 \div xy^2$ $2x$

(3) $-3ab^2 \times 2a^2b \div (-6ab) = -3ab^2 \times 2a^2b \times \frac{1}{-6ab} = -6a^3b^3 \times \frac{1}{-6ab} = a^2b^2$

(4) $(-2x^2y)^2 \div 2x^2 \div xy^2 = 4x^4y^2 \times \frac{1}{2x^2} \times \frac{1}{xy^2} = 2x^2y^2 \times \frac{1}{xy^2} = 2x$

생각 나누기 추론 문제 해결 의사소통

다음 계산에서 틀린 부분을 찾아 바르게 고치고, 친구들에게 설명하여 보자.

풀이 $\div \frac{2}{3}xy$를 $\times \frac{3}{2}xy$로 고친 부분이 틀렸으므로 바르게 계산하면 위와 같다.

스스로 점검하기

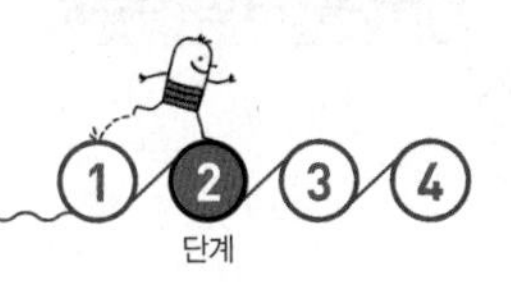

개념 점검하기

잘함 보통 모름

(1) 단항식의 곱셈은 계수는 계수끼리, 문자는 문자끼리 곱하여 계산한다.

예 $2a\times 3b=(2\times 3)\times(a\times b)=$ [$6ab$]

(2) 단항식의 나눗셈은 나눗셈을 곱셈으로 고치거나 분수 꼴로 나타낸 다음 계수는 계수끼리, 문자는 문자끼리 계산한다.

예 $12ab\div 3a=12ab\times\dfrac{1}{3a}=$ [$4b$], $12ab\div 3a=\dfrac{12ab}{3a}=$ [$4b$]

1 ●●●

34쪽

다음을 계산하시오.

(1) $4a^2\times 2a^3$ $8a^5$

(2) $(-3x)\times 3x^2$ $-9x^3$

(3) $3a^2b\times(-2b)^2$ $12a^2b^3$

(4) $x^2y^3\times(x^2y)^2$ x^6y^5

풀이 (1) $4a^2\times 2a^3=4\times 2\times a^2\times a^3=8a^5$

(2) $(-3x)\times 3x^2=(-3)\times 3\times x\times x^2=-9x^3$

(3) $3a^2b\times(-2b)^2=3a^2b\times 4b^2=12a^2b^3$

(4) $x^2y^3\times(x^2y)^2=x^2y^3\times x^4y^2=x^6y^5$

2 ●●●

다음을 계산하시오.

(1) $4a^4b^3\div 2a^2b$ $2a^2b^2$

(2) $9x^3y^4\div(-3xy^2)$ $-3x^2y^2$

(3) $(2ab^2)^3\div 4a^4b^5$ $\dfrac{2b}{a}$

(4) $(-8x^3y^5)\div(-xy^2)^2$ $-8xy$

풀이 (1) $4a^4b^3\div 2a^2b=\dfrac{4a^4b^3}{2a^2b}=\dfrac{4}{2}\times\dfrac{a^4b^3}{a^2b}=2a^2b^2$

(2) $9x^3y^4\div(-3xy^2)=\dfrac{9x^3y^4}{-3xy^2}=\dfrac{9}{-3}\times\dfrac{x^3y^4}{xy^2}=-3x^2y^2$

(3) $(2ab^2)^3\div 4a^4b^5=8a^3b^6\div 4a^4b^5=\dfrac{8a^3b^6}{4a^4b^5}=\dfrac{2b}{a}$

(4) $(-8x^3y^5)\div(-xy^2)^2=(-8x^3y^5)\div x^2y^4=\dfrac{-8x^3y^5}{x^2y^4}=-8xy$

3 ●●●

다음을 계산하시오.

(1) $(2ab)^2\times(-2b)\div 4a^2b$ $-2b^2$

(2) $(-2x^2)^2\times 3y^2\div 12x^2y^3$ $\dfrac{x^2}{y}$

풀이 (1) $(2ab)^2\times(-2b)\div 4a^2b=4a^2b^2\times(-2b)\times\dfrac{1}{4a^2b}$

$=-8a^2b^3\times\dfrac{1}{4a^2b}=-2b^2$

(2) $(-2x^2)^2\times 3y^2\div 12x^2y^3=4x^4\times 3y^2\times\dfrac{1}{12x^2y^3}=12x^4y^2\times\dfrac{1}{12x^2y^3}=\dfrac{x^2}{y}$

4 ●●●

다음 □ 안에 들어갈 알맞은 식을 구하시오.

(1) $4x^4y^3\div$ [$2x^2y$] $=2x^2y^2$

(2) $(2ab^2)^2\times$ [$3ab$] $=12a^3b^5$

풀이 (1) $4x^4y^3\div\square=2x^2y^2$이므로 $\square=4x^4y^3\div 2x^2y^2=\dfrac{4x^4y^3}{2x^2y^2}=2x^2y$

(2) $(2ab^2)^2\times\square=12a^3b^5$이므로 $\square=12a^3b^5\div(2ab^2)^2=\dfrac{12a^3b^5}{4a^2b^4}=3ab$

5 ●●●

다음 삼각형의 넓이가 $8a^2b^5$일 때, 삼각형의 높이를 구하시오. $2ab^2$

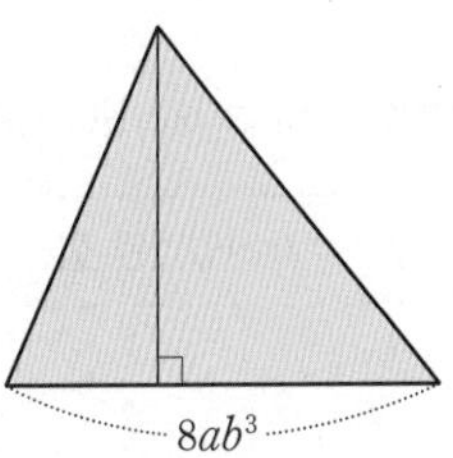

풀이 삼각형의 높이를 h라고 하면 $\dfrac{1}{2}\times 8ab^3\times h=8a^2b^5$이므로

$4ab^3\times h=8a^2b^5$, $h=\dfrac{8a^2b^5}{4ab^3}=2ab^2$

따라서 삼각형의 높이는 $2ab^2$이다.

단항식 미로에 도전하라

단항식의 곱셈 또는 나눗셈의 계산을 이용하여 다음 규칙에 따라 단항식 미로에 도전하여 보자.

규칙

- 출발점에서 시작하여 도착점까지 길을 따라가면서 갈림길에서는 아래 또는 좌우로만 이동한다.
- 한 번 지나간 길을 다시 지나가지 않는다.
- 출발점에서 x^3y^2으로 시작하여 길을 지나갈 때, 선분 위에 지정된 계산을 수행하여 도착점에서 얻을 수 있는 식을 구한다.

위와 같은 길을 따라가면,
$x^3y^2 \div xy \times y \times xy^2 \div y^2 \div xy \div x = xy$
도착점에서 xy를 얻는다.

풀이 (1) (2)

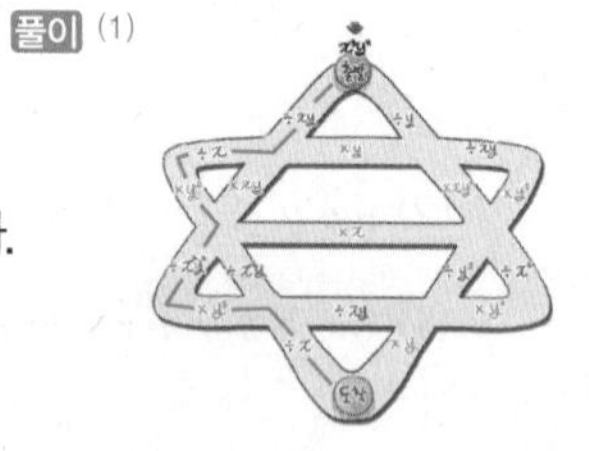

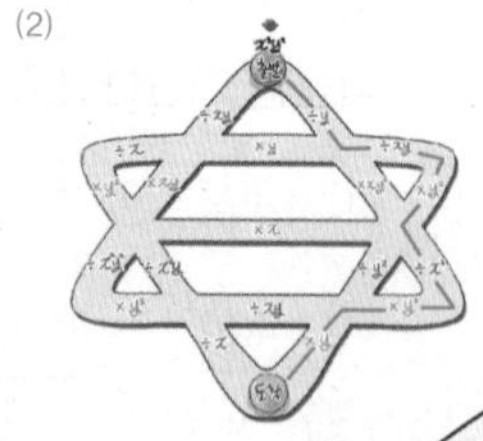

(1), (2)의 경로를 따라가면 그 결과는 각각 $\frac{y^4}{x^2}$, y^5이다.

활동 ① 도착점에서 얻을 수 있는 식을 2가지 이상 구하여 보자.

활동 ② 도착점에서 xy^2으로 끝날 수 있는 경로를 찾아보자.

풀이 | 예시 |

또는

재미있었던 점과 어려웠던 점을 적어 보자.

재미있었던 점	어려웠던 점

03 다항식의 계산

이 단원에서 배우는 용어와 기호

전개

학습 목표 ▌ • 다항식의 덧셈과 뺄셈의 원리를 이해하고, 그 계산을 할 수 있다.
• '(단항식)×(다항식)', '(다항식)÷(단항식)'의 원리를 이해하고, 그 계산을 할 수 있다.

문자가 2개 이상인 다항식의 덧셈과 뺄셈은 어떻게 할까?

탐구하기

탐구 목표
문자가 2개 이상인 다항식의 덧셈과 뺄셈을 할 수 있다.

채랑이와 하진이는 학교 축제에서 주스를 판매하여 그 수익금을 불우 이웃 돕기 단체에 기부할 계획이다. 다음은 두 친구의 판매량이다. 사과 주스 1병이 x원, 수박 주스 1병이 y원일 때, 물음에 답하여 보자.

활동 ① 채랑이와 하진이의 판매 금액을 각각 x, y에 대한 식으로 나타내어 보자.
채랑이의 판매 금액: $(5x+2y)$원, 하진이의 판매 금액: $(4x+3y)$원

활동 ② 두 사람의 총 판매 금액에 대한 다음 문장을 완성하여 보자.

> 두 사람이 판매한 사과 주스는 모두 [9]병, 수박 주스는 모두 [5]병이므로
> 두 사람의 총 판매 금액은 ([9]x+[5]y)원이다.

탐구하기 에서 채랑이의 판매 금액은 $(5x+2y)$원이고, 하진이의 판매 금액은 $(4x+3y)$원이므로 두 사람이 판매한 금액의 합은 $(5x+2y)+(4x+3y)$원이다. 이때 두 사람이 판매한 사과 주스는 모두 9병, 수박 주스는 모두 5병이므로 두 사람의 총 판매 금액은 $(9x+5y)$원이다. 따라서

$$(5x+2y)+(4x+3y)=9x+5y$$

임을 알 수 있다.

이전 내용 톡톡
동류항: 문자와 차수가 같은 항

문자가 2개 이상인 다항식의 덧셈, 뺄셈
① 괄호를 푼다.
② 교환법칙을 이용해 동류항을 모은다.
③ 동류항끼리 덧셈(뺄셈)을 한다.

$(5x+2y)+(4x+3y)=9x+5y$는 다음과 같이 계산한 것과 같다.

$$\begin{aligned}(5x+2y)+(4x+3y)&=5x+2y+4x+3y\\&=5x+4x+2y+3y\\&=(5x+4x)+(2y+3y)\\&=9x+5y\end{aligned}$$

교환법칙
동류항끼리 모은다.

이와 같이 문자가 2개 이상인 다항식의 덧셈, 뺄셈은 문자가 1개인 일차식의 덧셈, 뺄셈과 마찬가지로 먼저 괄호를 풀고 동류항끼리 모아서 계산한다.

함께해 보기 1

다음을 계산하여 보자.

(1) $(3a+2b)+(2a-3b)$
$=3a+2b+2a-3b$
$=3a+2a+2b-3b$
$=\boxed{5a}-b$

$$\begin{array}{rrr} & 3a & +2b \\ +) & 2a & -3b \\ \hline & \boxed{5a} & -b \end{array}$$

(2) $(5x+2y-3)-(3x-y+4)$
$=5x+2y-3-3x+y-4$
$=5x-3x+2y+y-3-4$
$=2x+\boxed{3y}-7$

$$\begin{array}{rrrr} & 5x+ & 2y & -3 \\ -) & 3x- & y & +4 \\ \hline & 2x+ & \boxed{3y} & -7 \end{array}$$

1. 다음을 계산하시오.

(1) $(5a-3b)-(2a-b)$ $3a-2b$

(2) $(x+2y-3)+(3x-2y+2)$ $4x-1$

풀이 (1) $(5a-3b)-(2a-b)=5a-3b-2a+b=5a-2a-3b+b=3a-2b$
(2) $(x+2y-3)+(3x-2y+2)=x+2y-3+3x-2y+2=x+3x+2y-2y-3+2=4x-1$

이차식의 덧셈과 뺄셈은 어떻게 할까?

x에 대한 다항식 중에서 차수가 2인 다항식을 x에 대한 이차식이라고 한다.

예를 들어 다항식 $3x^2+5x-2$는 차수가 가장 큰 항이 $3x^2$이고, 그 차수가 2이므로 이차식이다.

이차식의 덧셈, 뺄셈에서도 일차식의 덧셈, 뺄셈과 마찬가지로 먼저 괄호를 풀고 동류항끼리 모아서 계산한다.

함께해 보기 2

개념 쏙

괄호 앞의 기호 '$-$'는 '-1'에서 1이 생략되어 있는 것으로 분배법칙을 이용하여 괄호를 푼다. 예를 들면

$-(2a-b)$
$=(-1)\times(2a-b)$
$=(-1)\times 2a+(-1)\times(-b)$
$=-2a+b$

다음을 계산하여 보자.

(1) $(x^2+3x-2)+(2x^2-x+3)$

$=x^2+3x-2+2x^2-x+3$

$=x^2+2x^2+3x-x-2+3$

$=3x^2+\boxed{2x}+1$

$$\begin{array}{rr} & x^2+\ 3x\ -2 \\ +) & 2x^2-\ \ x\ +3 \\ \hline & 3x^2+\boxed{2x}+1 \end{array}$$

(2) $(4x^2-3x+1)-(3x^2-2x-2)$

$=4x^2-3x+1-3x^2+2x+2$

$=4x^2-3x^2-3x+2x+1+2$

$=\boxed{x^2}-x+3$

$$\begin{array}{rr} & 4x^2-3x+1 \\ -) & 3x^2-2x-2 \\ \hline & \boxed{x^2}-\ x+3 \end{array}$$

2. 다음을 계산하시오.

(1) $(2x^2-3x+5)+(3x^2+x-2)$ $5x^2-2x+3$

(2) $(5x^2-2x+1)-(-x^2+2x-3)$ $6x^2-4x+4$

풀이 (1) $(2x^2-3x+5)+(3x^2+x-2)=2x^2-3x+5+3x^2+x-2=2x^2+3x^2-3x+x+5-2=5x^2-2x+3$
(2) $(5x^2-2x+1)-(-x^2+2x-3)=5x^2-2x+1+x^2-2x+3=5x^2+x^2-2x-2x+1+3=6x^2-4x+4$

Tip 여러 가지 괄호가 있는 다항식의 덧셈과 뺄셈에서 대괄호, 중괄호, 소괄호 순으로 풀어서 계산할 수도 있다. 이때 계산 결과는 같으나 소괄호, 중괄호, 대괄호 순으로 푸는 것이 계산 실수를 줄일 수 있는 방법이 될 수 있다.

여러 가지 괄호가 있는 다항식의 덧셈과 뺄셈에서 괄호를 풀 때에는 소괄호, 중괄호, 대괄호 순으로 풀어서 간단히 한다. 예를 들어 다음과 같이 간단히 나타낼 수 있다.

$$\begin{aligned} 5x^2+[3x-\{2x^2-(6x+4)\}] &= 5x^2+\{3x-(2x^2-6x-4)\} \\ &= 5x^2+(3x-2x^2+6x+4) \\ &= 5x^2+(-2x^2+9x+4) \\ &= 5x^2-2x^2+9x+4 \\ &= 3x^2+9x+4 \end{aligned}$$

3. 다음을 계산하시오.

(1) $x^2-\{2x^2-(3x+1)\}$ $-x^2+3x+1$

(2) $4x^2-[x^2-\{2x^2-(x+2)\}]$ $5x^2-x-2$

풀이 (1) $x^2-\{2x^2-(3x+1)\}=x^2-(2x^2-3x-1)=x^2-2x^2+3x+1=-x^2+3x+1$
(2) $4x^2-[x^2-\{2x^2-(x+2)\}]=4x^2-\{x^2-(2x^2-x-2)\}=4x^2-(x^2-2x^2+x+2)$
$=4x^2-(-x^2+x+2)=4x^2+x^2-x-2=5x^2-x-2$

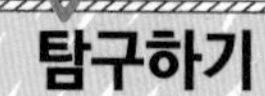

(단항식)×(다항식)은 어떻게 할까?

탐구하기

탐구 목표
(단항식)×(다항식)의 곱셈 원리를 이해하고 그 계산을 할 수 있다.

오른쪽 그림과 같이 직사각형 모양의 화단을 두 부분으로 나누어 장미와 튤립을 심을 때, 다음 물음에 답하여 보자.

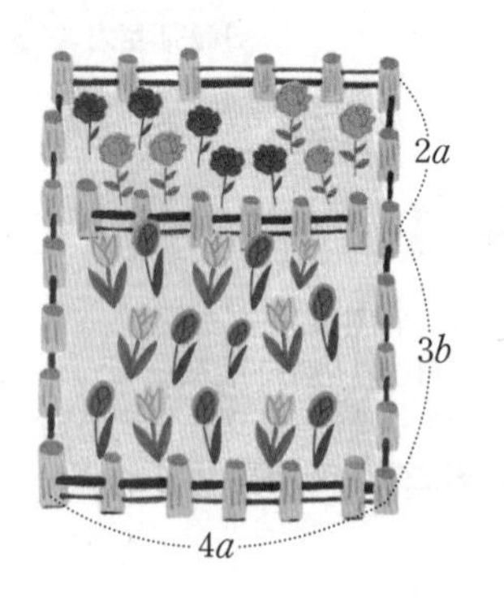

활동 ❶ 장미와 튤립을 심은 화단의 넓이를 각각 구하여 보자.
장미를 심은 화단의 넓이: $8a^2$, 튤립을 심은 화단의 넓이: $12ab$

활동 ❷ 화단 전체의 넓이에 대한 다음 문장을 완성하여 보자.

> 화단 전체의 가로의 길이는 $4a$이고, 세로의 길이는 [$2a+3b$]이므로 화단 전체의 넓이를 식으로 나타내면 [$4a\times(2a+3b)$]이다.

탐구하기 에서 장미를 심은 화단의 넓이는 $8a^2$이고, 튤립을 심은 화단의 넓이는 $12ab$이므로 화단 전체의 넓이는 $8a^2+12ab$이다.

이때 화단 전체의 가로의 길이는 $4a$이고 세로의 길이는 $2a+3b$이므로 화단 전체의 넓이는 $4a\times(2a+3b)$이다. 따라서

$$4a\times(2a+3b)=8a^2+12ab$$

임을 알 수 있다.

Tip (단항식)×(다항식)에서 곱셈 기호를 생략할 수 있다.
즉, $4a\times(2a+3b)$
$=4a(2a+3b)$
특히,
$4a+(2a+3b)$
$\neq 4a(2a+3b)$
임에 유의한다.

이 식은 분배법칙을 이용하여 다음과 같이 계산한 것과 같다.

$$\begin{aligned}4a\times(2a+3b)&=4a\times 2a+4a\times 3b\\&=8a^2+12ab\end{aligned}$$

이전 내용 톡톡
분배법칙
$a\times(b+c)=ab+ac$
$(a+b)\times c=ac+bc$

참고
전개하여 얻은 식을 전개식이라고 한다.

이와 같이 단항식과 다항식의 곱셈에서 분배법칙을 이용하여 하나의 다항식으로 나타내는 것을 **전개**한다고 한다.

$$4a\times(2a+3b)=8a^2+12ab$$
(전개)

함께해 보기 3

다음 식을 전개하여 보자.

(1) $2a(4a-3b)=2a\times4a+2a\times(-3b)$

$=\boxed{8a^2}-6ab$

(2) $-3x(x-2y)=(-3x)\times x+(-3x)\times(-2y)$

$=-3x^2+\boxed{6xy}$

4. 다음 식을 전개하시오.

(1) $-3a(a+2b+1)$ $-3a^2-6ab-3a$

(2) $(3x+2y)\times(-4x)$ $-12x^2-8xy$

풀이 (1) $-3a(a+2b+1)=(-3a)\times a+(-3a)\times 2b+(-3a)\times 1=-3a^2-6ab-3a$
(2) $(3x+2y)\times(-4x)=3x\times(-4x)+2y\times(-4x)=-12x^2-8xy$

5. 다음을 계산하시오.

(1) $3x(x-y)+2x(x+2y)$ $5x^2+xy$

(2) $a(a-3b)-2b(a+2b)$ $a^2-5ab-4b^2$

풀이 (1) $3x(x-y)+2x(x+2y)=3x\times x+3x\times(-y)+2x\times x+2x\times 2y=3x^2-3xy+2x^2+4xy=5x^2+xy$
(2) $a(a-3b)-2b(a+2b)=a\times a+a\times(-3b)+(-2b)\times a+(-2b)\times 2b=a^2-3ab-2ab-4b^2=a^2-5ab-4b^2$

개념 쏙
다항식을 단항식으로 나눌 때 나눗셈을 곱셈으로 바꾸어 분배법칙을 이용하거나 분수 꼴로 바꾸어 다항식의 각 항을 단항식으로 나누는 두 방법의 계산 결과는 서로 같다.

(다항식)÷(단항식)은 어떻게 할까?

다항식을 단항식으로 나눌 때에는 단항식의 나눗셈과 마찬가지로 나눗셈을 곱셈으로 고치거나 분수 꼴로 나타내어 계산한다. 예를 들어 다음과 같이 계산할 수 있다.

$(4a^2+6ab)\div 2a$	$(4a^2+6ab)\div 2a$
$=(4a^2+6ab)\times\frac{1}{2a}$	$=\frac{4a^2+6ab}{2a}$
$=4a^2\times\frac{1}{2a}+6ab\times\frac{1}{2a}$	$=\frac{4a^2}{2a}+\frac{6ab}{2a}$
$=2a+3b$	$=2a+3b$

참고
$(A+B)\div C$
$=(A+B)\times\frac{1}{C}$
$(A+B)\div C$
$=\frac{A+B}{C}$

함께해 보기 4

다음을 계산하여 보자.

(1) $(6x^2-9xy)\div 3x=(6x^2-9xy)\times\frac{1}{3x}$

$=6x^2\times\frac{1}{3x}+(-9xy)\times\frac{1}{3x}$

$=\boxed{2x}-3y$

(2) $(6a^2b-2ab^2)\div(-2ab)=\frac{6a^2b-2ab^2}{-2ab}$

$=\frac{6a^2b}{-2ab}+\frac{-2ab^2}{-2ab}$

$=-3a+\boxed{b}$

6. 다음을 계산하시오.

(1) $(2x^2-3xy)\div\frac{1}{3}x$ $6x-9y$

(2) $(4y^2-8x^2y+12y)\div 4y$ $y-2x^2+3$

풀이 (1) $(2x^2-3xy)\div\frac{1}{3}x=(2x^2-3xy)\times\frac{3}{x}=2x^2\times\frac{3}{x}+(-3xy)\times\frac{3}{x}=6x-9y$

(2) $(4y^2-8x^2y+12y)\div 4y=\frac{4y^2-8x^2y+12y}{4y}=\frac{4y^2}{4y}-\frac{8x^2y}{4y}+\frac{12y}{4y}=y-2x^2+3$

7. 다음을 계산하시오.

(1) $x(3x+y)+(9xy^2-6xy)\div 3y$ $3x^2+4xy-2x$

(2) $(x^3y-3xy)\div\frac{1}{2}xy-3x(x-5y)$ $-x^2+15xy-6$

풀이 (1) $x(3x+y)+(9xy^2-6xy)\div 3y=x(3x+y)+\frac{9xy^2-6xy}{3y}=3x^2+xy+3xy-2x=3x^2+4xy-2x$

(2) $(x^3y-3xy)\div\frac{1}{2}xy-3x(x-5y)=(x^3y-3xy)\times\frac{2}{xy}-3x(x-5y)=2x^2-6-3x^2+15xy=-x^2+15xy-6$

생각 나누기 문제 해결 추론 의사소통

오른쪽 계산에서 틀린 부분을 찾아 바르게 고치고, 친구들에게 설명하여 보자.

풀이 분모의 단항식으로 분자의 각 항을 나누어야 하므로 바르게 계산하면 다음과 같다.

$\frac{2a^2+ab}{a}=\frac{2a^2}{a}+\frac{ab}{a}=2a+b$

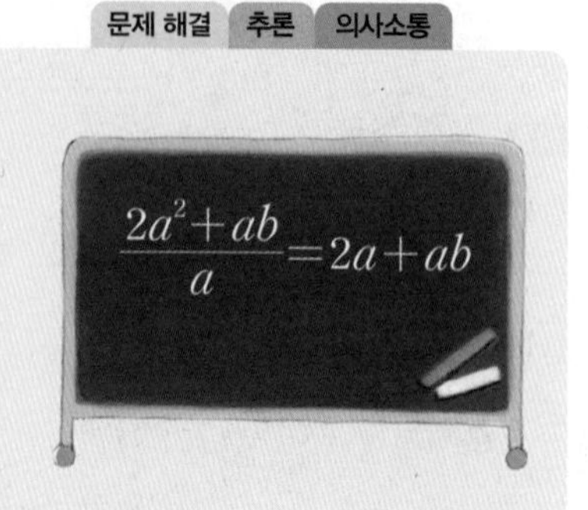

스스로 점검하기

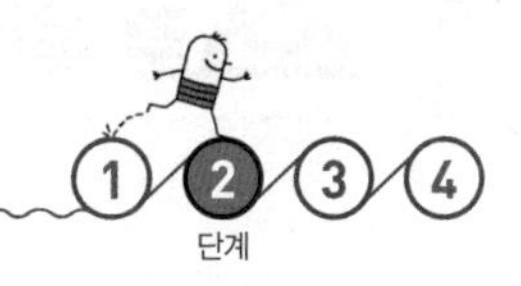

개념 점검하기

잘함 보통 모름

(1) 문자가 2개 이상인 다항식의 덧셈과 뺄셈: 괄호를 풀고 [동류항]끼리 모아서 계산한다.

또, 이차식의 덧셈과 뺄셈은 괄호를 풀고 동류항끼리 모아서 계산한다.

(2) (단항식)×(다항식): 분배법칙을 이용하여 단항식을 다항식의 각 항에 곱하여 계산한다.

이때 다항식의 곱을 괄호를 풀어 하나의 다항식으로 나타내는 것을 [전개]한다고 한다.

예 $2a\times(a+2b)=$ [$2a^2+4ab$]

(3) (다항식)÷(단항식): 나눗셈을 곱셈으로 고치거나 분수 꼴로 나타내어 계산한다.

예 $(4a^2+2ab)\div 2a=(4a^2+2ab)\times\dfrac{1}{\boxed{2a}}=$ [$2a+b$], $(4a^2+2ab)\div 2a=\dfrac{4a^2+2ab}{\boxed{2a}}=$ [$2a+b$]

1 ●●●

다음을 계산하시오.

(1) $(3a+2b)+(2a-4b)$ $5a-2b$

(2) $(x-2y)-(3x-y)$ $-2x-y$

풀이 (1) $(3a+2b)+(2a-4b)=3a+2b+2a-4b$
$=3a+2a+2b-4b$
$=5a-2b$

(2) $(x-2y)-(3x-y)=x-2y-3x+y=x-3x-2y+y$
$=-2x-y$

2 ●●●

다음을 계산하시오.

(1) $(3x^2-x+2)+(x^2-2x+1)$ $4x^2-3x+3$

(2) $(a^2+2a+3)-(-2a^2+a-2)$ $3a^2+a+5$

풀이 (1) $(3x^2-x+2)+(x^2-2x+1)=3x^2-x+2+x^2-2x+1$
$=3x^2+x^2-x-2x+2+1=4x^2-3x+3$

(2) $(a^2+2a+3)-(-2a^2+a-2)=a^2+2a+3+2a^2-a+2$
$=a^2+2a^2+2a-a+3+2=3a^2+a+5$

3 ●●●

다음 식을 전개하시오.

(1) $3x(x+2y-1)$ $3x^2+6xy-3x$

(2) $(3a-2b)\times(-3b)$ $-9ab+6b^2$

풀이 (1) $3x(x+2y-1)=3x\times x+3x\times 2y+3x\times(-1)=3x^2+6xy-3x$

(2) $(3a-2b)\times(-3b)=3a\times(-3b)+(-2b)\times(-3b)=-9ab+6b^2$

4 ●●●

다음을 계산하시오.

(1) $(6x^2-12x)\div 3x$ $2x-4$

(2) $(2a^2b-ab^2)\div\dfrac{1}{2}ab$ $4a-2b$

풀이 (1) $(6x^2-12x)\div 3x=\dfrac{6x^2-12x}{3x}=\dfrac{6x^2}{3x}-\dfrac{12x}{3x}=2x-4$

(2) $(2a^2b-ab^2)\div\dfrac{1}{2}ab=(2a^2b-ab^2)\times\dfrac{2}{ab}$
$=2a^2b\times\dfrac{2}{ab}+(-ab^2)\times\dfrac{2}{ab}=4a-2b$

5 ●●●

다음 그림과 같이 12개의 합동인 직사각형 모양으로 나누어진 유리창이 있다. 유리창 전체의 넓이는 $36a^3b+12a^2b^2$이고, 유리창 한 칸의 가로의 길이가 a^2b일 때, 유리창 전체의 둘레의 길이를 구하시오. $8a^2b+18a+6b$

풀이 유리창 전체의 가로의 길이는 $4a^2b$이고, 유리창 전체의 넓이가 $36a^3b+12a^2b^2$이므로 유리창 전체의 세로의 길이는
$(36a^3b+12a^2b^2)\div 4a^2b=\dfrac{36a^3b+12a^2b^2}{4a^2b}=9a+3b$이다.
따라서 유리창 전체의 둘레의 길이는
$2(4a^2b+9a+3b)=8a^2b+18a+6b$

스스로 확인하기

1. $a^3\times(b^2)^3\times a\times b^2=a^xb^y$일 때, $x+y$의 값을 구하시오. 12

풀이 $a^3\times(b^2)^3\times a\times b^2=a^3\times b^6\times a\times b^2=a^4b^8$ 이므로 $x=4$, $y=8$이고, $x+y=12$이다.

2. 다음을 계산하시오. x

$$x^3y^5\div(x^2y)^3\times\left(\frac{x^2}{y}\right)^2$$

풀이 $x^3y^5\div(x^2y)^3\times\left(\frac{x^2}{y}\right)^2=\frac{x^3y^5}{x^6y^3}\times\frac{x^4}{y^2}=\frac{y^2}{x^3}\times\frac{x^4}{y^2}=x$

3. 다음 □ 안에 들어갈 알맞은 식을 구하시오. $4x^4$

$$(2x^2y)^3\div\square=2x^2y^3$$

풀이 $\square=(2x^2y)^3\div2x^2y^3=8x^6y^3\times\frac{1}{2x^2y^3}=4x^4$

4. 다음 직사각형에서 색칠한 부분의 넓이를 구하시오. $6x^2-3x$

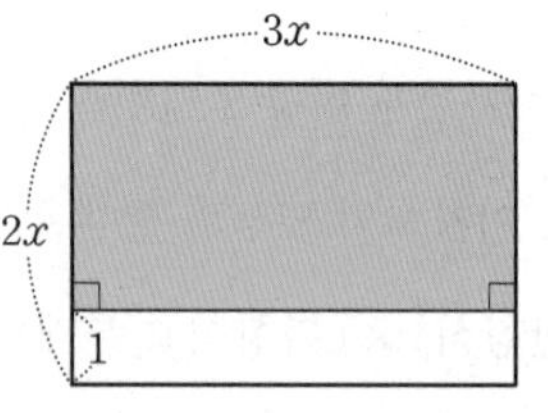

풀이 색칠한 부분의 넓이는 $3x\times(2x-1)=6x^2-3x$이다.

5. 다음 직사각형의 넓이가 $8x^2+4x$이고, 세로의 길이가 $\frac{1}{2}x$이다. 직사각형의 가로의 길이를 구하시오. $16x+8$

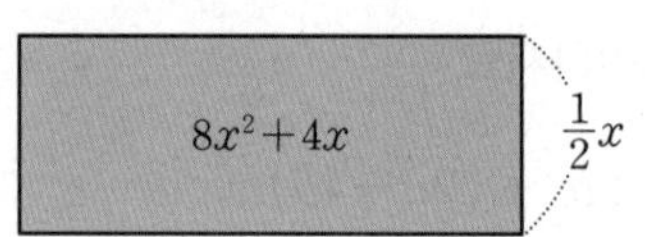

풀이 직사각형의 가로의 길이는 $(8x^2+4x)\div\frac{1}{2}x$이다. 따라서 $(8x^2+4x)\div\frac{1}{2}x=(8x^2+4x)\times\frac{2}{x}=16x+8$

실력 업(UP) 발전 문제

6. $2^9\times5^7\times7^a$이 10자리의 자연수라고 할 때, 자연수 a의 값을 구하시오. 2

풀이 $2^9\times5^7\times7^a=(2\times5)^7\times2^2\times7^a=10^7\times2^2\times7^a$이므로 $10^7\times2^2\times7^a$이 10자리의 자연수가 되려면 $2^2\times7^a$이 세 자리의 자연수여야 한다. 따라서 $a=2$이다.

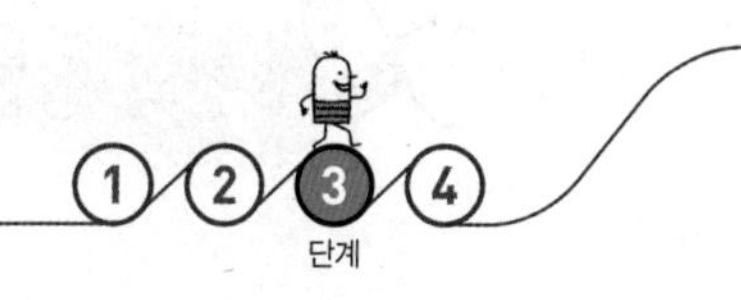

7. 다음 그림과 같이 높이가 h이고, 반지름의 길이가 r인 원기둥 A와 높이가 $2h$이고 반지름의 길이가 $\frac{1}{2}r$인 원기둥 B가 있다. 원기둥 A의 부피는 원기둥 B의 부피의 몇 배인지 구하시오. 2배

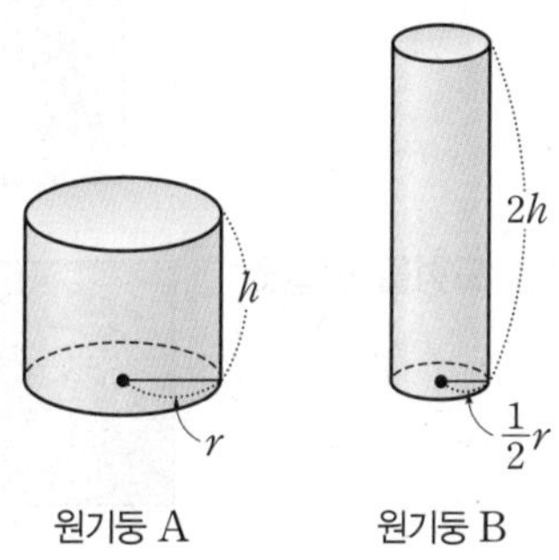

풀이 원기둥 A의 부피는 $\pi r^2 h$이고, 원기둥 B의 부피는

$\pi \times \left(\frac{1}{2}r\right)^2 \times 2h = \pi \times \frac{1}{4}r^2 \times 2h = \frac{1}{2}\pi r^2 h$이다.

따라서 원기둥 A의 부피는 원기둥 B 부피의 2배이다.

8. 다음 그림에서 색칠한 부분의 넓이를 구하시오. $8a+\frac{9}{2}b-6$

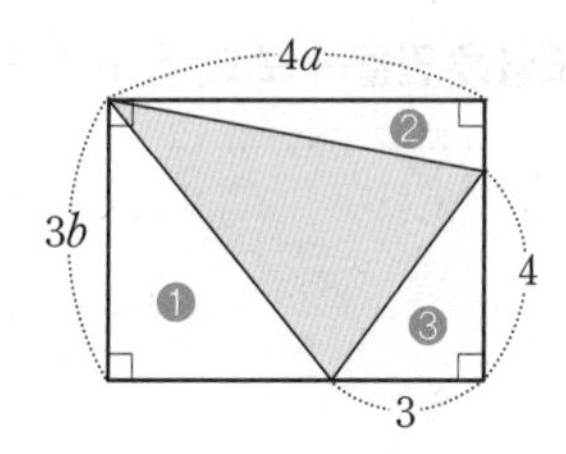

풀이 직사각형의 넓이에서 직각삼각형 3개의 넓이를 빼서 색칠한 부분의 넓이를 구할 수 있다.

삼각형 ❶의 넓이: $(4a-3)\times 3b \times \frac{1}{2} = 6ab - \frac{9}{2}b$

삼각형 ❷의 넓이: $4a \times (3b-4) \times \frac{1}{2} = 6ab - 8a$

삼각형 ❸의 넓이: $3 \times 4 \times \frac{1}{2} = 6$이므로 색칠한 부분의 넓이는

$12ab - \left(6ab - \frac{9}{2}b\right) - (6ab - 8a) - 6$

$= 12ab - 6ab + \frac{9}{2}b - 6ab + 8a - 6$

$= 8a + \frac{9}{2}b - 6$

교과서 문제 뛰어 넘기

9. 다음 그림과 같이 가로, 세로의 길이가 각각 a, $4b$인 직사각형에서 색칠한 부분의 넓이를 a, b에 대한 식으로 나타내시오.

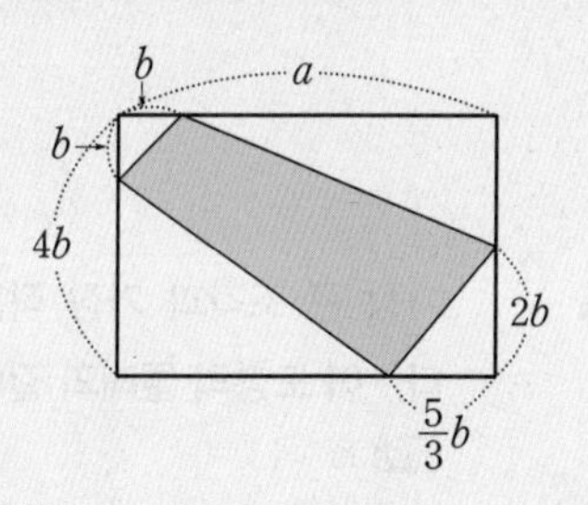

10. $2^n = a$, $5^n = b$일 때, $5^{n+1}(4^{n+1} + 3 \times 4^n)$을 a, b를 사용하여 간단히 나타내시오. (단, $n > 1$)

11. 자연수 a의 일의 자리의 숫자를 $\{a\}$라고 할 때, $\{\{2^{18}\} + \{2^{27}\}\}$의 값을 구하시오.

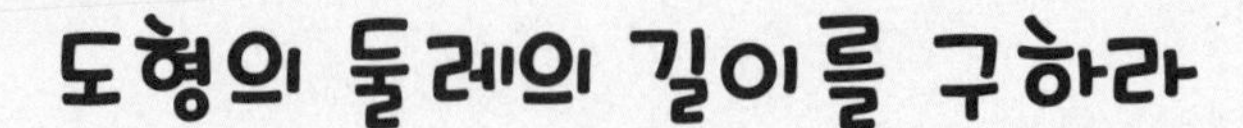

오른쪽 그림과 같이 직사각형을 반으로 자르기를 반복하여 5개의 직사각형으로 분할하였다. 가장 작은 직사각형의 가로의 길이가 a, 세로의 길이가 b일 때, 다음 물음에 답하시오.

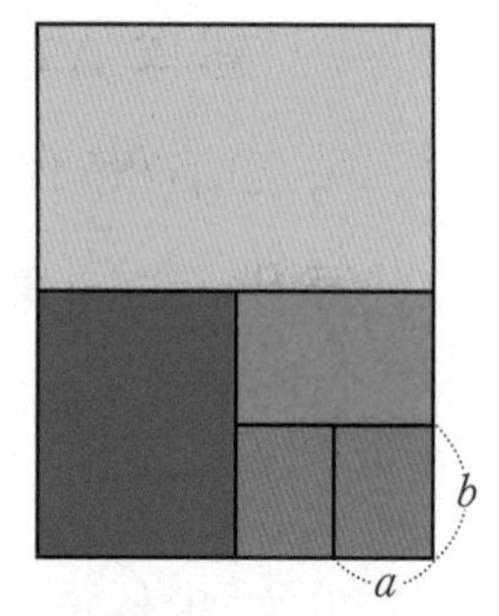

활동 ① 가장 큰 조각과 가장 작은 조각을 붙여서 오른쪽 그림과 같은 도형을 만들었다. 이 도형의 둘레의 길이를 구하여 보자.

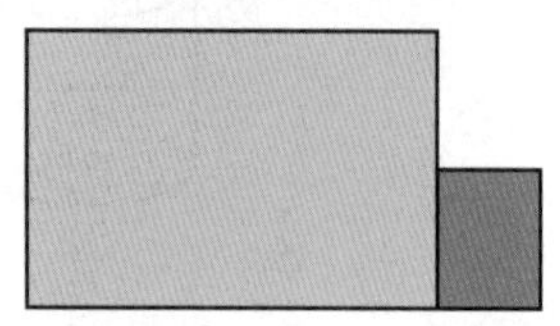

풀이 둘레의 길이는

$2(4a+a+2b)=2(5a+2b)$
$=10a+4b$

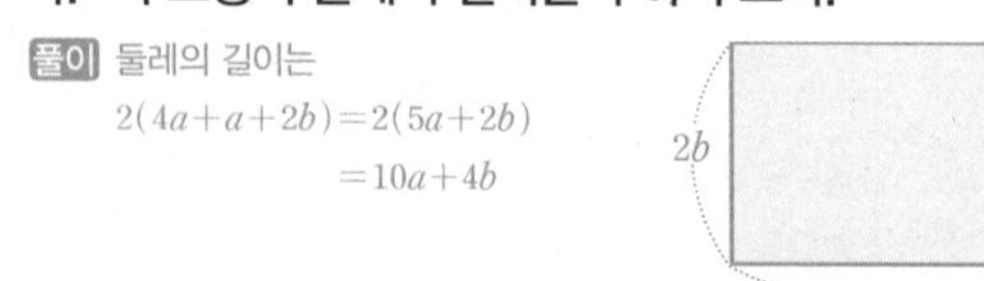

활동 ② 분할된 5개의 직사각형을 이용하여 활동 ①과 같은 둘레의 길이를 가진 서로 다른 모양의 도형을 만들어 보자.

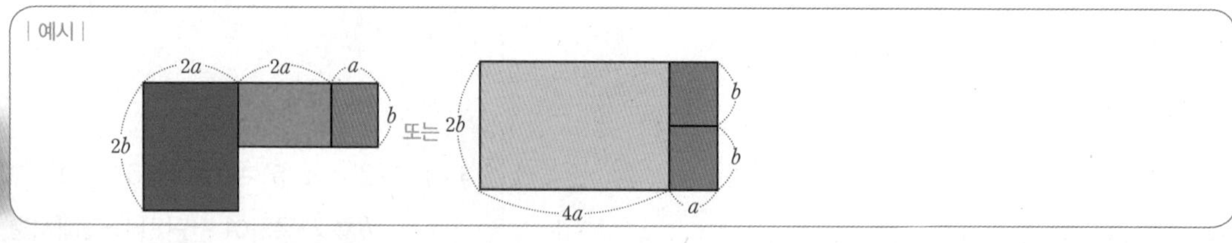

예시 답안 이외에도 둘레의 길이가 $10a+4b$인 도형을 더 찾을 수 있다.

활동 ③ 분할된 5개의 직사각형을 이용하여 둘레의 길이가 $4a+6b$인 도형을 만들어 보고, 친구들과 비교하여 보자.

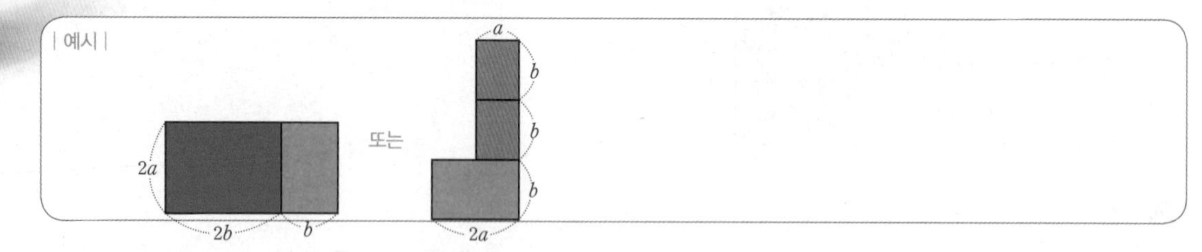

예시 답안 이외에도 둘레의 길이가 $4a+6b$인 도형을 더 찾을 수 있다.

| 학생 평가표 예시 |

평가내용		잘했어요	보통이에요	노력이 필요해요
문제 해결	여러 가지 모양의 도형의 둘레의 길이를 구할 수 있는가?			
창의 · 융합	둘레의 길이가 같은 여러 가지 모양의 도형을 찾을 수 있는가?			
의사소통	도형의 둘레의 길이를 다항식으로 표현할 수 있는가?			
태도 및 실천	과제 수행에 적극적으로 참여하였는가?			

1. 어떤 고무공을 대리석 바닥에 떨어뜨리면 떨어진 높이의 $\frac{1}{10}$만큼 다시 튀어 오른다. 이 고무공을 $80\ \mathrm{cm}$의 높이에서 떨어뜨렸을 때, 이 고무공이 멈출 때까지 움직인 거리의 합을 순환소수로 나타내시오.

2. 아이스크림 가게에 다음 그림과 같은 원기둥 모양의 용기 A와 원뿔 모양의 용기 B가 있다. 용기 A에 아이스크림을 가득 담았을 때의 가격이 6000원이다. 아이스크림의 가격은 부피에 정비례한다면 용기 B에 아이스크림을 가득 담았을 때의 가격은 얼마가 적당한지 구하시오.

(단, 용기의 두께는 생각하지 않는다.)

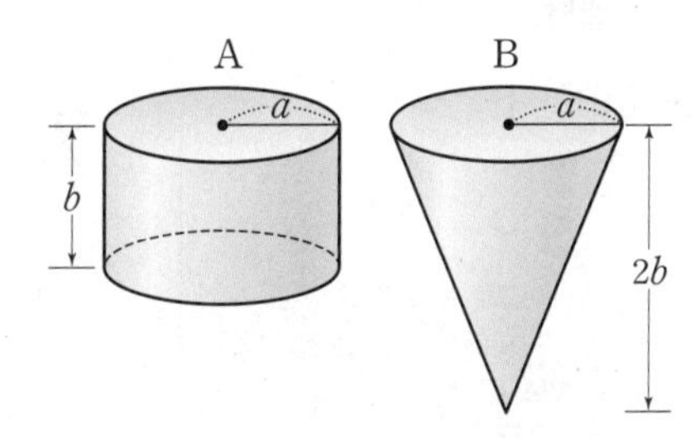

스스로 마무리하기

1. 다음 보기 중에서 옳은 것을 모두 고르시오.

보기
ㄱ. $2.3777\cdots=2.3\dot{7}$
ㄴ. $0.0323232\cdots=0.0\dot{3}\dot{2}$
ㄷ. $0.135135135\cdots=0.\dot{1}3\dot{5}$
ㄹ. $2.082082082\cdots=\dot{2}.0\dot{8}$

풀이 ㄷ. $0.135135135\cdots=0.\dot{1}3\dot{5}$ ㄹ. $2.082082082\cdots=2.\dot{0}8\dot{2}$
따라서 옳은 것은 ㄱ, ㄴ이다.

2. 다음에서 유한소수로 나타낼 수 있는 것은?

① $\frac{5}{6}=\frac{5}{2\times3}$ ② $\frac{5}{12}=\frac{5}{2^2\times3}$ ③ $\frac{6}{28}=\frac{3}{14}=\frac{3}{2\times7}$
④ $\frac{3}{33}=\frac{1}{11}$ ⑤ $\frac{9}{75}=\frac{3}{25}=\frac{3}{5^2}$

풀이 분모의 소인수가 2나 5뿐인 $\frac{9}{75}$는 유한소수로 나타낼 수 있다.
따라서 정답은 ⑤이다.

3. 다음 중 순환소수 $x=5.17222\cdots$에 대한 설명으로 옳은 것은?

① 유한소수이다.
② 순환마디는 172이다.
③ x는 $5.\dot{1}7\dot{2}$로 간단히 나타낸다.
④ $1000x-100x$의 값은 정수이다.
⑤ $x=\frac{569}{110}$이다.

풀이 $1000x=5172.222\cdots$, $100x=517.222\cdots$이므로 두 수의 소수점 아래의 부분이 서로 같다. 따라서 $1000x-100x$의 값은 정수이고, 그 값은 $1000x-100x=4655$이다. 따라서 정답은 ④이다.

4. 다음 보기 중에서 옳은 것을 모두 고르시오.

보기
ㄱ. 무한소수 중에는 순환소수가 아닌 것도 있다.
ㄴ. 유한소수는 유리수이다.
ㄷ. 순환소수는 유리수가 아니다.
ㄹ. 분모의 소인수가 2나 5뿐인 유리수는 유한소수로 나타낼 수 있다.

풀이 ㄷ. 순환소수는 유리수이다.
따라서 옳은 것은 ㄱ, ㄴ, ㄹ이다.

5. 다음 수 중 가장 큰 수를 찾으시오.

ㄱ. $5^4+5^4+5^4+5^4+5^4$
ㄴ. $(5^2)^3$
ㄷ. $(2\times5^2)^2$
ㄹ. $5^6\div5^2$

풀이 ㄱ. $5^4+5^4+5^4+5^4+5^4=5\times5^4$
ㄴ. $(5^2)^3=5^6=5^2\times5^4$
ㄷ. $(2\times5^2)^2=2^2\times5^4$
ㄹ. $5^6\div5^2=5^4$
따라서 ㄴ. $(5^2)^3$이 가장 큰 수이다.

6. $x^2y^7\div(x^2y)^2\times\left(\frac{x^2}{y}\right)^3=x^ay^b$일 때, $a+b$의 값을 구하시오. 6

풀이 $x^2y^7\div(x^2y)^2\times\left(\frac{x^2}{y}\right)^3=x^2y^7\times\frac{1}{x^4y^2}\times\frac{x^6}{y^3}=x^4y^2$
따라서 $a=4$, $b=2$이고, $a+b=6$이다.

7. $(12a^3b-6a^2b^2)\div3ab-a(a-2b)$를 계산하시오. $3a^2$

풀이 $(12a^3b-6a^2b^2)\div3ab-a(a-2b)$
$=\frac{12a^3b-6a^2b^2}{3ab}-a^2+2ab=4a^2-2ab-a^2+2ab=3a^2$

8. $\square\times(-4xy)=4x^2y-8xy^2+12xy$일 때, $\square$ 안에 들어갈 알맞은 식을 구하시오. $-x+2y-3$

풀이 $\square=(4x^2y-8xy^2+12xy)\div(-4xy)$
$=(4x^2y-8xy^2+12xy)\times\frac{1}{-4xy}$
$=-x+2y-3$

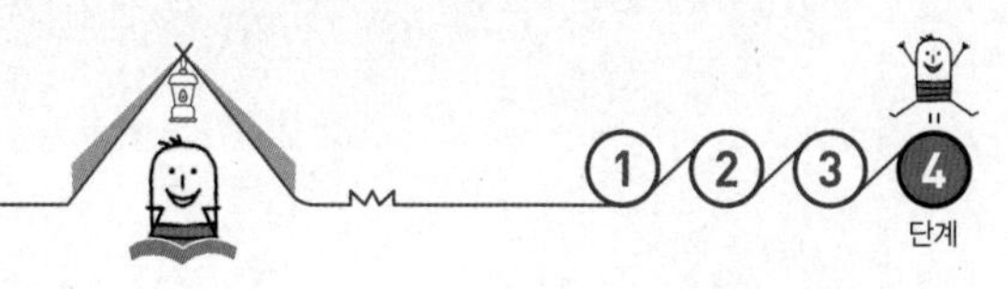

[9~11] **서술형 문제** 문제의 풀이 과정과 답을 쓰고, 스스로 채점하여 보자.

9. 분수 $\frac{15}{84}$에 어떤 자연수 a를 곱하여 소수로 나타내면 유한소수가 된다고 한다. 이때 a의 값 중 가장 작은 두 자리의 자연수를 구하시오. [5점] 14

풀이 $\frac{15}{84}=\frac{5}{28}=\frac{5}{2^2\times7}$이고, $\frac{5}{2^2\times7}\times a$가 유한소수가 되기 위해서는 a가 7의 배수여야 한다.
따라서 a의 값 중 가장 작은 두 자리의 자연수는 14이다.

채점 기준	배점
(i) a가 만족시키는 조건을 찾은 경우	2점
(ii) a의 값 중 가장 작은 두 자리의 자연수를 바르게 구한 경우	3점

10. $\frac{3^a}{2\times3^3\times5}\times10^2$이 두 자리의 자연수라고 할 때, 자연수 a의 값을 모두 구하시오. [5점] 3, 4, 5

풀이 $\frac{3^a}{2\times3^3\times5}\times10^2=\frac{3^a}{3^3}\times10$이므로 $\frac{3^a}{3^3}$이 한 자리의 자연수가 되어야 한다.

따라서 $a=3$일 때 $\frac{3^a}{3^3}=1$, $a=4$일 때 $\frac{3^a}{3^3}=3$, $a=5$일 때 $\frac{3^a}{3^3}=9$가 되어 a의 값은 3, 4, 5이다.

채점 기준	배점
(i) 주어진 식을 바르게 계산한 경우	1점
(ii) a가 만족시키는 조건을 찾은 경우	2점
(iii) a의 값을 모두 구한 경우	2점

11. 다음 그림과 같이 밑면의 가로의 길이가 $3ab$, 세로의 길이가 b인 직육면체의 부피가 $6a^2b^2+15ab^2$일 때, 이 직육면체의 겉넓이를 구하시오. [5점]
$12a^2b+34ab+6ab^2+10b$

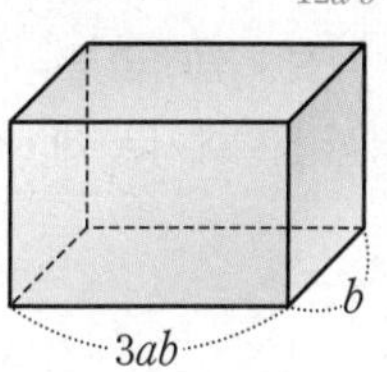

풀이 직육면체의 높이는 $(6a^2b^2+15ab^2)\div3ab^2=2a+5$
이므로 세 면의 넓이는 각각 $3ab\times(2a+5)=6a^2b+15ab$, $b\times(2a+5)=2ab+5b$, $3ab\times b=3ab^2$이다.
따라서 직육면체의 겉넓이는
$2(6a^2b+15ab+2ab+5b+3ab^2)$
$=2(6a^2b+17ab+3ab^2+5b)$
$=12a^2b+34ab+6ab^2+10b$

채점 기준	배점
(i) 직육면체의 높이를 바르게 구한 경우	2점
(ii) 직육면체의 겉넓이를 바르게 구한 경우	3점

놀이공원에서 찾은 부등식과 방정식

우리는 놀이공원의 입장료, 놀이 기구의 키 제한 등에서 부등식과 방정식을 만날 수 있다.

일상생활에서 계획을 세우거나 합리적인 판단을 해야 할 때, 부등식과 방정식을 이용하면 편리한 경우가 있다. 이와 같이 부등식과 방정식은 다양한 상황에서 문제 해결에 편리한 도구가 된다.

Ⅱ

일차부등식과 연립일차방정식

1. 일차부등식과 연립일차방정식

| 단원의 계통도 살펴보기 |

이전에 배웠어요.

| 중학교 1학년 |
- 문자의 사용과 식의 계산
- 일차방정식

이번에 배워요.

Ⅱ－1. 일차부등식과 연립일차방정식
01. 부등식과 그 해
02. 일차부등식과 문제 해결
03. 연립일차방정식
04. 연립일차방정식과 문제 해결

이후에 배울 거예요.

| 중학교 3학년 |
- 다항식의 곱셈과 인수분해
- 이차방정식

| 고등학교 수학 |
- 여러 가지 부등식
- 부등식의 영역
- 여러 가지 방정식

일차부등식과 연립일차방정식

01. 부등식과 그 해 | 02. 일차부등식과 문제 해결 | 03. 연립일차방정식 | 04. 연립일차방정식과 문제 해결

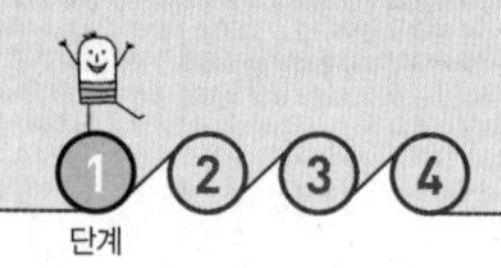

이것만은 **알고 가자**

중1 부등호

1. 다음을 부등호를 사용하여 나타내시오.

(1) x는 4보다 크다. $x>4$

(2) x는 1 미만이다. $x<1$

(3) x는 -2보다 크거나 같고, 3보다 작다. $-2 \le x < 3$

알고 있나요?
주어진 문장을 부등호를 사용하여 나타낼 수 있는가?
잘함 보통 모름

중1 식의 값

2. $x=3$일 때, 다음 식의 값을 구하시오.

(1) $5x-1$ 14

(2) $-2x+5$ -1

| 개념 체크 |
문자를 포함한 식에서 문자 대신 수를 넣는 것을 문자에 수를 대입한다고 한다.

알고 있나요?
식의 값을 구할 수 있는가?
잘함 보통 모름

중1 일차방정식의 풀이

3. 다음 일차방정식을 푸시오.

(1) $-x+12=5$ $x=7$

(2) $3x+4=7$ $x=1$

(3) $2(x-1)=3x-2$ $x=0$

| 개념 체크 |
일차방정식 : 방정식의 우변에 있는 모든 항을 좌변으로 이항하여 동류항을 정리하였을 때, (x에 대한 일차식)$=0$의 꼴이 되는 방정식

알고 있나요?
일차방정식을 풀 수 있는가?
잘함 보통 모름

부족한 부분을 보충하고 본 학습을 준비하여 보자.

한 눈에 개념 정리

01 부등식과 그 해

1. 부등식: 부등호 $>$, $<$, $\geq$, $\leq$를 사용하여 수 또는 식의 대소 관계를 나타낸 식

(1) 부등식의 해: 부등식을 참이 되게 하는 미지수의 값

(2) 부등식을 푼다: 부등식의 해를 모두 구하는 것

2. 부등식의 성질

(1) 부등식의 양변에 같은 수를 더하거나 양변에서 같은 수를 빼어도 부등호의 방향은 바뀌지 않는다.

(2) 부등식의 양변에 같은 양수를 곱하거나 양변을 같은 양수로 나누어도 부등호의 방향은 바뀌지 않는다.

(3) 부등식의 양변에 같은 음수를 곱하거나 양변을 같은 음수로 나누면 부등호의 방향은 바뀐다.

02 일차부등식과 문제 해결

1. 일차부등식: 부등식의 모든 항을 좌변으로 이항하여 정리하였을 때, (일차식)>0, (일차식)<0, (일차식)≥ 0, (일차식)≤ 0 중 어느 하나의 꼴로 나타낼 수 있는 부등식

2. 일차부등식의 풀이 방법

① 계수가 소수 또는 분수인 경우에는 양변에 적당한 수를 곱하여 계수를 정수로 바꾼다.

② 괄호가 있으면 괄호를 풀고 정리한다.

③ 미지수 x를 포함한 항은 좌변으로, 상수항은 우변으로 이항한다.

④ 양변을 정리하여 $ax>b$, $ax<b$, $ax\geq b$, $ax\leq b\,(a\neq 0)$ 중 어느 하나의 꼴로 바꾼다.

⑤ 양변을 x의 계수 a로 나눈다. 이때 a가 음수이면 부등호의 방향이 바뀐다.

3. 일차부등식을 활용하여 문제를 해결하는 순서

미지수 정하기 ➡ 부등식 세우기 ➡ 부등식 풀기 ➡ 확인하기

03 연립일차방정식

1. 미지수가 2개인 일차방정식과 그 해

(1) 미지수가 2개인 일차방정식: 미지수가 2개이고, 차수가 1인 방정식

$ax+by+c=0$(a, b, c는 상수, $a\neq 0$, $b\neq 0$)

(2) 미지수가 2개인 일차방정식의 해: 미지수가 2개인 일차방정식을 만족시키는 x, y의 값 또는 그 순서쌍 (x, y)

2. 미지수가 2개인 연립일차방정식과 그 해

(1) 미지수가 2개인 연립일차방정식(연립방정식): 미지수가 2개인 두 일차방정식을 한 쌍으로 묶어 놓은 것

(2) 연립방정식의 해: 연립방정식에서 두 일차방정식을 동시에 만족시키는 x, y의 값 또는 그 순서쌍 (x, y)

04 연립일차방정식과 문제 해결

미지수가 2개인 연립방정식에서 식의 대입을 이용하거나 두 식의 합 또는 차를 이용하여 한 미지수를 없앤 후 연립방정식의 해를 구할 수 있다.

부등식과 그 해

이 단원에서 배우는 용어와 기호

부등식

학습 목표 | 부등식과 그 해의 의미를 알고, 부등식의 성질을 이해한다.

부등식은 무엇일까?

탐구하기

탐구 목표
부등식의 의미를 이해할 수 있다.

최근 층간 소음 문제가 심각한 사회 문제로 확대되고 있어, 이를 예방하고 분쟁을 해결하기 위한 층간 소음의 기준이 규정되었다. 다음은 뛰거나 걷는 동작 등으로 발생하는 층간 소음의 기준을 나타낸 표이다. 물음에 답하여 보자.

층간 소음의 기준	주간 (06시~22시)	야간 (22시~06시)
1분간 평균 소음도	43 dB	38 dB
최고 소음도	57 dB	52 dB

(출처: 국가소음정보시스템, 2018)

과학 톡톡
데시벨(dB)
소리의 세기를 나타내는 단위는 dB이다.

활동 ❶ 14시에 측정한 진희네 집의 1분간 평균 소음도가 x dB이다. 진희네 집이 층간 소음의 기준을 초과했다고 할 때, x의 값의 범위를 부등호를 사용하여 나타내어 보자. $x>43$

풀이 x dB이 43 dB을 초과했으므로 $x>43$이다.

활동 ❷ 23시와 24시 사이에 측정한 성진이네 집의 최고 소음도가 y dB이다. 성진이네 집의 최고 소음도가 기준 이하라고 할 때, y의 값의 범위를 부등호를 사용하여 나타내어 보자. $y\le52$

풀이 y dB이 52 dB 이하이므로 $y\le52$이다.

개념 쏙
부등식: 부등호 $>$, $<$, $\ge$, $\le$를 사용하여 수 또는 식의 대소 관계를 나타낸 식

탐구하기 의 **활동 ❶**, **활동 ❷**를 각각 $x>43$, $y\le52$와 같이 나타낼 수 있다.

이와 같이 부등호 $>$, $<$, $\ge$, $\le$를 사용하여 수 또는 식의 대소 관계를 나타낸 식을 **부등식**이라고 한다.

⊕ 등식에서와 같이 부등식에서도 부등호의 왼쪽 부분을 좌변, 오른쪽 부분을 우변이라 하고, 좌변과 우변을 통틀어 양변이라고 한다.

$x > 43$
좌변 우변
양변

1. 다음 문장을 부등식으로 나타내시오.

(1) a에 3을 더하면 8보다 크다. $a+3>8$

(2) 한 권에 y원인 공책 5권의 가격은 4500원 미만이다. $5y<4500$

(3) x km의 거리를 시속 3 km로 걸어가면 1시간 이상 걸린다. $\frac{x}{3}\ge1$

부등식의 해는 무엇일까?

함께해 보기 1

x의 값이 자연수일 때, 부등식 $2x-1<5$가 참 또는 거짓이 되는지 알아보려고 한다. 다음 표를 완성하여 보자.

x	좌변의 값	대소 비교	우변의 값	$2x-1<5$의 참/거짓
1	$2\times1-1=1$	$<$	5	참
2	$2\times2-1=3$	$<$	5	참
3	$2\times3-1=5$	$=$	5	거짓
4	$2\times4-1=7$	$>$	5	거짓
5	$2\times5-1=9$	$>$	5	거짓
⋮	⋮	⋮	⋮	⋮

$2x-1<5$
└ 미지수

개념 쏙

부등식의 해: 부등식을 참이 되게 하는 미지수의 값

함께해 보기 1 에서 부등식 $2x-1<5$를 참이 되게 하는 x의 값은 1 또는 2이고, x의 값이 3 이상일 때에는 거짓이 된다. 이와 같이 미지수 x를 포함하는 부등식에서 그 부등식을 참이 되게 하는 x의 값을 그 부등식의 해라 하고, 부등식의 해를 모두 구하는 것을 부등식을 푼다고 한다.

바로 확인 x의 값이 자연수일 때, 부등식 $2x-1<5$의 해는 [1], [2]이다.

Tip 부등호 '≤'는 '< 또는 ='를 의미하므로 '<'를 만족시키는 수와 '='를 만족시키는 수는 모두 부등식의 해가 된다.

2. x의 값이 -1, 0, 1, 2일 때 다음 표를 완성하고, 부등식 $3x+2\leq2$를 참이 되게 하는 x의 값을 모두 구하시오.

x	좌변의 값	대소 비교	우변의 값	$3x+2\leq2$의 참/거짓
-1	$3\times(-1)+2=-1$	$<$	2	참
0	$3\times0+2=2$	$=$	2	참
1	$3\times1+2=5$	$>$	2	거짓
2	$3\times2+2=8$	$>$	2	거짓

따라서 부등식 $3x+2\leq2$를 참이 되게 하는 x의 값은 -1, 0이다.

3. x가 자연수일 때, 다음 부등식을 푸시오.

(1) $2x+1<7$ 1, 2

(2) $3-x\geq-1$ 1, 2, 3, 4

풀이 (1) $x=1$일 때, $2\times1+1<7$이므로 $3<7$(참)
$x=2$일 때, $2\times2+1<7$이므로 $5<7$(참)
$x=3$일 때, $2\times3+1=7$이므로 $7<7$(거짓)
$x=4$일 때, $2\times4+1>7$이므로 $9<7$(거짓)
⋮
이다. 따라서 부등식의 해는 1, 2이다.

(2) $x=1$일 때, $3-1>-1$이므로 $2\geq-1$(참)
$x=2$일 때, $3-2>-1$이므로 $1\geq-1$(참)
$x=3$일 때, $3-3>-1$이므로 $0\geq-1$(참)
$x=4$일 때, $3-4=-1$이므로 $-1\geq-1$(참)
$x=5$일 때, $3-5<-1$이므로 $-2\geq-1$(거짓)
$x=6$일 때, $3-6<-1$이므로 $-3\geq-1$(거짓)
⋮
이다. 따라서 부등식의 해는 1, 2, 3, 4이다.

부등식은 어떤 성질을 가질까?

탐구하기

탐구 목표
부등식의 양변에 같은 수를 더하거나 빼거나 곱하거나 나누어 부등호의 방향을 살펴보고, 부등식의 성질을 이해할 수 있다.

오른쪽은 『수학 1』에서 학습한 등식의 성질이다. 다음과 같이 부등식 $-4<2$의 양변에 같은 수를 더하거나 빼거나 곱하거나 나누어 보고, 부등식의 성질을 알아보자.

등식의 성질
$a=b$이면
1. $a+c=b+c$
2. $a-c=b-c$
3. $ac=bc$
4. $\frac{a}{c}=\frac{b}{c}$ (단, $c\neq0$)

활동 1 부등식 $-4<2$의 양변에 2를 더하거나 양변에서 2를 빼는 것을 수직선 위에 나타내어 보고, ◯ 안에 알맞은 부등호를 써넣어 보자.

(1) $-4+2$ ⓒ $2+2$ → $-4+2 < 2+2$

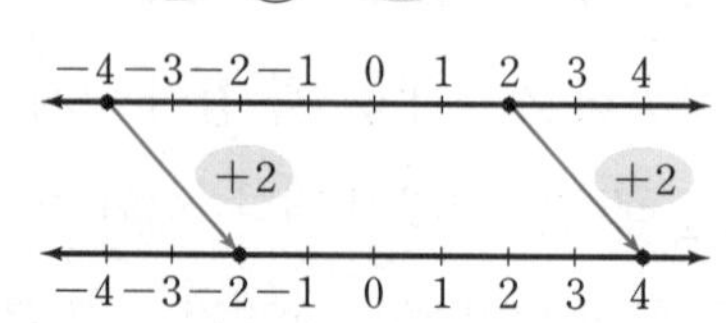

(2) $-4-2 < 2-2$

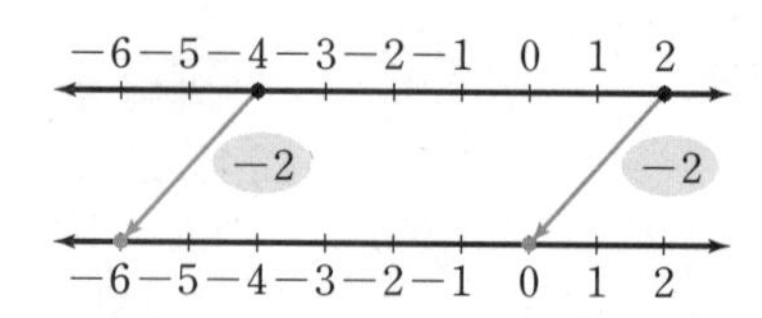

활동 2 부등식 $-4<2$의 양변에 2를 곱하거나 양변을 2로 나누는 것을 수직선 위에 나타내어 보고, ◯ 안에 알맞은 부등호를 써넣어 보자.

(1) $-4\times2 < 2\times2$

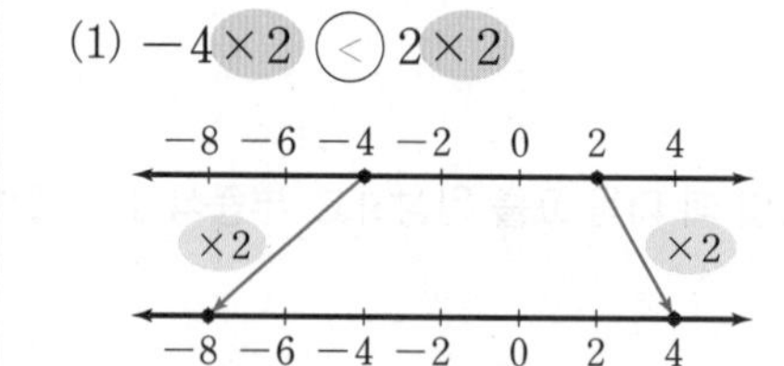

(2) $-4\div2 < 2\div2$

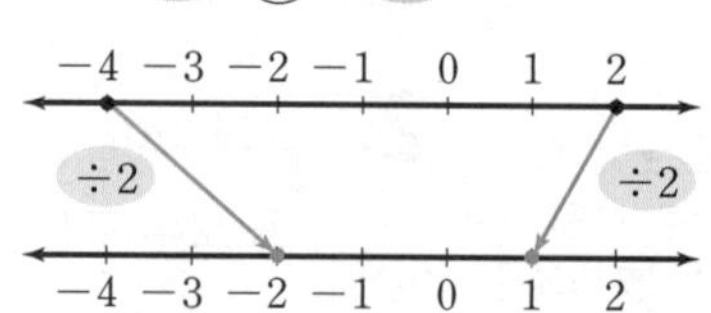

활동 3 부등식 $-4<2$의 양변에 -2를 곱하거나 양변을 -2로 나누는 것을 수직선 위에 나타내어 보고, ◯ 안에 알맞은 부등호를 써넣어 보자.

(1) $-4\times(-2) > 2\times(-2)$

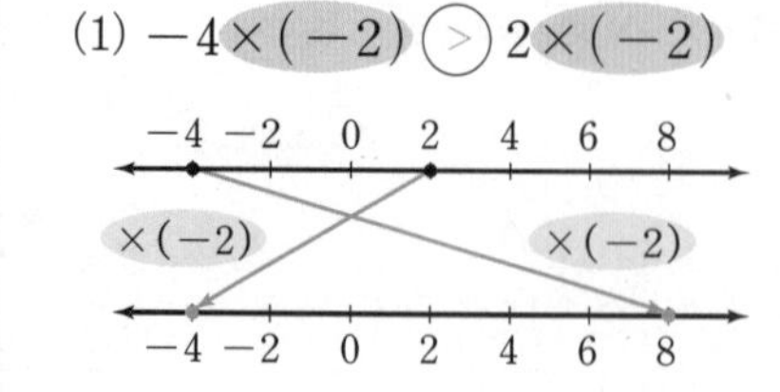

(2) $-4\div(-2) > 2\div(-2)$

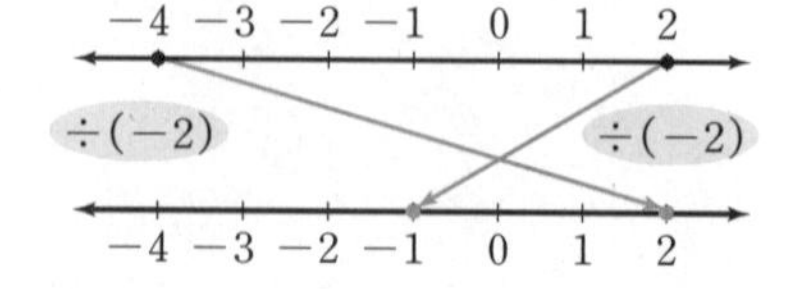

탐구하기 의 **활동 ❶**과 같이 부등식 $-4<2$의 양변에 2를 더하거나 양변에서 2를 빼어도 부등호의 방향은 바뀌지 않는다.

$$-4+2<2+2 \qquad -4-2<2-2$$

일반적으로 부등식의 양변에 같은 수를 더하거나 양변에서 같은 수를 빼어도 부등호의 방향은 바뀌지 않는다.

또, **활동 ❷**와 같이 부등식 $-4<2$의 양변에 양수 2를 곱하거나 양변을 양수 2로 나누어도 부등호의 방향은 바뀌지 않는다.

$$-4\times2<2\times2 \qquad -4\div2<2\div2$$

일반적으로 부등식의 양변에 같은 양수를 곱하거나 양변을 같은 양수로 나누어도 부등호의 방향은 바뀌지 않는다.

4. $a<b$일 때, 다음 ◯ 안에 알맞은 부등호를 써넣으시오.

(1) $a+1$ ⓒ<ⓒ $b+1$ (2) $a-4$ (<) $b-4$

(3) $a\times3$ (<) $b\times3$ (4) $a\div7$ (<) $b\div7$

풀이 부등식의 양변에 같은 수를 더하거나 양변에서 같은 수를 빼어도 부등호의 방향은 바뀌지 않으므로
(1) $a+1<b+1$ (2) $a-4<b-4$
부등식의 양변에 같은 양수를 곱하거나 양변을 같은 양수로 나누어도 부등호의 방향은 바뀌지 않으므로
(3) $a\times3<b\times3$ (4) $a\div7<b\div7$

한편, **활동 ❸**과 같이 부등식 $-4<2$의 양변에 음수 -2를 곱하거나 양변을 음수 -2로 나누면 부등호의 방향이 바뀐다.

$$-4\times(-2)>2\times(-2) \qquad -4\div(-2)>2\div(-2)$$

일반적으로 부등식의 양변에 같은 음수를 곱하거나 양변을 같은 음수로 나누면 부등호의 방향은 바뀐다.

5. $a<b$일 때, 다음 ◯ 안에 알맞은 부등호를 써넣으시오.

(1) $a\times(-2)$ (>) $b\times(-2)$ (2) $a\div(-3)$ (>) $b\div(-3)$

(3) $-4a$ (>) $-4b$ (4) $-\frac{a}{5}$ (>) $-\frac{b}{5}$

풀이 부등식의 양변에 같은 음수를 곱하거나 양변을 같은 음수로 나누면 부등호의 방향은 바뀌므로
(1) $a\times(-2)>b\times(-2)$ (2) $a\div(-3)>b\div(-3)$
(3) $-4a>-4b$ (4) $-\frac{a}{5}>-\frac{b}{5}$

이상을 정리하면 다음과 같다.

⊕ 부등호 $<$를 $>$, $\le$, $\ge$로 바꾸어도 부등식의 성질은 성립한다.

부등식의 성질

1. 부등식의 양변에 같은 수를 더하거나 양변에서 같은 수를 빼어도 부등호의 방향은 바뀌지 않는다.

$$a<b\text{이면 } a+c<b+c,\ a-c<b-c$$

2. 부등식의 양변에 같은 양수를 곱하거나 양변을 같은 양수로 나누어도 부등호의 방향은 바뀌지 않는다.

$$a<b,\ c>0\text{이면 } ac<bc,\ \frac{a}{c}<\frac{b}{c}$$

3. 부등식의 양변에 같은 음수를 곱하거나 양변을 같은 음수로 나누면 부등호의 방향은 바뀐다.

$$a<b,\ c<0\text{이면 } ac>bc,\ \frac{a}{c}>\frac{b}{c}$$

6. $a\le b$일 때, 다음 ◯ 안에 알맞은 부등호를 써넣으시오.

(1) $2a+1$ (≤) $2b+1$

(2) $-3a+2$ (≥) $-3b+2$

(3) $-2a-\frac{1}{3}$ (≥) $-2b-\frac{1}{3}$

(4) $\frac{a}{4}-5$ (≤) $\frac{b}{4}-5$

풀이 (1) $a\le b$의 양변에 2를 곱하면 $2a\le 2b$
또, 양변에 1을 더하면 $2a+1\le 2b+1$
(2) $a\le b$의 양변에 -3을 곱하면
$-3a\ge -3b$
또, 양변에 2를 더하면 $-3a+2\ge -3b+2$
(3) $a\le b$의 양변에 -2를 곱하면 $-2a\ge -2b$
또, 양변에서 $\frac{1}{3}$을 빼면
$-2a-\frac{1}{3}\ge -2b-\frac{1}{3}$
(4) $a\le b$의 양변을 4로 나누면 $\frac{a}{4}\le\frac{b}{4}$
또, 양변에서 5를 빼면 $\frac{a}{4}-5\le\frac{b}{4}-5$

7. 다음 ◯ 안에 알맞은 부등호를 써넣으시오.

(1) $5-a>5-b$일 때, a (<) b

(2) $-\frac{2}{3}a-1\le -\frac{2}{3}b-1$일 때, a (≥) b

풀이 (1) $5-a>5-b$의 양변에서 5를 빼면 $-a>-b$
또, $-a>-b$의 양변에 -1을 곱하면 $a<b$
(2) $-\frac{2}{3}a-1\le -\frac{2}{3}b-1$의 양변에 1을 더하면 $-\frac{2}{3}a\le -\frac{2}{3}b$
또, $-\frac{2}{3}a\le -\frac{2}{3}b$의 양변을 $-\frac{2}{3}$로 나누면 $a\ge b$

생각 나누기 추론 의사소통

등식의 성질과 부등식의 성질의 같은 점과 다른 점을 친구와 이야기하여 보자.

풀이 | 예시 | 부등식의 양변에 같은 양수를 곱하거나 나누어도 등식과 같이 원래의 부등식이 성립한다. 그러나 등식은 양변에 같은 음수를 곱하거나 나누어도 등식이 성립하지만, 부등식의 경우에는 양변에 같은 음수를 곱하거나 나눌 때 부등호의 방향이 바뀐다.

스스로 점검하기

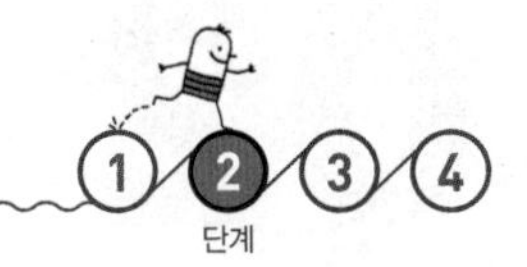

개념 점검하기

잘함 보통 모름

(1) 부등식 : 부등호 $>$, $<$, $\geq$, $\leq$를 사용하여 수 또는 식의 대소 관계를 나타낸 식

(2) 부등식의 해 : 미지수 x를 포함하는 부등식에서 그 부등식을 참이 되게 하는 x의 값

(3) 부등식의 성질: $a<b$일 때,

① $a+c<b+c$, $a-c<b-c$ ② $c>0$이면 $ac<bc$, $\frac{a}{c}<\frac{b}{c}$ ③ $c<0$이면 $ac>bc$, $\frac{a}{c}>\frac{b}{c}$

1 ●●●

56쪽

다음 문장을 부등식으로 나타내시오.

(1) x는 5보다 크지 않다. $x\leq 5$

(2) y의 3배에 1을 더한 것은 2보다 작다. $3y+1<2$

(3) 700원짜리 아이스크림 a개의 가격은 4000원 이하이다. $700a\leq 4000$

2 ●●●

56쪽

다음 보기 중에서 부등식을 모두 고르시오.

보기

ㄱ. $3x-5$ ㄴ. $2-x<3x$

ㄷ. $x+1=-4$ ㄹ. $2x+5\leq x+1$

풀이 ㄱ. $3x-5$는 일차식이다.
ㄷ. $x+1=-4$는 방정식이다.
따라서 부등식은 ㄴ, ㄹ이다.

3 ●●●

57쪽

다음 부등식에서 $x=5$를 해로 갖는 것을 모두 찾으시오.

(1) $3x>x$ (2) $2x+1\leq 8$

(3) $-x+3\geq -2$ (4) $4x<3x-1$

풀이 각 부등식에 $x=5$를 대입하면
(1) $3\times 5=15$, $15>5$ (참) (2) $2\times 5+1=11$, $11>8$ (거짓)
(3) $-5+3=-2$, $-2=-2$ (참) (4) $4\times 5=20$, $3\times 5-1=14$, $20>14$ (거짓)
따라서 $x=5$를 해로 갖는 것은 (1), (3)이다.

4 ●●●

57쪽

x의 값이 -1, 0, 1, 2일 때, 부등식 $5x-7<2(x-2)$의 해를 구하시오. -1, 0

풀이 $x=-1$일 때, $5\times(-1)-7<2\times(-1-2)$이므로 $-12<-6$(참)
$x=0$일 때, $5\times 0-7<2\times(0-2)$이므로 $-7<-4$(참)
$x=1$일 때, $5\times 1-7<2\times(1-2)$이므로 $-2<-2$(거짓)
$x=2$일 때, $5\times 2-7<2\times(2-2)$이므로 $3<0$(거짓)
따라서 부등식의 해는 -1, 0이다.

5 ●●●

59쪽

$x<y$일 때, 다음 ○ 안에 알맞은 부등호를 써넣으시오.

(1) $x+3$ ($<$) $y+3$ (2) $x-6$ ($<$) $y-6$

(3) $-4x$ ($>$) $-4y$ (4) $-\frac{x}{2}$ ($>$) $-\frac{y}{2}$

풀이 (1) $x<y$의 양변에 3을 더하면 $x+3<y+3$
(2) $x<y$의 양변에서 6을 빼면 $x-6<y-6$
(3) $x<y$의 양변에 -4를 곱하면 $-4x>-4y$
(4) $x<y$의 양변을 -2로 나누면 $-\frac{x}{2}>-\frac{y}{2}$

6 ●●●

60쪽

$-3a+\frac{7}{4}\geq -3b+\frac{7}{4}$일 때, 다음 ○ 안에 알맞은 부등호를 써넣으시오.

$2a-1$ ($\leq$) $2b-1$

풀이 $-3a+\frac{7}{4}\geq -3b+\frac{7}{4}$의 양변에서 $\frac{7}{4}$을 빼면 $-3a\geq -3b$
또, $-3a\geq -3b$의 양변을 -3으로 나누면 $a\leq b$
$a\leq b$의 양변에 2를 곱하면 $2a\leq 2b$
$2a\leq 2b$의 양변에서 1을 빼면 $2a-1\leq 2b-1$

02 일차부등식과 문제 해결

이 단원에서 배우는 용어와 기호
일차부등식

학습 목표 ‖ 일차부등식을 풀 수 있고, 이를 활용하여 문제를 해결할 수 있다.

일차부등식은 무엇일까?

탐구하기

탐구 목표
주어진 상황을 부등식으로 나타내었을 때, 그 식이 일차식이 됨을 알고, 이를 통해 일차부등식의 의미를 이해할 수 있다.

진희는 어린이날에 유치원에서 풍선으로 왕관을 만들어 주는 봉사활동을 하였다. 풍선 2개로 왕관 1개를 만들 수 있을 때, 다음 물음에 답하여 보자.

활동 ① 진희가 준비한 풍선은 모두 45개이다. 진희가 왕관을 x개 만들었을 때, 남은 풍선의 개수를 x에 대한 식으로 나타내어 보자. $45-2x$

활동 ② 남은 풍선이 8개 미만이라고 할 때, 이를 부등식으로 나타내어 보자. $45-2x<8$

Tip 이항은 부등식의 성질을 이용하여 항을 옮기는 과정을 생략하여 나타낸 것이며, 이때 부등호의 방향은 바뀌지 않는다.

탐구하기 의 **활동 ②**를 부등식으로 나타내면 다음과 같다.

$45-2x<8$ …… ①

①의 양변에서 8을 빼어 정리하면

$45-2x-8<8-8$

$45-2x-8<0$ …… ②

$-2x+37<0$

이다. 이때 ②는 ①의 우변에 있던 8의 부호를 바꾸어 좌변으로 옮긴 것과 같다. 이와 같이 부등식에서도 방정식에서와 같이 어느 한 변에 있는 항을 다른 변으로 이항할 수 있다.

$45-2x<8$
이항
$45-2x-8<0$

개념 쏙
일차부등식: 부등식의 모든 항을 좌변으로 이항하여 정리하였을 때,
(일차식)>0, (일차식)<0,
(일차식)≥0, (일차식)≤0
중 어느 하나의 꼴로 나타낼 수 있는 부등식

한편, 부등식 $-2x+37<0$에서 좌변의 $-2x+37$은 일차식이다. 이와 같이 부등식의 모든 항을 좌변으로 이항하여 정리하였을 때,

(일차식)>0, (일차식)<0, (일차식)≥0, (일차식)≤0

중 어느 하나의 꼴로 나타낼 수 있는 부등식을 **일차부등식**이라고 한다.

1. 다음 중에서 일차부등식을 모두 찾으시오.

(1) $5x-2<6$ (2) $3x+1>2+3x$

(3) $-2x+6\leq -3+x$ (4) $-4x^2+x\geq 3$

일차부등식은 어떻게 풀까?

일차부등식을 풀 때, 미지수를 포함한 항은 좌변으로, 상수항은 우변으로 이항하여 정리한다.

부등식의 성질을 이용하여 일차부등식 $x+1>4$를 풀어 보자.

부등식 $x+1>4$의 양변에서 1을 빼면

$$x+1-1>4-1$$
$$x>3$$

이다. 이때 3보다 큰 모든 수는 부등식 $x+1>4$를 참이 되게 한다.

따라서 부등식 $x+1>4$의 해는 $x>3$이고, 이것을 수직선 위에 나타내면 다음 그림과 같다.

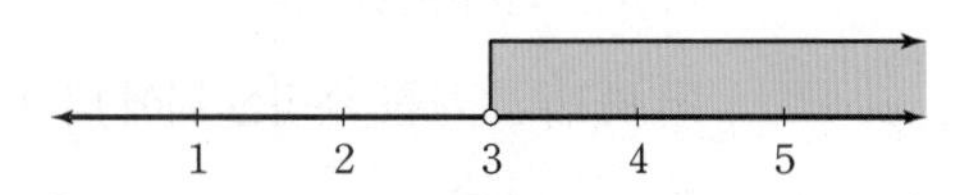

참고

해를 수직선 위에 나타낼 때, ○은 그 점에 대응하는 수가 해에 포함되지 않음을 뜻하고, ●은 그 점에 대응하는 수가 해에 포함됨을 뜻한다.

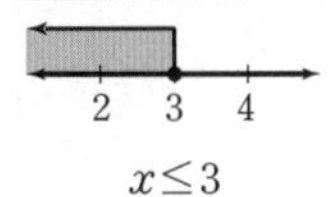

$x\leq 3$

일반적으로 일차부등식을 풀 때에는 이항과 부등식의 성질을 이용하여 주어진 일차부등식을

$$x>(수),\ x<(수),\ x\geq(수),\ x\leq(수)$$

중 어느 하나의 꼴로 바꾸어 해를 구한다.

함께해 보기 1

다음은 일차부등식 $2x-1<-x-4$를 푸는 과정이다. 빈칸에 알맞은 것을 써넣고, 그 해를 수직선 위에 나타내어 보자.

-1과 $-x$를 이항하면 $2x+x<-4+1$

양변을 정리하면 $3x<-3$

양변을 [3] 으로 나누면 x (<) -1

이 부등식의 해를 수직선 위에 나타내면 다음과 같다.

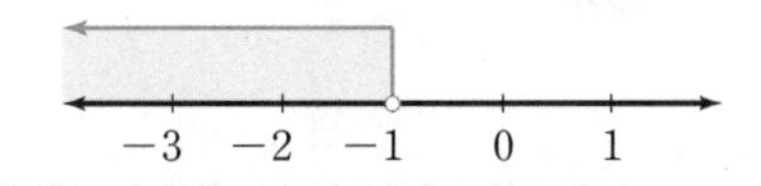

2. 다음 일차부등식을 풀고, 그 해를 수직선 위에 나타내시오.

(1) $5x-3>2$ $x>1$

풀이

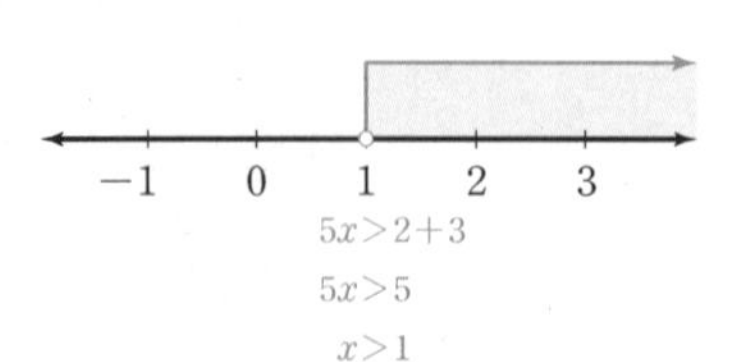

$5x>2+3$

$5x>5$

$x>1$

(2) $x-1\geq 3x+7$ $x\leq -4$

풀이

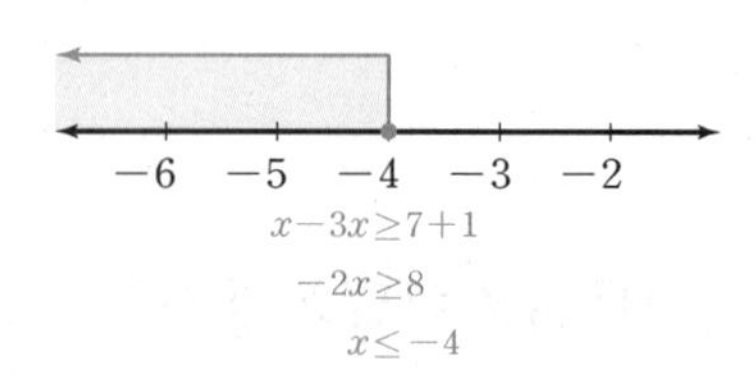

$x-3x\geq 7+1$

$-2x\geq 8$

$x\leq -4$

괄호가 있는 일차부등식은 분배법칙을 이용하여 괄호를 먼저 풀어 정리한 후 부등식을 푼다.

함께해 보기 2

개념 쏙

괄호가 있는 부등식은 분배법칙을 이용하여 먼저 괄호를 풀어 정리한 후 부등식을 푼다. 이때 괄호 앞의 수의 부호에 주의하여 괄호를 풀도록 한다.

다음은 일차부등식 $3(x-2)<2+5x$를 푸는 과정이다. □ 안에 알맞은 수를 써넣어 보고, 그 해를 수직선 위에 나타내어 보자.

괄호를 풀면 $\boxed{3}x-6<2+5x$

-6과 $5x$를 이항하면 $\boxed{3}x-5x<2+6$

양변을 정리하면 $-2x<\boxed{8}$

양변을 $\boxed{-2}$로 나누면 $x>\boxed{-4}$

이 부등식의 해를 수직선 위에 나타내면 다음과 같다.

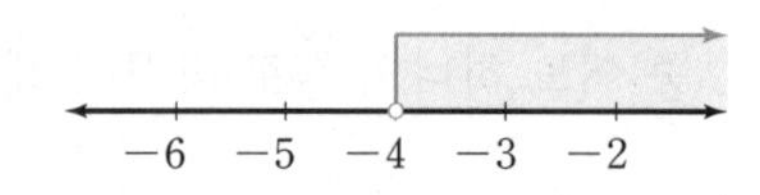

3. 다음 일차부등식을 풀고, 그 해를 수직선 위에 나타내시오.

(1) $1-x\leq -2(x+1)$ $x\leq -3$

풀이

−5 −4 −3 −2 −1

$1-x\leq -2x-2$

$-x+2x\leq -2-1$

$x\leq -3$

(2) $4(-x-2)>2(x+2)$ $x<-2$

풀이

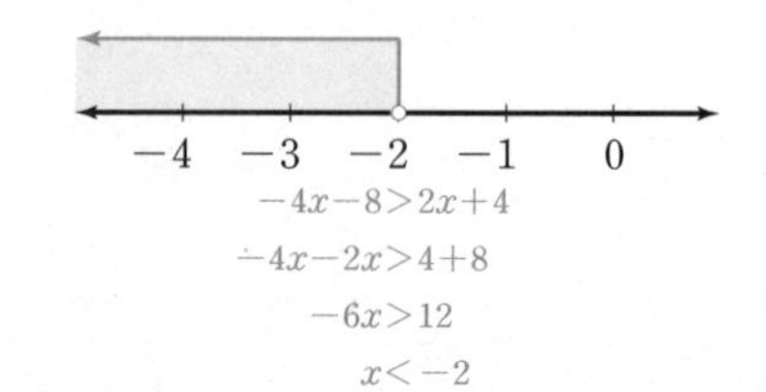

$-4x-8>2x+4$

$-4x-2x>4+8$

$-6x>12$

$x<-2$

계수에 소수나 분수가 있는 일차부등식은 양변에 적당한 수를 곱하여 계수를 정수로 고쳐서 풀면 편리하다.

함께해 보기 3

다음은 일차부등식을 푸는 과정이다. □ 안에 알맞은 수를 써넣어 보자.

(1) $0.3x-1\le0.5x-0.4$

양변에 10을 곱하면 $\boxed{3}x-10\le5x-4$

-10과 $5x$를 이항하면 $\boxed{3}x-5x\le-4+\boxed{10}$

양변을 정리하면 $-2x\le\boxed{6}$

양변을 $\boxed{-2}$로 나누면 $x\ge\boxed{-3}$

(2) $\frac{1}{3}x-\frac{1}{6}>\frac{3-x}{2}$

양변에 분모의 최소공배수인 6을 곱하면 $\boxed{2}x-1>9-3x$

-1과 $-3x$를 이항하면 $\boxed{2}x+3x>9+\boxed{1}$

양변을 정리하면 $\boxed{5}x>10$

양변을 $\boxed{5}$로 나누면 $x>\boxed{2}$

풀이 (1) 양변에 10을 곱하면
$5x-13<2x+8$
$5x-2x<8+13$
$3x<21$
$x<7$

(2) 양변에 100을 곱하면
$18-4x\ge6$
$-4x\ge6-18$
$-4x\ge-12$
$x\le3$

4. 다음 일차부등식을 푸시오.

(1) $0.5x-1.3<0.2x+0.8$ $x<7$

(2) $0.18-0.04x\ge0.06$ $x\le3$

(3) $\frac{3}{4}x+1\le\frac{2}{3}x+\frac{5}{6}$ $x\le-2$

(4) $\frac{2-3x}{5}-1>-\frac{1}{2}(x+1)$ $x<-1$

(3) 양변에 12를 곱하면
$9x+12\le8x+10$
$9x-8x\le10-12$
$x\le-2$

(4) 양변에 10을 곱하면
$2(2-3x)-10>-5(x+1)$
$4-6x-10>-5x-5$
$-6x+5x>-5+6$
$-x>1$
$x<-1$

일반적으로 일차부등식의 풀이 방법은 다음과 같다.

일차부등식의 풀이

❶ 계수가 소수 또는 분수인 경우에는 양변에 적당한 수를 곱하여 계수를 정수로 바꾼다.

❷ 괄호가 있으면 괄호를 풀고 정리한다.

❸ 미지수 x를 포함한 항은 좌변으로, 상수항은 우변으로 이항한다.

❹ 양변을 정리하여 다음 중 어느 하나의 꼴로 바꾼다.

$ax>b$, $ax<b$, $ax\ge b$, $ax\le b(a\ne0)$

❺ 양변을 x의 계수 a로 나눈다. 이때 a가 음수이면 부등호의 방향이 바뀐다.

실생활에서 일차부등식을 어떻게 활용할까?

함께해 보기 4

스포츠 톡톡
하이 클리어는 배드민턴에서 셔틀콕이 상대편 코트 끝으로 높게 날아가 정점에서 거의 수직으로 떨어지도록 치는 것이다.

오른쪽과 같이 주영이의 배드민턴 수행 평가 기록표가 지워졌다. 수행 평가 점수가 35점 이상이어야만 A등급을 받을 수 있다고 할 때, 다음은 주영이가 하이 클리어를 몇 개 이상 성공하였는지 구하는 과정이다. □ 안에 알맞은 것을 써넣어 보자.

수행 평가 기록표

평가 항목	개당 점수	성공한 개수
서브	3점	6개
하이 클리어	2점	
등급		A등급

1단계 **구하고자 하는 것을 미지수 x로 놓는다.**

주영이가 하이 클리어를 x개 이상 성공했다고 하자.

2단계 **수량 사이의 대소 관계를 일차부등식으로 나타낸다.**

주영이의 점수가 35점 이상이므로

(서브 점수)+(하이 클리어 점수)≥ 35

$3\times 6+$ $2x$ ≥ 35

3단계 **일차부등식을 푼다.**

일차부등식을 풀면 $x\geq$ $\frac{17}{2}$

이때 x는 자연수이므로 주영이는 하이 클리어를 9 개 이상 성공했다.

4단계 **구한 해가 문제의 뜻에 맞는지 확인한다.**

주영이의 수행 평가 점수는 하이 클리어를 성공한 개수가

8개일 때, 34 점이므로 35점 (이상, 미만)이고,

9개일 때, 36 점이므로 35점 (이상, 미만)이다.

따라서 구한 해는 문제의 뜻에 맞는다.

Tip 일차부등식의 활용 문제에서 구하는 값이 정수 또는 자연수인 경우에는 부등식의 해를 구한 후 그 해 중에서 정수 또는 자연수 값만 생각하도록 한다.

일반적으로 일차부등식을 활용하여 문제를 해결하는 순서는 다음과 같다.

일차부등식을 활용하여 문제를 해결하는 순서

❶ 문제의 뜻을 파악하고, 구하고자 하는 것을 미지수 x로 놓는다.

❷ 수량 사이의 대소 관계를 일차부등식으로 나타낸다.

❸ 일차부등식을 푼다.

❹ 구한 해가 문제의 뜻에 맞는지 확인한다.

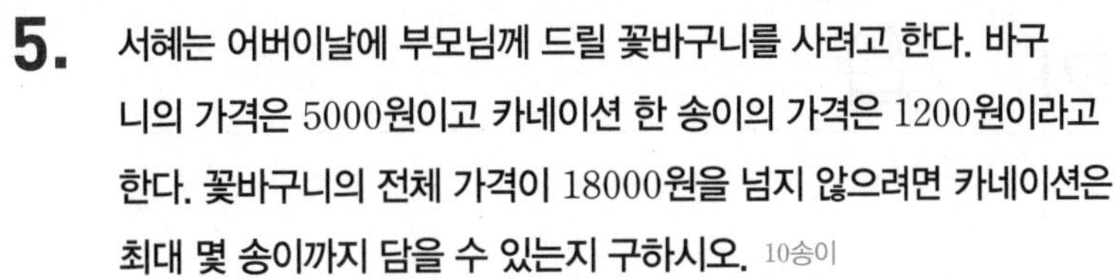

5. 서혜는 어버이날에 부모님께 드릴 꽃바구니를 사려고 한다. 바구니의 가격은 5000원이고 카네이션 한 송이의 가격은 1200원이라고 한다. 꽃바구니의 전체 가격이 18000원을 넘지 않으려면 카네이션은 최대 몇 송이까지 담을 수 있는지 구하시오. 10송이

풀이 카네이션을 x송이 담는다고 하면 카네이션의 가격은 $1200x$원이다.
바구니의 가격이 5000원이고, 꽃바구니의 가격이 18000원을 넘지 않아야 하므로
$1200x+5000\leq 18000$, $1200x\leq 18000-5000$, $1200x\leq 13000$, $x\leq \frac{65}{6}$
따라서 카네이션은 최대 10송이까지 담을 수 있다.
이때 카네이션을 10송이 담으면 꽃바구니의 가격은 $1200\times 10+5000=17000$(원)이므로 18000원을 넘지 않고,
카네이션을 11송이 담으면 꽃바구니의 가격은 $1200\times 11+5000=18200$(원)이므로 18000원을 넘는다.
따라서 구한 해는 문제의 뜻에 맞는다.

6. 현재 형의 예금액은 20000원이고, 동생의 예금액은 30000원이다. 다음 달부터 매달 형은 5000원씩, 동생은 12000원씩 예금하려고 할 때, 동생의 예금액이 형의 예금액의 2배 이상이 되는 것은 몇 개월 후부터인지 구하시오. 5개월 후

풀이 x개월 후라고 하면 형의 예금액은 $(20000+5000x)$원이고, 동생의 예금액은 $(30000+12000x)$원이므로
동생의 예금액이 형의 예금액의 2배가 되려면
$30000+12000x\geq 2(20000+5000x)$, $2000x\geq 10000$, $x\geq 5$
따라서 5개월 후부터 동생의 예금액은 형의 예금액의 2배 이상이 된다.
이때 5개월 후, 형의 예금액은 $20000+5000\times 5=45000$(원)이고,
동생의 예금액은 $30000+12000\times 5=90000$(원)이므로 동생의 예금액은 형의 예금액의 2배가 된다.
따라서 구한 해는 문제의 뜻에 맞는다.

Tip

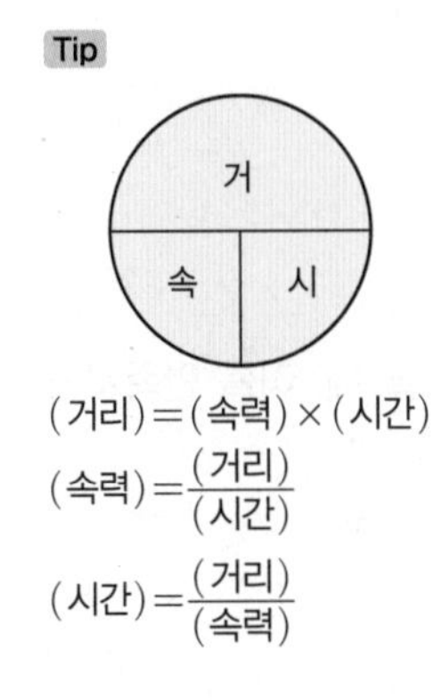

7. 승주는 등산을 하는데, 올라갈 때에는 시속 3 km로, 내려올 때에는 같은 길을 시속 4 km로 걸어서 3시간 30분 이내로 등산을 마치려고 한다. 이때 승주는 최대 몇 km까지 올라갔다 내려올 수 있는지 구하시오. 6 km

풀이 승주가 올라가는 거리를 x km라고 하자.
$(\text{시간})=\frac{(\text{거리})}{(\text{속력})}$이므로 올라갈 때는 시속 3 km, 내려올 때는 시속 4 km로
걸어서 3시간 30분 이내로 도착하려면 $\frac{x}{3}+\frac{x}{4}\leq \frac{7}{2}$
양변에 분모의 최소공배수인 12를 곱하면 $4x+3x\leq 42$, $7x\leq 42$, $x\leq 6$
따라서 승주는 최대 6 km까지 올라갔다 내려올 수 있다.
이때 x km를 올라갔다가 내려올 때까지 걸리는 시간은 $\frac{7}{12}x$시간이므로
6 km를 올라갔다가 내려올 때까지 걸리는 시간은 $\frac{7}{12}\times 6=\frac{7}{2}$(시간)이다.
따라서 구한 해는 문제의 뜻에 맞는다.

생각 키우기 | 문제 해결 | 의사소통

어느 미술관의 입장료는 한 사람당 7000원이고, 20명 이상의 단체는 입장료의 20 %를 할인하여 준다고 한다. 몇 명 이상부터 20명의 단체 입장권을 사는 것이 유리한지 구하여 보고, 친구들에게 설명하여 보자. (단, 20명 미만이어도 20명의 단체 입장권을 살 수 있다.) 17명, 풀이 참조

풀이 x명이 미술관 입장권을 산다고 하면 한 사람당 입장료가 7000원이므로 x명의 입장료는 $7000x$원이고, 20명의 단체 입장권은 20 %를 할인해 주므로
$20\times 7000\times \frac{80}{100}=112000$(원)이다. 이때 단체 입장권을 사는 것이 유리하려면 $7000x>112000$, $x>16$
따라서 17명 이상부터 단체 입장권을 사는 것이 유리하다. 이때 16명의 입장료는 $16\times 7000=112000$(원)이므로 20명의 단체 입장권의 가격과 같고, 17명의 입장료는 $17\times 7000=119000$(원)이므로 20명의 단체 입장권의 가격보다 비싸다.
따라서 구한 해는 문제의 뜻에 맞는다.

스스로 점검하기

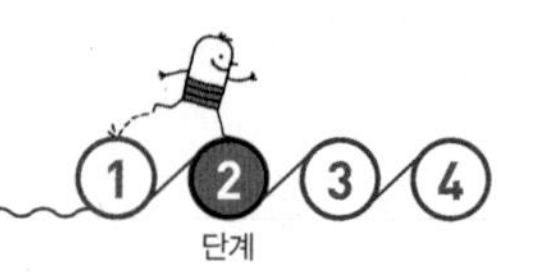

개념 점검하기

잘함 보통 모름

(1) 부등식의 모든 항을 좌변으로 이항하여 정리하였을 때,

(일차식)>0, (일차식)<0, (일차식)≥ 0, (일차식)≤ 0

중 어느 하나의 꼴로 나타낼 수 있는 부등식을 [일차부등식]이라고 한다.

1 ●●●

62쪽

다음 보기 중에서 일차부등식을 모두 고르시오.

보기

ㄱ. $-x-2<5$　　ㄴ. $3x+8=0$

ㄷ. $4(x+2)\leq 6+4x$　　ㄹ. $x^2+1\geq 5x+x^2$

풀이 주어진 부등식의 우변의 항을 모두 좌변으로 이항하여 정리하면

ㄱ. $-x-7<0$

ㄴ. 일차방정식이다.

ㄷ. $4x+8-6-4x\leq 0$, $2\leq 0$

ㄹ. $x^2+1-5x-x^2\geq 0$, $-5x+1\geq 0$

따라서 일차부등식은 ㄱ, ㄹ이다.

2 ●●●

63쪽

다음 일차부등식을 풀고, 그 해를 수직선 위에 나타내시오.

(1) $x-1>2$　$x>3$

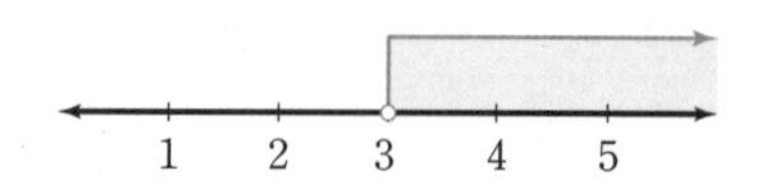

(2) $-2x+1\geq 5$　$x\leq -2$

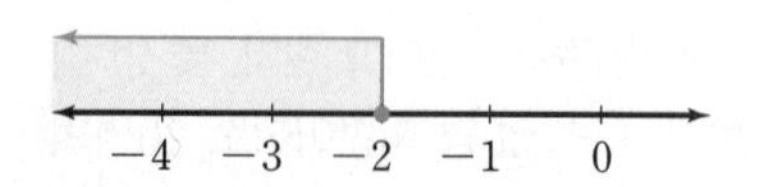

풀이 (1) $x>2+1$, $x>3$

(2) $-2x\geq 5-1$, $-2x\geq 4$, $x\leq -2$

3 ●●●

65쪽

다음 일차부등식을 푸시오.

(1) $3(x-1)>-2x+2$　$x>1$

(2) $\frac{5x}{4}-3\leq \frac{1}{2}x$　$x\leq 4$

(3) $0.2x-0.6\geq 0.5x+0.3$　$x\leq -3$

풀이 (1) $3(x-1)>-2x+2$의 괄호를 풀면

$3x-3>-2x+2$, $3x+2x>2+3$, $5x>5$, $x>1$

(2) $\frac{5x}{4}-3\leq \frac{1}{2}x$의 양변에 분모의 최소공배수인 4를 곱하면

$5x-12\leq 2x$, $5x-2x\leq 12$, $3x\leq 12$, $x\leq 4$

(3) $0.2x-0.6\geq 0.5x+0.3$의 양변에 10을 곱하면

$2x-6\geq 5x+3$, $2x-5x\geq 3+6$, $-3x\geq 9$, $x\leq -3$

4 ●●●

67쪽

연속하는 두 자연수의 합이 14보다 클 때, 이를 만족시키는 가장 작은 두 자연수를 구하시오. 7, 8

풀이 연속하는 두 자연수를 x, $x+1$이라고 하면 두 자연수의 합은

$x+(x+1)=2x+1$이므로

$2x+1>14$, $2x>13$, $x>\frac{13}{2}$

따라서 부등식을 만족시키는 가장 작은 자연수 x는 7이므로

두 자연수는 7, 8이다.

이때 $7+8=15$이므로 14보다 크다.

따라서 구한 해는 문제의 뜻에 맞는다.

5 ●●●

67쪽

둘레의 길이가 50 cm 이하인 직사각형을 그리려고 한다. 가로의 길이를 세로의 길이보다 5 cm 더 짧게 그리려고 할 때, 세로의 길이는 최대 몇 cm이어야 하는지 구하시오. 15 cm

풀이 세로의 길이를 x cm라고 하면 가로의 길이는 $(x-5)$ cm이므로 직사각형의 둘레의 길이는 $2\{x+(x-5)\}$ cm이다. 둘레의 길이가 50 cm 이하이므로 $2\{x+(x-5)\}\leq 50$, $2(2x-5)\leq 50$, $4x-10\leq 50$, $4x\leq 60$, $x\leq 15$

따라서 세로의 최대 길이는 15 cm이다.

이때 직사각형의 둘레의 길이는 $(4x-10)$ cm이므로 x가 15 이하이면 직사각형의 둘레의 길이는 $4\times 15-10=50$(cm) 이하이다.

따라서 구한 해는 문제의 뜻에 맞는다.

문제 카드를 모아라!

다음과 같은 수 카드와 부등식 문제 카드를 만들어 친구들과 함께 보드게임을 해 보자.

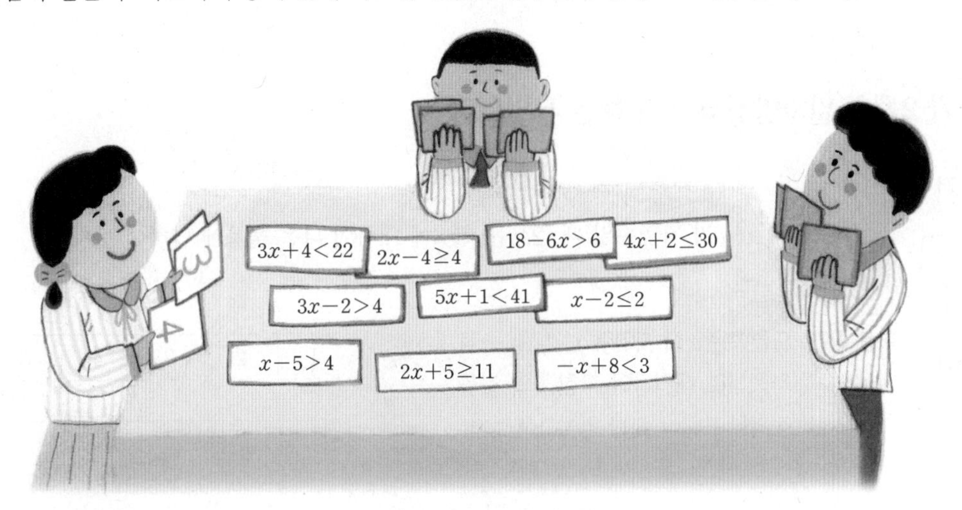

규칙

- 각자 1부터 10까지의 수 카드를 각각 1장씩(총 10장) 나누어 갖는다.
- 10장의 부등식 문제 카드를 섞어 가운데에 뒤집어 놓는다.
- 첫 번째 학생이 문제 카드를 뒤집으면 문제 카드에 적힌 부등식의 해가 되는 수 카드를 각자 하나씩 낸다. 이때 한 번 낸 수 카드는 다시 낼 수 없다.
- 가장 먼저 부등식의 해가 되는 수 카드를 낸 학생이 문제 카드를 가져간다.
- 순서대로 돌아가며 수 카드를 다 쓸 때까지 게임을 하고 마지막에 문제 카드를 가장 많이 가진 학생이 승리한다.

활동 ① 1부터 10까지의 수가 모두 해가 되는 부등식 문제 카드를 만들어 보자. 또, 모두 해가 되지 않는 부등식 문제 카드를 만들어 보자. **풀이** | 예시 | 부등식 $2x+3\leq33$의 해는 $x\leq15$이므로 1부터 10까지의 수가 모두 해가 된다. 또, 부등식 $x-4\leq3x-26$의 해는 $x\geq11$이므로 1부터 10까지의 수가 모두 해가 되지 않는다.

활동 ② 문제 카드를 바꿔서 새로운 보드게임을 해 보자. **풀이** | 예시 |

$x>0$	$x-1>0$	$x-3\leq0$	$x>1$
$3\leq x$	$x+3>2x$	$x>8$	$3x\geq-x$
	$x\leq10$	$2x\geq0$	

위와 같이 부등식 카드를 바꾸어 게임을 진행해 본다.

이 활동에서 재미있었던 점과 어려웠던 점을 적어 보자.

재미있었던 점	어려웠던 점

03 연립일차방정식

이 단원에서 배우는 용어와 기호

연립방정식

학습 목표 ‖ 미지수가 2개인 연립일차방정식과 그 해의 의미를 이해한다.

미지수가 2개인 일차방정식과 그 해는 무엇일까?

탐구하기

탐구 목표
미지수가 2개인 일차방정식과 그 해의 의미를 이해할 수 있다.

x, y가 자연수일 때, $2x+y=8$에 대하여 다음 물음에 답하여 보자.

활동 ❶ 오른쪽은 x에 자연수 1, 2, 3, …을 차례대로 대입하여 구한 y의 값을 정리한 표이다. 표를 완성하여 보자.

x	1	2	3	4	5	…
y	6	4	2	0	-2	…

활동 ❷ x, y가 자연수일 때, $2x+y=8$을 만족시키는 x, y의 값을 말하여 보자.
$x=1$, $y=6$ 또는 $x=2$, $y=4$ 또는 $x=3$, $y=2$

풀이 활동 ❶에서 구한 값 중에서 x와 y가 모두 자연수인 값은 $x=1$, $y=6$ 또는 $x=2$, $y=4$ 또는 $x=3$, $y=2$이다.

탐구하기의 $2x+y=8$은 미지수가 x, y의 2개이고 x, y에 대한 차수가 모두 1인 방정식이다. 이와 같이 미지수가 2개이고, 차수가 1인 방정식을 미지수가 2개인 일차방정식이라고 한다.

일반적으로 미지수가 x, y의 2개인 일차방정식은

$$ax+by+c=0\,(a,\ b,\ c\text{는 상수},\ a\neq0,\ b\neq0)$$

과 같이 나타낼 수 있다.

⊕ 미지수가 1개 또는 2개인 일차방정식을 간단히 일차방정식이라고 한다.

개념 쏙
- 미지수가 2개인 일차방정식: $ax+by+c=0$ (a, b, c는 상수, $a\neq0$, $b\neq0$)
- 미지수가 2개인 일차방정식의 해: 미지수가 2개인 일차방정식을 만족시키는 x, y의 값 또는 그 순서쌍 (x, y)

또, x, y가 자연수이므로 일차방정식 $2x+y=8$을 만족시키는 x, y의 값은

$$x=1,\ y=6 \text{ 또는 } x=2,\ y=4 \text{ 또는 } x=3,\ y=2$$

뿐이다. 이와 같이 미지수가 2개인 일차방정식을 만족시키는 x, y의 값 또는 그 순서쌍 (x, y)를 이 일차방정식의 해라 하고, 방정식의 해를 모두 구하는 것을 방정식을 푼다고 한다.

바로 확인 x, y가 자연수일 때, 미지수가 2개인 일차방정식 $2x+y=8$의 해를 순서쌍으로 나타내면 $(1, 6)$, $(2, \boxed{4})$, $(\boxed{3}, \boxed{2})$이다.

1. x, y가 자연수일 때, 다음 일차방정식을 푸시오.

(1) $x+y=6$ (1, 5), (2, 4), (3, 3), (4, 2), (5, 1)

(2) $2x+5y=14$ (2, 2)

풀이 (1) x에 자연수 1, 2, 3, …을 차례대로 대입하면 다음 표와 같다.

x	1	2	3	4	5	6	…
y	5	4	3	2	1	0	…

이때 y도 자연수이므로 일차방정식의 해는 (1, 5), (2, 4), (3, 3), (4, 2), (5, 1)이다.

(2) y에 자연수 1, 2, 3, …을 차례대로 대입하면 다음 표와 같다.

x	$\frac{9}{2}$	2	$-\frac{1}{2}$	…
y	1	2	3	…

이때 x도 자연수이므로 일차방정식의 해는 (2, 2)이다.

미지수가 2개인 연립일차방정식과 그 해는 무엇일까?

탐구하기

탐구 목표
x와 y 사이의 관계식을 구하고 미지수가 2개인 연립일차방정식의 의미를 이해할 수 있다.

진로 체험에 참가한 우리 반은 모둠을 만들었다. 다음 두 친구의 대화를 읽고, 물음에 답하여 보자. (단, 우리 반은 3명인 모둠도 있고, 4명인 모둠도 있다.)

활동 1 모둠원이 3명인 모둠을 x개, 4명인 모둠을 y개라고 할 때, 두 친구의 대화를 x, y에 대한 일차방정식으로 각각 나타내어 보자. 석민: $x+y=8$, 진희: $3x+4y=26$

풀이 석민이의 말에서 모둠이 모두 8개이므로 $x+y=8$
또, 진희의 말에서 학생 수가 모두 26명이므로 $3x+4y=26$

탐구하기 에서 모둠이 모두 8개이므로

$$x+y=8 \qquad \cdots\cdots ①$$

이다. 또, 학생 수가 모두 26명이므로

$$3x+4y=26 \qquad \cdots\cdots ②$$

이다. 이때 x, y의 값은 두 일차방정식 ①과 ②를 동시에 만족시키는 자연수이어야 한다.

연립방정식: 미지수가 2개인 두 일차방정식을 한 쌍으로 묶어 놓은 것

이처럼 두 일차방정식을 동시에 만족시키는 x, y의 값을 구할 때, 이 두 일차방정식을 한 쌍으로 묶어서

$$\begin{cases} x+y=8 \\ 3x+4y=26 \end{cases}$$

과 같이 나타낸다. 이와 같이 미지수가 2개인 두 일차방정식을 한 쌍으로 묶어 놓은 것을 미지수가 2개인 연립일차방정식 또는 간단히 **연립방정식**이라고 한다.

개념 쏙

연립일차방정식의 해는 두 일차방정식을 동시에 만족시키는 공통 해이다.

이제 x, y가 자연수일 때, 연립방정식 $\begin{cases} x+y=8 \\ 3x+4y=26 \end{cases}$ 의 두 일차방정식을 동시에 만족시키는 x, y의 값을 구하여 보자.

먼저 $x+y=8$을 만족시키는 자연수 x, y의 값은 다음 표와 같다.

x	1	2	3	4	5	6	7
y	7	6	5	4	3	2	1

또한, $3x+4y=26$을 만족시키는 자연수 x, y의 값은 다음 표와 같다.

x	2	6
y	5	2

따라서 두 일차방정식을 동시에 만족시키는 x, y의 값은 $x=6$, $y=2$이고, 이 값을 순서쌍으로 나타내면 $(6, 2)$이다.

이와 같이 연립방정식에서 두 일차방정식을 동시에 만족시키는 x, y의 값 또는 그 순서쌍 (x, y)를 이 연립방정식의 해라 하고, 연립방정식의 해를 구하는 것을 연립방정식을 푼다고 한다.

바로 확인 연립방정식 $\begin{cases} x+y=8 \\ 3x+4y=26 \end{cases}$ 의 해를 순서쌍으로 나타내면 (6, 2)이다.

함께해 보기 1

다음은 x, y가 자연수일 때, 연립방정식 $\begin{cases} x+y=5 & \cdots\cdots ① \\ 2x+y=9 & \cdots\cdots ② \end{cases}$ 의 해를 구하는 과정이다. 표를 완성하고, □ 안에 알맞은 수를 써넣어 보자.

두 일차방정식 ①과 ②의 해를 각각 표로 나타내면 다음과 같다.

①의 해:

x	1	2	3	4
y	4	3	2	1

②의 해:

x	1	2	3	4
y	7	5	3	1

따라서 구하는 해는 ①과 ②를 동시에 만족시키는 x, y의 값이므로 $x=$ 4, $y=$ 1 이다.

2. x, y가 자연수일 때, 다음 연립방정식을 푸시오.

(1) $\begin{cases} x+y=7 & \cdots\cdots ① \\ 3x+y=13 & \cdots\cdots ② \end{cases}$

풀이

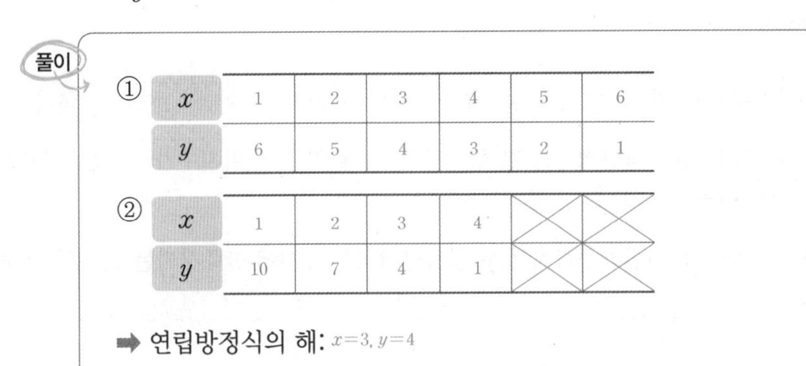

①

x	1	2	3	4	5	6
y	6	5	4	3	2	1

②

x	1	2	3	4	╳	╳
y	10	7	4	1	╳	╳

➡ 연립방정식의 해: $x=3$, $y=4$

(2) $\begin{cases} 5x-2y=16 & \cdots\cdots ① \\ x+y=6 & \cdots\cdots ② \end{cases}$

풀이

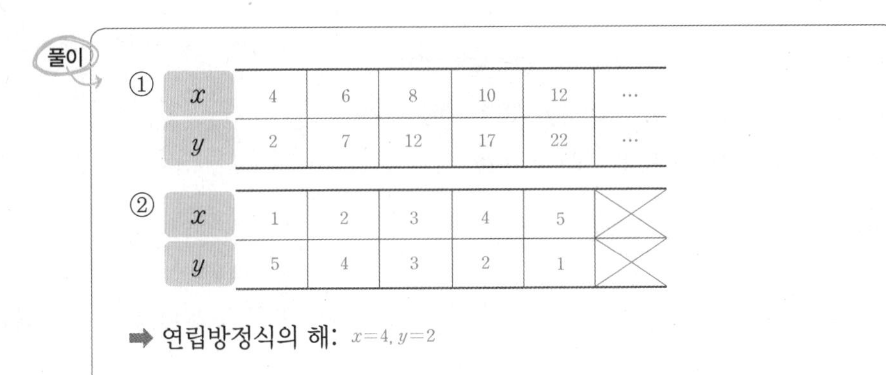

①

x	4	6	8	10	12	…
y	2	7	12	17	22	…

②

x	1	2	3	4	5	╳
y	5	4	3	2	1	╳

➡ 연립방정식의 해: $x=4$, $y=2$

생각 나누기

문제 해결 의사소통

다음은 주어진 일차방정식의 풀이 방법에 대하여 두 학생이 나눈 대화이다. 두 학생의 방법 중 누구의 방법이 더 편리한지 친구들과 이야기하여 보자.

x, y가 자연수일 때, 일차방정식 $x+4y=15$를 푸시오.

나는 먼저 x에 1, 2, 3, …을 대입하여 풀려고 해!

미소

진수

나는 먼저 y에 1, 2, 3, …을 대입하여 풀 거야!

풀이 [미소의 방법]
x에 자연수 1, 2, 3, …을 대입하여 y가 자연수인 해를 구하면 $x=1$을 대입하면 $1+4y=15$이므로 $y=\frac{7}{2}$ (×)
$x=2$를 대입하면 $2+4y=15$이므로 $y=\frac{13}{4}$ (×) $x=3$을 대입하면 $3+4y=15$이므로 $y=3$ (○)
$x=4$를 대입하면 $4+4y=15$이므로 $y=\frac{11}{4}$ (×) $x=5$를 대입하면 $5+4y=15$이므로 $y=\frac{5}{2}$ (×)
⋮
이므로 적어도 11번을 계산해 보아야 모든 해를 찾을 수 있다.

[진수의 방법]
y에 자연수 1, 2, 3, …을 대입하여 x가 자연수인 해를 구하면
$y=1$을 대입하면 $x+4\times1=15$이므로 $x=11$ (○) $y=2$를 대입하면 $x+4\times2=15$이므로 $x=7$ (○)
$y=3$을 대입하면 $x+4\times3=15$이므로 $x=3$ (○) $y=4$를 대입하면 $x+4\times4=15$이므로 $x=-1$ (×)
이므로 4번 만에 해를 다 구할 수 있고, 더 이상 계산할 필요가 없다.
따라서 일차방정식 $x+4y=15$의 해를 구할 때는 진수의 방법과 같이 계수가 더 큰 미지수에 자연수를 차례로 대입하는 것이 더 편리하다.

스스로 점검하기

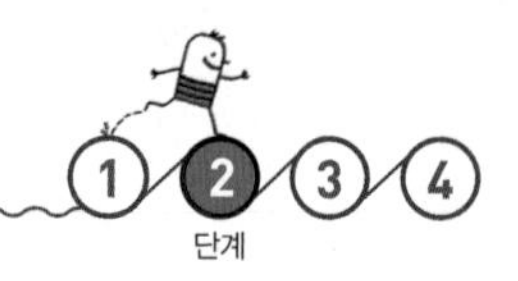

개념 점검하기

(1) 미지수가 2개이고, 차수가 1인 방정식을 미지수가 2개인 [일차방정식]이라고 한다.

(2) 미지수가 2개인 두 일차방정식을 한 쌍으로 묶어 놓은 것을 미지수가 2개인 연립일차방정식 또는 간단히 [연립방정식]이라고 한다.

(3) 연립방정식의 [해]: 연립방정식에서 두 일차방정식을 동시에 만족시키는 x, y의 값 또는 그 순서쌍 (x, y)

1 ●●●

70쪽

다음 보기 중에서 미지수가 2개인 일차방정식을 모두 고르시오.

보기

ㄱ. $x+4y=1$ ㄴ. $-3x+y=3(1-x)$

ㄷ. $x^2+y=x(x-5)$ ㄹ. $x^2-2x-3=y$

풀이 우변의 항을 모두 좌변으로 이항하여 정리하면

ㄱ. $x+4y-1=0$

ㄴ. $-3x+y=3-3x$

$-3x+y-3+3x=0$, $y-3=0$

ㄷ. $x^2+y=x^2-5x$

$x^2+y-x^2+5x=0$, $5x+y=0$

ㄹ. $x^2-2x-y-3=0$

따라서 미지수가 2개인 일차방정식은 ㄱ, ㄷ이다.

2 ●●●

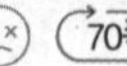

70쪽

다음 중 순서쌍 (3, 4)를 해로 갖는 일차방정식을 찾으시오.

(1) $-x+y=7$ (2) $3x+4y=1$

(3) $x=11-2y$ (4) $8+3x=2y$

풀이 순서쌍 (3, 4)를 주어진 일차방정식에 대입하면

(1) $-3+4=1\neq7$

(2) $3\times3+4\times4=9+16=25\neq1$

(3) $3=11-2\times4$

(4) $8+3\times3=8+9=17\neq2\times4=8$

따라서 (3, 4)를 해로 갖는 일차방정식은 (3)이다.

3 ●●●

71쪽

x, y가 자연수일 때, 일차방정식 $x+3y=9$를 푸시오. (6, 1), (3, 2)

풀이 y에 1, 2, 3, …을 차례대로 대입하면 다음 표와 같다.

x	6	3	0	…
y	1	2	3	…

따라서 구하는 해는 (6, 1), (3, 2)이다.

4 ●●●

73쪽

다음 중 $x=1$, $y=-2$를 해로 갖는 연립방정식을 찾으시오.

(1) $\begin{cases} 6x+y=4 \\ x-y=10 \end{cases}$ (2) $\begin{cases} -x+3y=7 \\ 4x-y=6 \end{cases}$

(3) $\begin{cases} x+5y=-9 \\ 8x+3y=2 \end{cases}$ (4) $\begin{cases} 2x+2y=4 \\ -x+7y=1 \end{cases}$

풀이 각각의 연립방정식에 $x=1$, $y=-2$를 대입하면

(1) $\begin{cases} 6\times1+(-2)=4 \\ 1-(-2)=3\neq10 \end{cases}$ (2) $\begin{cases} -1+3\times(-2)=-7\neq7 \\ 4\times1-(-2)=6 \end{cases}$

(3) $\begin{cases} 1+5\times(-2)=-9 \\ 8\times1+3\times(-2)=2 \end{cases}$ (4) $\begin{cases} 2\times1+2\times(-2)=-2\neq4 \\ -1+7\times(-2)=-15\neq1 \end{cases}$

따라서 $x=1$, $y=-2$를 해로 갖는 연립방정식은 (3)이다.

5 ●●●

73쪽

연립방정식 $\begin{cases} ax+y=7 \\ 2x-by=3 \end{cases}$의 해가 (2, 1)일 때, 상수 a, b의 값을 각각 구하시오. $a=3$, $b=1$

풀이 (2, 1)을 주어진 연립방정식에 대입하면

$a\times2+1=7$에서 $2a+1=7$, $a=3$

$2\times2-b\times1=3$에서 $4-b=3$, $b=1$

따라서 $a=3$, $b=1$이다.

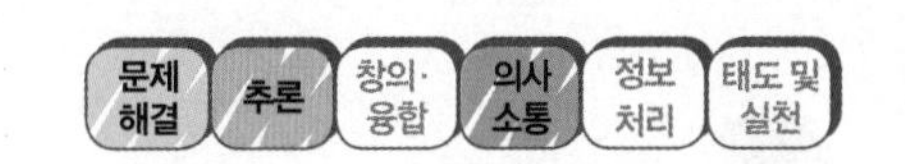

좌표평면에서의 연립방정식의 해

미지수가 2개인 일차방정식의 해는 순서쌍으로 나타낼 수 있다. 이러한 순서쌍을 좌표평면 위에 점으로 표현하여 그래프를 그려 보자. 또, 그래프를 이용하여 연립방정식의 해를 구하여 보자.

활동 1 x, y가 정수일 때, 두 일차방정식 $2x+y=4$와 $3x-2y=6$에 대하여 다음 표를 완성하고, 두 일차방정식의 해를 각각 순서쌍으로 나타내어 보자. 또, 일차방정식의 해를 오른쪽 좌표평면 위에 각각 나타내어 보자.

(1) $2x+y=4$

x	⋯	-1	0	1	2	3	4	⋯
y	⋯	6	4	2	0	-2	-4	⋯

➡ 해: ⋯, $(-1, 6)$, $(0, 4)$, $(1, 2)$, $(2, 0)$, $(3, -2)$, $(4, -4)$, ⋯

(2) $3x-2y=6$

x	⋯	-1	0	1	2	3	4	⋯
y	⋯	$-\frac{9}{2}$	-3	$-\frac{3}{2}$	0	$\frac{3}{2}$	3	⋯

➡ 해: ⋯, $(0, -3)$, $(2, 0)$, $(4, 3)$, ⋯

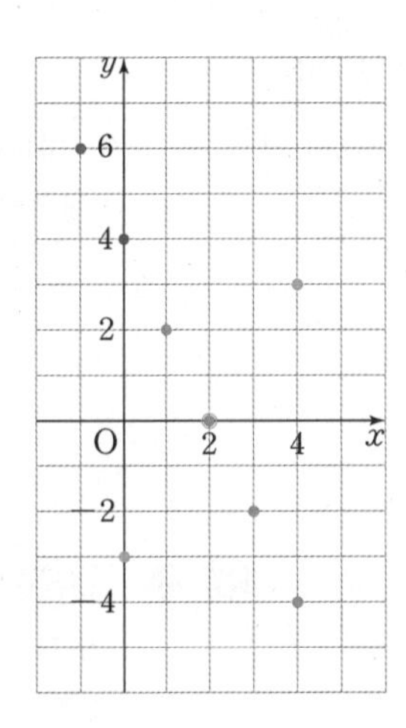

활동 2 x, y가 정수일 때, 연립방정식 $\begin{cases} 2x+y=4 \\ 3x-2y=6 \end{cases}$ 의 해를 구하여 보자. 또, 그래프를 이용하여 연립방정식의 해를 구하는 방법을 친구들과 이야기하여 보자.

풀이 연립방정식의 해는 $x=2$, $y=0$이다. 이때 연립방정식의 해는 두 일차방정식을 모두 만족시키는 해이므로 두 그래프의 교점의 좌표가 연립방정식의 해가 된다.

| 상호 평가표 |

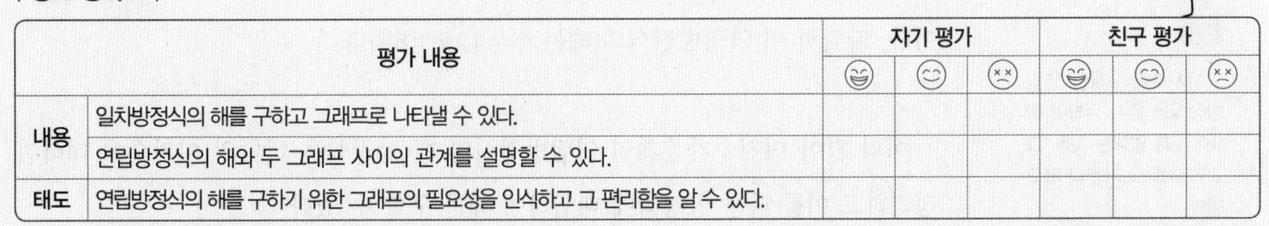

평가 내용		자기 평가			친구 평가		
		😄	😊	😵	😄	😊	😵
내용	일차방정식의 해를 구하고 그래프로 나타낼 수 있다.						
	연립방정식의 해와 두 그래프 사이의 관계를 설명할 수 있다.						
태도	연립방정식의 해를 구하기 위한 그래프의 필요성을 인식하고 그 편리함을 알 수 있다.						

04 연립일차방정식과 문제 해결

학습 목표 ❙ 미지수가 2개인 연립방정식을 풀 수 있고, 이를 활용하여 문제를 해결할 수 있다.

식의 대입을 이용하여 연립방정식을 풀 수 있을까?

탐구하기

탐구 목표
식의 대입을 이용하여 주어진 연립방정식의 미지수를 한 개로 만들 수 있다.

다음 두 친구의 대화를 읽고 물음에 답하여 보자.

$$\begin{cases} 3x+y=20 & \cdots\cdots ① \\ y=2x & \cdots\cdots ② \end{cases}$$

미지수가 1개인 일차방정식은 쉽게 풀 수 있는데….

미소

②를 ①에 대입하면 미지수가 1개가 돼!

하은

활동 ❶ 하은이가 이야기한 것과 같이 ②를 ①에 대입하여 미지수가 1개인 일차방정식으로 나타내어 보자. $3x+2x=20$

풀이 $y=2x$를 $3x+y=20$에 대입하면 $3x+2x=20$

탐구하기 의 연립방정식에서 ②를 ①에 대입하면

$$3x+2x=20$$

으로 미지수가 1개인 일차방정식이다.

$3x+y=20$
↓ $y=2x$를 대입
$3x+2x=20$

이 방정식을 풀면

$$5x=20,\ x=4$$

이다. 이때 $x=4$를 ②에 대입하면

$$y=2\times4=8$$

이다. 따라서 이 연립방정식의 해는 $x=4$, $y=8$이다.

참고
미지수가 2개인 연립방정식을 풀기 위하여 한 미지수를 없애는 것을 '그 미지수를 소거한다'라고 한다.

이와 같이 미지수가 2개인 연립방정식의 한 방정식을 하나의 미지수에 대하여 정리하고 이를 다른 방정식에 대입하여 해를 구할 수 있다.

1. 다음 연립방정식을 식의 대입을 이용하여 푸시오.

(1) $\begin{cases} x=2y \\ x-4y=6 \end{cases}$ $x=-6,\ y=-3$

(2) $\begin{cases} 3x+2y=18 \\ y=x-1 \end{cases}$ $x=4,\ y=3$

풀이 (1) $\begin{cases} x=2y & \cdots\cdots ① \\ x-4y=6 & \cdots\cdots ② \end{cases}$ 에서

①을 ②에 대입하면 $2y-4y=6,\ -2y=6,\ y=-3$

$y=-3$을 ①에 대입하면 $x=2\times(-3)=-6$

따라서 구하는 해는 $x=-6,\ y=-3$

(2) $\begin{cases} 3x+2y=18 & \cdots\cdots ① \\ y=x-1 & \cdots\cdots ② \end{cases}$ 에서

②를 ①에 대입하면 $3x+2(x-1)=18$

$3x+2x-2=18,\ 5x=20,\ x=4$

$x=4$를 ②에 대입하면 $y=4-1=3$

따라서 구하는 해는 $x=4,\ y=3$

Tip 연립방정식을 풀 때, 한 방정식을 한 문자에 대한 식, 즉 $x=(y$의 식$)$ 또는 $y=(x$의 식$)$ 중 하나의 꼴로 나타내어 다른 방정식에 대입하여 해를 구한다.

식의 대입을 이용하여 연립방정식을 풀기 위해서는 먼저 한 방정식을 x 또는 y 중 어느 한 미지수에 대한 식으로 나타낸다.

함께해 보기 1

주어진 두 방정식 중 한 문자를 다른 문자에 대한 식으로 나타내기 쉬운 식을 선택하여 변형한다.

다음은 연립방정식 $\begin{cases} 3x+y=2 & \cdots\cdots ① \\ 2x+3y=20 & \cdots\cdots ② \end{cases}$ 을 식의 대입을 이용하여 푸는 과정이다. 물음에 답하여 보자.

(1) 일차방정식 ①에서 y를 x에 대한 식으로 나타내어 보자.

①에서 $3x$를 우변으로 이항하면

$y=$ [$-3x+2$] $\cdots\cdots$ ③

(2) ③의 식을 이용하여 연립방정식을 풀어 보자.

③을 ②에 대입하면

$2x+3($ [$-3x+2$] $)=20$

$-7x+6=20$

$-7x=14,\ x=$ [-2]

$x=$ [-2]를 ③에 대입하면

$y=$ [8]

따라서 구하는 해는 $x=$ [-2], $y=$ [8]이다.

풀이 (1) $\begin{cases} x-2y=8 & \cdots\cdots ① \\ 3x-2y=12 & \cdots\cdots ② \end{cases}$ 의 ①에서

$-2y$를 우변으로 이항하면 $x=2y+8$ $\cdots\cdots$ ③

③을 ②에 대입하면 $3(2y+8)-2y=12$

$6y+24-2y=12,\ 4y=-12,\ y=-3$

$y=-3$을 ③에 대입하면 $x=2\times(-3)+8=2$

따라서 구하는 해는 $x=2,\ y=-3$

(2) $\begin{cases} -2x+y=1 & \cdots\cdots ① \\ 3x-4y=6 & \cdots\cdots ② \end{cases}$ 의 ①에서

$-2x$를 우변으로 이항하면 $y=2x+1$ $\cdots\cdots$ ③

③을 ②에 대입하면 $3x-4(2x+1)=6$

$3x-8x-4=6,\ -5x=10,\ x=-2$

$x=-2$를 ③에 대입하면 $y=2\times(-2)+1=-3$

따라서 구하는 해는 $x=-2,\ y=-3$

2. 다음 연립방정식을 식의 대입을 이용하여 푸시오.

(1) $\begin{cases} x-2y=8 \\ 3x-2y=12 \end{cases}$ $x=2,\ y=-3$

(2) $\begin{cases} -2x+y=1 \\ 3x-4y=6 \end{cases}$ $x=-2,\ y=-3$

두 식의 합 또는 차를 이용하여 연립방정식을 풀 수 있을까?

탐구하기

탐구 목표
두 식을 변끼리 더하거나 빼는 방법을 이용하여 연립방정식의 해를 구할 수 있다.

동아는 떡볶이 3인분과 튀김 2인분을 사고 11500원을 냈고, 수지는 떡볶이 3인분과 튀김 1인분을 사고 9500원을 냈다. 다음 물음에 답하여 보자.

활동 1 튀김 1인분의 가격을 구하여 보자. 2000원

동아: 떡볶이 + 떡볶이 + 떡볶이 + 튀김 + 튀김 = 11500원

수지: 떡볶이 + 떡볶이 + 떡볶이 + 튀김 = 9500원

탐구하기의 떡볶이 1인분의 가격을 x원, 튀김 1인분의 가격을 y원이라고 할 때, x와 y 사이의 관계는 다음과 같이 연립방정식으로 나타낼 수 있다.

$$\begin{cases} 3x+2y=11500 & \cdots\cdots ① \\ 3x+y=9500 & \cdots\cdots ② \end{cases}$$

①에서 ②를 변끼리 빼면

$$(3x+2y)-(3x+y)=11500-9500$$
$$y=2000$$

$$\begin{array}{r} 3x+2y=11500 \\ -)\ 3x+\ y=9500 \\ \hline y=2000 \end{array}$$

이다. 이때 $y=2000$을 ②에 대입하면

$$3x+2000=9500$$
$$3x=7500,\ x=2500$$

이다. 따라서 이 연립방정식의 해는 $x=2500$, $y=2000$이므로 떡볶이 1인분의 가격은 2500원, 튀김 1인분의 가격은 2000원이다.

수학자 톡톡

가우스(Gauss, K. F., 1777~1855)는 연립방정식을 조직적으로 푸는 방법을 도입하였다.

이와 같이 미지수가 2개인 연립방정식의 두 일차방정식을 변끼리 더하거나 빼어서 한 미지수를 없앤 후 연립방정식의 해를 구할 수 있다.

Tip 주어진 두 일차방정식에서 계수의 절댓값이 같은 미지수가 있으면 그 미지수를 소거하는(없애는) 것이 편리하다.

3. 다음 연립방정식을 두 식의 합 또는 차를 이용하여 푸시오.

(1) $\begin{cases} 2x+y=1 \\ 3x+y=4 \end{cases}$ $x=3,\ y=-5$

(2) $\begin{cases} -2x+5y=12 \\ 2x+3y=4 \end{cases}$ $x=-1,\ y=2$

풀이 (1) $\begin{cases} 2x+y=1 & \cdots\cdots ① \\ 3x+y=4 & \cdots\cdots ② \end{cases}$

①에서 ②를 변끼리 빼면

$(2x+y)-(3x+y)=1-4,\ -x=-3,\ x=3$

$x=3$을 ①에 대입하면 $2\times3+y=1,\ y=-5$

따라서 구하는 해는 $x=3,\ y=-5$이다.

(2) $\begin{cases} -2x+5y=12 & \cdots\cdots ① \\ 2x+3y=4 & \cdots\cdots ② \end{cases}$

①과 ②를 변끼리 더하면

$(-2x+5y)+(2x+3y)=12+4,\ 8y=16,\ y=2$

$y=2$를 ②에 대입하면

$2x+3\times2=4,\ 2x=-2,\ x=-1$

따라서 구하는 해는 $x=-1,\ y=2$이다.

연립방정식의 두 일차방정식에서 각 방정식의 양변에 적당한 수를 곱하여 x 또는 y의 계수의 절댓값을 같게 만든 후에 두 식의 합 또는 차를 이용하여 연립방정식을 푼다.

함께해 보기 2

개념 쏙

두 문자 중 계수의 절댓값이 같아지는 수가 더 작은 미지수를 정하고, 소거할 문자의 계수의 절댓값이 두 계수의 최소공배수가 되도록 한다.

다음은 연립방정식 $\begin{cases} 4x-3y=5 & \cdots\cdots ① \\ 3x+2y=8 & \cdots\cdots ② \end{cases}$을 두 식의 합 또는 차를 이용하여 푸는 과정이다. □ 안에 알맞은 수를 써넣어 보자.

x를 없애기 위하여 ①의 양변에 3을 곱하고 ②의 양변에 4를 곱하면

$\begin{cases} 12x-9y=15 & \cdots\cdots ③ \\ \boxed{12}x+8y=32 & \cdots\cdots ④ \end{cases}$

③에서 ④를 변끼리 빼면

$-17y=-17,\ y=1$

$y=1$을 ①에 대입하면

$4x=\boxed{8},\ x=\boxed{2}$

따라서 구하는 해는 $x=\boxed{2},\ y=1$이다.

$$\begin{array}{r} 12x-9y=15 \\ -)\ \boxed{12}x+8y=32 \\ \hline -17y=-17 \end{array}$$

풀이 (1) $\begin{cases} x-3y=1 & \cdots\cdots ① \\ 2x+y=9 & \cdots\cdots ② \end{cases}$

x를 없애기 위하여 ①의 양변에 2를 곱하면

$2x-6y=2$ $\cdots\cdots$ ③

③에서 ②를 변끼리 빼면 $-7y=-7,\ y=1$

$y=1$을 ①에 대입하면 $x-3\times1=1,\ x=4$

따라서 구하는 해는 $x=4,\ y=1$이다.

(2) $\begin{cases} 5x+4y=6 & \cdots\cdots ① \\ 2x+3y=1 & \cdots\cdots ② \end{cases}$

y를 없애기 위하여 ①의 양변에 3을 곱하고, ②의 양변에 4를 곱하면 $\begin{cases} 15x+12y=18 & \cdots\cdots ③ \\ 8x+12y=4 & \cdots\cdots ④ \end{cases}$

③에서 ④를 변끼리 빼면 $7x=14,\ x=2$

$x=2$를 ①에 대입하면 $5\times2+4y=6,\ 4y=-4,\ y=-1$

따라서 구하는 해는 $x=2,\ y=-1$이다.

4. 다음 연립방정식을 두 식의 합 또는 차를 이용하여 푸시오.

(1) $\begin{cases} x-3y=1 \\ 2x+y=9 \end{cases}$ $x=4,\ y=1$

(2) $\begin{cases} 5x+4y=6 \\ 2x+3y=1 \end{cases}$ $x=2,\ y=-1$

계수에 소수나 분수가 있는 연립방정식은 각 방정식의 양변에 적당한 수를 곱하여 계수를 정수로 고쳐서 풀면 편리하다.

함께해 보기 3

개념 쏙

계수가 소수인 경우 10의 거듭제곱을 곱하고, 분수인 경우 분모의 최소공배수를 곱한다.

다음은 연립방정식 $\begin{cases} 0.3x-0.1y=0.1 & \cdots\cdots ① \\ \frac{1}{2}x-\frac{2}{3}y=-\frac{5}{6} & \cdots\cdots ② \end{cases}$ 를 푸는 과정이다. □ 안에 알맞은 수를 써넣어 보자.

①의 양변에 10을 곱하고 ②의 양변에 6을 곱하면

$$\begin{cases} 3x-y=1 & \cdots\cdots ③ \\ \boxed{3}x-4y=-5 & \cdots\cdots ④ \end{cases}$$

③에서 ④를 변끼리 빼면

$3y=6,\ y=2$

$y=2$를 ③에 대입하면

$3x=\boxed{3},\ x=\boxed{1}$

따라서 구하는 해는 $x=\boxed{1}$, $y=2$이다.

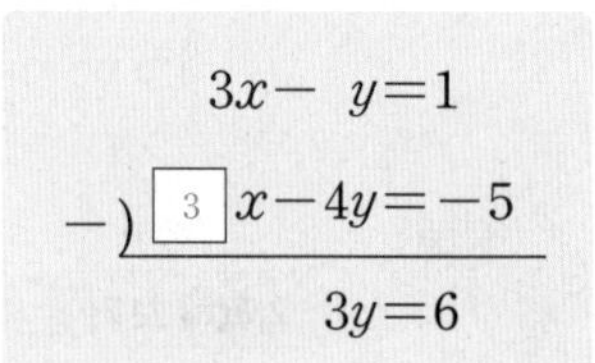

5. 다음 연립방정식을 푸시오.

(1) $\begin{cases} \frac{x}{4}-\frac{y}{3}=\frac{7}{12} \\ \frac{1}{2}x-y=\frac{1}{2} \end{cases}$ $x=5,\ y=2$

(2) $\begin{cases} 3(x+y)-y=2x+1 \\ -\frac{2}{9}x+\frac{1}{3}y=\frac{5}{9} \end{cases}$ $x=-1,\ y=1$

풀이 (1) $\begin{cases} \frac{x}{4}-\frac{y}{3}=\frac{7}{12} & \cdots\cdots ① \\ \frac{1}{2}x-y=\frac{1}{2} & \cdots\cdots ② \end{cases}$

①의 양변에 12를 곱하고, ②의 양변에 2를 곱하면

$\begin{cases} 3x-4y=7 & \cdots\cdots ③ \\ x-2y=1 & \cdots\cdots ④ \end{cases}$

y를 없애기 위하여 ③에서 ④에 2를 곱한 식을 변끼리 빼면 $(3x-4y)-(2x-4y)=7-2,\ x=5$

$x=5$를 ④에 대입하면 $5-2y=1,\ -2y=-4,\ y=2$

따라서 구하는 해는 $x=5,\ y=2$이다.

(2) $\begin{cases} 3(x+y)-y=2x+1 & \cdots\cdots ① \\ -\frac{2}{9}x+\frac{1}{3}y=\frac{5}{9} & \cdots\cdots ② \end{cases}$

①의 괄호를 풀고 우변의 $2x$를 좌변으로 이항하고, ②의 양변에 9를 곱하면

$\begin{cases} x+2y=1 & \cdots\cdots ③ \\ -2x+3y=5 & \cdots\cdots ④ \end{cases}$

x를 없애기 위하여 ③에 2를 곱하여 ④와 변끼리 더하면 $(2x+4y)+(-2x+3y)=2+5,\ 7y=7,\ y=1$

$y=1$을 ③에 대입하면 $x+2\times1=1,\ x=-1$

따라서 구하는 해는 $x=-1,\ y=1$이다.

6. 다음 연립방정식을 푸시오.

(1) $\begin{cases} 0.2x-0.5y=-0.6 \\ 0.2x+0.1y=0.6 \end{cases}$ $x=2,\ y=2$

(2) $\begin{cases} 0.7x-0.3y=1 \\ 0.22x+0.12y=0.1 \end{cases}$ $x=1,\ y=-1$

풀이 (1) $\begin{cases} 0.2x-0.5y=-0.6 & \cdots\cdots ① \\ 0.2x+0.1y=0.6 & \cdots\cdots ② \end{cases}$

①의 양변에 10을 곱하고, ②의 양변에 10을 곱하면

$\begin{cases} 2x-5y=-6 & \cdots\cdots ③ \\ 2x+y=6 & \cdots\cdots ④ \end{cases}$

③에서 ④를 변끼리 빼면 $-6y=-12,\ y=2$

$y=2$를 ④에 대입하면 $2x+2=6,\ 2x=4,\ x=2$

따라서 구하는 해는 $x=2,\ y=2$이다.

(2) $\begin{cases} 0.7x-0.3y=1 & \cdots\cdots ① \\ 0.22x+0.12y=0.1 & \cdots\cdots ② \end{cases}$

①의 양변에 10을 곱하고, ②의 양변에 100을 곱하면

$\begin{cases} 7x-3y=10 & \cdots\cdots ③ \\ 22x+12y=10 & \cdots\cdots ④ \end{cases}$

y를 없애기 위하여 ③에 4를 곱하여 ④와 변끼리 더하면 $(28x-12y)+(22x+12y)=40+10,\ 50x=50,\ x=1$

$x=1$을 ③에 대입하면 $7\times1-3y=10,\ -3y=3,\ y=-1$

따라서 구하는 해는 $x=1,\ y=-1$이다.

실생활에서 연립방정식을 어떻게 활용할까?

함께해 보기 4

개념 쏙

연립방정식을 활용하여 실생활 문제 해결하기

미지수 정하기
↓
연립방정식 세우기
↓
연립방정식 풀기
↓
확인하기

민속촌 관람을 간 동주네 가족은 어른 2명과 청소년 2명의 입장료로 총 26000원을 지불했다. 다음은 청소년 한 명의 입장료가 어른 한 명의 입장료보다 3000원 더 싸다고 할 때, 어른 한 명과 청소년 한 명의 입장료를 각각 구하는 과정이다. □ 안에 알맞은 수나 식을 써넣어 보자.

1단계 **구하고자 하는 것을 미지수 x, y로 놓는다.**

어른 한 명의 입장료를 x원, 청소년 한 명의 입장료를 y원이라고 하자.

2단계 **문제의 뜻에 맞게 연립방정식을 세운다.**

동주네 가족의 입장료는 총 26000원이고, 청소년 한 명의 입장료가 어른 한 명의 입장료보다 3000원 더 싸다. 즉,

$$\begin{cases} (\text{어른 2명의 입장료})+(\text{청소년 2명의 입장료})=26000(\text{원}) \\ (\text{청소년 한 명의 입장료})=(\text{어른 한 명의 입장료})-3000 \end{cases}$$

이므로 연립방정식을 세우면

$$\begin{cases} 2x+2y=26000 & \cdots\cdots ① \\ y=x-3000 & \cdots\cdots ② \end{cases}$$

3단계 **연립방정식을 푼다.**

②를 ①에 대입하면

$$2x+2(x-3000)=26000$$

$4x=$ [32000], $x=$ [8000]

$x=$ [8000]을 ②에 대입하면

$y=$ [5000]

즉, 어른 한 명의 입장료는 [8000]원, 청소년 한 명의 입장료는 [5000]원이다.

4단계 **구한 해가 문제의 뜻에 맞는지 확인한다.**

어른 한 명의 입장료가 [8000]원이고, 청소년 한 명의 입장료가 [5000]원이면 동주네 가족의 입장료는

$2\times$ [8000] $+2\times$ [5000] $=26000$

이고, 청소년 한 명의 입장료는 어른 한 명의 입장료보다 3000원 더 싸다. 따라서 구한 해는 문제의 뜻에 맞는다.

일반적으로 연립방정식을 활용하여 문제를 해결하는 순서는 다음과 같다.

연립방정식을 활용하여 문제를 해결하는 순서

❶ 문제의 뜻을 파악하고, 구하고자 하는 것을 미지수 x, y로 놓는다.

❷ 문제의 뜻에 맞게 연립방정식을 세운다.

❸ 연립방정식을 푼다.

❹ 구한 해가 문제의 뜻에 맞는지 확인한다.

7. 현재 주영이와 삼촌의 나이의 합은 48살이고, 3년 뒤 삼촌의 나이는 주영이 나이의 2배가 된다. 현재 주영이와 삼촌의 나이를 각각 구하시오. 주영: 15살, 삼촌: 33살

풀이 현재 주영이의 나이를 x살, 삼촌의 나이를 y살이라고 하면

$$\begin{cases} x+y=48 & \cdots\cdots ① \\ y+3=2(x+3) & \cdots\cdots ② \end{cases}$$

②를 정리하면 $y=2x+3$ …… ③

③을 ①에 대입하면 $3x=45$, $x=15$

$x=15$를 ①에 대입하면 $15+y=48$, $y=48-15=33$

따라서 현재 주영이는 15살, 삼촌은 33살이다.

이때 주영이 나이와 삼촌 나이의 합은 $15+33=48$(살)이고, 3년 뒤 주영이의 나이는 18살, 삼촌의 나이는 36살이므로 삼촌의 나이는 주영이의 나이의 2배가 된다.

따라서 구한 해는 문제의 뜻에 맞는다.

8. 도윤이네 학급은 학급 활동으로 자전거를 타기로 하였다. 1인용 자전거와 2인용 자전거를 총 17대 대여받으면 학급 학생 28명이 모두 탈 수 있다고 한다. 자전거 대여료가 오른쪽 표와 같을 때, 도윤이네 학급의 자전거 총대여료를 구하시오. (단, 자전거에 빈 자리는 생기지 않는다.) 118000원

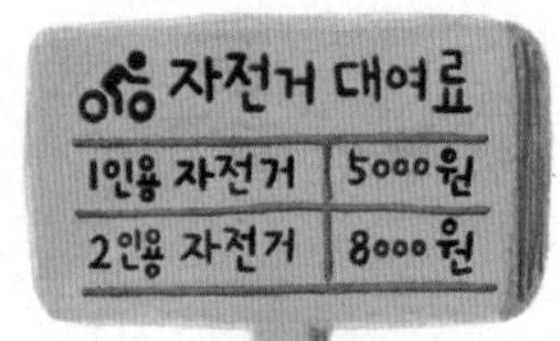

풀이 1인용 자전거 x대, 2인용 자전거 y대를 대여받았다고 하면

$$\begin{cases} x+y=17 & \cdots\cdots ① \\ x+2y=28 & \cdots\cdots ② \end{cases}$$

②에서 ①의 식을 변끼리 빼면 $y=11$

$y=11$을 ①에 대입하면 $x+11=17$, $x=6$

따라서 1인용 자건거를 6대, 2인용 자건거를 11대 대여받았으므로 자전거 총대여료는

$6\times5000+11\times8000=118000$(원)

이때 1인용 자전거를 6대, 2인용 자전거를 11대 대여받으면 자전거는 총 17대이고, 자전거에는 1인용에 6명, 2인용에 $11\times2=22$(명)으로 총 28명이 빈자리 없이 앉게 된다.

따라서 구한 해는 문제의 뜻에 맞는다.

생각 나누기 문제 해결 의사소통

다음 연립방정식을 식의 대입을 이용하거나 두 식의 합 또는 차를 이용하여 풀어 보고, 어느 방법이 더 편리한지 친구들과 이야기하여 보자.

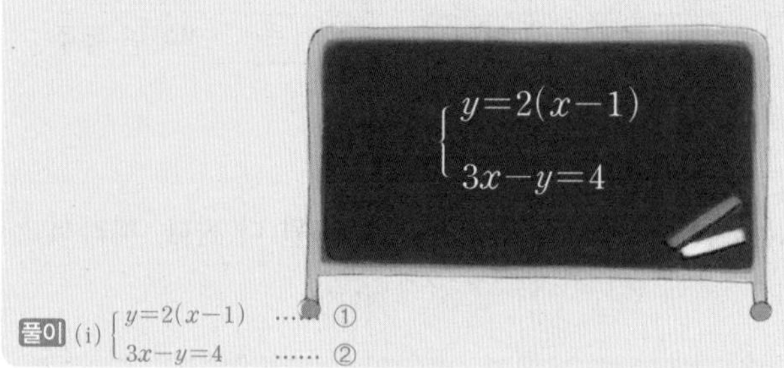

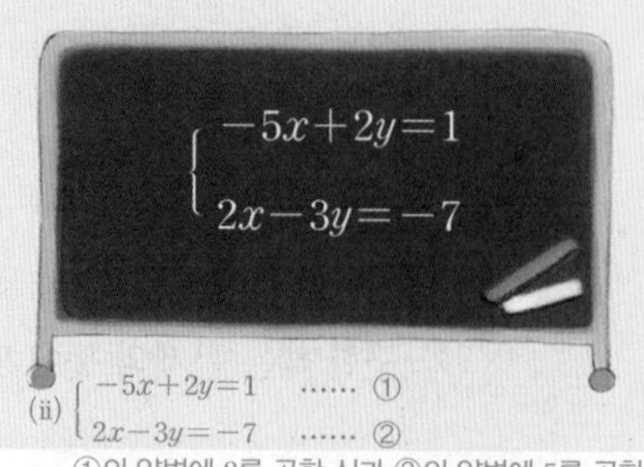

풀이 (i) $\begin{cases} y=2(x-1) & \cdots\cdots ① \\ 3x-y=4 & \cdots\cdots ② \end{cases}$

①의 식을 ②에 대입하면 $3x-2(x-1)=4$, $3x-2x+2=4$, $x=2$

$x=2$를 ①에 대입하면 $y=2\times(2-1)=2$

따라서 구하는 해는 $x=2$, $y=2$이다.

(ii) $\begin{cases} -5x+2y=1 & \cdots\cdots ① \\ 2x-3y=-7 & \cdots\cdots ② \end{cases}$

①의 양변에 2를 곱한 식과 ②의 양변에 5를 곱한 식을 변끼리 더하면

$-11y=-33$, $y=3$, $y=3$을 ②에 대입하면 $2x-3\times3=-7$, $x=1$

따라서 구하는 해는 $x=1$, $y=3$이다.

즉, 연립방정식 (i)은 식의 대입을 이용하는 것이 편리하고, 연립방정식 (ii)는 두 식의 합 또는 차를 이용하는 것이 편리하다.

소단원

스스로 점검하기

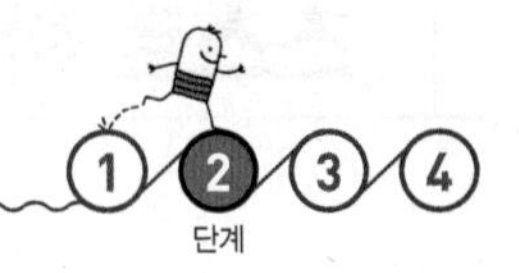

개념 점검하기

(1) 연립방정식의 풀이: 미지수가 2개인 연립방정식에서 식의 [대입]을 이용하거나 두 식의 합 또는 차를 이용하여 한 미지수를 없앤 후 연립방정식의 해를 구할 수 있다.

1 ●●●

77쪽

다음 연립방정식을 식의 대입을 이용하여 푸시오.

(1) $\begin{cases} x=2(y-2) & \cdots\cdots ① \\ 3x+y=16 & \cdots\cdots ② \end{cases}$ $x=4,\ y=4$

(2) $\begin{cases} y=1-x & \cdots\cdots ① \\ 2x-y=5 & \cdots\cdots ② \end{cases}$ $x=2,\ y=-1$

풀이 (1) ①을 ②에 대입하면 $3\times2(y-2)+y=16,\ y=4$
$y=4$를 ①에 대입하면 $x=2\times(4-2)=4$
따라서 구하는 해는 $x=4,\ y=4$
(2) ①을 ②에 대입하면 $2x-(1-x)=5,\ x=2$
$x=2$를 ①에 대입하면 $y=1-2=-1$
따라서 구하는 해는 $x=2,\ y=-1$

2 ●●●

79쪽

다음 연립방정식을 두 식의 합 또는 차를 이용하여 푸시오.

(1) $\begin{cases} 2x+y=9 & \cdots\cdots ① \\ 4x-3y=3 & \cdots\cdots ② \end{cases}$ $x=3,\ y=3$

(2) $\begin{cases} 3x+5y=2 & \cdots\cdots ① \\ -2x-y=1 & \cdots\cdots ② \end{cases}$ $x=-1,\ y=1$

풀이 (1) ①에 2를 곱한 식에서 ②를 변끼리 빼면 $5y=15,\ y=3$
$y=3$을 ①에 대입하면 $2x=6,\ x=3$
따라서 구하는 해는 $x=3,\ y=3$
(2) ②에 5를 곱한 식을 ①과 변끼리 더하면 $-7x=7,\ x=-1$
$x=-1$을 ②에 대입하면 $y=1$
따라서 구하는 해는 $x=-1,\ y=1$

3 ●●●

80쪽

다음 연립방정식을 푸시오.

(1) $\begin{cases} \frac{1}{2}x+\frac{1}{3}y=\frac{1}{6} & \cdots\cdots ① \\ \frac{1}{3}x-y=\frac{4}{3} & \cdots\cdots ② \end{cases}$ $x=1,\ y=-1$

(2) $\begin{cases} 0.2x+0.1y=1.2 & \cdots\cdots ① \\ -0.3x+0.5y=0.8 & \cdots\cdots ② \end{cases}$ $x=4,\ y=4$

풀이 (1) ①의 양변에 6을 곱한 식에서 ②의 양변에 9를 곱한 식을 변끼리 빼면
$11y=-11,\ y=-1,\ y=-1$을 ②에 대입하면 $x=1$
따라서 구하는 해는 $x=1,\ y=-1$
(2) ①의 양변에 50을 곱한 식에서 ②의 양변에 10을 곱한 식을 변끼리 빼면
$13x=52,\ x=4,\ x=4$를 ①에 대입하면 $y=4$
따라서 구하는 해는 $x=4,\ y=4$

4 ●●●

80쪽

연립방정식 $\begin{cases} 4x+3y=6 & \cdots\cdots ① \\ 2x=-y+4 & \cdots\cdots ② \end{cases}$의 해가 $(a,\ b)$일 때, $a+b$의 값을 구하시오. 1

풀이 ②를 ①에 대입하면 $-2y+8+3y=6,\ y=-2$
$y=-2$를 ②에 대입하면 $x=3$
따라서 $(a,\ b)=(3,\ -2)$이므로 $a+b=3+(-2)=1$

5 ●●●

80쪽

연립방정식 $\begin{cases} ax+by=7 \\ 2ax-by=2 \end{cases}$의 해가 $(-3,\ 2)$일 때, 상수 $a,\ b$의 값을 각각 구하시오. $a=-1,\ b=2$

풀이 연립방정식에 해 $(-3,\ 2)$를 대입하면
$\begin{cases} -3a+2b=7 \\ -6a-2b=2 \end{cases}$이므로 이 연립방정식을 풀면
$a=-1,\ b=2$이다.

6 ●●●

82쪽

윤희네 가족은 평화 누리길 걷기 행사에 참가하였다. 12 km의 코스를 완주하는 데 처음에는 시속 5 km로 걷다가 힘들어서 시속 4 km로 걸었더니 총 2시간 30분이 걸렸다. 시속 5 km로 걸은 거리와 시속 4 km로 걸은 거리를 각각 구하시오. 시속 5 km로 걸은 거리: 10 km
시속 4 km로 걸은 거리: 2 km

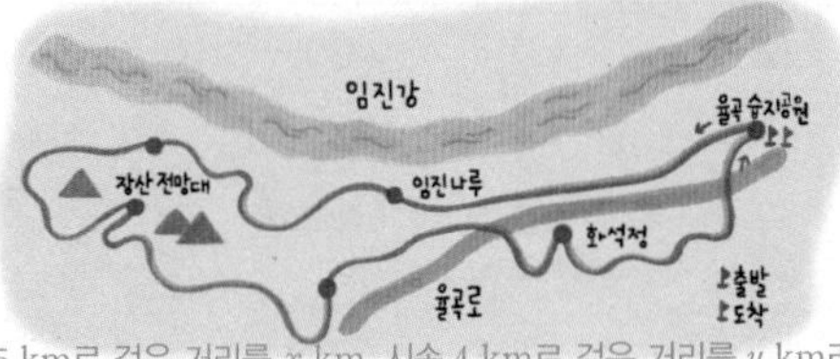

풀이 시속 5 km로 걸은 거리를 x km, 시속 4 km로 걸은 거리를 y km라고 하면
$\begin{cases} x+y=12 \\ \frac{x}{5}+\frac{y}{4}=\frac{5}{2} \end{cases}$이므로 $x=10,\ y=2$이다. 따라서 시속 5 km로 걸은 거리는 10 km,
시속 4 km로 걸은 거리는 2 km이다. 이때 걸은 거리는 $10+2=12$(km)이고,
걸린 시간은 $\frac{10}{5}+\frac{2}{4}=\frac{5}{2}$(시간)이다.
따라서 구한 해는 문제의 뜻에 맞는다.

스스로 확인하기

1. 다음 문장을 부등식으로 나타내시오. $180-a<80$

> 2학년 전체 학생 수가 180명이고 남학생 수가 a명일 때, 여학생 수는 80명 미만이다.

풀이 여학생의 수는 $(180-a)$명이므로 여학생의 수가 80명 미만임을 부등식으로 나타내면 $180-a<80$

2. 다음 보기 중에서 [ ] 안의 수가 부등식의 해인 것을 모두 고르시오.

보기

ㄱ. $x-1<6$ $[-1]$ (○)

ㄴ. $5x-3<7$ $[2]$

ㄷ. $2x\geq x+4$ $[-2]$

ㄹ. $-x+5>3x-1$ $[1]$ (○)

풀이 [ ] 안의 수를 부등식에 대입하면

ㄴ. $5\times2-3=7$

ㄷ. $2\times(-2)=-4<(-2)+4=2$

따라서 [ ] 안의 수가 부등식의 해인 것은 ㄱ, ㄹ이다.

3. 다음 두 일차부등식의 해가 서로 같을 때, 상수 a의 값을 구하시오. 1

$$\frac{x}{2}+\frac{2-x}{4}>a,\ 8-x<2(x+1)$$

풀이 $8-x<2(x+1)$, $8-x<2x+2$, $-3x<-6$, $x>2$

$\frac{x}{2}+\frac{2-x}{4}>a$의 양변에 4를 곱하면 $2x+2-x>4a$, $x>4a-2$

이때 두 일차부등식의 해가 같으므로

$4a-2=2$에서 $4a=4$, $a=1$이다.

4. $x=2$, $y=-1$이 일차방정식 $(3-a)x-ay+5=1$의 해일 때, 상수 a의 값을 구하시오. 10

풀이 $x=2$, $y=-1$을 대입하면 $(3-a)\times2-a\times(-1)+5=1$,

$6-2a+a+5=1$, $a=10$

5. 연립방정식 $\begin{cases}0.1x+0.05y=1.35 & \cdots\cdots ① \\ \frac{x}{6}+\frac{2y}{3}=4 & \cdots\cdots ②\end{cases}$ 를 푸시오.

$x=12$, $y=3$

풀이 ①의 양변에 100을 곱하고, ②의 양변에 6을 곱하면

$\begin{cases}10x+5y=135 & \cdots\cdots ③ \\ x+4y=24 & \cdots\cdots ④\end{cases}$

③에서 ④의 양변에 10을 곱한 식을 변끼리 빼면

$-35y=-105$, $y=3$

$y=3$을 ④에 대입하면 $x=12$

따라서 구하는 해는 $x=12$, $y=3$이다.

실력 발전 문제

6. 일차부등식 $\frac{1}{3}x-2>0.2x+0.1$을 만족시키는 x의 값 중 가장 작은 정수를 구하시오. 16

풀이 $\frac{1}{3}x-2>0.2x+0.1$의 양변에 30을 곱하면 $10x-60>6x+3$

$10x-6x>3+60$, $4x>63$, $x>\frac{63}{4}$

따라서 x의 값 중 가장 작은 정수는 16

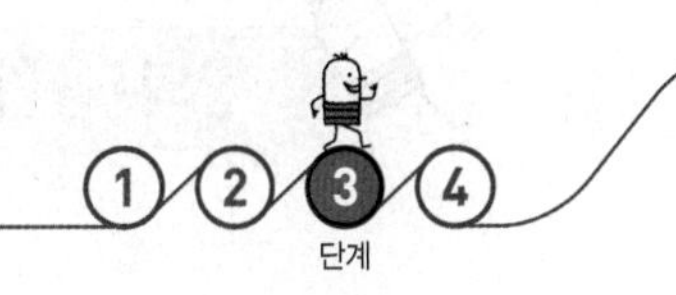

7. 연립방정식 $\begin{cases} x-3y=2 & \cdots\cdots ① \\ -2x+y=1 & \cdots\cdots ② \end{cases}$ 의 해가 일차방정식 $ax-y=4$를 만족시킬 때, 상수 a의 값을 구하시오.

-3

풀이 ①의 양변에 2를 곱한 식과 ②를 변끼리 더하면
$-5y=5$, $y=-1$
$y=-1$을 ①에 대입하면 $x=-1$
$x=-1$, $y=-1$을 $ax-y=4$에 대입하면
$a\times(-1)-(-1)=4$, $-a+1=4$, $a=-3$

8. 가은이네 중학교의 작년 전체 학생 수는 600명이었다. 올해는 작년에 비해 남학생 수는 15 % 감소하고 여학생 수는 15 % 증가하여, 전체 학생 수가 6명 감소하였다. 작년 남학생 수와 여학생 수를 각각 구하시오. 남학생: 320명, 여학생: 280명

풀이 작년 남학생 수를 x명, 여학생 수를 y명이라고 하면
$\begin{cases} x+y=600 \\ -\frac{15}{100}x+\frac{15}{100}y=-6 \end{cases}$
연립방정식을 풀면 $x=320$, $y=280$
따라서 작년 남학생 수는 320명, 여학생 수는 280명이다.
이때 작년 전체 학생 수는 600명이고,
올해 남학생은 $320\times\frac{15}{100}=48$(명)이 감소하고,
여학생은 $280\times\frac{15}{100}=42$(명)이 증가하여
전체 학생 수가 6명이 감소하였다.
따라서 구한 해는 문제의 뜻에 맞는다.

교과서 문제 뛰어 넘기

9. $-5a+3>-5b+3$일 때, 다음 보기 중 옳은 것을 모두 고르시오.

보기
ㄱ. $a>b$
ㄴ. $-2a>-2b$
ㄷ. $3-a<3-b$
ㄹ. $\frac{a}{3}-2<\frac{b}{3}-2$

10. 연립방정식 $\begin{cases} 2^x\times 8^y=32 \\ 9^x\times 3^y=243 \end{cases}$ 의 해 (x, y)가 일차방정식 $2x-ay+3=0$을 만족시킬 때, 상수 a의 값을 구하시오.

11. 오른쪽 표는 호두 1개와 검은콩 1개에 들어 있는 단백질과 지방의 양을 각각 나타낸 것이다. 호두와 검은콩을 통해 단백질 32 g과 지방 26 g을 섭취하려면 호두와 검은콩을 각각 몇 개씩 먹어야 하는지 구하시오.

식품	단백질	지방
호두	2 g	6 g
검은콩	4 g	2 g

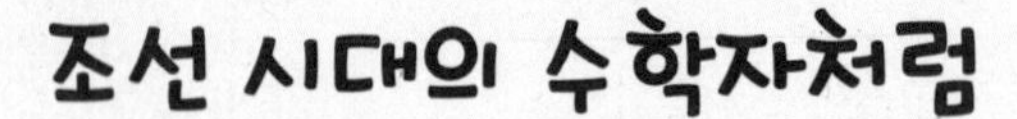

조선 시대의 실학자 황윤석(黃胤錫, 1729~1791)이 편찬한 『이수신편』은 백과사전식 과학서이다. 총 23권 중 3권에 수학이 저술되어 있어 수학의 유용함을 엿볼 수 있다. 『이수신편』 21권에 실려 있는 두 문제를 보고, 우리도 조선 시대의 수학자처럼 문제를 해결하여 보자.

(출처: 한국민족문화대백과사전, 2018)

활동 1 다음은 『이수신편』에 수록된 문제와 그 풀잇법이다. 이 문제를 각자 연립방정식을 세워 풀어 보고, 조선 시대의 풀잇법과 우리의 풀잇법을 비교하여 친구들과 이야기하여 보자.

문제 만두가 백 개에 스님도 백 명인데, 큰 스님에게 세 개씩 나누어 주고 작은 스님은 세 명당 한 개씩 나누어 준다고 한다. 이때 큰 스님은 몇 명이고 작은 스님은 몇 명일까?

풀잇법 큰 스님 1명이 먹는 만두 3개와 작은 스님 3명이 함께 먹는 만두 1개를 묶으면 4개이므로 만두 100개를 4로 나누면 25가 나온다.
이것은 큰 스님의 수와 같다.
따라서 큰 스님은 25명, 작은 스님은 75명이다.

풀이 큰 스님을 x명, 작은 스님을 y명이라고 하면 스님은 모두 100명이고, 큰 스님은 한 명이 만두 3개씩, 작은 스님은 세 명이 만두 한 개씩을 먹어 모두 100개를 먹었으므로 $\begin{cases} x+y=100 \\ 3x+\frac{y}{3}=100 \end{cases}$ 이고, 이 연립방정식을 풀면 $x=25$, $y=75$이다.
따라서 큰 스님은 25명, 작은 스님은 75명이다. 이때 스님은 모두 $25+75=100$(명)이고, 만두는 $3\times25+\frac{75}{3}=100$(개)이다.
따라서 구한 해는 문제의 뜻에 맞는다.

활동 2 다음은 『이수신편』에 수록된 또 다른 문제이다. 나만의 풀잇법을 만들고 친구들에게 설명하여 보자.

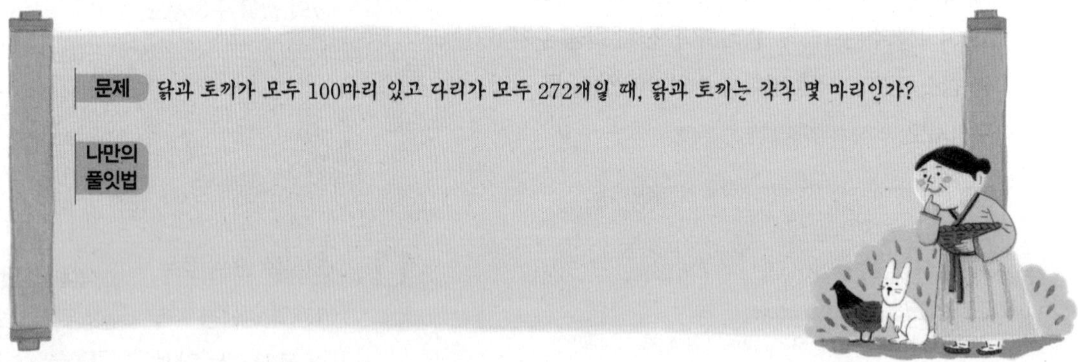

풀이 | 예시 | 닭과 토끼가 모두 다리의 절반을 들고 있다고 하면 닭은 다리가 하나, 토끼는 다리가 둘이 되고, 그 수는 모두 136개이다. 여기서 다리 수와 총 마리 수의 차이, 즉 36은 토끼의 마리 수가 된다. 왜냐하면, 닭은 다리 수와 마리 수가 같지만, 토끼는 다리 수가 마리 수보다 하나씩 많기 때문이다. 따라서 토끼는 36마리이고, 닭은 64마리이다.

| 학생 평가표 예시 |

	평가내용	잘했어요	보통이에요	노력이 필요해요
문제 해결	주어진 문제 상황에 맞는 연립방정식을 세워 그 해를 구할 수 있는가?			
창의 · 융합	조선 시대의 수학자처럼 새로운 관점에서 나만의 풀잇법을 만들어 문제를 해결할 수 있는가?			
의사소통	스스로 문제 해결법을 찾아보고, 논리적인 방법으로 자신만의 풀이법을 표현하였는가?			
태도 및 실천	과제 수행에 적극적으로 참여하였는가?			

1. 다음은 경호가 부등식 $5x-a\leq3x+11$의 해가 $x\leq8$임을 알고 자연수 a의 값을 구하는 과정이다. 잘못된 부분을 찾아 바르게 고치시오.

> $5x-a\leq3x+11$에서 $-a$와 $3x$를 각각 이항하여 정리하면
>
> $x\leq\dfrac{11+a}{2}$
>
> 이때 해가 $x\leq8$이므로 $\dfrac{11+a}{2}\leq8$이다.
>
> 이 부등식을 풀면 $a\leq5$이므로 자연수 a의 값은 1, 2, 3, 4, 5이다.

2. 다음은 중국 명나라 말기에 정대위가 지은 『산법통종』에 실려 있는 문제이다.

> 구미호는 머리가 하나에 꼬리가 아홉 개 달려 있다. 붕조(鵬鳥)는 머리가 아홉 개에 꼬리가 한 개 달려 있다. 이 두 가지 동물들을 우리 안에 넣었더니 머리가 72개에 꼬리가 88개였다고 한다. 구미호와 붕조는 각각 몇 마리씩 있는가?

위의 문제에서 구미호와 붕조는 각각 몇 마리씩 있었는지 구하시오.

대단원

스스로 마무리하기

1. $a>b$일 때, 다음 중 옳은 것은?

① $a+(-3)<b+(-3)$

② $a-(-2)<b-(-2)$

③ $1-4a>1-4b$

④ $-1+\frac{1}{5}a>-1+\frac{1}{5}b$

⑤ $\frac{2-a}{3}>\frac{2-b}{3}$

2. 다음 중 일차부등식 $5x-3\le x+6$의 해가 아닌 것은?

① -1 ② 0 ③ 1

④ 2 ⑤ 3

3. 일차부등식 $-3x+4>-5$를 풀면?

① $x>3$ ② $x<3$

③ $x\ge3$ ④ $x\le3$

⑤ $x<-3$

풀이 $-3x+4>-5$, $-3x>-9$, $x<3$

4. 다음 보기 중에서 미지수가 2개인 일차방정식을 모두 고르시오.

보기

ㄱ. $x+3y=x+5$

ㄴ. $x+4=5x+2$

ㄷ. $y=\frac{1}{x}+3$

ㄹ. $4x-2y=3x$

ㅁ. $2x^2+y+1=2x^2+2x$

5. 다음 연립방정식 중에서 $x=-1$, $y=2$를 해로 갖는 것은?

① $\begin{cases} x+y=-1 \\ x-y=1 \end{cases}$ ② $\begin{cases} 2x+y=0 \\ x-y=2 \end{cases}$

③ $\begin{cases} y=x+3 \\ y=2x \end{cases}$ ④ $\begin{cases} 3x=y+3 \\ 2x=-y \end{cases}$

⑤ $\begin{cases} x+y=1 \\ x-2y=-5 \end{cases}$

풀이 ⑤ $\begin{cases} (-1)+2=1 \\ (-1)-2\times2=-5 \end{cases}$ 이므로 $x=-1$, $y=2$를 해로 갖는다.

6. 일차부등식 $2-5x>-3(x+4)$를 만족시키는 자연수 x의 개수를 구하시오. 6

풀이 $2-5x>-3x-12$, $-2x>-14$, $x<7$
따라서 부등식을 만족시키는 자연수 x는 1, 2, 3, 4, 5, 6의 6개이다.

7. 순서쌍 $(1, a)$, $(3, 1)$이 일차방정식 $2x-by=7$의 해일 때, $a+b$의 값을 구하시오. (단, b는 상수이다.) 4

풀이 일차방정식 $2x-by=7$에 순서쌍 $(3, 1)$을 대입하면
$6-b=7$, $b=-1$
$2x-(-1)\times y=7$에 순서쌍 $(1, a)$를 대입하면
$2+a=7$, $a=7-2=5$
따라서 $a+b=5+(-1)=4$이다.

8. 다음 두 연립방정식의 해가 서로 같을 때, 두 상수 a, b에 대하여 ab의 값을 구하시오. 3

$\begin{cases} ax+by=-11 \\ x-y=3 \end{cases}$, $\begin{cases} x-2y=8 \\ ax-by=-1 \end{cases}$

풀이 두 연립방정식이 같은 해를 가지므로
$\begin{cases} ax+by=-11 & \cdots\cdots ① \\ x-y=3 & \cdots\cdots ② \end{cases}$ $\begin{cases} x-2y=8 & \cdots\cdots ③ \\ ax-by=-1 & \cdots\cdots ④ \end{cases}$
②와 ③을 연립하여 풀면 $x=-2$, $y=-5$
이것을 ①과 ④에 대입하면 $\begin{cases} -2a-5b=-11 \\ -2a+5b=-1 \end{cases}$ 이므로
이 연립방정식을 풀면 $a=3$, $b=1$
따라서 $ab=3\times1=3$이다.

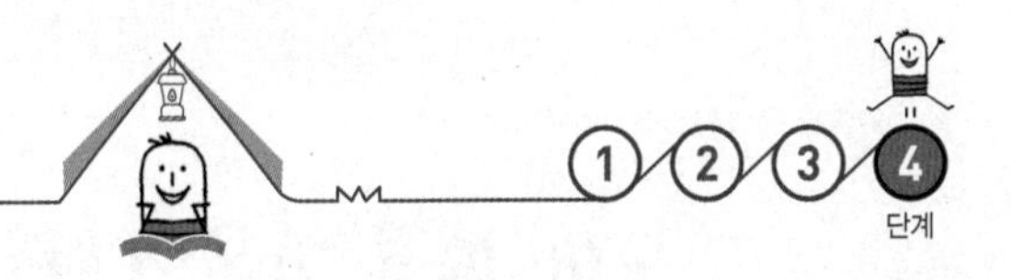

[9~12] **서술형 문제** 문제의 풀이 과정과 답을 쓰고, 스스로 채점하여 보자.

9. x에 대한 일차부등식 $\frac{1}{3}x+\frac{a}{4}<\frac{1}{6}$의 해를 수직선 위에 나타내면 다음 그림과 같을 때, x에 대한 일차부등식 $3-ax\leq 1$의 해를 구하시오. [5점] $x\leq -1$

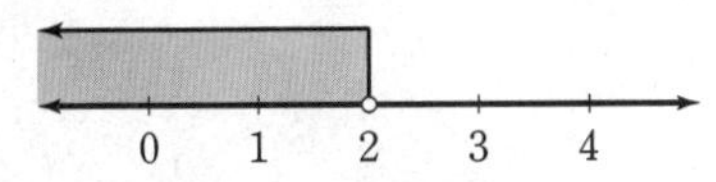

풀이 x에 대한 일차부등식 $\frac{1}{3}x+\frac{a}{4}<\frac{1}{6}$의 양변에 12를 곱하면

$4x+3a<2$, $4x<2-3a$, $x<\frac{2-3a}{4}$

이때 수직선 위에 나타낸 x의 값의 범위는 $x<2$이므로

$\frac{2-3a}{4}=2$, $2-3a=8$, $-3a=6$, $a=-2$

$a=-2$를 $3-ax\leq 1$에 대입하면 $3+2x\leq 1$, $2x\leq 1-3$, $x\leq -1$이다.

채점 기준	배점
(i) a의 값을 바르게 구한 경우	3점
(ii) a의 값을 대입한 일차부등식의 해를 바르게 구한 경우	2점

10. 원가가 2000원인 상품이 있다. 이 상품을 정가의 20 % 할인하여 팔아도 원가의 8 % 이상의 이익이 남도록 하려면 정가는 최소한 얼마여야 하는지 구하시오. [5점] 2700원

풀이 정가를 x원이라고 하면 원가는 2000원이므로

$x\times\left(1-\frac{20}{100}\right)\geq 2000\times\left(1+\frac{8}{100}\right)$, $\frac{4}{5}x\geq 2160$, $x\geq 2700$

따라서 정가는 최소한 2700원이어야 한다.

이때 정가의 20 % 할인한 가격인 $2700\times\frac{80}{100}=2160$(원)으로 판매하면 160원의 이익이 생기고,

원가의 8 %도 160원이므로 구한 해는 문제의 뜻에 맞는다.

채점 기준	배점
(i) 미지수를 바르게 설정한 경우	1점
(ii) 일차부등식을 바르게 세운 경우	1점
(iii) 일차부등식을 바르게 푼 경우	2점
(iv) 답을 바르게 구한 경우	1점

11. 연립방정식 $\begin{cases} 4x+y=10 \\ ax-4y=5 \end{cases}$의 해가 $(b, -2)$일 때, $a-b$의 값을 구하시오. (단, a는 상수이다.) [5점] -4

풀이 $(b, -2)$를 $4x+y=10$에 대입하면

$4b+(-2)=10$, $4b=12$, $b=3$

$(3, -2)$를 $ax-4y=5$에 대입하면

$3a+8=5$, $3a=-3$, $a=-1$

따라서 $a-b=-1-3=-4$이다.

채점 기준	배점
(i) b의 값을 바르게 구한 경우	2점
(ii) a의 값을 바르게 구한 경우	2점
(iii) $a-b$의 값을 바르게 구한 경우	1점

12. 동생이 집에서 출발한 지 30분 후에 형이 집에서 출발하여 동생을 따라갔다. 동생은 시속 3 km로 걷고, 형은 시속 4 km로 걸을 때, 형이 출발한 지 몇 시간 후에 형과 동생이 만나는지 구하시오. [5점] 1.5시간 (1시간 30분)

풀이 동생이 걸은 시간을 x시간, 형이 걸은 시간을 y시간이라고 하면

$\begin{cases} x=y+0.5 \\ 3x=4y \end{cases}$이고, 이 연립방정식을 풀면 $x=2$, $y=1.5$이다.

따라서 형이 출발한 지 1.5시간, 즉 1시간 30분 후에 형과 동생이 만난다.

이때 동생은 형보다 30분 먼저 출발하므로 동생은 2시간을 걷고, 동생이 걸은 거리와 형이 걸은 거리가 6 km로 서로 같으므로 구한 해는 문제의 뜻에 맞는다.

채점 기준	배점
(i) 미지수를 바르게 설정한 경우	1점
(ii) 연립방정식을 바르게 세운 경우	1점
(iii) 연립방정식을 바르게 푼 경우	2점
(iv) 답을 바르게 구한 경우	1점

고도에 따른 기온의 변화

우리는 가끔 산꼭대기 부근에만 눈이 쌓여 있는 것을 목격하거나 한여름에 등산을 할 때 추위에 대비하여 방한복을 준비하는 경우도 있다.

또, 해발 고도가 높은 강원도 대관령 지역에서는 서늘한 기후를 이용하여 고랭지 농업을 한다고 한다.

이것은 고도가 높아질수록 기온이 낮아지는 현상과 관계가 있다. 실제로 고도와 기온 사이의 변화를 일차함수로 나타낼 수 있다는 것이 알려져 있다.

Ⅲ

일차함수

1. 일차함수와 그래프
2. 일차함수와 일차방정식의 관계

| 단원의 계통도 살펴보기 |

이전에 배웠어요.

| 중학교 1학년 |
- 좌표평면과 그래프

| 중학교 2학년 |
- 일차부등식과 연립일차방정식

이번에 배워요.

Ⅲ－1. 일차함수와 그래프
01. 함수와 함숫값
02. 일차함수와 그 그래프
03. 일차함수의 그래프의 성질과 문제 해결
Ⅲ－2. 일차함수와 일차방정식의 관계
01. 일차함수와 일차방정식
02. 연립일차방정식과 그래프

이후에 배울 거예요.

| 중학교 3학년 |
- 이차함수와 그래프

일차함수와 그래프

01. 함수와 함숫값 | 02. 일차함수와 그 그래프 | 03. 일차함수의 그래프의 성질과 문제 해결

이것만은 알고 가자

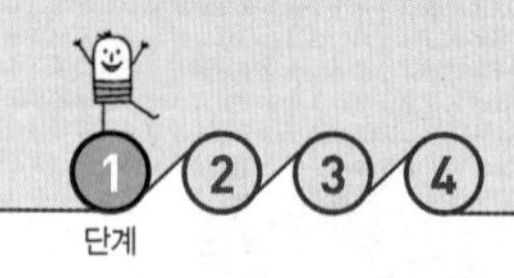

중1 순서쌍과 좌표

1. 다음 점의 위치를 오른쪽 좌표평면 위에 나타내시오. 풀이

(1) A(1, 3)

(2) B(2, −4)

(3) C(−3, 1)

(4) D(−4, −3)

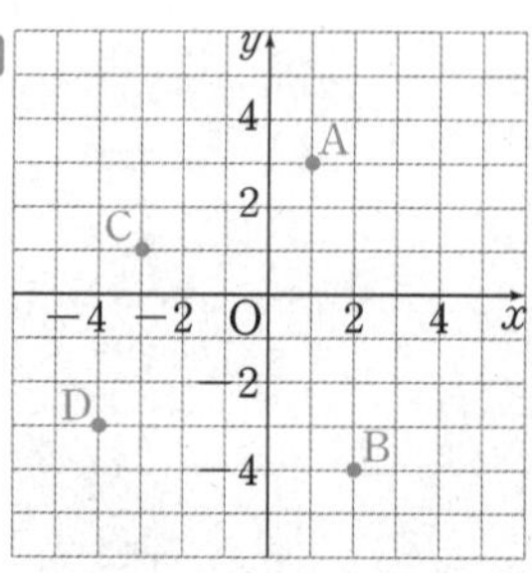

알고 있나요?

순서쌍과 좌표를 이해하고, 점의 위치를 좌표평면 위에 나타낼 수 있는가?

잘함 보통 모름

중1 그래프

2. 다음은 A 도시에서 8시부터 18시까지 1시간 간격으로 기온을 측정하여 나타낸 그래프이다. 그래프를 보고 물음에 답하시오.

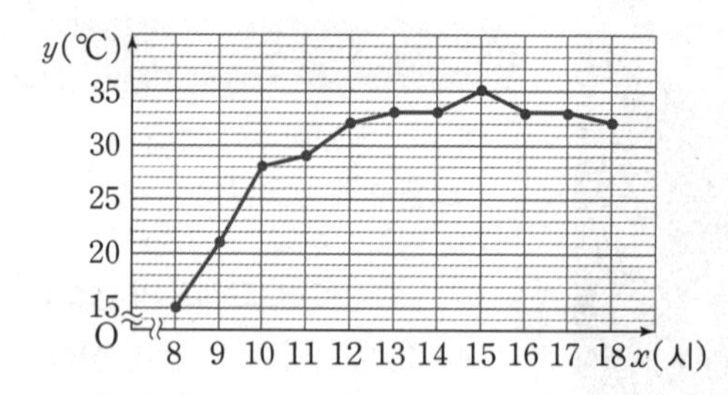

(1) 기온이 가장 높은 시각과 그때의 기온을 구하시오. 15시, 35 ℃

(2) 8시부터 18시 사이에 가장 높은 기온과 가장 낮은 기온의 차를 구하시오. 20 ℃

풀이 (1) 기온이 가장 높은 시각은 15시이고, 35 ℃이다.

(2) 가장 높은 기온은 35 ℃이며 가장 낮은 기온은 15 ℃이므로 기온의 차는 $35-15=20$(℃)이다.

알고 있나요?

주어진 그래프를 해석할 수 있는가?

잘함 보통 모름

중1 정비례와 반비례

3. 다음을 정비례와 반비례 관계로 구분하고, x와 y 사이의 관계를 식으로 나타내시오.

(1) 1모에 1200원인 두부를 x모 사고 y원을 지불했다. 정비례, $y=1200x$

(2) 넓이가 30 cm^{2}인 직사각형의 가로의 길이가 x cm일 때, 세로의 길이는 y cm이다. 반비례, $xy=30$ 또는 $y=\frac{30}{x}$

알고 있나요?

정비례와 반비례 관계를 식으로 나타낼 수 있는가?

잘함 보통 모름

부족한 부분을 보충하고 본 학습을 준비하여 보자.

한 눈에 개념 정리

01 함수와 함숫값

1. **함수**: x의 값이 변함에 따라 y의 값이 하나씩 정해지는 두 양 사이의 대응 관계가 성립할 때, y를 x의 함수라 하고, 이것을 기호 $y=f(x)$로 나타낸다.
2. **함숫값**: 함수 $y=f(x)$에서 x의 값에 따라 하나로 정해지는 y의 값을 x의 함숫값이라고 하며, 이것을 기호 $f(x)$로 나타낸다.

02 일차함수와 그 그래프

1. **일차함수**: 함수 $y=f(x)$에서 $y=ax+b$ (a, b는 상수, $a\neq0$)와 같이 y가 x에 대한 일차식으로 나타날 때, 이 함수를 x의 일차함수라고 한다.
2. **일차함수 $y=ax+b(a\neq0)$의 그래프**: 일차함수 $y=ax+b$의 그래프는 일차함수 $y=ax$의 그래프를 y축의 방향으로 b만큼 평행이동한 직선이다.

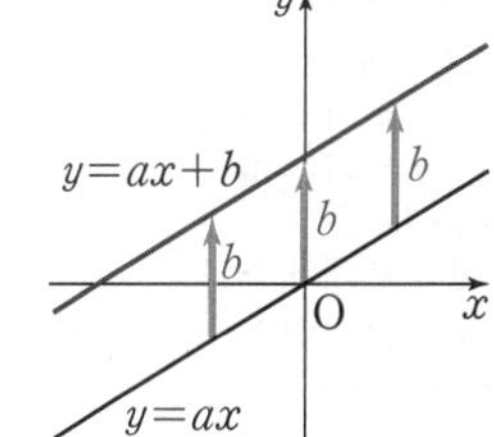

3. **x절편, y절편**
   (1) **x절편**: 일차함수의 그래프가 x축과 만나는 점의 x좌표
   (2) **y절편**: 일차함수의 그래프가 y축과 만나는 점의 y좌표
4. **일차함수 $y=ax+b(a\neq0)$의 그래프의 기울기**: 일차함수 $y=ax+b$의 그래프에서

$$(\text{기울기})=\frac{(y\text{의 값의 증가량})}{(x\text{의 값의 증가량})}=a$$

03 일차함수의 그래프의 성질과 문제 해결

1. **일차함수 $y=ax+b(a\neq0)$의 그래프의 성질**
   $a>0$이면 오른쪽 위로 향하는 직선이고, $a<0$이면 오른쪽 아래로 향하는 직선이다.

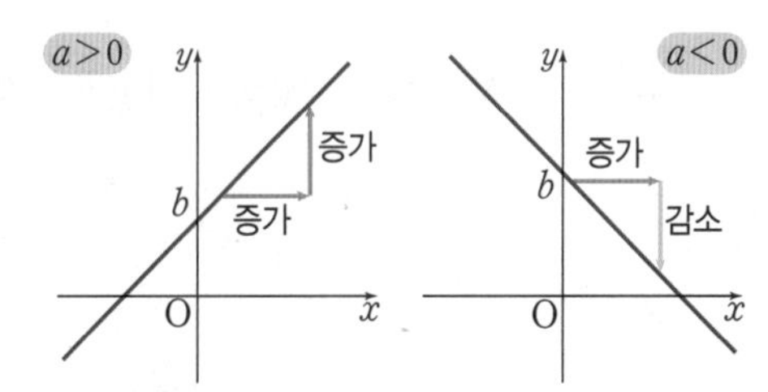

2. **일차함수의 그래프의 기울기와 평행**
   (1) 기울기가 같은 두 일차함수의 그래프는 서로 평행하거나 일치한다.
   (2) 서로 평행한 두 일차함수의 그래프의 기울기는 같다.
3. **일차함수의 식 구하기**
   (1) 일차함수의 그래프의 기울기와 y절편을 알면 그 일차함수의 식을 구할 수 있다.
   (2) 일차함수의 그래프의 기울기와 그래프가 지나는 한 점의 좌표를 알면 그 일차함수의 식을 구할 수 있다.
   (3) 일차함수의 그래프가 지나는 서로 다른 두 점의 좌표를 알면 그 일차함수의 식을 구할 수 있다.
4. **실생활에서 일차함수의 활용**
   일차함수를 활용하여 문제를 해결하려면 변화하는 두 양 x와 y 사이의 대응 관계를 찾아 일차함수로 나타내고, 주어진 조건을 이용하여 x의 값 또는 y의 값을 구하면 된다.

함수와 함숫값

학습 목표 ‖ 함수의 개념을 이해한다.

이 단원에서 배우는 용어와 기호

함수, $y=f(x)$, 함숫값, $f(x)$

함수는 무엇일까?

탐구하기

탐구 목표
실생활에서 한 양이 변함에 따라 다른 양이 하나씩 정해지는 두 양 사이의 대응 관계가 함수임을 알 수 있다.

재이는 야영 준비물을 사러 간 가게에서 삼겹살의 양에 따라 가격이 표기되는 저울을 보았다. 다음 물음에 답하여 보자.

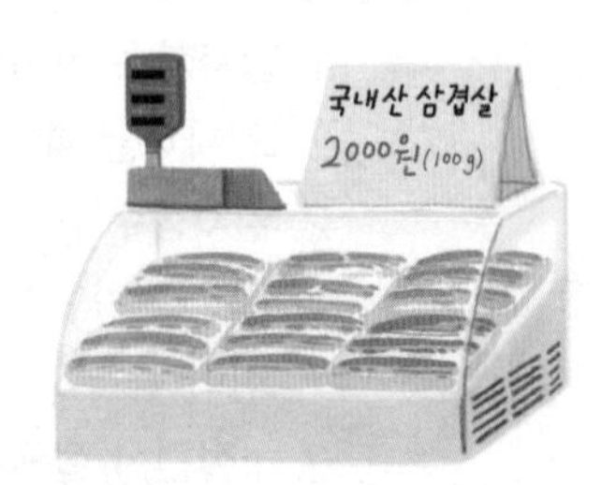

활동 1 오른쪽 그림과 같이 저울의 화면에 나타난 중량과 100 g당 단가를 확인하여 가격 칸에 알맞은 수를 써넣어 보자.

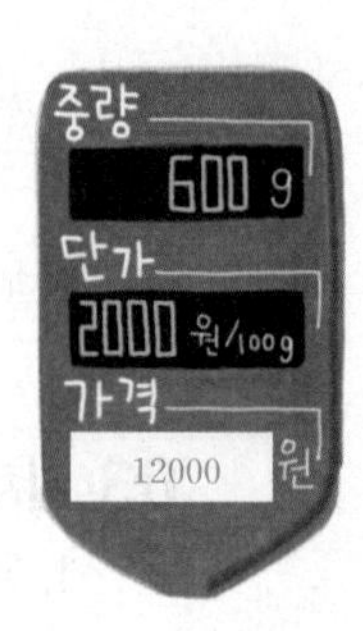

활동 2 구입한 삼겹살의 양을 x g, 가격을 y원이라고 할 때, x와 y 사이의 관계를 식으로 나타내어 보자. $y=20x$

활동 3 삼겹살 1.2 kg을 구입할 때, 삼겹살의 가격을 구하여 보자. 24000원

이전 내용 톡톡
변수: x, y와 같이 변하는 값을 나타내는 문자

탐구하기 에서 x의 값이 100, 200, ⋯, 600, ⋯으로 변함에 따라 y의 값은 2000, 4000, ⋯, 12000, ⋯으로 각각 하나씩 정해진다. 따라서 x와 y 사이에는 $y=20x$의 관계가 성립한다. 이와 같이 두 변수 x, y에 대하여 x의 값이 변함에 따라 y의 값이 하나씩 정해지는 두 양 사이의 대응 관계가 성립할 때, y를 x의 **함수**라 하고, 이것을 기호

$$y=f(x)$$

와 같이 나타낸다.

수학자 톡톡
라이프니츠(Leibniz, G. W., 1646~1716)는 함수(function)라는 용어를 처음으로 사용하였다.

예를 들어 $y=20x$에서 y는 x의 함수이고, 이때 함수 $y=20x$를 $f(x)=20x$로 나타낼 수 있다.

함께해 보기 1

성현이와 하은이는 각자 규칙을 정해 빈칸 채우기 퀴즈를 하고 있다. 다음 물음에 답하여 보자.

y는 x의 2배에서 1을 뺀 수이다.

x의 값		y의 값
3	⇒	5
4	⇒	7
5	⇒	9
6	⇒	11
7	⇒	13

성현

y는 x보다 작은 소수이다.

x의 값		y의 값
3	⇒	2
4	⇒	2, 3
5	⇒	2, 3
6	⇒	2, 3, 5
7	⇒	2, 3, 5

하은

(1) 빈칸에 알맞은 수를 써넣어 보자.

(2) 두 친구가 정한 규칙 중에서 y는 x의 함수인 것을 찾고, 그 까닭을 이야기하여 보자. 성현, 풀이 참조

풀이 y가 x의 함수인 것은 성현이가 만든 규칙이다. 성현이가 만든 규칙은 x의 값이 변함에 따라 y의 값이 하나씩 대응하므로 y는 x의 함수이다. 그러나 하은이가 만든 규칙에서 x의 값 4에 대응하는 y의 값은 2, 3이므로 x의 값에 대응하는 y의 값이 하나가 아니다. 따라서 y는 x의 함수가 아니다.

(3) (2)에서 찾은 함수를 식으로 나타내어 보자.

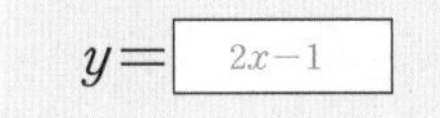

1. 다음 중 y가 x의 함수인 것을 모두 찾으시오.

참고

0이 아닌 상수 a에 대하여 정비례 관계 $y=ax$와 반비례 관계 $y=\frac{a}{x}\,(x\neq0)$도 y는 x의 함수이다.

(1) 1개에 500원인 튀김을 x개 살 때, 지불한 금액 y원

(2) 10 km를 시속 x km로 일정하게 달릴 때, 걸린 시간 y시간

(3) 자연수 x의 약수 y

풀이 (3) x의 값이 6일 때, y의 값은 1, 2, 3, 6이다. x의 각 값에 대응하는 y의 값이 오직 하나가 아니므로 y는 x의 함수가 아니다.

의사소통 **2.** 미소와 같이 일상생활에서 y가 x의 함수인 경우를 찾고, 그것이 함수인 까닭을 친구들과 이야기하시오.

1달러가 1150원이면 x달러는 y원이야!

미소

풀이 | 예시 | 한 자루에 2000원인 펜을 x자루 샀을 때의 펜의 가격 y원은 x의 값이 변함에 따라 y의 값이 하나씩 정해지는 대응 관계가 성립하므로 y는 x의 함수이다.

함숫값은 무엇일까?

함께해 보기 2

민준이는 하루에 우유를 350 mL씩 마신다. 우유 100 mL당 칼슘 함유량이 220 mg일 때, 다음 □ 안에 알맞은 수를 써넣어 보자.

우유 1 mL당 칼슘 함유량은 [2.2] mg이므로

우유 x mL의 칼슘 함유량을 y mg이라고 하면

$$y=\boxed{2.2}\,x$$

이다. 이 식에 $x=350$을 대입하면

$$y=\boxed{770}$$

이다. 따라서 민준이가 하루에 마시는 우유의 칼슘 함유량은 [770] mg이다.

Tip $f(x)$는 y의 값으로 $y=f(x)$와는 다르다. 또한, 함숫값 $f(x)$를 함수로 생각하지 않도록 주의한다.

함께해 보기 2 와 같이 함수 $y=f(x)$에서 x의 값에 따라 하나로 정해지는 y의 값을 x의 **함숫값**이라고 하며, 이것을 기호

$$f(x)$$

로 나타낸다.

바로 확인 함수 $y=\frac{15}{x}\,(x\neq0)$에서 $x=3$일 때의 함숫값은 $f(3)=\frac{15}{\boxed{3}}=\boxed{5}$이고, $x=-5$일 때의 함숫값은 $f(-5)=\frac{15}{\boxed{-5}}=\boxed{-3}$이다.

3. 어떤 음료 가게에서는 고객이 구매한 금액의 7 %를 기부한다고 한다. 구매 금액을 x원, 기부 금액을 y원이라고 할 때, 다음 물음에 답하시오.

(1) y는 x의 함수인지 알아보고, 그 까닭을 말하시오. 함수, 풀이 참조

(2) $y=f(x)$라고 할 때, $f(x)$를 구하시오. $f(x)=0.07x$

(3) $f(10000)$을 구하고, 그 의미를 말하시오. 700, 풀이 참조

풀이 (1) 함수이다. 구매 금액 x의 값이 변함에 따라 기부 금액 y의 값이 하나씩 정해지는 대응 관계가 성립하므로 y는 x의 함수이다.
(3) $f(x)=0.07x$이므로 $f(10000)=0.07\times10000=700$이다.
이것은 구매 금액이 10000원일 때 기부 금액이 700원임을 의미한다.

$y=-x-1$에서 x의 값이 -3, -2, -1, 0, 1, 2, 3으로 변함에 따라 y의 값이 하나씩 정해지므로 $y=-x-1$은 x의 함수이다.

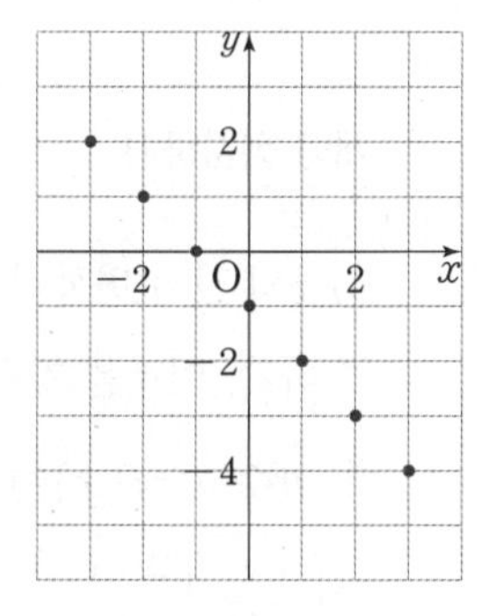

이때 (x, y)로 이루어진 순서쌍

$(-3, 2)$, $(-2, 1)$, $(-1, 0)$, $(0, -1)$,

$(1, -2)$, $(2, -3)$, $(3, -4)$

를 좌표로 하는 점을 좌표평면 위에 모두 나타내면 오른쪽 그림과 같다.

이와 같이 함수 $y=f(x)$에서 x의 값과 그 값에 따라 하나로 정해지는 함숫값 y의 순서쌍 (x, y)를 좌표로 하는 점을 좌표평면 위에 모두 나타낸 것을 그 함수의 그래프라고 한다.

4. **x의 값이 -2, -1, 0, 1, 2일 때, 다음 함수의 그래프를 오른쪽 좌표평면 위에 그리시오.** 풀이

(1) $y=x+3$

(2) $y=-\frac{1}{2}x+4$

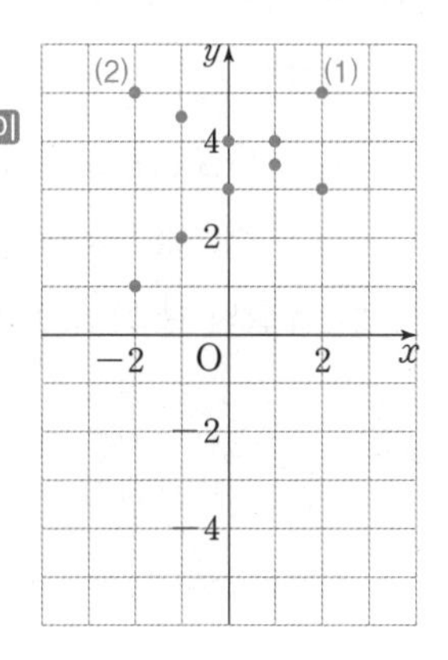

생각 나누기 문제 해결 추론 의사소통

다음은 영수가 집에서부터 1800 m 떨어진 학교까지 자전거를 타고 갈 때, 영수의 이동 시간과 이동 거리를 나타낸 그래프이다. y는 x의 함수인지 친구들과 이야기하여 보자.

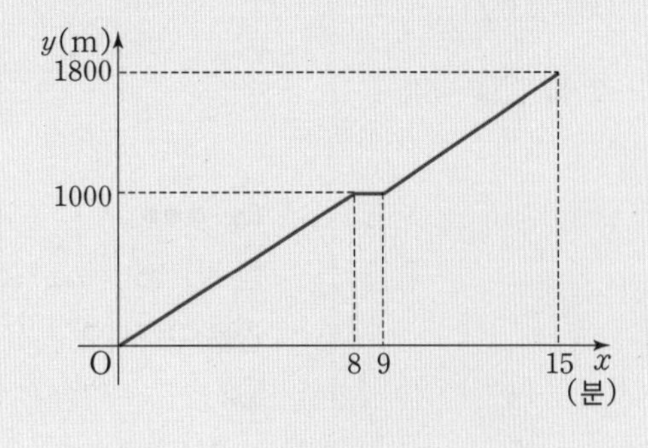

풀이 | 예시 | 그래프의 일부에서 y의 값이 일정하지만 x의 값이 변함에 따라 y의 값이 하나씩 정해지는 대응 관계가 성립하므로 y는 x의 함수이다.

스스로 점검하기

개념 점검하기

(1) x의 값이 변함에 따라 y의 값이 하나씩 정해지는 두 양 사이의 대응 관계가 성립할 때, y를 x의 [함수]라 하고, 이것을 기호 [$y=f(x)$]로 나타낸다.

(2) 함수 $y=f(x)$에서 x의 값에 따라 하나로 정해지는 y의 값을 x의 [함숫값]이라고 하며, 이것을 기호 [$f(x)$]로 나타낸다.

1 ●●●

94쪽

다음 보기 중에서 y가 x의 함수인 것을 모두 고르고, 함수가 아닌 것은 그 까닭을 말하시오.

보기

ㄱ. 키가 x cm인 사람의 몸무게 y kg

ㄴ. 1개에 500원 하는 아이스크림 x개의 가격 y원

ㄷ. x살인 나보다 31살 많은 아버지의 나이 y살

풀이 ㄱ. 키가 같더라도 몸무게가 다를 수 있다. 즉, x의 값 하나에 y의 값이 오직 하나씩 대응하지 않는다. 따라서 y는 x의 함수가 아니다.
ㄴ, ㄷ. x의 값이 변함에 따라 y의 값이 하나씩 정해지므로 y는 x의 함수이고 그 관계식은 각각 ㄴ. $y=500x$, ㄷ. $y=x+31$이다.

2 ●●●

96쪽

함수 $f(x)$가 다음과 같을 때, $f(4)$, $f(-2)$의 값을 각각 구하시오.

(1) $f(x)=3x$ $f(4)=12, f(-2)=-6$

(2) $f(x)=\frac{8}{x}$ $f(4)=2, f(-2)=-4$

풀이 (1) $f(4)=3\times4=12$, $f(-2)=3\times(-2)=-6$
(2) $f(4)=\frac{8}{4}=2$, $f(-2)=\frac{8}{-2}=-4$

3 ●●●

96쪽

희영이는 한 달에 800 MiB의 데이터를 사용할 수 있는 요금제에 가입하였다. 희영이가 한 달 동안 사용한 데이터의 양을 x MiB, 남은 데이터의 양을 y MiB라고 할 때, 다음 물음에 답하시오.

(1) 다음 표를 완성하고, y는 x의 함수인지 말하시오. 함수

x(MiB)	50	100	150	200	250	300
y(MiB)	750	700	650	600	550	500

(2) $y=f(x)$라고 할 때, $f(x)$를 구하시오. $f(x)=800-x$

(3) $f(450)$을 구하고, 그 의미를 말하시오. 350, 풀이 참조

풀이 (2) $y=800-x$이므로 $f(x)=800-x$이다.
(3) $f(450)=800-450=350$이고, 이것은 희영이가 한 달 동안 사용한 데이터의 양이 450 MiB일 때, 남은 데이터의 양은 350 MiB임을 의미한다.

4 ●●●

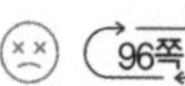
96쪽

함수 $f(x)=ax-2$에 대하여 $f(5)=13$일 때, 상수 a의 값을 구하시오. 3

풀이 $f(5)=13$이므로 $5a-2=13$, $5a=15$, $a=3$

일차함수와 그 그래프

이 단원에서 배우는 용어와 기호
일차함수, 평행이동, x절편, y절편, 기울기

학습 목표 | 일차함수의 의미를 이해하고, 그 그래프를 그릴 수 있다.

일차함수는 무엇일까?

탐구하기

탐구 목표
시간에 따른 수조의 수면의 높이의 관계가 함수 관계임을 알 수 있다.

높이가 60 cm인 직육면체 모양의 수조에 10 cm 높이까지 물이 채워져 있다. 이 수조에 물을 채울 때, 수면의 높이가 1분에 3 cm씩 일정하게 증가한다고 한다. 다음 물음에 답하여 보자.

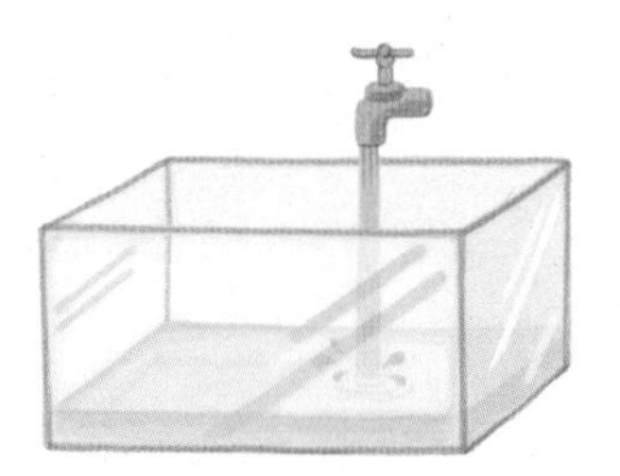

활동 ① 다음 표를 완성하여 보자.

시간(분)	0	1	2	3	4	5
수면의 높이(cm)	10	13	16	19	22	25

활동 ② x분 후의 수면의 높이를 y cm라고 할 때, y를 x에 대한 식으로 나타내어 보자. $y=3x+10$

풀이 수조의 처음 수면의 높이는 10 cm이고, x분 후에 수조의 수면의 높이 y cm는 처음보다 $3x$ cm 증가하므로 y를 x에 대한 식으로 나타내면 $y=3x+10$이다.

개념 쏙

x, $3x$, $-2x+4$, $\frac{x}{3}-4$, ⋯는 x의 차수가 1이므로 x에 대한 일차식이다.

-10, $\frac{4}{x}+3$, $-x^2+2x$, ⋯는 x의 차수가 1이 아니므로 x에 대한 일차식이 아니다.

탐구하기 에서 수조의 수면의 높이는 1분에 3 cm씩 증가하므로 x분 후의 수면의 높이는 $3x$ cm 증가한다. 따라서 x분 후의 수조의 수면의 높이를 y cm라고 하면

$$y=3x+10$$

과 같이 y는 x에 대한 일차식으로 나타난다. 이때 두 변수 x, y에 대하여 x의 값이 변함에 따라 y의 값이 하나씩 정해지는 대응 관계가 성립하므로 y는 x의 함수이다.

일반적으로 함수 $y=f(x)$에서

$$y=ax+b\ (a,\ b\text{는 상수},\ a\neq 0)$$

와 같이 y가 x에 대한 일차식으로 나타날 때, 이 함수를 x의 **일차함수**라고 한다.

1. 다음 중 y가 x의 일차함수인 것을 모두 찾으시오.

(1) $y=2x+5$ (2) $y=\frac{3}{x}$

(3) $y=3-\frac{2}{3}x$ (4) $y=-x^2+x$

풀이 (2) 함수 $y=\frac{3}{x}$은 x의 차수가 1이 아니므로 일차함수가 아니다.

(4) 함수 $y=-x^2+x$는 x의 차수가 2이므로 일차함수가 아니다.

2. 다음에서 y를 x에 대한 식으로 나타내고, y가 x의 일차함수인 것을 모두 찾으시오.

(1) 가로의 길이가 10 cm이고, 세로의 길이가 x cm인 직사각형의 넓이는 y cm^2이다. $y=10x$

(2) 400쪽의 소설책을 하루에 20쪽씩 읽을 때, x일 동안 읽은 후 남은 양은 y쪽이다. $y=400-20x$

(3) 시속 x km로 일정하게 달리는 기차가 y시간 동안 달린 거리는 100 km이다. $y=\frac{100}{x}$

풀이 (1) x와 y 사이의 관계식은 $y=10x$이다.

(2) x일 동안 읽은 쪽수는 $20x$이므로 x와 y 사이의 관계식은 $y=400-20x$이다.

(3) (거리)=(시간)×(속력)이므로 x와 y 사이의 관계식은 $xy=100$이므로 $y=\frac{100}{x}$이다.

따라서 일차함수인 것은 (1), (2)이다.

일차함수 $y=ax+b(a\neq0)$의 그래프는 어떻게 그릴까?

탐구하기

탐구 목표
x, y의 값의 변화를 나타내는 표를 완성하고 이를 이용하여 일차함수의 그래프를 그릴 수 있다.

일차함수 $y=2x+1$에 대하여 다음 물음에 답하여 보자.

활동 ❶ 다음 표를 완성하고, 그 순서쌍 (x, y)를 좌표로 하는 점을 아래의 좌표평면 위에 나타내어 보자. 그래프는 풀이 참조

x	⋯	-2	-1	0	1	2	⋯
y	⋯	-3	-1	1	3	5	⋯

활동 ❷ 다음 표를 완성하고, 그 순서쌍 (x, y)를 좌표로 하는 점을 아래의 좌표평면 위에 나타내어 보자. 그래프는 풀이 참조

x	⋯	-2	-1.5	-1	-0.5	0	0.5	1	1.5	2	⋯
y	⋯	-3	-2	-1	0	1	2	3	4	5	⋯

활동 ❸ x의 값이 수 전체일 때, 일차함수 $y=2x+1$의 그래프의 모양을 추측하여 보자. 일차함수 $y=2x+1$의 그래프는 직선이다.

풀이

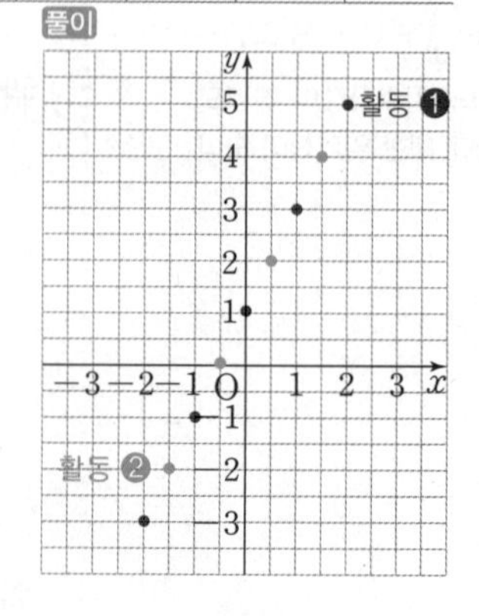

참고

특별한 말이 없으면 x의 값의 범위는 수 전체라고 생각한다.

개념 쏙

일차함수의 그래프가 항상 직선이 아닐 수도 있다. 그래프를 그릴 때에는 반드시 x의 값의 범위를 확인해야 한다. x의 값이 수 전체일 때에만 일차함수의 그래프가 직선이 된다.

탐구하기 의 일차함수 $y=2x+1$에서 x의 값 사이의 간격을 점점 작게 하여 순서쌍 $(x,\ y)$를 좌표로 하는 점을 좌표평면 위에 나타내면 [그림 1], [그림 2]와 같다. 또, x의 값의 범위가 수 전체일 때, 일차함수 $y=2x+1$의 그래프는 [그림 3]과 같은 직선이 된다.

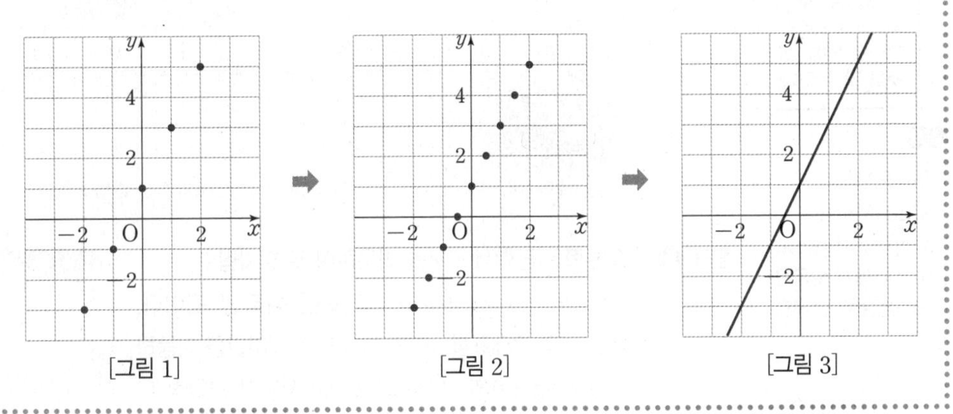

일반적으로 x의 값의 범위가 수 전체일 때, 일차함수 $y=ax+b$의 그래프는 직선이 된다. 이때 서로 다른 두 점을 지나는 직선은 오직 하나뿐이므로 일차함수 $y=ax+b$의 그래프는 이 그래프가 지나는 서로 다른 두 점을 찾아 직선으로 이으면 쉽게 그릴 수 있다.

바로 확인 일차함수 $y=-2x+3$에서 $x=0$일 때 $y=$ 3 이고, $x=1$일 때 $y=$ 1 이므로 그 그래프는 두 점 (0, 3), (1, 1)을 지나는 직선이다.

3. **다음 일차함수의 그래프를 오른쪽 좌표평면 위에 그리시오.**

(1) $y=\frac{1}{2}x-2$

(2) $y=-2x+2$

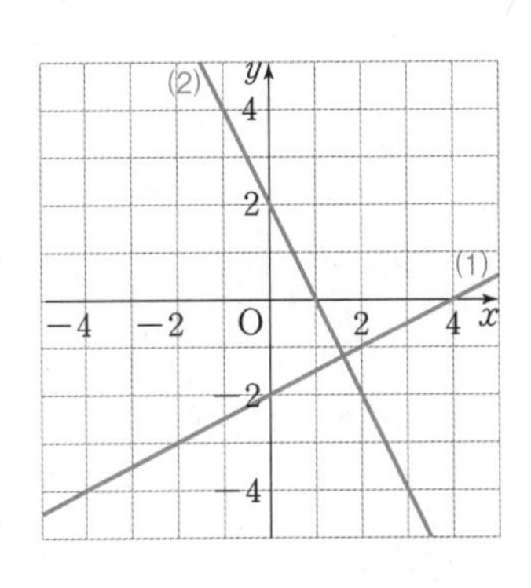

풀이 (1) 일차함수 $y=\frac{1}{2}x-2$에서 $x=0$일 때 $y=-2$, $x=2$일 때 $y=-1$이므로 이 일차함수의 그래프는 두 점 $(0,\ -2)$, $(2,\ -1)$을 지나는 직선이다.
(2) 일차함수 $y=-2x+2$에서 $x=0$일 때 $y=2$, $x=1$일 때 $y=0$이므로 이 일차함수의 그래프는 두 점 $(0,\ 2)$, $(1,\ 0)$을 지나는 직선이다.

탐구하기

탐구 목표

일차함수 $y=2x$의 그래프 위의 임의의 점을 y축의 방향으로 3만큼 이동했을 때, $y=2x+3$의 그래프 위에 있다는 것을 알 수 있다.

참고

알지오매스(AlgeoMath)(http://algeomath.kr)에서 일차함수의 성질을 탐색할 수 있다.

정보처리

두 일차함수 $y=2x$, $y=2x+3$에 대하여 다음 물음에 답하여 보자.

활동 ❶ 다음은 x의 값에 따라 정해지는 y의 값을 나타낸 표이다. 표를 완성하고, x의 각 값에 따라 정해지는 y의 값을 비교하여 보자.

x	…	-3	-2	-1	0	1	2	3	…
$y=2x$	…	-6	-4	-2	0	2	4	6	…
$y=2x+3$	…	-3	-1	1	3	5	7	9	…

x의 각 값에 따라 정해지는 $y=2x+3$의 값은 $y=2x$의 값보다 항상 3만큼 크다.

활동 ❷ 오른쪽은 공학적 도구를 이용하여 두 일차함수 $y=2x$, $y=2x+3$의 그래프를 나타낸 것이다. $y=2x$의 그래프를 y축의 방향으로 얼마만큼 이동하면 $y=2x+3$의 그래프와 포개어지는지 공학적 도구를 이용하여 확인하여 보자.

일차함수 $y=2x$의 그래프를 y축의 방향으로 3만큼 이동하였을 때, $y=2x+3$의 그래프와 포개어진다는 것을 확인할 수 있다.

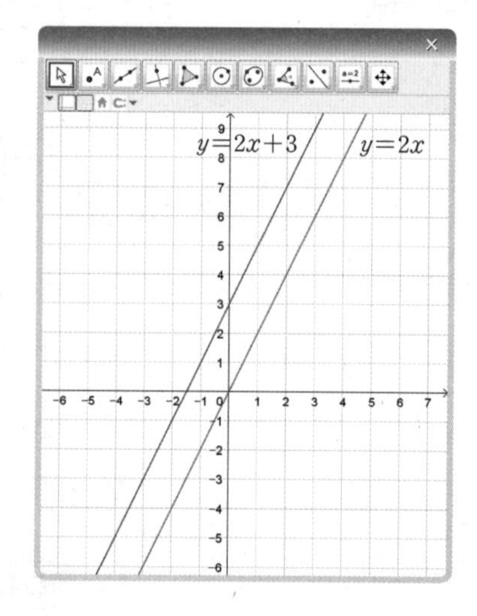

탐구하기 의 **활동 ❶**에서 두 일차함수 $y=2x$와 $y=2x+3$에 대하여 x의 각 값에 따라 정해지는 $y=2x+3$의 값은 $y=2x$의 값보다 항상 3만큼 크다는 것을 알 수 있다.

또, **활동 ❷**에서 일차함수 $y=2x$의 그래프를 y축의 방향으로 3만큼 옮긴 그래프는 일차함수 $y=2x+3$의 그래프와 완전히 포개어진다는 것을 확인할 수 있다. 즉, 일차함수 $y=2x+3$의 그래프는 $y=2x$의 그래프를 y축의 방향으로 3만큼 옮긴 것과 같다는 것을 알 수 있다.

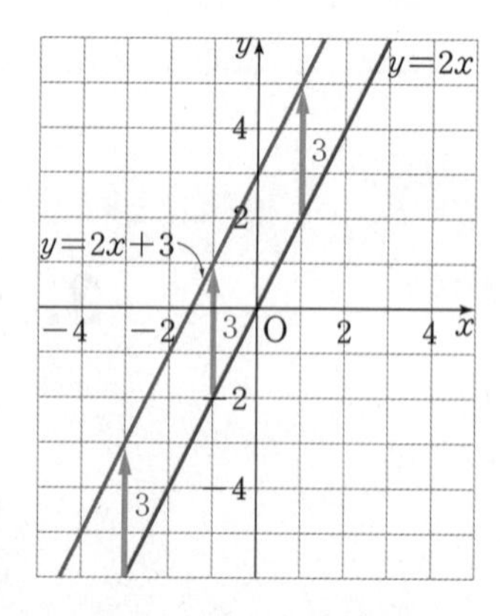

이와 같이 한 도형을 일정한 방향으로 일정한 거리만큼 옮기는 것을 **평행이동**이라고 한다.

Tip 일차함수 $y=2x-3$의 그래프는 일차함수 $y=2x$의 그래프를 y축의 음의 방향으로 3만큼 평행이동한 직선으로도 표현할 수 있다.

일반적으로 두 일차함수 $y=ax$와 $y=ax+b$의 그래프 사이에는 다음과 같은 관계가 있다.

일차함수 $y=ax+b(a\neq0)$의 그래프

일차함수 $y=ax+b$의 그래프는 일차함수 $y=ax$의 그래프를 y축의 방향으로 b만큼 평행이동한 직선이다.

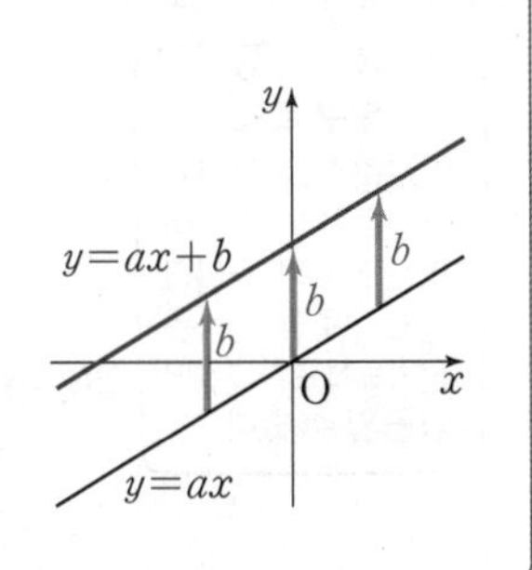

바로 확인 일차함수 $y=2x$의 그래프를 y축의 방향으로 2 만큼 평행이동하면 일차함수 $y=2x+2$의 그래프가 된다.

4. 일차함수 $y=-\frac{1}{3}x$의 그래프를 y축의 방향으로 -4만큼 평행이동한 그래프의 식을 구하시오.

$y=-\frac{1}{3}x-4$

풀이 일차함수 $y=-\frac{1}{3}x$의 그래프를 y축의 방향으로 -4만큼 평행이동하면 $y=-\frac{1}{3}x-4$이다.

5. 아래의 그림은 각각 일차함수 $y=-x$와 $y=3x$의 그래프이다. 이 그래프를 이용하여 다음 일차함수의 그래프를 각각의 좌표평면 위에 그리시오.

(1) $y=-x+2$

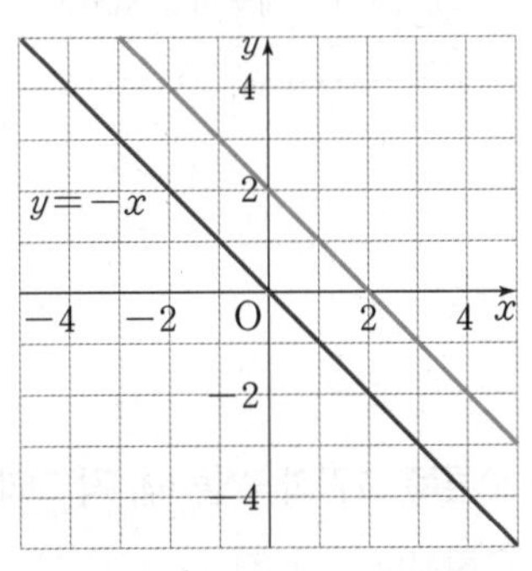

(2) $y=3x-3$

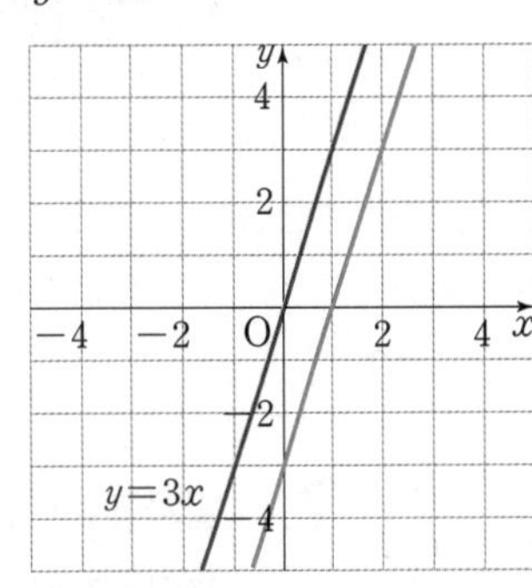

풀이 (1) 일차함수 $y=-x+2$의 그래프는 $y=-x$의 그래프를 y축의 방향으로 2만큼 평행이동한 직선이므로 그래프는 위의 그림과 같다.

(2) 일차함수 $y=3x-3$의 그래프는 $y=3x$의 그래프를 y축의 방향으로 -3만큼 평행이동한 직선이므로 그래프는 위의 그림과 같다.

문제 해결 **6.** 일차함수 $y=-2x+b$의 그래프를 y축의 방향으로 4만큼 평행이동하면 일차함수 $y=-2x+2$의 그래프가 된다. 이때 상수 b의 값을 구하시오. -2

풀이 일차함수 $y=-2x+b$의 그래프를 y축의 방향으로 4만큼 평행이동하면 일차함수 $y=-2x+b+4$의 그래프이다.
이 그래프는 일차함수 $y=-2x+2$의 그래프와 같으므로 $b+4=2$이다.
따라서 $b=-2$이다.

x절편과 y절편은 무엇일까?

탐구하기

탐구 목표
일차함수의 그래프가 x축과 만나는 점의 x좌표가 x절편이고, y축과 만나는 점의 y좌표가 y절편임을 알 수 있다.

오른쪽 그림은 일차함수 $y=-2x+4$의 그래프이다. 다음 물음에 답하여 보자.

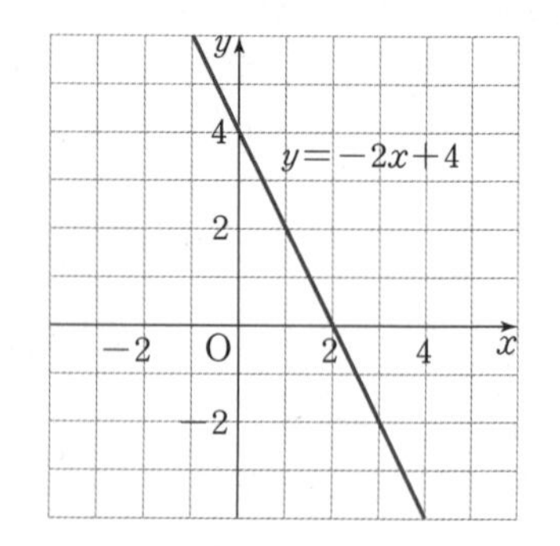

활동 1 그래프가 x축과 만나는 점의 좌표를 구하고, 그 점의 x좌표를 말하여 보자. (2, 0), 2

풀이 일차함수 $y=-2x+4$의 그래프가 x축과 만나는 점의 좌표는 $(2, 0)$이고, 이 점의 x좌표는 2이다.

활동 2 그래프가 y축과 만나는 점의 좌표를 구하고, 그 점의 y좌표를 말하여 보자. (0, 4), 4

풀이 일차함수 $y=-2x+4$의 그래프가 y축과 만나는 점의 좌표는 $(0, 4)$이고, 이 점의 y좌표는 4이다.

절편: 끊을 절(截), 조각 편(片) — 끊어 낸 조각

탐구하기 에서 일차함수 $y=-2x+4$의 그래프가 x축과 만나는 점의 좌표는 $(2, 0)$이고, 이때 x좌표는 2이다. 또, 이 그래프가 y축과 만나는 점의 좌표는 $(0, 4)$이고, 이때 y좌표는 4이다.

이와 같이 일차함수의 그래프가 x축과 만나는 점의 x좌표를 이 그래프의 ***x*절편**, y축과 만나는 점의 y좌표를 이 그래프의 ***y*절편**이라고 한다.

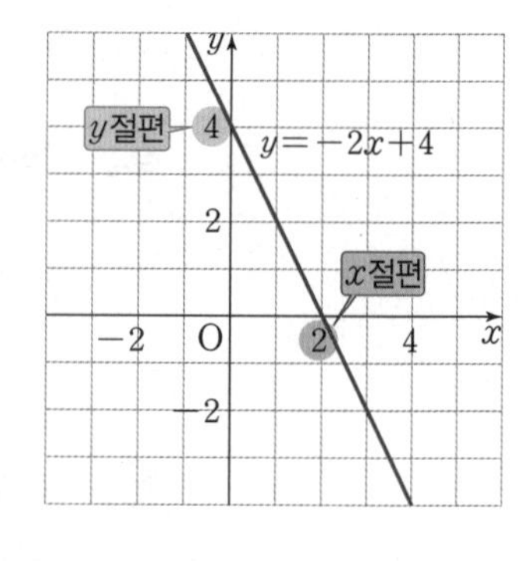

바로 확인 일차함수 $y=-2x+4$의 그래프의 x절편은 [2]이고, y절편은 [4]이다.

7. 일차함수 (1), (2)의 그래프가 오른쪽 그림과 같을 때, 각 그래프의 x절편과 y절편을 각각 구하시오. (1) x절편: -2, y절편: 1 (2) x절편: 3, y절편: 3

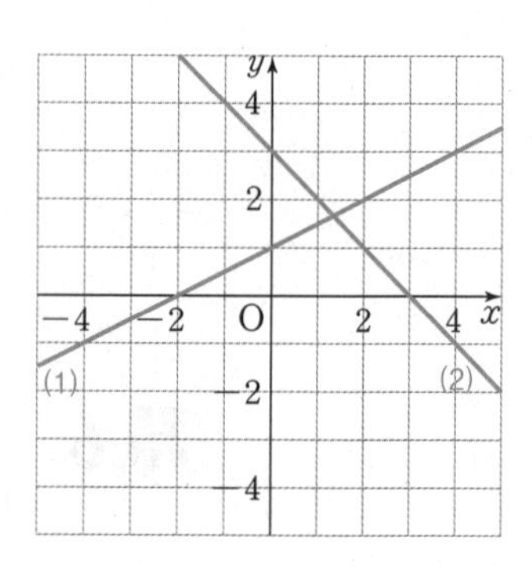

풀이 (1) 일차함수의 그래프가 x축과 만나는 점의 좌표는 $(-2, 0)$이고, y축과 만나는 점의 좌표는 $(0, 1)$이므로 그래프의 x절편은 -2, y절편은 1이다.
(2) 일차함수의 그래프가 x축과 만나는 점의 좌표는 $(3, 0)$이고, y축과 만나는 점의 좌표는 $(0, 3)$이므로 그래프의 x절편은 3, y절편은 3이다.

참고

일차함수 $y=ax+b$에 $x=0$을 대입하면 $y=b$이므로 y절편은 상수항 b와 같다.

일차함수의 그래프가 x축과 만나는 점의 y좌표가 0임을 이용하면 x절편을 구할 수 있고, y축과 만나는 점의 x좌표가 0임을 이용하면 y절편을 구할 수 있다.

함께해 보기 1

개념 쏙

① x절편: $y=0$을 대입했을 때 x의 값
② y절편: $x=0$을 대입했을 때 y의 값

다음은 일차함수 $y=3x-6$의 그래프의 x절편과 y절편을 구하는 과정이다. □ 안에 알맞은 수를 써넣어 보자.

(1) x절편 구하기

$y=$ [0] 을 대입하면

$3x=6$, $x=$ [2]

따라서 x절편은 [2] 이다.

(2) y절편 구하기

$x=$ [0] 을 대입하면

$y=$ [−6]

따라서 y절편은 [−6] 이다.

Tip 그래프의 절편을 답할 때 그 표현 방법에 주의를 기울인다.

8. 다음 일차함수의 그래프의 x절편과 y절편을 각각 구하시오.

(1) $y=-2x-5$ x절편: $-\frac{5}{2}$, y절편: -5

(2) $y=\frac{3}{2}x-6$ x절편: 4, y절편: -6

풀이 (1) $y=-2x-5$에 $y=0$을 대입하면 $0=-2x-5$, $2x=-5$, $x=-\frac{5}{2}$
또, $y=-2x-5$에 $x=0$을 대입하면 $y=-2\times0-5$, $y=-5$이다. 따라서 x절편은 $-\frac{5}{2}$, y절편은 -5이다.
(2) $y=\frac{3}{2}x-6$에 $y=0$을 대입하면 $0=\frac{3}{2}x-6$, $-\frac{3}{2}x=-6$, $x=4$
또, $y=\frac{3}{2}x-6$에 $x=0$을 대입하면 $y=\frac{3}{2}\times0-6$, $y=-6$이다. 따라서 x절편은 4, y절편은 -6이다.

⊕ 원점을 지나는 직선은 x절편과 y절편 모두 0이다.

일차함수의 그래프가 원점을 지나지 않을 때, x절편과 y절편을 알면 그 그래프가 x축, y축과 만나는 두 점을 알 수 있으므로 이 두 점을 이용하여 일차함수의 그래프를 그릴 수 있다.

함께해 보기 2

x절편과 y절편을 이용하여 일차함수 $y=-\frac{4}{3}x+4$의 그래프를 그려 보자.

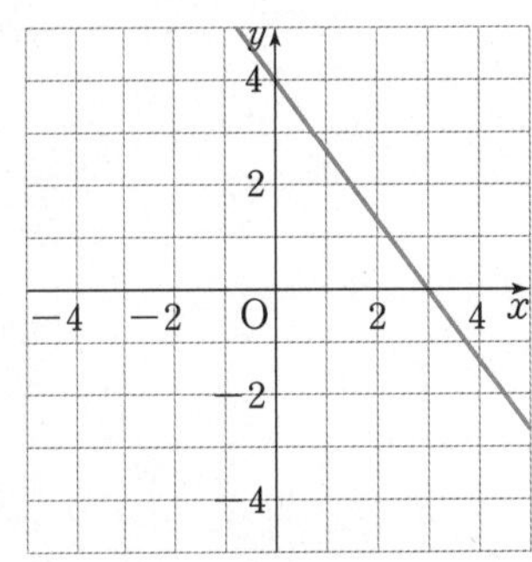

일차함수 $y=-\frac{4}{3}x+4$에서 $y=0$일 때 $x=3$, $x=0$일 때 $y=4$이므로 x절편은 [3] 이고, y절편은 [4] 이다.

따라서 일차함수 $y=-\frac{4}{3}x+4$의 그래프는 두 점 ([3], 0), (0, [4])를 지나는 직선이다.

9. x절편과 y절편을 이용하여 다음 일차함수의 그래프를 오른쪽 좌표평면 위에 그리시오.

(1) $y=3x+3$

(2) $y=1-\frac{1}{4}x$

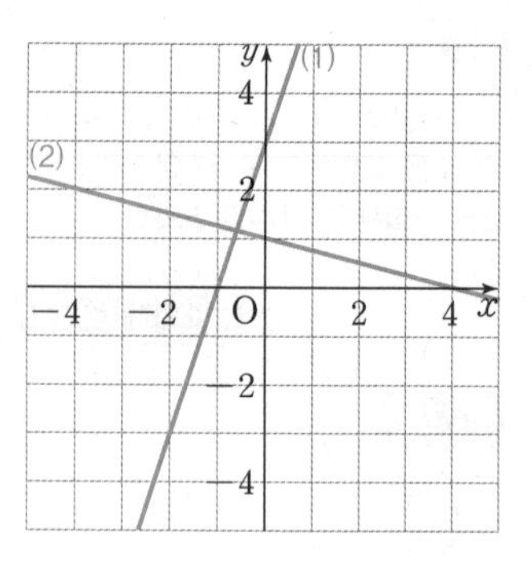

풀이 (1) 일차함수 $y=3x+3$의 그래프의 x절편은 -1이고, y절편은 3이므로 두 점 $(-1, 0)$, $(0, 3)$을 지나는 직선이다.

(2) 일차함수 $y=1-\frac{1}{4}x$의 그래프의 x절편은 4이고, y절편은 1이므로 두 점 $(4, 0)$, $(0, 1)$을 지나는 직선이다.

기울기는 무엇일까?

탐구하기

탐구 목표
일차함수의 그래프 위의 서로 다른 두 점에 대하여 x의 값의 증가량에 대한 y의 값의 증가량의 비율이 일정함을 알 수 있다.

오른쪽 그림은 일차함수 $y=2x+1$의 그래프 위의 세 점 A, B, C에 대하여 두 점 A, B와 두 점 B, C 사이의 x의 값의 증가량과 y의 값의 증가량을 화살표로 나타낸 것이다. 다음 물음에 답하여 보자.

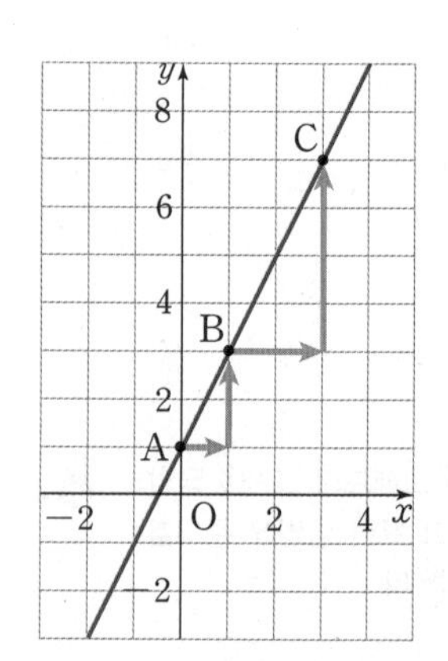

활동 1 두 점 A, B에 대하여 x의 값의 증가량과 y의 값의 증가량을 각각 구하여 보자. x의 값의 증가량: 1, y의 값의 증가량: 2

풀이 두 점 A, B의 좌표는 각각 $(0, 1)$, $(1, 3)$이므로 두 점 A, B에 대하여 x의 값의 증가량은 1이고 y의 값의 증가량은 2이다.

활동 2 두 점 B, C에 대하여 x의 값의 증가량과 y의 값의 증가량을 각각 구하여 보자. x의 값의 증가량: 2, y의 값의 증가량: 4

풀이 두 점 B, C의 좌표는 각각 $(1, 3)$, $(3, 7)$이므로 두 점 B, C에 대하여 x의 값의 증가량은 2이고 y의 값의 증가량은 4이다.

활동 3 두 점 A, B와 두 점 B, C에 대하여 x의 값의 증가량에 대한 y의 값의 증가량의 비율을 각각 구하고, 그 값을 비교하여 보자. 두 점 A, B: 2, 두 점 B, C: 2, 비율은 2로 같다.

풀이 두 점 A, B에 대하여 x의 값의 증가량에 대한 y의 값의 증가량의 비율은 $\frac{2}{1}=2$이고, 두 점 B, C에 대하여 x의 값의 증가량에 대한 y의 값의 증가량의 비율은 $\frac{4}{2}=2$이다. 즉, 두 점 A, B와 두 점 B, C 모두 x의 값의 증가량에 대한 y의 값의 증가량의 비율은 2로 같다.

탐구하기 에서 일차함수 $y=2x+1$의 그래프 위의 두 점에 대하여 x의 값이 1만큼 증가할 때 y의 값은 2만큼 증가하고, x의 값이 2만큼 증가할 때 y의 값은 4만큼 증가함을 알 수 있다.

또, 일차함수 $y=2x+1$에서 x의 값이 정수일 때, x의 값에 따라 정해지는 y의 값을 표로 나타내면 다음과 같다.

(+1: 0 → 1, +2: 1 → 3)

x	…	-2	-1	0	1	2	3	4	…
$y=2x+1$	…	-3	-1	1	3	5	7	9	…

(+2: 1 → 3, +4: 3 → 7)

이때 x의 값의 증가량에 대한 y의 값의 증가량의 비율은

$$\frac{(y\text{의 값의 증가량})}{(x\text{의 값의 증가량})}=\frac{2}{1}=\frac{4}{2}=\cdots=2$$

로 항상 일정하고, 이 값은 일차함수 $y=2x+1$의 x의 계수 2와 같음을 알 수 있다.

일차함수의 그래프에서
(기울기)=(x의 계수)
(y절편)=(상수항)

일반적으로 일차함수 $y=ax+b$에서 x의 값의 증가량에 대한 y의 값의 증가량의 비율은 항상 일정하며, 그 비율은 x의 계수 a와 같다.

$y=ax+b$
기울기 y절편

이 증가량의 비율 a를 일차함수 $y=ax+b$의 그래프의 **기울기**라고 한다.

이상을 정리하면 다음과 같다.

일차함수 $y=ax+b(a\neq0)$의 그래프의 기울기

일차함수 $y=ax+b$의 그래프에서

$$(\text{기울기})=\frac{(y\text{의 값의 증가량})}{(x\text{의 값의 증가량})}=a$$

10. 다음 일차함수의 그래프의 기울기를 구하시오.

(1) $y=-2x-5$ -2

(2) $y=\frac{3}{2}x-4$ $\frac{3}{2}$

풀이 (1) 일차함수 $y=-2x-5$의 x의 계수는 -2이므로 이 그래프의 기울기는 -2이다.

(2) 일차함수 $y=\frac{3}{2}x-4$의 x의 계수는 $\frac{3}{2}$이므로 이 그래프의 기울기는 $\frac{3}{2}$이다.

11. 오른쪽 일차함수의 그래프 (1), (2)의 기울기를 각각 구하시오.

(1) 2 (2) $-\frac{1}{3}$

Tip 일차함수의 그래프의 기울기를 구하는 경우 x좌표와 y좌표가 모두 정수인 점을 선택하여 구할 수 있다.

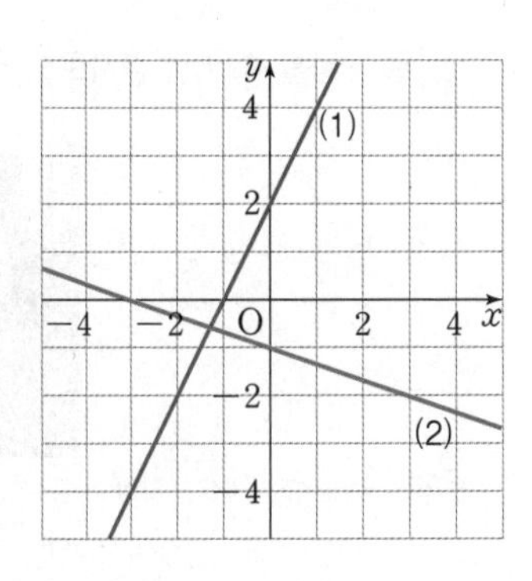

풀이 (1) 그래프 위의 두 점 $(0, 2)$와 $(1, 4)$를 이용하여

$(\text{기울기})=\frac{(y\text{의 값의 증가량})}{(x\text{의 값의 증가량})}=\frac{2}{1}=2$이다.

(2) 그래프 위의 두 점 $(0, -1)$과 $(3, -2)$를 이용하여

$(\text{기울기})=\frac{(y\text{의 값의 증가량})}{(x\text{의 값의 증가량})}=\frac{-1}{3}=-\frac{1}{3}$이다.

일차함수 $y=ax+b$의 그래프는 y절편이 b이므로 점 $(0,\ b)$를 지나고, 기울기가 a이므로 점 $(0,\ b)$로부터 x의 값의 증가량에 대한 y의 값의 증가량의 비율이 a인 또 다른 한 점을 구할 수 있다. 따라서 일차함수의 그래프의 기울기와 y절편을 알면 그 그래프를 그릴 수 있다.

함께해 보기 3

기울기와 y절편을 이용하여 일차함수 $y=\frac{1}{2}x+1$의 그래프를 그려 보자.

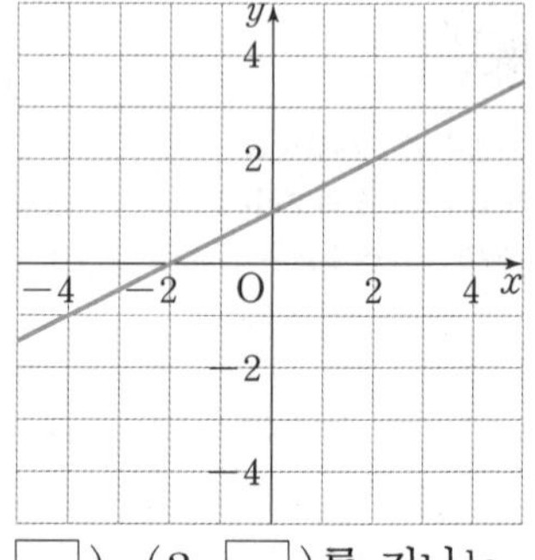

일차함수 $y=\frac{1}{2}x+1$의 그래프는 y절편이 1이므로 점 (0, [1])을 지난다.

이 그래프의 기울기가 $\frac{1}{2}$이므로 점 (0, [1])에서 x축의 방향으로 2만큼, y축의 방향으로 [1]만큼 증가한 점 (2, [2])를 지난다.

따라서 일차함수 $y=\frac{1}{2}x+1$의 그래프는 두 점 (0, [1]), (2, [2])를 지나는 직선이다.

풀이 (1) 일차함수 $y=-\frac{1}{2}x$의 y절편은 0이고 기울기는 $-\frac{1}{2}$이므로 이 그래프는 점 $(0,\ 0)$에서 x축의 방향으로 2만큼, y축의 방향으로 -1만큼 증가한 점 $(2,\ -1)$을 지난다. 즉, 일차함수 $y=-\frac{1}{2}x$의 그래프는 두 점 $(0,\ 0)$, $(2,\ -1)$을 지나는 직선이다.

(2) 일차함수 $y=\frac{3}{2}x-4$의 y절편은 -4이고 기울기는 $\frac{3}{2}$이므로 이 그래프는 점 $(0,\ -4)$에서 x축의 방향으로 2만큼, y축의 방향으로 3만큼 증가한 점 $(2,\ -1)$을 지난다. 즉, 일차함수 $y=\frac{3}{2}x-4$의 그래프는 두 점 $(0,\ -4)$, $(2,\ -1)$을 지나는 직선이다.

12. 기울기와 y절편을 이용하여 다음 일차함수의 그래프를 오른쪽 좌표평면 위에 그리시오.

(1) $y=-\frac{1}{2}x$

(2) $y=\frac{3}{2}x-4$

(3) $y=2-\frac{2}{3}x$

(3) 일차함수 $y=2-\frac{2}{3}x$의 y절편은 2이고 기울기는 $-\frac{2}{3}$이므로 이 그래프는 점 $(0,\ 2)$에서 x축의 방향으로 3만큼, y축의 방향으로 -2만큼 증가한 점 $(3,\ 0)$을 지난다.
즉, 일차함수 $y=2-\frac{2}{3}x$의 그래프는 두 점 $(0,\ 2)$, $(3,\ 0)$을 지나는 직선이다.

생각 나누기 의사소통 정보 처리 태도및실천

일상생활 속에서 경사로를 찾고, 그 기울기를 구하는 방법을 친구들과 이야기하여 보자.

풀이 | 예시 | 장애인을 위하여 마련된 경사로의 기울기는 $\frac{(\text{수직 거리})}{(\text{수평 거리})}$를 이용하여 구할 수 있다. 실제로 건축법에 따르면 장애인을 위한 경사로는 기울기가 $\frac{1}{12}$을 넘을 수 없도록 제한하고 있다.

스스로 점검하기

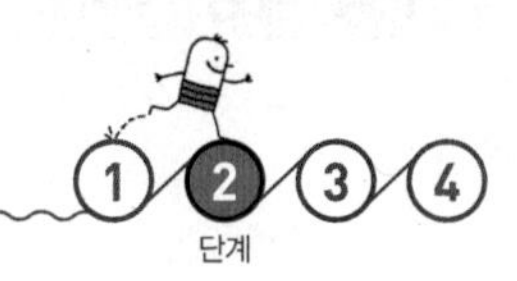

개념 점검하기

잘함 보통 모름

(1) 함수 $y=f(x)$에서

$y=ax+b$(a, b는 상수, $a\neq0$)

와 같이 y가 x에 대한 일차식으로 나타날 때, 이 함수를 x의 [일차함수]라고 한다.

(2) 일차함수 $y=ax+b$의 그래프의 기울기는 [a]이고, y절편은 [b]이다.

1 ●●●

99쪽

다음 보기 중에서 y가 x의 일차함수인 것을 모두 고르시오.

보기

ㄱ. 지름의 길이가 x cm인 원의 넓이 y cm^2

ㄴ. 올해 15살인 인영이의 x년 후의 나이 y살

ㄷ. 시속 60 km로 x시간 동안 달린 거리 y km

풀이 ㄴ. 올해 15살인 인영이의 x년 후의 나이는 $(15+x)$살이므로 $y=15+x$이다. 이때 y가 x에 대한 일차식이므로 일차함수이다.

ㄷ. (거리)=(속력)×(시간)이므로 $y=60x$이다. 이때 y가 x에 대한 일차식이므로 일차함수이다.

2 ●●●

103쪽

일차함수 $y=-x$의 그래프를 이용하여 다음 일차함수의 그래프를 그리시오.

(1) $y=-x+3$

(2) $y=-x-\frac{3}{2}$

풀이 (1) 일차함수 $y=-x+3$의 그래프는 일차함수 $y=-x$의 그래프를 y축의 방향으로 3만큼 평행이동한 직선이다.

(2) 일차함수 $y=-x-\frac{3}{2}$의 그래프는 일차함수 $y=-x$의 그래프를 y축의 방향으로 $-\frac{3}{2}$만큼 평행이동한 직선이다.

3 ●●●

107쪽

일차함수 $y=-\frac{3}{2}x-6$의 그래프의 x절편과 y절편, 기울기를 각각 구하시오. x절편: -4, y절편: -6, 기울기: $-\frac{3}{2}$

풀이 일차함수 $y=-\frac{3}{2}x-6$에 $y=0$을 대입하면 $0=-\frac{3}{2}x-6$, $\frac{3}{2}x=-6$, $x=-4$이므로 x절편은 -4이다. 한편, 일차함수 $y=ax+b$의 그래프의 기울기는 a, y절편은 b이므로 일차함수 $y=-\frac{3}{2}x-6$의 그래프의 기울기는 $-\frac{3}{2}$, y절편은 -6이다.

4 ●●●

105쪽

x절편과 y절편을 이용하여 일차함수 $y=\frac{1}{2}x-1$의 그래프를 그리시오.

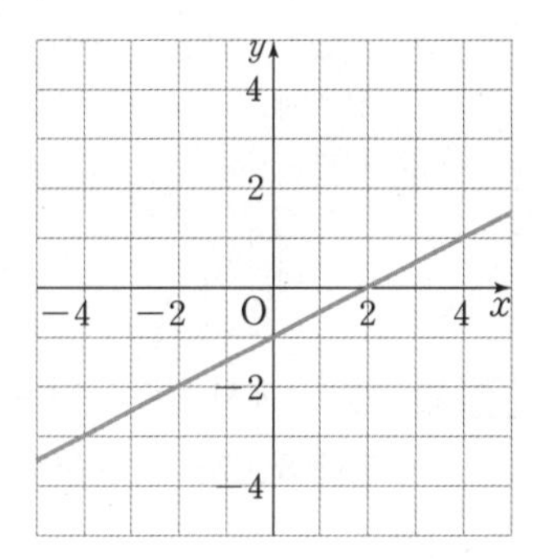

풀이 일차함수 $y=\frac{1}{2}x-1$의 그래프는 x절편과 y절편이 각각 2, -1이므로 그래프는 두 점 $(2, 0)$, $(0, -1)$을 지나는 직선이다.

5 ●●●

108쪽

기울기와 y절편을 이용하여 일차함수 $y=-\frac{3}{2}x+2$의 그래프를 그리시오.

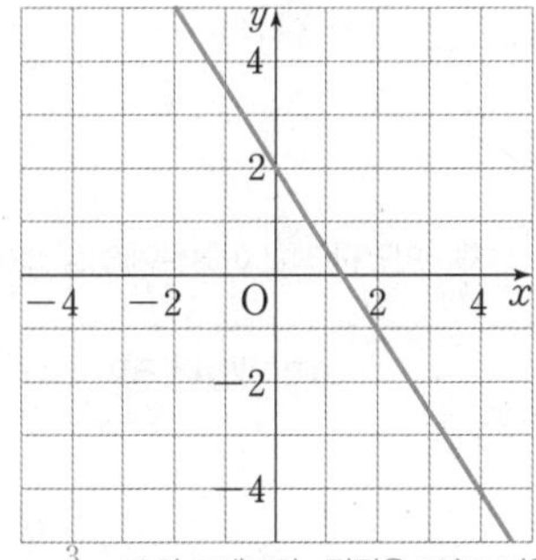

풀이 일차함수 $y=-\frac{3}{2}x+2$의 그래프의 y절편은 2이고 기울기는 $-\frac{3}{2}$이므로 점 $(0, 2)$에서 x축의 방향으로 2만큼, y축의 방향으로 -3만큼 증가한 점 $(2, -1)$을 지난다. 즉, 일차함수 $y=-\frac{3}{2}x+2$의 그래프는 두 점 $(0, 2)$, $(2, -1)$을 지나는 직선이다.

도형 속에 숨어 있는 규칙 찾기

바둑돌이나 막대를 규칙적으로 배열하여 만들어지는 도형은 그 순서에 따라 도형을 이루는 점의 개수를 대응시킬 수 있다. 다음과 같이 배열된 도형 속에서 규칙을 찾고, 도형을 이루는 점의 개수를 구하여 보자.

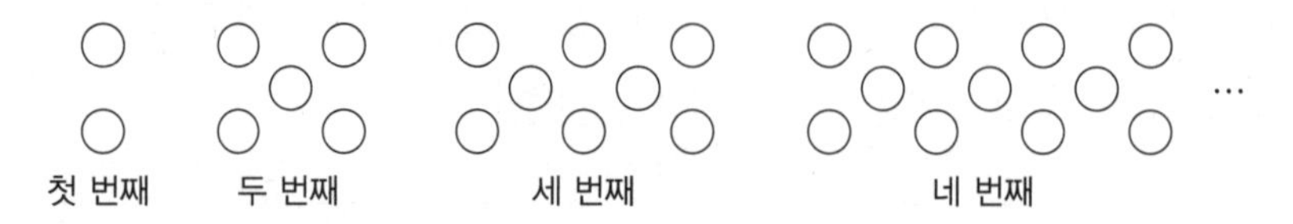

활동 1 다음은 현수가 찾은 규칙을 그린 그림이다. 그 규칙을 추측하여 보고, x번째 도형을 이루는 점의 개수를 y라고 할 때, x와 y 사이의 관계를 식으로 나타내어 보자.

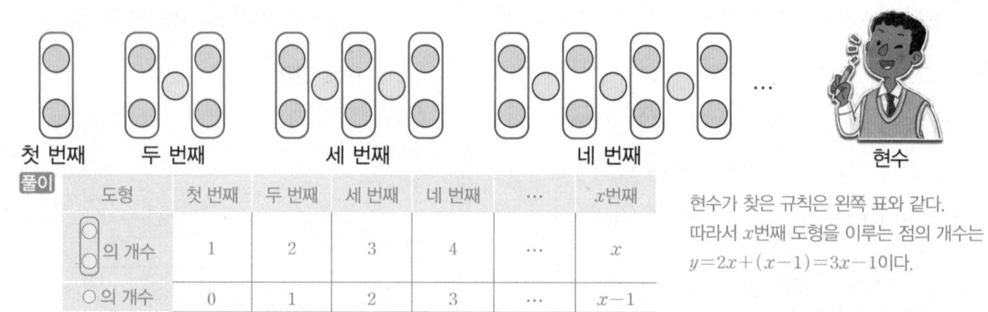

풀이

도형	첫 번째	두 번째	세 번째	네 번째	…	x번째
(막대)의 개수	1	2	3	4	…	x
○의 개수	0	1	2	3	…	$x-1$

현수가 찾은 규칙은 왼쪽 표와 같다. 따라서 x번째 도형을 이루는 점의 개수는 $y=2x+(x-1)=3x-1$이다.

활동 2 활동 1에서 현수가 찾은 규칙과 다른 규칙을 찾고, x번째 도형을 이루는 점의 개수 y를 식으로 나타내어 보자. 또, 친구들이 찾은 규칙과 비교하여 보자.

| 예시 |

풀이 | 예시 | 그림과 같은 새로운 규칙에 따른 x와 y 사이의 관계식은 $y=3(x-1)+2=3x-1$이다.
이때 친구가 찾은 규칙과 비교하면 규칙은 다양하지만 x와 y 사이의 관계식은 $y=3x-1$임을 알 수 있다.

활동 3 위의 그림에서 100번째 도형을 이루는 점의 개수를 구하여 보자.

풀이 활동 2에서 구한 관계식 $y=3x-1$에 $x=100$을 대입하면 $y=3\times100-1=299$이다.
따라서 100번째 도형을 이루는 점의 개수는 299이다.

이 활동에서 재미있었던 점과 어려웠던 점을 적어 보자.

재미있었던 점	어려웠던 점

03 일차함수의 그래프의 성질과 문제 해결

학습 목표 ‖ 일차함수의 그래프의 성질을 이해하고, 이를 활용하여 문제를 해결할 수 있다.

 일차함수의 그래프의 성질은 무엇일까?

탐구하기

탐구 목표
일차함수 $y=ax+b$의 그래프의 성질을 기울기의 부호와 그래프의 모양으로 알 수 있다.

참고
알지오매스(AlgeoMath)(http://algeomath.kr)에서 일차함수의 성질을 탐색할 수 있다.

정보처리

오른쪽 그림은 공학적 도구를 이용하여 일차함수의 그래프 ①~④를 나타낸 것이다. 다음 물음에 답하여 보자.

활동 1 일차함수의 그래프 ①~④의 기울기를 각각 구하여 보자. ① 2, ② 1, ③ −1, ④ −2

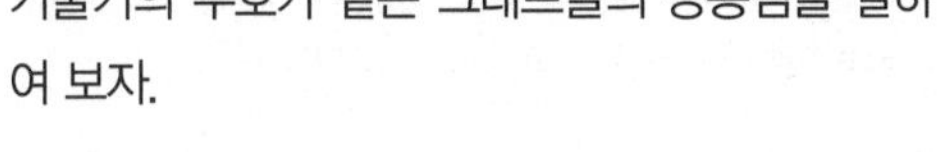

활동 2 기울기의 부호가 같은 그래프들의 공통점을 말하여 보자.

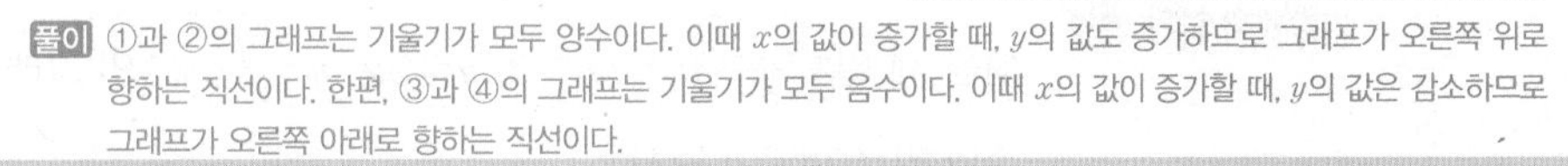

풀이 ①과 ②의 그래프는 기울기가 모두 양수이다. 이때 x의 값이 증가할 때, y의 값도 증가하므로 그래프가 오른쪽 위로 향하는 직선이다. 한편, ③과 ④의 그래프는 기울기가 모두 음수이다. 이때 x의 값이 증가할 때, y의 값은 감소하므로 그래프가 오른쪽 아래로 향하는 직선이다.

탐구하기 에서 기울기가 양수인 그래프는 ①, ②이고, 이 그래프는 x의 값이 증가할 때, y의 값도 증가한다. 따라서 기울기가 양수인 일차함수의 그래프는 오른쪽 위로 향하는 직선이다.

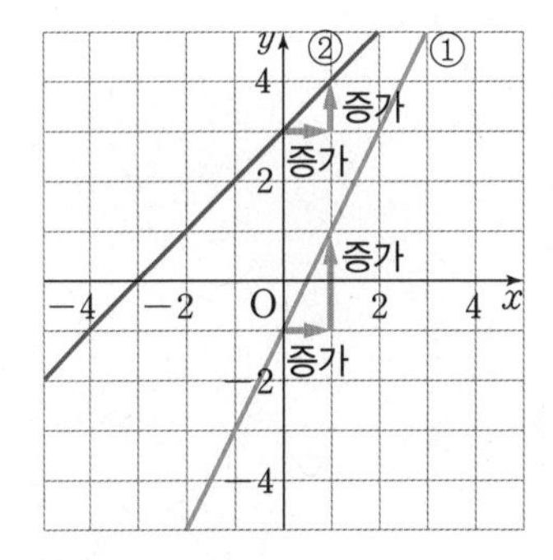

'x의 값이 증가할 때, y의 값이 감소한다.'='x의 값이 감소할 때, y의 값이 증가한다.'

또, 탐구하기 에서 기울기가 음수인 그래프는 ③, ④이고, 이 그래프는 x의 값이 증가할 때, y의 값이 감소한다. 따라서 기울기가 음수인 일차함수의 그래프는 오른쪽 아래로 향하는 직선이다.

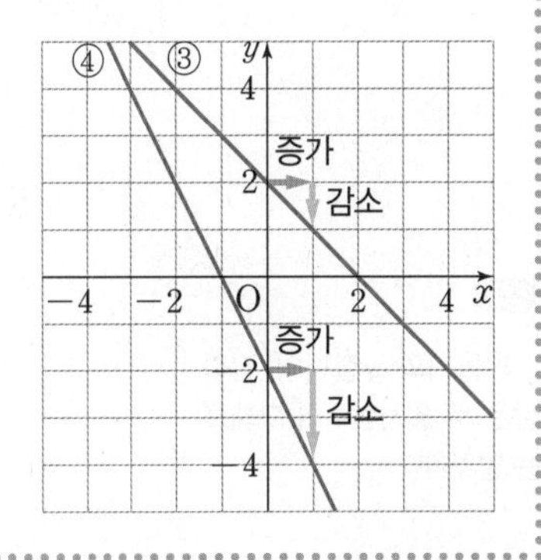

일반적으로 일차함수 $y=ax+b$의 그래프는 다음과 같은 성질을 가진다.

일차함수 $y=ax+b(a\neq0)$의 그래프

1. $a>0$이면
   오른쪽 위로 향하는 직선이다.

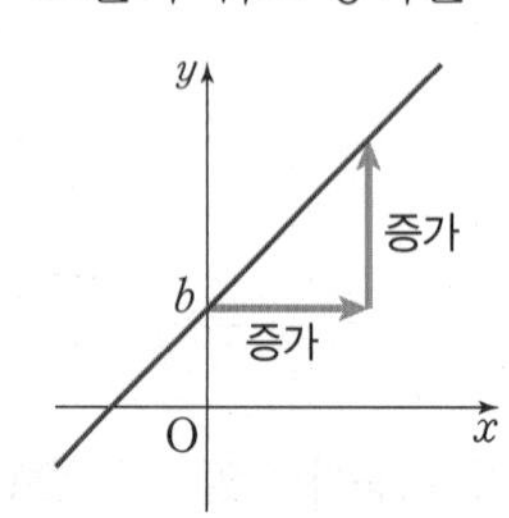

2. $a<0$이면
   오른쪽 아래로 향하는 직선이다.

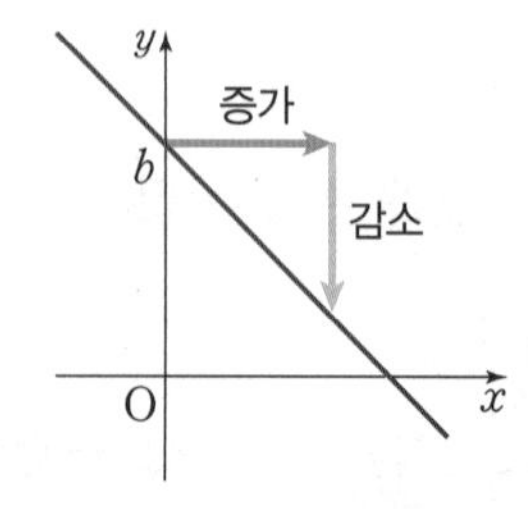

1. 다음 일차함수의 그래프를 오른쪽 위로 향하는 직선과 오른쪽 아래로 향하는 직선으로 구분하시오.

(1) $y=-3x+1$ 오른쪽 아래로 향하는 직선　　(2) $y=2x-6$ 오른쪽 위로 향하는 직선

풀이 (1) 기울기가 -3이므로 그래프는 오른쪽 아래로 향하는 직선이다.
(2) 기울기가 2이므로 그래프는 오른쪽 위로 향하는 직선이다.

함께해 보기 1

다음 세 일차함수 $y=2x-2$, $y=2x$, $y=2x+1$의 그래프를 보고, □ 안에 알맞은 수나 말을 써넣어 보자.

두 일차함수 $y=2x+1$과 $y=2x-2$의 그래프는 일차함수 $y=2x$의 그래프를 y축의 방향으로 각각 [1], [-2]만큼 평행이동한 것이다.

따라서 오른쪽 세 일차함수의 그래프는 서로 [평행]하고 그 기울기는 모두 2로 같다.

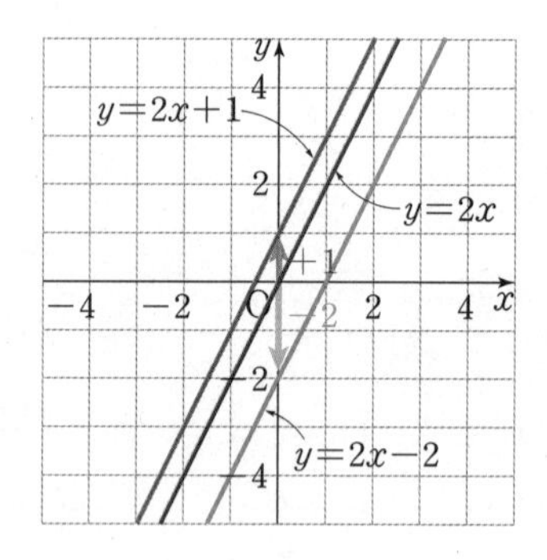

일반적으로 기울기가 같은 두 일차함수의 그래프 사이에는 다음과 같은 관계가 있다.

일차함수의 그래프의 기울기와 평행

1. 기울기가 같은 두 일차함수의 그래프는 서로 평행하거나 일치한다.
2. 서로 평행한 두 일차함수의 그래프의 기울기는 같다.

참고

기울기와 y절편이 각각 같은 두 일차함수의 그래프는 일치한다.

2. 다음 일차함수에서 그 그래프가 서로 평행한 것을 찾아 선으로 연결하시오.

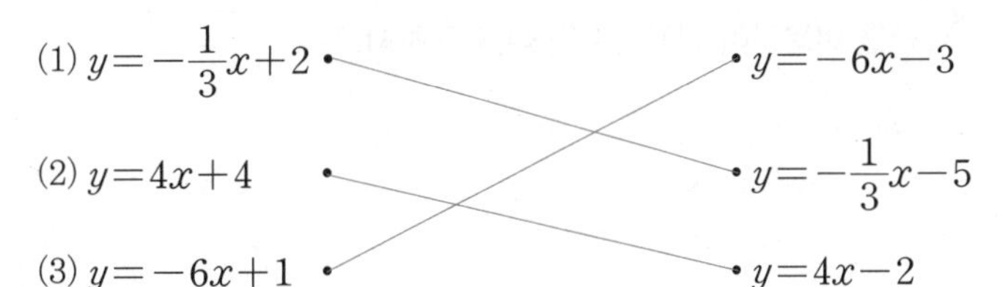

풀이 두 일차함수의 그래프가 서로 평행하려면 두 그래프의 기울기는 같고, y절편은 달라야 한다.

(1) 두 일차함수 $y=-\frac{1}{3}x+2$와 $y=-\frac{1}{3}x-5$의 그래프의 기울기는 $-\frac{1}{3}$로 같고, y절편이 각각 2, -5로 다르므로 서로 평행하다.

(2) 두 일차함수 $y=4x+4$와 $y=4x-2$의 그래프의 기울기는 4로 같고, y절편이 각각 4, -2로 다르므로 서로 평행하다.

(3) 두 일차함수 $y=-6x+1$과 $y=-6x-3$의 그래프의 기울기는 -6으로 같고, y절편이 각각 1, -3으로 다르므로 서로 평행하다.

일차함수의 식을 어떻게 구할까?

일차함수 $y=ax+b$의 그래프는 기울기가 a이고, y절편이 b인 직선이다. 따라서 일차함수의 그래프의 기울기와 y절편을 알면 그 일차함수의 식을 구할 수 있다.

함께해 보기 2

다음은 오른쪽 그림을 그래프로 하는 일차함수의 식을 구하는 과정이다. □ 안에 알맞은 수나 식을 써넣어 보자.

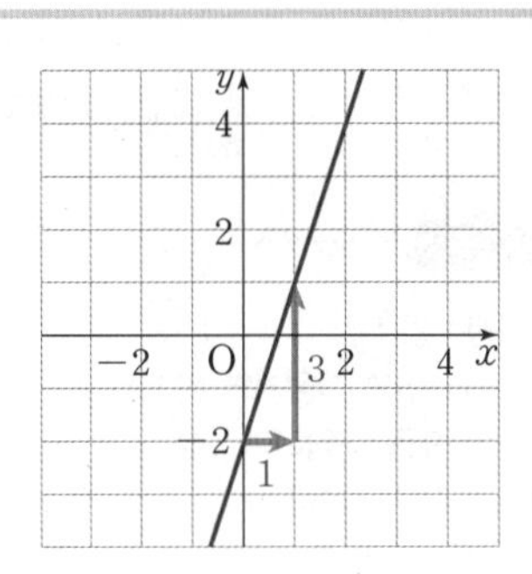

오른쪽 일차함수의 그래프에서 x의 값이 0에서 1까지 [1]만큼 증가할 때, y의 값은 -2에서 [1]까지 3만큼 증가하므로

$$(\text{기울기})=\frac{(y\text{의 값의 증가량})}{(x\text{의 값의 증가량})}=\frac{\boxed{3}}{1}=\boxed{3}$$

이고, y절편은 [-2]이다.

따라서 구하는 일차함수의 식은 $y=$ [$3x-2$] 이다.

3. 다음 직선을 그래프로 하는 일차함수의 식을 구하시오.

(1) 기울기가 -2이고, y절편이 3인 직선 $y=-2x+3$

(2) 기울기가 $\frac{2}{3}$이고, y절편이 -1인 직선 $y=\frac{2}{3}x-1$

풀이 (1) 기울기가 -2이고, y절편이 3이므로 이 일차함수의 식은 $y=-2x+3$이다.

(2) 기울기가 $\frac{2}{3}$이고, y절편이 -1이므로 이 일차함수의 식은 $y=\frac{2}{3}x-1$이다.

4. 일차함수의 그래프가 오른쪽 그림과 같을 때, 기울기와 y절편을 이용하여 일차함수의 식을 구하시오. $y=-\frac{2}{3}x+2$

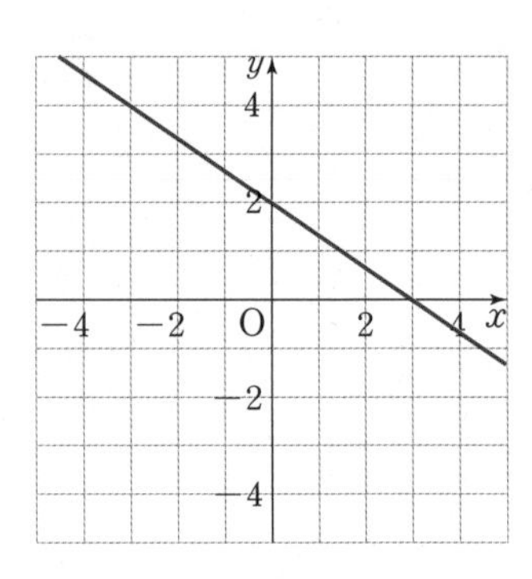

풀이 두 점 $(0, 2)$, $(3, 0)$을 지나는 직선의 기울기는 $\frac{0-2}{3-0}=-\frac{2}{3}$이고, y절편은 2이므로 이 일차함수의 식은 $y=-\frac{2}{3}x+2$이다.

일차함수의 그래프의 기울기와 그래프가 지나는 한 점의 좌표를 알면 그 일차함수의 식을 구할 수 있다.

함께해 보기 3

개념 쏙

일차함수의 식 $y=ax+b$에 기울기와 한 점의 좌표를 대입하여 y절편 b의 값을 구한다.

다음은 점 $(1, 3)$을 지나고, 기울기가 2인 직선을 그래프로 하는 일차함수의 식을 구하는 과정이다. □ 안에 알맞은 수나 식을 써넣어 보자.

기울기가 2이므로 y절편을 b라고 하면 구하는 일차함수의 식은

$y=2x+b$ …… ①

이 일차함수의 그래프가 점 $(1, 3)$을 지나므로 ①에 $x=1$, $y=3$을 대입하면

$3=2\times$ [1] $+b$, $b=$ [1]

따라서 구하는 일차함수의 식은 $y=$ [$2x+1$] 이다.

풀이 (1) 기울기가 -3이므로 $y=-3x+b$
점 $(-1, 2)$를 지나므로 $x=-1$, $y=2$를 $y=-3x+b$에 대입하면 $b=-1$이다. 따라서 $y=-3x-1$이다.
(2) $y=\frac{1}{2}x+4$의 그래프와 평행하므로 기울기는 $\frac{1}{2}$이고, $y=\frac{1}{2}x+b$
점 $(2, -2)$를 지나므로 $x=2$, $y=-2$를 $y=\frac{1}{2}x+b$에 대입하면 $b=-3$이다. 따라서 $y=\frac{1}{2}x-3$이다.

5. 다음 직선을 그래프로 하는 일차함수의 식을 구하시오.

(1) 기울기가 -3이고, 점 $(-1, 2)$를 지나는 직선 $y=-3x-1$

(2) 일차함수 $y=\frac{1}{2}x+4$의 그래프와 평행하고, 점 $(2, -2)$를 지나는 직선 $y=\frac{1}{2}x-3$

일차함수의 그래프가 지나는 서로 다른 두 점의 좌표를 알면 그 일차함수의 식을 구할 수 있다.

함께해 보기 4

개념 쏙

서로 다른 두 점 (x_1, y_1), (x_2, y_2)를 지나는 일차함수의 그래프의 기울기

➡ $\dfrac{y_2-y_1}{x_2-x_1}=\dfrac{y_1-y_2}{x_1-x_2}$

Tip 두 점의 좌표를 일차함수의 식 $y=ax+b$에 대입하여 연립방정식을 풀어 기울기 a와 y절편 b를 구한 후 a, b를 $y=ax+b$에 다시 대입하여 일차함수의 식을 구할 수도 있다.

다음은 두 점 $(-1, 2)$, $(3, 4)$를 지나는 직선을 그래프로 하는 일차함수의 식을 구하는 과정이다. □ 안에 알맞은 수나 식을 써넣어 보자.

두 점 $(-1, 2)$, $(3, 4)$를 지나는 직선의 기울기는

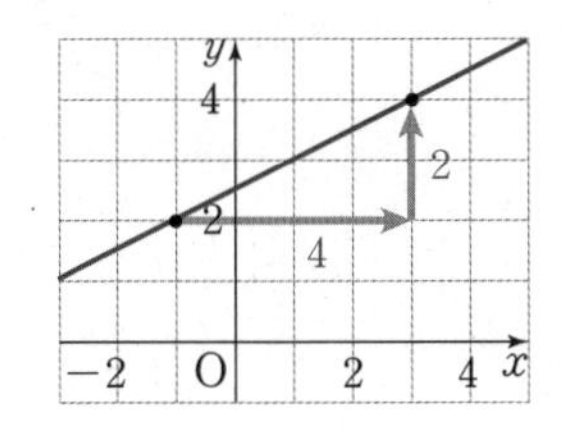

$$(\text{기울기})=\frac{(y\text{의 값의 증가량})}{(x\text{의 값의 증가량})}$$
$$=\frac{4-2}{3-(-1)}=\frac{2}{4}=\frac{1}{2}$$

즉, 기울기가 $\frac{1}{2}$이므로 y절편을 b라고 하면 구하는 일차함수의 식은

$$y=\boxed{\tfrac{1}{2}}x+b \quad \cdots\cdots \text{①}$$

이 일차함수의 그래프가 점 $(-1, 2)$를 지나므로 ①에 $x=-1$, $y=2$를 대입하면

$$2=\boxed{\tfrac{1}{2}}\times(-1)+b,\ b=\boxed{\tfrac{5}{2}}$$

따라서 구하는 일차함수의 식은 $y=\boxed{\tfrac{1}{2}x+\tfrac{5}{2}}$이다.

6. **다음 직선을 그래프로 하는 일차함수의 식을 구하시오.**

(1) 두 점 $(1, 4)$, $(4, 13)$을 지나는 직선 $y=3x+1$

(2) 두 점 $(-2, 4)$, $(2, -2)$를 지나는 직선 $y=-\frac{3}{2}x+1$

풀이 (1) $(\text{기울기})=\frac{13-4}{4-1}=3$이므로 $y=3x+b$

이 일차함수의 그래프가 점 $(1, 4)$를 지나므로 $x=1$, $y=4$를 대입하면 $b=1$이다.

따라서 $y=3x+1$이다.

(2) $(\text{기울기})=\frac{-2-4}{2-(-2)}=-\frac{3}{2}$이므로 $y=-\frac{3}{2}x+b$

이 일차함수의 그래프가 점 $(-2, 4)$를 지나므로 $x=-2$, $y=4$를 대입하면 $b=1$이다.

따라서 $y=-\frac{3}{2}x+1$이다.

7. **x절편이 3, y절편이 1인 직선을 그래프로 하는 일차함수의 식을 구하시오.** $y=-\frac{1}{3}x+1$

풀이 x절편이 3이고 y절편이 1이므로 두 점 $(3, 0)$, $(0, 1)$을 지나는 직선이다.

이때 $(\text{기울기})=\frac{1-0}{0-3}=-\frac{1}{3}$이다. 따라서 $y=-\frac{1}{3}x+1$이다.

실생활에서 일차함수를 어떻게 활용할까?

함께해 보기 5

기온은 지면에서 지상 12 km까지는 높이가 1 km 높아질 때마다 6 ℃씩 내려간다고 한다. 다음은 지면의 기온이 18 ℃이고, 높이가 x km인 곳의 기온을 y ℃라고 할 때, 지상 10 km에서의 기온을 구하는 과정이다. □ 안에 알맞은 수나 식을 써넣어 보자.

(1) x와 y 사이의 관계를 식으로 나타내어 보자.

높이가 1 km 높아질 때마다 기온은 6 ℃씩 내려가므로 높이가 x km인 곳의 기온은 지면의 기온보다 $6x$ ℃ 낮다.

따라서 지면의 기온이 18 ℃이므로 높이가 x km인 곳의 기온은 ($18-6x$) ℃이다. 즉, x와 y 사이의 관계를 식으로 나타내면

$$y = 18-6x$$

이다.

(2) 지상 10 km에서의 기온을 구하여 보자.

지상 10 km에서의 기온은 (1)에서 구한 x와 y 사이의 관계를 나타낸 식 $y=$ $18-6x$ 에 $x=$ 10 을 대입하여 구할 수 있다. 즉,

$$y = -42$$

이므로 지상 10 km에서의 기온은 영하 42 ℃이다.

Tip 일차함수를 활용하여 실생활 문제를 해결할 때에는 보통 x의 범위가 수 전체가 아니므로 문제 상황에서 x의 범위를 적절하게 고려해야 한다.

함께해 보기 5와 같이 우리 생활 주변에서 일어나는 여러 가지 문제를 일차함수를 활용하여 해결할 때, 먼저, 변화하는 두 양 x와 y 사이의 대응 관계를 찾아 일차함수로 나타내고, 주어진 조건을 이용하여 x의 값 또는 y의 값을 구하면 된다.

8. 기온이 0 ℃일 때 소리의 속력은 초속 331 m이고, 온도가 1 ℃씩 오를 때마다 소리의 속력은 초속 0.6 m씩 증가한다고 한다. 기온이 x ℃일 때의 소리의 속력을 초속 y m라고 할 때, 물음에 답하시오.

(1) x와 y 사이의 관계식을 구하시오. $y=331+0.6x$

(2) 기온이 15 ℃일 때, 소리의 속력을 구하시오. 초속 340 m

풀이 (1) 기온이 x ℃일 때의 소리의 속력은 초속 $(331+0.6x)$ m이다. 따라서 $y=331+0.6x$이다.
(2) $y=331+0.6x$에 $x=15$를 대입하면 $y=331+0.6\times15=331+9=340$이다.
따라서 기온이 15 ℃일 때, 소리의 속력은 초속 340 m이다.

9. 어떤 환자가 1분에 4 mL씩 들어가는 링거 주사를 맞고 있다. 1000 mL가 들어 있는 링거 주사를 맞기 시작하여 x분 후에 병에 남아 있는 링거액의 양을 y mL라고 할 때, 다음 물음에 답하시오.

(1) x와 y 사이의 관계를 식으로 나타내시오. $y=1000-4x$

(2) 링거 주사를 다 맞는 데 걸린 시간을 구하시오. 4시간 10분(250분)

풀이 (1) 1분에 4 mL씩 들어가는 1000 mL 링거 주사를 맞기 시작하여 x분 후에 병에 남아 있는 링거액의 양은 $(1000-4x)$ mL이다. 따라서 $y=1000-4x$이다.
(2) 링거 주사를 다 맞는 데 걸린 시간은 링거액의 양이 0 mL가 되는 데 걸린 시간이다.
즉, 일차함수 $y=1000-4x$에 $y=0$을 대입하면 $0=1000-4x$, $4x=1000$, $x=250$이다.
따라서 링거 주사를 다 맞는 데 걸린 시간은 250분, 즉 4시간 10분이다.

10. 오른쪽은 섭씨온도를 x ℃, 화씨온도를 y °F로 하여 나타낸 그래프이다. 다음 물음에 답하시오.

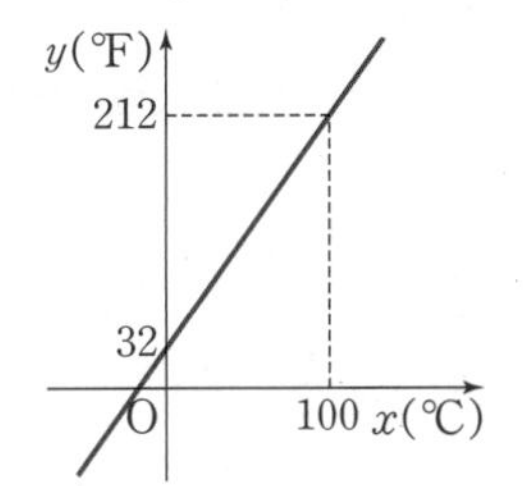

(1) x와 y 사이의 관계를 식으로 나타내시오. $y=1.8x+32$

(2) 섭씨온도가 35 ℃일 때, 화씨온도를 구하시오. 95 °F

풀이 (1) 섭씨온도 x ℃와 화씨온도 y °F 사이의 관계를 나타내는 그래프는 두 점 (0, 32), (100, 212)를 지나는 직선이므로 일차함수의 관계이다. 이 일차함수의 그래프의 기울기는 $\frac{212-32}{100-0}=\frac{180}{100}=1.8$이고 y절편은 32이므로 식은 $y=1.8x+32$이다.
(2) $y=1.8x+32$에 $x=35$를 대입하면 $y=1.8\times35+32=95$이므로 섭씨온도가 35 ℃일 때, 화씨온도는 95 °F이다.

생각 나누기 — 의사소통 정보 처리 태도 및 실천

사회 현상 및 자연 현상에서 두 변수 사이의 관계를 일차함수로 나타낼 수 있는 것을 찾아보고, 일차함수를 활용했을 때 유용한 점을 친구들과 이야기하여 보자.

풀이 일차함수로 나타낼 수 있는 여러 가지 사회 현상 및 자연 현상들이 우리 주위에 존재한다. 일차함수는 일정하게 증가하거나, 일정하게 감소하는 현상을 나타내는 데에 유용하며, 이러한 관계를 통하여 여러 가지 문제를 해결할 수 있다.
| 예시 | • 종이컵의 개수와 종이컵의 높이 사이의 관계
높이가 7.5 cm인 종이컵을 한 개 더 쌓을 때마다 그 높이는 0.7 cm씩 증가한다고 할 때, 종이컵을 x개 쌓았을 때의 높이를 y cm라고 하면 $y=0.7(x-1)+7.5$이다.

스스로 점검하기

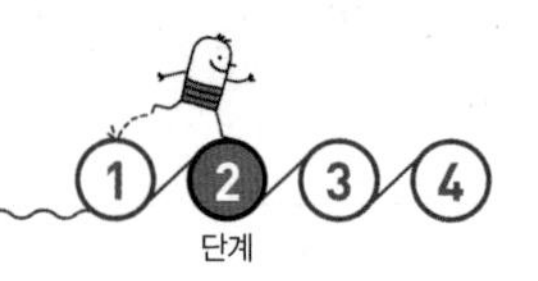

개념 점검하기

잘함 보통 모름

(1) 일차함수 $y=ax+b$의 그래프는 $a>0$이면 오른쪽 (위로, 아래로) 향하는 직선이고, $a<0$이면 오른쪽 (위로, 아래로) 향하는 직선이다.

(2) 기울기가 같은 두 일차함수의 그래프는 서로 [평행]하거나 [일치]한다. 또, 서로 평행한 두 일차함수의 그래프의 기울기는 같다.

1 ●●●

112쪽

다음 일차함수에서 그 그래프가 x의 값이 증가할 때 y의 값도 증가하는 것을 모두 찾으시오.

(1) $y=\frac{2}{3}x+1$　(2) $y=-4x+1$

(3) $y=\frac{1}{2}x-2$　(4) $y=5x-7$

풀이 x의 값이 증가할 때, y의 값도 증가하는 직선은 기울기가 양수인 일차함수이므로 (1), (3), (4)이다.

2 ●●●

114쪽

일차함수 $y=3x-1$의 그래프와 평행하고, 점 $(-1, -7)$을 지나는 직선을 그래프로 하는 일차함수의 식을 구하시오. $y=3x-4$

풀이 $y=3x-1$의 그래프와 평행하므로 기울기가 3이고 $y=3x+b$로 놓을 수 있다.
이 일차함수의 그래프가 점 $(-1, -7)$을 지나므로 $x=-1$, $y=-7$을 $y=3x+b$에 대입하면 $b=-4$이다.
따라서 $y=3x-4$이다.

3 ●●●

114쪽

일차함수 $y=-\frac{2}{3}x+2$의 그래프와 평행하고, x절편이 6인 직선을 그래프로 하는 일차함수의 식을 구하시오. $y=-\frac{2}{3}x+4$

풀이 $y=-\frac{2}{3}x+2$의 그래프와 평행하므로 기울기가 $-\frac{2}{3}$이고, $y=-\frac{2}{3}x+b$로 놓을 수 있다. x절편이 6이므로 이 직선은 점 $(6, 0)$을 지나고, $x=6$, $y=0$을 $y=-\frac{2}{3}x+b$에 대입하면 $b=4$이다.
따라서 $y=-\frac{2}{3}x+4$이다.

4 ●●●

115쪽

두 점 $(-4, -7)$, $(2, 2)$를 지나는 직선을 그래프로 하는 일차함수의 식을 구하시오. $y=\frac{3}{2}x-1$

풀이 (기울기)$=\frac{2-(-7)}{2-(-4)}=\frac{3}{2}$이므로 $y=\frac{3}{2}x+b$로 놓을 수 있다.
이 일차함수의 그래프가 점 $(2, 2)$를 지나므로
$x=2$, $y=2$를 $y=\frac{3}{2}x+b$에 대입하면 $b=-1$이다.
따라서 $y=\frac{3}{2}x-1$이다.

5 ●●●

115쪽

오른쪽 그림과 같은 직선을 그래프로 하는 일차함수의 식을 구하시오. $y=-\frac{1}{3}x+2$

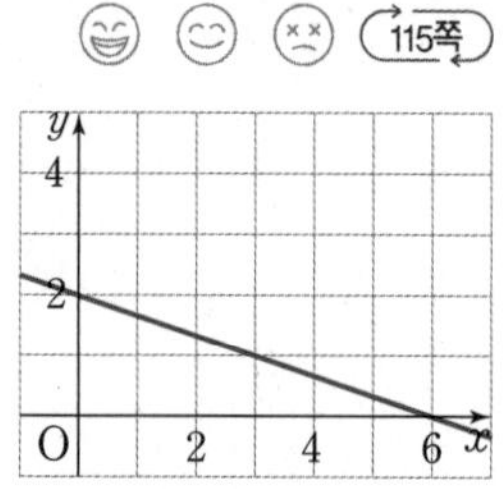

풀이 주어진 그래프는 두 점 $(0, 2)$, $(3, 1)$을 지나므로
(기울기)$=\frac{1-2}{3-0}=-\frac{1}{3}$이고 y절편은 2이다. 따라서 $y=-\frac{1}{3}x+2$이다.

6 ●●●

116쪽

온도는 지면에서 지하 10 km까지는 1 km 내려갈 때마다 30 ℃씩 올라간다고 한다. 지면의 온도가 15 ℃이고, 지하 x km에서의 온도를 y ℃라고 할 때, 다음 물음에 답하시오.

(1) x와 y 사이의 관계를 식으로 나타내시오. $y=30x+15$

(2) 지하 10 km에서의 온도를 구하시오. 315 ℃

풀이 (1) 지면에서 지하로 1 km 내려갈 때마다 온도가 30 ℃씩 올라가므로 지하 x km에서는 $30x$ ℃가 올라간다.
따라서 $y=30x+15$이다.
(2) $y=30x+15$에 $x=10$을 대입하면 $y=30\times10+15=315$이다.
따라서 지하 10 km에서의 온도는 315 ℃이다.

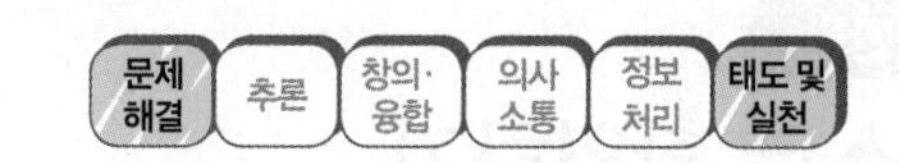

얼마나 기다려야 할까?

다음은 현주가 인기 있는 놀이 기구를 타기 위해 늘어선 줄에 대해 관찰한 내용이다. 놀이 기구를 운행한 횟수를 x회, 현주 앞에 늘어선 줄의 길이를 y m라고 할 때, 물음에 답하여 보자.

- 오른쪽 그림과 같이 1 m에 3명씩 줄을 서 있다.
- 놀이 기구를 한 번에 탈 수 있는 인원은 24명이다.
- 놀이 기구를 1회 운행하는 데 걸리는 시간은 타고 내리는 시간을 모두 포함하여 10분이다.
- 현주 앞에 늘어선 줄의 길이는 100 m이다.
- 지금 막 놀이 기구가 운행되기 시작하였다.

활동 ① 다음 표를 완성하여 보자.

x(회)	0	1	2	3	4	5	6
y(m)	100	92	84	76	68	60	52

활동 ② x와 y 사이의 관계를 식으로 나타내어 보자.

풀이 놀이 기구를 x회 운행했을 때, 대기하고 있는 줄의 길이는 $(100-8x)$ m이므로 $y=100-8x$이다.

활동 ③ 놀이 기구를 10회 운행했을 때, 현주 앞에 늘어선 줄의 길이를 구하여 보자.

풀이 놀이 기구를 10회 운행했을 때, 현주 앞에 대기하고 있는 줄의 길이를 구하기 위하여 일차함수 $y=100-8x$에 $x=10$을 대입하면 $y=100-8\times10=100-80=20$이므로 대기하고 있는 줄의 길이는 20 m이다.

활동 ④ 현주가 놀이 기구를 타기 위하여 대기해야 하는 시간을 구하여 보자.

풀이 $x=12$일 때, $y=100-8\times12=100-96=4$이므로 놀이 기구를 12회 운행했을 때 현주 앞에 대기하고 있는 줄의 길이는 4 m이고, 대기하고 있는 인원은 12명이다.
놀이 기구를 13회 운행할 때, 현주는 놀이 기구를 타게 되므로 현주가 놀이 기구를 타기 위하여 대기하는 시간은 놀이 기구를 12회 운행하는 데 걸린 시간을 구하면 된다. 따라서 현주가 놀이 기구를 타기 위하여 대기해야 하는 시간은 $12\times10=120$(분), 즉 2시간이다.

| 상호 평가표 |

평가 내용		자기 평가			친구 평가		
		😄	🙂	😵	😄	🙂	😵
내용	x와 y 사이의 관계를 일차함수의 식으로 나타낼 수 있다.						
	일차함수를 활용하여 실생활 문제를 해결할 수 있다.						
태도	일차함수의 유용성과 편리함을 인식하였다.						

스스로 확인하기

1. 다음 보기 중에서 y가 x의 함수인 것을 고르시오.

보기
㉠ 길이가 x cm인 테이프를 10 cm 사용하고 남은 길이 y cm
ㄴ. 자연수 x와 서로소인 자연수 y
ㄷ. y는 x보다 크지 않은 홀수

풀이 ㄱ. $y=x-10$이므로 y는 x의 일차함수이다.
ㄴ, ㄷ. x의 값 하나에 y의 값이 오직 하나씩 대응하지 않으므로 함수가 아니다.

2. 함수 $f(x)=\frac{a}{x}$에 대하여 $f(2)=5$일 때, 다음 물음에 답하시오.

(1) 상수 a의 값을 구하시오. 10

(2) $f(-5)+f(1)$의 값을 구하시오. 8

풀이 (1) $f(2)=5$에서 $\frac{a}{2}=5$이므로 $a=10$이다.
(2) $a=10$이므로 $f(x)=\frac{10}{x}$이다.
따라서 $f(-5)+f(1)=(-2)+10=8$

3. 다음 직선을 그래프로 하는 일차함수의 식을 구하시오.

(1) 점 $(-2, 3)$을 지나고, 기울기가 2인 직선 $y=2x+7$

(2) 두 점 $(2, 0)$, $(0, 4)$를 지나는 일차함수의 그래프와 평행하고, 점 $(4, 2)$를 지나는 직선 $y=-2x+10$

풀이 (1) 기울기가 2이므로 $y=2x+b$에 $x=-2$, $y=3$을 대입하면 $b=7$이다. 따라서 $y=2x+7$이다.
(2) 기울기가 $\frac{4-0}{0-2}=-2$이므로 $y=-2x+b$에 $x=4$, $y=2$를 대입하면 $b=10$이다. 따라서 $y=-2x+10$이다.

4. 다음 그림과 같이 (1)~(3)을 그래프로 하는 일차함수의 식을 각각 구하시오.

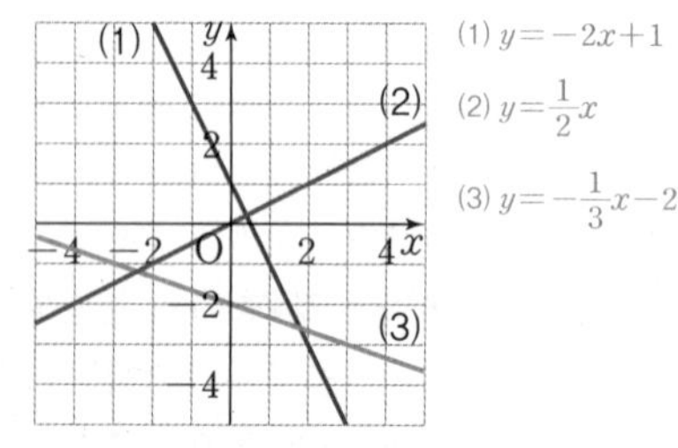

(1) $y=-2x+1$
(2) $y=\frac{1}{2}x$
(3) $y=-\frac{1}{3}x-2$

풀이 (1) 기울기가 -2이고, y절편이 1이므로 $y=-2x+1$이다.
(2) 기울기가 $\frac{1}{2}$이고, y절편이 0이므로 $y=\frac{1}{2}x$이다.
(3) 기울기가 $-\frac{1}{3}$이고, y절편이 -2이므로 $y=-\frac{1}{3}x-2$이다.

5. 다음 그래프는 처음 휘발유의 양이 40 L인 어느 자동차가 이동할 때, 이동한 거리 x km와 남은 휘발유의 양 y L 사이의 관계를 나타낸 것이다. 남은 휘발유가 30 L일 때, 이 자동차가 이동한 거리를 구하시오. 150 km

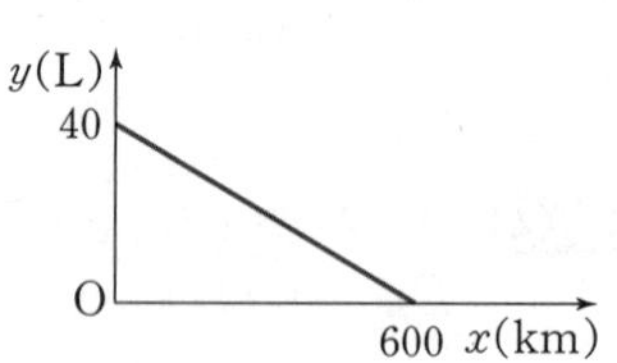

풀이 주어진 그래프의 일차함수의 식은 $y=-\frac{1}{15}x+40$이다.
$y=30$을 이 식에 대입하면 $x=150$이다. 따라서 이 자동차가 이동한 거리는 150 km이다.

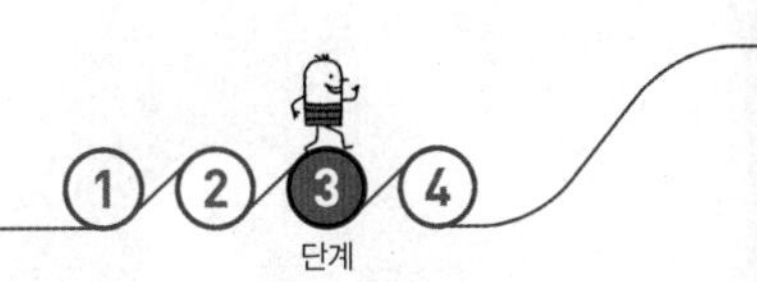

실력 업(UP) 발전 문제

6. 세 점 $(-4,\ 1)$, $(2,\ a)$, $(4,\ 3)$이 한 직선 위에 있을 때, a의 값을 구하시오. $\frac{5}{2}$

풀이 세 점 $(-4,\ 1)$, $(2,\ a)$, $(4,\ 3)$이 한 직선 위에 있으므로 두 점 $(-4,\ 1)$, $(4,\ 3)$을 지나는 직선과 두 점 $(2,\ a)$, $(4,\ 3)$을 지나는 직선의 기울기는 같다. 즉, $\frac{3-a}{4-2}=\frac{1}{4}$이다.

따라서 $a=\frac{5}{2}$이다.

7. 일차함수 $y=ax+b$의 그래프가 오른쪽 그림과 같을 때, 일차함수 $y=abx+(a+b)$의 그래프가 지나지 않는 사분면을 구하시오. 제2사분면

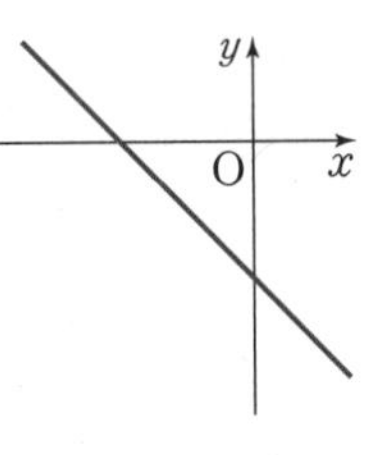

풀이 $a<0$, $b<0$이므로 $ab>0$, $a+b<0$
따라서 일차함수 $y=abx+(a+b)$의 그래프는 제2사분면을 지나지 않는다.

교과서 문제 뛰어 넘기

8. 두 일차함수 $y=-\frac{2}{5}x+4$, $y=\frac{2}{3}x+4$의 그래프와 x축으로 둘러싸인 삼각형의 넓이를 구하시오.

9. 오른쪽 그림과 같이 $\overline{AB}=10$ cm, $\overline{BC}=6$ cm인 직각삼각형 ABC에서 점 P가 점 B를 출발하여 점 C까지 이동할 때, $\overline{BP}=x$ cm, $\triangle APC=y$ cm^{2}라고 하자. 이때 x와 y 사이의 관계식을 구하시오.

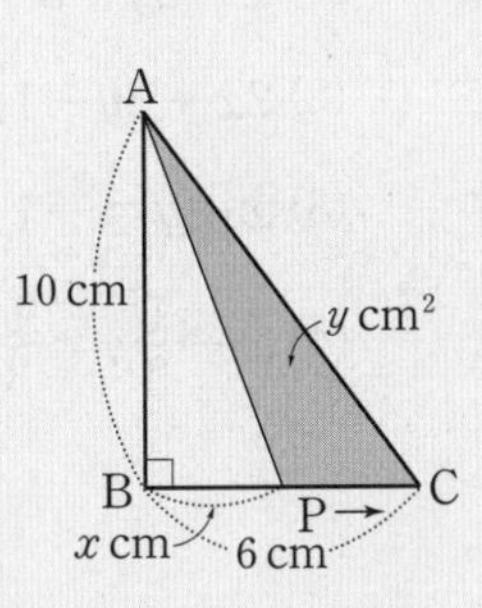

10. 다음은 주전자의 물을 가열하는데 가열하기 시작해서부터 시간과 온도 사이의 관계를 나타낸 표이다. 물음에 답하시오.

시간 x(분)	0	2	4	6	8	10
온도 y(℃)	8	22	36	50	64	78

(1) x와 y 사이의 관계를 식으로 나타내시오.

(2) 12분 후의 물의 온도를 구하시오.

(3) 물의 온도가 71 ℃가 되려면 물을 가열하기 시작한 지 몇 분 후인지 구하시오.

일차함수와 일차방정식의 관계

01. 일차함수와 일차방정식 | 02. 연립일차방정식과 그래프

이것만은 알고 가자

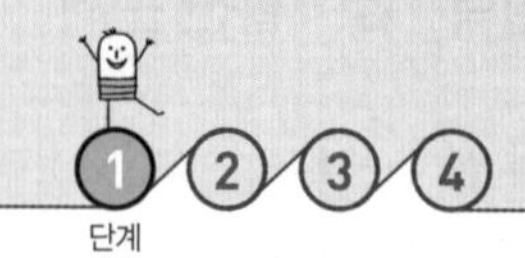

중2 미지수가 2개인 일차방정식

1. 다음 중 순서쌍 $(1, 2)$를 해로 갖는 일차방정식을 모두 찾으시오.

(1) $x-2y+3=0$

(2) $2x+3y-1=0$

(3) $x+y=-1$

(4) $x-\frac{1}{3}y=\frac{1}{3}$

풀이 (1) 좌변은 $1-2\times2+3=0$, 우변은 0이므로 해이다.
(2) 좌변은 $2\times1+3\times2-1=7$, 우변은 0이므로 해가 아니다.
(3) 좌변은 $1+2=3$, 우변은 -1이므로 해가 아니다.
(4) 좌변은 $1-\frac{1}{3}\times2=\frac{1}{3}$, 우변은 $\frac{1}{3}$이므로 해이다.
따라서 순서쌍 $(1, 2)$를 해로 갖는 일차방정식은 (1), (4)이다.

알고 있나요?
미지수가 2개인 일차방정식의 해의 의미를 이해하고 있는가?
잘함 보통 모름

중2 연립방정식

2. 다음 연립방정식의 해를 구하시오.

(1) $\begin{cases} x-y=-1 \\ x+y=3 \end{cases}$ $x=1, y=2$

(2) $\begin{cases} 3x+y=1 \\ 4x+3y=-2 \end{cases}$ $x=1, y=-2$

풀이 (1) $\begin{cases} x-y=-1 & \cdots\cdots ① \\ x+y=3 & \cdots\cdots ② \end{cases}$
①과 ②를 변끼리 더하면 $2x=2$, $x=1$
$x=1$을 ①에 대입하면 $y=2$
따라서 연립방정식의 해는 $x=1$, $y=2$이다.

(2) $\begin{cases} 3x+y=1 & \cdots\cdots ① \\ 4x+3y=-2 & \cdots\cdots ② \end{cases}$
①$\times3$에서 ②를 변끼리 빼면 $5x=5$, $x=1$
$x=1$을 ①에 대입하면 $y=-2$
따라서 연립방정식의 해는 $x=1$, $y=-2$이다.

알고 있나요?
연립방정식의 해를 구할 수 있는가?
잘함 보통 모름

중2 일차함수

3. 일차함수 $y=2x+1$의 그래프와 평행하고 점 $(-2, -1)$을 지나는 직선을 그래프로 하는 일차함수의 식을 구하시오. $y=2x+3$

풀이 $y=2x+1$의 그래프와 평행하므로 기울기가 2이고, $y=2x+b$로 놓을 수 있다.
$y=2x+b$에 $x=-2$, $y=-1$을 대입하면 $b=3$이다.
따라서 구하는 일차함수의 식은 $y=2x+3$이다.

알고 있나요?
일차함수의 그래프의 성질을 이해하고 일차함수의 식을 구할 수 있는가?
잘함 보통 모름

부족한 부분을 보충하고 본 학습을 준비하여 보자.

한 눈에 개념 정리

01 일차함수와 일차방정식

1. 직선의 방정식

x, y의 값의 범위가 수 전체일 때, 일차방정식

$$ax+by+c=0(a,\ b,\ c\text{는 상수},\ a\neq0\text{ 또는 }b\neq0)$$

의 해는 무수히 많고, 이 해의 순서쌍 $(x,\ y)$를 좌표로 하는 점을 좌표평면 위에 나타내면 직선이 된다. 또, 이 직선 위의 모든 점들의 순서쌍 $(x,\ y)$는 이 일차방정식의 해이다. 이때 이 직선을 일차방정식 $ax+by+c=0$의 그래프라 하고, 일차방정식 $ax+by+c=0$을 직선의 방정식이라고 한다.

2. 미지수가 2개인 일차방정식과 일차함수의 그래프의 관계

미지수가 2개인 일차방정식 $ax+by+c=0(a,\ b,\ c$는 상수, $a\neq0,\ b\neq0)$의 그래프는 일차함수 $y=-\frac{a}{b}x-\frac{c}{b}$의 그래프와 같다.

3. 일차방정식 $x=p,\ y=q(p,\ q$는 상수)의 그래프

(1) $x=p(p$는 상수, $p\neq0)$의 그래프는 점 $(p,\ 0)$을 지나고, y축에 평행한 직선이다.

(2) $y=q(q$는 상수, $q\neq0)$의 그래프는 점 $(0,\ q)$를 지나고, x축에 평행한 직선이다.

(3) $x=0$의 그래프는 y축이고, $y=0$의 그래프는 x축이다.

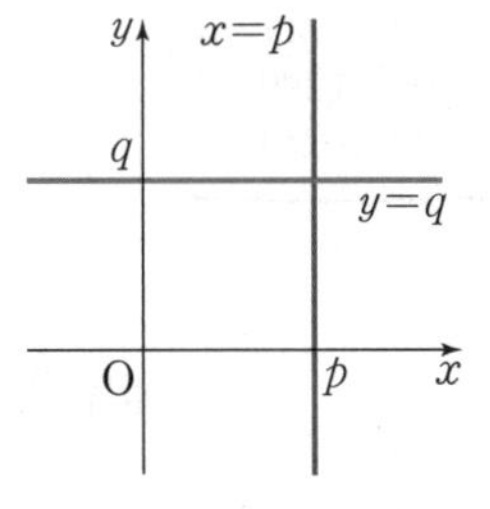

02 연립일차방정식과 그래프

1. 연립일차방정식과 일차함수의 그래프의 관계

(1) 연립방정식 $\begin{cases} ax+by=c \\ a'x+b'y=c' \end{cases}$ $(a\neq0,\ b\neq0,\ a'\neq0,\ b'\neq0)$의 해는 두 일차함수

$y=-\frac{a}{b}x+\frac{c}{b}$, $y=-\frac{a'}{b'}x+\frac{c'}{b'}$의 그래프의 교점의 좌표와 같다.

(2) 연립방정식에서 각 일차방정식의 그래프가

① 한 점에서 만나면, 연립방정식의 해는 하나이다.

② 평행하면, 연립방정식의 해는 없다.

③ 일치하면, 연립방정식의 해는 무수히 많다.

일차함수와 일차방정식

이 단원에서 배우는 용어와 기호

직선의 방정식

학습 목표 ‖ 일차함수와 미지수가 2개인 일차방정식의 관계를 이해한다.

일차함수와 일차방정식 사이에는 어떤 관계가 있을까?

탐구하기

탐구 목표

일차방정식 $ax+by+c=0$ ($a\neq0$ 또는 $b\neq0$)을 만족시키는 해의 순서쌍을 표로 나타내고, 그에 해당하는 점을 지나는 직선을 좌표평면 위에 그릴 수 있다.

일차방정식 $x+y-2=0$에 대하여 다음 물음에 답하여 보자.

활동 1 x, y의 값이 정수일 때, 일차방정식 $x+y-2=0$의 해를 구하여 다음 표를 완성하고, 순서쌍 (x, y)를 아래의 좌표평면 위에 나타내어 보자.

x	⋯	-2	-1	0	1	2	3	⋯
y	⋯	4	3	2	1	0	-1	⋯
(x, y)	⋯	$(-2, 4)$	$(-1, 3)$	$(0, 2)$	$(1, 1)$	$(2, 0)$	$(3, -1)$	⋯

활동 2 x, y의 값의 범위가 수 전체일 때, 일차방정식 $x+y-2=0$의 해의 순서쌍 (x, y)를 좌표로 하는 점을 오른쪽 좌표평면 위에 나타내면 어떻게 될지 친구들과 이야기하여 보자.

풀이 x, y의 값의 범위가 수 전체일 때, 일차방정식 $x+y-2=0$의 해의 순서쌍 (x, y)를 좌표로 하는 점을 좌표평면 위에 나타내면 직선이 된다.

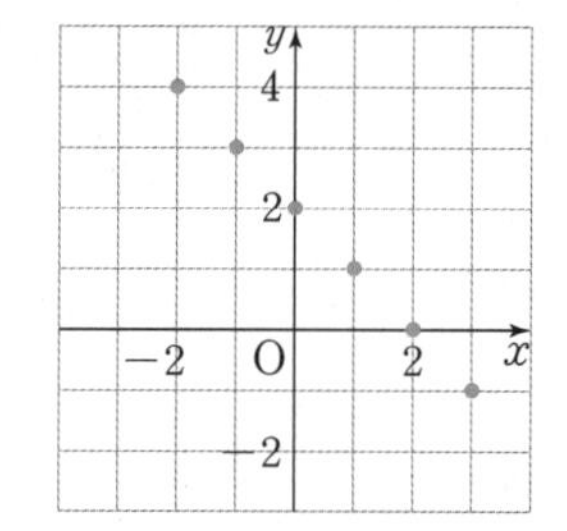

탐구하기 에서 x, y의 값이 정수일 때, 일차방정식 $x+y-2=0$의 해의 순서쌍 (x, y)를 좌표로 하는 점을 좌표평면 위에 나타내면 [그림 1]과 같다. 또, x, y의 값의 범위가 수 전체일 때, 일차방정식 $x+y-2=0$의 해의 순서쌍 (x, y)는 무수히 많고, 이것을 좌표로 하는 점을 좌표평면 위에 나타내면 [그림 2]와 같은 직선이 된다.

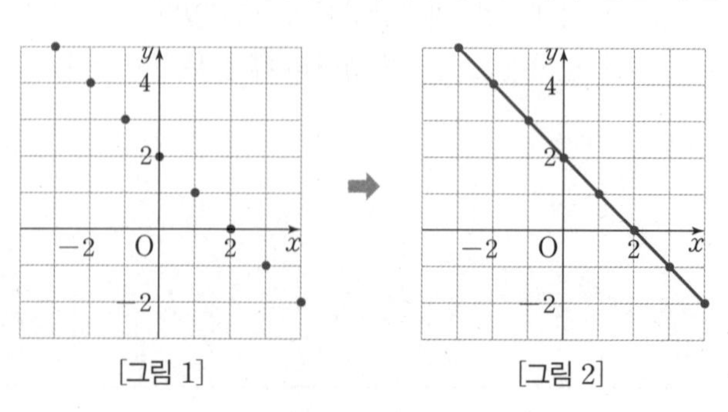

[그림 1] [그림 2]

일반적으로 x, y의 값의 범위가 수 전체일 때, 일차방정식

$$ax+by+c=0(a,\ b,\ c\text{는 상수},\ a\neq 0 \text{ 또는 } b\neq 0)$$

의 해는 무수히 많고, 이 해의 순서쌍 $(x,\ y)$를 좌표로 하는 점을 좌표평면 위에 나타내면 직선이 된다. 또, 이 직선 위의 모든 점들의 순서쌍 $(x,\ y)$는 이 일차방정식의 해이다. 이때 이 직선을 일차방정식 $ax+by+c=0$의 그래프라 하고, 일차방정식 $ax+by+c=0$을 **직선의 방정식**이라고 한다.

한편, [그림 2]의 그래프는 기울기가 -1이고 y절편이 2이므로 일차함수 $y=-x+2$의 그래프와 같다. 따라서 직선의 방정식 $x+y-2=0$의 그래프는 일차함수 $y=-x+2$의 그래프와 같음을 알 수 있다.

참고

미지수가 2개인 일차방정식 $ax+by+c=0$에서 $b\neq 0$이므로 양변을 b로 나누면 $\frac{a}{b}x+y+\frac{c}{b}=0$이다. 따라서 $y=-\frac{a}{b}x-\frac{c}{b}$이다.

일반적으로 미지수가 2개인 일차방정식의 그래프와 일차함수의 그래프 사이에는 다음과 같은 관계가 있다.

미지수가 2개인 일차방정식과 일차함수의 그래프

미지수가 2개인 일차방정식 $ax+by+c=0(a,\ b,\ c\text{는 상수},\ a\neq 0,\ b\neq 0)$의 그래프는 일차함수 $y=-\frac{a}{b}x-\frac{c}{b}$의 그래프와 같다.

함께해 보기 1

일차방정식 $ax+by+c=0(a,\ b,\ c\text{는 상수},\ a\neq 0,\ b\neq 0)$의 그래프 그리기

① 일차함수 $y=-\frac{a}{b}x-\frac{c}{b}$의 식으로 나타낸다.

② 기울기는 $-\frac{a}{b}$, y절편은 $-\frac{c}{b}$인 직선을 그린다.

다음은 일차방정식 $x-2y=2$의 해를 나타내는 직선을 그리는 과정이다. 물음에 답하여 보자.

(1) 일차방정식 $x-2y=2$에서 y를 x에 대한 식으로 나타내어 보자. $y=\frac{1}{2}x-1$

(2) (1)에서 구한 일차함수의 기울기와 y절편을 각각 구하여 보자. 기울기: $\frac{1}{2}$, y절편: -1

(3) (2)의 결과를 이용하여 일차방정식 $x-2y=2$의 해를 나타내는 직선을 오른쪽 좌표평면 위에 그려 보자.

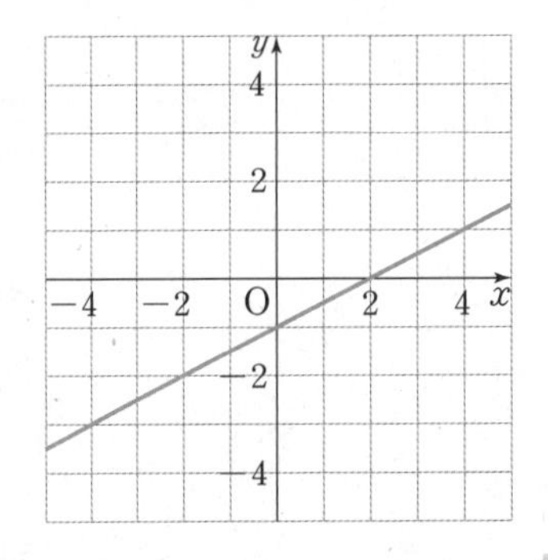

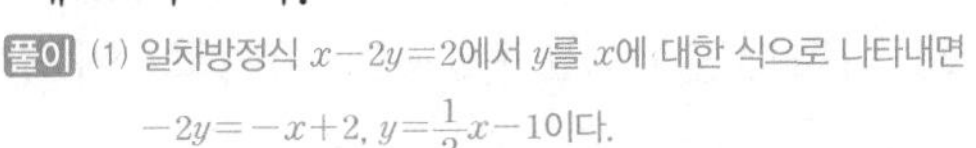

풀이 (1) 일차방정식 $x-2y=2$에서 y를 x에 대한 식으로 나타내면 $-2y=-x+2$, $y=\frac{1}{2}x-1$이다.

(2) 일차함수 $y=\frac{1}{2}x-1$의 그래프의 기울기는 $\frac{1}{2}$이고, y절편은 -1이다.

(3) 일차방정식 $x-2y=2$의 해를 나타내는 직선의 기울기가 $\frac{1}{2}$이고, y절편이 -1이므로 두 점 $(0,\ -1)$, $(2,\ 0)$을 지나는 직선이다.

1. 다음 일차방정식의 그래프를 오른쪽 좌표평면 위에 그리시오.

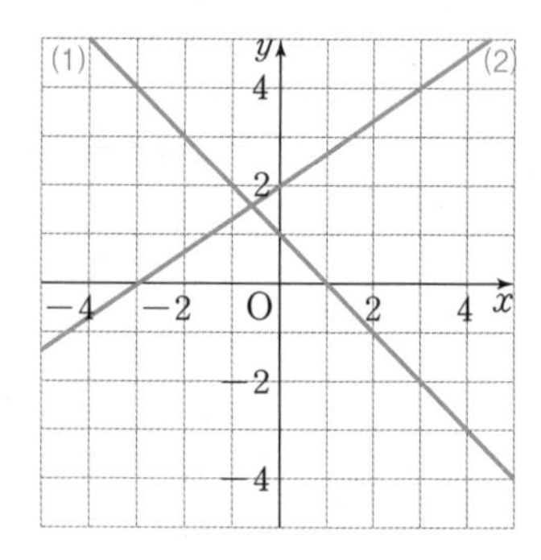

(1) $x+y-1=0$

(2) $2x-3y+6=0$

풀이 (1) 일차방정식 $x+y-1=0$에서 y를 x에 대한 식으로 나타내면 $y=-x+1$이다. 따라서 일차방정식 $x+y-1=0$의 그래프는 기울기가 -1이고, y절편이 1인 직선이다.

(2) 일차방정식 $2x-3y+6=0$에서 y를 x에 대한 식으로 나타내면 $-3y=-2x-6$, $y=\frac{2}{3}x+2$이다. 따라서 일차방정식 $2x-3y+6=0$의 그래프는 기울기가 $\frac{2}{3}$이고, y절편이 2인 직선이다.

일차방정식 $x=p$, $y=q$의 그래프는 어떻게 그려질까?

탐구하기

탐구 목표
x좌표, y좌표가 같은 두 점을 지나는 직선은 좌표축에 평행함을 알 수 있다.

다음 물음에 답하여 보자.

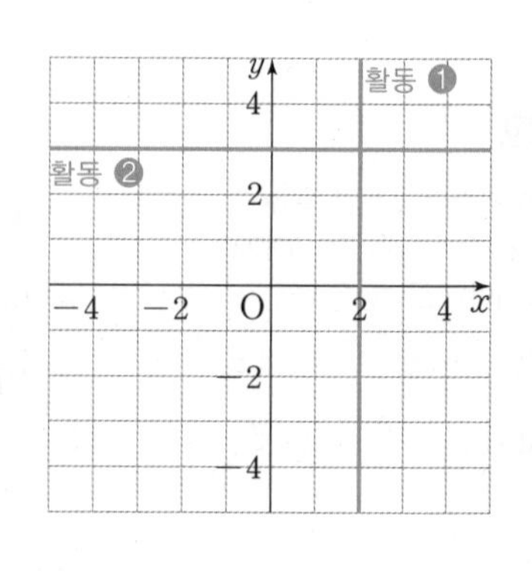

활동 ❶ 오른쪽 좌표평면 위에 두 점 $(2,\ -1)$, $(2,\ 2)$를 지나는 직선을 그려 보자.

활동 ❷ 오른쪽 좌표평면 위에 두 점 $(0,\ 3)$, $(2,\ 3)$을 지나는 직선을 그려 보자.

활동 ❸ **활동 ❶**과 **활동 ❷**에서 그린 두 직선의 특징을 친구들과 이야기하여 보자.

풀이 **활동 ❶**에서 그린 직선은 x축 위의 점 $(2,\ 0)$을 지나고, y축에 평행한 직선이다. 이 직선 위의 점의 x좌표는 모두 2이다. 한편, **활동 ❷**에서 그린 직선은 y축 위의 점 $(0,\ 3)$을 지나고, x축에 평행한 직선이다. 이 직선 위의 점의 y좌표는 모두 3이다.

일차방정식 $ax+by+c=0$에서 a, b 중 하나가 0인 경우의 그래프를 알아보자.

일차방정식 $x=2$를 $ax+by+c=0$의 꼴로 나타내면 $x+0\times y-2=0$이고, 이 방정식의 y의 값에 상관없이 x의 값은 항상 2이다.

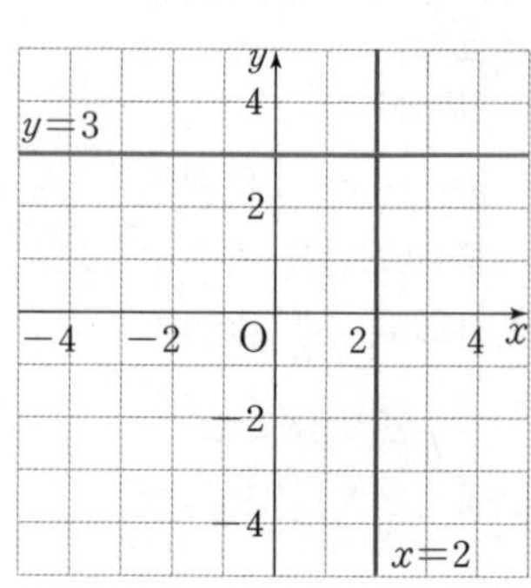

따라서 일차방정식 $x=2$의 그래프는 오른쪽 그림과 같이 점 $(2,\ 0)$을 지나고 y축에 평행한 직선이다.

마찬가지로 일차방정식 $y=3$을 $ax+by+c=0$의 꼴로 나타내면 $0\times x+y-3=0$이고, 이 방정식의 x의 값에 상관없이 y의 값은 항상 3이다.

따라서 일차방정식 $y=3$의 그래프는 오른쪽 그림과 같이 점 $(0,\ 3)$을 지나고 x축에 평행한 직선이다.

일반적으로 일차방정식 $x=p$, $y=q$의 그래프는 다음과 같은 방법으로 그릴 수 있다.

일차방정식 $x=p$, $y=q$(p, q는 상수)의 그래프

1. $x=p$(p는 상수, $p\neq0$)의 그래프는 점 $(p, 0)$을 지나고, y축에 평행한 직선이다.
2. $y=q$(q는 상수, $q\neq0$)의 그래프는 점 $(0, q)$를 지나고, x축에 평행한 직선이다.
3. $x=0$의 그래프는 y축이고, $y=0$의 그래프는 x축이다.

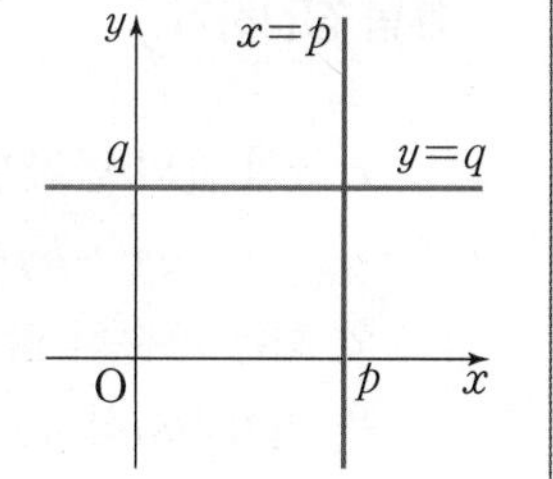

2. 다음 일차방정식의 그래프를 오른쪽 좌표평면 위에 그리시오.

(1) $x=-2$　　(2) $y+3=0$

(3) $\frac{x}{2}-2=0$　　(4) $y=0$

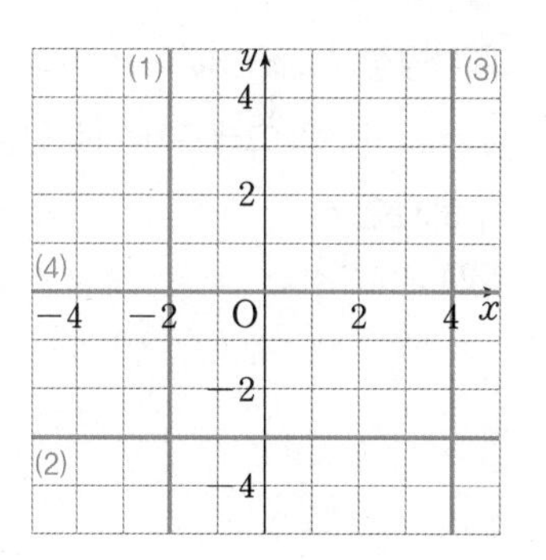

풀이 (1) 일차방정식 $x=-2$의 그래프는 점 $(-2, 0)$을 지나고, y축에 평행한 직선이다.

(2) 일차방정식 $y+3=0$, $y=-3$의 그래프는 점 $(0, -3)$을 지나고, x축에 평행한 직선이다.

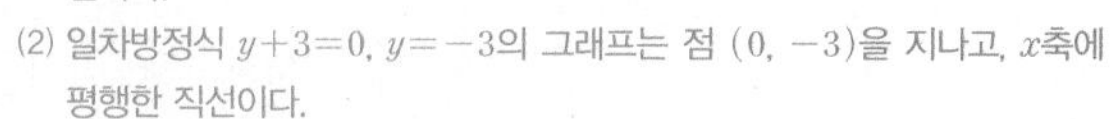

(3) 일차방정식 $\frac{x}{2}-2=0$, $x=4$의 그래프는 점 $(4, 0)$을 지나고, y축에 평행한 직선이다.

(4) 일차방정식 $y=0$의 그래프는 x축이다.

3. 오른쪽 그림과 같이 (1), (2)를 그래프로 하는 직선의 방정식을 각각 구하시오. (1) $x=3$ (2) $y=-4$

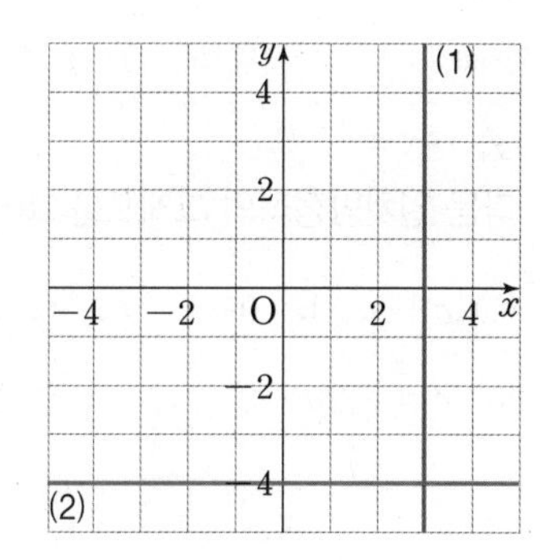

풀이 (1) 점 $(3, 0)$을 지나고, y축에 평행한 직선의 방정식은 $x=3$이다.

(2) 점 $(0, -4)$를 지나고, x축에 평행한 직선의 방정식은 $y=-4$이다.

생각 나누기　문제 해결　추론　의사소통

직선 $y=3$의 그래프는 함수의 그래프라고 할 수 있는지 친구들과 이야기하여 보자.

풀이 두 변수 x, y에 대하여 x의 값이 변함에 따라 y의 값이 하나씩 정해지는 두 양 사이의 대응 관계가 성립할 때, y를 x의 함수라고 한다. 따라서 오른쪽 그림과 같이 x의 각 값에 대하여 y의 값이 하나로 정해지는 직선 $y=3$의 그래프는 함수의 그래프이다.

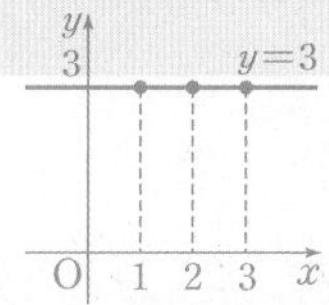

소단원

스스로 점검하기

개념 점검하기

(1) x, y의 값의 범위가 수 전체일 때, 일차방정식

$$ax+by+c=0(a,\ b,\ c\text{는 상수, } a\neq0 \text{ 또는 } b\neq0)$$

의 해는 무수히 많고, 이 해의 순서쌍을 좌표로 하는 점을 좌표평면 위에 나타내면 직선이 된다. 이 직선을 일차방정식 $ax+by+c=0$의 [그래프]라 하고, 일차방정식 $ax+by+c=0$을 [직선의 방정식]이라고 한다.

1 ●●●

일차방정식 $2x+3y+4=0$의 그래프와 일차함수 $y=ax+b$의 그래프가 서로 같을 때, 상수 a, b의 값을 각각 구하시오. $a=-\frac{2}{3}$, $b=-\frac{4}{3}$

풀이 일차방정식 $2x+3y+4=0$은 $y=-\frac{2}{3}x-\frac{4}{3}$와 같다.
따라서 $a=-\frac{2}{3}$, $b=-\frac{4}{3}$이다.

2 ●●●

다음 일차방정식의 그래프를 그리시오.

(1) $x+y+1=0$ $\rightarrow y=-x-1$
(2) $3x-y-2=0$ $\rightarrow y=3x-2$

(3) $x=-2y+3$ $\rightarrow y=-\frac{1}{2}x+\frac{3}{2}$
(4) $2x+3y=1$ $\rightarrow y=-\frac{2}{3}x+\frac{1}{3}$

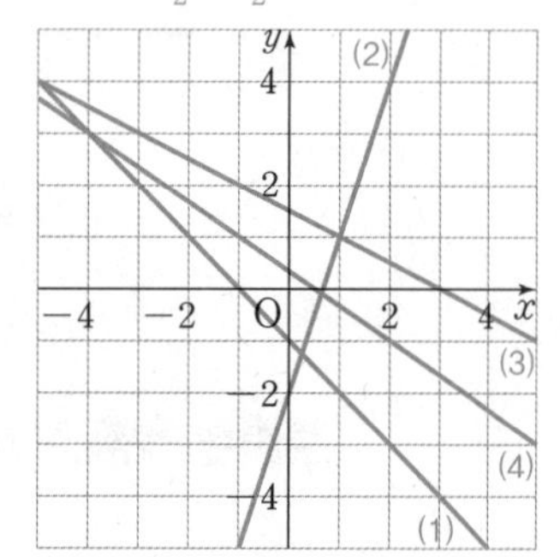

풀이 (1) 일차방정식 $x+y+1=0$의 그래프는 기울기가 -1이고, y절편이 -1인 직선이다.
(2) 일차방정식 $3x-y-2=0$의 그래프는 기울기가 3이고, y절편이 -2인 직선이다.
(3) 일차방정식 $x=-2y+3$의 그래프는 기울기가 $-\frac{1}{2}$이고, y절편이 $\frac{3}{2}$인 직선이다.
(4) 일차방정식 $2x+3y=1$의 그래프는 기울기가 $-\frac{2}{3}$이고, y절편이 $\frac{1}{3}$인 직선이다.

3 ●●●

다음 직선의 그래프를 그리시오.

(1) $x+3=0$
(2) $2y-5=0$

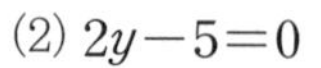

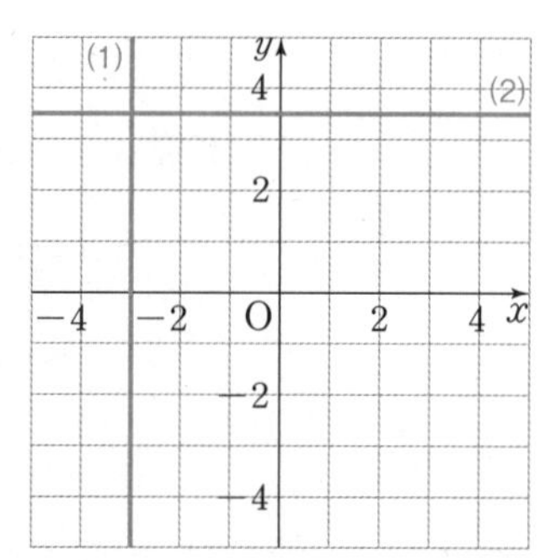

풀이 (1) 직선 $x+3=0$, 즉 $x=-3$의 그래프는 점 $(-3,\ 0)$을 지나고, y축에 평행하게 그린다.
(2) 직선 $2y-5=0$, 즉 $y=\frac{5}{2}$의 그래프는 점 $\left(0,\ \frac{5}{2}\right)$를 지나고, x축에 평행하게 그린다.

4 ●●●

다음 일차방정식의 그래프를 오른쪽 그림에서 찾으시오.

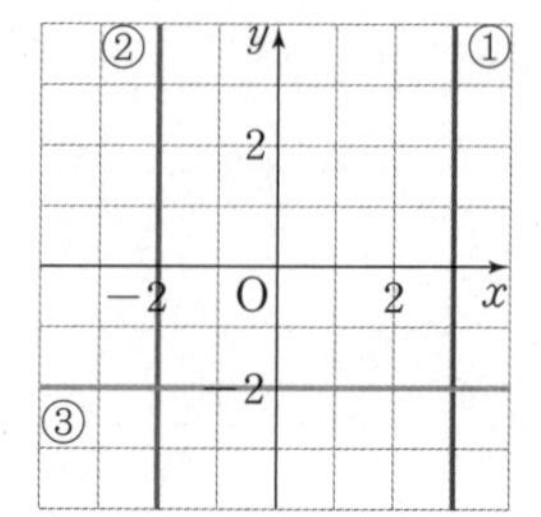

(1) $x=3$ ①
(2) $y=-2$ ③
(3) $4+2x=0$ ②

풀이 (3) $4+2x=0$, $2x=-4$, $x=-2$이므로 그 그래프는 ②이다.

5 ●●●

x축에 평행하고 점 $(0,\ -3)$을 지나는 직선의 방정식을 구하시오. $y=-3$

풀이 x축에 평행하고 점 $(0,\ -3)$을 지나는 직선의 방정식은 $y=-3$이다.

125쪽 125쪽 127쪽 127쪽 127쪽

연립일차방정식과 그래프

학습 목표 | 두 일차함수의 그래프와 연립일차방정식의 관계를 이해한다.

연립일차방정식과 일차함수의 그래프 사이에는 어떤 관계가 있을까?

탐구하기

탐구 목표
연립방정식의 해와 두 일차함수의 그래프의 교점 사이의 관계를 알 수 있다.

연립방정식 $\begin{cases} x+y=6 \\ x+2y=8 \end{cases}$ 에 대하여 다음 물음에 답하여 보자.

활동 ❶ 연립방정식의 해를 구하여 보자.
$x=4$, $y=2$ (또는 $(4, 2)$)

활동 ❷ 두 일차방정식의 그래프를 오른쪽 좌표평면 위에 그려 보자.

풀이 (2)

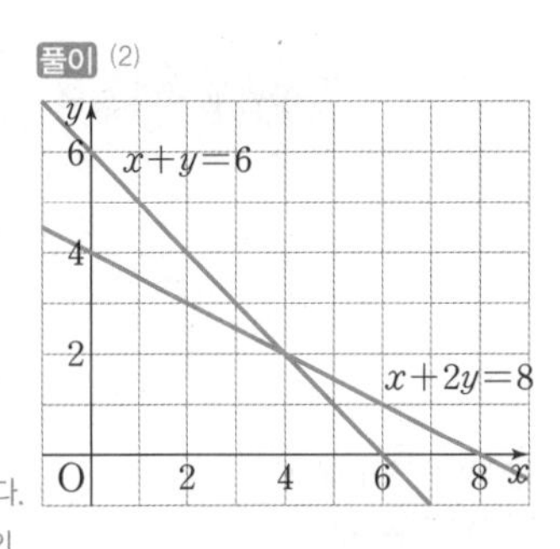

활동 ❸ 활동 ❶에서 구한 연립방정식의 해와 활동 ❷에서 그린 두 일차방정식의 그래프의 교점의 좌표를 비교하여 보자. 서로 같다.
풀이 활동 ❶에서 구한 연립방정식의 해와 활동 ❷에서 그린 두 일차방정식의 그래프의 교점의 좌표는 서로 같다.

개념 쏙
일차방정식의 그래프는 일차함수의 그래프와 같고, 일차함수의 그래프인 직선 위의 점의 좌표는 일차방정식의 해이므로 두 직선의 교점은 두 일차방정식을 모두 만족시키는 점이다.

탐구하기 에서 연립방정식의 해는 $(4, 2)$이다.

이때 두 일차방정식 $x+y=6$, $x+2y=8$의 그래프는 각각 일차함수 $y=-x+6$, $y=-\frac{1}{2}x+4$의 그래프와 같다. 또, 두 직선 위의 점의 좌표는 두 일차방정식 $x+y=6$, $x+2y=8$의 해이므로 두 직선의 교점의 좌표는 두 일차방정식의 공통의 해이다. 따라서 미지수가 2개인 연립방정식의 해는 두 일차함수의 그래프의 교점의 좌표와 같다.

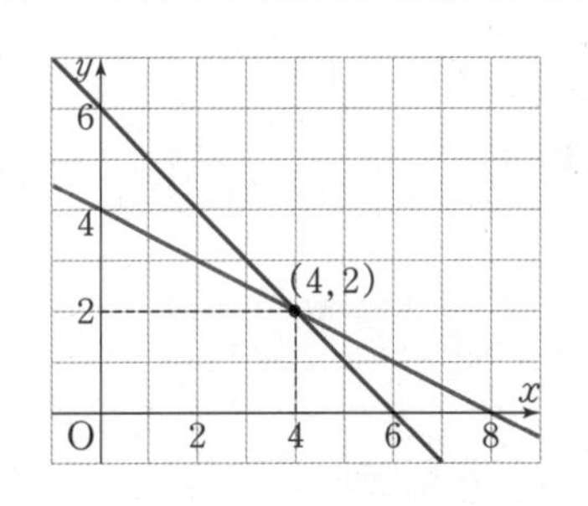

이상을 정리하면 다음과 같다.

연립일차방정식의 해와 그래프 (1)

연립방정식 $\begin{cases} ax+by=c \\ a'x+b'y=c' \end{cases}$ $(a\neq0,\ b\neq0,\ a'\neq0,\ b'\neq0)$의 해는 두 일차함수 $y=-\frac{a}{b}x+\frac{c}{b}$, $y=-\frac{a'}{b'}x+\frac{c'}{b'}$의 그래프의 교점의 좌표와 같다.

추론 1. 오른쪽 그래프를 보고 다음 연립방정식의 해를 구하시오.

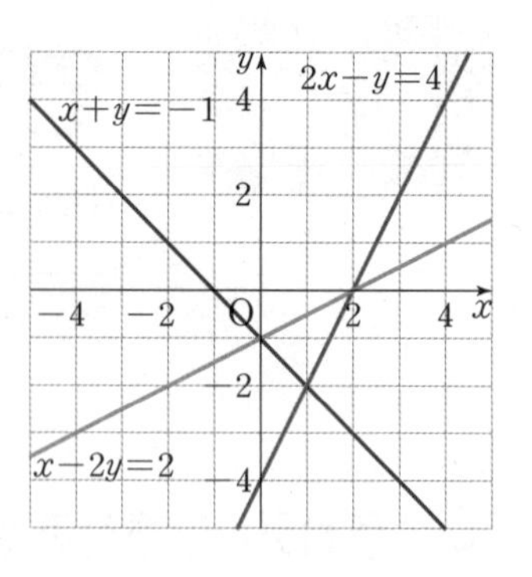

(1) $\begin{cases} x+y=-1 \\ 2x-y=4 \end{cases}$ $x=1,\ y=-2$

(2) $\begin{cases} 2x-y=4 \\ x-2y=2 \end{cases}$ $x=2,\ y=0$

풀이 (1) 두 직선 $x+y=-1$과 $2x-y=4$의 그래프의 교점의 좌표는 $(1,\ -2)$이므로 주어진 연립방정식의 해는 $x=1,\ y=-2$이다.
(2) 두 직선 $2x-y=4$와 $x-2y=2$의 그래프의 교점의 좌표는 $(2,\ 0)$이므로 주어진 연립방정식의 해는 $x=2,\ y=0$이다.

함께해 보기 1

다음은 연립방정식을 그래프를 이용하여 푸는 과정이다. □ 안에 알맞은 수나 식을 써넣고, 문장을 바르게 완성하여 보자.

(1) $\begin{cases} 2x+y=1 \\ 4x+2y=4 \end{cases}$

두 일차방정식을 각각 y를 x에 대한 식으로 나타내면

$\begin{cases} y=-2x+1 & \cdots\cdots ① \\ y=\boxed{-2x+2} & \cdots\cdots ② \end{cases}$

이고, ①, ②의 그래프를 오른쪽 좌표평면 위에 함께 그리면 서로 $\boxed{평행}$하다.

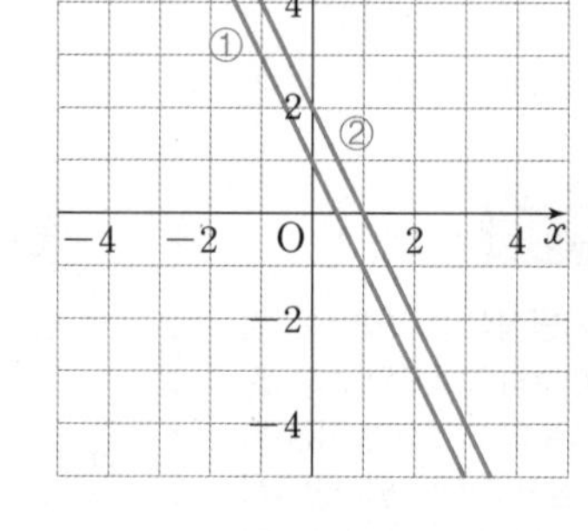

따라서 이 연립방정식의 해는 (없다, 무수히 많다).

(2) $\begin{cases} 2x-y=2 \\ 4x-2y=4 \end{cases}$

두 일차방정식을 각각 y를 x에 대한 식으로 나타내면

$\begin{cases} y=\boxed{2x-2} \\ y=\boxed{2x-2} \end{cases}$

로 같으므로 두 그래프를 오른쪽 좌표평면 위에 함께 그리면 서로 $\boxed{일치}$한다.

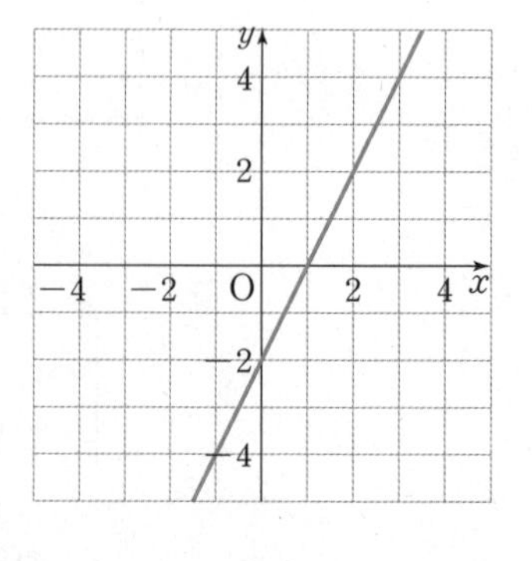

따라서 이 연립방정식의 해는 (없다, 무수히 많다).

Tip 연립방정식의 해와 두 일차함수의 그래프의 교점 사이의 관계를 이해하고 교점의 개수에 따라 연립방정식의 해가 한 개만 있는 경우, 없는 경우, 무수히 많은 경우로 나뉠 수 있음을 파악하게 한다. 이를 표로 정리하면 다음과 같다.

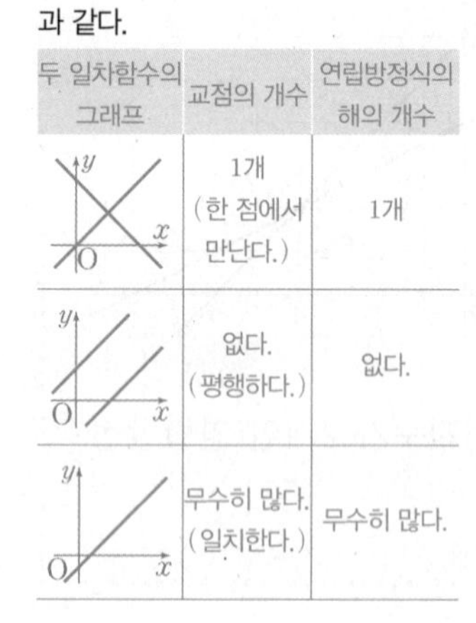

두 일차함수의 그래프	교점의 개수	연립방정식의 해의 개수
	1개 (한 점에서 만난다.)	1개
	없다. (평행하다.)	없다.
	무수히 많다. (일치한다.)	무수히 많다.

함께해 보기 ① 의 연립방정식에서 두 일차방정식의 그래프가 평행하면 두 그래프의 교점이 없으므로 연립방정식의 해는 없다는 것을 알 수 있다. 또, 두 일차방정식의 그래프가 일치하면 두 그래프의 교점이 무수히 많으므로 연립방정식의 해는 무수히 많다는 것을 알 수 있다. 이때 주어진 연립방정식의 해는 직선 위의 모든 점의 좌표이다.

개념 쏙

연립방정식 $\begin{cases} ax+by=c \\ a'x+b'y=c' \end{cases}$ 의 해는 계수의 관계에 따라

(1) $\frac{a}{a'} \neq \frac{b}{b'}$일 때, 두 직선은 한 점에서 만나므로 해는 하나이다.

(2) $\frac{a}{a'} = \frac{b}{b'} \neq \frac{c}{c'}$일 때, 두 직선은 평행하므로 해는 없다.

(3) $\frac{a}{a'} = \frac{b}{b'} = \frac{c}{c'}$일 때, 두 직선은 일치하므로 해는 무수히 많다.

이상을 정리하면 다음과 같다.

연립일차방정식의 해와 그래프 (2)

연립방정식에서 각 일차방정식의 그래프가

1. 한 점에서 만나면, 연립방정식의 해는 하나이다.
2. 평행하면, 연립방정식의 해는 없다.
3. 일치하면, 연립방정식의 해는 무수히 많다.

2. 다음 연립방정식을 그래프를 이용하여 푸시오.

(1) $\begin{cases} 3x+y=6 \\ 9x+3y=18 \end{cases}$ 해는 무수히 많다.

(2) $\begin{cases} x+2y=5 \\ 2x+4y=8 \end{cases}$ 해는 없다.

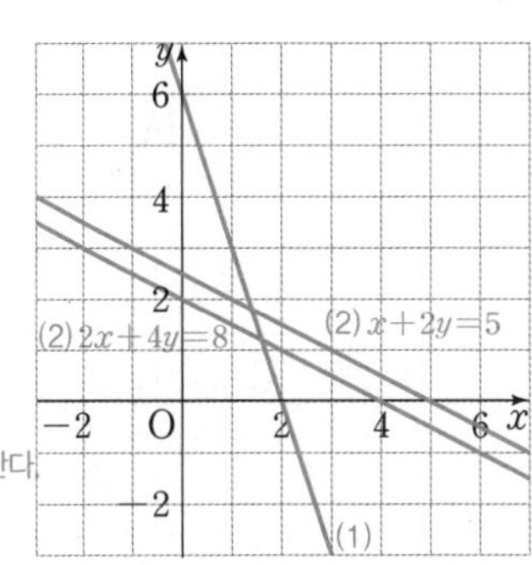

풀이 (1) 두 일차방정식을 각각 y를 x에 대한 식으로 나타내면 $y=-3x+6$으로 같으므로 그래프는 서로 일치한다. 따라서 두 직선의 교점이 무수히 많으므로 연립방정식의 해는 무수히 많다.

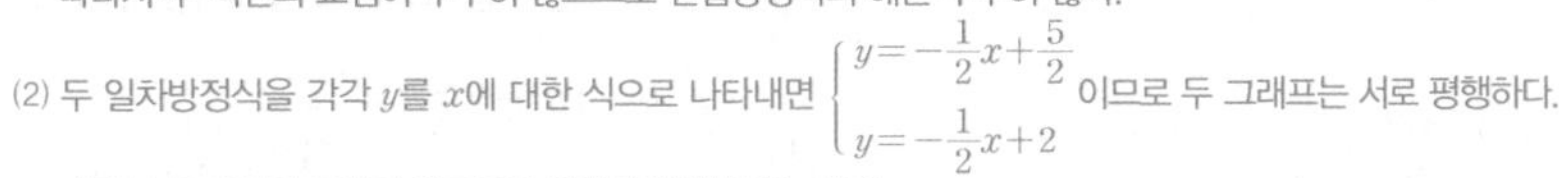

(2) 두 일차방정식을 각각 y를 x에 대한 식으로 나타내면 $\begin{cases} y=-\frac{1}{2}x+\frac{5}{2} \\ y=-\frac{1}{2}x+2 \end{cases}$ 이므로 두 그래프는 서로 평행하다.

따라서 두 직선의 교점이 없으므로 연립방정식의 해는 없다.

생각 키우기 문제 해결 | 추론 | 창의·융합

오른쪽 일차방정식 $3x-y=1$의 그래프를 이용하여 아래 조건을 만족시키는 연립방정식을 만들고 친구와 비교하여 보자.

(1) 해가 하나인 경우: $\begin{cases} 3x-y=1 \\ \boxed{} \end{cases}$ | 예시 | $x+y=3$

(2) 해가 없는 경우: $\begin{cases} 3x-y=1 \\ \boxed{} \end{cases}$ | 예시 | $3x-y=4$

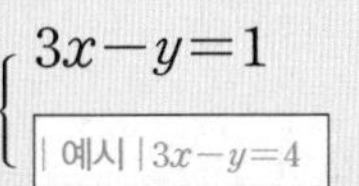

(3) 해가 무수히 많은 경우: $\begin{cases} 3x-y=1 \\ \boxed{} \end{cases}$ | 예시 | $6x-2y=2$

풀이 (1) $y=3x-1$의 그래프는 점 (1, 2)를 지난다. 점 (1, 2)를 지나면서 $y=3x-1$의 그래프와 한 점에서만 만나는 일차함수의 그래프를 (1)과 같이 그릴 수 있다. 이 그래프의 식을 구하면 $y=-x+3$이다.

(2) $y=3x-1$의 그래프와 평행한 일차함수의 그래프를 (2)와 같이 그릴 수 있다. 이 그래프의 식을 구하면 $y=3x-4$이다.

(3) $y=3x-1$의 그래프와 일치하는 일차함수의 식은 매우 많다. 그중 하나를 $2y=6x-2$로 놓을 수 있다.

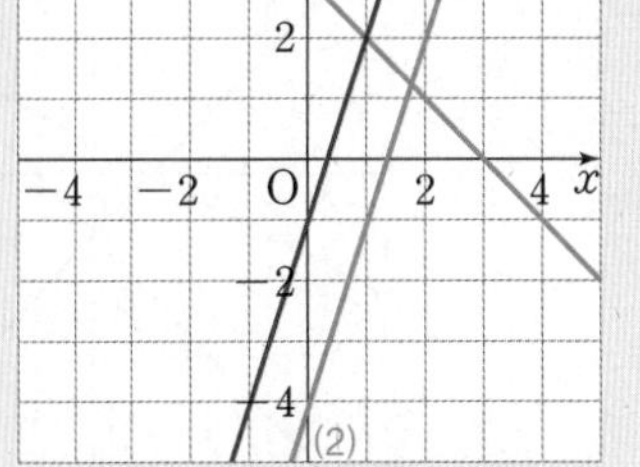

스스로 점검하기

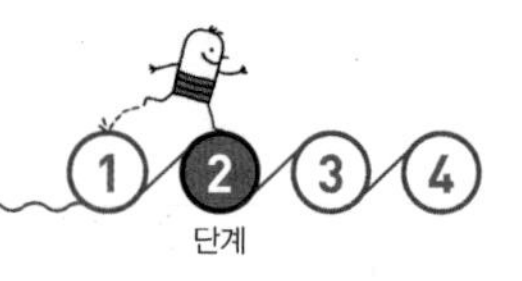

개념 점검하기

(1) 연립방정식에서 각 일차방정식의 그래프가

① [한 점]에서 만나면, 연립방정식의 해는 하나이다.

② [평행]하면, 연립방정식의 해는 없다.

③ [일치]하면, 연립방정식의 해는 무수히 많다.

1

다음 그래프를 이용하여 연립방정식 $\begin{cases} x+y=4 \\ 2x-y=5 \end{cases}$의 해를 구하시오. $x=3,\ y=1$

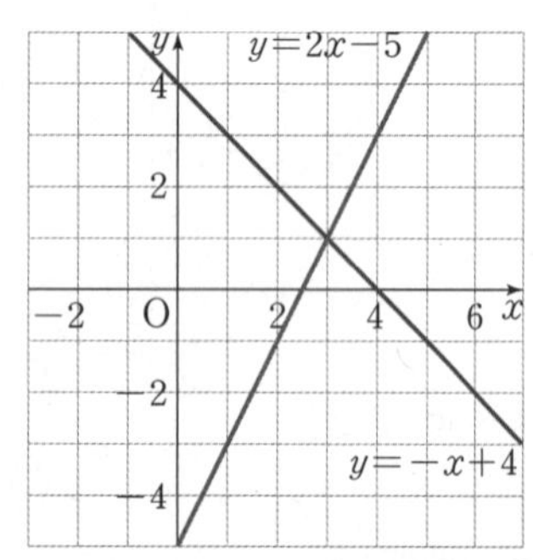

풀이 두 직선 $x+y=4$와 $2x-y=5$의 그래프의 교점의 좌표는 $(3,\ 1)$이므로 주어진 연립방정식의 해는 $x=3,\ y=1$이다.

2

다음 연립방정식을 그래프를 이용하여 푸시오.

(1) $\begin{cases} x-y=1 \\ x+y=-1 \end{cases}$ $x=0,\ y=-1$ (2) $\begin{cases} x-y=1 \\ x-2y=-1 \end{cases}$ $x=3,\ y=2$

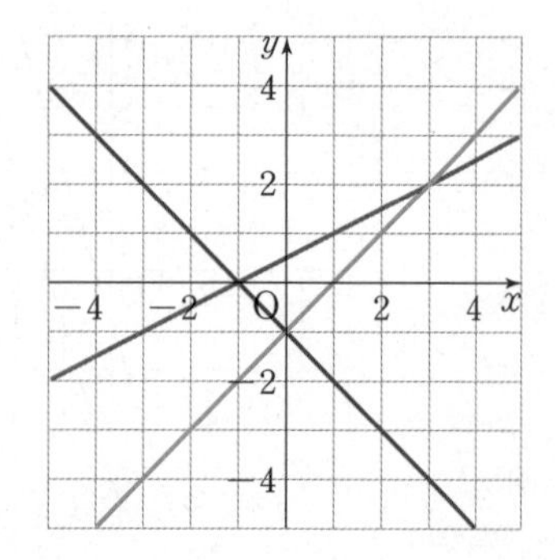

풀이 (1) 두 직선 $x-y=1$과 $x+y=-1$의 그래프의 교점의 좌표는 $(0,\ -1)$이므로 주어진 연립방정식의 해는 $x=0,\ y=-1$이다.

(2) 두 직선 $x-y=1$과 $x-2y=-1$의 그래프의 교점의 좌표는 $(3,\ 2)$이므로 주어진 연립방정식의 해는 $x=3,\ y=2$이다.

3

129쪽

연립방정식 $\begin{cases} 3x-y=5 \\ 2x+ay=1 \end{cases}$에서 각 일차방정식의 그래프의 교점의 y좌표가 1일 때, 상수 a의 값을 구하시오. -3

풀이 각 그래프의 교점의 y좌표가 1이므로 $y=1$일 때, x의 값이 서로 같다. 즉, $3x-y=5$에 $y=1$을 대입하면 $x=2$이므로 $2x+ay=1$에 $x=2,\ y=1$을 대입하면 $4+a=1,\ a=-3$이다.

4

131쪽

다음 연립방정식을 그래프를 이용하여 푸시오.

(1) $\begin{cases} 3x-4y-2=0 \\ 3x-4y+2=0 \end{cases}$ 해는 없다.

(2) $\begin{cases} 3x+y=0 \\ 6x+2y=0 \end{cases}$ 해는 무수히 많다.

풀이 (1) 연립방정식의 두 일차방정식을 각각 y를 x에 대한 식으로 나타내면 $\begin{cases} y=\frac{3}{4}x-\frac{1}{2} \\ y=\frac{3}{4}x+\frac{1}{2} \end{cases}$ 이고, 두 일차함수의 그래프는 기울기가 같으므로 서로 평행하다. 따라서 연립방정식의 해는 없다.

(2) 연립방정식의 두 일차방정식을 각각 y를 x에 대한 식으로 나타내면 $y=-3x$로 같다. 즉, 두 일차함수의 그래프가 서로 일치하므로 연립방정식의 해는 무수히 많다.

5

131쪽

연립방정식 $\begin{cases} ax+y=2 \\ 5x-3y=4 \end{cases}$의 해가 없을 때, 상수 a의 값을 구하시오. $-\frac{5}{3}$

풀이 연립방정식의 해가 없으려면 두 그래프가 서로 평행해야 한다.

$5x-3y=4$에서 $y=\frac{5}{3}x-\frac{4}{3}$이므로 기울기는 $\frac{5}{3}$, y절편은 $-\frac{4}{3}$이다.

따라서 두 그래프의 기울기가 같으므로 $-a=\frac{5}{3},\ a=-\frac{5}{3}$이다.

비용과 수입의 관계

현서네 빵집에서는 신제품을 출시하였다. 신제품 x개를 만드는 데 드는 비용을 y원이라고 할 때, x와 y 사이의 관계를 식으로 나타내면

$$y=600x+36000$$

이고, 신제품 x개를 판매하여 얻은 수입을 y원이라고 할 때, x와 y 사이의 관계를 식으로 나타내면

$$y=1200x$$

이다. 이를 좌표평면 위에 함께 나타내면 오른쪽과 같다. 다음 물음에 답하여 보자.

y(원)
120000
108000
96000
84000
72000
60000
48000
36000
24000
12000
O 10 20 30 40 50 60 70 80 90 100 x(개)
수입 $y=1200x$
비용 $y=600x+36000$

풀이 • 비용 그래프가 점 (50, 66000)을 지나므로 신제품 50개를 만드는 데 드는 비용은 66000원이다.
또, 수입 그래프가 점 (50, 60000)을 지나므로 신제품 50개를 판매하여 얻은 수입은 60000원이다. 따라서 신제품 50개를 만들어 모두 팔았을 때, 수입에서 비용을 뺀 금액은 $60000-66000=-6000$(원)이다.

활동 ① 현서네 빵집에서 신제품 50개와 100개를 만들어 모두 팔았을 때, 수입에서 비용을 뺀 금액을 각각 구하여 보자.

• 비용 그래프가 점 (100, 96000)을 지나므로 신제품 100개를 만드는 데 드는 비용은 96000원이다. 또, 수입 그래프가 점 (100, 120000)을 지나므로 신제품 100개를 판매하여 얻은 수입은 120000원이다.
따라서 신제품 100개를 만들어 모두 팔았을 때, 수입에서 비용을 뺀 금액은 $120000-96000=24000$(원)이다.

활동 ② 현서네 빵집에서 신제품을 만드는 데 드는 비용과 신제품을 판매하여 얻은 수입이 같아질 때의 신제품의 개수를 구하여 보자.

풀이 현서네 빵집에서 신제품을 만드는 데 드는 비용과 신제품을 판매하여 얻은 수입이 같아지는 지점은 비용과 수입의 그래프가 만나는 교점에 해당된다. 이 교점의 좌표가 (60, 72000)이므로 현서네 빵집에서 신제품을 만드는 데 드는 비용과 신제품을 판매하여 얻은 수입이 같아질 때의 신제품의 개수는 60이다.

활동 ③ 현서네 빵집에서 이 신제품에 대한 순이익이 120000원이 되기 위하여 판매해야 하는 신제품의 개수를 구하여 보자.

풀이 현서네 빵집에서 이 신제품에 대한 순이익이 120000원이 되기 위하여 판매해야 하는 신제품의 개수는 수입에서 비용을 뺀 값이 120000원이 되는 x의 값과 같다. 따라서
$1200x-(600x+36000)=120000$, $600x=156000$, $x=260$
즉, 현서네 빵집에서 이 신제품에 대한 순이익이 120000원이 되기 위하여 판매해야 하는 신제품의 개수는 260이다.

| 상호 평가표 |

평가 내용		자기 평가			친구 평가		
		😄	😊	😵	😄	😊	😵
내용	두 일차함수의 그래프의 관계를 해석할 수 있다.						
	수입과 비용의 그래프와 식을 이용하여 문제를 해결할 수 있다.						
태도	일차함수의 유용성과 필요성을 인식하였다.						

스스로 확인하기

1. 일차방정식 $x-ky=2$의 그래프가 다음 그림과 같을 때, 이 그래프가 점 $(a,\ -2)$를 지난다. 이때 a의 값을 구하시오. (단, k는 상수이다.) -2

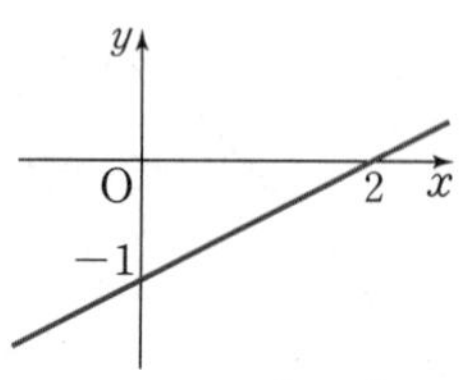

풀이 일차방정식 $x-ky=2$에서 $y=\frac{1}{k}x-\frac{2}{k}$이고, 그래프의 기울기가 $\frac{1}{2}$이므로 $\frac{1}{k}=\frac{1}{2}$, $k=2$이다. 따라서 일차방정식 $x-2y=2$의 그래프가 점 $(a,\ -2)$를 지나므로 $a+4=2$, $a=-2$이다.

2. 일차방정식 $5x+2y+10=0$의 그래프와 x축, y축으로 둘러싸인 삼각형의 넓이를 구하시오. 5

풀이 일차방정식 $5x+2y+10=0$의 그래프는 오른쪽 그림과 같다.
따라서 일차방정식 $5x+2y+10=0$의 그래프와 x축, y축으로 둘러싸인 삼각형의 넓이는 $\frac{1}{2}\times2\times5=5$이다.

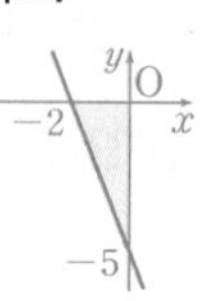

3. 다음 직선의 방정식을 구하시오.

(1) 점 $(3,\ -2)$를 지나고, y축에 수직인 직선 $y=-2$

(2) 두 점 $(-3,\ 5)$, $(-3,\ -3)$을 지나는 직선 $x=-3$

4. 일차방정식 $ax+by=4$의 그래프가 점 $(1,\ 2)$를 지나고 x축에 평행할 때, 상수 a, b의 값을 각각 구하시오. $a=0$, $b=2$

풀이 점 $(1,\ 2)$를 지나고 x축에 평행한 직선은 $y=2$, 즉 $0\times x+2y=4$이다. 따라서 $a=0$, $b=2$이다.

5. 연립방정식 $\begin{cases} x+y=5 \\ ax-2y=-3 \end{cases}$의 각 일차방정식의 그래프가 다음 그림과 같을 때, 상수 a의 값을 구하시오. $\frac{3}{2}$

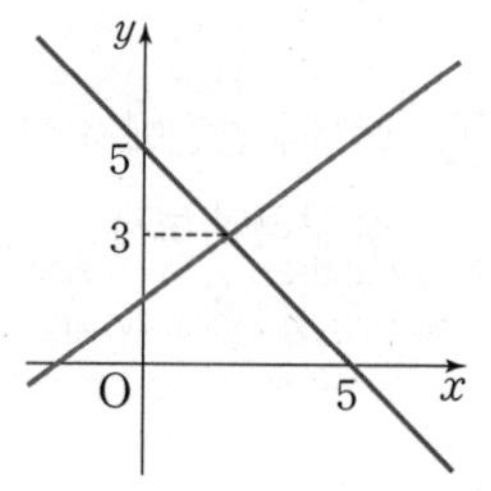

풀이 두 일차방정식의 그래프의 교점의 y좌표가 3이므로 일차방정식 $x+y=5$에 $y=3$을 대입하면 $x=2$이다.
즉, 주어진 연립방정식의 해가 $(2,\ 3)$이므로 일차방정식 $ax-2y=-3$에 $x=2$, $y=3$을 대입하면 $2a-6=-3$, $a=\frac{3}{2}$이다.

6. 연립방정식 $\begin{cases} 2x-3y=5 \\ ax+4y=1 \end{cases}$의 해가 없을 때, 상수 a의 값을 구하시오. $-\frac{8}{3}$

풀이 연립방정식의 해가 없으려면 두 일차방정식의 그래프가 서로 평행해야 한다.
$2x-3y=5$에서 $y=\frac{2}{3}x-\frac{5}{3}$, $ax+4y=1$에서 $y=-\frac{a}{4}x+\frac{1}{4}$이므로 $\frac{2}{3}=-\frac{a}{4}$, 즉 $a=-\frac{8}{3}$이다.

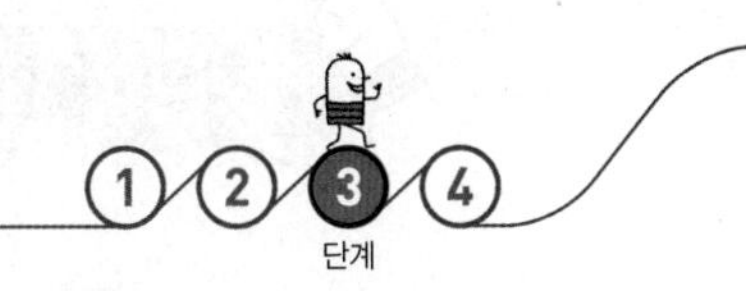

실력 업(UP) 발전 문제

7. 900 L의 물이 차 있는 물탱크 T에서 매분 일정한 양의 물을 빼내고 있다. 또, 300 L의 물이 차 있는 물탱크 W에 매분 일정한 양의 물을 채우고 있다. 두 물탱크의 시간에 따른 물의 양의 변화가 다음 그래프와 같을 때, 두 물탱크의 물의 양은 몇 분 후에 같아지는지 구하시오. 8분 후

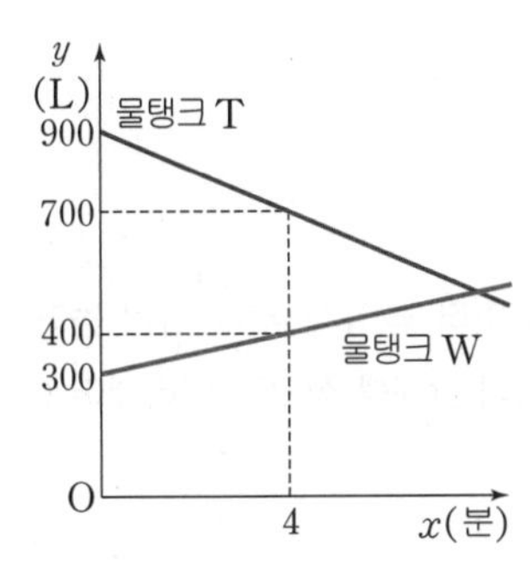

풀이 x분 후의 물의 양을 y mL라고 할 때,
물탱크 T의 관계식: $y=-50x+900$
물탱크 W의 관계식: $y=25x+300$
이므로 두 직선의 교점의 좌표가 $(8, 500)$이다. 따라서 두 물탱크의 물의 양은 8분 후에 같아진다.

8. 세 일차방정식
$2x+y+2=0$, $x-y+1=0$, $2x-y-2=0$
의 그래프로 둘러싸인 삼각형의 넓이를 구하시오. 6

풀이 그래프 위의 네 점의 좌표는 각각 A$(3, 4)$, B$(-1, 0)$, C$(0, -2)$, D$(1, 0)$이고, △ABC의 넓이는 △ABD와 △BCD의 넓이의 합과 같다.
즉, △ABC=△ABD+△BCD
$=\frac{1}{2}\times2\times4+\frac{1}{2}\times2\times2=6$
이다.

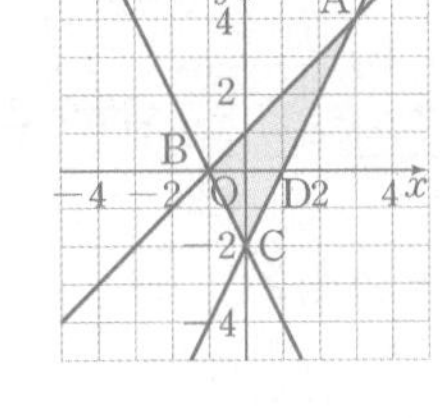

교과서 문제 뛰어 넘기

9. 일차방정식 $ax+by=1$의 그래프가 점 $(-3, 2)$를 지나고 y축에 평행한 직선일 때, 상수 a, b에 대하여 $a+b$의 값을 구하시오.

10. 두 일차방정식 $ax-y=3$과 $x+by=4$의 그래프가 다음과 같을 때, 상수 a, b에 대하여 $a-b$의 값을 구하시오.

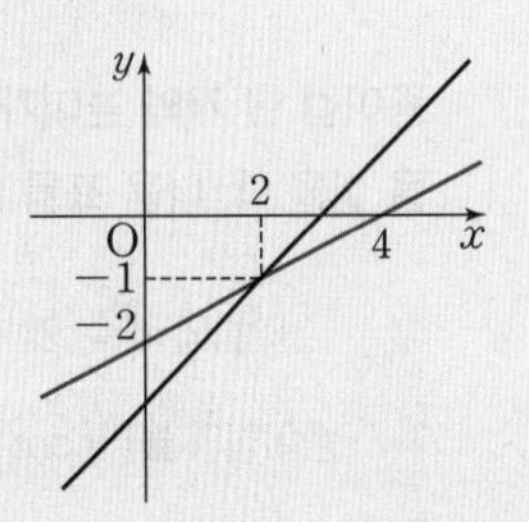

11. 두 직선 $x+ay=b$, $x-ay=-4$의 그래프가 다음 그림과 같을 때, 연립방정식
$\begin{cases} x+ay=b \\ x-ay=-4 \end{cases}$ 에서 ab의 값을 구하시오.
(단, a, b는 상수)

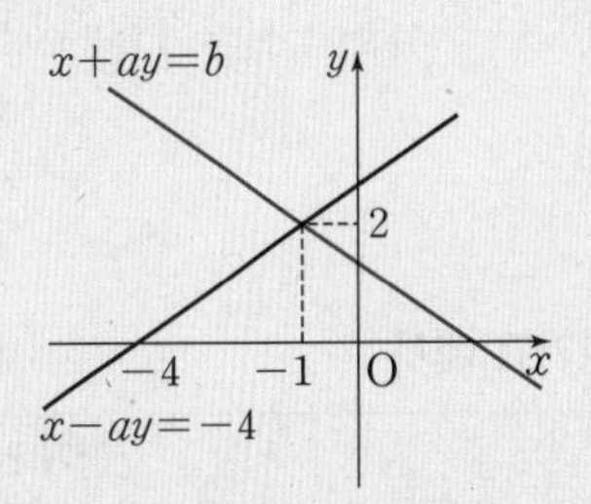

종이컵 분리수거 함의 높이는 얼마일까?

현수는 뉴스를 통해 우리나라에서 1년 동안 사용되는 종이컵이 약 230억 개나 되지만 사용한 종이컵을 분리 배출하지 않아 재활용되는 비율은 고작 1 %밖에 안 된다는 사실을 알게 되었다.

현수는 학급 회의에서 이러한 사실을 발표하고 친구들과 종이컵을 실용적으로 재활용할 수 있는 방법에 대하여 토의한 후, 제안된 의견을 다음과 같이 정리하였다.

(출처: SBS NEWS, 2018)

- 교실에 종이컵 분리수거 함을 직접 만들어 설치하자.
- 분리수거 함의 높이는 종이컵 100개를 쌓을 수 있도록 정하자.
- 사용한 종이컵은 물에 한 번 헹군 후 분리수거 함에 넣자.

종이컵 분리수거 함의 높이를 구하기 위해 다음 활동을 해보자.

활동 ❶ 종이컵 한 개의 높이가 7 cm이고, 종이컵을 한 개 더 쌓을 때마다 높이가 0.5 cm씩 높아진다고 한다. 종이컵을 쌓을 때, 다음 표를 완성하고 종이컵의 개수와 그 높이 사이의 관계를 식으로 나타내어 보자.

종이컵의 개수(개)	1	2	3	4
종이컵의 높이(cm)	7	$7+0.5\times1=7.5$	$7+0.5\times2=8$	$7+0.5\times3=8.5$

풀이 활동❶ 한 개의 종이컵의 높이가 7 cm이고, 종이컵을 한 개 더 쌓을 때마다 높이가 0.5 cm씩 높아지므로 표는 위와 같다.
종이컵이 x개일 때, 그 높이 y cm는 $y=7+0.5(x-1)$
이므로 x와 y 사이의 관계식은 $y=0.5x+6.5$이다.

활동 ❷ 활동 ❶의 결과를 이용하여 종이컵 100개를 쌓을 때의 높이를 구하여 보자.

활동❷ 활동❶의 식에서 $x=100$일 때,
$y=0.5\times100+6.5=56.5$
이므로, 종이컵 100개를 쌓을 때의 높이는 56.5 cm이다.

활동 ❸ 실제 종이컵 한 개의 높이와 종이컵을 한 개 더 쌓을 때마다 높아지는 높이를 측정한 후, 교실에서 사용할 종이컵 분리수거 함의 높이를 정하여 보자.

활동❸ 실제 종이컵의 높이를 측정하여 활동❶ ~ 활동❷와 같은 방법으로 문제를 해결해 본다.
| 예시 | 측정 결과: 한 개의 종이컵의 높이는 7.2 cm이고, 종이컵을 한 개 더 쌓을 때마다 높이가 0.6 cm씩 높아진다고 하자. 이때 종이컵 x개를 쌓을 때의 높이를 y cm라고 하면 두 변수 x, y 사이의 관계식은 $y=7.2+0.6(x-1)$이다. $x=100$일 때, $y=7.2+0.6\times99=66.6$이므로 교실에서 사용하게 될 종이컵 분리수거 함의 높이를 66.6 cm로 정할 수 있다.

| 학생 평가표 예시 |

평가내용		잘했어요	보통이에요	노력이 필요해요
문제 해결	일차함수를 이용하여 문제를 해결할 수 있는가?			
의사소통	두 변수 사이의 관계를 표와 식으로 나타내고, 두 변수 사이에 일차함수의 관계가 있음을 설명할 수 있는가?			
태도 및 실천	활동에 적극 참여하여 일차함수의 필요성을 인식하였는가?			

1. 집에서 30 km 떨어진 공원이 있다. 재성이는 아버지와 함께 자전거를 타고 이 공원을 다녀오려고 한다. 다음 그래프는 재성이와 아버지의 달린 시간과 거리 사이의 관계를 나타낸 것이다. 두 사람이 오전 10시에 출발했을 때, 마주친 시각을 구하시오.

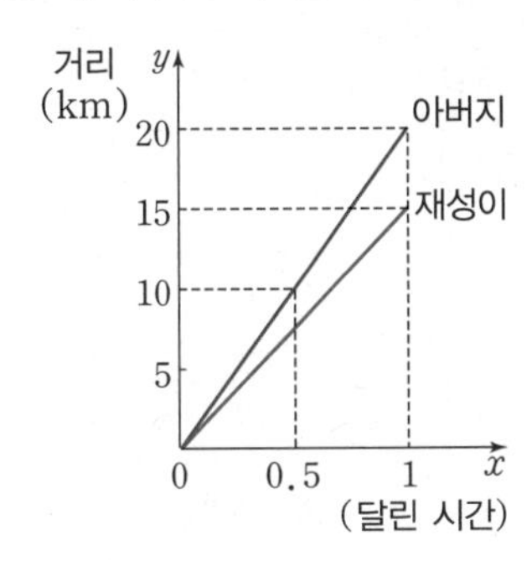

2. A, B 두 택배 회사에서는 상품을 배달할 때 다양한 포장재로 포장해 주는 부가 서비스를 제공하고 있다. 이 부가 서비스에 가입하면 A 택배 회사에서는 1개월에 5000원의 기본요금과 상품 포장 건수당 150원씩의 추가 요금을 내야 하고, B 택배 회사에서는 1개월에 8000원의 기본요금과 상품 포장 건수당 100원씩의 추가 요금을 내야 한다. 부가 서비스에 가입하여 1개월 동안 상품을 포장하는데, A, B 두 택배 회사 중 어느 택배 회사를 이용하는 것이 유리한지 상품 포장 건수의 변화에 따라 서술하시오.

스스로 마무리하기

1. 다음 보기 중에서 y가 x의 함수인 것을 모두 고르시오.

보기

ㄱ. 자연수 x보다 작은 자연수 y

ㄴ. 한 변의 길이가 x cm인 정사각형의 둘레의 길이 y cm

ㄷ. 우유 2 L를 x명이 똑같이 나누어 마실 때, 한 사람이 마시게 되는 양 y L

풀이 ㄱ. 자연수 3보다 작은 자연수는 1, 2이다. 즉, x의 값 하나에 y의 값이 오직 하나씩 대응하지 않으므로 함수가 아니다.
따라서 y가 x의 함수인 것은 ㄴ, ㄷ이다.

2. 다음 보기 중에서 일차함수 $y=4x+2$의 그래프에 대한 설명 중 옳은 것을 모두 고르시오.

보기

ㄱ. x절편은 $-\frac{1}{2}$이다.

ㄴ. x의 값이 2만큼 증가할 때 y의 값은 8만큼 증가한다.

ㄷ. 일차함수 $y=4x$의 그래프를 y축의 방향으로 -2만큼 평행이동한 것이다.

ㄹ. $x=-2$일 때의 함숫값은 -6이다.

풀이 ㄷ. 일차함수 $y=4x$의 그래프를 y축의 방향으로 2만큼 평행이동한 것이다.
따라서 옳은 것은 ㄱ, ㄴ, ㄹ이다.

3. 다음 그림과 같이 (1), (2)를 그래프로 하는 일차함수의 기울기를 각각 구하시오. (1) $-\frac{3}{4}$ (2) $\frac{4}{3}$

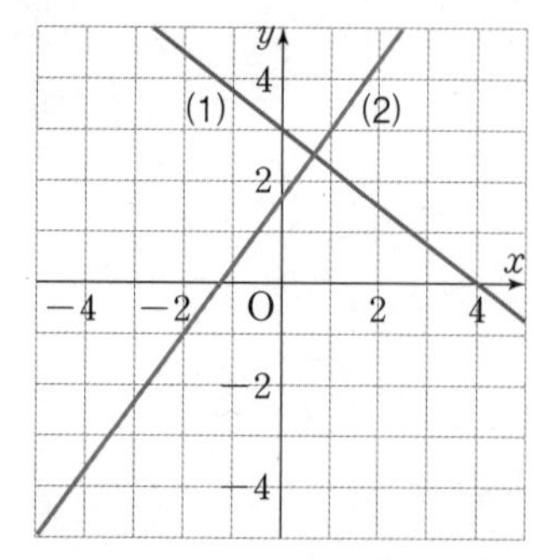

풀이 (1) 그래프가 두 점 $(0, 3)$, $(4, 0)$을 지나므로
$(\text{기울기})=\frac{0-3}{4-0}=-\frac{3}{4}$이다.

(2) 그래프가 두 점 $(-2, -1)$, $(1, 3)$을 지나므로
$(\text{기울기})=\frac{3-(-1)}{1-(-2)}=\frac{4}{3}$이다.

4. 지면으로부터 120 m 높이에 있는 물건을 지면에 수직으로 5분에 40 m씩 일정한 속력으로 내리고 있다. x분 후의 물건의 높이를 y m라고 할 때, 다음 물음에 답하시오.

(1) x와 y 사이의 관계식을 구하시오. $y=120-8x$

(2) 12분 후의 물건의 높이를 구하시오. 24 m

풀이 (1) 물건이 5분에 40 m씩 내려오고 있으므로 x분 후에는 $8x$ m만큼 내려온다.
따라서 $y=120-8x$이다.
(2) $y=120-8x$에 $x=12$를 대입하면 $y=120-8\times12=24$이다.
따라서 물건의 높이는 24 m이다.

5. 오른쪽 그림의 그래프가 나타내는 직선의 방정식을 구하시오. $y=-2x+4$

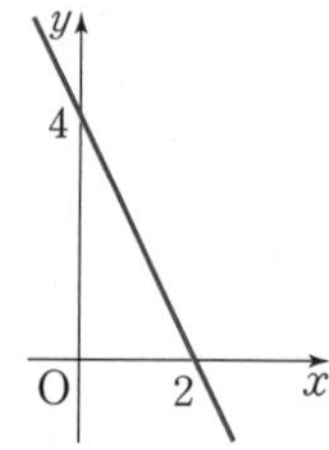

풀이 주어진 그래프의 기울기와 y절편은 각각 -2, 4이므로 직선의 방정식은 $y=-2x+4$이다.

6. 연립방정식 $\begin{cases} 2x+3y=6 \\ ax+by=6 \end{cases}$의 해가 없을 때, 두 상수 a, b에 대하여 $\frac{a}{b}$의 값을 구하시오. $\frac{2}{3}$

풀이 연립방정식의 해가 없으려면 두 일차방정식의 그래프가 서로 평행해야 한다. $2x+3y=6$에서 $y=-\frac{2}{3}x+2$이므로
기울기는 $-\frac{2}{3}$, y절편은 2이다.
$ax+by=6$에서 $y=-\frac{a}{b}x+\frac{6}{b}$이므로 기울기는 $-\frac{a}{b}$, y절편은 $\frac{6}{b}$이다.
따라서 $-\frac{2}{3}=-\frac{a}{b}$, $2\neq\frac{6}{b}$이어야 하므로 $\frac{a}{b}=\frac{2}{3}$, $b\neq3$이다.

7. 연립방정식 $\begin{cases} x-y=-1 \\ ax+by=2 \end{cases}$의 해가 무수히 많도록 하는 두 상수 a, b의 값을 각각 구하시오. $a=-2$, $b=2$

풀이 연립방정식의 해가 무수히 많으려면 두 일차방정식의 그래프가 일치해야 한다. $x-y=-1$에서 $y=x+1$이므로 기울기는 1, y절편은 1이다.
$ax+by=2$에서 $y=-\frac{a}{b}x+\frac{2}{b}$이므로 기울기는 $-\frac{a}{b}$, y절편은 $\frac{2}{b}$이다.
따라서 $-\frac{a}{b}=1$, $\frac{2}{b}=1$이어야 하므로 $a=-2$, $b=2$이다.

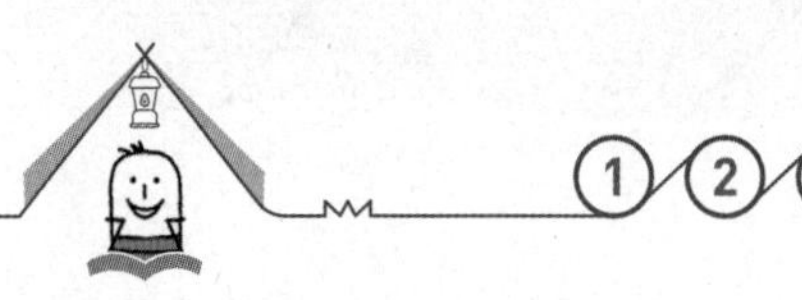

[8~9] **서술형 문제** 문제의 풀이 과정과 답을 쓰고, 스스로 채점하여 보자.

8. 일차함수 $y=-\frac{1}{2}x+4$의 그래프가 x축, y축과 만나는 점을 각각 A, B라고 하자. △AOB의 넓이를 이등분하는 직선의 방정식을 $y=ax$라고 할 때, 상수 a의 값을 구하시오. (단, 점 O는 원점이다.) [5점] $\frac{1}{2}$

풀이 일차함수 $y=-\frac{1}{2}x+4$의 그래프가 오른쪽과 같으므로

△AOB의 넓이는 $\frac{1}{2}\times8\times4=16$이다.

따라서 △POA의 넓이는 8이어야 하므로 점 P의 y좌표는 2이다. 즉, 점 P의 좌표는 $(4, 2)$이고 $y=ax$는 이 점을 지난다. 따라서 $y=ax$에 $x=4$, $y=2$를 대입하면 $a=\frac{1}{2}$이다.

채점 기준	배점
(ⅰ) △AOB의 넓이를 이등분하는 직선 $y=ax$가 반드시 지나야 하는 점의 좌표를 바르게 구한 경우	3점
(ⅱ) a의 값을 바르게 구한 경우	2점

9. 세 직선

$$2x-y+2=0,\ 3x+y+3=0,\ y=ax-1$$

이 삼각형을 만들지 않도록 하는 상수 a의 값을 모두 구하시오. [5점] $-3, -1, 2$

풀이 (ⅰ) 세 직선이 한 점에서 만나는 경우

연립방정식 $\begin{cases}2x-y+2=0\\3x+y+3=0\end{cases}$의 해가 $x=-1$, $y=0$이므로 두 직선 $2x-y+2=0$, $3x+y+3=0$의 교점의 좌표는 $(-1, 0)$이고, 직선 $y=ax-1$이 점 $(-1, 0)$을 지나야 하므로 $0=-a-1$, $a=-1$

(ⅱ) 세 직선 중 어느 두 직선이 평행한 경우

두 직선 $2x-y+2=0$과 $y=ax-1$, 즉 두 직선 $y=2x+2$와 $y=ax-1$이 평행하면 $a=2$

또, 두 직선 $3x+y+3=0$과 $y=ax-1$, 즉 두 직선 $y=-3x-3$과 $y=ax-1$이 평행하면 $a=-3$

따라서 (ⅰ), (ⅱ)에서 a의 값은 -3, -1, 2이다.

채점 기준	배점
(ⅰ) 세 직선이 한 점에서 만나는 경우, a의 값을 바르게 구한 경우	2점
(ⅱ) 세 직선 중 어느 두 직선이 평행한 경우, a의 값을 바르게 구한 경우	3점

삼각형과 사각형이 만드는 건축물

우리는 주변에서 삼각형과 사각형을 기본으로 하는 건축물을 흔히 볼 수 있다. 특히, 삼각형은 변의 길이만 정해지면 모양이 쉽게 변형되지 않는 안전성 때문에 지붕과 다리 등 큰 건축물에 많이 활용된다. 또, 사각형은 공간의 낭비가 적고 아름다움을 나타내는 기본적인 도형으로 건축물에 자주 활용된다. 이와 같이 건축물에 활용되는 삼각형과 사각형의 성질을 알아보자.

IV

도형의 성질

1. 삼각형의 성질
2. 사각형의 성질

| 단원의 계통도 살펴보기 |

이전에 배웠어요.

| 초등학교 3～4학년군 |
- 여러 가지 삼각형
- 여러 가지 사각형

| 초등학교 5～6학년군 |
- 합동
- 대칭

| 중학교 1학년 |
- 기본 도형
- 작도와 합동
- 평면도형의 성질
- 입체도형의 성질

이번에 배워요.

Ⅳ－1. 삼각형의 성질
01. 이등변삼각형의 성질
02. 삼각형의 외심과 내심

Ⅳ－2. 사각형의 성질
01. 평행사변형
02. 여러 가지 사각형

이후에 배울 거예요.

| 중학교 3학년 |
- 삼각비
- 원의 성질

삼각형의 성질

01. 이등변삼각형의 성질 | 02. 삼각형의 외심과 내심

이것만은 **알고 가자**

중1 삼각형의 합동 조건

1. 다음 삼각형 중에서 합동인 삼각형을 모두 찾고, 이때 사용한 합동 조건을 각각 말하시오.

(1)
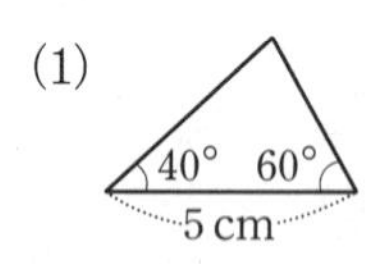

(2)
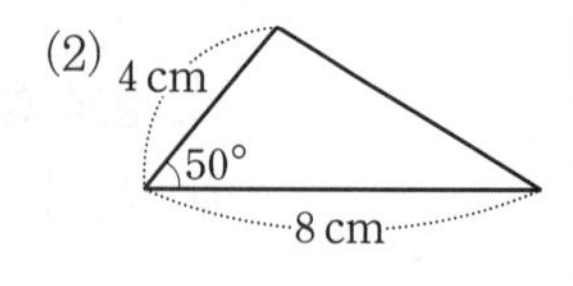

(3)
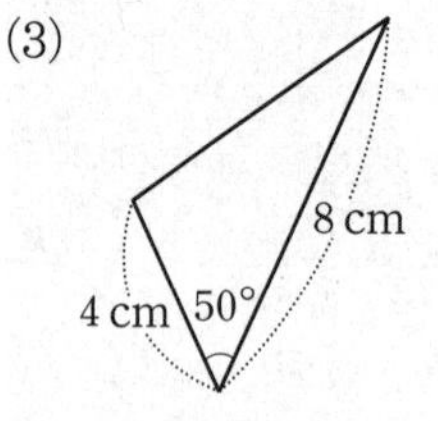

(4)
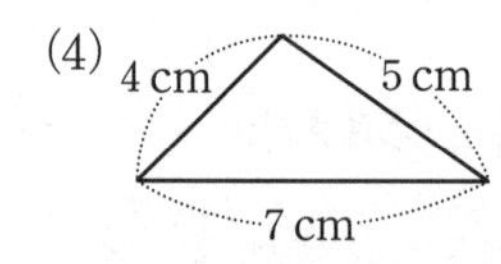

(5)
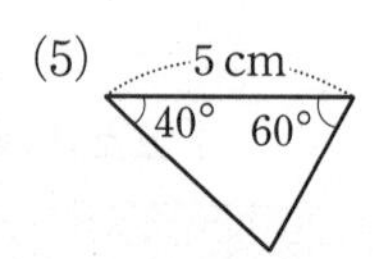

(6)
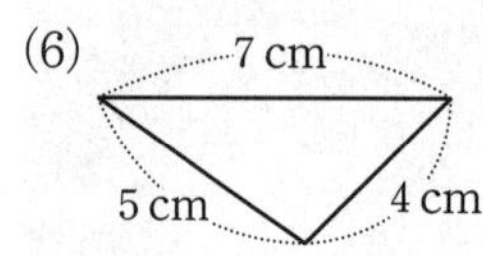

| 개념 체크 |

삼각형의 합동 조건: 두 삼각형은 다음의 각 경우에 서로 합동이다.

(1) 대응하는 [세 변] 의 길이가 각각 같을 때

(2) 대응하는 두 변의 길이가 각각 같고, 그 [끼인각] 의 크기가 같을 때

(3) 대응하는 한 변의 길이가 같고, 그 [양 끝 각] 의 크기가 각각 같을 때

풀이 (1)—(5) 대응하는 한 변의 길이가 같고, 그 양 끝 각의 크기가 각각 같은 두 삼각형 (1), (5)는 서로 합동이다.(ASA 합동)
(2)—(3) 대응하는 두 변의 길이가 각각 같고, 그 끼인각의 크기가 같은 두 삼각형 (2), (3)은 서로 합동이다.(SAS 합동)
(4)—(6) 대응하는 세 변의 길이가 각각 같은 두 삼각형 (4), (6)은 서로 합동이다.(SSS 합동)

알고 있나요?

삼각형의 합동 조건을 이해하고, 이를 이용하여 두 삼각형이 합동인지 판별할 수 있는가?

잘함 보통 모름

중1 삼각형의 내각과 외각

2. 다음 그림에서 $\angle x$의 크기를 구하시오.

(1)
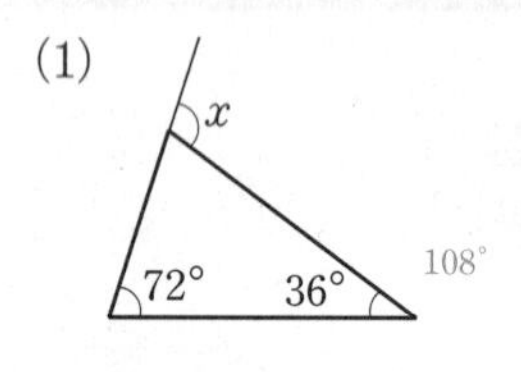

(2)
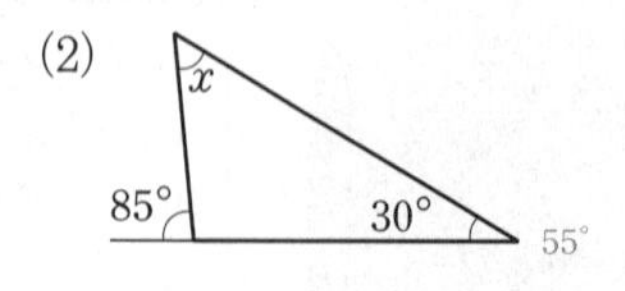

| 개념 체크 |

(1) 삼각형의 한 외각의 크기는 그와 이웃하지 않는 두 내각의 크기의 [합] 과 같다.

(2) 삼각형의 세 내각의 크기의 합은 [180°] 이다.

알고 있나요?

삼각형의 내각과 외각의 성질을 이해하고 있는가?

잘함 보통 모름

부족한 부분을 보충하고 본 학습을 준비하여 보자.

한 눈에 개념 정리

01 이등변삼각형의 성질

1. 이등변삼각형의 성질

(1) 이등변삼각형의 두 밑각의 크기는 같다.

(2) 이등변삼각형의 꼭지각의 이등분선은 밑변을 수직이등분한다.

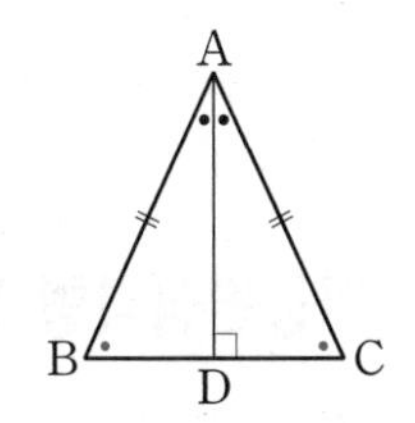

2. 이등변삼각형이 되는 조건

두 내각의 크기가 같은 삼각형은 이등변삼각형이다.

3. 직각삼각형의 합동 조건

두 직각삼각형은 다음의 각 경우에 서로 합동이다.

(1) 빗변의 길이와 한 예각의 크기가 각각 같을 때

(2) 빗변의 길이와 다른 한 변의 길이가 각각 같을 때

02 삼각형의 외심과 내심

1. 선분의 수직이등분선의 성질

(1) $\overline{AB}$의 수직이등분선 위의 한 점에서 두 점 A, B에 이르는 거리는 같다.

(2) 두 점 A, B에서 같은 거리에 있는 점은 $\overline{AB}$의 수직이등분선 위에 있다.

2. 삼각형의 외심

(1) 외접원: 삼각형의 세 꼭짓점을 지나는 원

(2) 외심: 외접원의 중심

(3) 삼각형의 외심

① 삼각형의 세 변의 수직이등분선은 한 점(외심)에서 만난다.

② 삼각형의 외심에서 세 꼭짓점에 이르는 거리는 같다.

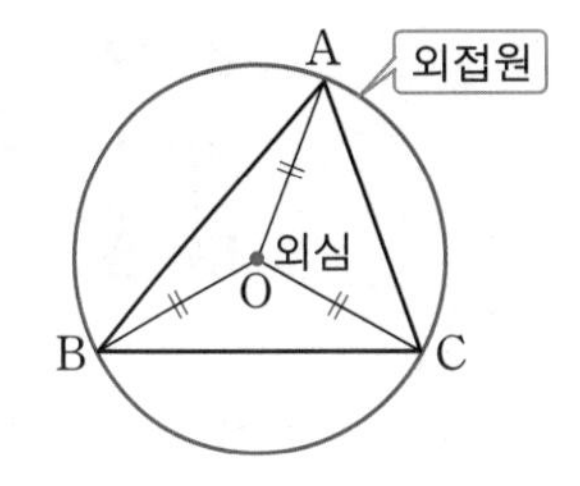

3. 각의 이등분선의 성질

(1) $\angle XOY$의 이등분선 위의 한 점에서 두 변 OX, OY에 이르는 거리는 같다.

(2) 두 변 OX, OY에서 같은 거리에 있는 점은 $\angle XOY$의 이등분선 위에 있다.

4. 접선

(1) 직선이 원과 한 점에서 만날 때, 이 직선은 원에 접한다고 한다.

(2) 접선: 원에 접하는 직선

(3) 접점: 접선과 원이 만나는 점

(4) 원의 중심과 접선 사이의 거리: $\overline{OT}$

5. 삼각형의 내심

(1) 내접원: 삼각형의 세 변에 접하는 원

(2) 내심: 내접원의 중심

(3) 삼각형의 내심

① 삼각형의 세 내각의 이등분선은 한 점(내심)에서 만난다.

② 삼각형의 내심에서 세 변에 이르는 거리는 같다.

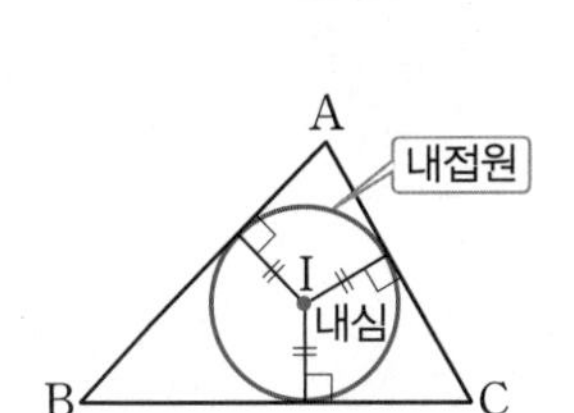

01 이등변삼각형의 성질

학습 목표 ‖ 이등변삼각형의 성질을 이해하고 설명할 수 있다.

 이등변삼각형에는 어떤 성질이 있을까?

탐구하기

탐구 목표
이등변삼각형을 만들어 보고, 이등변삼각형을 조작하는 활동을 통하여 이등변삼각형의 성질을 직관적으로 알 수 있다.

다음과 같은 순서대로 만들어진 △ABC에 대하여 물음에 답하여 보자.

❶	❷	❸
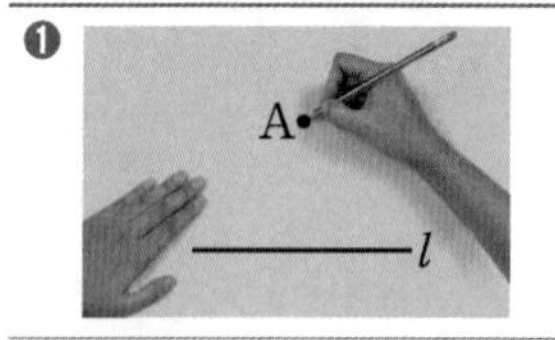	A B C l	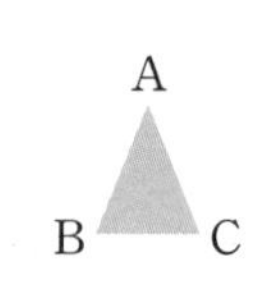
종이 위에 직선 l과 그 직선 위에 있지 않은 점 A를 그린다.	점 A를 중심으로 하고 직선 l과 두 점에서 만나는 원을 작도한다. 이때 두 교점을 각각 B, C로 놓는다.	세 점 A, B, C를 연결하여 만든 △ABC를 잘라 낸다.

활동 ❶ △ABC가 어떤 삼각형인지 친구들과 이야기하여 보자. 이등변삼각형

풀이 $\overline{AB}$와 $\overline{AC}$가 원의 반지름이므로 △ABC는 $\overline{AB}=\overline{AC}$인 이등변삼각형이다.

활동 ❷ △ABC의 두 꼭짓점 B, C가 겹치도록 접어 보고, △ABC에서 발견할 수 있는 성질이 무엇인지 친구들과 이야기하여 보자.

풀이 이등변삼각형 ABC는 두 꼭짓점 B, C가 겹치도록 접으면 완전히 포개어지므로 ∠B의 크기와 ∠C의 크기가 같다는 것을 알 수 있다. 또, 접었던 선은 ∠A의 이등분선이며, $\overline{BC}$를 수직이등분한다는 것을 알 수 있다.

이등변삼각형은 두 변의 길이가 같은 삼각형이다.

이등변삼각형에서 길이가 같은 두 변이 이루는 각을 꼭지각, 꼭지각의 대변을 밑변, 밑변의 양 끝 각을 밑각이라고 한다.

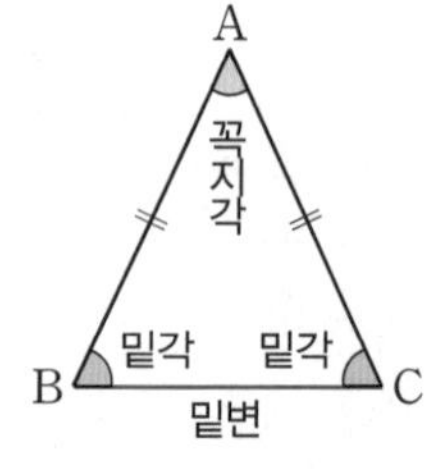

Tip 이등변삼각형에서 한 내각이 아래에 있다고 밑각이라고 단정지으면 안됨을 주의한다.

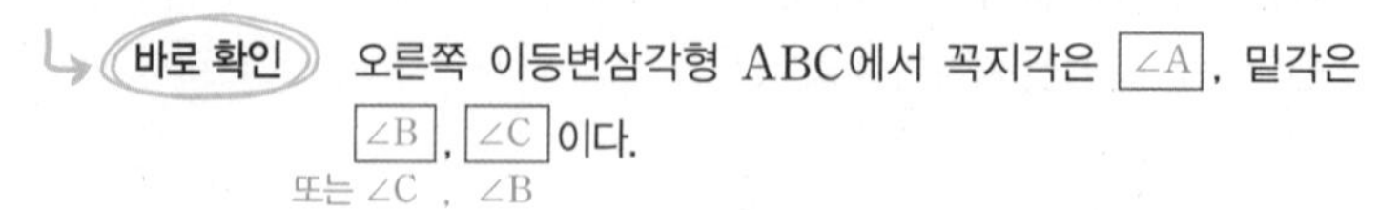

바로 확인 오른쪽 이등변삼각형 ABC에서 꼭지각은 ∠A, 밑각은 ∠B, ∠C이다.
또는 ∠C , ∠B

탐구하기 에서 $\overline{AB}$와 $\overline{AC}$가 원의 반지름이므로 △ABC는 $\overline{AB}=\overline{AC}$인 이등변삼각형이다. 이때 이등변삼각형 ABC는 두 꼭짓점 B, C가 겹치도록 접으면 완전히 포개어지므로 ∠B의 크기와 ∠C의 크기가 같다는 것을 알 수 있다. 또, 접었던 선은 ∠A의 이등분선이며, $\overline{BC}$를 수직이등분한다는 것도 알 수 있다.

이제 이등변삼각형의 두 밑각의 크기가 같다는 성질이 항상 성립하는지 확인하여 보자.

개념 쏙

삼각형의 합동 조건
두 삼각형은 다음의 각 경우에 서로 합동이다.
① 대응하는 세 변의 길이가 각각 같을 때(SSS 합동)
② 대응하는 두 변의 길이가 각각 같고, 그 끼인각의 크기가 같을 때(SAS 합동)
③ 대응하는 한 변의 길이가 같고, 그 양 끝 각의 크기가 각각 같을 때(ASA 합동)

오른쪽 그림과 같이 $\overline{AB}=\overline{AC}$인 이등변삼각형 ABC에서 $\angle A$의 이등분선과 밑변 BC의 교점을 D라고 하자.

$\triangle ABD$와 $\triangle ACD$에서

$\overline{AB}=\overline{AC}$ …… ①

$\angle BAD=\angle CAD$ …… ②

$\overline{AD}$는 공통 …… ③

이다. ①, ②, ③에서 대응하는 두 변의 길이가 각각 같고, 그 끼인각의 크기가 같으므로 $\triangle ABD\equiv\triangle ACD$이다. 따라서

$\angle B=\angle C$

이다.

또, 이등변삼각형의 꼭지각의 이등분선은 밑변을 수직이등분한다는 성질이 항상 성립하는지 확인하여 보자.

함께해 보기 1

다음은 $\overline{AB}=\overline{AC}$인 이등변삼각형 ABC에서 $\angle A$의 이등분선과 밑변 BC의 교점을 D라고 할 때, $\overline{AD}$가 $\overline{BC}$를 수직이등분함을 설명하는 과정이다. □ 안에 알맞은 것을 써넣어 보자.

이등분 확인하기 ▶ $\triangle ABD\equiv\triangle ACD$이므로

$\overline{BD}=$ [CD] …… ①

수직 확인하기 ▶ 이다. 또, $\angle ADB=\angle ADC$이고

$\angle ADB+\angle ADC=180^\circ$이므로

$\angle ADB=\angle ADC=$ [90]$^\circ$이다. 즉,

$\overline{AD}\perp\overline{BC}$ …… ②

이다. 따라서 ①, ②에서 $\overline{AD}$는 $\overline{BC}$를 수직이등분한다.

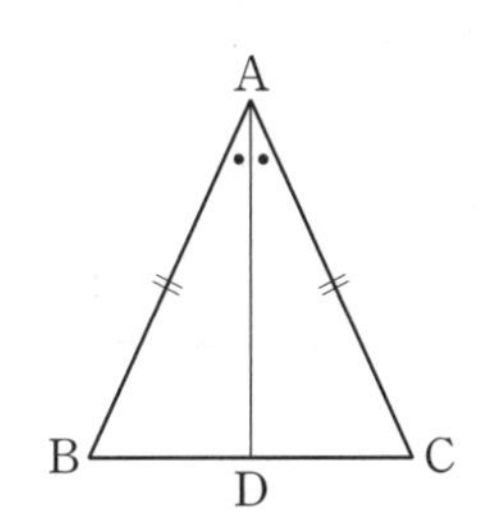

이등변삼각형에서 꼭지각의 이등분선과 밑변의 수직이등분선이 일치함을 확인한다.

이상을 정리하면 다음과 같다.

이등변삼각형의 성질

1. 이등변삼각형의 두 밑각의 크기는 같다.
2. 이등변삼각형의 꼭지각의 이등분선은 밑변을 수직이등분한다.

1. 다음 그림에서 $\angle x$의 크기를 구하시오.

(1) 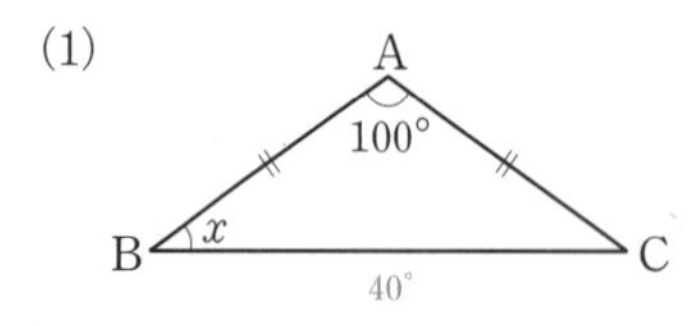

(2) 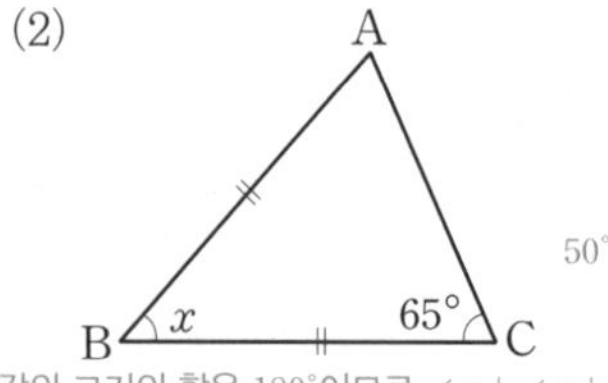

50°

풀이 (1) 이등변삼각형의 두 밑각의 크기는 같고, 삼각형의 세 내각의 크기의 합은 180°이므로 $\angle x+\angle x+100°=180°$
따라서 $\angle x=40°$이다.
(2) 이등변삼각형의 두 밑각의 크기는 같고, 삼각형의 세 내각의 크기의 합은 180°이므로 $65°+65°+\angle x=180°$
따라서 $\angle x=50°$이다.

2. 오른쪽 그림과 같이 $\overline{AB}=\overline{AC}$인 이등변삼각형 ABC에서 $\angle A$의 이등분선과 $\overline{BC}$의 교점을 D라고 하자. $\overline{BC}=10$ cm일 때, 다음을 구하시오.

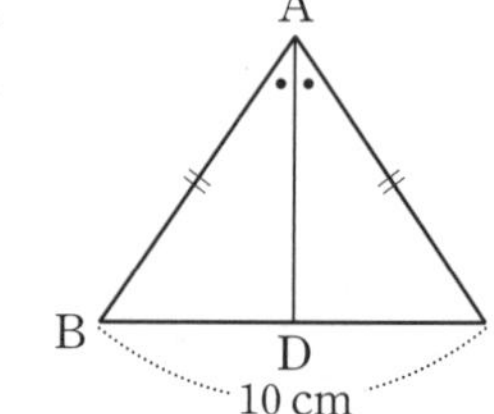

(1) $\overline{BD}$의 길이 5 cm

(2) $\angle ADC$의 크기 90°

풀이 이등변삼각형의 꼭지각의 이등분선은 밑변을 수직이등분한다.
(1) $\overline{BD}=\frac{1}{2}\overline{BC}=\frac{1}{2}\times10=5(\text{cm})$
(2) $\angle ADC=90°$

이등변삼각형이 되는 조건은 무엇일까?

탐구하기

탐구 목표
두 내각의 크기가 같은 삼각형을 만드는 과정을 이용하여 두 내각의 크기가 같은 삼각형은 이등변삼각형임을 직관적으로 알 수 있다.

다음과 같은 순서대로 만들어진 △ABC에 대하여 물음에 답하여 보자.

❶	❷	❸
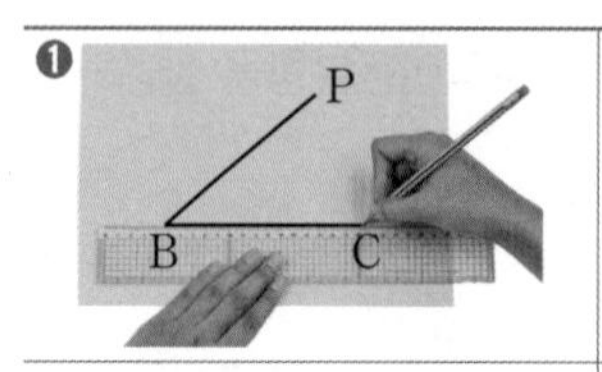	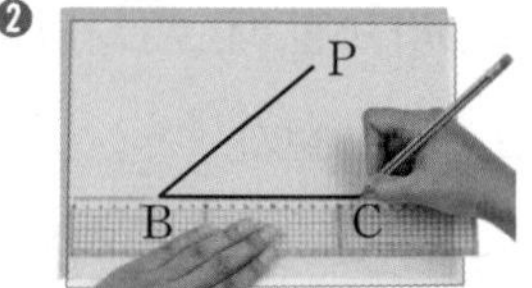	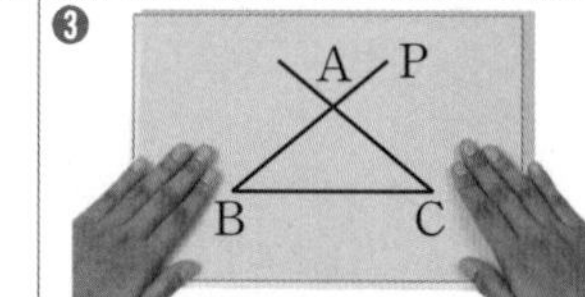
종이 위에 예각 PBC를 그린다.	투명 종이를 대고 크기가 같은 각을 그린다.	투명 종이를 뒤집어 $\overline{BC}$가 포개어지도록 놓는다. 이때 두 반직선의 교점을 A로 놓는다.

활동 ❶ 자 또는 컴퍼스를 이용하여 △ABC의 두 변 AB와 AC의 길이를 비교하여 보자.
길이가 같다는 것을 알 수 있다.

풀이 자 또는 컴퍼스를 이용하면 두 변 AB와 AC의 길이가 같다는 것을 알 수 있다.

활동 ❷ △ABC는 어떤 삼각형인지 친구들과 이야기하여 보자. 이등변삼각형

풀이 △ABC는 $\overline{AB}=\overline{AC}$이므로 이등변삼각형이다.

개념 쏙
이등변삼각형: 두 변의 길이가 같은 삼각형

탐구하기 의 △ABC에서 $\overline{AB}=\overline{AC}$임을 확인할 수 있다. 따라서 $\angle B=\angle C$인 △ABC는 $\overline{AB}=\overline{AC}$이므로 이등변삼각형임을 알 수 있다. 이러한 성질이 항상 성립하는지 확인하여 보자.

오른쪽 그림과 같이 $\angle B = \angle C$인 $\triangle ABC$에서 $\angle A$의 이등분선과 $\overline{BC}$의 교점을 D라고 하자.

$\triangle ABD$와 $\triangle ACD$에서

$\angle B = \angle C$

$\angle BAD = \angle CAD$ ······ ①

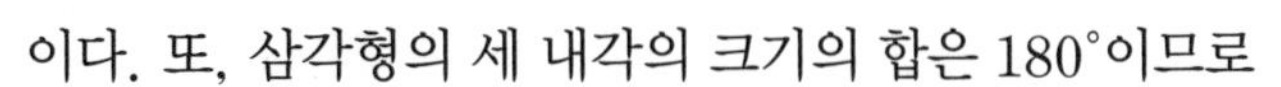

이다. 또, 삼각형의 세 내각의 크기의 합은 180°이므로

$\angle ADB = \angle ADC$ ······ ②

$\overline{AD}$는 공통 ······ ③

이다. ①, ②, ③에서 대응하는 한 변의 길이가 같고, 그 양 끝 각의 크기가 각각 같으므로 $\triangle ABD \equiv \triangle ACD$이다. 따라서

$\overline{AB} = \overline{AC}$

이다. 즉, $\angle B = \angle C$인 $\triangle ABC$는 이등변삼각형이다.

이상을 정리하면 다음과 같다.

이등변삼각형이 되는 조건

두 내각의 크기가 같은 삼각형은 이등변삼각형이다.

3. 다음 그림에서 x의 값을 구하시오.

(1)

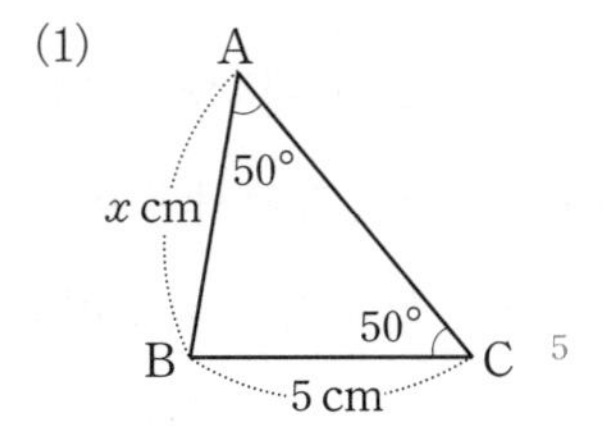

(2)

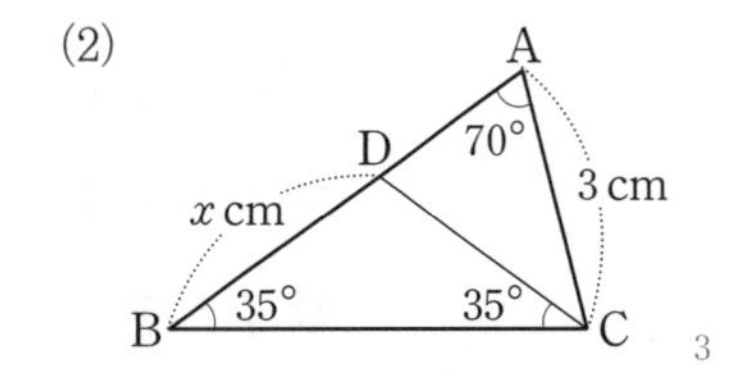

풀이 (1) $\angle A = \angle C = 50^\circ$로 두 내각의 크기가 같으므로 $\triangle ABC$는 이등변삼각형이다. 따라서 $x=5$이다.
(2) $\angle B = \angle DCB = 35^\circ$로 두 내각의 크기가 같으므로 $\triangle DBC$는 이등변삼각형이다. 따라서 $\overline{DB} = \overline{DC} = x$ cm이다.
$\angle A = \angle ADC = 70^\circ$로 두 내각의 크기가 같으므로 $\triangle CAD$는 이등변삼각형이다. 따라서 $x=3$이다.

추론 의사소통

4. 다음 그림과 같이 폭이 일정한 종이테이프를 선분 BC를 따라 접을 때, 겹쳐진 부분에 생긴 $\triangle ABC$가 항상 이등변삼각형이 되는 까닭을 친구들과 이야기하시오. (단, $\overline{BC}$와 $\overline{AC}$가 수직이 되도록 접는 경우는 제외한다.)

Tip 한 평면 위에 있는 두 직선이 한 직선과 만날 때 두 직선이 서로 평행하면 엇각의 크기는 서로 같다.

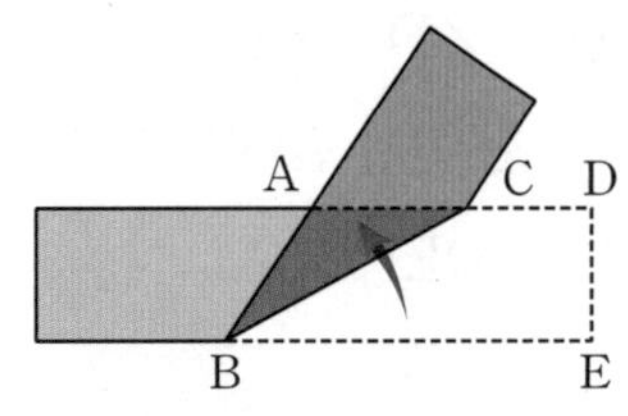

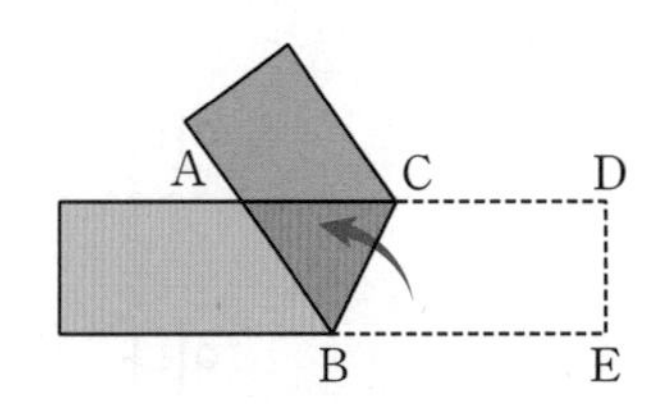

풀이 $\angle ABC = \angle EBC$(접은 각)
$\overline{AD} /\!/ \overline{BE}$이므로 $\angle ACB = \angle EBC$(엇각)
따라서 $\angle ABC = \angle ACB$이므로 $\triangle ABC$는 $\overline{AB} = \overline{AC}$인 이등변삼각형이다.
즉, 종이테이프를 접는 모양에 관계없이 $\triangle ABC$는 항상 $\overline{AB} = \overline{AC}$인 이등변삼각형이 된다.

두 직각삼각형은 어떤 조건에서 합동이 될까?

탐구하기

탐구 목표
빗변의 길이가 같은 두 직각삼각형이 합동이 되기 위해 필요한 조건이 무엇인지 직관적으로 알 수 있다.

오른쪽 그림과 같이 직사각형 모양의 종이의 네 귀를 각각 잘라 내어 빗변의 길이가 10 cm인 직각삼각형 네 개를 만들려고 한다. 다음 물음에 답하여 보자.

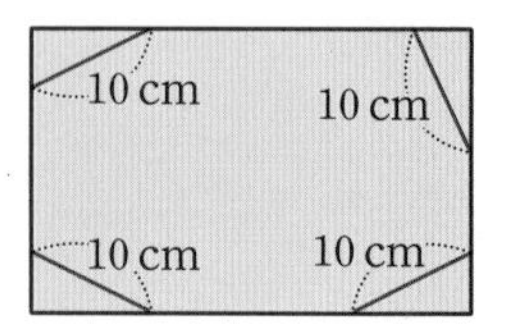

활동 ① 잘라 낸 네 개의 직각삼각형이 항상 서로 합동이 되는지 말하여 보자.

풀이 빗변의 길이가 같은 두 직각삼각형은 나머지 두 변의 길이는 각각 다를 수 있으므로 항상 합동이라고 말할 수 없다. | 예시 |

활동 ② 다음 조건 중 하나를 추가하여 종이의 네 귀를 잘라 보고, 항상 서로 합동이 되는 직각삼각형으로 자르기 위하여 필요한 조건을 친구들과 이야기하여 보자.

> 조건 1. 한 예각의 크기가 30°이다.
> 조건 2. 다른 한 변의 길이가 5 cm이다.

풀이 빗변의 길이가 10 cm이고, 한 예각의 크기가 30°가 되도록 직각삼각형을 잘라서 겹쳐 보면 완전히 포개어짐을 알 수 있다. 또한, 빗변의 길이가 10 cm이고, 다른 한 변의 길이가 5 cm가 되도록 직각삼각형을 잘라서 겹쳐 보면 완전히 포개어짐을 알 수 있다.
따라서 두 직각삼각형에서 빗변의 길이와 한 예각의 크기가 각각 같으면 이 두 직각삼각형은 서로 합동이다. 또한, 두 직각삼각형에서 빗변의 길이와 다른 한 변의 길이가 각각 같으면 이 두 직각삼각형은 서로 합동이다.

이전 내용 톡톡
직각삼각형에서 직각의 대변을 빗변이라고 한다.

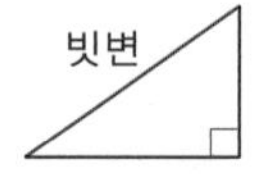

탐구하기 와 같이 직각삼각형의 빗변의 길이만으로는 합동인 삼각형을 만들 수 없다. 그런데 직각삼각형의 한 예각의 크기 또는 다른 한 변의 길이가 추가로 주어지면 서로 합동인 직각삼각형을 만들 수 있다는 것을 알 수 있다.

직각삼각형은 한 내각이 직각이므로 한 예각의 크기가 정해지면 다른 예각의 크기도 정해진다. 이를 이용하여 두 직각삼각형에서 빗변의 길이와 한 예각의 크기가 각각 같으면 이 두 직각삼각형은 서로 합동임을 확인하여 보자.

오른쪽 그림과 같이 $\angle C=\angle F=90^\circ$, $\overline{AB}=\overline{DE}$, $\angle A=\angle D$인 두 직각삼각형 ABC와 DEF에서 직각을 뺀 두 내각의 크기의 합은 90°이므로

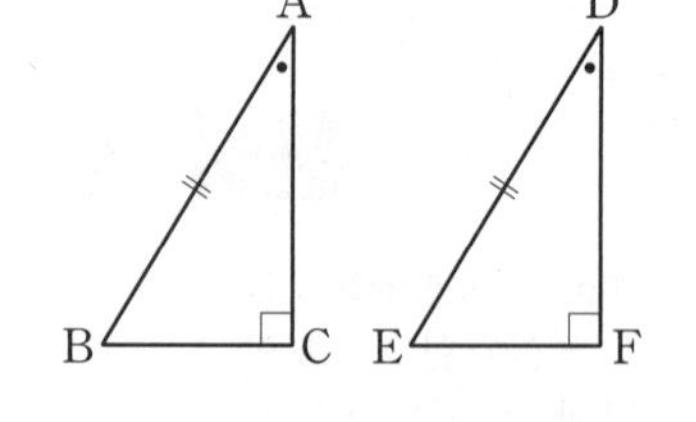

$$\angle B=90^\circ-\angle A$$
$$=90^\circ-\angle D=\angle E$$

이다. 이때 대응하는 한 변의 길이가 같고, 그 양 끝 각의 크기가 각각 같으므로

$$\triangle ABC\equiv\triangle DEF$$

이다.

이제 두 직각삼각형에서 빗변의 길이와 다른 한 변의 길이가 각각 같으면 이 두 직각삼각형은 서로 합동임을 확인하여 보자.

함께해 보기 2

다음은 $\angle C=\angle F=90^\circ$, $\overline{AB}=\overline{DE}$, $\overline{AC}=\overline{DF}$인 두 직각삼각형 ABC와 DEF가 서로 합동임을 설명하는 과정이다. □ 안에 알맞은 것을 써넣어 보자.

개념 쏙

평각의 크기는 180°이다.

이등변삼각형 찾기 ▶

오른쪽 그림과 같이 두 직각삼각형 ABC와 DEF에서 △DEF를 뒤집어서 길이가 같은 두 변 AC와 DF가 겹쳐지도록 놓으면

$$\angle BCE=\angle C+\angle F=\boxed{180}^\circ$$

이므로 세 점 B, C(F), E는 한 직선 위에 있다.

또한, △ABE에서 $\overline{AB}=\overline{AE}$이므로 △ABE는 이등변삼각형이고,

$$\angle B=\boxed{\angle E}$$

이다.

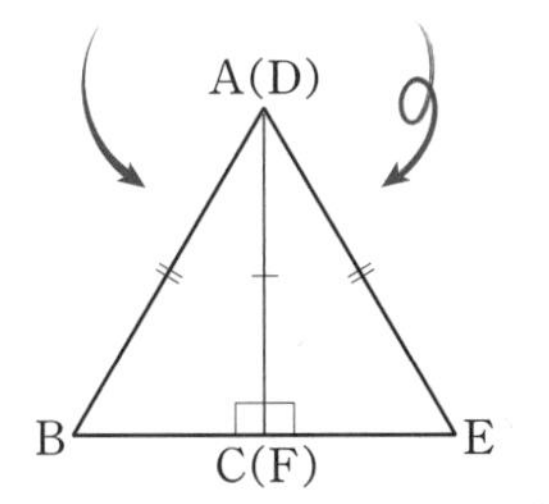

직각삼각형의 합동 조건을 찾고 확인하기 ▶

이때 두 직각삼각형의 빗변의 길이와 한 예각의 크기가 각각 같으므로

$$\triangle ABC\equiv\triangle DEF$$

이다.

두 직각삼각형의 합동 조건을 다음과 같이 간단히 나타내기도 한다.
① RHA 합동: 빗변의 길이와 한 예각의 크기가 각각 같다.
② RHS 합동: 빗변의 길이와 다른 한 변의 길이가 각각 같다.

이상을 정리하면 다음과 같다.

직각삼각형의 합동 조건

두 직각삼각형은 다음의 각 경우에 서로 합동이다.

1. 빗변의 길이와 한 예각의 크기가 각각 같을 때
2. 빗변의 길이와 다른 한 변의 길이가 각각 같을 때

5. 다음 삼각형 중에서 서로 합동인 직각삼각형을 모두 찾고, 이때 사용한 직각삼각형의 합동 조건을 각각 말하시오.

(1) 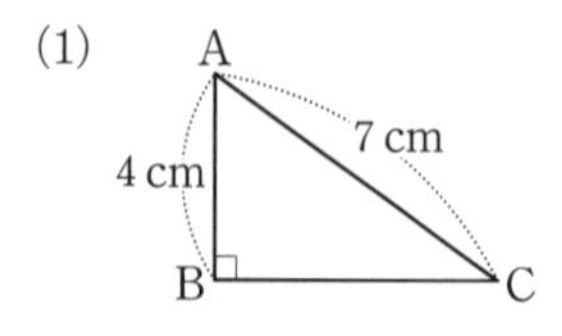

(2) 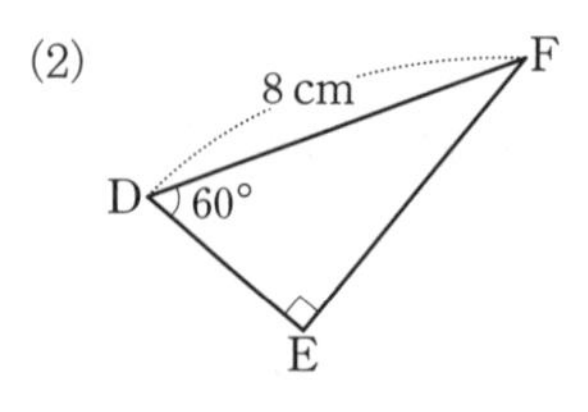

(3) 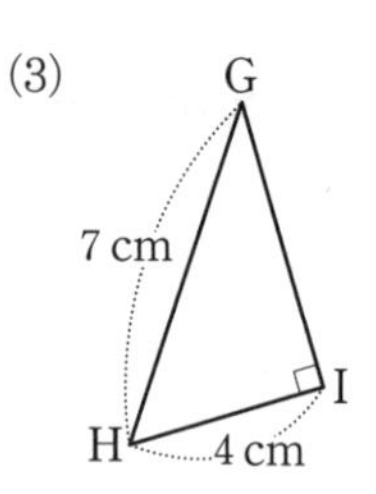

(4) 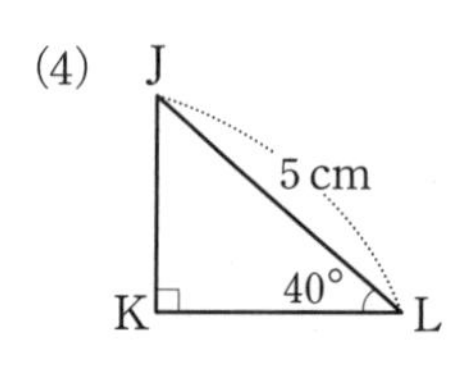

(5) 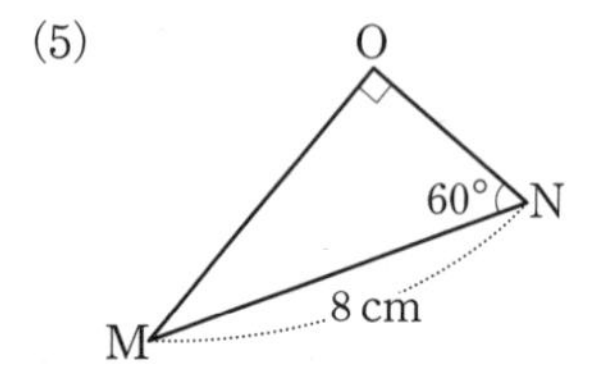

(6) 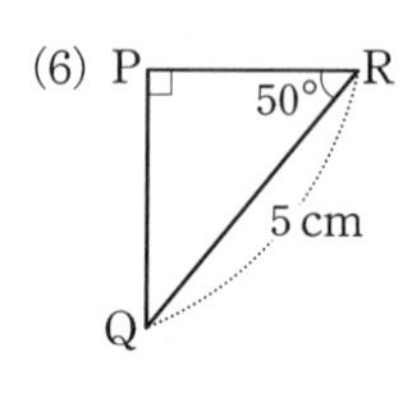

풀이 (1)－(3) 빗변의 길이와 다른 한 변의 길이가 각각 같은 두 직각삼각형 (1), (3)은 서로 합동이다.
(2)－(5) 빗변의 길이와 한 예각의 크기가 각각 같은 두 직각삼각형 (2), (5)는 서로 합동이다.
(4)－(6) (4)에서 $\angle L=40^\circ$이므로 $\angle J=50^\circ$이다. 따라서 빗변의 길이와 한 예각의 크기가 각각 같은 두 직각삼각형 (4), (6)은 서로 합동이다.

6. 오른쪽 그림과 같이 $\angle ABC=\angle BDE=90^\circ$인 두 직각삼각형 ABC와 BDE에서 $\overline{AC}$와 $\overline{BE}$의 교점을 P라고 하자. $\overline{BC}=\overline{DE}$이고 $\overline{AC}=\overline{BE}$일 때, $\angle BPC$의 크기를 구하시오. 90°

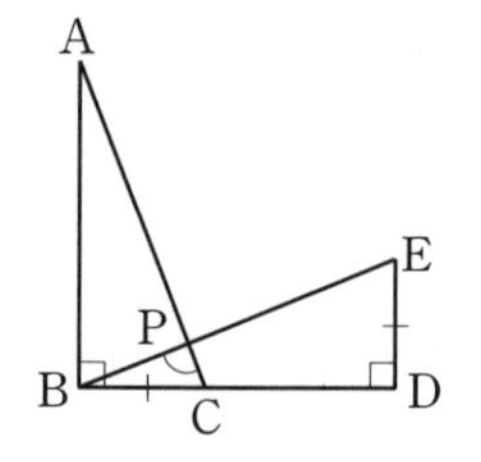

풀이 $\triangle ABC$와 $\triangle BDE$에서
$\angle ABC=\angle BDE=90^\circ$ ...... ①
$\overline{BC}=\overline{DE}$ ...... ②
$\overline{AC}=\overline{BE}$ ...... ③
이다. ①, ②, ③에서 두 직각삼각형의 빗변의 길이와 다른 한 변의 길이가 각각 같으므로 $\triangle ABC\equiv\triangle BDE$이다.
따라서 $\angle BAC=\angle DBE$이다.
이때 $\triangle PBC$에서 $\angle PBC+\angle PCB=\angle BAC+\angle ACB=90^\circ$이므로 $\angle BPC=90^\circ$이다.

생각 나누기 추론 의사소통

진우가 말하는 두 직각삼각형을 직접 그려 보고, 진우의 주장이 옳은지, 옳지 않은지 친구들과 이야기하여 보자.

| 예시 | A D B C E F

풀이 두 변의 길이가 같은 두 직각삼각형은 나머지 한 변의 길이가 다를 수 있으므로 항상 합동이라고 말할 수 없다.
그러므로 진우의 주장은 옳지 않다.
| 예시 | 그림과 같이 $\triangle ABC$와 $\triangle DEF$는 $\overline{AB}=\overline{DF}$, $\overline{BC}=\overline{EF}$이지만 서로 합동이 아니다.

스스로 점검하기

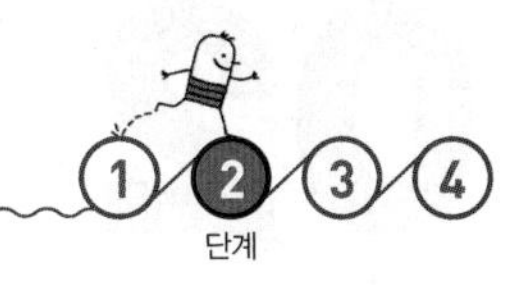

개념 점검하기

잘함 보통 모름

(1) 이등변삼각형의 두 [밑각]의 크기는 같고, 꼭지각의 이등분선은 밑변을 [수직이등분]한다.

(2) 두 내각의 크기가 같은 삼각형은 [이등변삼각형]이다.

(3) 직각삼각형의 합동 조건: 두 직각삼각형은 다음의 각 경우에 서로 합동이다.

① 빗변의 길이와 한 [예각]의 크기가 각각 같을 때

② 빗변의 길이와 다른 한 [변]의 길이가 각각 같을 때

1 ●●●

다음 그림에서 $\angle x$와 $\angle y$의 크기를 각각 구하시오.

(1)

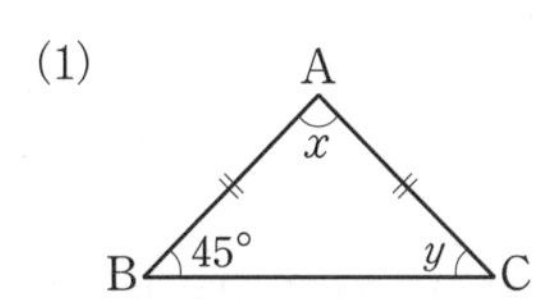

$\angle x=90°$, $\angle y=45°$

(2)

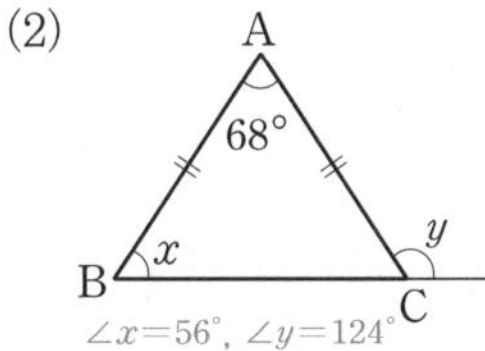

$\angle x=56°$, $\angle y=124°$

풀이 (1) 이등변삼각형의 두 밑각의 크기는 같으므로 $\angle y=45°$
삼각형의 세 내각의 크기의 합은 180°이므로
$\angle x+45°+\angle y=180°$, $\angle x+45°+45°=180°$, $\angle x=90°$
(2) 이등변삼각형의 두 밑각의 크기는 같고, 삼각형의 세 내각의 크기의 합은 180°이므로 $68°+\angle x+\angle x=180°$
$\angle x=56°$, $\angle y=180°-56°=124°$

2 ●●●

 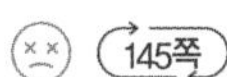

오른쪽 그림에서 $\angle x$와 $\angle y$의 크기를 각각 구하시오.

$\angle x=30°$, $\angle y=60°$

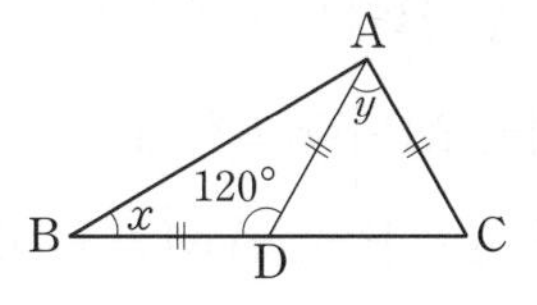

풀이 △DAB는 이등변삼각형이다. 이등변삼각형의 두 밑각의 크기는 같고, 삼각형의 세 내각의 크기의 합은 180°이므로
$\angle x+120°+\angle x=180°$, $\angle x=30°$
△ADC는 이등변삼각형이므로 $\angle ADC=\angle ACD=60°$
$\angle y=180°-2\times60°=60°$

3 ●●●

오른쪽 그림에서 x의 값을 구하시오. 9

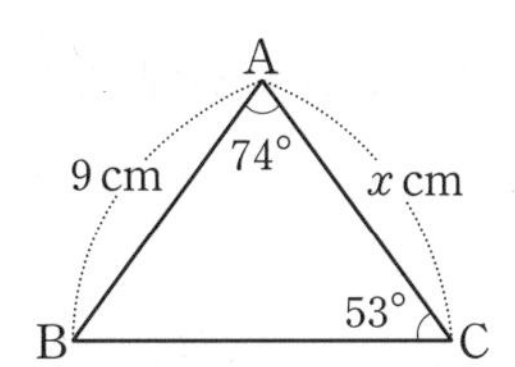

풀이 삼각형의 세 내각의 크기의 합은 180°이므로
$\angle B=180°-(74°+53°)=53°$
따라서 △ABC는 $\overline{AB}=\overline{AC}$인 이등변삼각형이므로 $x=9$

4 ●●●

다음 그림과 같은 △ABC에서 ∠A의 외각의 크기는 130°이고, $\angle ADC=50°$, $\angle ABC=25°$이다. $\overline{BD}=3$ cm일 때, $\overline{AC}$의 길이를 구하시오. 3 cm

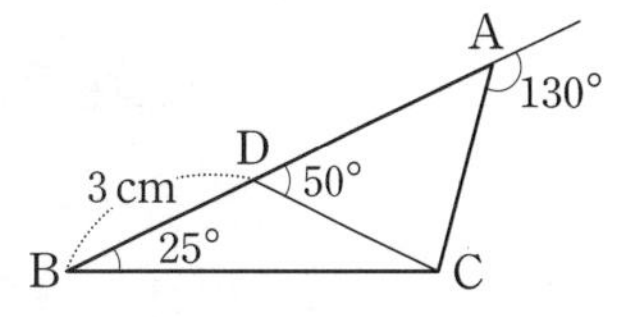

풀이 △ABC에서 ∠A의 외각의 크기가 130°이므로
$\angle CAD=180°-130°=50°$
$\angle CAD=\angle CDA$이므로 △CAD는
$\overline{CA}=\overline{CD}$인 이등변삼각형이다. …… ①
△DBC에서 ∠D의 외각의 크기가 50°이므로
$50°=\angle DBC+\angle DCB=25°+\angle DCB$, $\angle DCB=25°$
$\angle DBC=\angle DCB$이므로 △DBC는 $\overline{DB}=\overline{DC}$인 이등변삼각형이다. …… ②
①, ②에서 $\overline{DB}=\overline{DC}=\overline{CA}=3$ cm이므로 $\overline{AC}=3$ cm

5 ●●●

다음 그림에서 △ABC는 $\angle B=90°$이고 $\overline{BA}=\overline{BC}$인 직각이등변삼각형이다. 두 점 A, C에서 점 B를 지나는 직선 l에 내린 수선의 발을 각각 D, E라 하고 $\overline{AD}=5$ cm, $\overline{DE}=13$ cm일 때, $\overline{CE}$의 길이를 구하시오. 8 cm

풀이 △ABC에서 ∠B=90°이므로 $\angle ABD+\angle CBE=90°$ …… ①
△CBE에서 ∠E=90°이므로 $\angle BCE+\angle CBE=90°$ …… ②
①, ②에서 $\angle ABD=\angle BCE$이므로 △BAD≡△CBE이다.
따라서 $\overline{BE}=\overline{AD}=5$ cm이므로 $\overline{CE}=\overline{BD}=13-5=8$(cm)

삼각형의 외심과 내심

학습 목표 ∥ 삼각형의 외심과 내심의 성질을 이해하고 설명할 수 있다.

이 단원에서 배우는 용어와 기호
외심, 외접, 외접원, 접선, 접점, 접한다, 내심, 내접, 내접원

선분의 수직이등분선에는 어떤 성질이 있을까?

탐구하기

탐구 목표
선분의 수직이등분선의 성질을 이용하여 두 점에 이르는 거리가 같은 점을 찾을 수 있다.

오른쪽 그림과 같이 선분 AB의 수직이등분선 l 위의 한 점을 P, 직선 l과 선분 AB의 교점을 M이라고 할 때, 다음 물음에 답하여 보자.

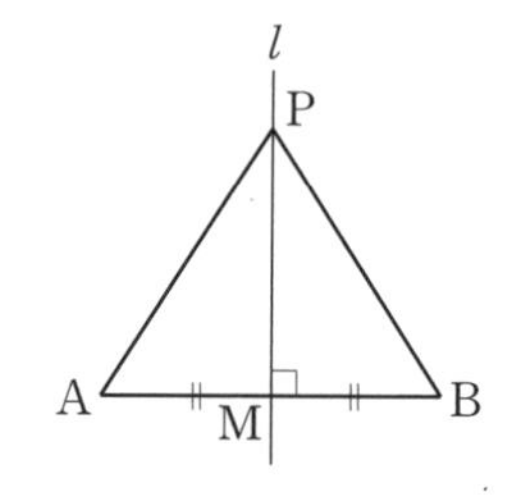

활동 1 선분 PA와 선분 PB의 길이가 같음을 설명하여 보자.

풀이 $\triangle$PAM과 $\triangle$PBM에서 $\angle PMA = \angle PMB = 90°$, $\overline{AM} = \overline{BM}$이고, $\overline{PM}$은 공통이다. 즉, 두 삼각형은 대응하는 두 변의 길이가 각각 같고, 그 끼인각의 크기가 같으므로 $\triangle PAM \equiv \triangle PBM$이다. 따라서 $\overline{PA} = \overline{PB}$이다.

활동 2 선분의 양 끝 점에서 같은 거리에 있는 점을 찾는 방법을 친구들과 이야기하여 보자.

풀이 선분 AB의 수직이등분선 위의 한 점에서 선분의 양 끝 점에 이르는 거리는 같으므로 선분의 양 끝 점에서 같은 거리에 있는 점은 그 선분의 수직이등분선 위에 있다는 것을 추측해 볼 수 있다.

탐구하기에서 $\overline{AB}$의 수직이등분선 위의 한 점 P에서 두 점 A, B에 이르는 거리는 같으므로 두 점 A, B에서 같은 거리에 있는 점은 $\overline{AB}$의 수직이등분선 위에 있다고 추측해 볼 수 있다. 이 추측이 옳은지 확인하여 보자.

오른쪽 그림과 같이 두 점 A, B에서 같은 거리에 있는 한 점을 P라 하고, $\overline{AB}$의 중점을 M이라고 하자.

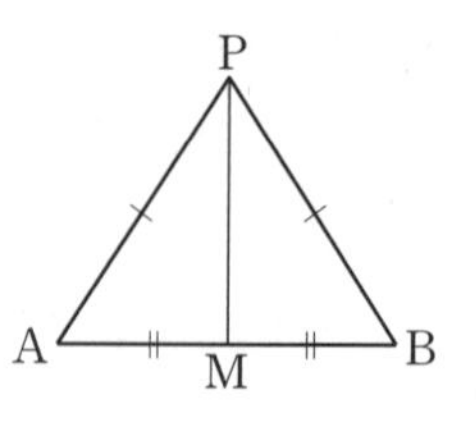

Tip 직선 l이 선분 AB의 중점 M을 지나고 선분 AB에 수직이면 직선 l은 선분 AB의 수직이등분선이다.

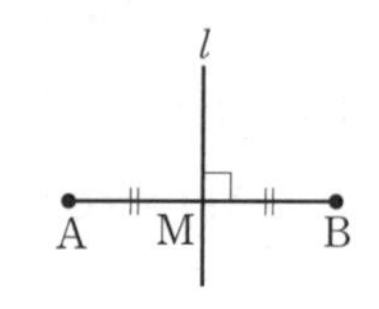

$\triangle$PAM과 $\triangle$PBM에서 $\overline{PA} = \overline{PB}$, $\overline{AM} = \overline{BM}$이고, $\overline{PM}$은 공통이다. 즉, 두 삼각형은 대응하는 세 변의 길이가 각각 같으므로 $\triangle PAM \equiv \triangle PBM$이다.

이때 $\angle PMA + \angle PMB = 180°$이고, $\angle PMA = \angle PMB$이므로

$$\angle PMA = \angle PMB = 90°$$

이다. 따라서 점 P는 $\overline{AB}$의 수직이등분선 위에 있다.

이제 선분의 수직이등분선의 성질을 이용하여 삼각형의 세 변의 수직이등분선이 만나는 점에 대하여 알아보자.

삼각형의 외심은 무엇일까?

탐구하기

탐구 목표
종이접기 활동을 통하여 삼각형에서 세 변의 수직이등분선은 한 점에서 만나고, 그 점에서 세 꼭짓점에 이르는 거리가 같음을 직관적으로 알 수 있다.

다음 순서대로 활동을 하고, 물음에 답하여 보자.

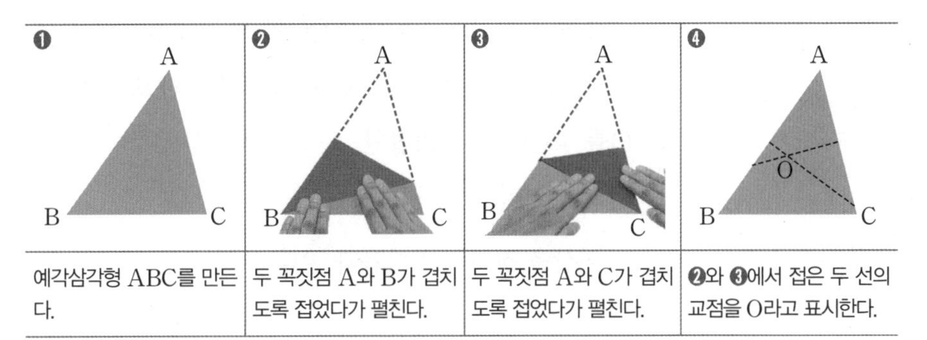

❶	❷	❸	❹
예각삼각형 ABC를 만든다.	두 꼭짓점 A와 B가 겹치도록 접었다가 펼친다.	두 꼭짓점 A와 C가 겹치도록 접었다가 펼친다.	❷와 ❸에서 접은 두 선의 교점을 O라고 표시한다.

활동 ❶ ❷와 ❸에서 접은 두 선은 각각 $\overline{AB}$, $\overline{AC}$와 어떤 관계가 있는지 말하여 보자.
풀이 ❷와 ❸에서 접은 두 선은 각각 $\overline{AB}$, $\overline{AC}$의 수직이등분선이다.

활동 ❷ 두 꼭짓점 B와 C가 겹치도록 접었다가 펼칠 때, 접은 선이 점 O를 지나는지 확인하여 보자.
풀이 두 꼭짓점 B와 C가 겹치도록 접었다가 펼치면 접은 선은 점 O를 지난다.

활동 ❸ 자 또는 컴퍼스를 이용하여 점 O에서 세 꼭짓점 A, B, C에 이르는 거리를 비교하여 보자.
풀이 자 또는 컴퍼스를 이용하면 점 O에서 세 꼭짓점 A, B, C에 이르는 거리가 같다는 것을 알 수 있다.

삼각형 ABC의 외심 O가 주어진 문제를 풀 때 외심 O에서 세 꼭짓점에 이르는 보조선을 그은 후 다음 성질을 이용한다.
① 외심 O는 세 변의 수직이등분선의 교점이다.
② 외심 O에서 세 꼭짓점에 이르는 거리는 같다.
③ △ABO, △BCO, △CAO는 모두 이등변삼각형이다.

탐구하기 의 삼각형에서 세 변의 수직이등분선은 한 점에서 만나고, 그 점에서 세 꼭짓점에 이르는 거리가 같음을 알 수 있다. 이 성질이 항상 성립하는지 확인하여 보자.

오른쪽 그림과 같은 △ABC에서 $\overline{AB}$와 $\overline{AC}$의 수직이등분선의 교점을 O라고 하자. 점 O는 $\overline{AB}$, $\overline{AC}$의 수직이등분선 위에 있으므로

$$\overline{OA}=\overline{OB}=\overline{OC}$$

이다. 즉, 점 O에서 세 꼭짓점에 이르는 거리는 같다.

A O B C

한편, 점 O에서 $\overline{BC}$에 내린 수선의 발을 D라고 하자.
두 직각삼각형 BOD와 COD에서 $\overline{OD}$는 공통이고, $\overline{OB}=\overline{OC}$이다. 즉, 두 직각삼각형의 빗변의 길이와 다른 한 변의 길이가 각각 같으므로 △BOD≡△COD이다.
따라서 $\overline{BD}=\overline{CD}$이므로 $\overline{OD}$는 $\overline{BC}$의 수직이등분선이다. 즉, △ABC의 세 변의 수직이등분선은 한 점에서 만난다.

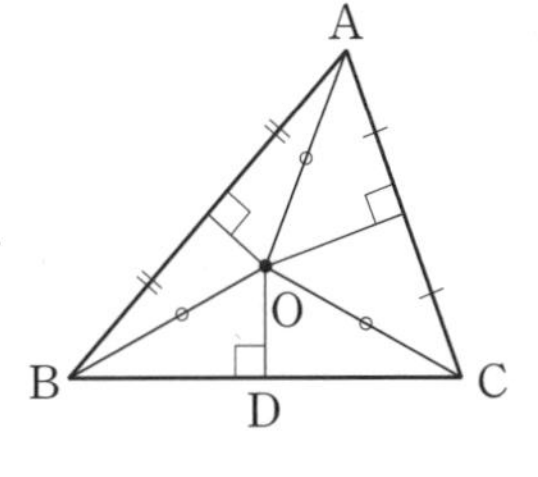

삼각형 ABC의 외심 O와 관련된 다음 사항을 기억한다.
① (뜻) 외접원의 중심이다.
② (작도) 세 변의 수직이등분선의 교점이다.
③ (성질) 외심에서 세 꼭짓점에 이르는 거리는 같다.

$\triangle$ABC의 세 변의 수직이등분선은 한 점에서 만나고, 그 점에서 삼각형의 세 꼭짓점에 이르는 거리가 모두 같으므로 삼각형의 세 꼭짓점을 지나는 원 O를 그릴 수 있다.

오른쪽 그림과 같이 $\triangle$ABC의 세 꼭짓점이 원 O 위에 있을 때, 원 O는 $\triangle$ABC에 **외접**한다고 하며, 원 O를 $\triangle$ABC의 **외접원**, 외접원의 중심 O를 $\triangle$ABC의 **외심**이라고 한다.

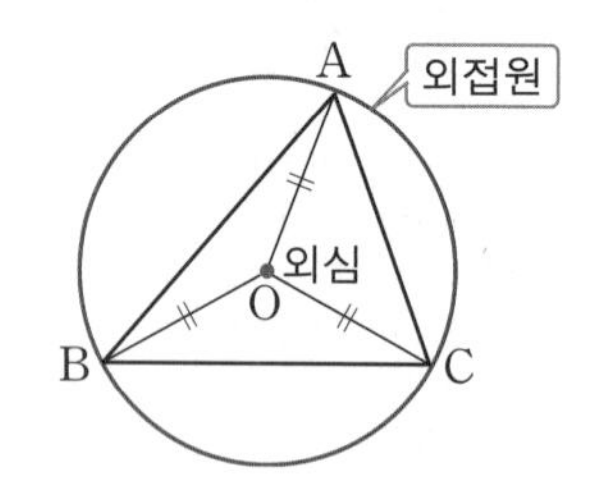

이상을 정리하면 다음과 같다.

삼각형의 외심

1. 삼각형의 세 변의 수직이등분선은 한 점(외심)에서 만난다.
2. 삼각형의 외심에서 세 꼭짓점에 이르는 거리는 같다.

1. 오른쪽 그림에서 점 O가 $\triangle$ABC의 외심일 때, 다음을 구하시오.

(1) $\overline{OB}$의 길이 5 cm
(2) $\angle$OCB의 크기 15°
(3) $\angle$OAC의 크기 40°

풀이 (1) 점 O는 $\triangle$ABC의 외심이므로 $\overline{OB}=\overline{OA}=5$ cm
(2) $\triangle$OBC에서 $\overline{OB}=\overline{OC}$이므로 $\triangle$OBC는 이등변삼각형이다. 즉, $\angle OCB=\angle OBC=15°$
(3) $\triangle$OAB에서 $\overline{OA}=\overline{OB}$이므로 $\triangle$OAB는 이등변삼각형이다. 즉, $\angle OBA=\angle OAB=35°$
$\triangle$ABC의 세 내각의 크기의 합은 180°이므로
$\angle OAC+\angle OCA=180°-(35°+35°+15°+15°)=80°$
$\triangle$OAC에서 $\overline{OA}=\overline{OC}$이므로 $\triangle$OAC는 이등변삼각형이다.
즉, $\angle OAC=\angle OCA=\frac{1}{2}\times 80°=40°$

각의 이등분선에는 어떤 성질이 있을까?

탐구하기

탐구 목표
각의 이등분선의 성질을 이용하여 두 변에 이르는 거리가 같은 점을 찾을 수 있다.

오른쪽 그림과 같이 $\angle$XOY의 이등분선 위의 한 점 P에서 반직선 OX와 OY에 내린 수선의 발을 각각 A, B라고 할 때, 다음 물음에 답하여 보자.

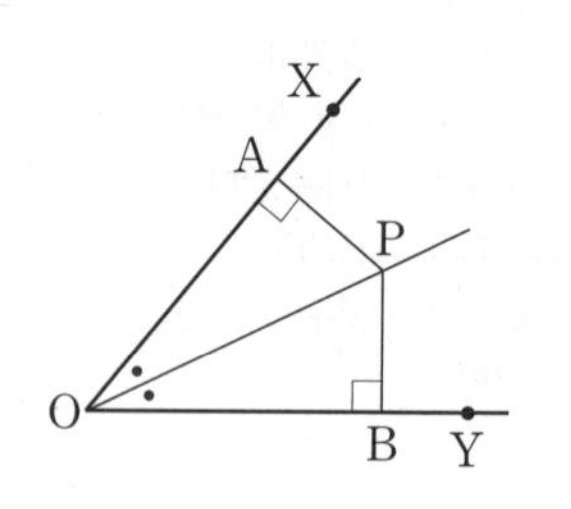

활동 1 선분 PA와 선분 PB의 길이가 같음을 설명하여 보자.

풀이 두 직각삼각형 POA와 POB에서 $\overline{PO}$는 공통이고, $\angle POA=\angle POB$이다.
즉, 두 직각삼각형은 빗변의 길이와 한 예각의 크기가 각각 같으므로 $\triangle POA\equiv\triangle POB$이다. 따라서 $\overline{PA}=\overline{PB}$이다.

활동 2 각의 두 변에서 같은 거리에 있는 점을 찾는 방법을 친구들과 이야기하여 보자.

풀이 $\angle$XOY의 이등분선 위의 한 점에서 그 각의 두 변에 이르는 거리는 같으므로 각의 두 변에서 같은 거리에 있는 점은 그 각의 이등분선 위에 있음을 추측해 볼 수 있다.

탐구하기 에서 $\angle$XOY의 이등분선 위의 한 점 P에서 두 변 OX, OY에 이르는 거리는 같으므로 두 변 OX, OY에서 같은 거리에 있는 점은 $\angle$XOY의 이등분선 위에 있다고 추측해 볼 수 있다. 이 추측이 옳은지 확인하여 보자.

이전 내용 톡톡

점 P에서 직선 l에 내린 수선의 발을 H라고 할 때, 선분 PH의 길이를 점 P와 직선 l 사이의 거리라고 한다.

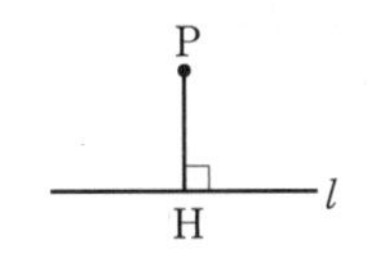

오른쪽 그림과 같이 $\angle XOY$의 두 변에서 같은 거리에 있는 한 점을 P라 하고, 점 P에서 $\angle XOY$의 두 변에 내린 수선의 발을 각각 A, B라고 하자.

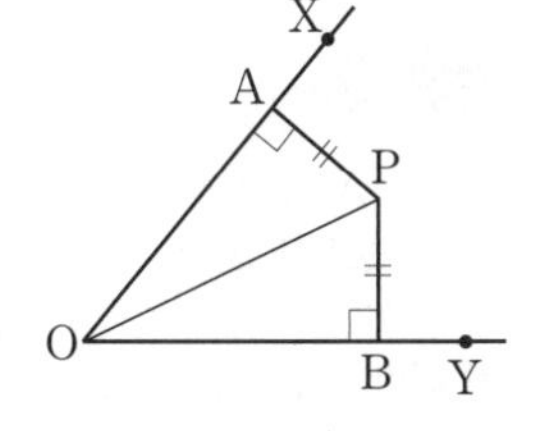

두 직각삼각형 POA와 POB에서 $\overline{PO}$는 공통이고, $\overline{PA}=\overline{PB}$이다. 즉, 두 직각삼각형은 빗변의 길이와 다른 한 변의 길이가 각각 같으므로 $\triangle POA \equiv \triangle POB$이다. 이때

$$\angle POA = \angle POB$$

이다. 따라서 점 P는 $\angle XOY$의 이등분선 위에 있다.

이제 각의 이등분선의 성질을 이용하여 삼각형의 세 각의 이등분선이 만나는 점에 대하여 알아보자.

삼각형의 내심은 무엇일까?

탐구하기

탐구 목표
종이접기 활동을 통하여 삼각형에서 세 내각의 이등분선은 한 점에서 만나고, 그 점에서 세 변에 이르는 거리가 같음을 직관적으로 알 수 있다.

다음 순서대로 활동을 하고, 물음에 답하여 보자.

❶	❷	❸	❹
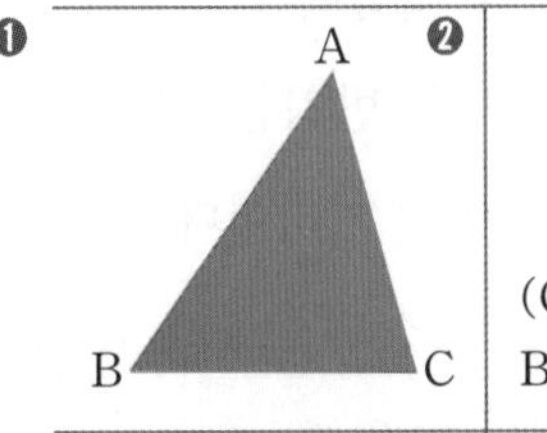	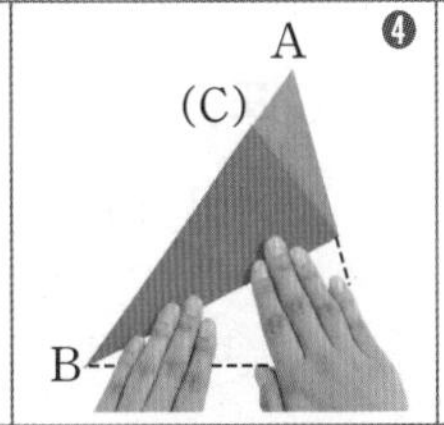	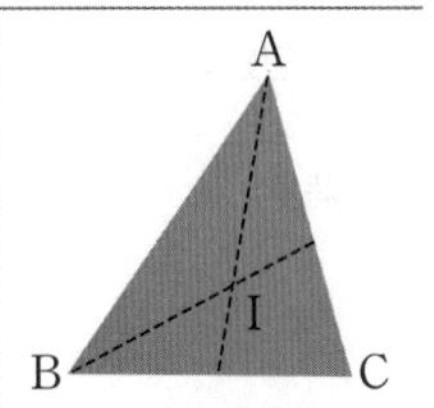	A, B, C, I
예각삼각형 ABC를 만든다.	두 변 AB와 AC가 겹치도록 접었다가 펼친다.	두 변 AB와 BC가 겹치도록 접었다가 펼친다.	❷와 ❸에서 접은 두 선의 교점을 I라고 표시한다.

활동 ❶ ❷와 ❸에서 접은 두 선은 각각 $\angle A$, $\angle B$와 어떤 관계가 있는지 말하여 보자.

풀이 ❷와 ❸에서 접은 두 선은 각각 $\angle A$, $\angle B$의 이등분선이다.

활동 ❷ 두 변 AC와 BC가 겹치도록 접었다가 펼칠 때, 접은 선이 점 I를 지나는지 확인하여 보자.

풀이 두 변 AC와 BC가 겹치도록 접었다가 펼치면 접은 선은 점 I를 지난다.

활동 ❸ 자 또는 컴퍼스를 이용하여 점 I에서 세 변 AB, BC, CA에 이르는 거리를 비교하여 보자.

풀이 점 I에서 세 변 AB, BC, CA에 내린 수선의 발을 각각 D, E, F라고 할 때, 자 또는 컴퍼스를 이용하면 점 I에서 세 점 D, E, F에 이르는 거리가 같다는 것을 알 수 있다.

탐구하기의 삼각형에서 세 내각의 이등분선은 한 점에서 만나고, 그 점에서 세 변에 이르는 거리가 같음을 알 수 있다. 이 성질이 항상 성립하는지 확인하여 보자.

개념 쏙

삼각형 ABC의 내심 I가 주어진 문제를 풀 때 내심 I에서 세 변 AB, BC, CA에 내린 수선의 발을 각각 D, E, F로 표시한 후 다음 성질을 이용한다.

① 내심 I는 세 내각의 이등분선의 교점이다.
② 내심 I에서 세 변에 이르는 거리는 같다.
③ △ADI≡△AFI, △BDI≡△BEI, △CEI≡△CFI

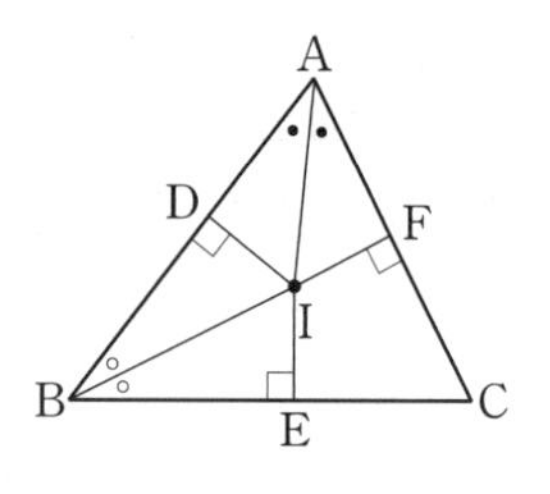

오른쪽 그림과 같은 △ABC에서 ∠A와 ∠B의 이등분선의 교점을 I라 하고, 점 I에서 세 변 AB, BC, CA에 내린 수선의 발을 각각 D, E, F라고 하자.

점 I는 ∠A, ∠B의 이등분선 위에 있으므로

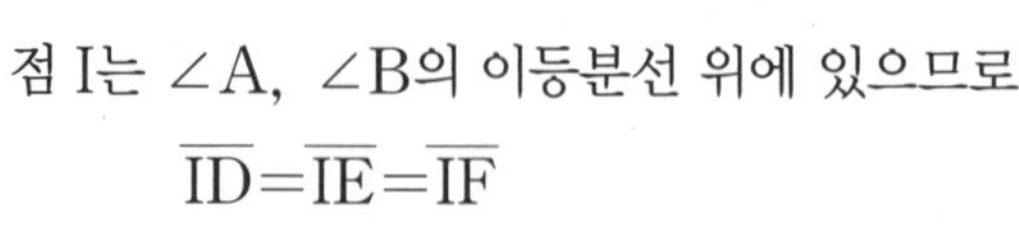

$$\overline{ID}=\overline{IE}=\overline{IF}$$

이다. 즉, 점 I에서 세 변에 이르는 거리는 같다.

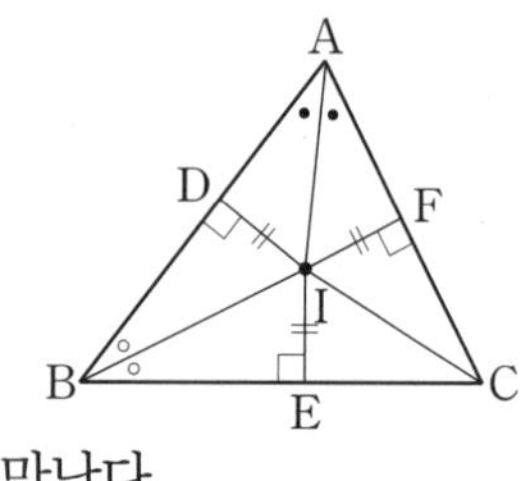

한편, 두 직각삼각형 ICE와 ICF에서 $\overline{IC}$는 공통이고, $\overline{IE}=\overline{IF}$이다. 즉, 두 직각삼각형의 빗변의 길이와 다른 한 변의 길이가 각각 같으므로 △ICE≡△ICF이다.

따라서 ∠ICE=∠ICF이므로 $\overline{IC}$는 ∠C의 이등분선이다. 즉, △ABC의 세 내각의 이등분선은 한 점에서 만난다.

개념 쏙

원과 직선의 위치 관계

① 서로 다른 두 점에서 만난다.
② 한 점에서 만난다(접한다).
③ 만나지 않는다.

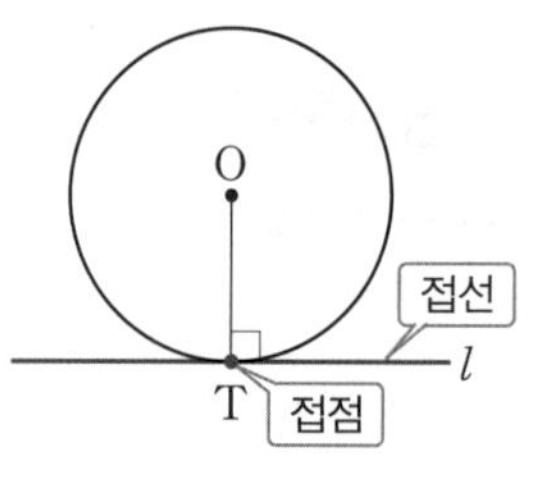

오른쪽 그림과 같이 직선 l이 원 O와 한 점 T에서 만날 때, 직선 l은 원 O에 **접한다**고 한다. 이때 직선 l을 원 O의 **접선**이라 하고, 점 T를 **접점**이라고 한다.

또, 원 O의 접선 l은 접점을 지나는 반지름 OT에 수직이며, $\overline{OT}$는 점 O와 직선 l 사이의 거리이다.

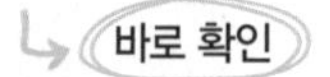

오른쪽 그림에서 $\overline{AB}$는 원 O의 접선이고, 점 B는 그 접점이다. ∠AOB=70°일 때, ∠A=[20]°이다.

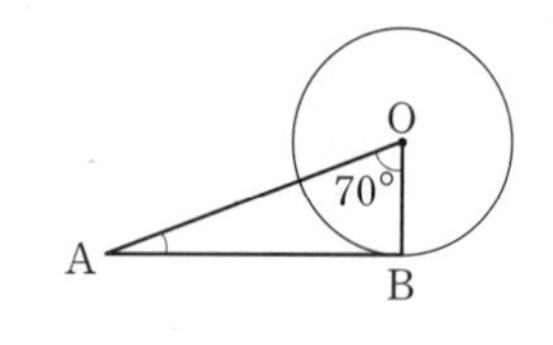

삼각형 ABC의 내심 I와 관련된 다음 사항을 기억한다.

① (뜻) 내접원의 중심이다.
② (작도) 세 내각의 이등분선의 교점이다.
③ (성질) 내심에서 세 변에 이르는 거리는 같다.

△ABC의 세 내각의 이등분선은 한 점에서 만나고, 그 점에서 삼각형의 세 변에 이르는 거리가 모두 같으므로 삼각형의 세 변에 접하는 원 I를 그릴 수 있다.

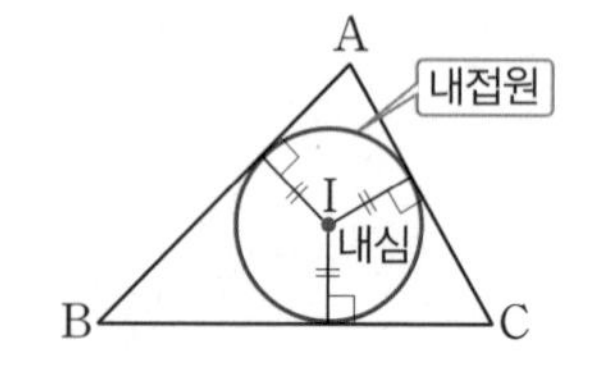

오른쪽 그림과 같이 △ABC의 세 변이 원 I에 접할 때, 원 I는 △ABC에 **내접**한다고 하며, 원 I를 △ABC의 **내접원**, 내접원의 중심 I를 △ABC의 **내심**이라고 한다.

이상을 정리하면 다음과 같다.

삼각형의 내심

1. 삼각형의 세 내각의 이등분선은 한 점(내심)에서 만난다.
2. 삼각형의 내심에서 세 변에 이르는 거리는 같다.

2. 오른쪽 그림에서 점 I가 △ABC의 내심이고, 점 I에서 $\overline{AB}$, $\overline{BC}$에 내린 수선의 발을 각각 D, E라고 할 때, 다음을 구하시오.

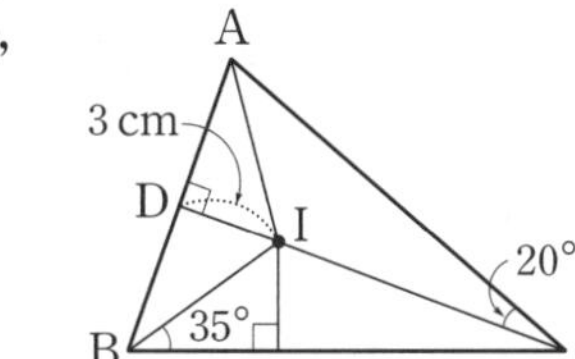

(1) $\overline{IE}$의 길이 3 cm

(2) ∠ICE의 크기 20°

(3) ∠IAD의 크기 35°

풀이 (1) 점 I는 △ABC의 내심이므로 $\overline{IE}=\overline{ID}=3$ cm
(2) $\overline{CI}$는 ∠C의 이등분선이므로 ∠ICE=∠ICA=20°
(3) $\overline{BI}$는 ∠B의 이등분선이므로 ∠IBD=∠IBE=35°
△ABC의 세 내각의 크기의 합은 180°이므로 ∠A=180°−(20°+20°+35°+35°)=70°
$\overline{AI}$는 ∠A의 이등분선이므로 $\angle IAD=\frac{1}{2}\times\angle A=\frac{1}{2}\times70°=35°$

3. 다음 그림을 보고, 삼각형의 외심과 내심의 성질을 설명하시오.

(1) 점 O가 △ABC의 외심일 때,
$\angle x+\angle y+\angle z=90°$이다.

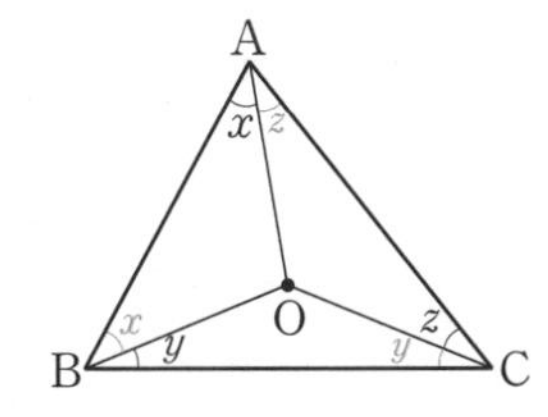

(2) 점 I가 △ABC의 내심일 때,
$\angle x+\angle y+\angle z=90°$이다.

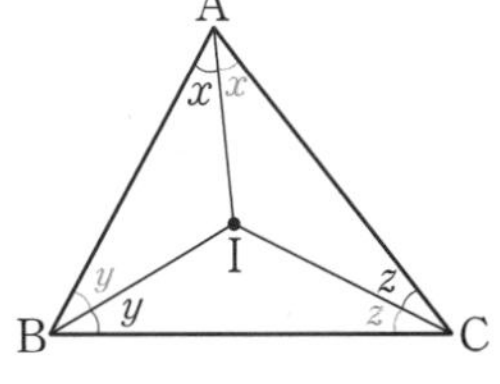

풀이 (1) 점 O가 △ABC의 외심이므로
∠OAB=∠OBA=∠x, ∠OBC=∠OCB=∠y,
∠OCA=∠OAC=∠z이고,
△ABC의 세 내각의 크기의 합은 180°이므로
$2\times(\angle x+\angle y+\angle z)=180°$
따라서 $\angle x+\angle y+\angle z=90°$이다.

(2) 점 I가 △ABC의 내심이므로
∠IAB=∠IAC=∠x, ∠IBC=∠IBA=∠y,
∠ICA=∠ICB=∠z이고,
△ABC의 세 내각의 크기의 합은 180°이므로
$2\times(\angle x+\angle y+\angle z)=180°$
따라서 $\angle x+\angle y+\angle z=90°$이다.

생각 나누기 추론 의사소통

다음은 삼각형의 외심과 내심에 대한 두 학생의 설명이다. 두 학생의 설명을 완성하여 보자.

풀이 |예시| 예지: 이등변삼각형에서 꼭지각의 이등분선은 밑변을 수직이등분한다. 따라서 이등변삼각형은 꼭지각의 이등분선과 밑변의 수직이등분선이 서로 일치하므로 이등변삼각형의 외심과 내심은 꼭지각의 이등분선 위에 있다.

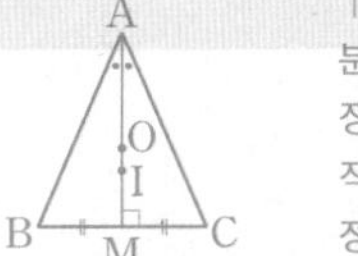

|예시| 동윤: 정삼각형에서 세 내각의 이등분선은 각각의 대변을 수직이등분한다. 따라서 정삼각형은 세 내각의 이등분선과 세 변의 수직이등분선이 서로 일치하므로 이들의 교점인 정삼각형의 외심과 내심은 일치한다.

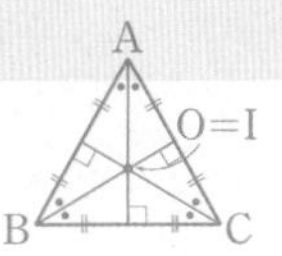

스스로 점검하기

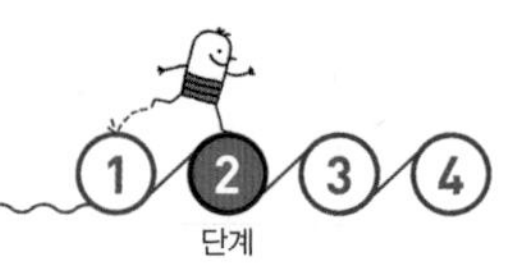

개념 점검하기

잘함 보통 모름

(1) 삼각형의 세 꼭짓점이 모두 한 원 위에 있을 때, 그 원은 삼각형에 [외접] 한다고 한다.
이때 그 원을 삼각형의 [외접원] 이라 하고, 원의 중심을 그 삼각형의 [외심] 이라고 한다.

(2) 삼각형의 세 변이 한 원에 접할 때, 그 원은 삼각형에 [내접] 한다고 한다.
이때 그 원을 삼각형의 [내접원] 이라 하고, 원의 중심을 그 삼각형의 [내심] 이라고 한다.

1 ●●● 

다음 그림과 같이 $\triangle ABC$에서 $\overline{AB}$와 $\overline{BC}$의 수직이등분선의 교점을 O라 하고, 점 O에서 $\overline{AC}$에 내린 수선의 발을 D라고 하자. $\overline{CD}=3$ cm일 때, $\overline{AD}$의 길이를 구하시오.

3 cm

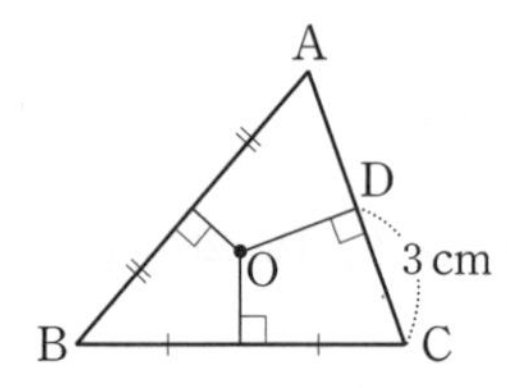

풀이 점 O가 $\triangle ABC$의 외심이므로 $\overline{OD}$는 $\overline{AC}$의 수직이등분선이다.
따라서 $\overline{AD}=\overline{CD}=3$ cm

2 ●●●  

다음 그림에서 점 O가 $\triangle ABC$의 외심일 때, $\angle x$의 크기를 구하시오.

(1)

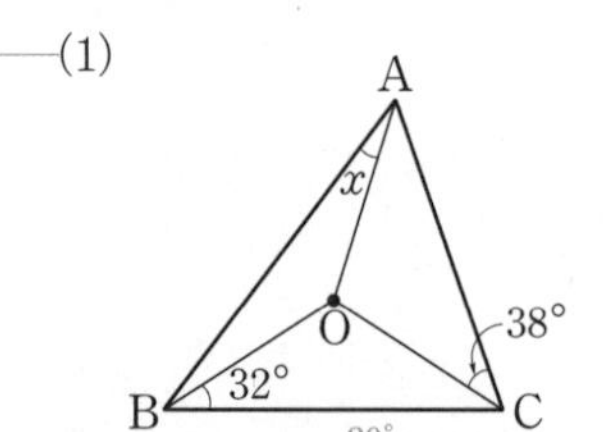

20°

풀이 (1) $\angle OBA=\angle x$, $\angle OCB=32°$, $\angle OAC=38°$이고,
$\triangle ABC$의 세 내각의 크기의 합은 $180°$이므로
$2\times(\angle x+32°+38°)=180°$, $2\times\angle x=40°$
따라서 $\angle x=20°$이다.

(2)

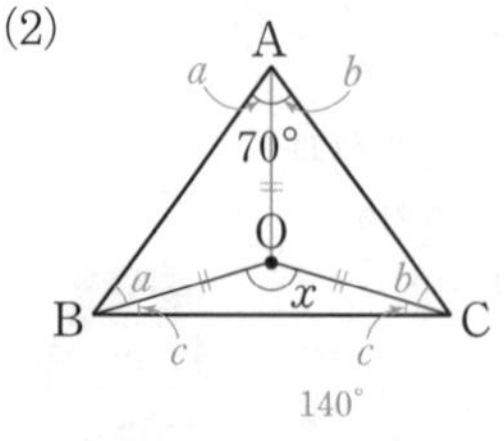

140°

풀이 (2) 위의 그림과 같이 $\overline{OA}$를 그으면 $\overline{OA}=\overline{OB}=\overline{OC}$이므로
$\angle OAB=\angle OBA=\angle a$, $\angle OAC=\angle OCA=\angle b$, $\angle OBC=\angle OCB=\angle c$
라고 하자. $\angle a+\angle b=70°$이고, $\triangle ABC$의 세 내각의 크기의 합은 $180°$이므로
$2\times 70°+2\times\angle c=180°$
따라서 $\triangle OBC$에서 $\angle x=180°-2\times\angle c=2\times 70°=140°$이다.

3 ●●● 

다음 그림에서 점 I가 $\triangle ABC$의 내심일 때, $\angle x$의 크기를 구하시오.

(1)

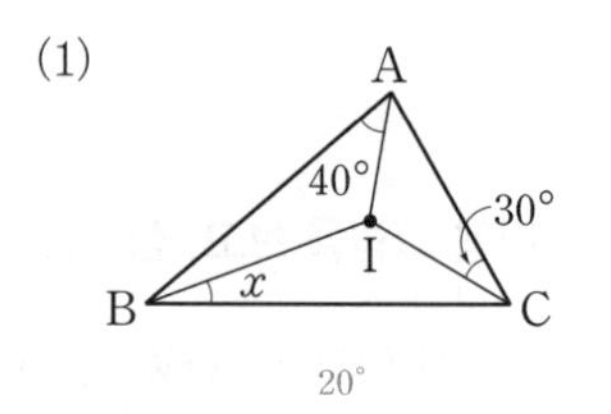

20°

(2)

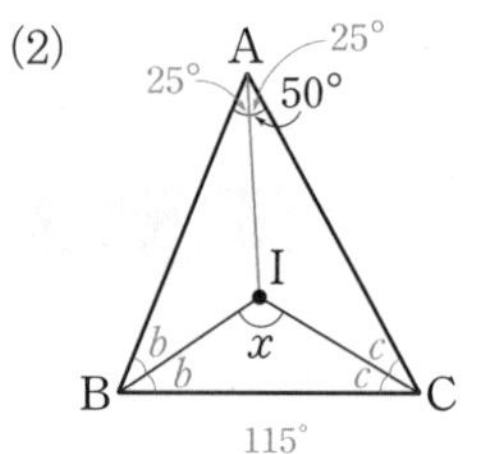

115°

풀이 (1) $\angle IAC=40°$, $\angle IBA=\angle x$, $\angle ICB=30°$이고, $\triangle ABC$의 세 내각의 크기의 합은 $180°$이므로 $2\times(\angle x+30°+40°)=180°$, $2\times\angle x=40°$
따라서 $\angle x=20°$이다.
(2) 위의 그림과 같이 $\overline{IA}$를 그으면 $\angle IAB=\angle IAC=25°$이고,
$\angle IBA=\angle IBC=\angle b$, $\angle ICB=\angle ICA=\angle c$라고 하자.
$\triangle ABC$의 세 내각의 크기의 합은 $180°$이므로
$50°+2\times\angle b+2\times\angle c=180°$, $\angle b+\angle c=65°$
따라서 $\triangle IBC$에서 $\angle x=180°-(\angle b+\angle c)=180°-65°=115°$이다.

4 ●●●  

오른쪽 그림에서 점 I가 $\triangle ABC$의 내심일 때, 다음 보기 중에서 옳은 것을 모두 고르시오.

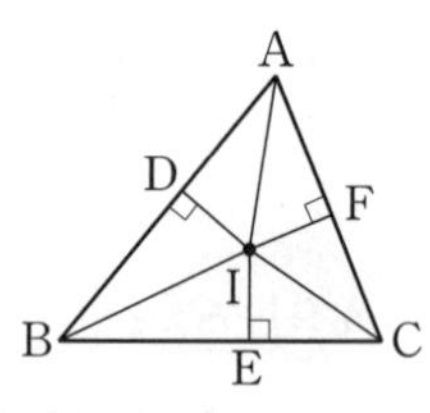

보기

ㄱ. $\overline{AD}=\overline{AF}$	ㄴ. $\overline{AD}=\overline{BD}$
ㄷ. $\overline{IA}=\overline{IB}=\overline{IC}$	ㄹ. $\overline{ID}=\overline{IE}=\overline{IF}$
ㅁ. $\angle IAD=\angle IBD$	ㅂ. $\angle IBD=\angle IBE$

풀이 삼각형의 내심은 세 내각의 이등분선의 교점이고, 삼각형의 내심에서 세 변에 이르는 거리는 같다.
따라서 옳은 것은 ㄱ, ㄹ, ㅂ이다.

외심과 내심의 위치를 찾아라!

삼각형의 외심은 두 변의 수직이등분선의 교점으로 찾을 수 있고, 삼각형의 내심은 두 내각의 이등분선의 교점으로 찾을 수 있다. 공학적 도구를 이용하여 삼각형의 외심과 내심의 위치를 확인하여 보자.

풀이 〈외접원〉

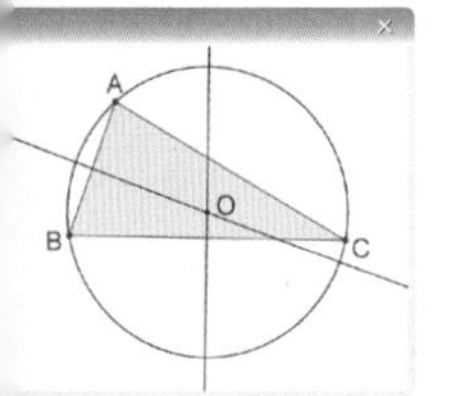

❶ 중심이 있고 한 점을 지나는 원 도구로 점 O를 중심으로 하고 점 A를 지나는 원을 그린다.
이때 원 O는 △ABC에 외접하므로 외접원이다.

공학적 도구로 외심 찾기

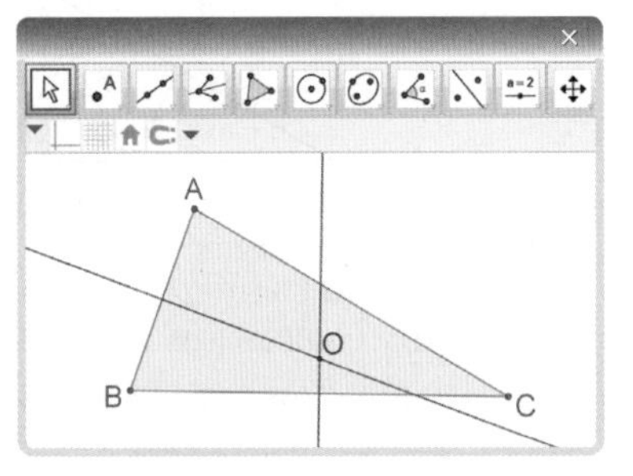

❶ 다각형 도구로 △ABC를 그린다.

❷ 수직이등분선 도구로 $\overline{AB}$, $\overline{BC}$의 수직이등분선을 그린다.

❸ 교점 도구로 ❷의 두 직선의 교점을 O로 놓는다.

공학적 도구로 내심 찾기

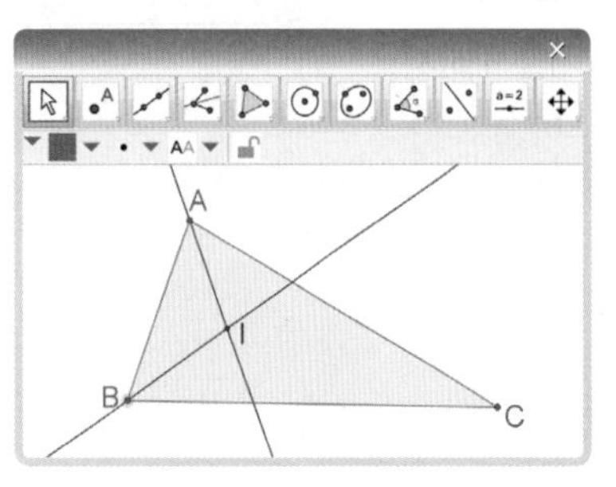

❶ 다각형 도구로 △ABC를 그린다.

❷ 각의 이등분선 도구로 ∠A, ∠B의 이등분선을 그린다.

❸ 교점 도구로 ❷의 두 직선의 교점을 I로 놓는다.

풀이 〈내접원〉

❶ 수직선 도구로 점 I에서 $\overline{BC}$로 수직선을 그린다.
❷ 교점 도구로 $\overline{BC}$와 직선 ❶의 교점을 점 D로 놓는다.
❸ 중심이 있고 한 점을 지나는 원 도구로 점 I를 중심으로 하고 점 D를 지나는 원을 그린다.
이때 원 I는 △ABC에 내접하므로 내접원이다.

활동 ① 점 O를 중심으로 △ABC의 외접원을 그려 보고, 외심의 성질을 확인하여 보자. 또, 점 A를 움직이면서 이 성질이 삼각형의 모양에 관계없이 항상 성립하는지 알아보자.

풀이 외심의 성질 – $\overline{CA}$의 수직이등분선은 외심 O를 지난다.
– 외심 O에서 삼각형의 세 꼭짓점에 이르는 거리는 같다.

활동 ② 점 I를 중심으로 △ABC의 내접원을 그려 보고, 내심의 성질을 확인하여 보자. 또, 점 A를 움직이면서 이 성질이 삼각형의 모양에 관계없이 항상 성립하는지 알아보자.

풀이 내심의 성질 – ∠C의 이등분선은 내심 I를 지난다.
– 내심 I에서 삼각형의 세 변에 이르는 거리는 같다.

활동 ③ 예각삼각형, 직각삼각형, 둔각삼각형의 외심과 내심의 위치를 확인하고 친구에게 그 위치를 설명하여 보자.

풀이

〈예각삼각형〉 〈직각삼각형〉 〈둔각삼각형〉

예각삼각형의 외심은 삼각형의 내부에, 직각삼각형의 외심은 빗변의 중점에, 둔각삼각형의 외심은 삼각형의 외부에 위치한다. 한편, 모든 삼각형의 내심은 삼각형의 내부에 위치한다.

| 상호 평가표 |

평가 내용		자기 평가			친구 평가		
		😄	😊	😵	😄	😊	😵
내용	삼각형의 외접원과 내접원을 그려 보고, 외심과 내심의 성질을 확인할 수 있다.						
	예각삼각형, 직각삼각형, 둔각삼각형의 외심과 내심의 위치를 설명할 수 있다.						
태도	관심과 흥미를 가지고 공학적 도구를 활용하였다.						

스스로 확인하기

1. 오른쪽 그림과 같이 $\overline{AB}=\overline{AC}$인 이등변삼각형 ABC에서 $\overline{CB}=\overline{CD}$가 되도록 $\overline{AB}$ 위에 점 D를 잡았다. $\angle A=40°$일 때, $\angle ADC$의 크기를 구하시오. 110°

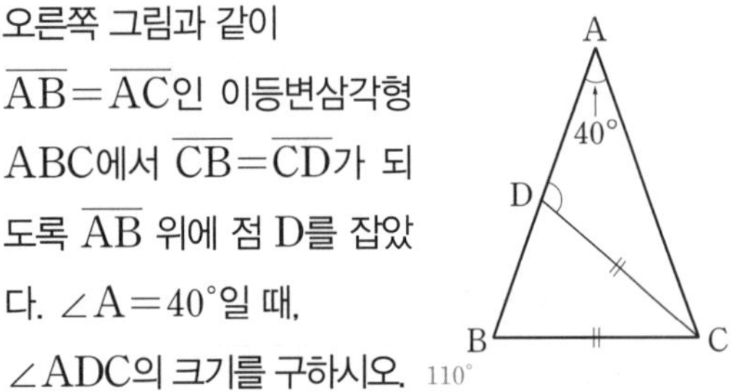

풀이 $\triangle ABC$에서 $\overline{AB}=\overline{AC}$이므로 $\angle B=\angle C=\frac{1}{2}\times(180°-40°)=70°$
$\triangle CBD$에서 $\overline{CB}=\overline{CD}$이므로 $\angle CDB=\angle B=70°$
따라서 $\angle ADC=180°-\angle CDB=180°-70°=110°$이다.

2. 오른쪽 그림과 같이 $\overline{AB}=\overline{AC}$인 이등변삼각형 ABC에서 $\overline{DE}$를 접는 선으로 하여 점 A와 점 B가 겹치도록 접었다. $\angle DBC=15°$일 때, $\angle C$의 크기를 구하시오. 65°

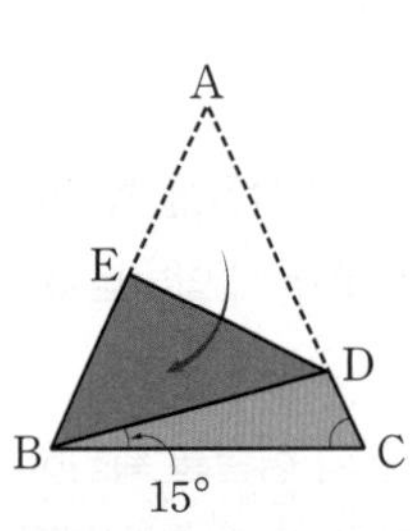

풀이 $\angle A=\angle x$라고 하면 $\angle DBE=\angle x$
$\triangle ABC$에서 $\overline{AB}=\overline{AC}$이므로
$\angle C=\angle B=\angle DBE+\angle DBC=\angle x+15°$
$\triangle ABC$에서 $\angle x+(\angle x+15°)+(\angle x+15°)=180°$
$3\times\angle x+30°=180°$, $\angle x=50°$
따라서 $\angle C=\angle x+15°=65°$이다.

3. 다음 그림에서 $\triangle ABC$는 $\angle C=90°$인 직각삼각형이다. $\overline{AB}=2\overline{AC}$이고, $\overline{AB}$의 중점을 M, $\overline{AB}$의 수직이등분선과 $\overline{BC}$의 교점을 D라고 할 때, $\angle DAC$의 크기를 구하시오. 30°

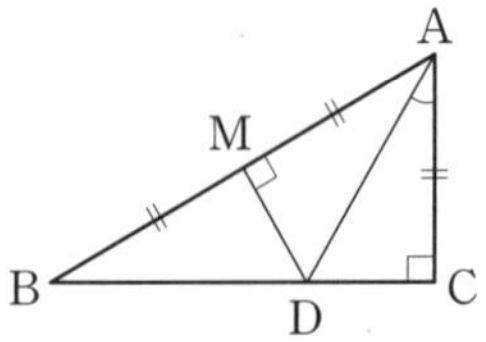

풀이 $\angle DAC=\angle x$라고 하자.
$\triangle ADM\equiv\triangle ADC$이므로 $\angle DAM=\angle DAC=\angle x$
또, $\triangle ADM\equiv\triangle BDM$이므로 $\angle DBM=\angle DAM=\angle x$
따라서 $\triangle ABC$에서 $3\times\angle x+90°=180°$, $\angle x=30°$

4. 오른쪽 그림에서 점 O가 $\triangle ABC$의 외심일 때, 다음 보기 중에서 옳은 것을 모두 고르시오.

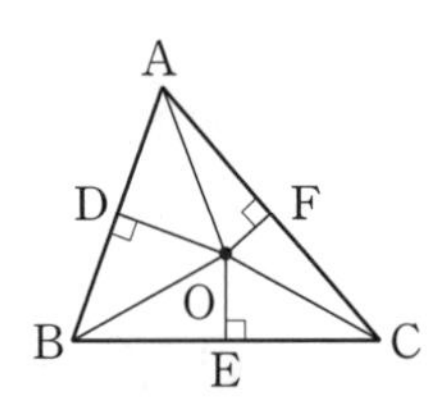

보기

ㄱ. $\overline{AD}=\overline{AF}$　　ㄴ. $\overline{AD}=\overline{BD}$
ㄷ. $\overline{OA}=\overline{OC}$　　ㄹ. $\overline{OE}=\overline{OF}$
ㅁ. $\angle OAD=\angle OBD$
ㅂ. $\angle OBD=\angle OBE$

풀이 삼각형의 외심은 세 변의 수직이등분선의 교점이고, 삼각형의 외심에서 세 꼭짓점에 이르는 거리는 같다.
따라서 옳은 것은 ㄴ, ㄷ, ㅁ이다.

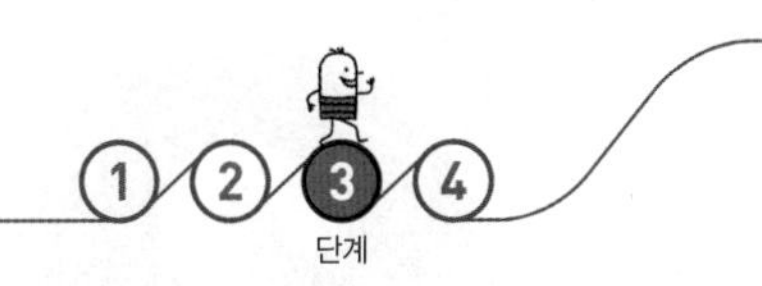

5. 다음 그림과 같이 $\triangle ABC$의 내심 I를 지나고 $\overline{BC}$에 평행한 직선이 $\overline{AB}$, $\overline{AC}$와 만나는 점을 각각 D, E라고 하자. $\overline{AB}=4$ cm, $\overline{BC}=7$ cm, $\overline{AC}=6$ cm일 때, $\triangle ADE$의 둘레의 길이를 구하시오. 10 cm

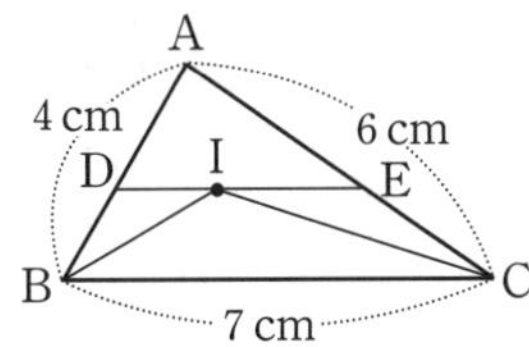

풀이 점 I는 $\triangle ABC$의 내심이므로 $\angle IBD=\angle IBC$, $\angle ICB=\angle ICE$
$\overline{DE} /\!/ \overline{BC}$이므로 $\angle DIB=\angle IBC$, $\angle EIC=\angle ICB$(엇각)
따라서 $\triangle DBI$와 $\triangle ECI$는 이등변삼각형이므로 $\overline{DB}=\overline{DI}$, $\overline{EC}=\overline{EI}$
따라서 $\triangle ADE$의 둘레의 길이는

$$\begin{aligned}\overline{AD}+\overline{DE}+\overline{EA}&=\overline{AD}+\overline{DI}+\overline{IE}+\overline{EA}\\&=\overline{AD}+\overline{DB}+\overline{EC}+\overline{EA}=\overline{AB}+\overline{AC}\\&=4+6=10(\text{cm})\end{aligned}$$

이다.

6. 오른쪽 그림에서 두 점 O와 I는 각각 $\triangle ABC$의 외심과 내심이다. $\angle BIC=110°$일 때, $\angle BOC$의 크기를 구하시오. 80°

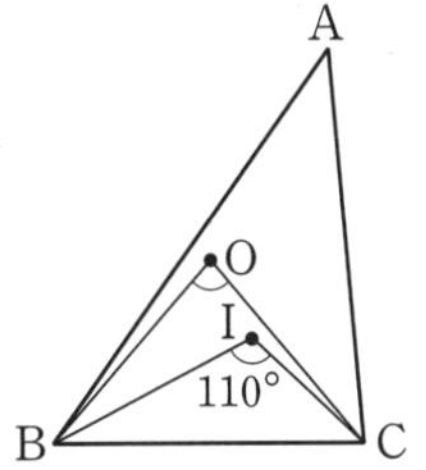

풀이 $\angle BIC=110°$이므로 $\angle IBC+\angle ICB=180°-110°=70°$
점 I는 $\triangle ABC$의 내심이므로 $\angle IBA=\angle IBC$, $\angle ICA=\angle ICB$

$$\begin{aligned}\angle B+\angle C&=\angle IBA+\angle IBC+\angle ICA+\angle ICB\\&=2\times(\angle IBC+\angle ICB)\\&=2\times 70°\\&=140°\end{aligned}$$

$\triangle ABC$에서 $\angle A=180°-(\angle B+\angle C)=180°-140°=40°$
점 O는 $\triangle ABC$의 외심이므로
$\angle OAB=\angle OBA$, $\angle OAC=\angle OCA$이고 $\angle A=40°$이므로
$\angle OBC+\angle OCB=180°-(40°+40°)=100°$
따라서 $\triangle OBC$에서 $\angle BOC=180°-100°=80°$이다.

교과서 문제 뛰어 넘기

7. 오른쪽 그림과 같이 $\angle B=90°$인 직각삼각형 ABC의 점 B에서 $\overline{AC}$에 내린 수선의 발을 D, $\angle A$의 이등분선이 $\overline{BC}$, $\overline{BD}$와 만나는 점을 각각 E, F라고 하자. $\overline{AB}=10$ cm, $\overline{BF}=5$ cm일 때, $\overline{BE}$의 길이를 구하시오.

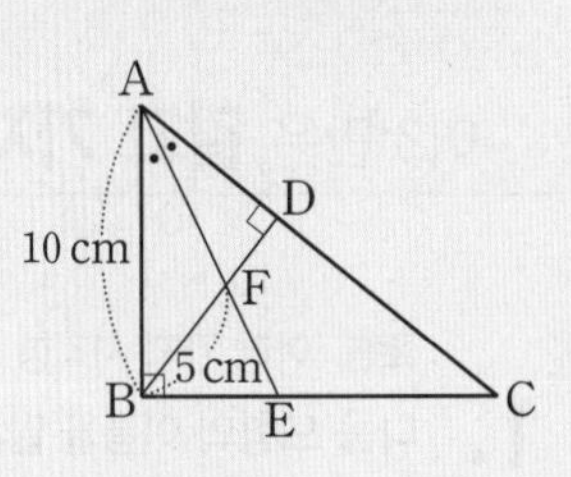

8. 오른쪽 그림과 같이 정사각형 ABCD에서 꼭짓점 B를 지나는 직선과 $\overline{CD}$의 교점을 E라고 하자. 두 꼭짓점 A, C에서 $\overline{BE}$에 내린 수선의 발을 각각 F, G라고 하면 $\overline{AF}=3$ cm, $\overline{CG}=2$ cm이다. 이때 삼각형 AFG의 넓이를 구하시오.

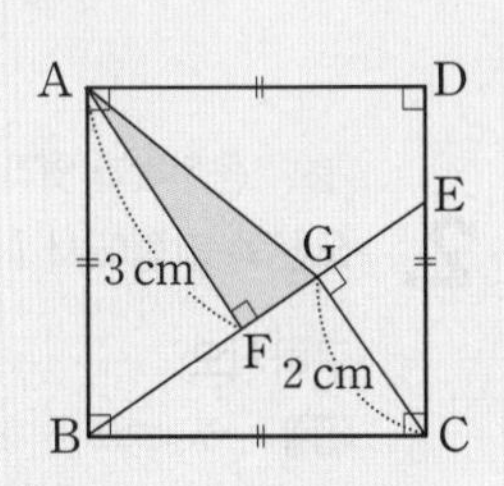

9. 오른쪽 그림과 같이 세 변의 길이가 각각 6 cm, 8 cm, 10 cm인 직각삼각형 ABC에서 외접원과 내접원의 반지름의 길이의 합을 구하시오.

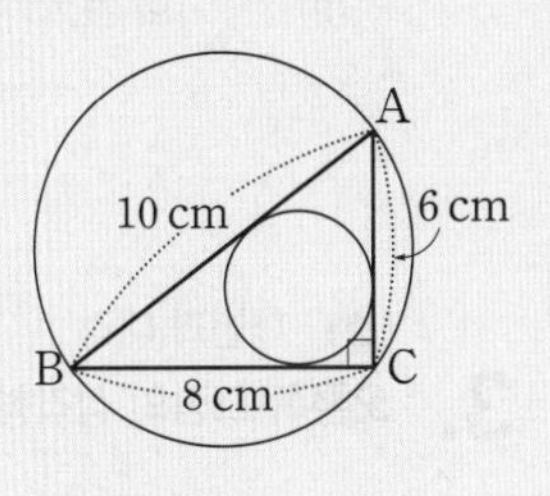

사각형의 성질

01. 평행사변형 | 02. 여러 가지 사각형

이것만은 알고 가자

초등 여러 가지 사각형

1. 다음 도형의 이름을 말하시오.

(1) 한 쌍의 변이 서로 평행인 사각형 사다리꼴

(2) 두 쌍의 변이 각각 서로 평행인 사각형 평행사변형

(3) 네 변의 길이가 같은 사각형 마름모

(4) 네 각의 크기가 같은 사각형 직사각형

(5) 네 변의 길이가 같고, 네 각의 크기가 같은 사각형 정사각형

알고 있나요?
사각형의 이름을 말할 수 있는가?
잘함 보통 모름

중1 동위각과 엇각

2. 오른쪽 그림에서 $l /\!/ m$일 때, $\angle x$와 $\angle y$의 크기를 각각 구하시오. $\angle x=110^\circ$, $\angle y=70^\circ$

풀이 $l /\!/ m$이므로 엇각의 크기는 서로 같다.
따라서 $\angle x=110^\circ$이고, $\angle y=180^\circ-110^\circ=70^\circ$이다.

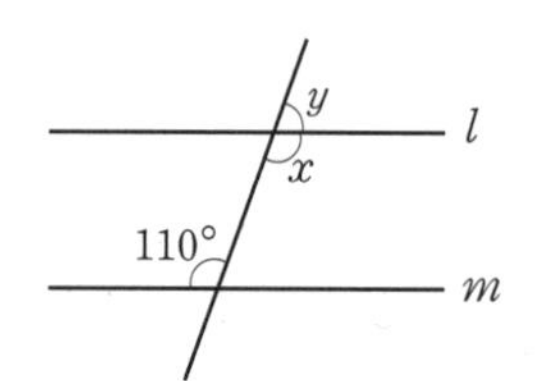

알고 있나요?
평행선에서 동위각과 엇각의 성질을 이해하고 있는가?
잘함 보통 모름

| 개념 체크 |
한 평면 위에 있는 서로 다른 두 직선이 한 직선과 만날 때,
(1) 두 직선이 서로 평행하면 동위각과 엇각의 크기는 각각 서로 같다.
(2) 동위각의 크기가 서로 같으면 그 두 직선은 서로 평행하다.
(3) 엇각의 크기가 서로 같으면 그 두 직선은 서로 평행하다.

중1 대변과 대각

3. 오른쪽 그림의 삼각형 ABC를 보고 다음을 구하시오.

(1) $\angle$A의 대변 $\overline{BC}$

(2) $\overline{AB}$의 대각 $\angle C$

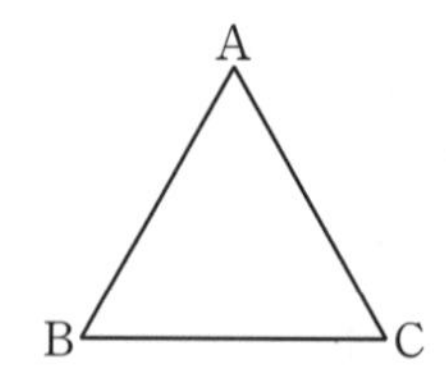

알고 있나요?
삼각형에서의 대변과 대각을 알고 있는가?
잘함 보통 모름

부족한 부분을 보충하고 본 학습을 준비하여 보자.

한 눈에 개념 정리

01 평행사변형

1. 평행사변형의 성질

(1) 평행사변형은 두 쌍의 대변의 길이가 각각 같다.

(2) 평행사변형은 두 쌍의 대각의 크기가 각각 같다.

(3) 평행사변형의 두 대각선은 서로 다른 것을 이등분한다.

2. 평행사변형이 되는 조건

다음 조건 중 어느 하나를 만족시키는 사각형은 평행사변형이다.

(1) 두 쌍의 대변이 각각 평행하다.

(2) 두 쌍의 대변의 길이가 각각 같다.

(3) 두 쌍의 대각의 크기가 각각 같다.

(4) 두 대각선이 서로 다른 것을 이등분한다.

(5) 한 쌍의 대변이 서로 평행하고, 그 길이가 같다.

02 여러 가지 사각형

1. 직사각형의 성질

(1) 직사각형: 네 내각의 크기가 같은 사각형

(2) 직사각형의 성질: 직사각형의 두 대각선은 길이가 서로 같고, 서로 다른 것을 이등분한다.

2. 마름모의 성질

(1) 마름모: 네 변의 길이가 같은 사각형

(2) 마름모의 성질: 마름모의 두 대각선은 서로 다른 것을 수직이등분한다.

3. 정사각형의 성질

(1) 정사각형: 네 변의 길이가 같고, 네 내각의 크기가 같은 사각형

(2) 정사각형의 성질: 정사각형의 두 대각선은 길이가 서로 같고, 서로 다른 것을 수직이등분한다.

4. 등변사다리꼴의 성질

(1) 등변사다리꼴: 아랫변의 양 끝 각의 크기가 같은 사다리꼴

(2) 등변사다리꼴의 성질: 평행하지 않은 두 대변의 길이가 서로 같다.

5. 여러 가지 사각형 사이의 관계

(1) 사각형의 한 쌍의 대변이 서로 평행하면 사다리꼴이고, 사다리꼴에서 다른 한 쌍의 대변도 서로 평행하면 평행사변형이다.

(2) 평행사변형 중에서 한 내각이 직각이면 직사각형이고, 이웃하는 두 변의 길이가 같으면 마름모이다.

(3) 직사각형의 이웃하는 두 변의 길이가 같으면 정사각형이고, 마름모의 한 내각이 직각이면 정사각형이다.

6. 평행선과 삼각형의 넓이 사이의 관계

밑변의 길이가 같은 두 삼각형은 높이가 같으면 삼각형의 모양에 관계없이 넓이가 같다.

01 평행사변형

학습 목표 ‖ 평행사변형의 성질을 이해하고 설명할 수 있다.

이 단원에서 배우는 용어와 기호

□ABCD

평행사변형에는 어떤 성질이 있을까?

탐구하기

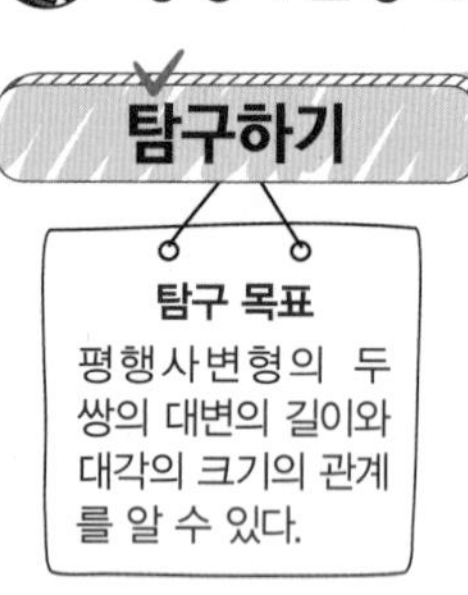

탐구 목표
평행사변형의 두 쌍의 대변의 길이와 대각의 크기의 관계를 알 수 있다.

다음 순서대로 활동을 하고, 물음에 답하여 보자.

❶	❷	❸
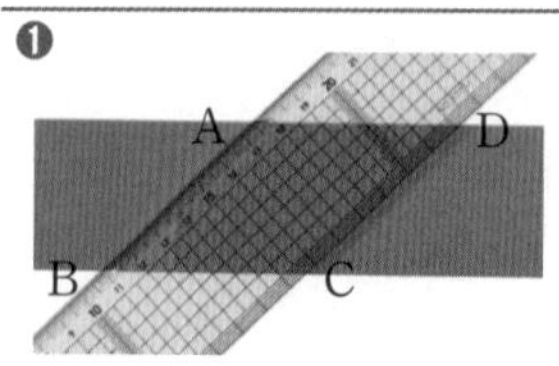	A D B C	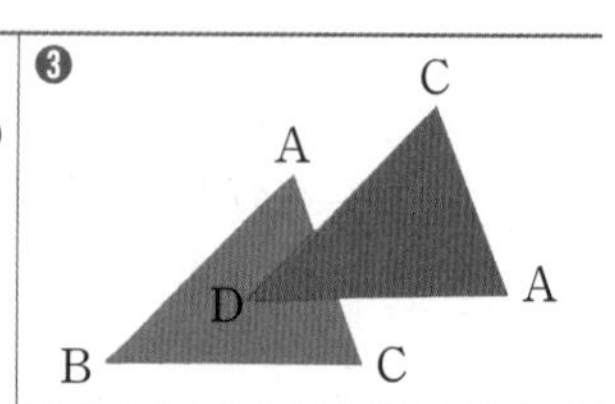
직사각형 모양의 종이 위에 자를 대어 양쪽을 잘라 내고, 평행사변형 ABCD를 만든다.	평행사변형 ABCD의 대각선 AC를 따라 자른다.	평행사변형 ABCD를 잘라서 만들어진 두 삼각형 ABC와 CDA를 서로 포개어 본다.

활동 ❶ △ABC와 △CDA가 서로 포개어지는지 확인하여 보자. 포개어진다.

풀이 △ABC와 △CDA가 서로 포개어진다.

활동 ❷ 평행사변형 ABCD에서 발견할 수 있는 성질이 무엇인지 친구들과 이야기하여 보자.

풀이 서로 마주 보는 변 AB와 DC, AD와 BC는 길이가 각각 같다. 즉, $\overline{AB}=\overline{DC}$, $\overline{AD}=\overline{BC}$이다.
또한, 서로 마주 보는 각 A와 C, B와 D는 크기가 각각 같다.
즉, $\angle A=\angle C$, $\angle B=\angle D$이다.

Tip 사각형에서의 대변, 대각의 개념과 삼각형에서의 대변, 대각의 개념이 다름을 주의한다.

삼각형 ABC를 기호 △ABC로 나타내듯이 사각형 ABCD는 기호 **□ABCD**로 나타낸다. 또한, 사각형에서 서로 마주 보는 변을 대변, 서로 마주 보는 각을 대각이라고 한다.

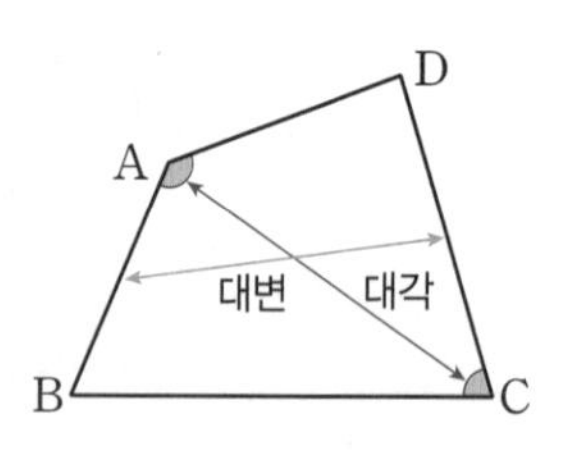

바로 확인 오른쪽 □ABCD에서 ∠A의 대각은 [∠C]이고, $\overline{AB}$의 대변은 [$\overline{DC}$]이다.

평행사변형은 두 쌍의 대변이 각각 서로 평행한 사각형이다.

탐구하기 의 □ABCD는 $\overline{AB}/\!/\overline{DC}$, $\overline{AD}/\!/\overline{BC}$이므로 평행사변형이다. 이때 대각선 AC를 따라 잘라서 만들어진 △ABC와 △CDA는 완전히 포개어지므로 평행사변형의 두 쌍의 대변의 길이와 두 쌍의 대각의 크기는 각각 같다는 것을 알 수 있다.

이제 평행사변형의 이러한 성질이 항상 성립하는지 확인하여 보자.

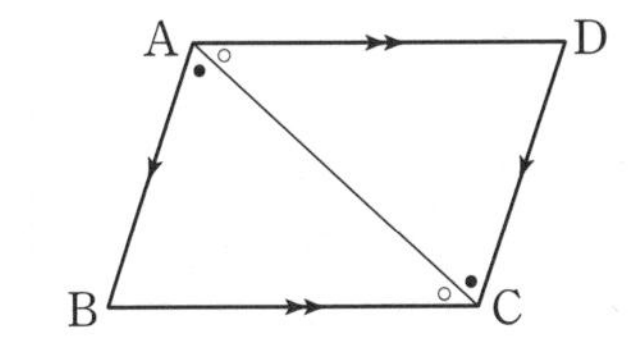

오른쪽 그림과 같이 평행사변형 ABCD에서 대각선 AC를 그어 보자.

△ABC와 △CDA에서

$\overline{AC}$는 공통 …… ①

이고, $\overline{AB}/\!/\overline{DC}$이므로

$\angle BAC = \angle DCA$(엇각) …… ②

이다. 또, $\overline{AD}/\!/\overline{BC}$이므로

$\angle BCA = \angle DAC$(엇각) …… ③

이다. ①, ②, ③에서 대응하는 한 변의 길이가 같고, 그 양 끝 각의 크기가 각각 같으므로 $\triangle ABC \equiv \triangle CDA$이다. 따라서

$\overline{AB}=\overline{CD}$, $\overline{BC}=\overline{DA}$, $\angle B = \angle D$

이다. 또, ②, ③에서

$$\angle A = \angle BAC + \angle DAC$$
$$= \angle DCA + \angle BCA = \angle C$$

이다. 즉, 평행사변형 ABCD에서 $\overline{AB}=\overline{CD}$, $\overline{BC}=\overline{DA}$이고 $\angle B = \angle D$, $\angle A = \angle C$임을 알 수 있다.

참고

대각선 BD를 그어도 같은 방법으로 평행사변형의 성질을 설명할 수 있다.

개념 쏙

엇각의 성질

한 평면 위에 있는 두 직선이 한 직선과 만날 때 두 직선이 서로 평행하면 엇각의 크기는 서로 같다.

함께해 보기 1

다음은 평행사변형의 두 대각선이 서로 다른 것을 이등분한다는 것을 설명하는 과정이다. □ 안에 알맞은 것을 써넣어 보자.

합동인 삼각형을 찾고 확인하기 ▶

오른쪽 그림과 같이 평행사변형 ABCD에서 두 대각선 AC, BD의 교점을 O라고 하자.

△ABO와 △CDO에서

$\overline{AB}=$ [$\overline{CD}$] …… ①

이고, $\overline{AB}/\!/\overline{DC}$이므로

$\angle BAO =$ [$\angle DCO$] (엇각) …… ②

$\angle ABO =$ [$\angle CDO$] (엇각) …… ③

이다. ①, ②, ③에서 대응하는 한 변의 길이가 같고, 그 양 끝 각의 크기가 각각 같으므로 $\triangle ABO \equiv \triangle CDO$이다.

평행사변형의 성질 확인하기 ▶

따라서 $\overline{AO}=$ [$\overline{CO}$], $\overline{BO}=$ [$\overline{DO}$]이다.

이상을 정리하면 다음과 같다.

평행사변형의 성질

1. 평행사변형은 두 쌍의 대변의 길이가 각각 같다.
2. 평행사변형은 두 쌍의 대각의 크기가 각각 같다.
3. 평행사변형의 두 대각선은 서로 다른 것을 이등분한다.

1. 다음 평행사변형 ABCD에서 x, y의 값을 각각 구하시오.

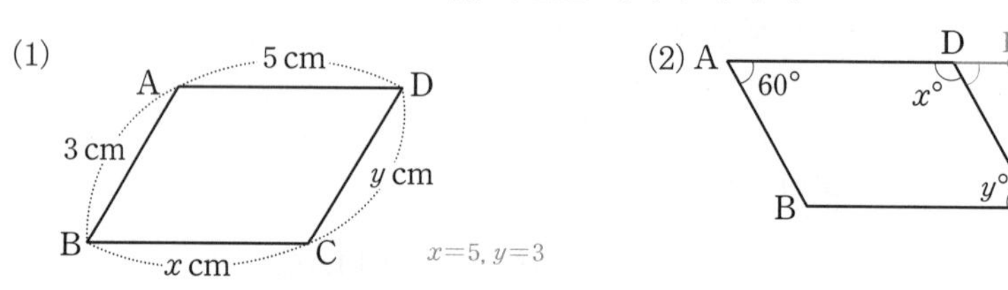

$x=5$, $y=3$ $x=120$, $y=60$

풀이 (1) 평행사변형은 두 쌍의 대변의 길이가 각각 같으므로 $x=5$, $y=3$이다.
(2) 평행사변형은 두 쌍의 대각의 크기가 각각 같으므로 $y=60$이다.
한편, 선분 AD의 연장선에 점 E를 잡으면 $\overline{AD} /\!/ \overline{BC}$이므로 $\angle CDE=\angle C=60°$
따라서 $x=180-60=120$이다.

2. 오른쪽 평행사변형 ABCD에서 두 대각선의 교점을 O라고 할 때, x, y의 값을 각각 구하시오. $x=7$, $y=5$

풀이 평행사변형의 두 대각선은 서로 다른 것을 이등분하므로 $x=7$, $y=5$

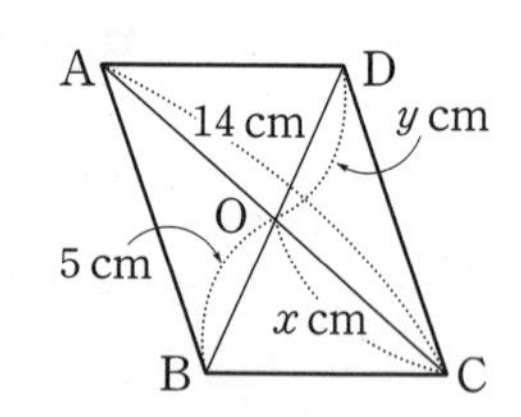

풀이 (1) △OPA와 △OQC에서 $\overline{OA}=\overline{OC}$ ...... ①
$\angle OAP=\angle OCQ$(엇각) ...... ②
$\angle AOP=\angle COQ$(맞꼭지각) ...... ③
이다. ①, ②, ③에서 대응하는 한 변의 길이가 같고, 그 양 끝 각의 크기가 각각 같으므로 △OPA≡△OQC이다.
(2) △OPA≡△OQC이므로 두 삼각형의 대응하는 변의 길이가 같다. 따라서 $\overline{PO}=\overline{QO}$이다.

3. 오른쪽 그림과 같이 평행사변형 ABCD에서 두 대각선의 교점 O를 지나는 한 직선이 $\overline{AD}$, $\overline{BC}$와 만나는 점을 각각 P, Q라고 할 때, 다음 순서에 따라 $\overline{PO}=\overline{QO}$임을 설명하시오.

(1) △OPA≡△OQC임을 설명하시오.

(2) $\overline{PO}=\overline{QO}$임을 설명하시오.

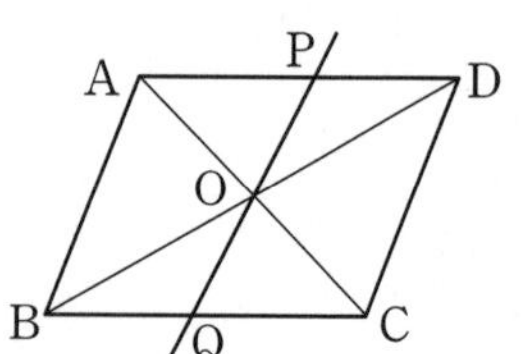

평행사변형이 되는 조건은 무엇일까?

탐구 목표
두 쌍의 대변의 길이가 같거나 두 쌍의 대각의 크기가 같은 사각형이 평행사변형이 됨을 알 수 있다.

다음과 같은 순서대로 만들어진 □ABCD에 대하여 물음에 답하여 보자.

❶	❷
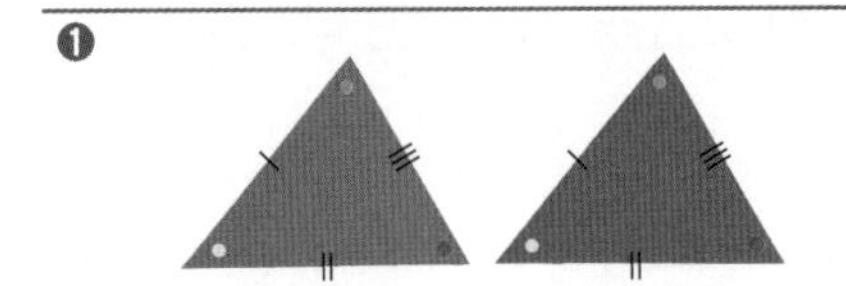	A D B C
종이 두 장을 포개어 놓고 삼각형을 잘라 내어, 합동인 두 삼각형을 만든다.	두 쌍의 대응하는 각이 엇갈리도록 맞붙여서 사각형 ABCD를 만든다.

활동 ❶ □ABCD가 어떤 사각형인지 말하여 보고, 그 까닭을 설명하여 보자. 평행사변형, 풀이 참조

풀이 평행사변형, 두 쌍의 엇각의 크기가 각각 같으므로 사각형의 두 쌍의 대변이 각각 서로 평행하다. 따라서 평행사변형이다.

탐구하기 의 □ABCD는 두 쌍의 대변의 길이가 각각 같고, 두 쌍의 대각의 크기도 각각 같다. 이 사각형은 평행선과 엇각의 성질을 이용하여 평행사변형임을 알 수 있다.

이제 사각형이 어떤 조건을 만족시킬 때 평행사변형이 되는지 알아보자.

이전 내용 톡톡
한 평면 위에 있는 두 직선이 한 직선과 만날 때 생기는 엇각의 크기가 같으면 두 직선이 평행하다.

먼저 두 쌍의 대변의 길이가 각각 같은 사각형이 평행사변형임을 확인하여 보자.

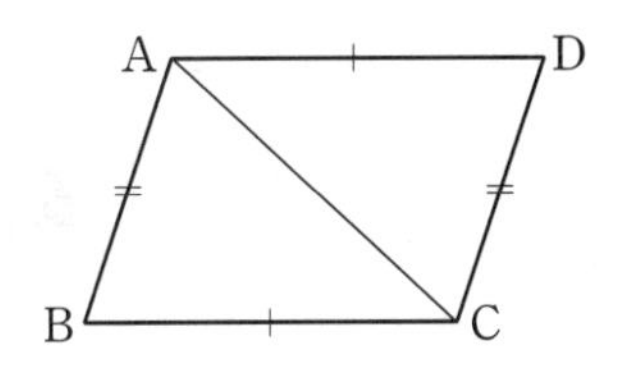

오른쪽 그림과 같이 $\overline{AB}=\overline{CD}$, $\overline{BC}=\overline{DA}$인 □ABCD에서 대각선 AC를 그어 보자.

△ABC와 △CDA에서

$\overline{AB}=\overline{CD}$ ...... ①

$\overline{BC}=\overline{DA}$ ...... ②

$\overline{AC}$는 공통 ...... ③

이다. ①, ②, ③에서 대응하는 세 변의 길이가 각각 같으므로 △ABC≡△CDA이다. 따라서 ∠BCA=∠DAC, ∠BAC=∠DCA이다. 즉, 엇각의 크기가 각각 같으므로

$$\overline{AD}/\!/\overline{BC},\ \overline{AB}/\!/\overline{DC}$$

이다.

따라서 □ABCD는 두 쌍의 대변이 각각 서로 평행하므로 평행사변형이다.

이제 두 쌍의 대각의 크기가 각각 같은 사각형이 평행사변형임을 확인하여 보자.

함께해 보기 2

다음은 두 쌍의 대각의 크기가 각각 같은 □ABCD가 평행사변형임을 설명하는 과정이다. □ 안에 알맞은 것을 써넣어 보자.

개념 쏙

평행선과 동위각, 평행선과 엇각의 성질을 이용하여 두 쌍의 대각의 크기가 각각 같은 사각형이 평행사변형임을 확인한다.

$\overline{AD} /\!/ \overline{BC}$임을 확인하기 ▶

오른쪽 그림과 같이 $\angle A = \angle C$, $\angle B = \angle D$인 □ABCD에서

$\angle A + \angle B + \angle C + \angle D$

$= \angle A + \angle B + \boxed{\angle A} + \boxed{\angle B} = \boxed{360}°$

이므로

$\angle A + \angle B = \boxed{180}°$ …… ①

이다. 오른쪽 그림과 같이 선분 AB의 연장선 위에 점 E를 잡으면

$\angle ABC + \angle EBC = \boxed{180}°$ …… ②

이다. ①, ②에서 $\angle A = \angle EBC$이다.

$\angle A$와 $\angle EBC$가 동위각이고 크기가 서로 같으므로

$\overline{AD} /\!/ \overline{BC}$

$\overline{AB} /\!/ \overline{DC}$임을 확인하기 ▶

이다. 또, $\angle EBC$와 $\angle C$가 엇각이고 크기가 서로 같으므로

$\overline{AB} /\!/ \overline{DC}$

평행사변형임을 확인하기 ▶

이다. 따라서 □ABCD는 두 쌍의 대변이 각각 서로 평행하므로 $\boxed{\text{평행사변형}}$이다.

4. 오른쪽 그림과 같이 □ABCD의 두 대각선이 점 O에서 만나고 $\overline{OA} = \overline{OC}$, $\overline{OB} = \overline{OD}$일 때, 다음 순서에 따라 □ABCD가 평행사변형임을 설명하시오.

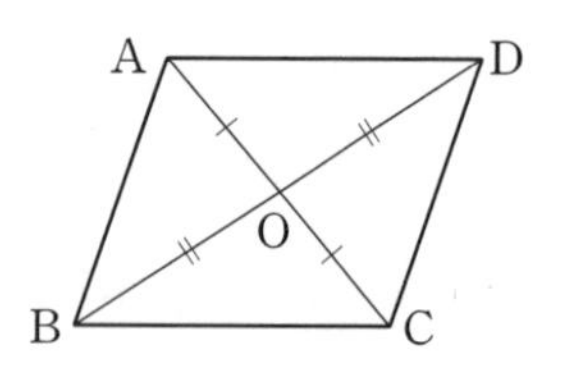

(1) $\triangle OAB \equiv \triangle OCD$, $\triangle OAD \equiv \triangle OCB$임을 설명하시오.

(2) □ABCD가 평행사변형임을 설명하시오.

풀이 (1) $\triangle OAB$와 $\triangle OCD$에서 $\overline{OA} = \overline{OC}$, $\overline{OB} = \overline{OD}$, $\angle AOB = \angle COD$(맞꼭지각)이므로 $\triangle OAB \equiv \triangle OCD$이다. 같은 방법으로 $\triangle OAD \equiv \triangle OCB$이다.

(2) $\triangle OAB \equiv \triangle OCD$, $\triangle OAD \equiv \triangle OCB$이므로 $\overline{AB} = \overline{CD}$, $\overline{AD} = \overline{BC}$이다.
따라서 □ABCD는 두 쌍의 대변의 길이가 각각 같으므로 평행사변형이다.

5. 오른쪽 그림과 같이 □ABCD에서 $\overline{AD} /\!/ \overline{BC}$, $\overline{AD} = \overline{BC}$일 때, □ABCD가 평행사변형임을 설명하시오.

풀이 $\triangle ABC$와 $\triangle CDA$에서 $\overline{BC} = \overline{DA}$ …… ①
$\overline{AC}$는 공통 …… ②
$\angle ACB = \angle CAD$(엇각) …… ③
이다. ①, ②, ③에서 대응하는 두 변의 길이가 각각 같고, 그 끼인각의 크기가 같으므로 $\triangle ABC \equiv \triangle CDA$이다.
이때 $\angle BAC = \angle DCA$(엇각)이므로 $\overline{AB} /\!/ \overline{CD}$이다.
따라서 □ABCD는 두 쌍의 대변이 각각 서로 평행하므로 평행사변형이다.

이상을 정리하면 다음과 같다.

Tip 평행사변형이 되는 조건 1) 평행사변형의 뜻
조건 2~4) 평행사변형의 성질
조건 5) 어떤 사각형이 평행사변형이 되기 위한 추가적인 조건

평행사변형이 되는 조건

다음 조건 중 어느 하나를 만족시키는 사각형은 평행사변형이다.

1. 두 쌍의 대변이 각각 서로 평행하다.
2. 두 쌍의 대변의 길이가 각각 같다.
3. 두 쌍의 대각의 크기가 각각 같다.
4. 두 대각선이 서로 다른 것을 이등분한다.
5. 한 쌍의 대변이 서로 평행하고, 그 길이가 같다.

6.

다음은 □ABCD의 변의 길이 또는 각의 크기를 나타낸 것이다. 평행사변형인 것을 모두 찾고, 그 까닭을 설명하시오. (단, 점 O는 두 대각선의 교점이다.)

(1) $\overline{AB}=3$ cm, $\overline{BC}=2$ cm, $\overline{CD}=3$ cm, $\overline{DA}=2$ cm 두 쌍의 대변의 길이가 각각 같으므로 평행사변형이다.

(2) $\angle A=100°$, $\angle B=100°$, $\angle C=80°$, $\angle D=80°$

(3) $\overline{AO}=2$ cm, $\overline{BO}=4$ cm, $\overline{CO}=2$ cm, $\overline{DO}=4$ cm
두 대각선이 서로 다른 것을 이등분하므로 평행사변형이다.

7.

오른쪽 그림의 평행사변형 ABCD에서 각 변의 중점을 각각 P, Q, R, S라고 할 때, 사각형 PQRS가 평행사변형임을 설명하시오.

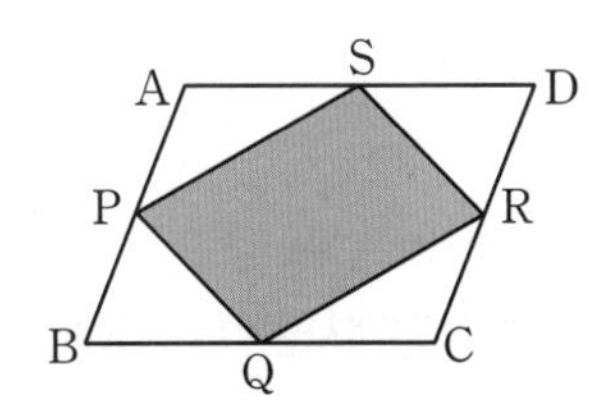

풀이 △APS와 △CRQ에서 $\overline{AP}=\overline{CR}=\frac{1}{2}\overline{AB}$, $\overline{AS}=\overline{CQ}=\frac{1}{2}\overline{AD}$, $\angle A=\angle C$이다.
즉, 대응하는 두 변의 길이가 각각 같고, 그 끼인각의 크기가 같으므로
△APS≡△CRQ이다. 따라서 $\overline{PS}=\overline{RQ}$이다.
같은 방법으로 △BPQ≡△DRS이므로 $\overline{PQ}=\overline{RS}$이다.
따라서 □PQRS는 두 쌍의 대변의 길이가 각각 같으므로 평행사변형이다.

생각 나누기 추론 의사소통

현주가 말하는 사각형을 직접 그려 보고, 이러한 사각형이 평행사변형이 될 수 있을지 친구들과 이야기하여 보자.

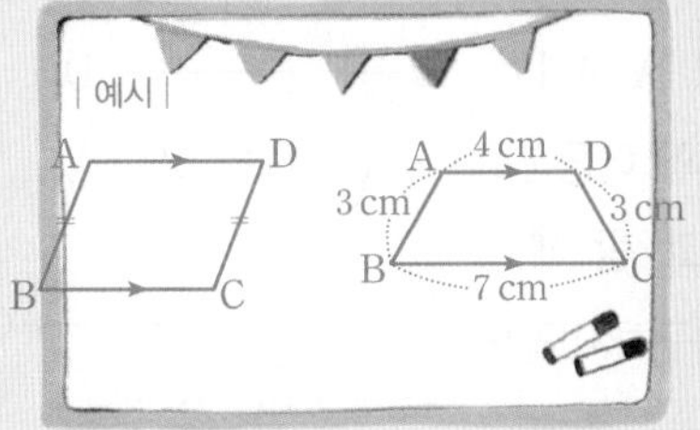

풀이 □ABCD에서 $\overline{AD}/\!/\overline{BC}$이고 $\overline{AB}=\overline{CD}$인 경우는 | 예시 | 그림과 같이 평행사변형이 될 수도 있고 평행사변형이 되지 않을 수도 있다.
따라서 현주의 물음에 대한 올바른 대답은 "평행사변형이 되지 않을 수도 있다."이다.

스스로 점검하기

개념 점검하기

(1) 다음 조건 중 어느 하나를 만족시키는 사각형은 평행사변형이다.

① 두 쌍의 대변이 각각 서로 [평행]하다.

② 두 쌍의 [대변]의 길이가 각각 같다.

③ 두 쌍의 [대각]의 크기가 각각 같다.

④ 두 [대각선]은 서로 다른 것을 이등분한다.

⑤ 한 쌍의 [대변]이 서로 평행하고, 그 길이가 같다.

1

166쪽

오른쪽 평행사변형 ABCD에서 두 대각선의 교점을 O라고 할 때, x, y의 값을 각각 구하시오. $x=2$, $y=3$

풀이 평행사변형의 두 대각선은 서로 다른 것을 이등분하므로 $x=2$이고, 평행사변형은 두 쌍의 대변의 길이가 각각 같으므로 $y=3$이다.

2

166쪽

오른쪽 평행사변형 ABCD에서 x의 값을 구하시오. 80

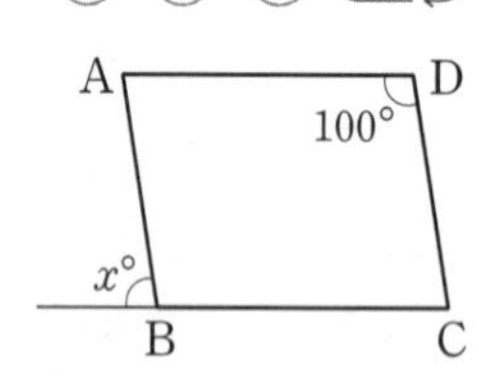

풀이 평행사변형은 두 쌍의 대각의 크기가 각각 같으므로 $\angle ABC=100°$이고 $x=180-100=80$이다.

3

166쪽

오른쪽 평행사변형 ABCD에서 $\angle A$와 $\angle D$의 이등분선의 교점을 E라고 할 때, $\angle AED$의 크기를 구하시오. 90°

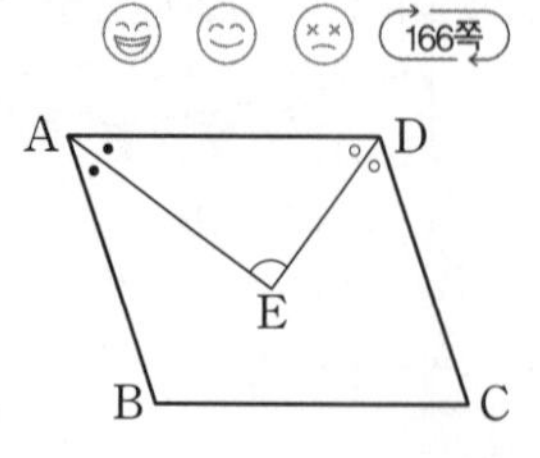

풀이 $\angle A+\angle B+\angle C+\angle D=360°$이고 $\angle A=\angle C$, $\angle B=\angle D$이므로
$2\times(\angle A+\angle D)=360°$
즉, $\angle A+\angle D=2\times(\angle EAD+\angle EDA)=180°$이므로 $\angle EAD+\angle EDA=90°$
따라서 $\triangle EAD$에서 $\angle AED=180°-(\angle EAD+\angle EDA)$
$=180°-90°=90°$

4

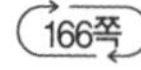
166쪽

다음 그림에서 평행사변형 ABCD의 두 대각선의 교점이 O이고, □OCED는 평행사변형이다. $\overline{AC}=8$ cm, $\overline{BD}=10$ cm일 때, □OCED의 둘레의 길이를 구하시오. 18 cm

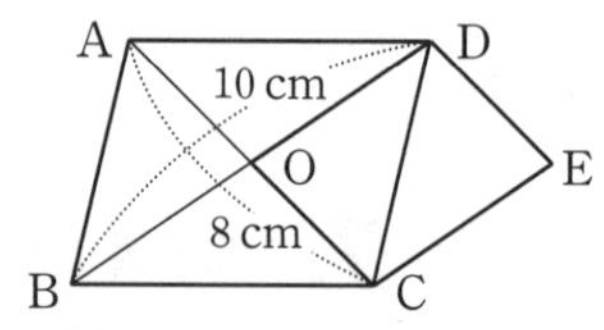

풀이 평행사변형의 두 대각선은 서로 다른 것을 이등분하므로 $\overline{OC}=4$ cm, $\overline{OD}=5$ cm이다.
□OCED가 평행사변형이므로 두 쌍의 대변의 길이가 각각 같다. 즉, $\overline{CE}=5$ cm, $\overline{DE}=4$ cm이다.
따라서 □OCED의 둘레의 길이는
$\overline{OC}+\overline{CE}+\overline{DE}+\overline{OD}=4+5+4+5=18$(cm)이다.

5

169쪽

다음 평행사변형 ABCD에서 $\angle B$와 $\angle D$의 이등분선이 $\overline{AD}$, $\overline{BC}$와 만나는 점을 각각 E, F라고 할 때, □EBFD가 평행사변형임을 설명하시오.

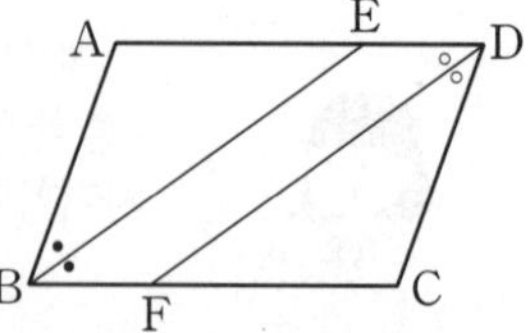

풀이 평행사변형은 두 쌍의 대각의 크기가 각각 같으므로
$\angle EBF=\frac{1}{2}\angle ABC=\frac{1}{2}\angle ADC=\angle FDE$ …… ①
$\overline{AD}/\!/\overline{BC}$이므로 $\angle EBF=\angle AEB$(엇각) …… ②
이다. ①, ②에서 $\angle EDF=\angle AEB$(동위각)이므로 $\overline{EB}/\!/\overline{DF}$이다.
따라서 □EBFD는 두 쌍의 대변이 각각 서로 평행하므로 평행사변형이다.

02 여러 가지 사각형

학습 목표 ‖ 여러 가지 사각형의 성질을 이해하고 설명할 수 있다.

직사각형에는 어떤 성질이 있을까?

탐구하기

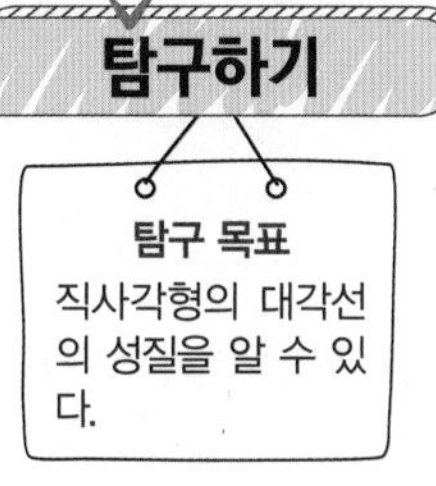

다음 순서대로 활동을 하고, 물음에 답하여 보자.

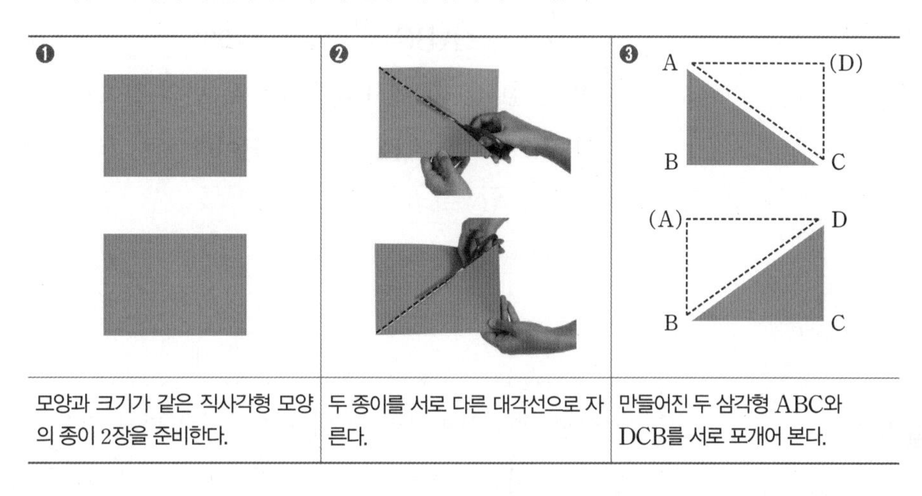

❶	❷	❸
모양과 크기가 같은 직사각형 모양의 종이 2장을 준비한다.	두 종이를 서로 다른 대각선으로 자른다.	만들어진 두 삼각형 ABC와 DCB를 서로 포개어 본다.

활동 ❶ △ABC와 △DCB가 서로 포개어지는지 확인하여 보자. 포개어진다.

풀이 △ABC와 △DCB가 서로 포개어진다.

활동 ❷ 직사각형의 두 대각선 사이에 어떤 관계가 있는지 설명하여 보자.

풀이 $\overline{AC}$와 $\overline{BD}$의 길이가 서로 같다. 즉, $\overline{AC}=\overline{BD}$이다.

Tip 직사각형이 평행사변형과 별개의 도형이 아니라 직사각형이 평행사변형이 됨을 확인한다.

직사각형은 네 내각의 크기가 같은 사각형이다. 따라서 직사각형은 두 쌍의 대각의 크기가 각각 같으므로 평행사변형이다. 즉, 직사각형은 평행사변형의 성질을 모두 갖는다.

또, 탐구하기 의 **활동 ❷** 에서 직사각형의 두 대각선은 길이가 서로 같음을 알 수 있다.

이제 직사각형의 대각선의 성질이 항상 성립하는지 확인하여 보자.

함께해 보기 1

다음은 직사각형 ABCD에서 두 대각선의 길이가 서로 같음을 설명하는 과정이다. □ 안에 알맞은 것을 써넣어 보자.

합동인 삼각형을 찾고 확인하기 ▶ 오른쪽 그림과 같이 직사각형 ABCD의 두 대각선의 교점을 O라고 하자.

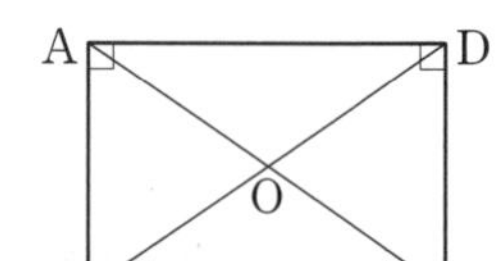

△ABC와 △DCB에서

$\overline{AB}=$ [$\overline{DC}$] (평행사변형의 성질) …… ①

$\overline{BC}$는 공통 …… ②

∠ABC= [∠DCB] $=90°$ …… ③

이다. ①, ②, ③에서 대응하는 두 변의 길이가 각각 같고, 그 끼인각의 크기가 같으므로 △ABC≡△DCB이다.

직사각형의 성질 확인하기 ▶ 따라서 $\overline{AC}=$ [$\overline{DB}$]이다.

두 대각선의 교점에서 각 꼭짓점에 이르는 거리는 같다.

한편, 평행사변형의 두 대각선은 서로 다른 것을 이등분하고, 직사각형도 평행사변형이므로 직사각형의 두 대각선은 서로 다른 것을 이등분한다.

따라서 함께해 보기 1 의 직사각형 ABCD에서 $\overline{OA}=\overline{OB}=\overline{OC}=\overline{OD}$임을 알 수 있다.

이상을 정리하면 다음과 같다.

직사각형의 성질

직사각형의 두 대각선은 길이가 서로 같고, 서로 다른 것을 이등분한다.

1. 다음 직사각형 ABCD에서 두 대각선의 교점을 O라고 할 때, x, y의 값을 각각 구하시오.

(1)
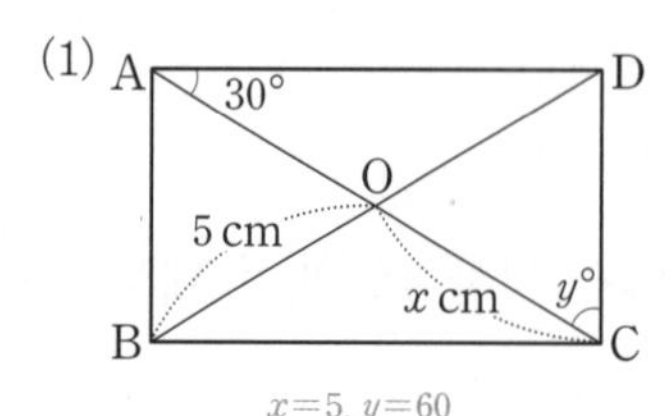

$x=5$, $y=60$

(2)
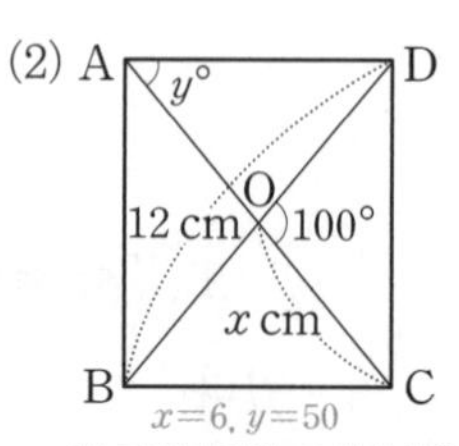

$x=6$, $y=50$

풀이 (1) 직사각형의 두 대각선은 길이가 서로 같고, 서로 다른 것을 이등분하므로 $x=5$이다.
∠D=90°이므로 △ACD에서 $y=90-30=60$이다.

(2) 직사각형의 두 대각선은 길이가 서로 같고, 서로 다른 것을 이등분하므로 $x=6$이다.
△AOD가 이등변삼각형이므로 ∠ADO=∠DAO이다.
즉, $2y=100$, $y=50$이다.

2. **오른쪽 평행사변형 ABCD에서 두 대각선의 길이가 같을 때, 다음 순서에 따라 □ABCD가 직사각형임을 설명하시오.**

(1) △ABC≡△DCB임을 설명하시오.

(2) ∠B=∠C임을 설명하시오.

(3) □ABCD가 직사각형임을 설명하시오.

풀이 (1) △ABC와 △DCB에서
$\overline{AB}=\overline{DC}$, $\overline{AC}=\overline{DB}$, $\overline{BC}$는 공통이다. 대응하는 세 변의 길이가 각각 같으므로 △ABC≡△DCB이다.
(2) △ABC≡△DCB이므로 대응하는 각인 ∠B와 ∠C의 크기가 같다. 즉, ∠B=∠C이다.
(3) □ABCD가 평행사변형이므로 두 쌍의 대각의 크기가 각각 같고, ∠B=∠C이다.
따라서 ∠A=∠B=∠C=∠D이므로 □ABCD는 직사각형이다.

마름모에는 어떤 성질이 있을까?

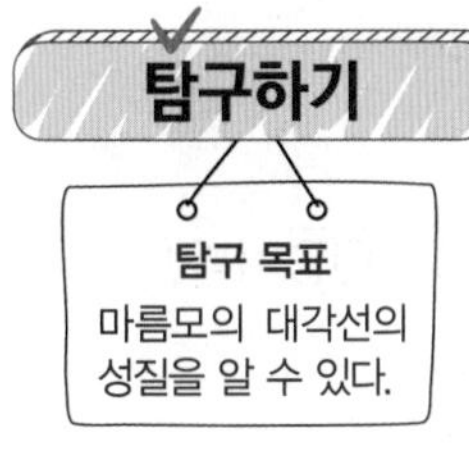

다음과 같은 순서대로 만들어진 □ABCD에 대하여 물음에 답하여 보자.

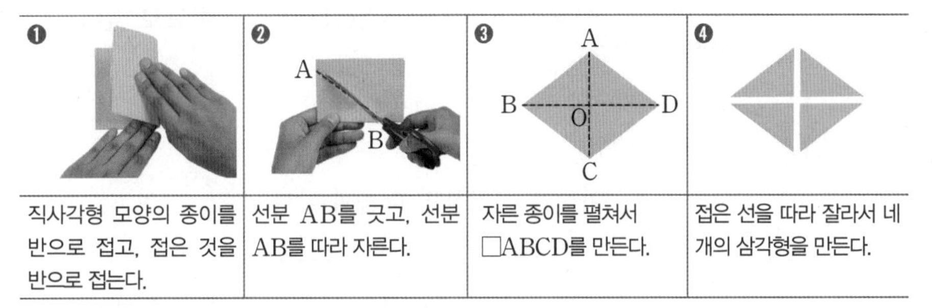

❶	❷	❸	❹
직사각형 모양의 종이를 반으로 접고, 접은 것을 반으로 접는다.	선분 AB를 긋고, 선분 AB를 따라 자른다.	자른 종이를 펼쳐서 □ABCD를 만든다.	접은 선을 따라 잘라서 네 개의 삼각형을 만든다.

활동 ❶ ❸에서 만들어진 □ABCD가 어떤 사각형인지 말하여 보고, 그 까닭을 설명하여 보자. 마름모, 풀이 참조

풀이 마름모, 네 변의 길이가 같으므로 마름모이다.

활동 ❷ ❹에서 만들어진 네 개의 삼각형이 서로 포개어지는지 확인하여 보자. 포개어진다.

풀이 △ABO, △ADO, △CBO, △CDO가 서로 포개어진다.

활동 ❸ □ABCD의 두 대각선 사이에 어떤 관계가 있는지 설명하여 보자.

풀이 활동 ❷에서 네 개의 삼각형이 서로 포개어지므로 $\overline{AO}=\overline{CO}$, $\overline{BO}=\overline{DO}$이고, ∠AOB=∠AOD이다.
이때 ∠AOB+∠AOD=180°이므로 ∠AOB=∠AOD=90°이다.
따라서 두 대각선 AC와 BD가 이루는 각의 크기는 90°이고, 두 대각선은 서로 다른 것을 이등분한다.

Tip 마름모는 평행사변형과 별개의 도형이 아니라 마름모가 평행사변형이 됨을 확인한다.

마름모는 네 변의 길이가 같은 사각형이다. 따라서 마름모는 두 쌍의 대변의 길이가 각각 같으므로 평행사변형이다. 즉, 마름모는 평행사변형의 성질을 모두 갖는다.

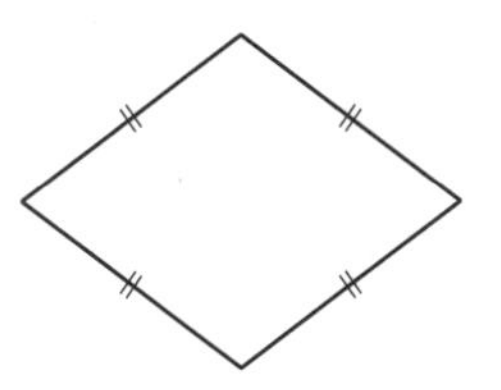

탐구하기 에서 □ABCD는 네 변의 길이가 같으므로 마름모이다. 이때 ❹에서 만든 네 개의 삼각형이 서로 포개어지므로 마름모의 두 대각선이 서로 다른 것을 수직이등분함을 알 수 있다.

이제 마름모의 대각선의 성질이 항상 성립하는지 확인하여 보자.

함께해 보기 2

다음은 마름모 ABCD의 두 대각선이 서로 다른 것을 수직이등분함을 설명하는 과정이다. □ 안에 알맞은 것을 써넣어 보자.

합동인 삼각형을 찾고 확인하기 ▶

오른쪽 그림과 같이 마름모 ABCD의 두 대각선의 교점을 O라고 하자.

△ABO와 △ADO에서

$\overline{BO}=$ [DO] …… ①

$\overline{AO}$는 공통 …… ②

$\overline{AB}=$ [AD] …… ③

이다. ①, ②, ③에서 대응하는 세 변의 길이가 각각 같으므로

△ABO≡△ADO이다.

마름모의 성질 확인하기 ▶

이때 ∠AOB=∠AOD= [90]°이므로 $\overline{AC}\perp\overline{BD}$이고 $\overline{OB}=\overline{OD}$이다.

개념 쏙

마름모의 두 대각선에 의하여 생긴 4개의 삼각형은 모두 합동이다.

이상을 정리하면 다음과 같다.

마름모의 성질

마름모의 두 대각선은 서로 다른 것을 수직이등분한다.

3. 다음 마름모 ABCD에서 두 대각선의 교점을 O라고 할 때, x, y의 값을 각각 구하시오.

(1)

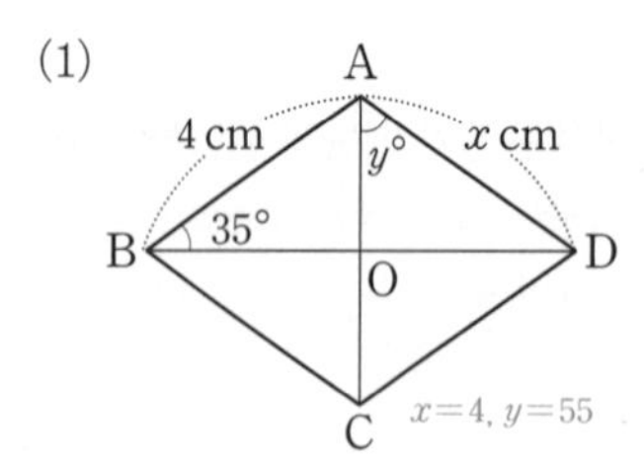

$x=4$, $y=55$

(2)

$x=2$, $y=30$

풀이 (1) 마름모는 네 변의 길이가 같으므로 $x=4$
∠ADO=35°이고, ∠AOD=90°이므로 $y=180-(90+35)=55$
(2) 마름모의 두 대각선은 서로 다른 것을 이등분하므로 $x=2$
△BCO≡△DCO이므로 $y=30$

4. 오른쪽 그림과 같이 평행사변형 ABCD의 두 대각선이 서로 다른 것을 수직이등분할 때, 다음 순서에 따라 □ABCD가 마름모임을 설명하시오. (단, 점 O는 두 대각선의 교점이다.)

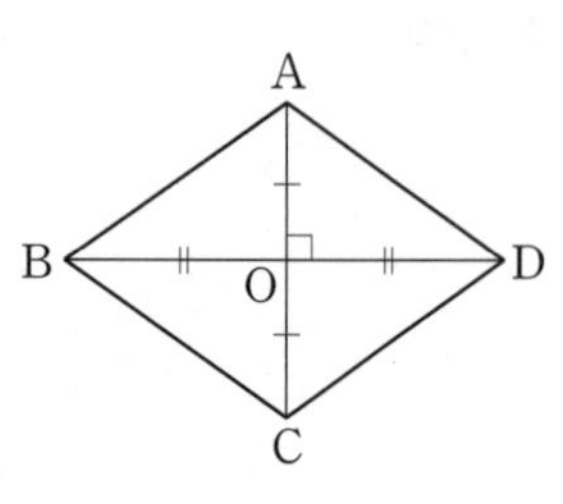

(1) △ABO≡△CBO임을 설명하시오.

(2) □ABCD가 마름모임을 설명하시오.

풀이 (1) △ABO와 △CBO에서 $\overline{AO}=\overline{CO}$이고, $\overline{BO}$는 공통, ∠AOB=∠COB=90°이다.
즉, 대응하는 두 변의 길이가 각각 같고, 그 끼인각의 크기가 같으므로 △ABO≡△CBO이다.
(2) △ABO≡△CBO이므로 $\overline{AB}=\overline{CB}$이다. □ABCD가 평행사변형이므로
$\overline{AB}=\overline{DC}$, $\overline{BC}=\overline{AD}$이다. $\overline{AB}=\overline{BC}=\overline{CD}=\overline{DA}$이므로 □ABCD는 마름모이다.

정사각형에는 어떤 성질이 있을까?

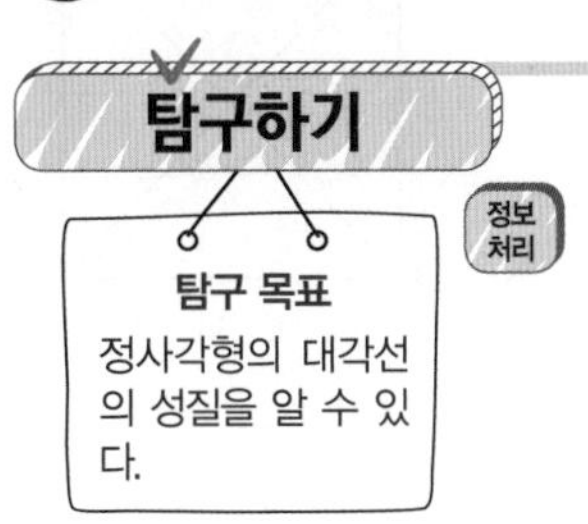

정보 처리

오른쪽 그림과 같이 공학적 도구를 이용하여 한 변의 길이가 a인 정사각형 ABCD를 그려 보자. a의 값을 바꾸어 가며 정사각형 ABCD를 그려 보고, 다음 물음에 답하여 보자.

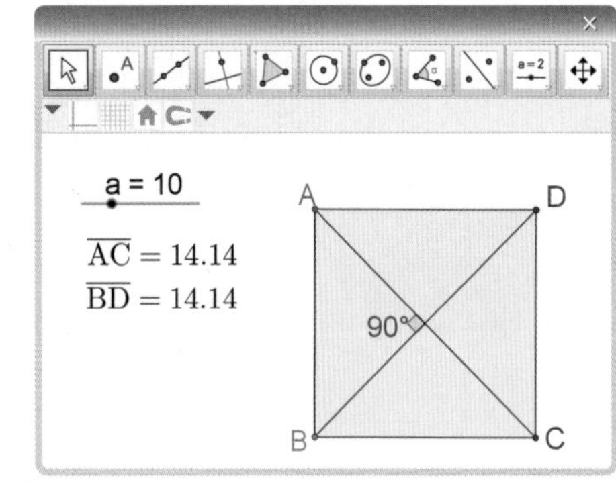

활동 ❶ 두 대각선 AC와 BD의 길이와 두 대각선이 이루는 각의 크기를 비교하여 보자.

풀이 두 대각선의 길이는 항상 같고, 두 대각선이 이루는 각은 항상 90°이다.

활동 ❷ 정사각형 ABCD의 두 대각선 사이에 어떤 관계가 있는지 설명하여 보자.

풀이 정사각형의 두 대각선은 길이가 서로 같고, 서로 다른 것을 수직이등분한다.

Tip 정사각형이 직사각형, 마름모와 별개의 도형이 아니라 정사각형이 직사각형도 되고 마름모도 됨을 확인한다.

정사각형의 성질과 관련된 다음 사항을 기억한다.
① 정사각형은 평행사변형의 성질을 모두 만족한다.
② 정사각형은 직사각형의 성질을 모두 만족한다.
③ 정사각형은 마름모의 성질을 모두 만족한다.

탐구하기 에서 정사각형의 두 대각선이 서로 수직으로 만나고, 그 길이가 서로 같음을 알 수 있다.

정사각형은 네 변의 길이가 같고, 네 내각의 크기가 같은 사각형이다. 따라서 정사각형은 네 내각의 크기가 같으므로 직사각형이다. 즉, 두 대각선의 길이는 같다.

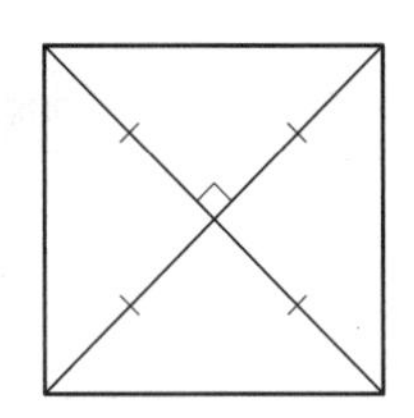

또한, 정사각형은 네 변의 길이가 같으므로 마름모이다. 즉, 두 대각선은 서로 다른 것을 수직이등분한다.

이상을 정리하면 다음과 같다.

정사각형의 성질

정사각형의 두 대각선은 길이가 서로 같고, 서로 다른 것을 수직이등분한다.

5. 다음 정사각형 ABCD에서 두 대각선의 교점을 O라고 할 때, x, y의 값을 각각 구하시오.

(1)

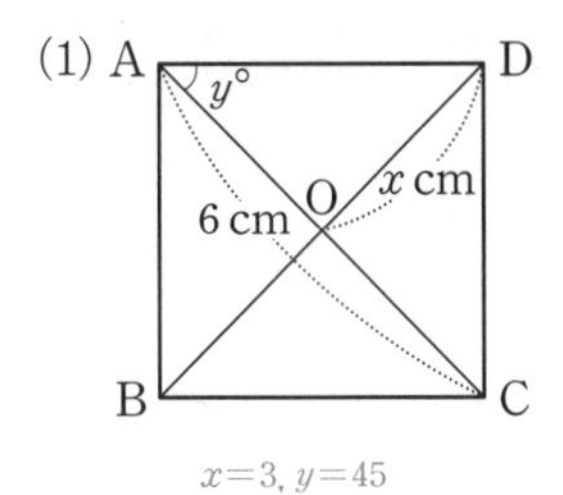

$x=3$, $y=45$

(2)

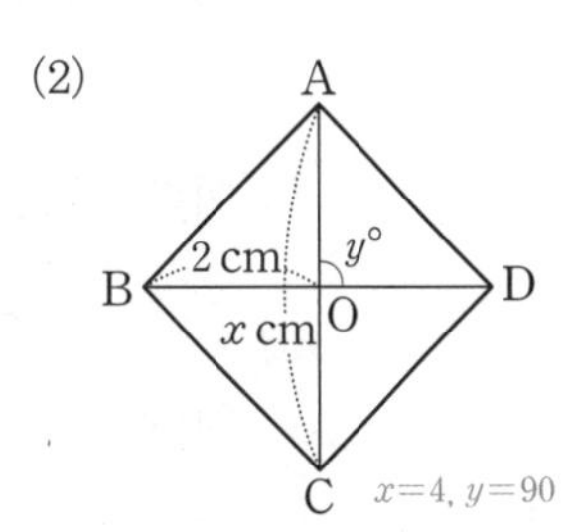

$x=4$, $y=90$

풀이 (1) 정사각형의 두 대각선은 길이가 서로 같고, 서로 다른 것을 수직이등분하므로 $x=3$
△OAD가 직각이등변삼각형이므로 $y=45$
(2) 정사각형의 두 대각선은 길이가 서로 같고, 서로 다른 것을 수직이등분하므로 $x=4$, $y=90$

6. 두 대각선의 길이가 서로 같고, 서로 다른 것을 수직이등분하는 □ABCD가 정사각형임을 설명하시오.

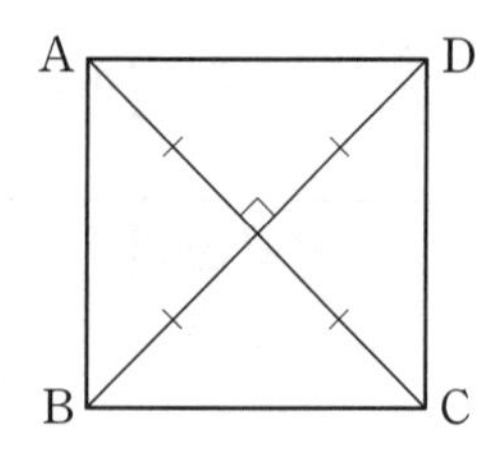

풀이 두 대각선이 서로 다른 것을 수직이등분하므로 □ABCD는 마름모이다.
또한, 두 대각선의 길이가 서로 같으므로 □ABCD는 직사각형이다.
즉, □ABCD는 마름모이고 직사각형이므로 네 변의 길이가 같고, 네 내각의 크기가 같다.
따라서 □ABCD는 정사각형이다.

등변사다리꼴에는 어떤 성질이 있을까?

사다리꼴은 한 쌍의 대변이 서로 평행한 사각형이다.

특히, 오른쪽 그림과 같이 아랫변의 양 끝 각의 크기가 같은 사다리꼴을 등변사다리꼴이라고 한다. 이제 등변사다리꼴의 성질을 알아보자.

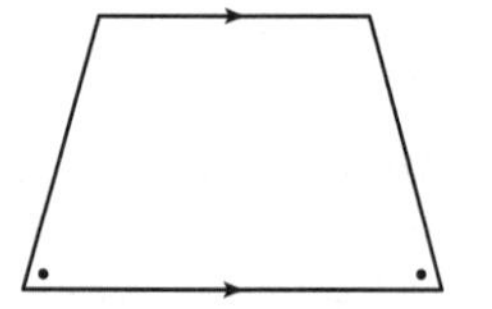

함께해 보기 3

다음은 등변사다리꼴 ABCD의 평행하지 않은 두 대변의 길이가 서로 같음을 설명하는 과정이다. □ 안에 알맞은 것을 써넣어 보자.

평행사변형의 성질 활용하기 ▶

오른쪽 그림과 같이 $\overline{AD} /\!/ \overline{BC}$, $\angle B = \angle C$인 등변사다리꼴 ABCD에서 점 D를 지나고 $\overline{AB}$에 평행한 직선이 $\overline{BC}$와 만나는 점을 E라고 하자.

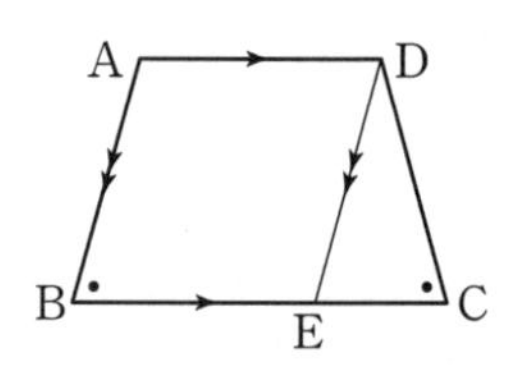

□ABED가 평행사변형이므로

$$\overline{AB} = \boxed{\overline{DE}} \quad \cdots\cdots ①$$

이다.

한편, $\overline{AB} /\!/ \overline{DE}$이므로 $\angle B = \angle DEC$(동위각)이고 $\angle B = \angle C$이다. 즉,

$$\boxed{\angle DEC} = \angle C$$

등변사다리꼴의 성질 확인하기 ▶

이다. 따라서 △DEC는 이등변삼각형이므로

$$\boxed{\overline{DE}} = \overline{DC} \quad \cdots\cdots ②$$

이다. ①, ②에서

$$\overline{AB} = \overline{DC}$$

이다.

등변사다리꼴의 성질과 관련된 다음 사항을 기억한다.
① 등변사다리꼴의 아랫변의 양 끝 각의 크기가 같다.
② 등변사다리꼴의 평행하지 않은 두 대변의 길이가 서로 같다.
③ 등변사다리꼴의 두 대각선의 길이가 서로 같다.

7. **오른쪽 그림과 같이 $\overline{AD}/\!/\overline{BC}$인 등변사다리꼴 ABCD에서 두 대각선의 길이가 서로 같음을 다음 순서에 따라 설명하시오.**

(1) $\triangle ABC \equiv \triangle DCB$임을 설명하시오.

(2) $\overline{AC}=\overline{DB}$임을 설명하시오.

풀이 (1) $\triangle ABC$와 $\triangle DCB$에서 $\overline{AB}=\overline{DC}$(등변사다리꼴의 성질) …… ①
$\overline{BC}$는 공통 …… ②
$\angle ABC=\angle DCB$ …… ③
이다. ①, ②, ③에서 대응하는 두 변의 길이가 각각 같고, 그 끼인각의 크기가 같으므로 $\triangle ABC \equiv \triangle DCB$이다.
(2) $\triangle ABC \equiv \triangle DCB$이므로 대응하는 변의 길이가 같다. 따라서 $\overline{AC}=\overline{DB}$이다.

8. **다음 $\overline{AD}/\!/\overline{BC}$인 등변사다리꼴 ABCD에서 두 대각선의 교점을 O라고 할 때, x, y의 값을 각각 구하시오.**

(1)
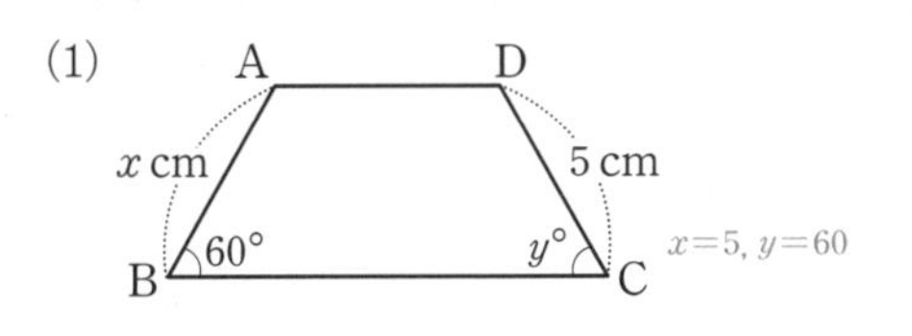

(2)
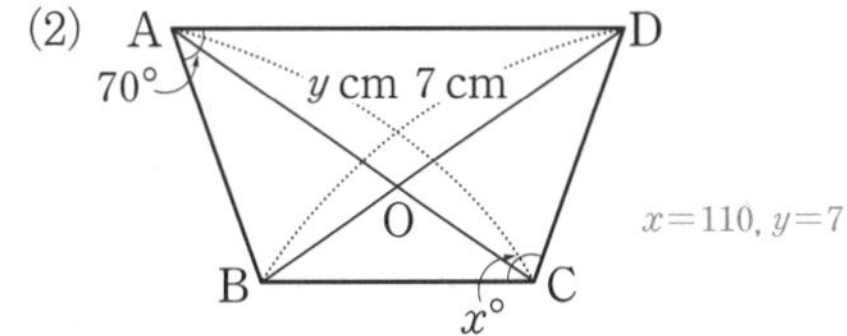

풀이 (2) $\overline{AD}/\!/\overline{BC}$이므로 $\angle B$의 외각의 크기는 $70°$이다. 따라서 $\angle B=180°-70°=110°$이므로 $x=110$이고, 등변사다리꼴의 두 대각선의 길이가 서로 같으므로 $y=7$이다.

여러 가지 사각형 사이에는 어떤 관계가 있을까?

여러 가지 사각형 사이의 관계와 관련된 다음 사항을 이해한다.
① 직사각형과 마름모는 평행사변형이기도 하고 사다리꼴이기도 하다.
② 정사각형은 직사각형, 마름모, 평행사변형, 사다리꼴이기도 하다.
③ 사각형에 조건을 하나씩 추가하면 사다리꼴, 평행사변형, 직사각형, 정사각형, 그리고 사다리꼴, 평행사변형, 마름모, 정사각형이 된다.

사각형의 한 쌍의 대변이 서로 평행하면 사다리꼴이고, 사다리꼴에서 다른 한 쌍의 대변도 서로 평행하면 평행사변형이다.

평행사변형 중에서 한 내각이 직각이면 모든 내각의 크기가 $90°$로 같으므로 직사각형이고, 이웃하는 두 변의 길이가 같으면 네 변의 길이가 같아지므로 마름모이다.

또한, 직사각형의 이웃하는 두 변의 길이가 같으면 네 변의 길이가 같아지므로 정사각형이고, 마름모의 한 내각이 직각이면 모든 내각의 크기가 $90°$로 같으므로 정사각형이다.

이를 정리하여 그림으로 나타내면 다음과 같다.

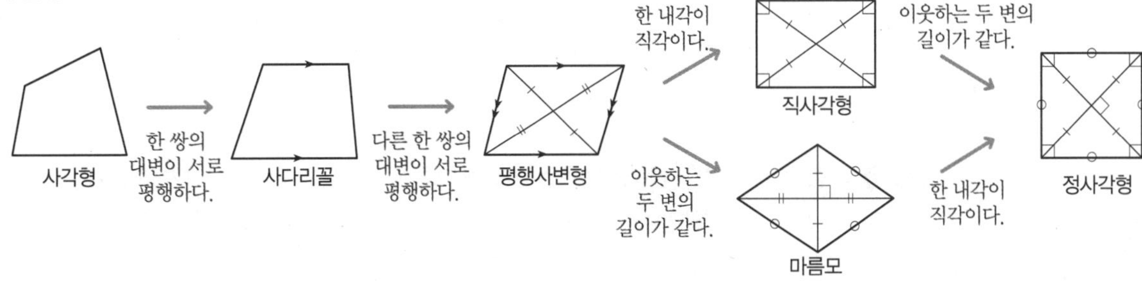

9. 다음 조건을 만족시키는 평행사변형 ABCD가 어떤 사각형인지 말하시오.

(1) $\overline{AB}=\overline{AD}$ 마름모　　(2) $\angle B=90°$, $\overline{AD}=\overline{DC}$ 정사각형

(3) $\overline{AC}=\overline{BD}$ 직사각형　　(4) $\overline{AC}\perp\overline{BD}$ 마름모

풀이 (1) 평행사변형은 두 쌍의 대변의 길이가 각각 같으므로 $\overline{AB}=\overline{DC}$, $\overline{AD}=\overline{BC}$이다. 이때 $\overline{AB}=\overline{AD}$이므로 네 변의 길이가 같다.
(2) $\angle B=90°$이면 직사각형이고, $\overline{AD}=\overline{DC}$이면 마름모이다. 따라서 평행사변형 ABCD는 정사각형이다.
(3) $\overline{AC}=\overline{BD}$이면 평행사변형 ABCD는 두 대각선의 길이가 서로 같으므로 직사각형이다.
(4) $\overline{AC}\perp\overline{BD}$이면 두 대각선이 직교하고, □ABCD가 평행사변형이므로 두 대각선은 서로 다른 것을 이등분한다.
따라서 □ABCD는 두 대각선이 서로 다른 것을 수직이등분하므로 마름모이다.

10. 다음은 여러 가지 사각형과 대각선의 관계를 나타낸 표이다. 주어진 성질을 만족시키면 ○표, 만족시키지 않으면 ×표를 아래의 빈칸에 써넣으시오.

사각형의 성질	평행사변형	직사각형	마름모	정사각형
두 대각선이 서로 다른 것을 이등분한다.	○	○	○	○
두 대각선의 길이가 서로 같다.	×	○	×	○
두 대각선이 서로 수직으로 만난다.	×	×	○	○
두 대각선이 서로 다른 것을 수직이등분한다.	×	×	○	○

평행선과 삼각형의 넓이 사이에는 어떤 관계가 있을까?

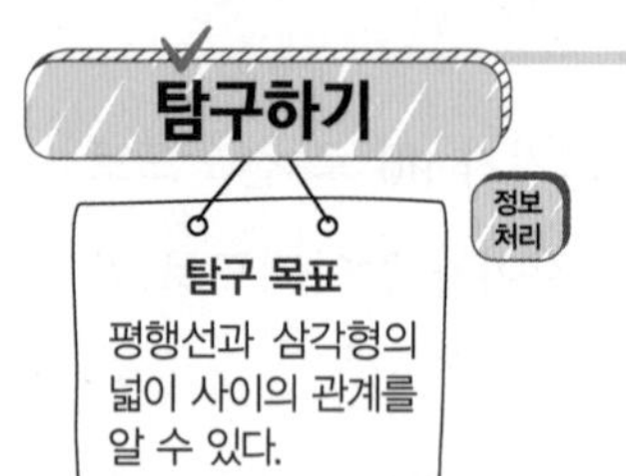

정보 처리

다음 그림과 같이 공학적 도구를 이용하여 평행한 두 직선 l, m 사이에 △ABC를 그려 보자. 점 A를 직선 l 위에서 움직여 보고, 물음에 답하여 보자.

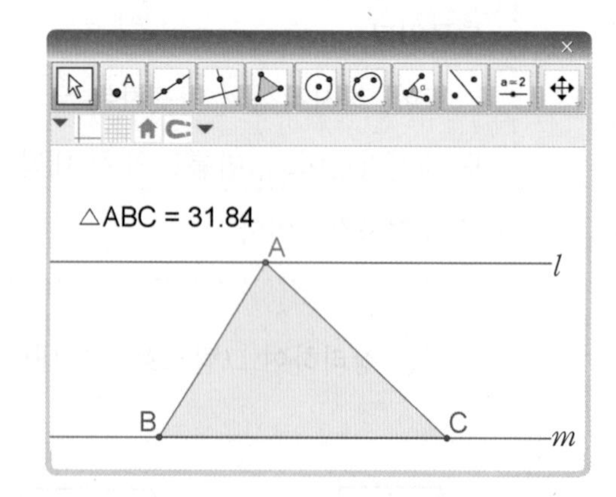

활동 ❶ 삼각형의 넓이가 변하는지 확인하고, 왜 그렇게 되는지 친구들과 이야기하여 보자.

풀이 점 A를 움직여도 삼각형의 높이가 일정하므로 삼각형의 넓이가 31.84로 일정하다.

탐구하기 에서 평행한 두 직선 사이에 그린 △ABC에서 점 A를 움직여 그 모양이 바뀌어도 밑변의 길이와 높이는 변하지 않으므로 그 넓이는 같다는 것을 확인할 수 있다.

개념 쏙

△ABC=△DBC
➡ 넓이가 같다.
△ABC≡△DBC
➡ 합동이다.

오른쪽 그림과 같이 평행한 두 직선 l과 m 사이에 △ABC와 △DBC가 놓여 있을 때, △ABC와 △DBC는 밑변의 길이와 높이가 같으므로, 두 삼각형의 넓이는 같다.

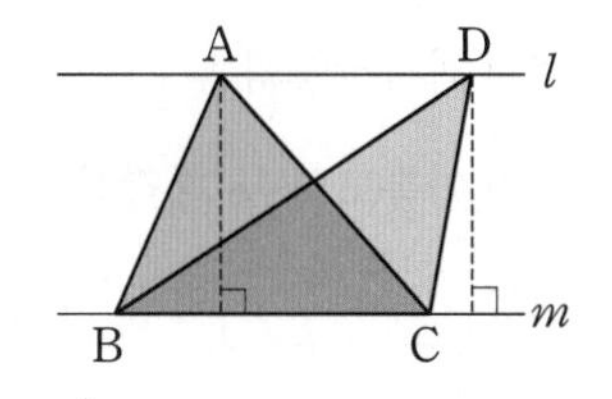

일반적으로 두 삼각형 ABC와 DBC의 넓이가 같을 때, 이것을 기호

△ABC=△DBC

로 나타낸다.

11. **오른쪽 그림에서 $l /\!/ m$이고 △ABC의 넓이가 12 cm² 일 때, △DBC의 넓이를 구하시오.** 12 cm²

풀이 $\overline{AD} /\!/ \overline{BC}$이므로 △ABC=△DBC이다.
따라서 △DBC=12 cm² 이다.

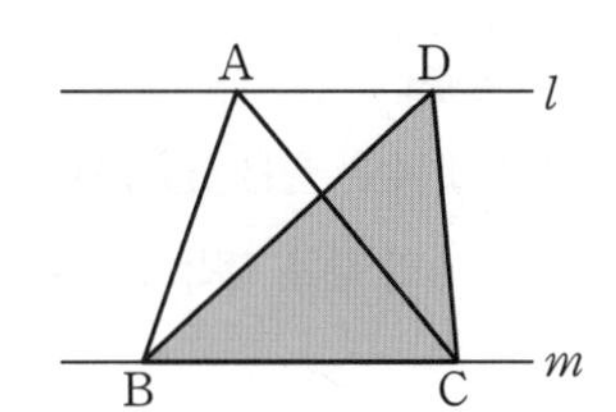

추론 의사소통

생각 나누기

하은이가 말하는 사각형을 직접 그려 보고, 이러한 사각형이 정사각형이 될 수 있을지 친구들과 이야기하여 보자.

두 대각선이 서로 수직으로 만나고 그 길이가 서로 같은 사각형은 정사각형이 될까?

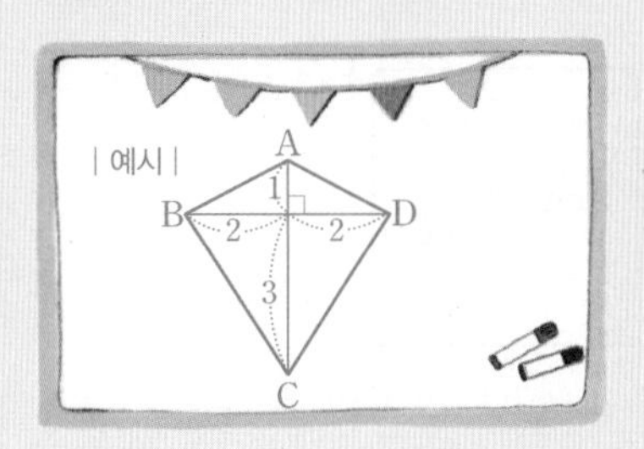

풀이 정사각형이 되지 않는 경우도 있다.
실제로 | 예시 | 그림과 같은 사각형 ABCD는 두 대각선이 서로 수직으로 만나고 그 길이가 서로 같지만 정사각형이 아니다.
또한, 문제의 조건에 두 대각선이 서로 다른 것을 이등분한다는 것을 추가하면 정사각형이 된다.

스스로 점검하기

개념 점검하기

잘함 보통 모름

(1) 직사각형의 두 [대각선]은 길이가 같고, 서로 다른 것을 이등분한다.

(2) 마름모의 두 대각선은 서로 다른 것을 [수직이등분]한다.

(3) [정사각형]의 두 대각선은 길이가 같고, 서로 다른 것을 수직이등분한다.

1 ●●● (172쪽)

다음 직사각형 ABCD에서 두 대각선의 교점을 O라고 할 때, x의 값을 구하시오. 6

풀이 직사각형은 두 대각선의 길이가 서로 같고, 서로 다른 것을 이등분하므로 $\overline{BD}=12$ cm이고, $x=6$이다.

2 ●●● (174쪽)

다음 마름모 ABCD에서 두 대각선의 교점을 O라고 할 때, x, y의 값을 각각 구하시오. $x=3$, $y=90$

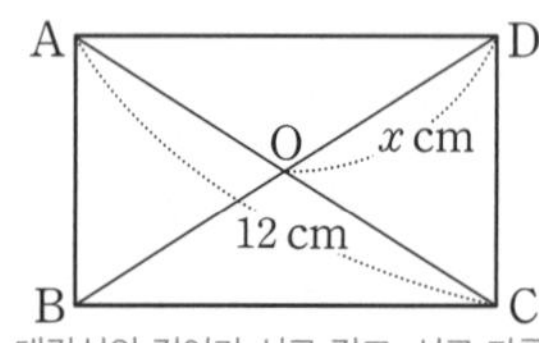

풀이 마름모의 두 대각선은 서로 다른 것을 수직이등분하므로 $x=3$, $y=90$이다.

3 ●●● (175쪽)

다음 정사각형 ABCD에서 두 대각선의 교점을 O라고 할 때, x, y의 값을 각각 구하시오. $x=4$, $y=90$

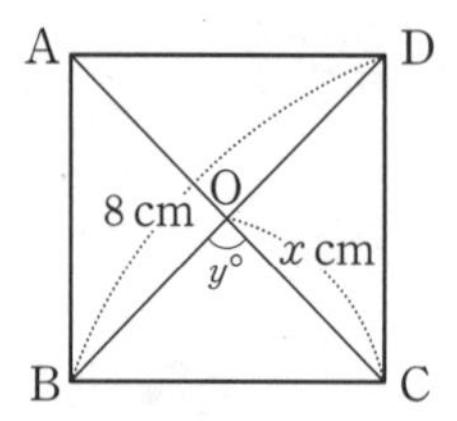

풀이 정사각형의 두 대각선은 길이가 서로 같고, 서로 다른 것을 수직이등분하므로 $x=4$, $y=90$이다.

4 ●●● (177쪽)

다음 보기 중에서 옳은 것을 모두 고르시오.

보기

ㄱ. 정사각형은 마름모이다.

ㄴ. 직사각형은 정사각형이다.

ㄷ. 직사각형은 등변사다리꼴이다.

ㄹ. 평행사변형의 한 내각의 크기가 90°이면 직사각형이다.

풀이 ㄱ. 정사각형은 네 변의 길이가 같으므로 마름모이다.
ㄴ. 네 변의 길이가 다른 직사각형도 있으므로 직사각형은 정사각형이 아닐 수 있다.
ㄷ. 직사각형은 한 쌍의 대변이 평행하고 아랫변의 양 끝 각의 크기가 90°로 같으므로 등변사다리꼴이다.
ㄹ. 평행사변형의 한 내각의 크기가 90°이면 모든 내각의 크기가 90°이므로 직사각형이다.
따라서 옳은 것은 ㄱ, ㄷ, ㄹ이다.

5 ●●● (179쪽)

다음 그림과 같이 $\overline{AD}/\!/\overline{BC}$인 사다리꼴 ABCD에서 두 대각선의 교점을 O라고 하자. $\triangle ABC=20$ cm^2, $\triangle OBC=12$ cm^{2}일 때, $\triangle DOC$의 넓이를 구하시오. 8 cm^2

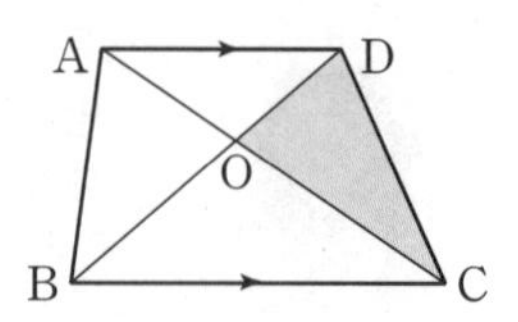

풀이 $\overline{AD}/\!/\overline{BC}$이므로 $\triangle ABC=\triangle DBC=20$ cm^2
따라서 $\triangle DOC=\triangle DBC-\triangle OBC=20-12=8$(cm^2)이다.

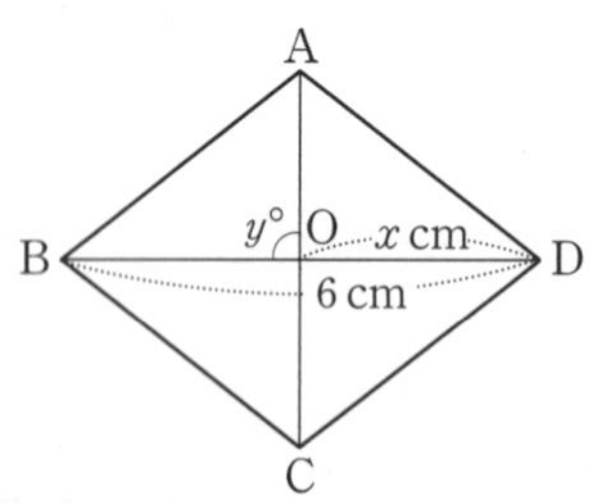

넓이가 같은 삼각형 만들기

평행선 위에서 삼각형의 밑변을 고정하면, 넓이가 같은 여러 가지 삼각형을 얻을 수 있다.

이제 이러한 원리를 이용하여 주어진 도형과 넓이가 같은 삼각형을 만들어 보자.

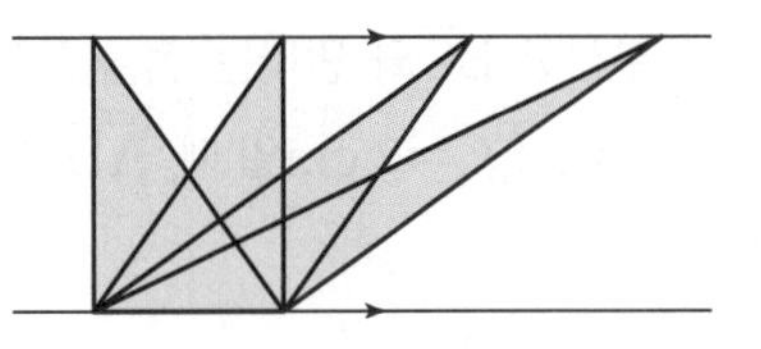

사각형 ABCD와 넓이가 같은 삼각형 만들기

【준비물】 색종이, 빨대, 가위, 테이프

❶	❷	❸
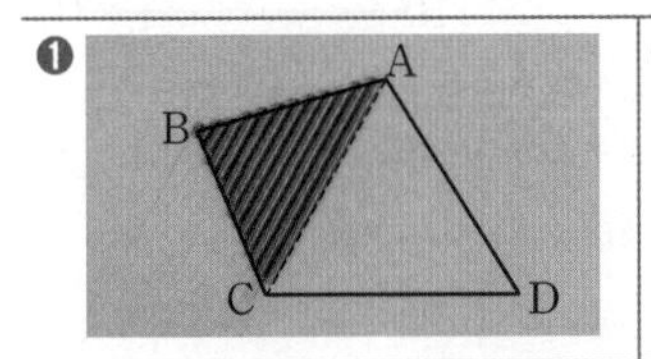	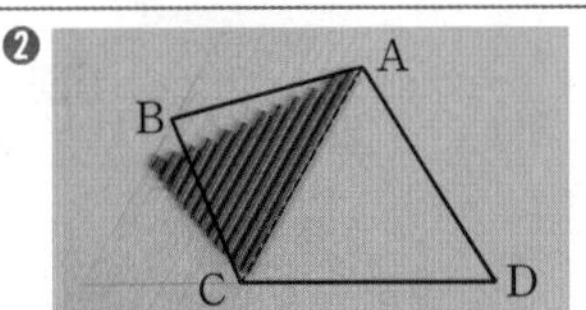	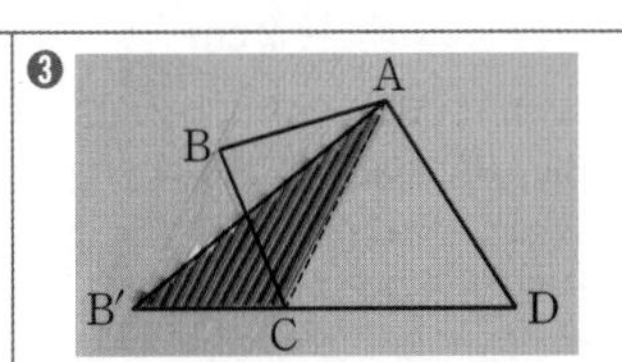
대각선 AC를 경계로 만들어지는 △ABC의 모양을 빨대로 덮는다. 이때 빨대는 대각선 AC와 평행하게 놓는다.	빨대를 대각선 AC의 평행선을 따라 이동하여 보면서 △ABC와 넓이가 같은 삼각형을 만들어 본다.	모든 빨대의 한쪽 끝이 직선 CD 위에 위치하면 사각형 ABCD와 넓이가 같은 삼각형 AB′D가 만들어진다.

활동 ① 오른쪽 그림과 같은 오각형 ABCDE와 넓이가 같은 삼각형을 만들어 보자.

힌트 대각선에 의해 나누어진 두 삼각형 ABC와 ADE의 모양을 바꾸어 본다.

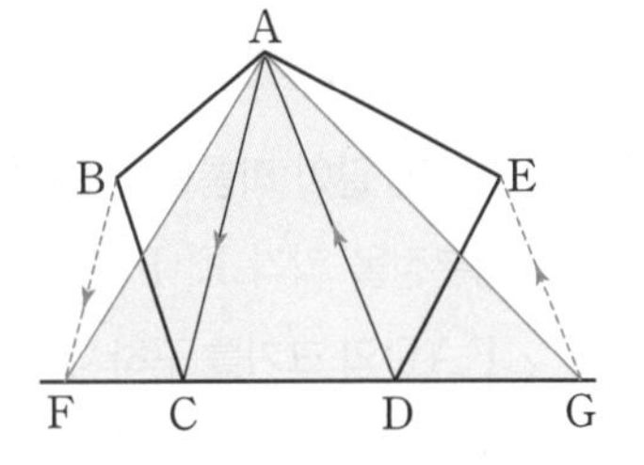

풀이 오른쪽 그림과 같이 점 B에서 선분 AC와 평행인 직선, 점 E에서 선분 AD와 평행인 직선을 긋고, 직선 CD와 만나는 점을 각각 F, G라고 하자. 이때 평행선과 삼각형의 넓이 사이의 관계에서 △ABC=△AFC, △AED=△AGD이다. 이를 이용하면,
△ABC+△ACD+△AED=△AFC+△ACD+△ADG=△AFG이므로
오각형 ABCDE의 넓이는 △AFG의 넓이와 같다.

활동 ② 오른쪽 그림과 같이 꺾어진 경계선을 지닌 두 밭의 주인이 밭의 경계선을 일직선으로 만들려고 한다. 두 밭의 넓이가 변하지 않도록 경계선을 정하는 방법을 친구들과 이야기하여 보자.

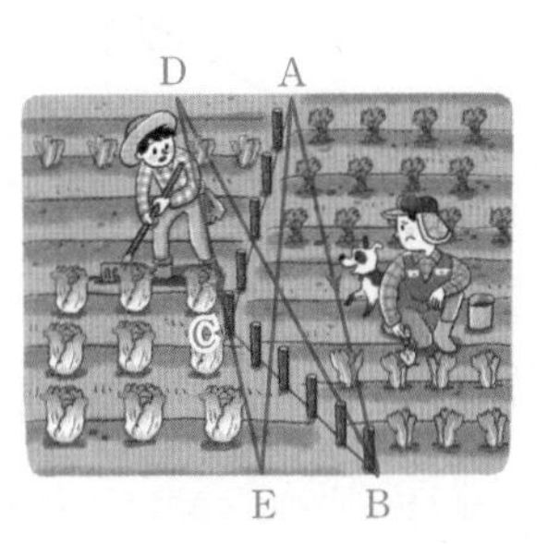

풀이 오른쪽 그림과 같이 점 C를 지나고 선분 AB와 서로 평행한 직선 DE를 그으면
△ACB=△ADB=△AEB이다.
따라서 $\overline{AE}$ 또는 $\overline{DB}$를 경계선으로 정하면 두 밭의 넓이가 변하지 않으면서 경계선을 일직선으로 만들 수 있다.

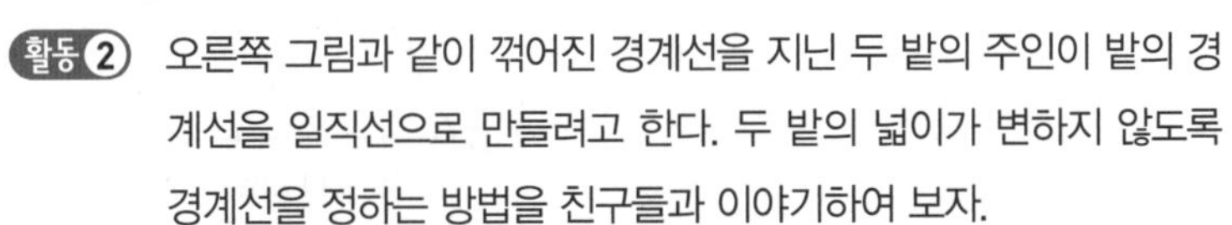

| 상호 평가표 |

	평가 내용	자기 평가			친구 평가		
		😄	😊	😵	😄	😊	😵
내용	문제를 해결하는 데 필요한 평행선을 그을 수 있다.						
	평행선과 삼각형의 넓이 사이의 관계를 이용하여 넓이가 같은 삼각형을 만들 수 있다.						
태도	넓이가 같은 삼각형을 만드는 활동에 적극 참여하였다.						

스스로 확인하기

1. 다음 그림과 같이 평행사변형 ABCD에서 $\angle A$의 이등분선이 $\overline{BC}$와 만나는 점을 E라고 하자. $\overline{AB}=6$ cm, $\overline{EC}=2$ cm일 때, $\overline{AD}$의 길이를 구하시오. 8 cm

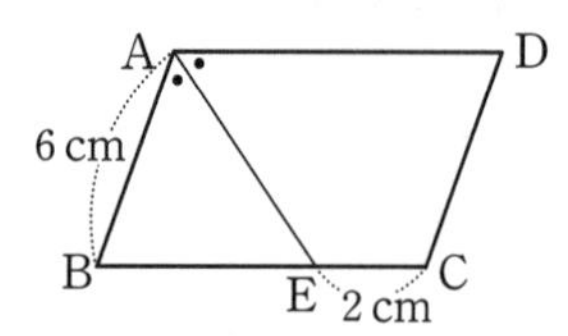

풀이 $\overline{AD} /\!/ \overline{BC}$이므로 $\angle DAE=\angle AEB$(엇각)이고
$\triangle BEA$는 $\overline{BE}=\overline{BA}$인 이등변삼각형이다.
또, $\overline{BC}=\overline{BE}+\overline{EC}=6+2=8$(cm)
따라서 평행사변형은 두 쌍의 대변의 길이가 각각 같으므로
$\overline{AD}=8$ cm이다.

2. 다음 그림과 같이 마름모 ABCD에서 대각선 BD의 삼등분점을 각각 E, F라고 하자. $\overline{AE}=\overline{BE}$일 때, $\angle FAD$의 크기를 구하시오. 30°

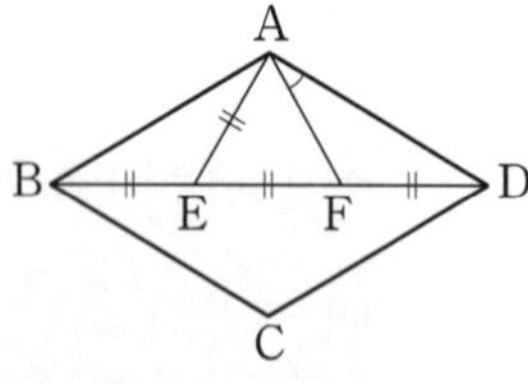

풀이 $\triangle ABE$와 $\triangle ADF$에서
$\overline{AB}=\overline{AD}$, $\overline{BE}=\overline{DF}$, $\angle ABE=\angle ADF$이므로
$\triangle ABE\equiv\triangle ADF$(SAS 합동)이다.
이때 $\overline{AE}=\overline{AF}$이고 $\triangle AEF$가 정삼각형이므로
$\angle AFE=60^\circ$이다.
$\triangle FAD$가 이등변삼각형이므로
$\angle FAD+\angle FDA=2\times\angle FAD=60^\circ$이고 $\angle FAD=30^\circ$이다.

3. 다음 그림과 같이 정사각형 ABCD에서 $\overline{AC}$는 대각선이고, $\angle BPC=70^\circ$일 때, $\angle x$의 크기를 구하시오. 25°

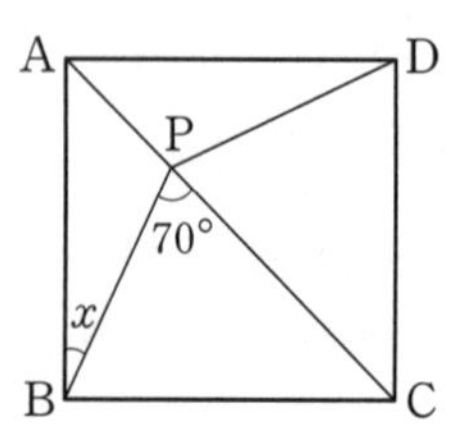

풀이 $\overline{BA}=\overline{BC}$이므로 $\angle BAC=45^\circ$이다.
$45^\circ+\angle x=70^\circ$이므로 $\angle x=25^\circ$이다.

4. 다음 그림과 같이 $\overline{AD} /\!/ \overline{BC}$인 등변사다리꼴 ABCD에서 $\overline{AB}=6$ cm, $\overline{BC}=11$ cm, $\overline{AD}=5$ cm일 때, $\angle A$의 크기를 구하시오. 120°

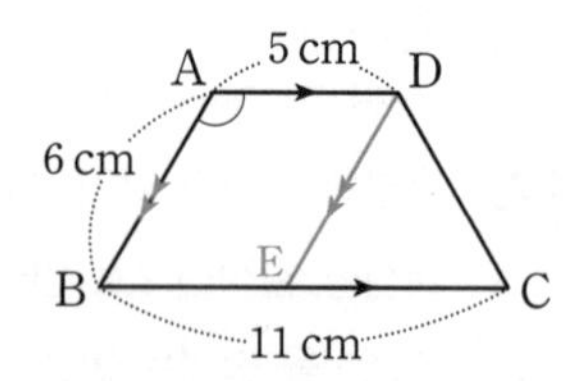

풀이 점 D에서 $\overline{AB}$에 평행하도록 그은 직선이 $\overline{BC}$와 만나는 점을 E라고 하자.
□ABED는 평행사변형이므로 $\overline{DE}=6$ cm, $\overline{BE}=5$ cm이고
$\overline{EC}=\overline{BC}-\overline{BE}=11-5=6$(cm)이다.
또, □ABCD가 등변사다리꼴이므로
$\overline{DC}=6$ cm이고 $\triangle DEC$는 정삼각형이다.
따라서 $\angle DEB=120^\circ$이므로 $\angle A=120^\circ$이다.

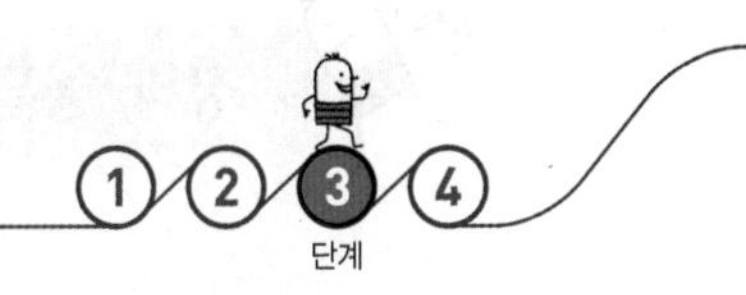

실력 업(UP) 발전 문제

5. 다음 그림과 같이 평행사변형 ABCD에서 $\overline{AF}$, $\overline{DE}$가 각각 $\angle A$, $\angle D$의 이등분선이고, $\overline{AD}=6$ cm, $\overline{EF}=2$ cm일 때, $\overline{AB}$의 길이를 구하시오. 4 cm

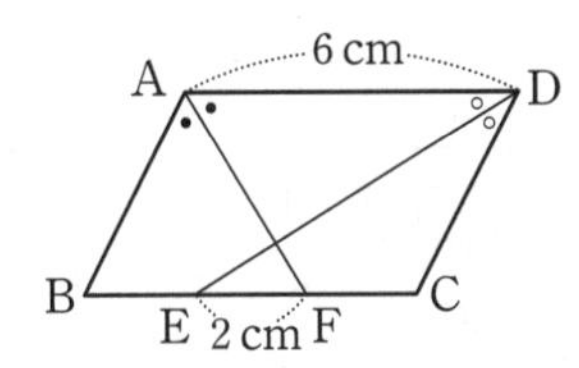

풀이 $\angle DAF=\angle AFB$(엇각)이므로 $\triangle BFA$는 $\overline{BF}=\overline{BA}$인 이등변삼각형이다. 마찬가지로 $\angle ADE=\angle DEC$(엇각)이므로 $\triangle CDE$는 $\overline{CD}=\overline{CE}$인 이등변삼각형이다.
이때 $\overline{AB}=x$ cm라고 하면 $\overline{AB}=\overline{BF}=\overline{CD}=\overline{CE}=x$ cm이다.
$\overline{BF}+\overline{EC}-\overline{EF}=\overline{BC}$에서 $x+x-2=6$이므로 $x=4$이다.
따라서 $\overline{AB}=4$ cm이다.

6. 다음 그림에서 $\overline{AC}\,/\!/\,\overline{DE}$일 때, □ABCD의 넓이를 구하시오. 12 cm^2

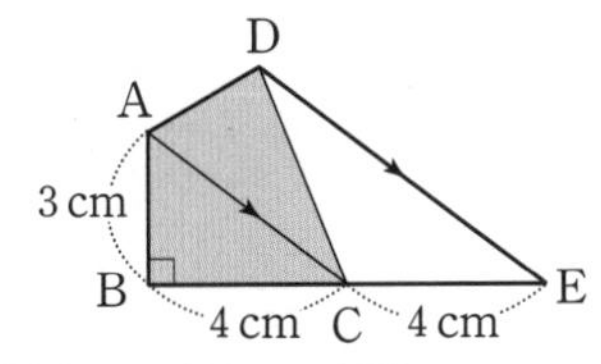

풀이 $\overline{AC}\,/\!/\,\overline{DE}$이므로 $\triangle ACD=\triangle ACE$
$\square ABCD=\triangle ABC+\triangle ACD$
$=\triangle ABC+\triangle ACE=\triangle ABE$
$=\frac{1}{2}\times 8\times 3=12(\text{cm}^2)$이다.

교과서 문제 뛰어 넘기

7. 오른쪽 그림과 같이 $\triangle ABC$의 세 변을 각각 한 변으로 하는 세 정삼각형 ADB, BCE, ACF에 대하여 □AFED는 어떤 사각형이 되는지 말하시오.

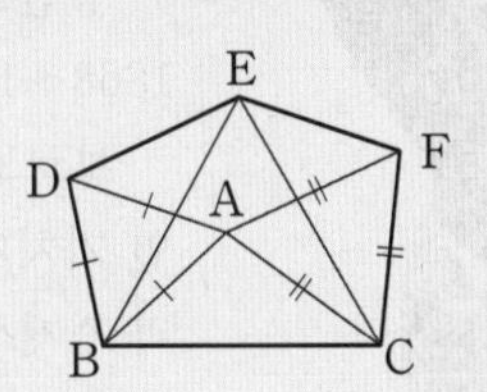

8. 오른쪽 그림과 같이 마름모 ABCD의 꼭짓점 B에서 변 CD에 내린 수선의 발을 E라 하고 $\overline{CE}=\overline{ED}$일 때, $\angle y-\angle x$의 크기를 구하시오.

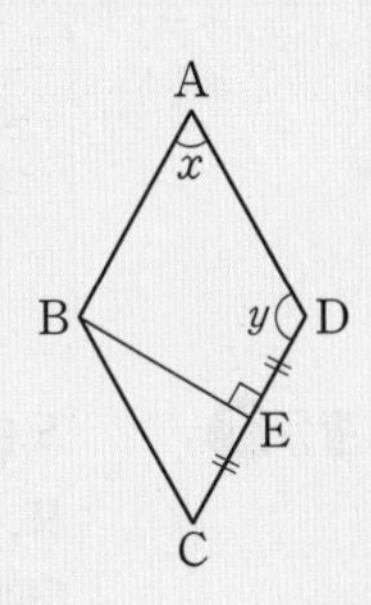

9. 다음 그림과 같이 $\overline{AD}\,/\!/\,\overline{BC}$인 등변사다리꼴 ABCD의 점 A에서 $\overline{BC}$에 내린 수선의 발을 E라고 하자. $\overline{AD}=4$ cm, $\overline{AE}=5$ cm이고 $\overline{AE}$ 위의 한 점 F에 대하여 $\triangle ADF=4\text{ cm}^2$, $\triangle AFC=7\text{ cm}^2$일 때, 사다리꼴 ABCD의 넓이를 구하시오.

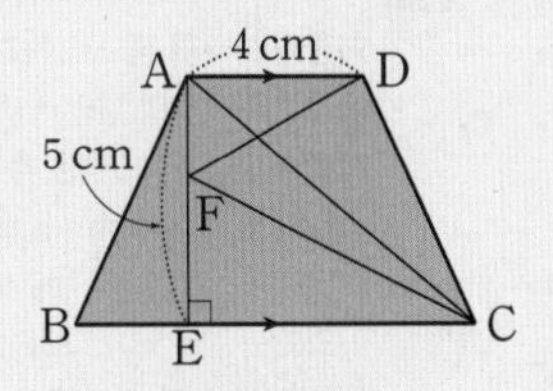

보로노이 다이어그램 그리기

평면을 다각형으로 분할하는 방법에는 어떤 것이 있을까? 수학자 보로노이(Voronoi, G., 1868~1908)는 평면을 효율적으로 분할하는 방법 중 하나인 보로노이 다이어그램을 발견하였다.

보로노이 다이어그램은 세포의 분열이나 동물의 무늬, 벌집과 같이 다양한 자연 구조와 닮아 예술적인 가치가 높고, 공간을 최대한 효율적으로 분할하는 원리를 담고 있어 경제적이기까지 하다. 예술성과 경제성을 두루 갖추고 있는 보로노이 다이어그램은 건축 디자인에서도 자주 활용된다. 우리도 보로노이 다이어그램을 그려 보자.

보로노이 다이어그램 그리기

❶	❷	❸	❹
평면 위에 여러 개의 점을 찍는다.	가장 인접한 두 개의 점을 선분으로 연결하여 여러 개의 삼각형을 만든다.	각 선분의 수직이등분선을 그리고, 각 수직이등분선의 교점을 연결한다.	❸에서 연결한 선을 경계로 평면이 분할된다.

활동 ❶ 오른쪽 두 평면 위에 보로노이 다이어그램을 그려 보자. 또, 분할된 평면을 서로 다른 색으로 칠하여 보자.

풀이 주어진 점으로 평면을 분할하면 오른쪽과 같은 보로노이 다이어그램을 얻을 수 있다.

|예시|

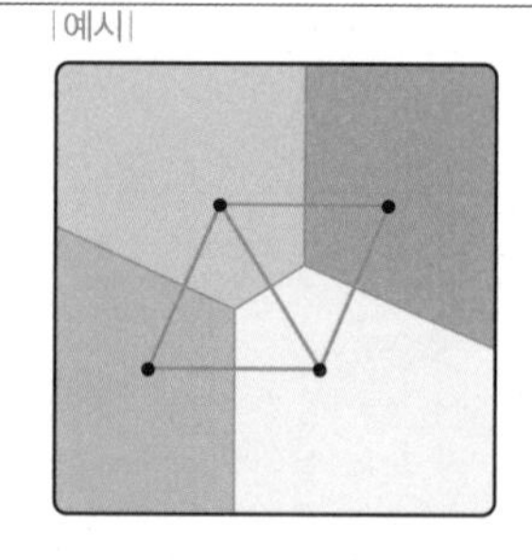

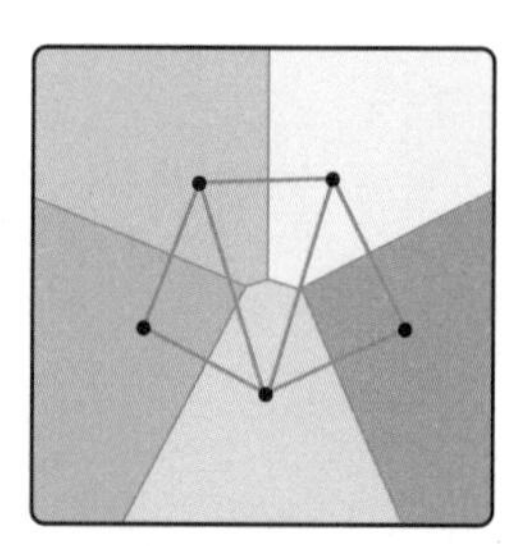

활동 ❷ 활동 ❶에서 완성한 보로노이 다이어그램에서 삼각형의 외심이 어떻게 활용되었는지 친구들과 이야기하여 보자.

풀이 보로노이 다이어그램에서 삼각형(•)의 각 변의 수직이등분선의 교점을 연결하여 만든 다각형을 보로노이 다각형(•)이라고 한다. 오른쪽 그림과 같이 각 삼각형의 외심은 보로노이 다각형의 꼭짓점이 된다.

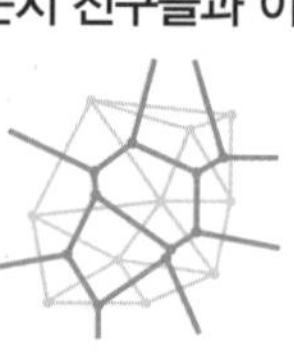

활동 ❸ 보로노이 다이어그램이 활용되는 실생활 예를 찾아보자.

풀이 |예시| 보로노이 다이어그램은 동 주민 센터, 소방서, 경찰서와 같은 공공 기관의 위치를 정할 때 활용된다. 이 경우 공공 기관을 하나의 점으로 하고 보로노이 다각형으로 공공 기관의 관할 구역을 정하면 관할 구역 내에서 어느 위치를 잡더라도 공공 기관까지의 거리가 다른 관할 구역의 공공 기관까지의 거리보다 가까워진다.

보로노이 다이어그램은 컴퓨터 그래픽이나 전염병을 연구할 때 활용되기도 한다. 19세기 중반 런던에 콜레라가 번창했을 때 의사인 존 스노(John Snow, 1813~1858)는 감염된 식수원과의 인접성과 사망 여부가 관련성이 아주 높다는 것을 알아냈는데, 그 과정에서 보로노이 다이어그램을 이용하였다.

이외에도 보로노이 다이어그램의 쓰임새는 다양하다. 예를 들어 로봇이 장애물을 만나면 피해 가도록 동선을 짤 때에나 GPS에서 최단 경로를 찾을 때에도 보로노이 다이어그램이 이용된다. 또, 하나의 흥미로운 사실은 보로노이 다이어그램이 기린의 얼룩무늬나 잠자리 날개와 같이 동물 세계에서도 발견된다는 점이다. 그런 면에서 보로노이 다이어그램은 자연이 선택한 패턴이기도 하다.

1. 오른쪽 그림과 같은 삼각형 모양의 호수 안에 원 모양으로 그물을 쳐서 민물고기 양식을 하려고 한다. 호수의 둘레의 길이가 240 m이고 넓이가 2400 m^2일 때, 그물로 만들 수 있는 가장 큰 원의 넓이를 구하시오.

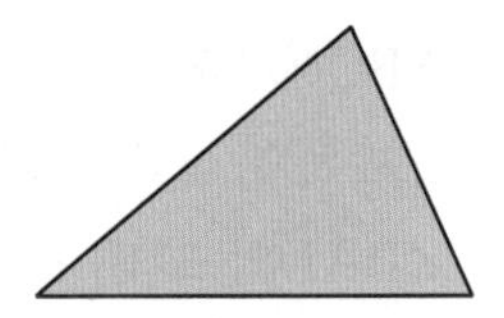

2. 오른쪽 그림의 □ABCD는 $\overline{AD} /\!/ \overline{BC}$, $\overline{AD}=18$ cm, $\overline{BC}=24$ cm인 사다리꼴이다. 점 P는 매초 2 cm의 속력으로 점 A에서 점 D까지 움직이고, 점 Q는 매초 4 cm의 속력으로 점 B에서 점 C까지 움직인다. 이때 점 P가 점 A에서 출발한 지 3초 후에 점 Q가 점 B에서 출발했다면 □AQCP가 평행사변형이 되는 것은 점 P가 출발한 지 몇 초 후인지 구하시오.

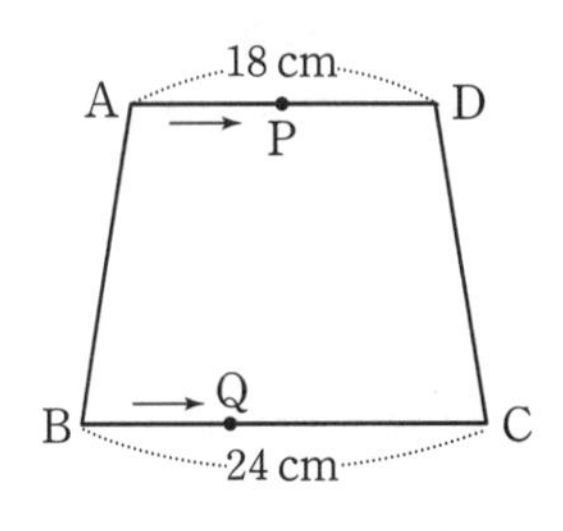

스스로 마무리하기

1. 오른쪽 그림과 같이 $\overline{AB}=\overline{AC}$인 이등변삼각형 ABC에서 $\overline{BC}$의 중점을 D라고 하자. $\angle C=70°$일 때, $\angle BAD$의 크기를 구하시오. $20°$

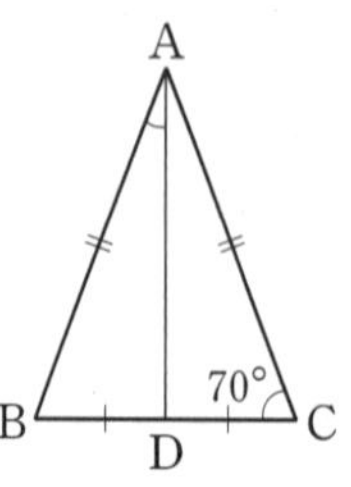

풀이 이등변삼각형의 두 밑각의 크기가 같으므로 $\angle B=\angle C=70°$이다.
이때 $\triangle ABD\equiv\triangle ACD$(SAS 합동)이므로 $\angle ADC=90°$이다.
따라서 $\angle BAD=90°-\angle B=20°$

2. 다음 그림에서 점 O는 $\triangle ABC$의 외심이고 $\angle ABO:\angle BCO=3:2$, $\angle BCO:\angle CAO=2:5$일 때, $\angle AOC$의 크기를 구하시오. $90°$

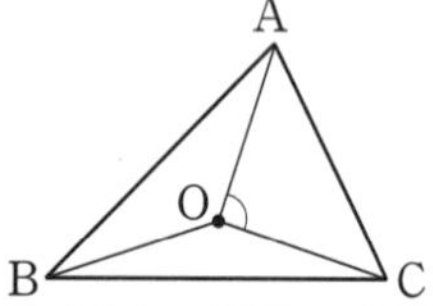

풀이 외심 O에서 삼각형의 세 꼭짓점에 이르는 거리는 같다. 즉,
$\angle A+\angle B+\angle C=2\times(\angle ABO+\angle BCO+\angle CAO)=180°$이므로
$\angle ABO+\angle BCO+\angle CAO=90°$이다.
이때 $\angle CAO=90°\times\frac{5}{10}=45°$이므로 $\angle AOC=180°-2\times\angle CAO=90°$

3. 오른쪽 그림에서 점 I는 $\overline{AB}=\overline{AC}$인 이등변삼각형 ABC의 내심이다. $\angle A=56°$일 때, $\angle IBC$의 크기를 구하시오. $31°$

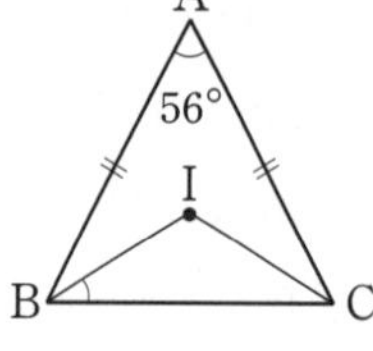

풀이 $\triangle ABC$가 이등변삼각형이므로 $\angle ABC=\frac{1}{2}\times(180°-56°)=62°$
점 I가 내심이므로 선분 BI는 $\angle ABC$의 이등분선이다.
따라서 $\angle IBC=\frac{1}{2}\times\angle ABC=31°$이다.

4. 다음 그림과 같이 평행사변형 ABCD에서 $\angle B$의 이등분선이 $\overline{AD}$와 만나는 점을 E, $\overline{CD}$의 연장선과 만나는 점을 F라고 하자. $\overline{AB}=4$ cm, $\overline{BC}=6$ cm일 때, $\overline{DF}$의 길이를 구하시오. 2 cm

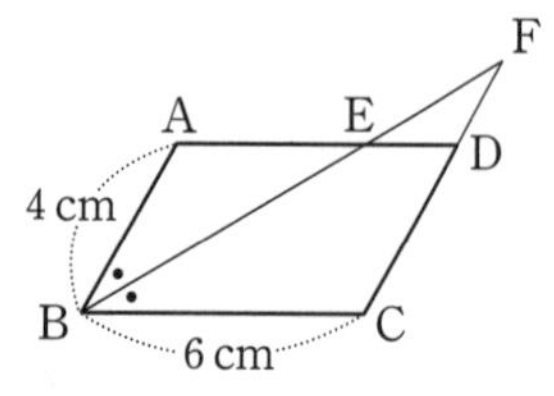

풀이 $\angle ABE=\angle DFE$(엇각)이므로 $\triangle CFB$는 $\overline{CB}=\overline{CF}$인 이등변삼각형이다.
즉, $\overline{CF}=6$ cm이다.
따라서 $\overline{DF}=\overline{CF}-\overline{CD}=6-4=2$(cm)이다.

풀이 $\triangle AOF$와 $\triangle COE$에서 $\overline{AO}=\overline{CO}$, $\angle AOF=\angle COE$,
$\angle FAO=\angle ECO$(엇각)이므로 $\triangle AOF\equiv\triangle COE$(ASA 합동)이다.
따라서 $\overline{FO}=\overline{EO}$이고 □AECF의 두 대각선이 서로 다른 것을 수직이등분하므로 □AECF는 마름모이다.
따라서 $\overline{AE}=\overline{EC}=5$ cm이므로 $\overline{AD}=\overline{BC}=8$ cm이다.

5. 오른쪽 그림과 같은 직사각형 ABCD에서 대각선 AC의 수직이등분선이 $\overline{BC}$, $\overline{AD}$와 만나는 점을 각각 E, F라고 하자. $\overline{AE}=5$ cm, $\overline{BE}=3$ cm일 때, $\overline{AD}$의 길이를 구하시오. 8 cm

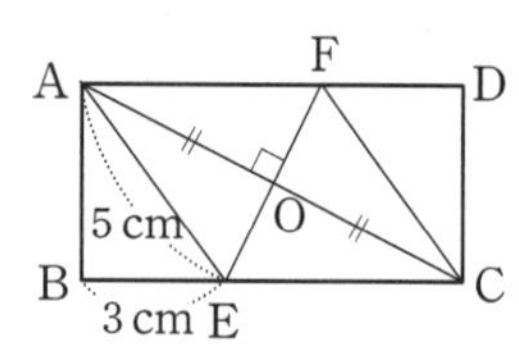

6. 다음 그림과 같은 마름모 ABCD에서 $\overline{BD}$는 대각선이고, $\overline{AE}\perp\overline{CD}$이다. $\angle C=108°$일 때, $\angle x$의 크기를 구하시오. $54°$

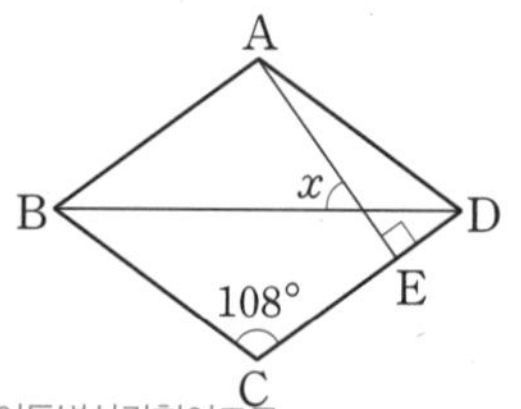

풀이 $\triangle BCD$가 이등변삼각형이므로
$\angle CDB=\frac{1}{2}\times(180°-108°)=36°$이다.
따라서 $\angle x=180°-(90°+36°)=54°$이다.

7. 다음 보기 중에서 평행사변형 ABCD가 직사각형이 될 조건을 모두 고르시오. (단, 점 O는 두 대각선의 교점이다.)

보기	
ㄱ. $\angle A=90°$	ㄴ. $\overline{AB}=\overline{AD}$
ㄷ. $\overline{AC}\perp\overline{BD}$	ㄹ. $\overline{AO}=\overline{BO}$

풀이 ㄱ. 평행사변형의 한 내각의 크기가 90°이면 모든 내각의 크기가 90°가 되므로 직사각형이 된다.
ㄹ. 평행사변형에서 $\overline{AO}=\overline{BO}$이면 $\overline{AC}=\overline{BD}$이고 두 대각선의 길이가 서로 같으므로 직사각형이 된다.

8. 다음 그림과 같이 $\overline{AD}/\!/\overline{BC}$인 사다리꼴 ABCD에서 두 대각선의 교점을 O라고 하자. $\triangle AOB=15$ cm²일 때, $\triangle DOC$의 넓이를 구하시오. 15 cm²

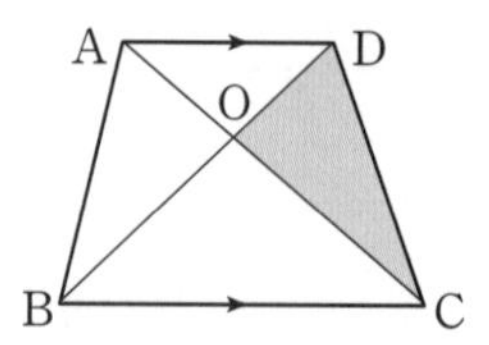

풀이 $\overline{AD}/\!/\overline{BC}$이므로 $\triangle ABC=\triangle DBC$
$\triangle DOC=\triangle DBC-\triangle OBC=\triangle ABC-\triangle OBC=\triangle AOB$
이므로 $\triangle DOC=\triangle AOB=15$ cm²

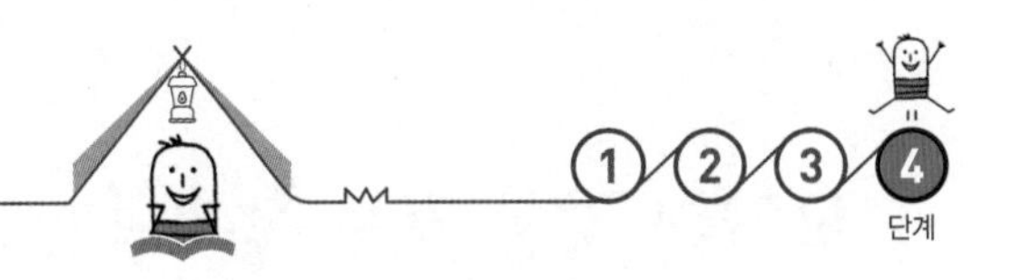

[9~10] **서술형 문제** 문제의 풀이 과정과 답을 쓰고, 스스로 채점하여 보자.

9. 다음 그림과 같이 정사각형 ABCD의 두 대각선의 교점을 O라고 하자. 정사각형 OEFG를 점 O를 중심으로 회전시킬 때, 두 정사각형이 겹쳐진 부분의 넓이가 항상 정사각형 ABCD의 넓이의 $\frac{1}{4}$이 됨을 설명하시오. (단, $\overline{OD}<\overline{OG}$) [5점]

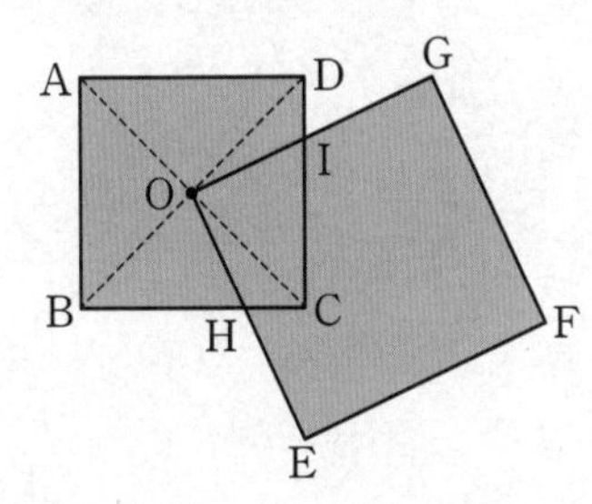

풀이 △OHC와 △OID에서

$\overline{OC}=\overline{OD}$, ∠OCH=∠ODI=45°,

∠HOC=90°−∠COI=∠IOD

이므로 △OHC≡△OID이다.

이때

□OHCI=△OHC+△OCI

=△OID+△OCI

=△OCD=$\frac{1}{4}$□ABCD

따라서 겹쳐진 부분의 넓이는 항상 정사각형 ABCD의 넓이의 $\frac{1}{4}$이다.

채점 기준	배점
(i) △OHC≡△OID임을 보인 경우	3점
(ii) 겹쳐진 부분의 넓이가 □ABCD의 넓이의 $\frac{1}{4}$임을 설명한 경우	2점

10. 다음 그림에서 □ABCD는 정사각형이고 △AEB는 $\overline{AE}=\overline{AB}$인 이등변삼각형일 때, ∠DEB의 크기를 구하시오. [5점] 45°

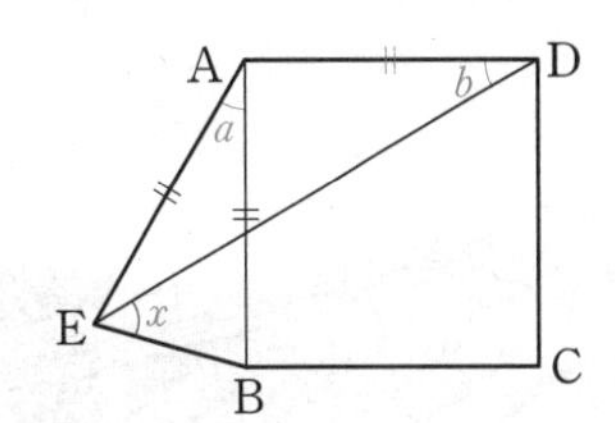

풀이 $\overline{AB}=\overline{AD}=\overline{AE}$이므로 △AED는 이등변삼각형이다.

이때 ∠EAB=∠a, ∠ADE=∠b, ∠DEB=∠x라고 하면

△AED에서 ∠AED=∠ADE=∠b이므로

∠a+90°+2×∠b=180°

즉, ∠a+2×∠b=90° …… ①

△AEB에서 ∠AEB=∠ABE=∠b+∠x이므로

∠a+2×(∠b+∠x)=180° …… ②

따라서 ②에서 ①을 변끼리 빼면 2×∠x=90°, ∠x=45°이다.

따라서 ∠DEB=45°이다.

채점 기준	배점
(i) 두 이등변삼각형 AED, AEB의 내각의 크기의 합으로 식을 바르게 세운 경우	3점
(ii) ∠DEB의 크기를 바르게 구한 경우	2점

모양이 같은 것을 찾아볼까?

우리는 10원짜리 동전에 새겨진 문양, 엽서의 사진 또는 직접 만든 모형 속에서 신라 시대에 만들어진 아름답고 정교한 다보탑을 만나볼 수 있다.

이와 같이 우리 주변에 실제 사물과 똑같은 모양으로 축소 또는 확대하여 만든 것들은 실제 사물을 이해하는 데 도움을 주고 실생활에 유용하게 사용된다.

V 도형의 닮음

1. 도형의 닮음
2. 닮은 도형의 성질
3. 피타고라스 정리

| 단원의 계통도 살펴보기 |

이전에 배웠어요.

| 초등학교 5~6학년 |
- 비례식과 비례배분

| 중학교 1학년 |
- 기본 도형
- 작도와 합동
- 평면도형의 성질
- 입체도형의 성질

이번에 배워요.

Ⅴ-1. 도형의 닮음
01. 닮은 도형
02. 삼각형의 닮음 조건
Ⅴ-2. 닮은 도형의 성질
01. 평행선과 선분의 길이의 비
02. 삼각형의 무게중심
03. 닮은 도형의 넓이와 부피
Ⅴ-3. 피타고라스 정리
01. 피타고라스 정리

이후에 배울 거예요.

| 중학교 3학년 |
- 삼각비
- 원의 성질

도형의 닮음

01. 닮은 도형 | 02. 삼각형의 닮음 조건

이것만은 알고 가자

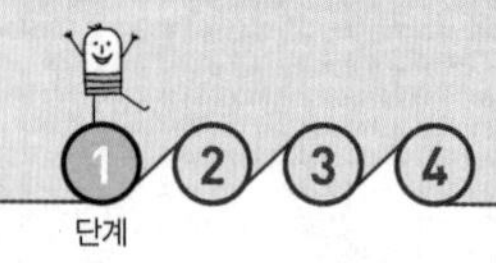

초등 비례식

1. 다음 비례식에서 □ 안에 알맞은 수를 써넣으시오.

(1) $1:\boxed{4}=2:8$ (2) $3:9=12:\boxed{36}$

(3) $\frac{7}{3}:\frac{\boxed{7}}{9}=3:1$ (4) $0.4:\frac{1}{2}=\boxed{8}:10$

풀이 (1) $1:\square=2:8$에서 $1\times8=\square\times2$, $\square=4$

(2) $3:9=12:\square$에서 $3\times\square=9\times12$, $\square=36$

(3) $\frac{7}{3}:\frac{\square}{9}=3:1$에서 $\frac{7}{3}\times1=\frac{\square}{9}\times3$, $\square=7$

(4) $0.4:\frac{1}{2}=\square:10$에서 $0.4\times10=\frac{1}{2}\times\square$, $\square=8$

알고 있나요?
간단한 비례식을 풀 수 있는가?
잘함 보통 모름

중1 삼각형의 합동 조건

2. 다음 보기에서 서로 합동인 삼각형을 찾아 기호 ≡를 사용하여 나타내고, 이때 사용한 합동 조건을 각각 말하시오. △ABC≡△IHG(ASA 합동), △DEF≡△PRQ(SAS 합동), △JKL≡△MON(SSS 합동)

| 보기 |

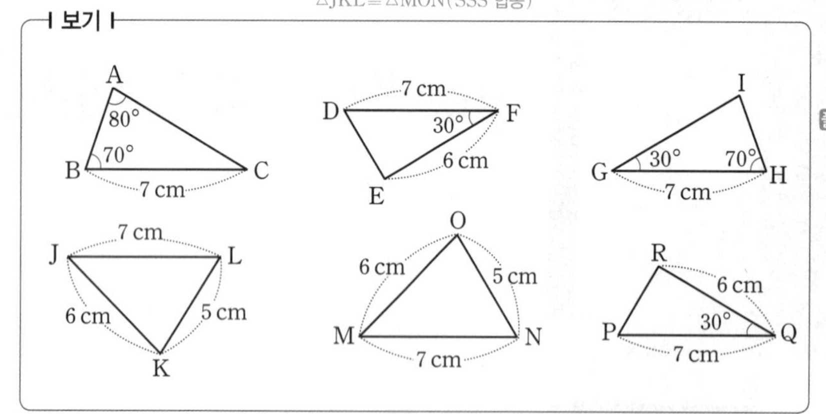

알고 있나요?
삼각형의 합동 조건을 이해하고, 이를 이용하여 두 삼각형이 합동인지 판별할 수 있는가?
잘함 보통 모름

풀이 ① △ABC≡△IHG
대응하는 한 변의 길이가 같고, 그 양 끝 각의 크기가 각각 같다.(ASA 합동)
② △DEF≡△PRQ
대응하는 두 변의 길이가 각각 같고, 그 끼인각의 크기가 같다.(SAS 합동)
③ △JKL≡△MON
대응하는 세 변의 길이가 각각 같다.
(SSS 합동)

| 개념 체크 |

삼각형의 합동 조건: 두 삼각형은 다음의 각 경우에 서로 합동이다.

(1) 대응하는 세 변의 길이가 각각 같을 때

(2) 대응하는 두 변의 길이가 각각 같고, 그 끼인각 의 크기가 같을 때

(3) 대응하는 한 변의 길이가 같고, 그 양 끝 각 의 크기가 각각 같을 때

부족한 부분을 보충하고 본 학습을 준비하여 보자.

한 눈에 개념 정리

01 닮은 도형

1. **도형의 닮음**: 한 도형을 일정한 비율로 확대 또는 축소한 도형이 다른 도형과 합동일 때, 이 두 도형은 서로 닮음인 관계에 있다고 한다.

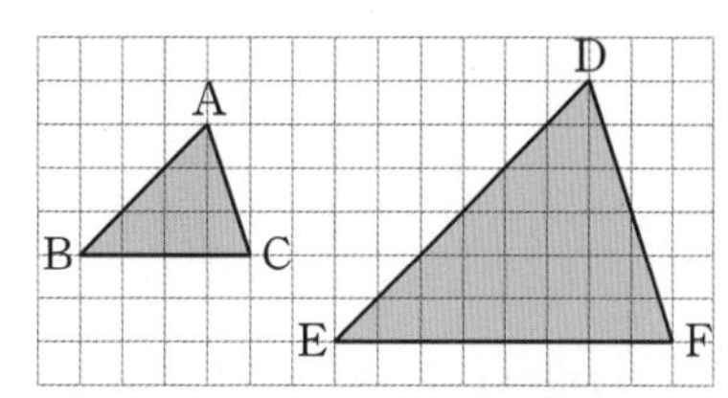

(1) 닮은 도형: 닮음인 관계에 있는 두 도형 (또는 두 입체도형)

(2) △ABC와 △DEF는 서로 닮은 도형: △ABC∽△DEF

(3) 닮음비: 서로 닮은 두 평면도형에서 대응하는 변의 길이의 비 또는 서로 닮은 두 입체도형에서 대응하는 모서리의 길이의 비

2. **평면도형에서 닮음의 성질**: 서로 닮은 두 평면도형에서

(1) 대응하는 변의 길이의 비는 일정하다.

(2) 대응하는 각의 크기는 같다.

3. **입체도형에서 닮음의 성질**: 서로 닮은 두 입체도형에서

(1) 대응하는 모서리의 길이의 비는 일정하다.

(2) 대응하는 면은 서로 닮은 도형이다.

02 삼각형의 닮음 조건

1. **삼각형의 닮음 조건**

두 삼각형은 다음의 각 경우에 서로 닮음이다.

(1) 대응하는 세 쌍의 변의 길이의 비가 같을 때 (SSS 닮음)

➡ $a : a' = b : b' = c : c'$

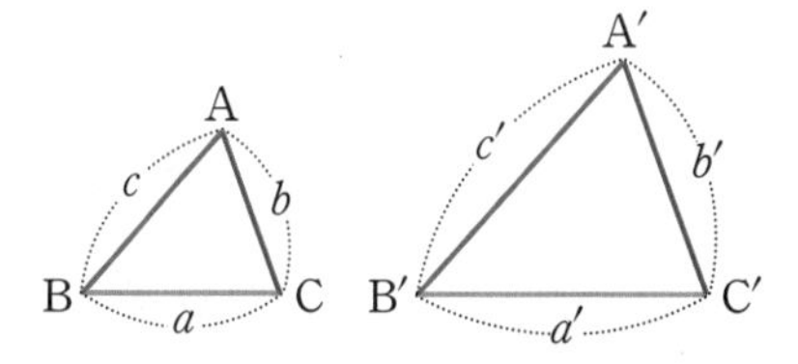

(2) 대응하는 두 쌍의 변의 길이의 비가 같고, 그 끼인각의 크기가 같을 때 (SAS 닮음)

➡ $a : a' = c : c'$, $\angle B = \angle B'$

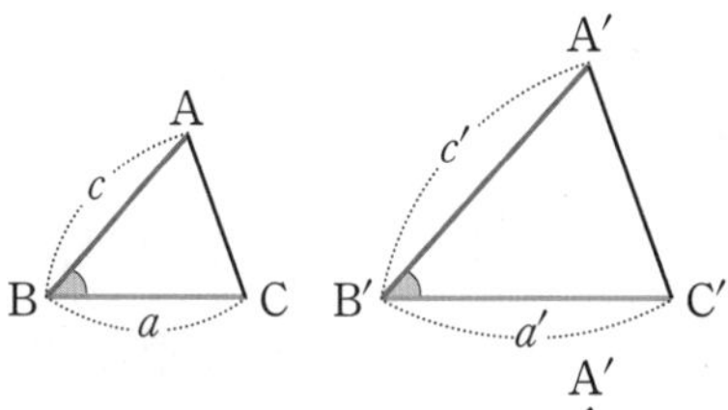

(3) 대응하는 두 쌍의 각의 크기가 각각 같을 때 (AA 닮음)

➡ $\angle B = \angle B'$, $\angle C = \angle C'$

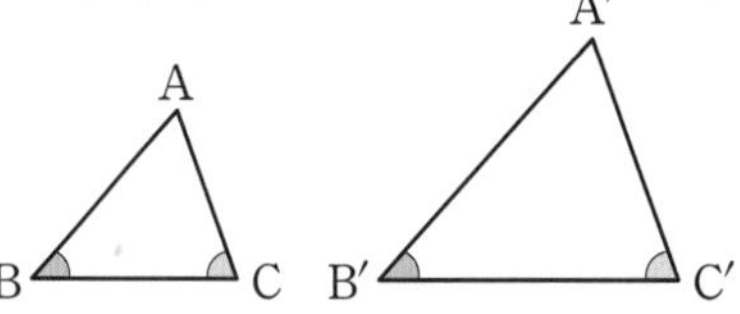

닮은 도형

이 단원에서 배우는 용어와 기호

닮음, 닮음비, $\backsim$

학습 목표 ‖ 도형의 닮음의 의미와 닮은 도형의 성질을 이해한다.

 도형의 닮음은 무엇일까?

탐구하기

탐구 목표

원본 그림들을 확대 또는 축소한 것을 비교해 봄으로써 도형의 닮음의 의미를 이해할 수 있다.

정보처리

다음 [그림 1], [그림 2], [그림 3]은 공학적 도구를 이용하여 원본 그림을 변형한 것이다. 물음에 답하여 보자.

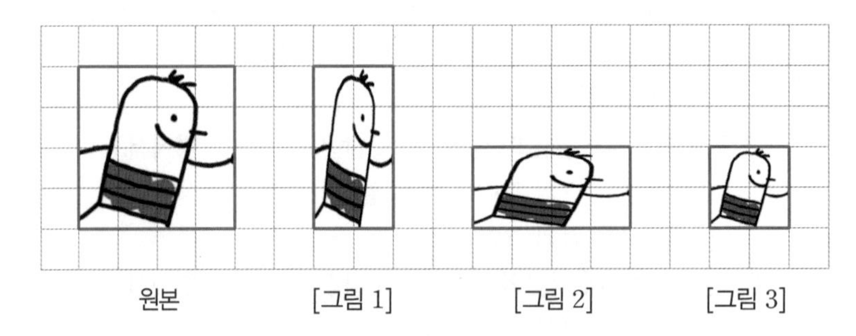

활동 ❶ [그림 1], [그림 2], [그림 3]은 원본을 각각 어떻게 변형한 것인지 말하여 보자.

풀이 원본 그림을 [그림 1]은 가로만 $\frac{1}{2}$배, [그림 2]는 세로만 $\frac{1}{2}$배, [그림 3]은 가로와 세로 모두 $\frac{1}{2}$배 축소한 것이다.

활동 ❷ [그림 1], [그림 2], [그림 3] 중 원본과 모양이 같은 것은 어느 것인지 말하여 보자. [그림 3]

풀이 원본과 모양이 같은 것은 직사각형의 가로와 세로를 같은 비율로 축소한 [그림 3]이다.

이전 내용 톡톡

모양과 크기가 똑같아 한 도형을 다른 도형에 완전히 포갤 수 있을 때 두 도형은 서로 합동이라고 한다.

닮은 도형: 닮음인 관계에 있는 두 도형

탐구하기의 [그림 3]은 가로와 세로의 길이를 각각 2배로 확대하면 원본과 합동이고, 원본의 가로와 세로의 길이를 각각 $\frac{1}{2}$배로 축소하면 [그림 3]과 합동이다.

이와 같이 한 도형을 일정한 비율로 확대 또는 축소한 도형이 다른 도형과 합동일 때, 이 두 도형은 서로 **닮음**인 관계에 있다고 하고, 닮음인 관계에 있는 두 도형을 서로 닮은 도형이라고 한다.

1. 다음 두 도형이 항상 서로 닮은 도형인 것을 모두 찾으시오.

(1) 두 정삼각형　　(2) 두 직각삼각형

(3) 두 이등변삼각형　　(4) 두 원

풀이 정삼각형은 한 변의 길이에 의해 크기가 결정이 되고 그 모양은 모두 같다. 또, 원은 반지름의 길이에 의해 크기가 결정되고 그 모양은 모두 같다.
따라서 (1) 두 정삼각형, (4) 두 원은 항상 서로 닮은 도형이다.

Tip 삼각형을 2배로 확대한다는 것은 일정한 비율을 유지하는 것이므로 세 각의 크기가 변하지 않도록 확대하는 것이다.

오른쪽 그림에서 △ABC를 2배로 확대한 것은 △DEF와 합동이므로 △ABC와 △DEF는 서로 닮은 도형이다.

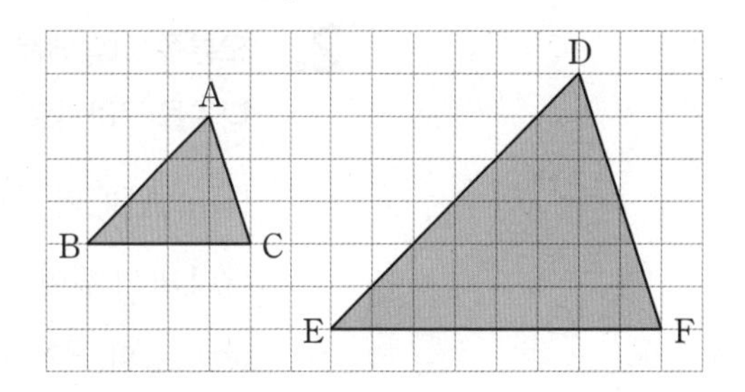

이 두 삼각형에서 점 A와 점 D, 점 B와 점 E, 점 C와 점 F는 각각 대응하는 꼭짓점이고, $\overline{AB}$와 $\overline{DE}$, $\overline{BC}$와 $\overline{EF}$, $\overline{CA}$와 $\overline{FD}$는 각각 대응하는 변이다.

또, ∠A와 ∠D, ∠B와 ∠E, ∠C와 ∠F는 각각 대응하는 각이다.

⊕ 닮음 기호 ∽는 라틴어 Similis (영어 Similar)의 첫 글자 S를 옆으로 뉘어서 쓴 것이다.

△ABC와 △DEF가 서로 닮은 도형일 때, 기호

$$\triangle ABC \backsim \triangle DEF$$

로 나타낸다. 이때 두 도형의 꼭짓점은 대응하는 순서대로 쓴다.

위의 그림과 같은 △ABC와 △DEF에서

$$\overline{AB} : \overline{DE} = \overline{BC} : \overline{EF} = \overline{CA} : \overline{FD} = 1 : 2$$

이므로 대응하는 변의 길이의 비가 일정함을 알 수 있다. 또,

$$\angle A = \angle D,\ \angle B = \angle E,\ \angle C = \angle F$$

이므로 대응하는 각의 크기가 같음을 알 수 있다.

일반적으로 서로 닮은 두 평면도형에는 다음과 같은 성질이 있다.

평면도형에서 닮음의 성질

서로 닮은 두 평면도형에서

1. 대응하는 변의 길이의 비는 일정하다.
2. 대응하는 각의 크기는 같다.

개념 쏙

서로 닮은 두 평면도형에서 닮음비: 대응하는 변의 길이의 비

⊕ 두 원의 닮음비는 두 원의 반지름의 길이의 비이다.

서로 닮은 두 평면도형에서 대응하는 변의 길이의 비를 **닮음비**라고 한다. 예를 들어 위 그림에서 △ABC와 △DEF의 닮음비는 1 : 2이다.

한편, 닮음비가 1 : 1인 두 도형은 서로 합동이다.

2. 오른쪽 그림에서 $\triangle ABC \backsim \triangle DEF$일 때, 다음을 구하시오.

(1) $\triangle ABC$와 $\triangle DEF$의 닮음비 3 : 5

(2) $\overline{DE}$의 길이 15 cm

(3) $\angle C$의 크기 125°

풀이 (1) 두 삼각형의 닮음비는 대응하는 두 변의 길이의 비와 같으므로 $\overline{BC} : \overline{EF} = 6 : 10 = 3 : 5$이다.

(2) 닮음비는 3 : 5이고, $\overline{DE}$에 대응하는 변은 $\overline{AB}$이므로 $9 : \overline{DE} = 3 : 5$, $\overline{DE} = 15(\text{cm})$

(3) $\angle C$에 대응하는 각은 $\angle F$이므로 $\angle C = \angle F = 125°$

3. 다음 그림과 닮음비가 1 : 2인 도형을 모눈종이 위에 그리시오.

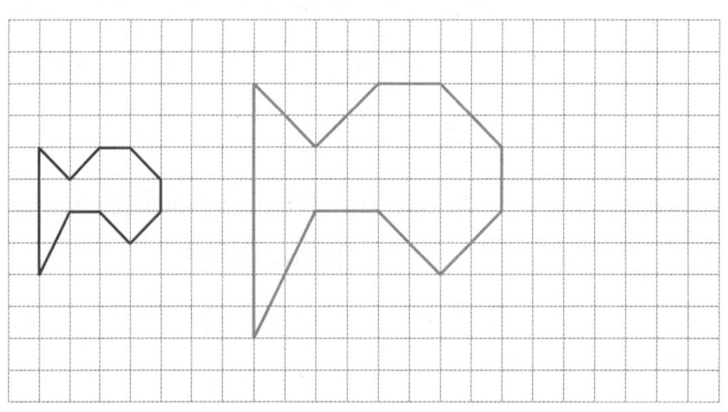

풀이 닮음의 성질을 이용하여 닮음비가 1 : 2인 도형을 그리기 위해 주어진 모든 변들을 각각 2배로 확대하고, 대응하는 각의 크기가 각각 같도록 그린다.

Tip 입체도형의 닮음은 한 입체도형을 일정한 비율로 확대하거나 축소한 것이 다른 입체도형과 모양과 크기가 똑같을 때 이므로 입체도형의 닮음은 평면 도형의 닮음과 연관이 있다.

평면도형과 마찬가지로 입체도형에서도 닮음을 생각할 수 있다.

한 입체도형을 일정한 비율로 확대 또는 축소한 도형이 다른 입체도형과 모양과 크기가 똑같을 때, 이 두 입체도형은 서로 닮음인 관계에 있다고 하고, 닮음인 관계에 있는 두 입체도형을 서로 닮은 도형이라고 한다.

평면도형의 닮음과 같은 방법으로 입체도형의 닮음을 생각한다.
입체도형을 2배로 확대한다는 것은 일정한 비율을 유지하면서 2배로 확대한 것이다.

예를 들어 오른쪽 그림에서 직육면체 (나)는 직육면체 (가)를 2배로 확대한 것이므로 서로 닮은 도형이다.

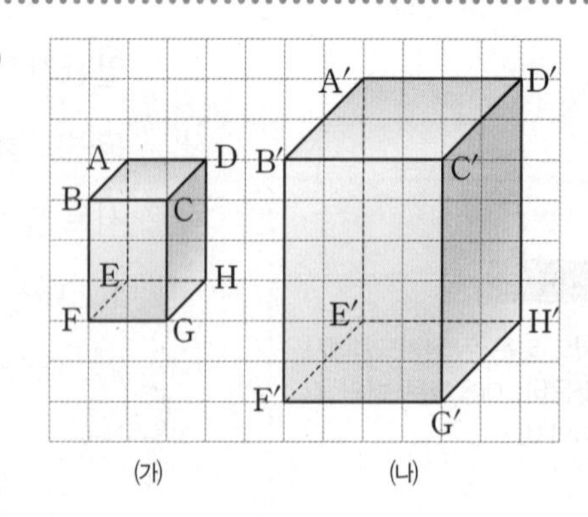

이때 두 직육면체에서

$$\overline{AB} : \overline{A'B'} = \overline{BC} : \overline{B'C'} = \cdots = 1 : 2$$

이므로 대응하는 모서리의 길이의 비는 일정함을 알 수 있다. 또,

$$\square ABCD \backsim \square A'B'C'D', \ \square ABFE \backsim \square A'B'F'E', \ \cdots$$

이므로 대응하는 면은 서로 닮은 도형임을 알 수 있다.

개념 쏙

서로 닮은 두 입체도형에서 닮음비: 대응하는 모서리의 길이의 비

일반적으로 서로 닮은 두 입체도형에는 다음과 같은 성질이 있다.

입체도형에서 닮음의 성질

서로 닮은 두 입체도형에서

1. 대응하는 모서리의 길이의 비는 일정하다.
2. 대응하는 면은 서로 닮은 도형이다.

서로 닮은 두 입체도형에서 대응하는 모서리의 길이의 비를 닮음비라고 한다. 예를 들어 앞의 두 직육면체 ㈎와 ㈏의 닮음비는 $1:2$이다.

4. 오른쪽 그림에서 두 사면체는 서로 닮은 도형이다. $\triangle ABC$와 $\triangle A'B'C'$이 대응하는 면일 때, 다음을 구하시오.

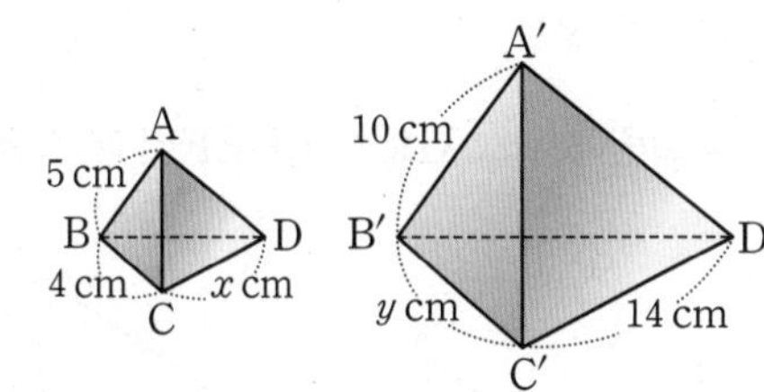

(1) 두 사면체의 닮음비 1 : 2

(2) 모서리 AD에 대응하는 모서리 모서리 A′D′

(3) x, y의 값 $x=7$, $y=8$

풀이 (1) 두 사면체의 닮음비는 대응하는 모서리의 길이의 비와 같으므로 $\overline{AB}:\overline{A'B'}=5:10=1:2$
(2) 모서리 AD에 대응하는 모서리는 모서리 A′D′이다.
(3) 모서리 CD에 대응하는 모서리는 모서리 C′D′이고 두 사면체의 닮음비는 $1:2$이므로 $x:14=1:2$, $x=7$이다.
또, 모서리 BC에 대응하는 모서리는 모서리 B′C′이고 두 사면체의 닮음비는 $1:2$이므로 $4:y=1:2$, $y=8$이다.

Tip 닮은 도형이 되기 위한 조건
① 대응하는 변의 길이의 비가 일정 또는 대응하는 모서리의 길이의 비가 일정
② 대응하는 각의 크기가 같다. 또는 대응하는 면은 서로 닮은 도형이다.

생각 나누기 추론 의사소통

다음 두 도형이 서로 닮은 도형인지 아닌지 친구들과 이야기하여 보자.

(1) 네 변의 길이의 비가 $1:2$인 두 사각형

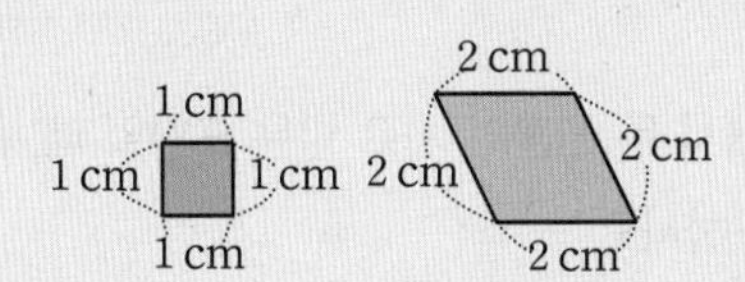

(2) 네 내각의 크기가 각각 같은 두 사각형

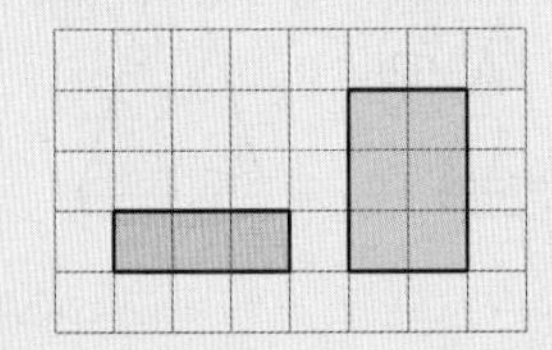

(3) 1000 mL 우유 팩과 500 mL 우유 팩
(단, 밑면의 모양은 서로 합동인 정사각형이다.)

풀이 (1) 대응하는 변의 길이의 비가 $1:2$로 일정하지만 대응하는 각의 크기가 각각 같지 않으므로 두 사각형은 서로 닮은 도형이 아니다.
(2) 대응하는 각의 크기가 각각 같지만 대응하는 변의 길이의 비가 일정하지 않으므로 두 사각형은 서로 닮은 도형이 아니다.
(3) 두 우유 팩의 밑면은 대응하는 모서리의 길이의 비가 $1:1$이지만 높이의 비가 $1:1$이 아니다. 따라서 대응하는 모서리의 길이의 비가 다르므로 서로 닮은 도형이 아니다.

스스로 점검하기

개념 점검하기

(1) 한 도형을 일정한 비율로 확대 또는 축소한 것이 다른 도형과 합동일 때, 이 두 도형은 서로 [닮음]인 관계에 있다고 하고, 이 두 도형을 서로 닮은 도형이라고 한다.

(2) △ABC와 △DEF가 서로 닮은 도형일 때, 기호 △ABC [∽] △DEF로 나타낸다.

(3) [닮음비] : 서로 닮은 두 평면도형에서 대응하는 변의 길이의 비 또는 서로 닮은 두 입체도형에서 대응하는 모서리의 길이의 비

1 ●●●

다음 그림에서 △ABC∽△DEF일 때, 다음을 구하시오.

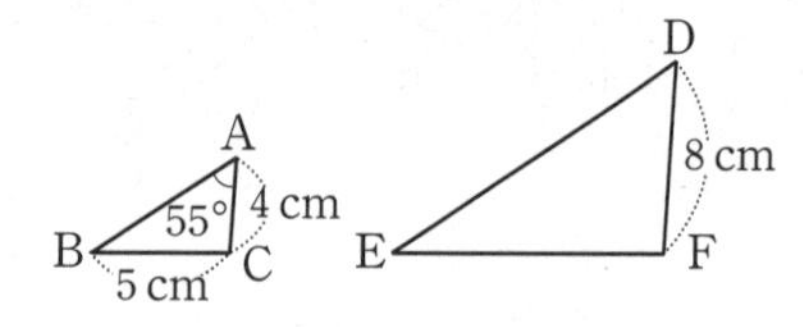

(1) △ABC와 △DEF의 닮음비 1 : 2

(2) $\overline{EF}$의 길이 10 cm

(3) ∠D의 크기 55°

풀이 (1) $\overline{AC}$에 대응하는 변은 $\overline{DF}$이고 $\overline{AC}=4$ cm, $\overline{DF}=8$ cm이므로 닮음비는 $\overline{AC}:\overline{DF}=4:8=1:2$이다.
(2) 닮음비가 1 : 2이고 $\overline{BC}$에 대응하는 변이 $\overline{EF}$이므로 $\overline{BC}:\overline{EF}=1:2$에서 $5:\overline{EF}=1:2$, $\overline{EF}=10$(cm)이다.
(3) ∠D에 대응하는 각이 ∠A이므로 ∠D=∠A=55°이다.

2 ●●●

가로의 길이가 12 cm, 세로의 길이가 8 cm인 직사각형을 그림과 같이 반으로 자른 직사각형을 (1), (1)을 다시 반으로 자른 직사각형을 (2)라고 할 때, 처음 직사각형과 서로 닮은 직사각형을 찾고, 닮음비를 구하시오. 직사각형 (2), 2 : 1

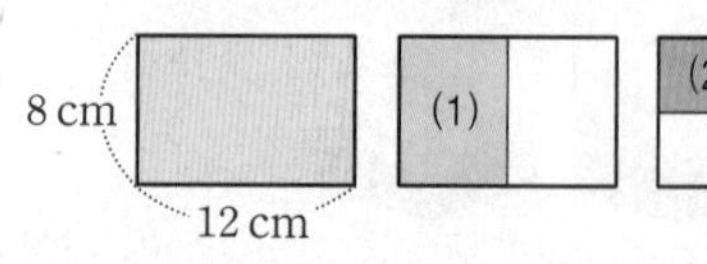

풀이 직사각형의 짧은 변의 길이와 긴 변의 길이의 비를 각각 비교해 본다.
처음의 직사각형과 직사각형 (1)에서는 $8:6\neq12:8$이고, 처음의 직사각형과 직사각형 (2)에서는 $8:4=12:6=2:1$이다. 따라서 처음의 직사각형과 직사각형 (2)는 대응하는 변의 길이의 비가 일정하므로 닮음비가 2 : 1인 서로 닮은 도형이다.

3 ●●●

다음 그림에서 두 삼각기둥은 서로 닮은 도형이다. △ABC와 △A′B′C′이 대응하는 면일 때, x, y, z의 값을 각각 구하시오. $x=\frac{21}{2}$, $y=\frac{15}{2}$, $z=\frac{9}{2}$

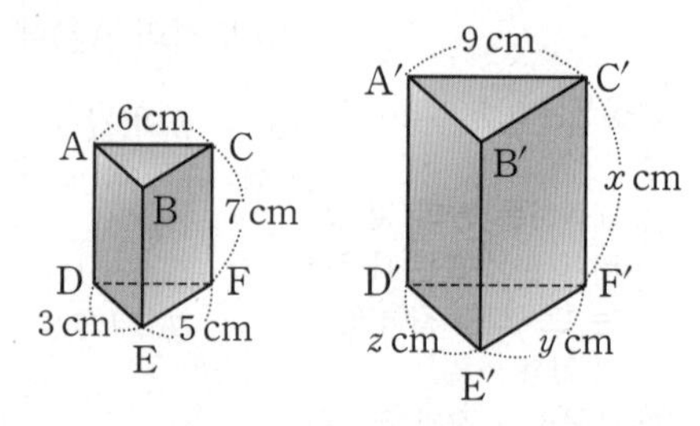

풀이 $\overline{AC}$에 대응하는 모서리는 $\overline{A'C'}$이므로 닮음비는 $\overline{AC}:\overline{A'C'}=6:9=2:3$이다.
$\overline{CF}$에 대응하는 모서리는 $\overline{C'F'}$이므로 $\overline{CF}:\overline{C'F'}=2:3$에서
$7:x=2:3$, $x=\frac{21}{2}$이다.
또, $\overline{EF}$에 대응하는 모서리는 $\overline{E'F'}$이므로 $\overline{EF}:\overline{E'F'}=2:3$에서
$5:y=2:3$, $y=\frac{15}{2}$이다.
또한, $\overline{DE}$에 대응하는 모서리는 $\overline{D'E'}$이므로 $\overline{DE}:\overline{D'E'}=2:3$에서
$3:z=2:3$, $z=\frac{9}{2}$이다.

4 ●●●

다음 그림에서 두 원뿔이 서로 닮은 도형일 때, 큰 원뿔의 밑넓이를 구하시오. 9π cm²

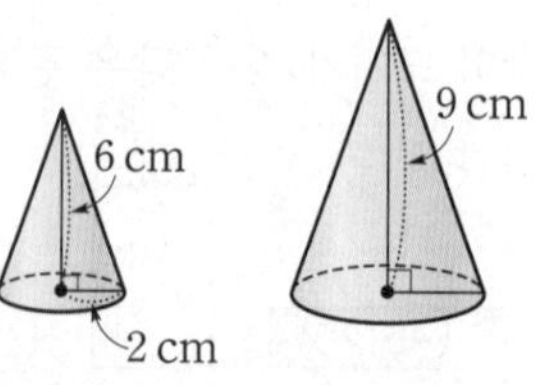

풀이 두 원뿔의 닮음비는 $6:9=2:3$이다. 큰 원뿔의 밑면의 반지름의 길이를 r cm라고 하면 $2:r=2:3$, $r=3$이다.
따라서 큰 원뿔의 밑넓이는 $\pi\times3^2=9\pi$(cm²)이다.

삼각형의 닮음 조건

이 단원에서 배우는 용어와 기호

삼각형의 닮음 조건

학습 목표 ∥ 삼각형의 닮음 조건을 이해하고, 이를 이용하여 두 삼각형이 닮음인지 판별할 수 있다.

삼각형의 닮음 조건은 무엇일까?

탐구하기

탐구 목표
삼각형의 닮음 조건을 이해하고, 이를 이용하여 두 삼각형이 닮음인지 판별할 수 있다.

오른쪽 그림의 △ABC와 △DEF에 대하여 다음 물음에 답하여 보자.

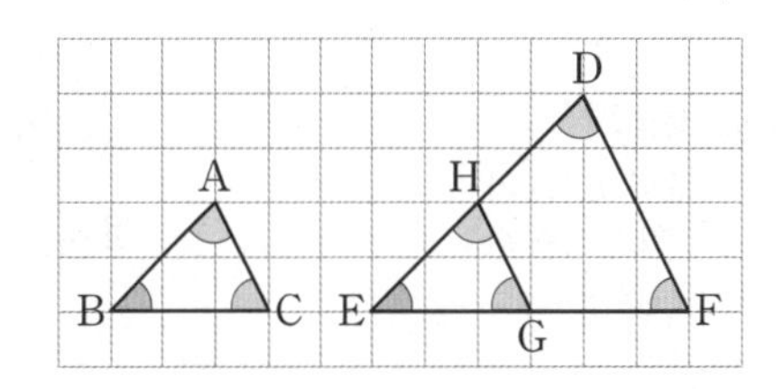

활동 ❶ $\overline{AB}$와 $\overline{DE}$, $\overline{BC}$와 $\overline{EF}$, $\overline{CA}$와 $\overline{FD}$의 길이의 비를 각각 구하여 보자. $\overline{AB}:\overline{DE}=\overline{BC}:\overline{EF}=\overline{CA}:\overline{FD}=1:2$

풀이 모눈종이 위의 △ABC와 △DEF에서 $\overline{AB}:\overline{DE}=\overline{BC}:\overline{EF}=\overline{CA}:\overline{FD}=1:2$이므로 세 쌍의 변의 길이의 비가 일정하다.

활동 ❷ ∠A와 ∠D, ∠B와 ∠E, ∠C와 ∠F의 크기를 각각 비교하여 보자. ∠A=∠D, ∠B=∠E, ∠C=∠F

풀이 모눈종이 위의 △ABC와 △DEF에서 ∠A=∠D, ∠B=∠E, ∠C=∠F이므로 세 쌍의 각의 크기가 각각 같다.

활동 ❸ △DEF의 각 변의 길이를 $\frac{1}{2}$배로 축소한 △HEG는 △ABC와 어떤 관계인지 말하여 보자.
△HEG와 △ABC는 서로 합동이다.

풀이 △DEF의 각 변의 길이를 $\frac{1}{2}$배로 축소한 △HEG와 △ABC는 대응하는 세 쌍의 변의 길이가 각각 같으므로 합동이 된다.

활동 ❹ 활동 ❸의 결과를 통하여 △ABC와 △DEF는 서로 닮은 도형인지 말하여 보자.
△ABC와 △DEF는 서로 닮은 도형이다.

풀이 닮음의 정의를 이용하여 △DEF를 일정한 비율로 축소한 △HEG와 △ABC가 서로 합동이므로 세 쌍의 변의 길이의 비가 일정하고, 세 쌍의 각의 크기가 각각 같은 △ABC와 △DEF는 서로 닮은 도형이다.

탐구하기 의 △ABC와 △DEF에서

$$\overline{AB}:\overline{DE}=\overline{BC}:\overline{EF}=\overline{CA}:\overline{FD}=1:2$$

$$\angle A=\angle D,\ \angle B=\angle E,\ \angle C=\angle F$$

임을 알 수 있다.

또, △DEF를 일정한 비율로 축소한 △HEG는 △ABC와 합동이므로 △ABC와 △DEF는 서로 닮은 도형임을 알 수 있다.

일반적으로 두 삼각형에서 세 쌍의 대응하는 변의 길이의 비가 일정하고, 세 쌍의 대응하는 각의 크기가 각각 같으면 두 삼각형은 서로 닮은 도형이다. 그런데 이들 조건 중에서 일부만으로도 두 삼각형은 서로 닮은 도형이 될 수 있다.

이제 두 삼각형이 어떤 조건을 만족시킬 때 서로 닮은 도형이 되는지 알아보자.

함께해 보기 1

다음 그림은 닮음비가 1 : 2인 △ABC와 △DEF이다. 두 삼각형에 대하여 물음에 답하여 보자.

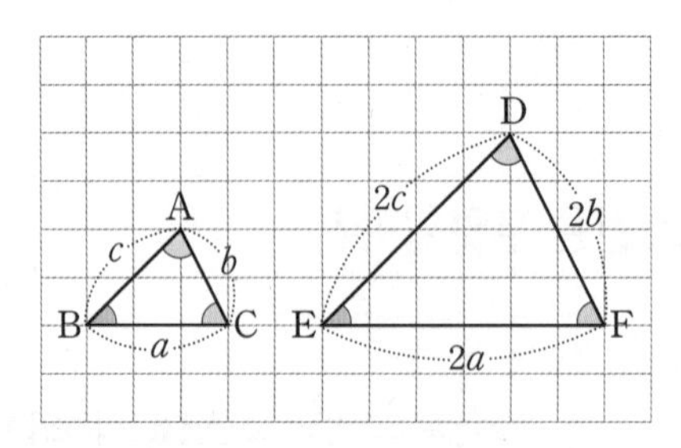

이전 내용 톡톡
세 변의 길이 a, b, c가 주어진 삼각형의 작도 순서는 다음과 같다.

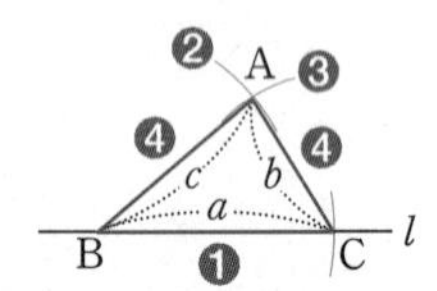

(1) 길이가 각각 $2a$, $2b$, $2c$인 선분을 세 변으로 하는 △A′B′C′을 작도하여 보자.

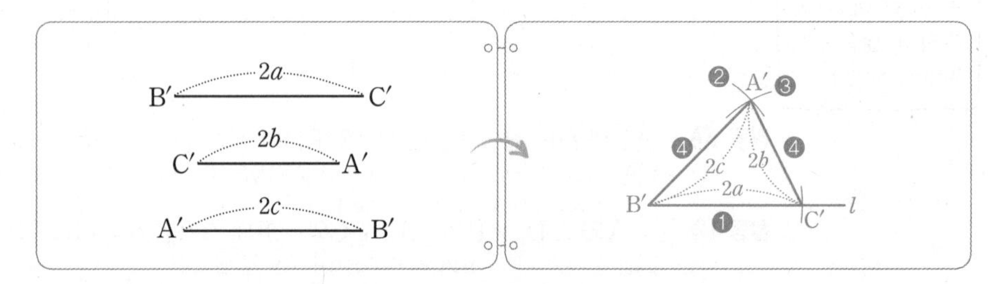

(2) (1)에서 작도한 △A′B′C′을 투명 종이 위에 대고 그린 후, △DEF에 겹쳐 보자. △DEF와 △A′B′C′은 서로 합동인지 확인하여 보자.

풀이 대응하는 세 쌍의 변의 길이가 각각 같으므로 서로 합동이다.

(3) (2)의 결과를 이용하여 △ABC와 △A′B′C′은 서로 닮은 도형임을 설명하여 보자.

풀이 △A′B′C′은 △ABC와 닮은 도형인 △DEF와 서로 합동이므로 △ABC와 △A′B′C′은 서로 닮은 도형이다.

대응하는 세 쌍의 변의 길이의 비가 같은 삼각형 ▶

함께해 보기 1 에서 △ABC의 세 변의 길이를 각각 2배로 하여 작도한 △A′B′C′은 △DEF와 대응하는 세 변의 길이가 각각 같으므로 △DEF≡△A′B′C′이다. 따라서

△ABC∽△A′B′C′

이다. 즉, 대응하는 세 쌍의 변의 길이의 비가 같은 두 삼각형은 서로 닮은 도형이다.

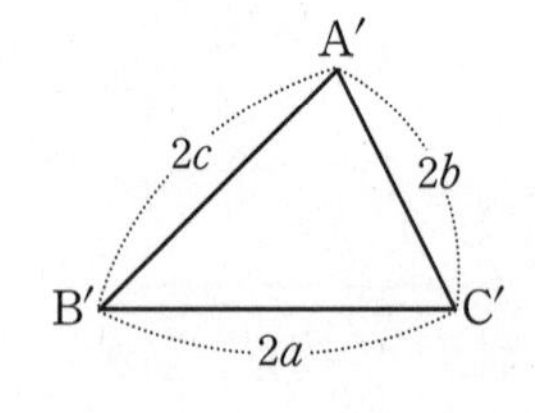

대응하는 두 쌍의 변의 길이의 비가 같고, 그 끼인각의 크기가 같은 삼각형 ▶

이제 함께해 보기 1 의 △ABC의 두 변의 길이를 각각 2배로 하고, 그 끼인각의 크기를 같도록 하여 △A′B′C′을 작도하면 오른쪽 그림과 같다.

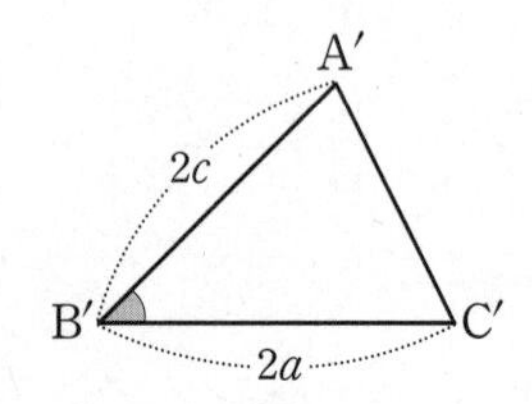

이때 $\triangle A'B'C'$은 $\triangle DEF$와 대응하는 두 변의 길이가 각각 같고, 그 끼인각의 크기가 같으므로 $\triangle DEF \equiv \triangle A'B'C'$이다. 따라서

$$\triangle ABC \backsim \triangle A'B'C'$$

이다. 즉, 대응하는 두 쌍의 변의 길이의 비가 같고, 그 끼인각의 크기가 같은 두 삼각형은 서로 닮은 도형이다.

대응하는 두 쌍의 각의 크기가 각각 같은 삼각형 ▶

마지막으로 함께해 보기 1의 $\triangle ABC$의 한 변의 길이를 2배로 하고, 그 양 끝 각의 크기가 각각 같도록 하여 $\triangle A'B'C'$을 작도하면 오른쪽 그림과 같다.

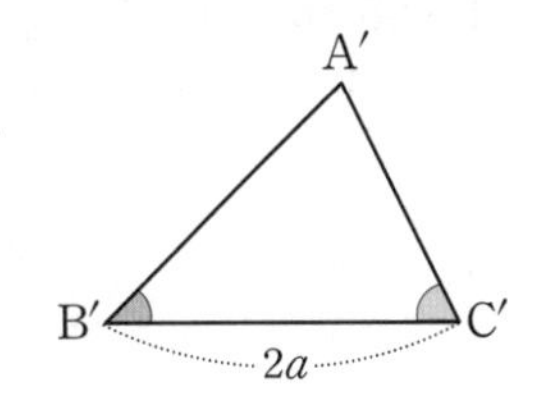

Tip 삼각형의 내각의 크기의 합이 180°인 것을 이용하여 삼각형의 대응하는 두 쌍의 각의 크기가 같다는 것은 대응하는 세 쌍의 각의 크기가 같다는 것임을 알 수 있다.

이때 $\triangle A'B'C'$은 $\triangle DEF$와 대응하는 한 변의 길이가 같고, 그 양 끝 각의 크기가 각각 같으므로 $\triangle DEF \equiv \triangle A'B'C'$이다. 따라서

$$\triangle ABC \backsim \triangle A'B'C'$$

이다. 한편, 두 삼각형의 대응하는 두 쌍의 각의 크기가 각각 같으면, 나머지 한 쌍의 대응하는 각의 크기도 같으므로 두 삼각형의 크기와 상관없이 모양이 같다. 따라서 대응하는 두 쌍의 각의 크기가 각각 같은 두 삼각형은 서로 닮은 도형이다.

이상을 정리하면 다음과 같은 **삼각형의 닮음 조건**을 얻을 수 있다.

⊕ Side(변)와 Angle(각)의 첫 글자를 사용하여 삼각형의 닮음 조건을 간단히
1. SSS 닮음
2. SAS 닮음
3. AA 닮음
으로 나타내기도 한다.

삼각형의 닮음 조건

두 삼각형은 다음의 각 경우에 서로 닮음이다.

1. 대응하는 세 쌍의 변의 길이의 비가 같을 때

$$a : a' = b : b' = c : c'$$

2. 대응하는 두 쌍의 변의 길이의 비가 같고, 그 끼인각의 크기가 같을 때

$$a : a' = c : c',\ \angle B = \angle B'$$

3. 대응하는 두 쌍의 각의 크기가 각각 같을 때

$$\angle B = \angle B',\ \angle C = \angle C'$$

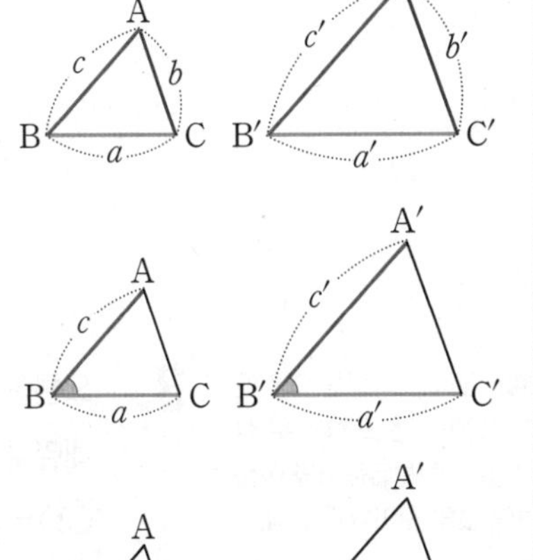

Tip 두 삼각형이 서로 닮음인지 알아볼 때, 각의 크기가 주어지지 않은 경우는 세 쌍의 변의 길이를 비교하고, 각의 크기가 한 개만 주어진 경우는 그 각을 끼인각으로 하는 두 쌍의 변의 길이를 비교한다. 또, 각의 크기가 두 개만 주어진 경우는 나머지 한 내각의 크기를 구하여 세 쌍의 크기를 비교한다.

1. **다음 그림에서 서로 닮은 삼각형을 모두 찾아 기호 ∽를 사용하여 나타내고, 이때 사용한 닮음 조건을 각각 말하시오.** △ABC∽△HIG(SAS 닮음), △DEF∽△JKL(SSS 닮음), △MNO∽△RPQ(AA 닮음)

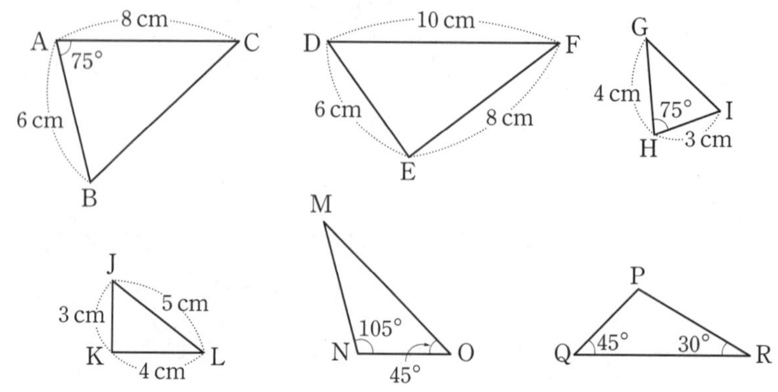

풀이 ① △ABC와 △HIG에서 $\overline{AB}:\overline{HI}=\overline{AC}:\overline{HG}=2:1$, $\angle A=\angle H=75°$이므로 △ABC∽△HIG(SAS 닮음)이다.
② △DEF와 △JKL에서 $\overline{DE}:\overline{JK}=\overline{EF}:\overline{KL}=\overline{FD}:\overline{LJ}=2:1$이므로 △DEF∽△JKL(SSS 닮음)이다.
③ △MNO와 △RPQ에서 $\angle O=\angle Q=45°$, $\angle N=\angle P=105°$이므로 △MNO∽△RPQ(AA 닮음)이다.

Tip 맞꼭지각, 공통인 각을 이용한다.

2. **다음 그림에서 서로 닮은 삼각형을 찾아 기호 ∽를 사용하여 나타내고, 이때 사용한 닮음 조건을 각각 말하시오.**

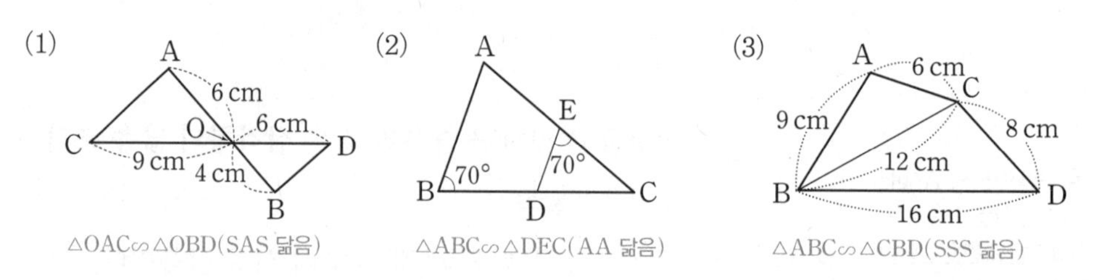

(1) △OAC∽△OBD(SAS 닮음) (2) △ABC∽△DEC(AA 닮음) (3) △ABC∽△CBD(SSS 닮음)

풀이 (1) △OAC와 △OBD에서 $\overline{OA}:\overline{OB}=\overline{OC}:\overline{OD}=3:2$, $\angle AOC=\angle BOD$(맞꼭지각)이다.
따라서 대응하는 두 쌍의 변의 길이의 비가 같고, 그 끼인각의 크기가 같으므로 △OAC∽△OBD이다.(SAS 닮음)
(2) △ABC와 △DEC에서 ∠C는 공통, $\angle ABC=\angle DEC=70°$이다.
따라서 대응하는 두 쌍의 각의 크기가 각각 같으므로 △ABC∽△DEC이다.(AA 닮음)
(3) △ABC와 △CBD에서 $\overline{AB}:\overline{CB}=\overline{BC}:\overline{BD}=\overline{CA}:\overline{DC}=3:4$이다.
따라서 대응하는 세 쌍의 변의 길이의 비가 각각 같으므로 △ABC∽△CBD이다.(SSS 닮음)

Tip 삼각형의 닮음 조건을 이용하여 닮은 도형인 두 삼각형을 찾고, 닮음비를 이용하여 변의 길이를 구한다.

3. **오른쪽 그림과 같이 △ABC의 두 꼭짓점 A, B에서 $\overline{BC}$, $\overline{AC}$에 내린 수선의 발을 각각 D, E라고 하자. $\overline{AE}=3$ cm, $\overline{CE}=5$ cm, $\overline{CD}=4$ cm일 때, 다음 물음에 답하시오.**

(1) △DAC∽△EBC임을 설명하시오. 풀이 참조

(2) $\overline{BD}$의 길이를 구하시오. 6 cm

풀이 (1) △DAC와 △EBC에서 $\angle ADC=\angle BEC=90°$, ∠C는 공통이므로 △DAC∽△EBC(AA 닮음)이다.
(2) △DAC∽△EBC이고 닮음비가 $\overline{DC}:\overline{EC}=4:5$이므로 $\overline{BD}=x$ cm라고 하면 $4:5=8:(x+4)$에서 $x=6$이다.
따라서 $\overline{BD}$의 길이는 6 cm이다.

직각삼각형의 꼭짓점에서 빗변에 수선을 내렸을 때, 생기는 모든 직각삼각형은 서로 닮은 도형이다.

함께해 보기 2

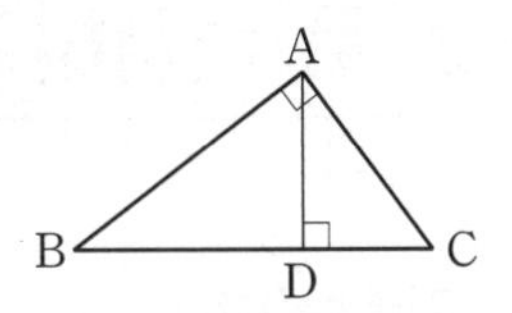

오른쪽 그림과 같이 $\angle A=90°$인 직각삼각형 ABC의 꼭짓점 A에서 빗변 BC에 내린 수선의 발을 D라고 할 때, 다음 물음에 답하여 보자.

(1) 다음은 $\triangle ABC \backsim \triangle DBA$임을 설명하는 과정이다. □ 안에 알맞은 것을 써넣어 보자.

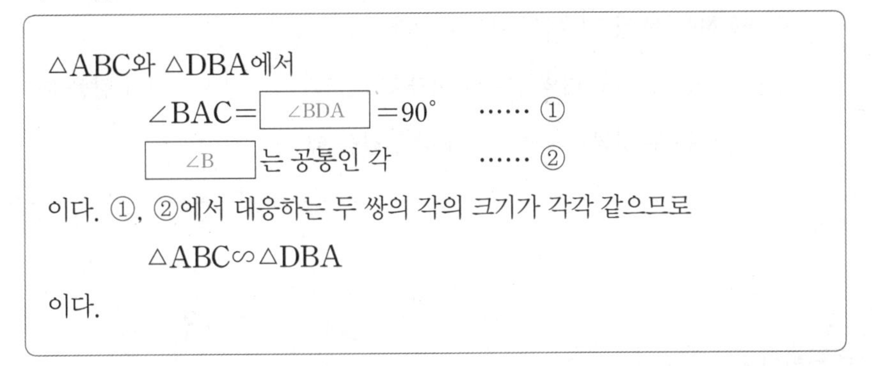

$\triangle ABC$와 $\triangle DBA$에서

$\angle BAC=$ [$\angle BDA$] $=90°$ …… ①

[$\angle B$] 는 공통인 각 …… ②

이다. ①, ②에서 대응하는 두 쌍의 각의 크기가 각각 같으므로

$\triangle ABC \backsim \triangle DBA$

이다.

풀이 $\triangle ABC$와 $\triangle DAC$에서 $\angle BAC=\angle ADC=90°$, $\angle C$는 공통이므로 $\triangle ABC \backsim \triangle DAC$(AA 닮음)이다. 또, $\triangle DBA$와 $\triangle DAC$에서 $\angle ADB=\angle CDA=90°$, $\angle ABD=90°-\angle BAD$ $=\angle CAD$이므로 $\triangle DBA \backsim \triangle DAC$(AA 닮음)이다.

(2) 다음 그림을 보고 $\triangle ABC \backsim \triangle DAC$, $\triangle DBA \backsim \triangle DAC$가 각각 성립함을 설명하여 보자.

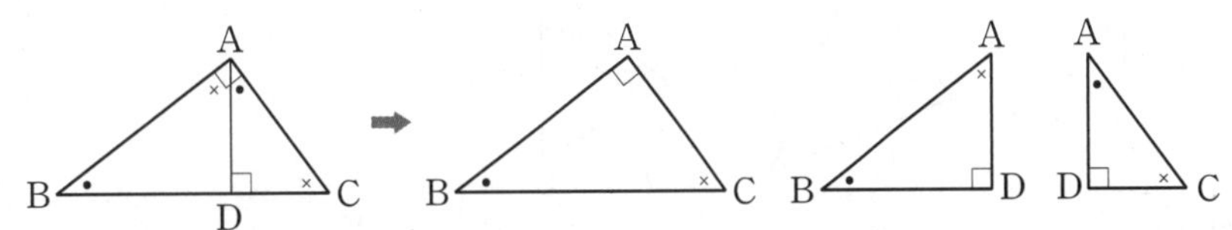

풀이 (1) $\triangle ABC$와 $\triangle DAC$에서 $\angle BAC=\angle ADC=90°$, $\angle C$는 공통이므로 $\triangle ABC \backsim \triangle DAC$(AA 닮음)이다.
이때 $\overline{AC}:\overline{DC}=\overline{BC}:\overline{AC}$에서 $8:4=(x+4):8$이므로 $x=12$이다.
(2) $\triangle DBA$와 $\triangle DAC$에서 $\angle ADB=\angle CDA=90°$, $\angle ABD=90°-\angle BAD=\angle CAD$이므로 $\triangle DBA \backsim \triangle DAC$(AA 닮음)이다.
이때 $\overline{BD}:\overline{AD}=\overline{AD}:\overline{CD}$에서 $2:4=4:x$이므로 $x=8$이다.

4. 다음 그림에서 x의 값을 구하시오.

(1)

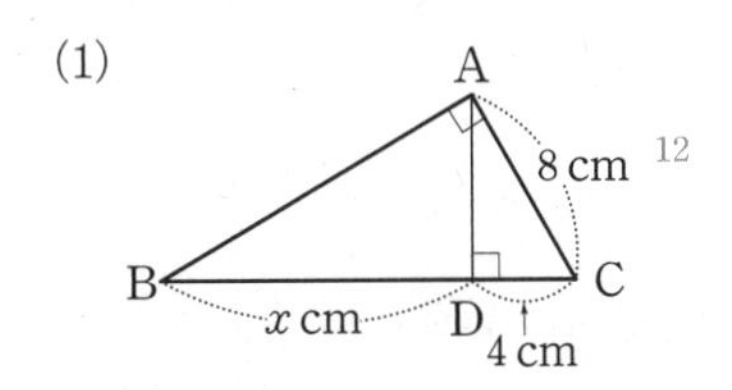

12

(2)

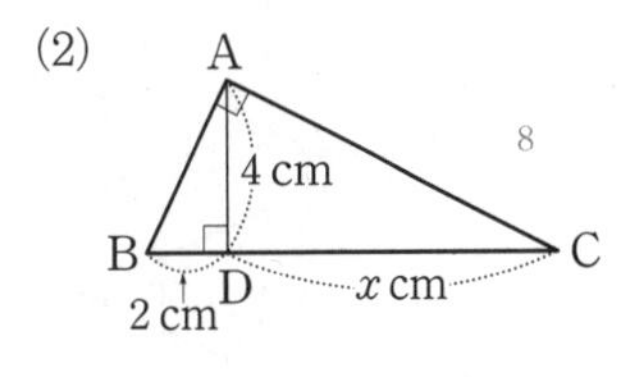

8

풀이 민호: 그림과 같이 두 쌍의 변의 길이의 비는 같지만, 끼인각이 아닌 다른 한 각의 크기가 같은 두 삼각형 ABC와 DEG는 서로 닮음이 아님을 알 수 있다.
하지만 대응하는 두 쌍의 변의 길이의 비가 같고, 그 끼인각의 크기가 같을 때에는 두 삼각형이 서로 닮음이다. 따라서 민호의 생각은 옳지 않다.
예림: 그림과 같이 두 쌍의 변의 길이의 비가 같은 두 삼각형 ABC와 DEF는 서로 닮음이 아님을 알 수 있다.
하지만 대응하는 세 쌍의 변의 길이의 비가 같을 때에는 두 삼각형이 서로 닮음이다. 따라서 예림이의 생각은 옳지 않다.

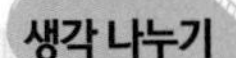

추론 의사소통

다음 세 친구의 생각이 옳은지 판단하고, 그 까닭을 말하여 보자.

두 쌍의 변의 길이의 비가 같고 한 쌍의 각의 크기가 같은 두 삼각형은 서로 닮은 도형일까?

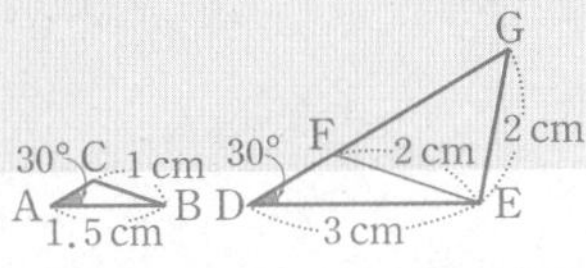

예림

두 쌍의 변의 길이의 비가 같은 두 삼각형은 서로 닮은 도형일까?

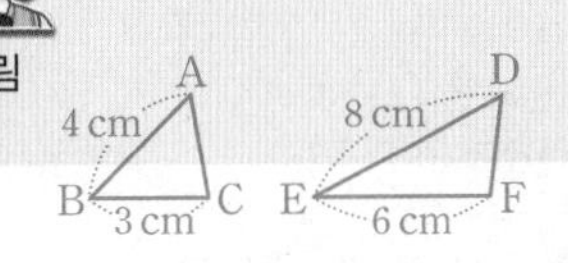

유빈

한 쌍의 각의 크기가 같은 두 삼각형은 서로 닮은 도형일까?

유빈: 그림과 같이 한 쌍의 각의 크기가 같은 두 삼각형 ABC와 ABD는 서로 닮음이 아님을 알 수 있다.
하지만 대응하는 두 쌍의 각의 크기가 각각 같은 두 삼각형은 삼각형의 모양이 같게 되므로 서로 닮음이 된다. 따라서 유빈이의 생각은 옳지 않다.

소단원

스스로 점검하기

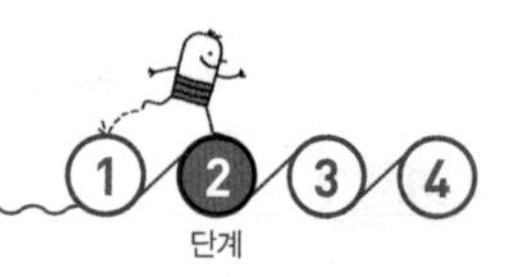

개념 점검하기

잘함 보통 모름

(1) 삼각형의 닮음 조건: 두 삼각형은 다음의 각 경우에 서로 닮음이다.

① 대응하는 세 쌍의 [변]의 길이의 비가 같을 때

② 대응하는 두 쌍의 변의 길이의 비가 같고, 그 [끼인각]의 크기가 같을 때

③ 대응하는 두 쌍의 [각]의 크기가 각각 같을 때

풀이 (1) ㄴ. 대응하는 세 쌍의 변의 길이의 비가 같으므로 서로 닮음이다.(SSS 닮음)
(2) ㄱ. 대응하는 두 쌍의 변의 길이의 비가 같고, 그 끼인각의 크기가 같으므로 서로 닮음이다.(SAS 닮음)
(3) ㄷ. 대응하는 두 쌍의 각의 크기가 각각 같으므로 서로 닮음이다.(AA 닮음)

1 ●●●

199쪽

다음 그림의 삼각형과 서로 닮은 삼각형을 보기 중에서 찾고, 닮음 조건을 각각 말하시오. 풀이 참조

(1)

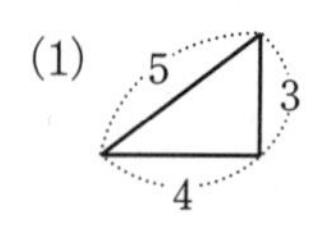

ㄴ, SSS 닮음

(2)

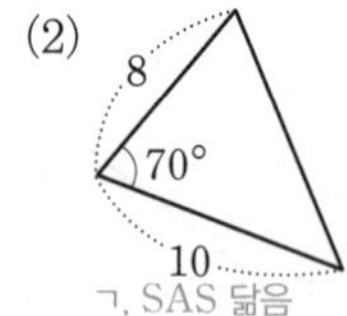

ㄱ, SAS 닮음

(3)

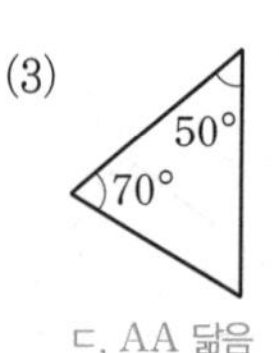

ㄷ, AA 닮음

| 보기 |

ㄱ.

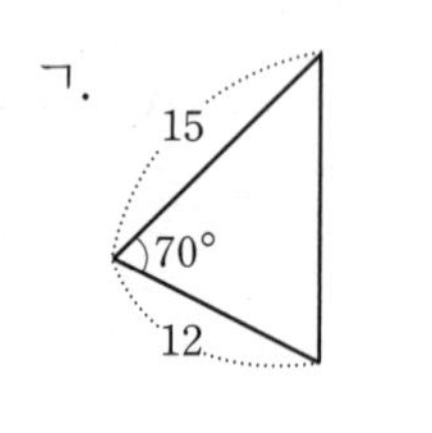

ㄴ.

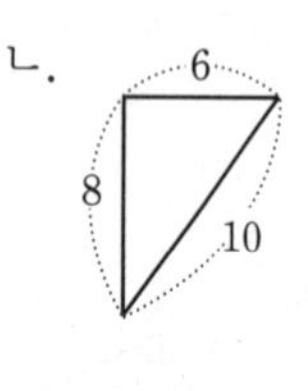

ㄷ.

50° 60°

ㄹ.

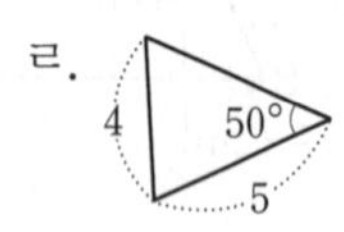

2 ●●●

다음 그림에서 서로 닮은 삼각형을 찾아 기호 ∽를 사용하여 나타내고, 이때 사용한 닮음 조건을 각각 말하시오.

(1) △ECA∽△EDB(SAS 닮음)

8 cm, 3 cm, 6 cm, 4 cm, A, B, C, D, E

(2) △ABC∽△DBE(AA 닮음)

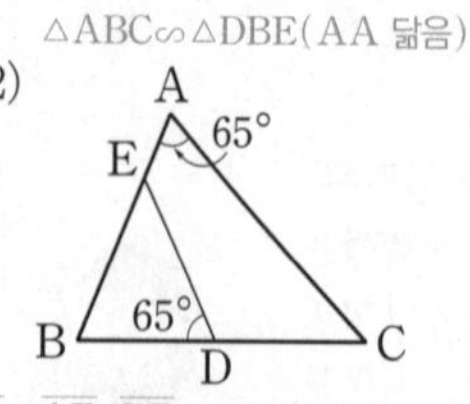

풀이 (1) △ECA와 △EDB에서 $\overline{CE}:\overline{DE}=\overline{AE}:\overline{BE}=1:2$이고
∠CEA=∠DEB(맞꼭지각)이다. 즉, 대응하는 두 쌍의 변의 길이의 비가 같고, 그 끼인각의 크기가 같으므로 △ECA∽△EDB이다.(SAS 닮음)
(2) △ABC와 △DBE에서 ∠A=∠EDB=65°, ∠B는 공통이다. 즉, 대응하는 두 쌍의 각의 크기가 각각 같으므로 △ABC∽△DBE이다.(AA 닮음)

3 ●●●

다음 그림의 △ABC에서 $\overline{AB}=12$ cm, $\overline{BC}=6$ cm, $\overline{AC}=9$ cm, $\overline{CD}=4$ cm일 때, $\overline{BD}$의 길이를 구하시오. 8 cm

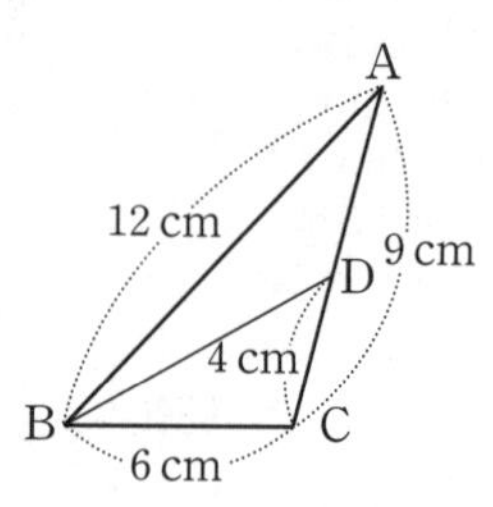

풀이 △ABC와 △BDC에서 $\overline{AC}:\overline{BC}=\overline{BC}:\overline{DC}=3:2$, ∠C는 공통이므로
△ABC∽△BDC(SAS 닮음)이다.
이때 닮음비는 $\overline{AB}:\overline{BD}=3:2$이므로 $12:\overline{BD}=3:2$에서 $\overline{BD}=8$(cm)이다.
따라서 $\overline{BD}$의 길이는 8 cm이다.

풀이 △ABH와 △BCH에서 ∠AHB=∠BHC=90°,
∠HAB=90°−∠ABH=∠HBC이다. 즉, 대응하는 두 쌍의 각의 크기가 각각 같으므로 △ABH∽△BCH이다.(AA 닮음)
이때 $\overline{AH}:\overline{BH}=\overline{BH}:\overline{CH}$에서 $9:12=12:\overline{CH}$, $\overline{CH}=16$(cm)이다.
따라서 △BCH의 넓이는 $\frac{1}{2}\times16\times12=96(\text{cm}^2)$이다.

4 ●●●

201쪽

다음 그림과 같이 ∠B=90°인 직각삼각형 ABC에서 $\overline{BH}\perp\overline{AC}$일 때, △BCH의 넓이를 구하시오. 96 cm²

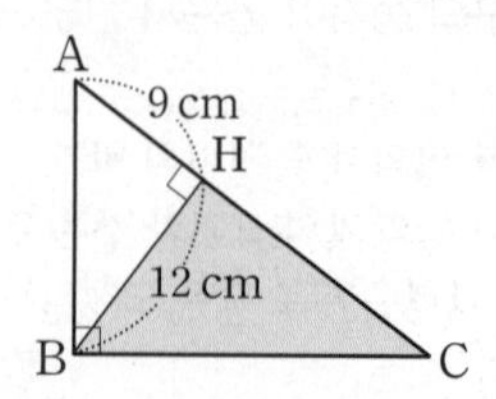

A4 용지의 비밀

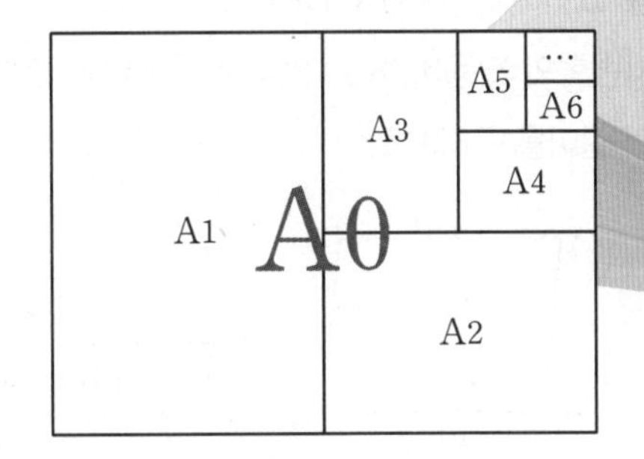

오른쪽 그림과 같이 A0 용지의 긴 변의 길이를 절반으로 자르면 A1 용지가 만들어지고, A1 용지의 긴 변의 길이를 절반으로 자르면 A2 용지가 만들어진다. 이와 같은 방법으로 긴 변의 길이를 네 번 반복하여 자르면 A4 용지가 만들어지는데, 이러한 방법은 버려지는 종이가 없도록 하기 위해서이다.

A0 용지를 위와 같은 방법으로 계속하여 자른 용지들이 서로 닮은 도형인지 확인하여 보자.

활동 ① 다음 [그림 1]은 크기가 다른 세 직사각형 (가), (나), (다)에 대각선을 그린 것이고, [그림 2]는 [그림 1]의 세 직사각형을 포개어 놓은 것이다. [그림 1]에서 서로 닮은 직사각형을 찾고, 이를 이용하여 [그림 2]에서 알 수 있는 사실을 말하여 보자.

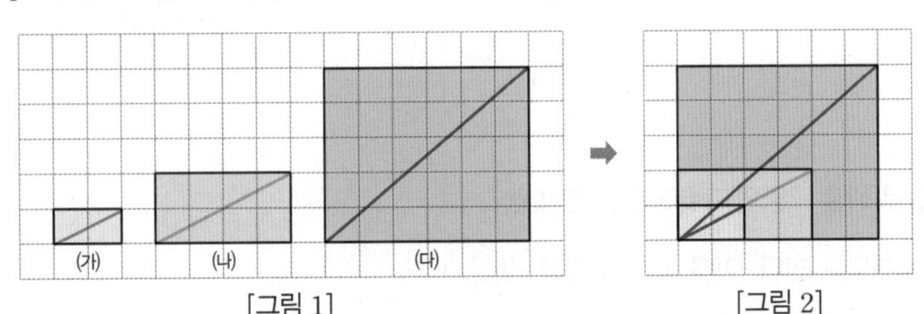

[그림 1] [그림 2]

풀이 [그림 1]에서 (가)와 (나)는 대각선에 의해 나누어진 직각삼각형을 이용하여 대응하는 두 쌍의 변의 길이의 비가 같고, 그 끼인각의 크기가 같으므로 서로 닮은 도형임을 알 수 있다. 또, [그림 2]에서 서로 닮은 두 직사각형을 대응하는 한 각이 서로 겹치도록 포개었을 때, 같은 방향의 대각선들이 한 직선 위에 있음을 확인할 수 있다.

활동 ② 다음 그림과 같이 A4 용지, A5 용지, A6 용지를 한 각이 서로 겹치도록 포개어 놓았다. 활동 ①을 이용하여 세 용지가 서로 닮은 도형이라고 할 수 있는 까닭을 설명하여 보고, A4 용지와 A6 용지의 닮음비를 구하여 보자.

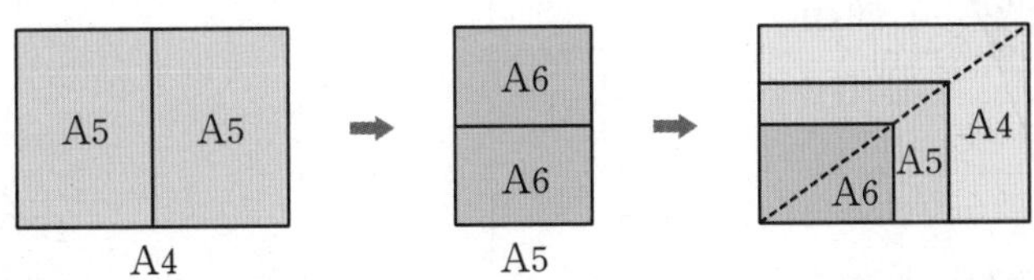

풀이 A4, A5, A6 용지를 같은 모양으로 한 각이 서로 겹치도록 포개어 놓으면 같은 방향의 대각선들이 모두 한 직선 위에 있음을 확인할 수 있으므로 활동 ①의 결과를 이용하여 A4 용지, A5 용지, A6 용지는 서로 닮은 도형임을 확인할 수 있다.
또, A4 용지의 가로의 길이를 a라고 하면 A6 용지의 가로의 길이는 $\frac{a}{2}$이다. 따라서 A4 용지와 A6 용지의 닮음비는 $a:\frac{a}{2}=2:1$이다.

| 상호 평가표 |

평가 내용		자기 평가			친구 평가		
		😄	😊	😵	😄	😊	😵
내용	서로 닮은 직사각형을 찾을 수 있다.						
	A4 용지, A5 용지, A6 용지가 서로 닮은 직사각형임을 설명할 수 있다.						
태도	도형의 닮음의 유용성을 인식하였고, 활동에 적극 참여하였다.						

스스로 확인하기

1. 다음 그림에서 □ABCD∽□EFGH이다. 두 평행사변형의 닮음비가 5 : 2일 때, □ABCD의 둘레의 길이를 구하시오. 35 cm

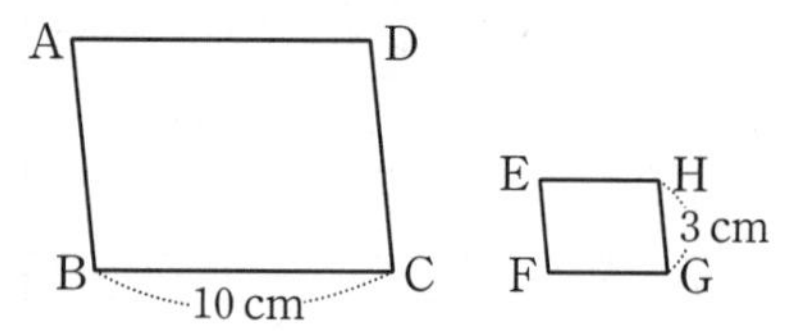

풀이 $\overline{DC}:\overline{HG}=5:2$에서 $\overline{DC}:3=5:2$, $\overline{DC}=7.5(\text{cm})$이다.
따라서 □ABCD는 평행사변형이므로 둘레의 길이는 $7.5\times2+10\times2=35(\text{cm})$이다.

2. 다음 그림과 같은 원뿔 모양의 그릇에 물을 전체 높이의 $\frac{3}{4}$만큼 채웠다고 한다. 이때 x, y의 값을 각각 구하시오. $x=15$, $y=12$

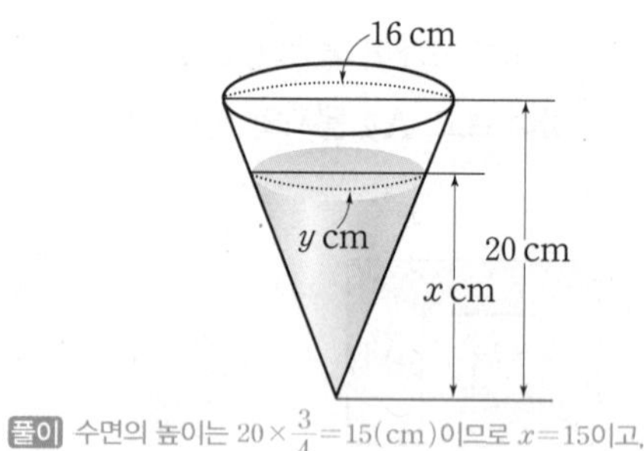

풀이 수면의 높이는 $20\times\frac{3}{4}=15(\text{cm})$이므로 $x=15$이고,
그릇과 물이 채워진 원뿔은 서로 닮음이므로
$16:y=20:15$, $y=12$이다.
따라서 $x=15$, $y=12$이다.

3. 다음 그림에서 △ABC∽△DEF가 되기 위하여 한 가지 조건이 추가되어야 한다. 다음 보기 중에서 추가될 수 있는 조건을 모두 고르고, 그 까닭을 설명하시오. ㄱ, ㄷ, 풀이 참조

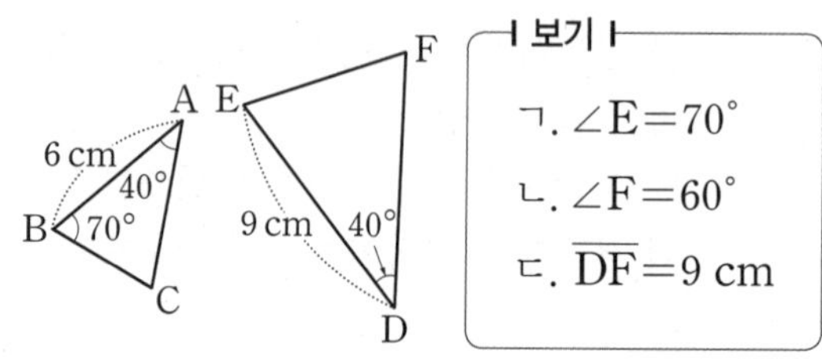

보기
ㄱ. $\angle E=70°$
ㄴ. $\angle F=60°$
ㄷ. $\overline{DF}=9$ cm

풀이 ㄱ. $\angle E=70°$이면 △ABC와 대응하는 두 쌍의 각의 크기가 각각 같으므로 △ABC∽△DEF이다.(AA 닮음)
ㄷ. △ABC에서 $\angle C=180°-70°-40°=70°$이므로 △ABC는 이등변삼각형이다. 즉, $\overline{AC}=6$ cm이다.
따라서 $\overline{DF}=9$ cm이면 대응하는 두 쌍의 변의 길이의 비가 같고, 그 끼인각의 크기가 같으므로 △ABC∽△DEF이다.(SAS 닮음)

4. 다음 그림의 △ABC에서 $\angle AED=\angle ABC$이고, $\overline{AD}=4$ cm, $\overline{AE}=5$ cm, $\overline{BD}=6$ cm일 때, $\overline{CE}$의 길이를 구하시오. 3 cm

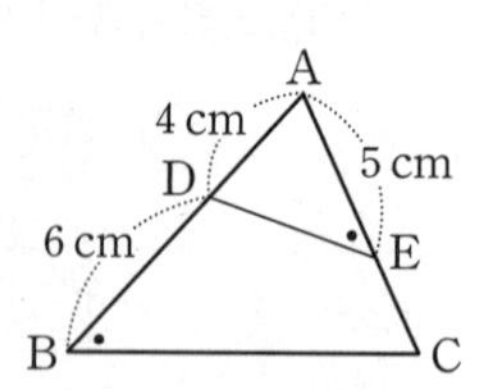

풀이 △ABC와 △AED에서 $\angle ABC=\angle AED$, $\angle A$는 공통이므로 △ABC∽△AED(AA 닮음)이다.
$\overline{CE}=x$ cm라고 하면 $\overline{AC}:\overline{AD}=\overline{AB}:\overline{AE}$이므로
$(x+5):4=10:5$, $x=3$
따라서 $\overline{CE}$의 길이는 3 cm이다.

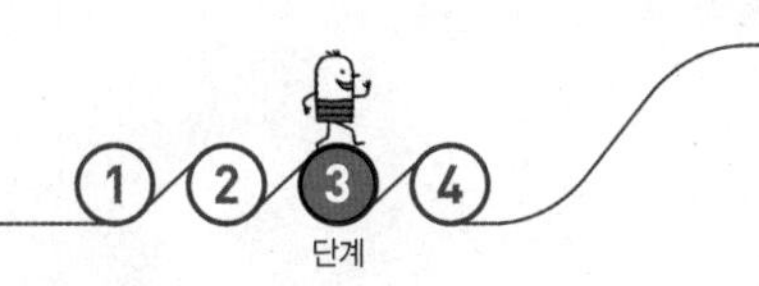

실력 업(UP) 발전 문제

5. 다음 그림과 같은 △ABC에서
∠BAE=∠CBF=∠ACD일 때,
$\overline{DE}:\overline{EF}$, $\overline{EF}:\overline{FD}$를 각각 구하시오. 3 : 4, 8 : 7

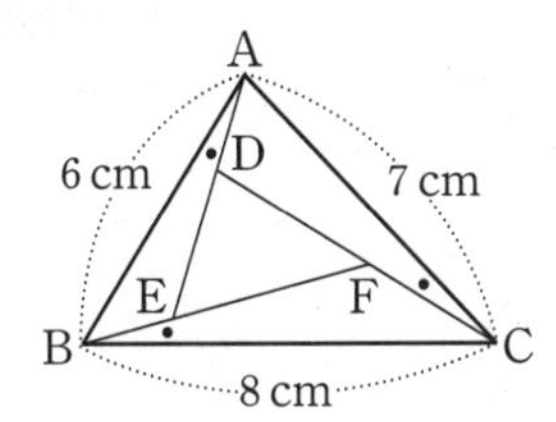

풀이 ∠DAC=∠a, ∠EBA=∠b라고 하면
∠A=•+∠a=∠EDF, ∠B=•+∠b=∠DEF이므로
△ABC∽△DEF(AA 닮음)이다.
따라서 $\overline{DE}:\overline{EF}=\overline{AB}:\overline{BC}=6:8=3:4$,
$\overline{EF}:\overline{FD}=\overline{BC}:\overline{CA}=8:7$이다.

6. 다음 그림과 같이 ∠A=90°인 직각삼각형 ABC의 꼭짓점 A에서 $\overline{BC}$에 내린 수선의 발을 D, 점 D에서 $\overline{AC}$에 내린 수선의 발을 E라고 하자.
$\overline{AB}$=6 cm, $\overline{BC}$=10 cm, $\overline{CA}$=8 cm일 때, $\overline{DE}$의 길이를 구하시오. $\frac{96}{25}$ cm

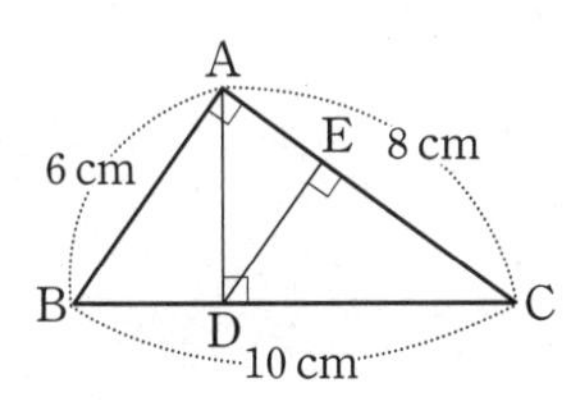

풀이 △ABC∽△DBA(AA 닮음)이므로 $\overline{AB}:\overline{DB}=\overline{BC}:\overline{BA}$에서
$6:\overline{DB}=10:6$, $\overline{DB}=\frac{18}{5}$(cm)
따라서 $\overline{CD}=10-\frac{18}{5}=\frac{32}{5}$(cm)
한편, △ABC의 넓이에서
$\frac{1}{2}\times10\times\overline{AD}=\frac{1}{2}\times8\times6$이므로 $\overline{AD}=\frac{24}{5}$(cm)이다.
이때 △ADC의 넓이는 $\frac{1}{2}\times\overline{AD}\times\overline{DC}=\frac{1}{2}\times\overline{DE}\times\overline{AC}$이므로
$\frac{1}{2}\times\frac{24}{5}\times\frac{32}{5}=\frac{1}{2}\times\overline{DE}\times8$에서 $\overline{DE}=\frac{96}{25}$(cm)이다.

교과서 문제 뛰어 넘기

7. 축척이 $\frac{1}{20000}$인 지도에서 철규네 아파트로부터 10 cm 떨어진 곳에 도서관이 있다. 이 두 지점 사이의 실제 거리는 몇 km인지 구하시오.

8. 오른쪽 그림과 같이 정삼각형의 한 꼭짓점 A가 $\overline{BC}$ 위의 한 점 F에 오도록 접었다. $\overline{BF}$=3 cm, $\overline{FC}$=12 cm, $\overline{BD}$=8 cm일 때, $\overline{FE}:\overline{CE}$를 구하시오.

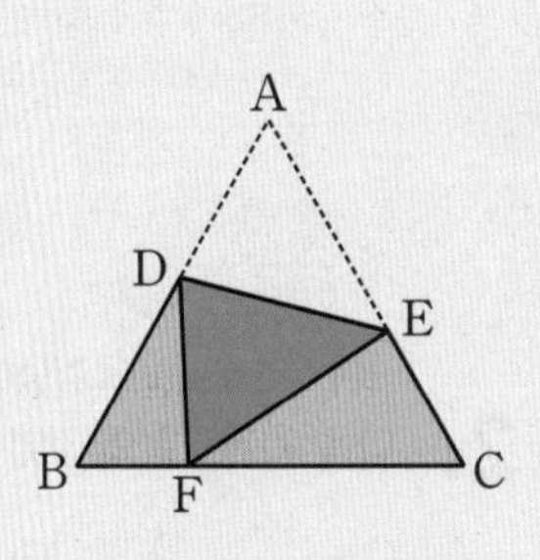

9. 다음 그림의 △ABC에서
∠A=∠DEB=90°이고, $\overline{AC}$=12,
$\overline{DE}$=6, $\overline{EC}$=12, $\overline{BD}$=10일 때, $\overline{BE}$의 길이를 구하시오.

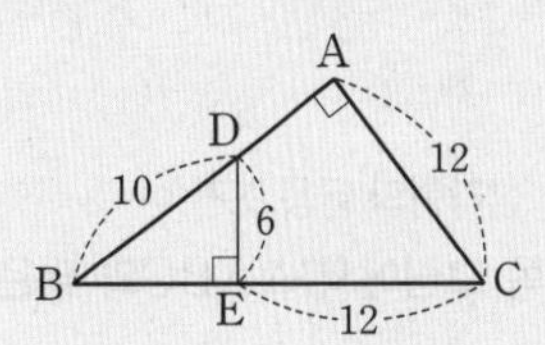

2 닮은 도형의 성질

01. 평행선과 선분의 길이의 비 | 02. 삼각형의 무게중심 | 03. 닮은 도형의 넓이와 부피

이것만은 알고 가자

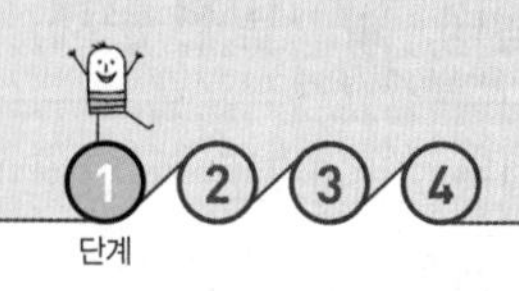

중1 평행선의 성질

1. 다음 그림에서 $l /\!/ m$일 때, $\angle a$, $\angle b$의 크기를 각각 구하시오.

$\angle a=50°$, $\angle b=70°$

풀이 평행한 두 직선이 다른 한 직선과 만날 때 생기는 동위각과 엇각의 크기는 각각 같으므로
$\angle a=180°-130°=50°$이다.
또, $\angle a+60°+\angle b=180°$이므로 $\angle b=70°$이다.

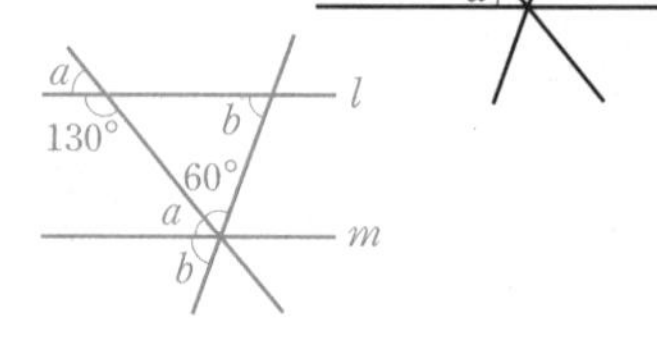

알고 있나요?
평행선에서 동위각과 엇각의 성질을 이해할 수 있는가?
잘함 보통 모름

중1 입체도형의 겉넓이와 부피

2. 다음 입체도형의 겉넓이와 부피를 각각 구하시오.

(1)

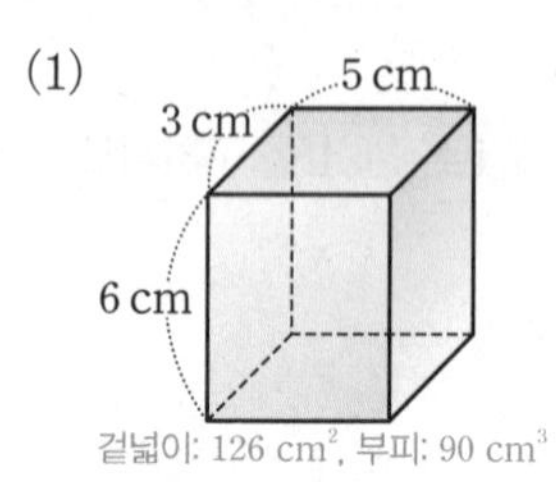

겉넓이: $126\ cm^2$, 부피: $90\ cm^3$

(2)

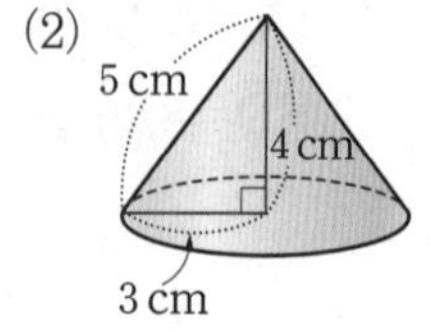

겉넓이: $24\pi\ cm^2$, 부피: $12\pi\ cm^3$

(3)

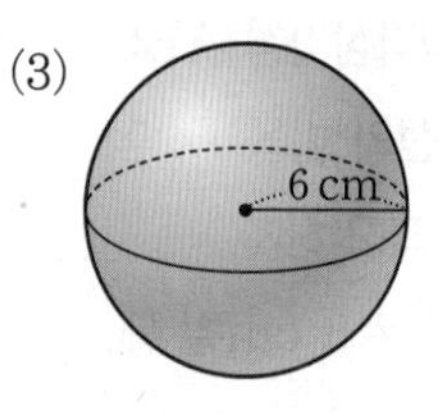

겉넓이: $144\pi\ cm^2$, 부피: $288\pi\ cm^3$

| 개념 체크 |

구의 반지름의 길이가 r일 때,

(구의 겉넓이)$=$ $4\pi r^2$, (구의 부피)$=$ $\frac{4}{3}\pi r^3$

풀이 (1) (밑넓이)$=3\times5=15(cm^2)$이고, (옆넓이)$=6\times(3+5+3+5)=96(cm^2)$이므로
(겉넓이)$=2\times15+96=126(cm^2)$이다. 또, (부피)$=3\times5\times6=90(cm^3)$이다.

(2) (겉넓이)$=\pi\times3^2+\pi\times3\times5=9\pi+15\pi=24\pi(cm^2)$이고, (부피)$=\frac{1}{3}\times\pi\times3^2\times4=12\pi(cm^3)$이다.

(3) (겉넓이)$=4\times\pi\times6^2=144\pi(cm^2)$이고, (부피)$=\frac{4}{3}\times\pi\times6^3=288\pi(cm^3)$이다.

알고 있나요?
입체도형의 겉넓이와 부피를 구할 수 있는가?

중2 삼각형의 닮음 조건

3. 오른쪽 그림에서 △ABC와 닮은 삼각형을 찾아 기호 ∽를 사용하여 나타내고, 이때 사용한 닮음 조건을 말하시오. △ABC∽△AED (SAS 닮음)

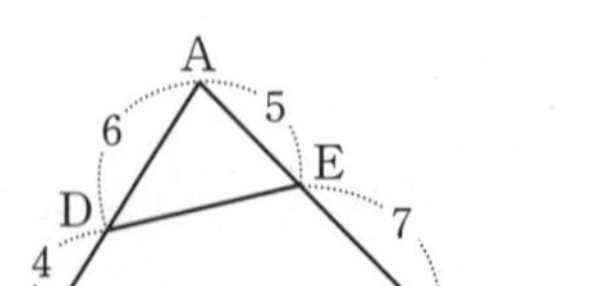

풀이 △ABC와 △AED에서 $\overline{AB}:\overline{AE}=\overline{AC}:\overline{AD}=2:1$이고
$\angle BAC=\angle EAD$
즉, 대응하는 두 쌍의 변의 길이의 비가 같고, 그 끼인각의 크기가 같으므로
△ABC∽△AED(SAS 닮음)이다.

알고 있나요?
삼각형의 닮음 조건을 이해하고, 이를 이용하여 두 삼각형이 닮음인지 판별할 수 있는가?

부족한 부분을 보충하고 본 학습을 준비하여 보자.

한 눈에 개념 정리

01 평행선과 선분의 길이의 비

1. 삼각형에서 평행선과 선분의 길이의 비

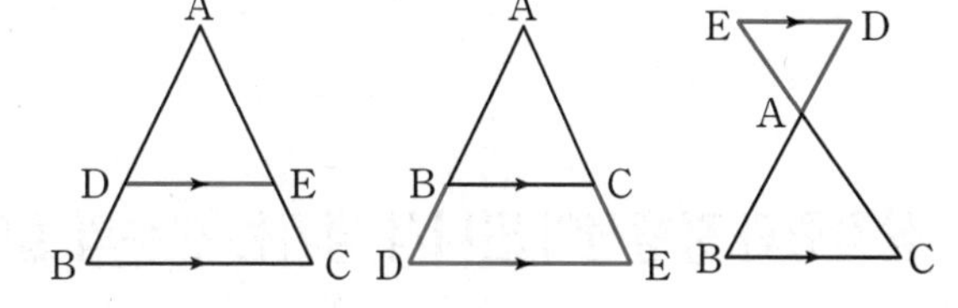

(1) △ABC에서 $\overline{BC} /\!/ \overline{DE}$이면

① $\overline{AB} : \overline{AD} = \overline{AC} : \overline{AE}$
$= \overline{BC} : \overline{DE}$

② $\overline{AD} : \overline{DB} = \overline{AE} : \overline{EC}$

(2) ① $\overline{AB} : \overline{AD} = \overline{AC} : \overline{AE} = \overline{BC} : \overline{DE}$이면 $\overline{BC} /\!/ \overline{DE}$

② $\overline{AD} : \overline{DB} = \overline{AE} : \overline{EC}$이면 $\overline{BC} /\!/ \overline{DE}$

2. 평행선 사이에 있는 선분의 길이의 비

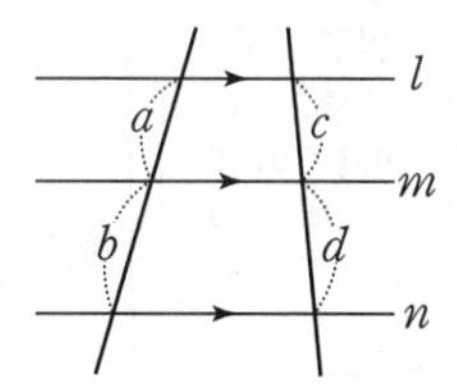

세 평행선이 다른 두 직선과 만날 때, 평행선 사이에 있는 선분의 길이의 비는 같다.

즉, $l /\!/ m /\!/ n$이면 $a : b = c : d$이다.

02 삼각형의 무게중심

1. 삼각형의 두 변의 중점을 연결하는 선분

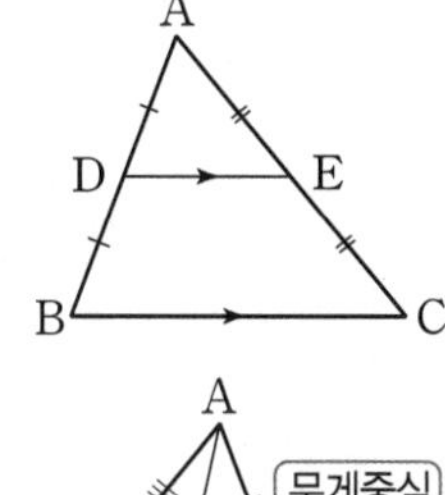

△ABC에서 두 변 AB, AC의 중점을 각각 D, E라고 할 때,

$\overline{DE} = \frac{1}{2}\overline{BC}$

2. 중선: 삼각형의 한 꼭짓점과 그 대변의 중점을 이은 선분

3. 무게중심: 삼각형의 세 중선이 만나는 점

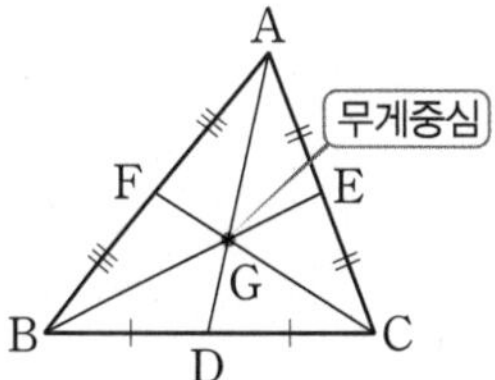

(1) 삼각형의 세 중선은 한 점(무게중심)에서 만나고, 이 점은 세 중선을 각 꼭짓점으로부터 그 길이가 각각 2 : 1이 되도록 나눈다.

즉, $\overline{AG} : \overline{GD} = \overline{BG} : \overline{GE} = \overline{CG} : \overline{GF} = 2 : 1$

03 닮은 도형의 넓이와 부피

1. 닮은 평면도형의 넓이의 비

닮은 평면도형의 넓이의 비는 닮음비의 제곱과 같다.

즉, 닮음비가 $m : n$이면 넓이의 비는 $m^2 : n^2$이다.

2. 닮은 입체도형의 부피의 비

닮은 입체도형의 부피의 비는 닮음비의 세제곱과 같다.

즉, 닮음비가 $m : n$이면 부피의 비는 $m^3 : n^3$이다.

01 평행선과 선분의 길이의 비

학습 목표 ‖ 평행선 사이의 선분의 길이의 비를 구할 수 있다.

삼각형과 평행선이 만나서 생기는 선분의 길이의 비는 어떻게 될까?

탐구 목표
두 삼각형의 닮음비를 이용하여 변의 길이의 비 사이의 관계를 추측할 수 있다.

오른쪽 그림의 $\triangle ABC$에서 $\overline{BC} /\!/ \overline{DE}$일 때, 다음 물음에 답하여 보자.

활동 1 $\triangle ABC \backsim \triangle ADE$임을 설명하여 보자.

풀이 $\triangle ABC$와 $\triangle ADE$에서 $\overline{BC} /\!/ \overline{DE}$이므로 $\angle ABC = \angle ADE$, $\angle ACB = \angle AED$이다. 따라서 대응하는 두 쌍의 각의 크기가 각각 같으므로 $\triangle ABC \backsim \triangle ADE$(AA 닮음)이다.

활동 2 $\overline{AB} : \overline{AD}$와 $\overline{AC} : \overline{AE}$를 각각 구하여 보자. $\overline{AB} : \overline{AD} = \overline{AC} : \overline{AE} = 3 : 2$

풀이 $\triangle ABC \backsim \triangle ADE$이므로 대응하는 변의 길이의 비가 일정하다.
따라서 $\overline{AB} : \overline{AD} = \overline{AC} : \overline{AE} = 3 : 2$이다.

탐구하기의 $\triangle ABC$와 $\triangle ADE$에서
$\overline{BC} /\!/ \overline{DE}$이므로

$$\angle ABC = \angle ADE(\text{동위각})$$
$$\angle ACB = \angle AED(\text{동위각})$$

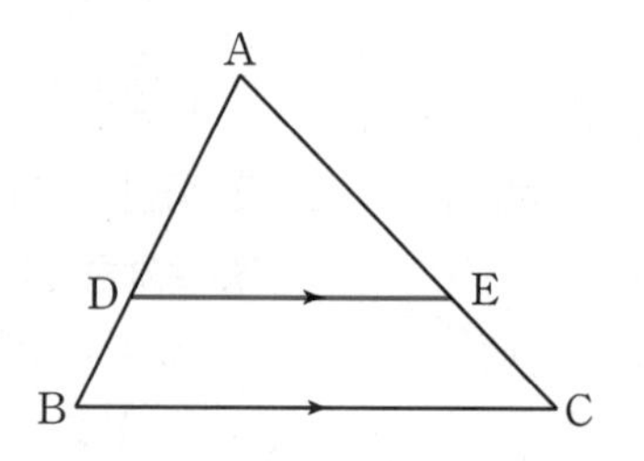

이다. 즉, 대응하는 두 쌍의 각의 크기가 각각 같으므로 $\triangle ABC \backsim \triangle ADE$이다. 이때 서로 닮은 두 삼각형의 대응하는 변의 길이의 비는 모두 같으므로

$$\overline{AB} : \overline{AD} = \overline{AC} : \overline{AE} = \overline{BC} : \overline{DE}$$

가 성립한다.

한편, $\triangle ABC$의 두 변 AB, AC 위에 각각 점 D, E가 있고

$$\overline{AB} : \overline{AD} = \overline{AC} : \overline{AE} = \overline{BC} : \overline{DE}$$

이면 $\triangle ABC$와 $\triangle ADE$에서 대응하는 세 쌍의 변의 길이의 비가 같으므로 $\triangle ABC \backsim \triangle ADE$이다. 따라서 $\angle ABC = \angle ADE$(동위각)이므로

$$\overline{BC} /\!/ \overline{DE}$$

이다.

1. 다음 그림의 $\triangle ABC$에서 변 BC에 평행한 직선이 두 변 AB, AC의 연장선과 만나는 점을 각각 D, E라고 할 때, $\overline{AB}:\overline{AD}=\overline{AC}:\overline{AE}=\overline{BC}:\overline{DE}$임을 설명하시오.

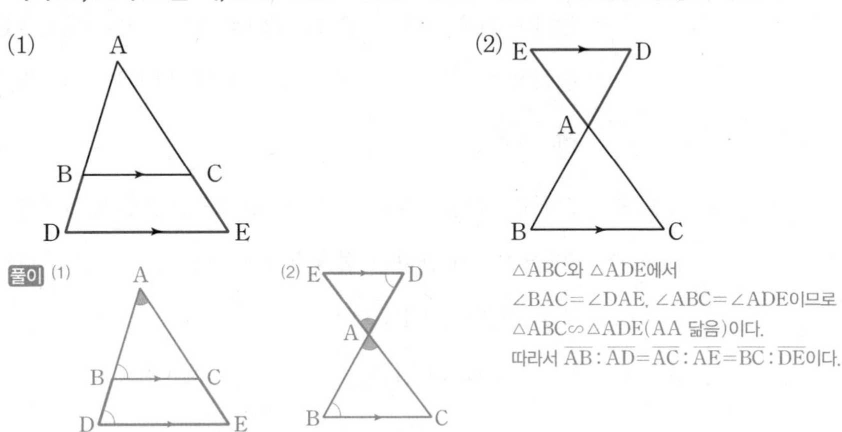

$\triangle ABC$와 $\triangle ADE$에서
$\angle BAC=\angle DAE$, $\angle ABC=\angle ADE$이므로
$\triangle ABC \backsim \triangle ADE$(AA 닮음)이다.
따라서 $\overline{AB}:\overline{AD}=\overline{AC}:\overline{AE}=\overline{BC}:\overline{DE}$이다.

일반적으로 삼각형에서 평행선과 선분의 길이의 비 사이에는 다음 성질이 성립한다.

삼각형에서 평행선과 선분의 길이의 비 (1)

$\triangle ABC$에서 한 직선이 $\overline{AB}$, $\overline{AC}$ 또는 그 연장선과 만나는 점을 각각 D, E라고 하면 다음이 성립한다.

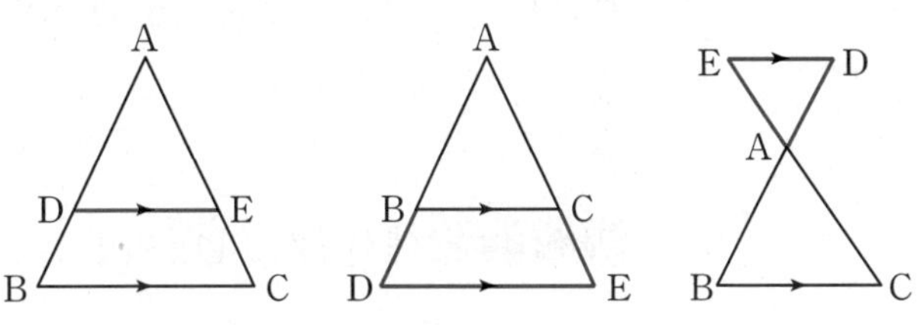

1. $\overline{BC}/\!/\overline{DE}$이면 $\overline{AB}:\overline{AD}=\overline{AC}:\overline{AE}=\overline{BC}:\overline{DE}$
2. $\overline{AB}:\overline{AD}=\overline{AC}:\overline{AE}=\overline{BC}:\overline{DE}$이면 $\overline{BC}/\!/\overline{DE}$

2. 다음 그림에서 $\overline{BC}/\!/\overline{DE}$일 때, x, y의 값을 각각 구하시오.

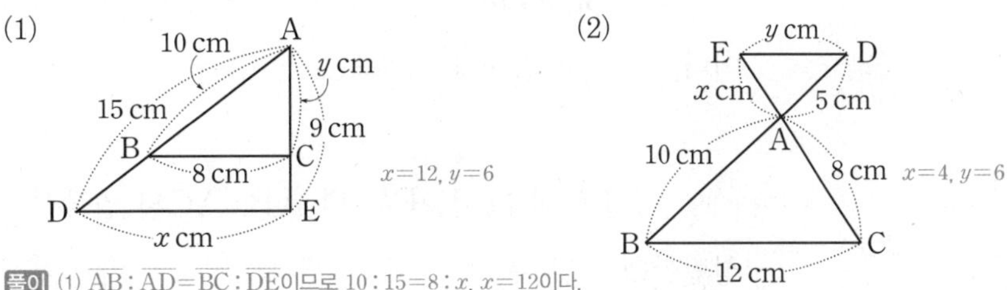

풀이 (1) $\overline{AB}:\overline{AD}=\overline{BC}:\overline{DE}$이므로 $10:15=8:x$, $x=12$이다.
$\overline{AB}:\overline{AD}=\overline{AC}:\overline{AE}$이므로 $10:15=y:9$, $y=6$이다.
(2) $\overline{AB}:\overline{AD}=\overline{AC}:\overline{AE}$이므로 $10:5=8:x$, $x=4$이다.
$\overline{AB}:\overline{AD}=\overline{BC}:\overline{DE}$이므로 $10:5=12:y$, $y=6$이다.

함께해 보기 1

다음은 $\triangle ABC$의 변 BC에 평행한 직선이 두 변 AB, AC와 만나는 점을 각각 D, E라고 할 때, $\overline{AD}:\overline{DB}=\overline{AE}:\overline{EC}$가 성립함을 확인하는 과정이다. □ 안에 알맞은 것을 써넣어 보자.

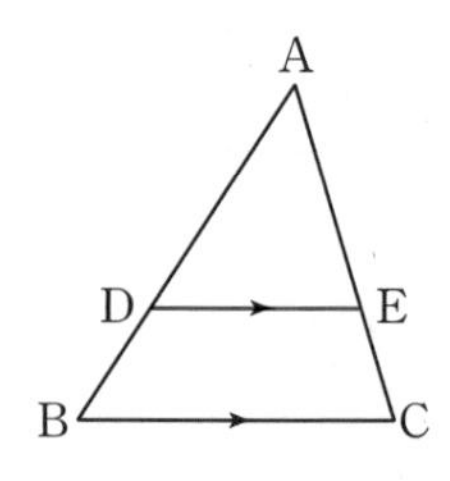

$\triangle ADE \backsim \triangle EFC$임을 설명하기 ▶

오른쪽 그림과 같이 점 E를 지나고 변 AB에 평행한 직선이 변 BC와 만나는 점을 F라고 하면

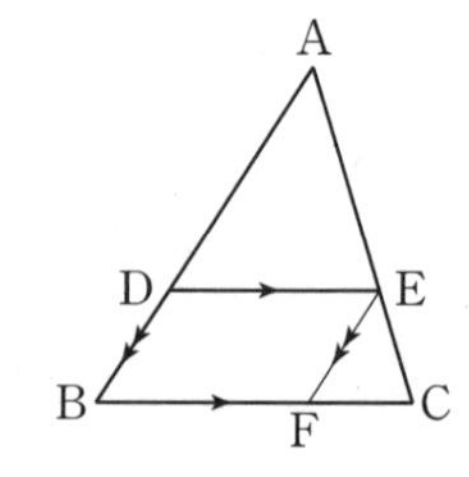

$\triangle ADE$와 $\triangle EFC$에서

$\angle DAE=$ [$\angle FEC$] (동위각)

$\angle AED=\angle ECF$ (동위각)

이다. 즉, 대응하는 두 쌍의 각의 크기가 각각 같으므로 $\triangle ADE \backsim \triangle EFC$이다. 따라서

$\overline{AD}:$ [$\overline{EF}$] $=\overline{AE}:$ [$\overline{EC}$]

이다.

평행사변형의 성질 이용하기 ▶

이때 □DBFE는 평행사변형이므로 $\overline{DB}=$ [$\overline{EF}$] 이다.

따라서 $\overline{AD}:\overline{DB}=\overline{AE}:\overline{EC}$가 성립한다.

함께해 보기 1 에서 $\overline{BC}\,/\!/\,\overline{DE}$이면 $\overline{AD}:\overline{DB}=\overline{AE}:\overline{EC}$임을 알 수 있다.

한편, $\triangle ABC$의 두 변 AB, AC 위에 각각 점 D, E가 있고 $\overline{AD}:\overline{DB}=\overline{AE}:\overline{EC}$이면 $\dfrac{\overline{DB}}{\overline{AD}}=\dfrac{\overline{EC}}{\overline{AE}}$이므로 $\dfrac{\overline{DB}}{\overline{AD}}+1=\dfrac{\overline{EC}}{\overline{AE}}+1$이다. 즉, $\dfrac{\overline{DB}+\overline{AD}}{\overline{AD}}=\dfrac{\overline{EC}+\overline{AE}}{\overline{AE}}$ 이므로 $\dfrac{\overline{AB}}{\overline{AD}}=\dfrac{\overline{AC}}{\overline{AE}}$이다. 따라서 $\overline{AD}:\overline{AB}=\overline{AE}:\overline{AC}$ 이므로

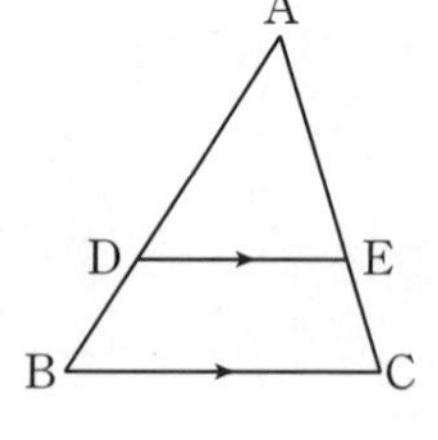

$$\overline{BC}\,/\!/\,\overline{DE}$$

이다.

이 사실은 점 D, E가 두 변 AB, AC의 연장선 위에 있을 때에도 마찬가지로 성립함을 보일 수 있다.

Tip 연장선을 그어 엇각의 성질을 이용한다.

3. **다음 그림의 $\triangle$ABC에서 변 BC에 평행한 직선이 두 변 AB, AC의 연장선과 만나는 점을 각각 점 D, E라고 할 때, $\overline{AD}:\overline{DB}=\overline{AE}:\overline{EC}$임을 설명하시오.**

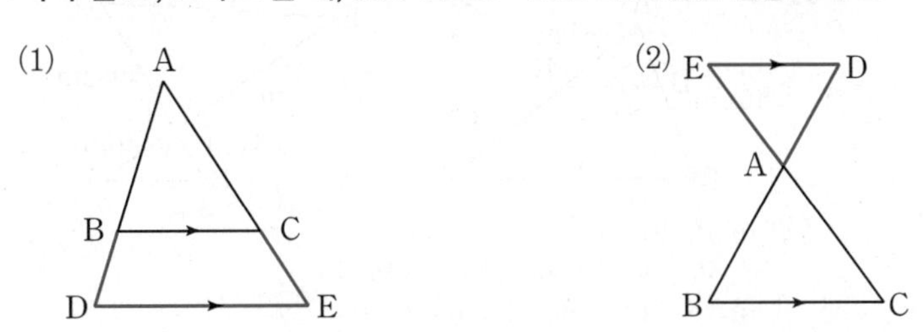

풀이 점 E를 지나고 변 AB와 평행한 직선이 변 BC의 연장선과 만나는 점을 F라고 하자.

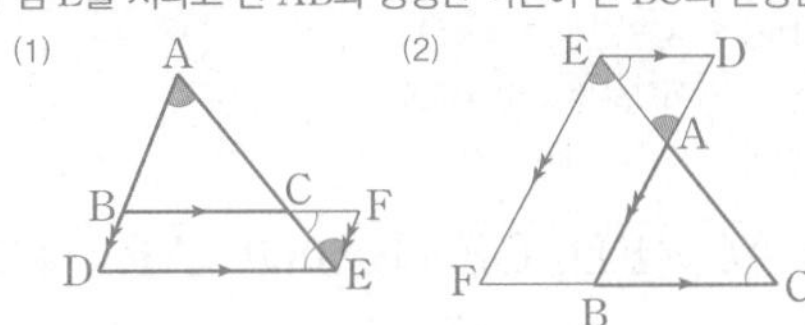

$\triangle$ADE와 $\triangle$EFC에서 $\angle$DAE$=\angle$FEC, $\angle$DEA$=\angle$FCE이므로 $\triangle$ADE$\backsim\triangle$EFC(AA 닮음)이다.
따라서 $\overline{AD}:\overline{EF}=\overline{AE}:\overline{EC}$이다. 이때 □BDEF는 평행사변형이고 $\overline{EF}=\overline{DB}$이므로 $\overline{AD}:\overline{DB}=\overline{AE}:\overline{EC}$이다.

일반적으로 삼각형에서 평행선과 선분의 길이의 비 사이에는 다음 성질이 성립한다.

삼각형에서 평행선과 선분의 길이의 비 (2)

$\triangle$ABC에서 한 직선이 $\overline{AB}$, $\overline{AC}$ 또는 그 연장선과 만나는 점을 각각 D, E라고 하면 다음이 성립한다.

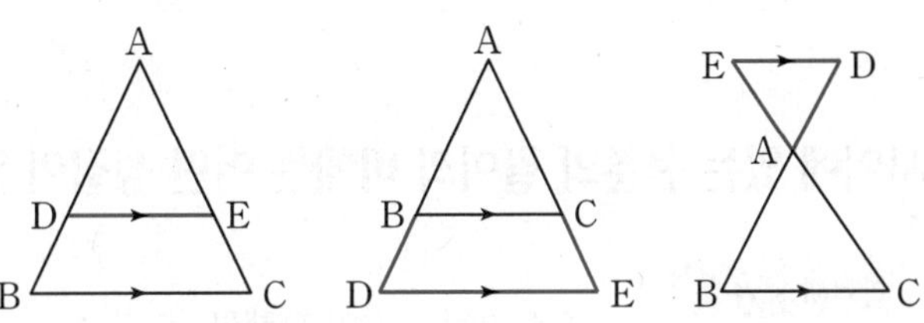

1. $\overline{BC}\,/\!/\,\overline{DE}$이면 $\overline{AD}:\overline{DB}=\overline{AE}:\overline{EC}$
2. $\overline{AD}:\overline{DB}=\overline{AE}:\overline{EC}$이면 $\overline{BC}\,/\!/\,\overline{DE}$

4. **다음 그림에서 $\overline{BC}\,/\!/\,\overline{DE}$일 때, x의 값을 구하시오.**

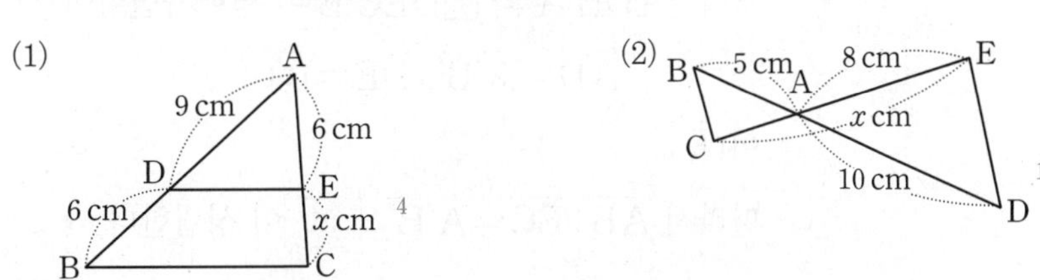

풀이 (1) $\overline{AD}:\overline{DB}=\overline{AE}:\overline{EC}$이므로 $9:6=6:x$, $x=4$이다.
(2) $\overline{AD}:\overline{DB}=\overline{AE}:\overline{EC}$이므로 $10:15=8:x$, $x=12$이다.

5. 다음 그림에서 $\overline{BC} /\!/ \overline{DE}$인 것을 모두 찾으시오.

(1)

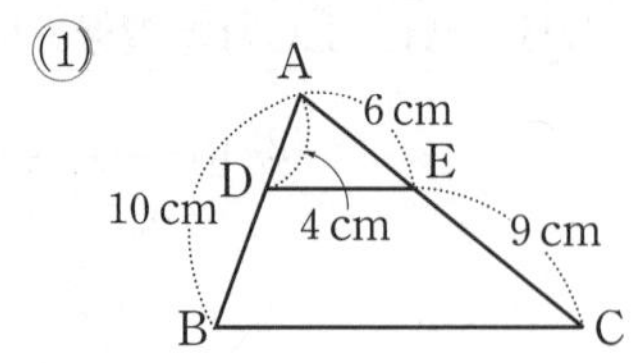

(2)

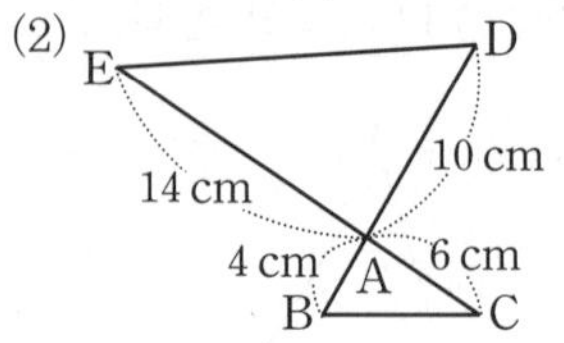

(3)

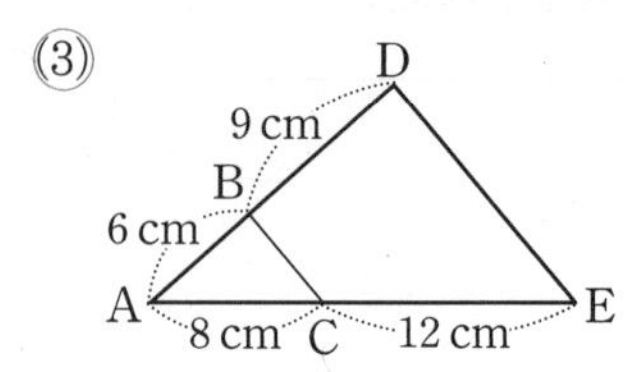

풀이 (1) $\overline{AD} : \overline{DB} = 4 : 6 = 2 : 3$, $\overline{AE} : \overline{EC} = 6 : 9 = 2 : 3$
$\overline{AD} : \overline{DB} = \overline{AE} : \overline{EC}$이므로 $\overline{BC} /\!/ \overline{DE}$이다.
(2) $\overline{AB} : \overline{AD} = 4 : 10 = 2 : 5$, $\overline{AC} : \overline{AE} = 6 : 14 = 3 : 7$
$\overline{AB} : \overline{AD} \neq \overline{AC} : \overline{AE}$이므로 $\overline{BC} /\!/ \overline{DE}$가 성립하지 않는다.
(3) $\overline{AB} : \overline{BD} = 6 : 9 = 2 : 3$, $\overline{AC} : \overline{CE} = 8 : 12 = 2 : 3$
$\overline{AB} : \overline{BD} = \overline{AC} : \overline{CE}$이므로 $\overline{BC} /\!/ \overline{DE}$이다.
따라서 $\overline{BC} /\!/ \overline{DE}$인 것은 (1), (3)이다.

Tip 평행사변형의 성질
① 두 쌍의 대변의 길이가 각각 같다.
② 두 쌍의 대각의 크기가 각각 같다.
③ 두 대각선은 서로 다른 것을 이등분한다.

6. 오른쪽 그림에서 $\overline{AC} /\!/ \overline{FD}$, $\overline{CE} /\!/ \overline{BF}$이고, $\overline{AB} = 4$ cm, $\overline{BC} = 7$ cm, $\overline{BF} = 6$ cm일 때, $\overline{DE}$의 길이를 구하시오.

$\frac{21}{2}$ cm

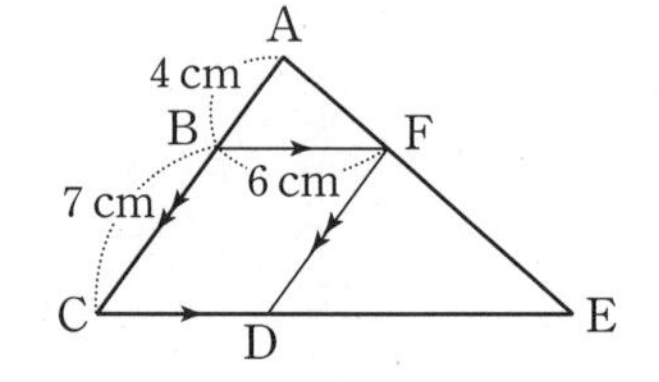

풀이 □BCDF는 평행사변형이므로 $\overline{CD} = 6$ cm이다.
△ACE에서 $\overline{CE} /\!/ \overline{BF}$이므로 $\overline{AB} : \overline{AC} = \overline{BF} : \overline{CE}$이다.
즉, $4 : 11 = 6 : \overline{CE}$, $\overline{CE} = \frac{33}{2}$(cm)이다.
따라서 $\overline{DE} = \overline{CE} - \overline{CD} = \frac{21}{2}$(cm)이다.

평행선 사이에 있는 선분의 길이의 비에는 어떤 성질이 있을까?

함께해 보기 2

개념 쏙
$l /\!/ m /\!/ n$이면
$\overline{AB} : \overline{BC} = \overline{A'B'} : \overline{B'C'}$

오른쪽 그림과 같이 평행한 세 직선 l, m, n과 다른 두 직선 a, b의 교점을 각각 A, B, C, A′, B′, C′이라 하고, 점 A를 지나고 직선 b에 평행한 직선을 그어서 직선 m, n과 만나는 점을 각각 D, E라고 할 때, 다음은 네 선분 AB, BC, A′B′, B′C′의 길이 사이의 관계를 알아보는 과정이다. □ 안에 알맞은 것을 써넣어 보자.

삼각형에서 평행선과 선분의 길이의 비 이용하기 ▶

△ACE에서 $\overline{BD} /\!/ \overline{CE}$이므로

$$\overline{AB} : \overline{BC} = \overline{AD} : \boxed{\overline{DE}}$$

이다.

평행사변형의 성질 이용하기 ▶

또, □ADB′A′과 □DEC′B′이 평행사변형이므로

$$\overline{AD} = \overline{A'B'},\ \overline{DE} = \overline{B'C'}$$

이다.

따라서 $\overline{AB} : \overline{BC} = \overline{A'B'} : \boxed{\overline{B'C'}}$이 성립한다.

함께해 보기 ❷의 내용을 정리하면 다음과 같다.

➕ 다음 그림에서 $\overline{AB}:\overline{BC}=\overline{DE}:\overline{EF}$이지만 세 직선 l, m, n은 서로 평행하지 않다.

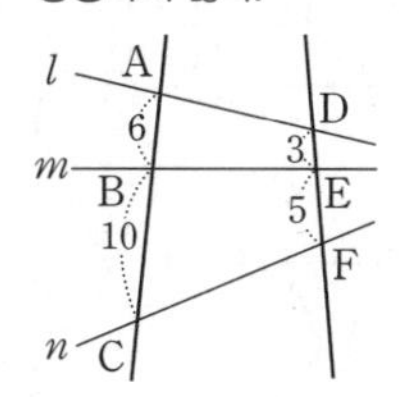

평행선 사이에 있는 선분의 길이의 비

세 평행선이 다른 두 직선과 만날 때, 평행선 사이에 있는 선분의 길이의 비는 같다.

즉, 오른쪽 그림에서 $l /\!/ m /\!/ n$이면

$$a:b=c:d$$

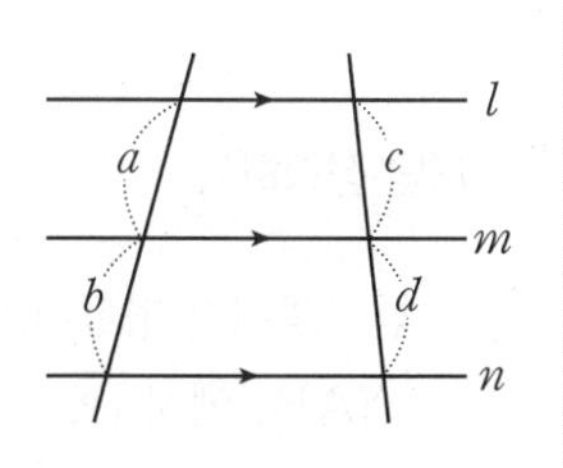

7. 다음 그림에서 $l /\!/ m /\!/ n$일 때, x의 값을 구하시오.

(1)

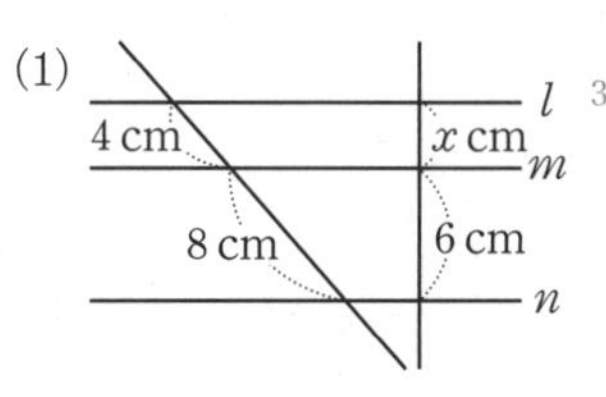

3

(2)

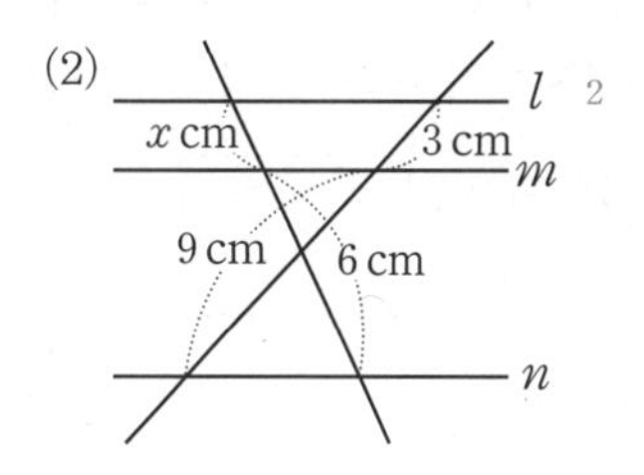

2

풀이 (1) $4:8=x:6$, $x=3$이다.
(2) $x:6=3:9$, $x=2$이다.

Tip 평행선 사이에 있는 선분의 길이의 비에 대한 성질은 주어진 평행선의 개수와는 관계없이 항상 성립한다.

8. 오른쪽 그림과 같이 4개의 평행한 도로가 두 도로와 만날 때, x, y의 값을 각각 구하시오.

$x=55$, $y=71.5$

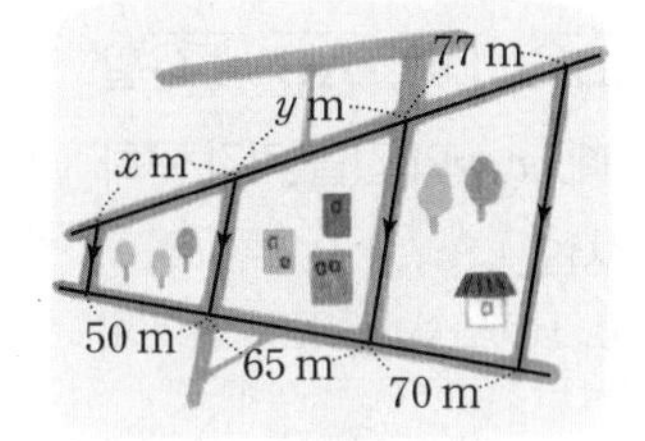

풀이 4개의 도로가 서로 평행하므로
$65:70=y:77$, $50:65=x:y$이다.
따라서 $y=71.5$, $x=55$이다.

Tip 종이를 접었다가 펼치면 짝수 등분은 가능하지만 홀수로는 등분이 가능하지 않다. 따라서 평행선 사이에 있는 선분의 길이의 비를 이용하면 해결할 수 있다.

생각 나누기

추론 의사소통 정보 처리

다음 순서에 따라 종이를 접어서 표시한 ❹의 점들은 색종이의 한 변을 7등분한다. 그 까닭을 설명하여 보자.

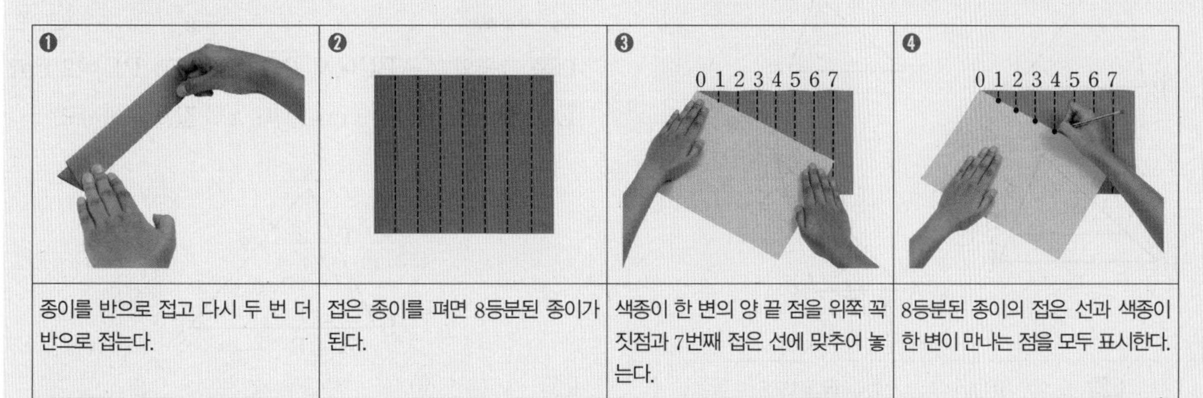

❶	❷	❸	❹
종이를 반으로 접고 다시 두 번 더 반으로 접는다.	접은 종이를 펴면 8등분된 종이가 된다.	색종이 한 변의 양 끝 점을 위쪽 꼭짓점과 7번째 접은 선에 맞추어 놓는다.	8등분된 종이의 접은 선과 색종이 한 변이 만나는 점을 모두 표시한다.

풀이 ❶, ❷와 같이 종이를 반으로 접는 과정을 3번 반복하여 8등분된 종이의 접은 선들은 모두 서로 평행하다. ❹에서 색종이에 표시된 점들은 평행선 사이에 있는 선분의 길이의 비에 의하여 점들 사이의 거리가 모두 같다. 같은 방법으로 다른 한쪽의 길이를 7등분하는 점을 표시하여 색종이 양쪽의 점을 서로 연결하면, 그 선들은 서로 평행하고, 색종이를 7등분하게 된다.

스스로 점검하기

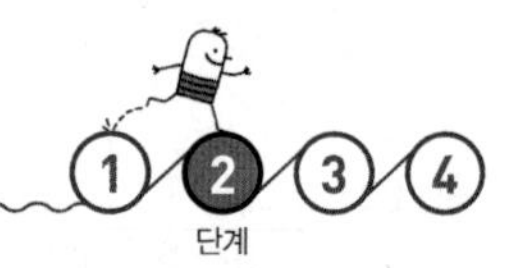

개념 점검하기

잘함 보통 모름

(1) 삼각형에서 평행선과 선분의 길이의 비

$\triangle ABC$에서 $\overline{BC} /\!/ \overline{DE}$이면

① $\overline{AB}:\overline{AD}=\overline{AC}:$ [$\overline{AE}$] $=\overline{BC}:$ [$\overline{DE}$]

② $\overline{AD}:\overline{DB}=\overline{AE}:$ [$\overline{EC}$]

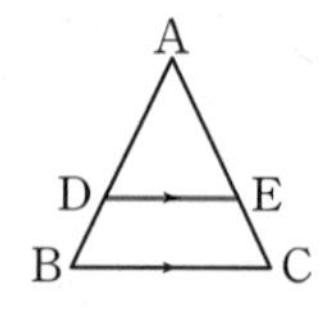

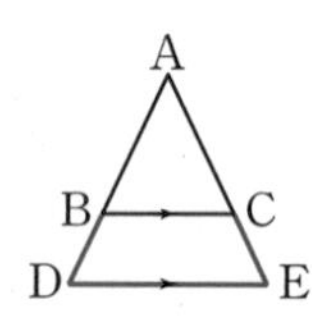

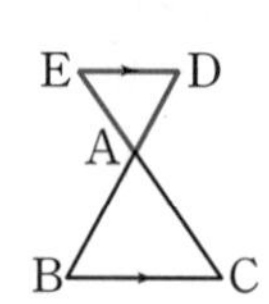

(2) 평행선 사이에 있는 선분의 길이의 비

세 개의 평행선이 다른 두 직선과 만날 때

$l /\!/ m /\!/ n$이면 $a:b=$ [$c:d$]

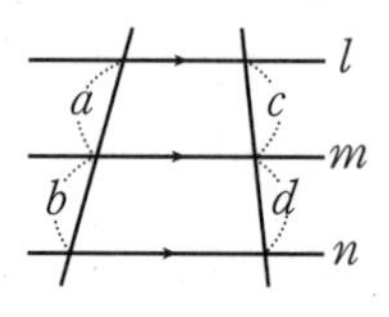

1 ●●●

(209쪽)

오른쪽 그림에서 $\overline{BC} /\!/ \overline{DE}$, $\overline{AB} /\!/ \overline{FG}$일 때, x, y의 값을 각각 구하시오. $x=\frac{7}{2}$, $y=5$

E 4 D 2 A F y x B 3 G 7 C

풀이 $\overline{BC} /\!/ \overline{DE}$이므로 $\overline{AB}:\overline{AD}=\overline{BC}:\overline{DE}$에서 $y:2=10:4$, $y=5$이다.

$\overline{AB} /\!/ \overline{FG}$이므로 $\overline{CB}:\overline{CG}=\overline{AB}:\overline{FG}$에서 $10:7=5:x$, $x=\frac{7}{2}$이다.

2 ●●●

다음 보기 중에서 $\overline{BC} /\!/ \overline{DE}$인 것을 모두 고르시오.

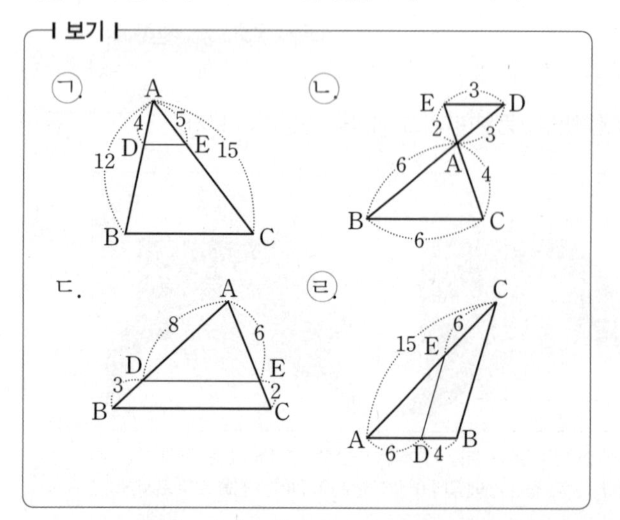

풀이 ㄱ. $\overline{AB}:\overline{AD}=\overline{AC}:\overline{AE}=3:1$이므로 $\overline{BC} /\!/ \overline{DE}$이다.

ㄴ. $\overline{AB}:\overline{AD}=\overline{AC}:\overline{AE}=2:1$이므로 $\overline{BC} /\!/ \overline{DE}$이다.

ㄷ. $\overline{AD}:\overline{DB}\neq\overline{AE}:\overline{EC}$이므로 $\overline{BC} /\!/ \overline{DE}$는 성립하지 않는다.

ㄹ. $\overline{AB}:\overline{DB}=\overline{AC}:\overline{EC}=5:2$이므로 $\overline{BC} /\!/ \overline{DE}$이다.

따라서 $\overline{BC} /\!/ \overline{DE}$인 것은 ㄱ, ㄴ, ㄹ이다.

3 ●●●

(213쪽)

다음 그림에서 $l /\!/ m /\!/ n$일 때, x, y의 값을 각각 구하시오. $x=8$, $y=\frac{27}{2}$

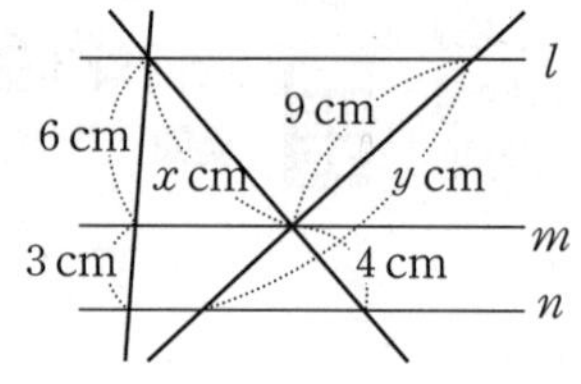

풀이 $m /\!/ n$이므로 $6:3=x:4$, $x=8$이다.

$l /\!/ n$이므로 $8:4=9:(y-9)$, $y=\frac{27}{2}$이다.

4 ●●●

(209쪽)

다음 그림의 $\triangle ABC$에서 $\overline{PQ} /\!/ \overline{BC}$이고 $\overline{PE}=2$ cm, $\overline{EQ}=3$ cm, $\overline{BD}=5$ cm일 때, x의 값을 구하시오. $\frac{15}{2}$

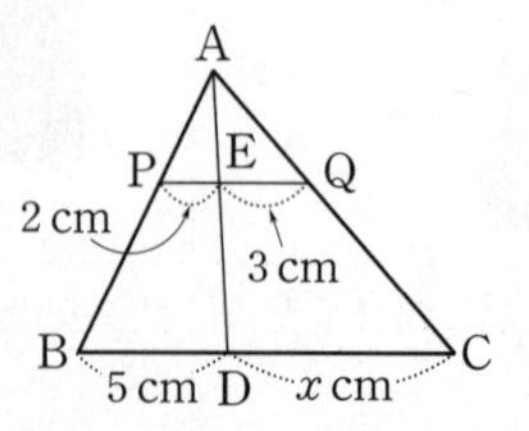

풀이 $\triangle ABD$에서 $\overline{AD}:\overline{AE}=\overline{BD}:\overline{PE}=5:2$ …… ①

$\triangle ADC$에서 $\overline{AD}:\overline{AE}=\overline{DC}:\overline{EQ}=x:3$ …… ②

①, ②에서 $5:2=x:3$, $x=\frac{15}{2}$

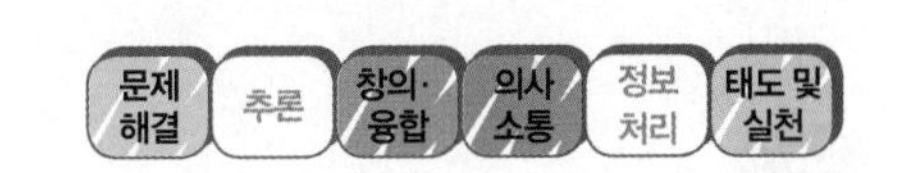

종이접기로 색종이 삼등분하기

다음 순서에 따라 종이를 접어 색종이를 삼등분하여 보자.

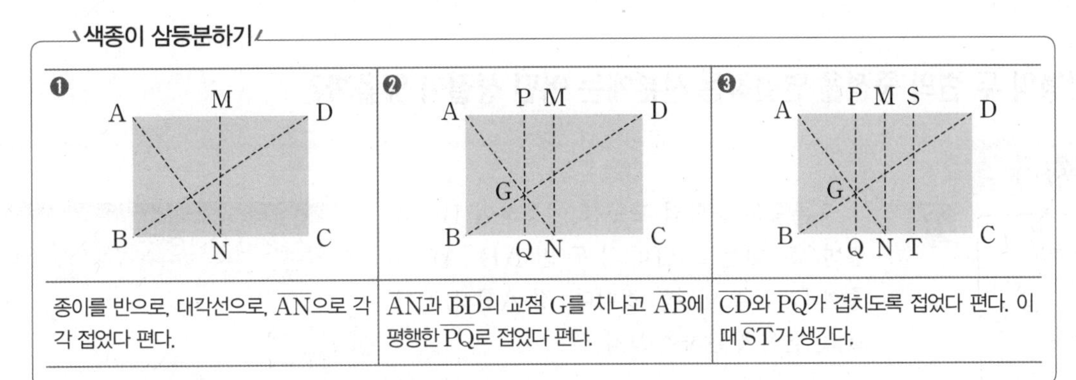

활동 ① ❶, ❷에서 색종이를 접었다 폈을 때 생기는 닮은 삼각형을 찾고, $\overline{AP}:\overline{NQ}$를 구하여 보자.

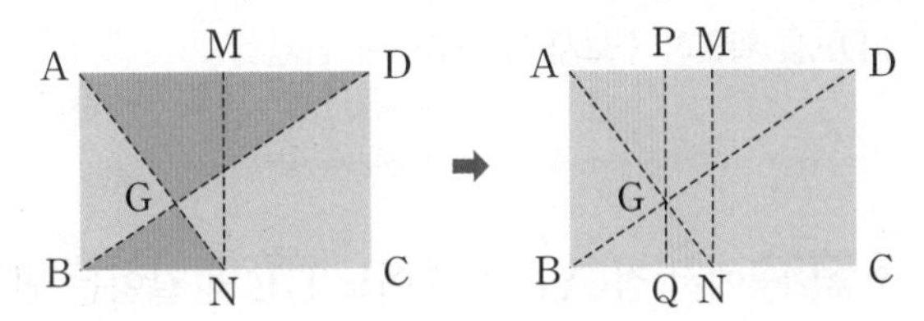

풀이 $\triangle GDA$와 $\triangle GBN$에서 $\angle ADG=\angle NBG$(엇각), $\angle AGD=\angle NGB$(맞꼭지각)이므로
$\triangle GDA \backsim \triangle GBN$(AA 닮음)이다.
이때 $\overline{AG}:\overline{NG}=\overline{AD}:\overline{NB}=2:1$이다.
또, $\triangle GAP$와 $\triangle GNQ$에서 $\angle PAG=\angle QNG$(엇각), $\angle AGP=\angle NGQ$(맞꼭지각)이므로
$\triangle GAP \backsim \triangle GNQ$(AA 닮음)이다.
따라서 $\overline{AP}:\overline{NQ}=\overline{AG}:\overline{NG}=2:1$이다.

활동 ② **활동 ①**의 결과를 이용하여 $\overline{PQ}$와 $\overline{ST}$가 색종이의 삼등분선임을 친구에게 설명하여 보자.

풀이 $\overline{AP}:\overline{PM}=\overline{AP}:\overline{QN}=2:1$이므로 $\overline{AP}=2a$라고 놓으면 $\overline{PM}=a$이다.
이때 $\overline{AM}:\overline{MD}=1:1$이므로 $\overline{AM}=\overline{MD}=3a$이고, $\overline{AD}=6a$이므로 $\overline{PD}=4a$이다.
또, ❸에서 $\overline{CD}$와 $\overline{PQ}$가 겹치도록 접었다 폈으므로 $\overline{PS}=\overline{SD}=\frac{1}{2}\overline{PD}=2a$이다.
따라서 $\overline{AP}=\overline{PS}=\overline{SD}=2a$이므로 두 점 P, S는 $\overline{AD}$의 삼등분점이다.
또, $\overline{AB}\,/\!/\,\overline{PQ}\,/\!/\,\overline{ST}\,/\!/\,\overline{DC}$이므로 두 점 Q, T는 $\overline{BC}$의 삼등분점이다.
즉, $\overline{PQ}$와 $\overline{ST}$는 색종이의 삼등분선이다.

| 상호 평가표 |

평가 내용		자기 평가			친구 평가		
		😄	😊	😵	😄	😊	😵
내용	삼각형에서 평행선과 선분의 길이의 비를 말할 수 있다.						
	색종이의 삼등분선을 설명할 수 있다.						
태도	삼각형에서 평행선과 선분의 길이의 비를 문제를 해결하는 데 적극 활용하였다.						

02 삼각형의 무게중심

이 단원에서 배우는 용어와 기호

중선, 무게중심

학습 목표 ‖ 삼각형의 두 변의 중점을 연결한 선분의 성질과 무게중심을 이해한다.

 삼각형의 두 변의 중점을 연결하는 선분에는 어떤 성질이 있을까?

탐구하기

탐구 목표
삼각형의 두 변의 중점을 연결한 선분의 성질을 알 수 있다.

정보 처리

오른쪽은 공학적 도구를 이용하여 $\overline{BC}$를 밑변으로 하는 △ABC의 두 변 AB, AC의 중점 D, E를 연결한 것이다. 점 A를 움직여 보고, 물음에 답하여 보자.

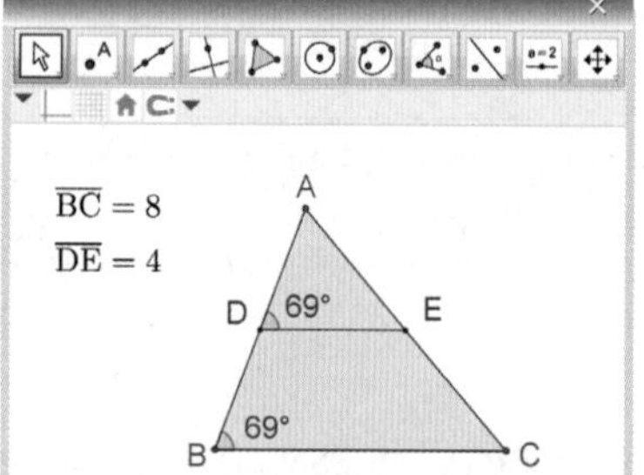

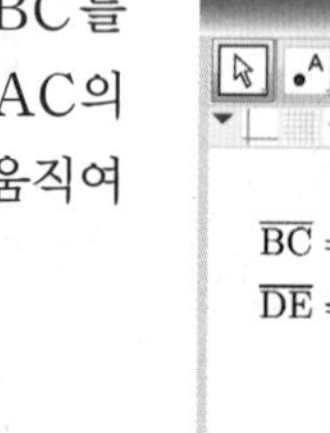

활동 1 $\overline{BC}$와 $\overline{DE}$가 서로 평행한지 확인하여 보자.

풀이 ∠ADE=∠ABC이므로 $\overline{DE}$∥$\overline{BC}$이다.
또는 $\overline{AD}:\overline{DB}=\overline{AE}:\overline{EC}=1:1$이므로 $\overline{DE}$∥$\overline{BC}$이다.

활동 2 $\overline{BC}:\overline{DE}$를 확인하여 보자. $\overline{BC}:\overline{DE}=2:1$

탐구하기 에서 점 A를 움직여도 $\overline{DE}$의 길이는 변하지 않고, $\overline{BC}:\overline{DE}=2:1$임을 확인할 수 있다.

개념 쏙

△ABC에서 두 변 AB, AC의 중점을 각각 D, F라고 하면 $\overline{DF}=\frac{1}{2}\overline{BC}$이다.

오른쪽 그림의 △ABC에서 두 변 AB, AC의 중점을 각각 D, E라고 할 때, $\overline{AD}:\overline{DB}=\overline{AE}:\overline{EC}=1:1$이므로

$$\overline{DE}/\!/\overline{BC}$$

이다. 또, △ABC와 △ADE의 닮음비가 2 : 1이므로 $\overline{BC}:\overline{DE}=2:1$이다. 따라서

$$\overline{DE}=\frac{1}{2}\overline{BC}$$

이다.

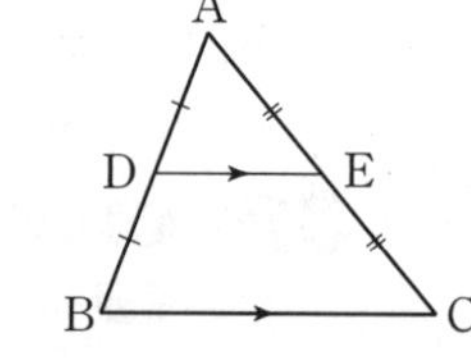

1. 오른쪽 그림의 △ABC에서 세 변 AB, BC, CA의 중점을 각각 D, E, F라고 할 때, $\overline{DF}$, $\overline{EF}$의 길이를 각각 구하시오.

$\overline{DF}=5$ cm, $\overline{EF}=6$ cm

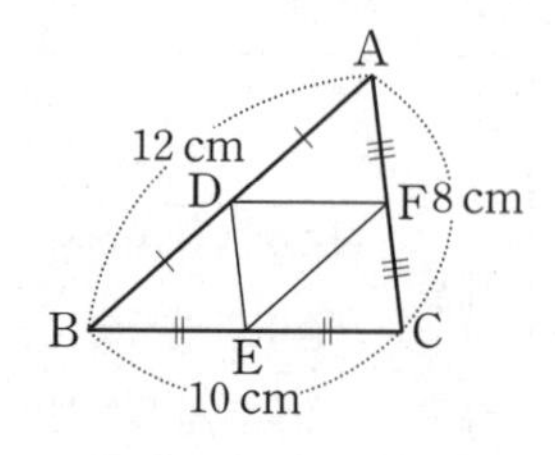

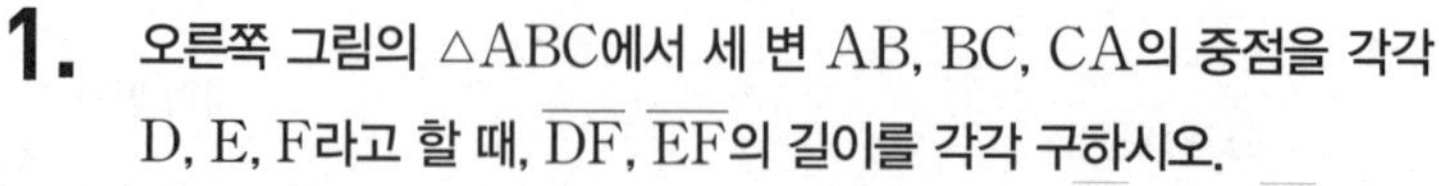

풀이 $\overline{DF}=\frac{1}{2}\overline{BC}=5$(cm), $\overline{EF}=\frac{1}{2}\overline{AB}=6$(cm)이다.

삼각형의 무게중심은 무엇일까?

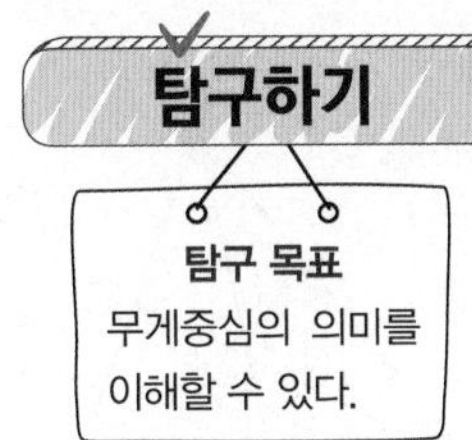

다음 순서에 따라 활동을 하고, 물음에 답하여 보자.

❶ 두꺼운 종이에 △ABC를 그리고 잘라 낸다.
❷ 꼭짓점 A와 변 BC의 중점 D를 잇는다.
❸ 꼭짓점 B와 변 AC의 중점 E를 잇는다.
❹ 두 선분 AD, BE의 교점에 G를 표시한다.

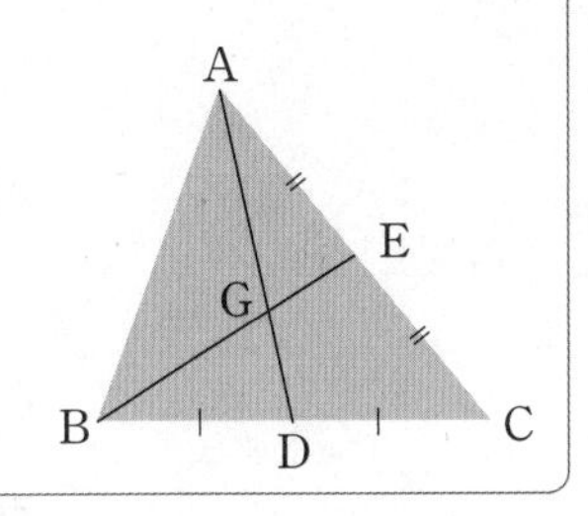

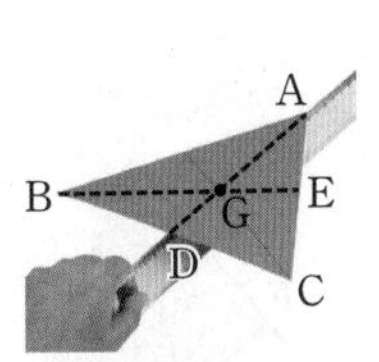

활동 ❶ 자의 모서리 위에 $\overline{AD}$와 $\overline{BE}$를 각각 일치하게 놓아 보고, 삼각형이 평형을 이루는지 말하여 보자. 각각 평형을 이룬다.

연필 끝으로 점 G를 받쳐 보고, 삼각형이 평형을 이루는지 말하여 보자. 평형을 이룬다.

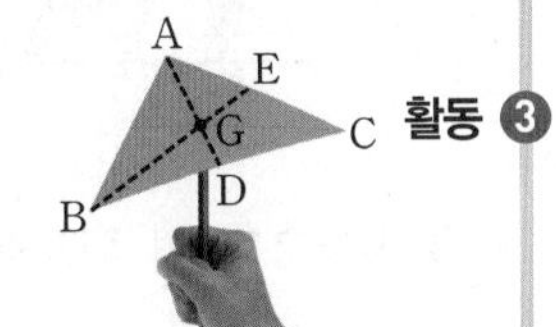

활동 ❸ 변 AB의 중점을 F라고 할 때, 선분 CF가 점 G를 지나는지 관찰하여 보자. 점 G를 지난다.

탐구하기에서 자의 모서리 위에 $\overline{AD}$, $\overline{BE}$를 각각 일치하게 놓으면 삼각형이 평형을 이루고, 연필 끝으로 점 G를 받쳐 보면 삼각형이 평형을 이루는 것을 관찰할 수 있다.

또, 꼭짓점 C와 변 AB의 중점 F를 이으면 점 G를 지남을 확인할 수 있다. 따라서 삼각형의 세 꼭짓점에서 대변의 중점을 각각 이은 세 선분은 한 점에서 만남을 관찰할 수 있다.

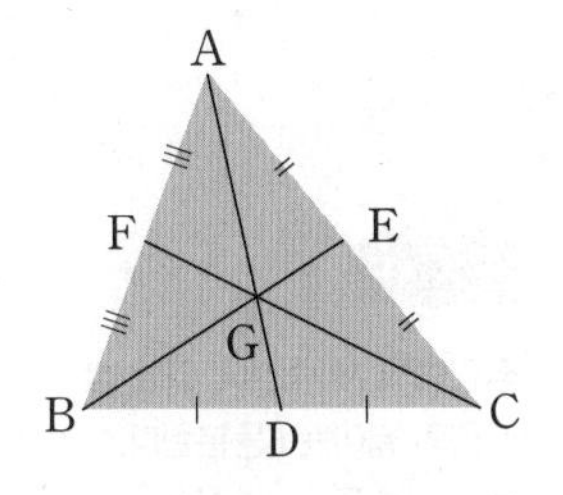

중선: 삼각형의 한 꼭짓점과 그 대변의 중점을 이은 선분

이때 $\overline{AD}$, $\overline{BE}$, $\overline{CF}$와 같이 삼각형의 한 꼭짓점과 그 대변의 중점을 이은 선분을 **중선**이라고 한다. 즉, 한 삼각형에는 3개의 중선이 있다.

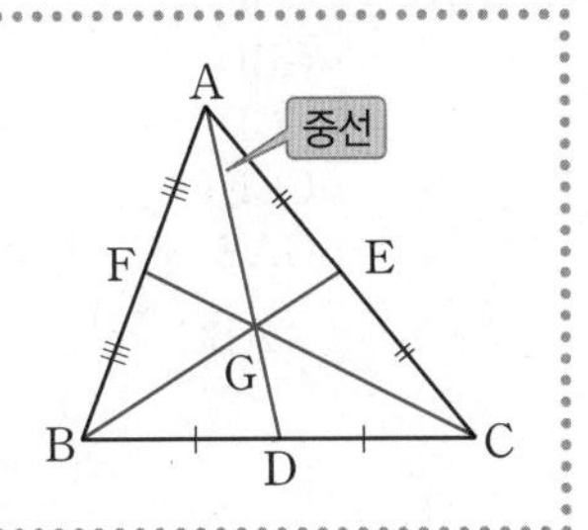

이제 삼각형의 세 중선이 항상 한 점에서 만나는지 확인하여 보자.

오른쪽 그림과 같이 $\triangle$ABC의 두 중선 AD, BE의 교점을 G라고 하면 점 D, E는 각각 $\overline{BC}$, $\overline{AC}$의 중점이므로

$$\overline{ED} /\!/ \overline{AB},\ \overline{ED}=\frac{1}{2}\overline{AB}$$

이다. 따라서 $\triangle$GAB$\backsim\triangle$GDE이고 닮음비는 $2:1$이다. 즉,

$$\overline{AG}:\overline{GD}=\overline{BG}:\overline{GE}=2:1$$

이므로 점 G는 중선 AD, BE를 각 꼭짓점으로부터 그 길이가 각각 $2:1$이 되도록 나누는 점이다.

같은 방법으로 오른쪽 그림과 같이 $\triangle$ABC의 두 중선 AD, CF의 교점을 G′이라고 하면 점 G′은 중선 AD, CF를 각 꼭짓점으로부터 그 길이가 각각 $2:1$이 되도록 나누는 점이다.

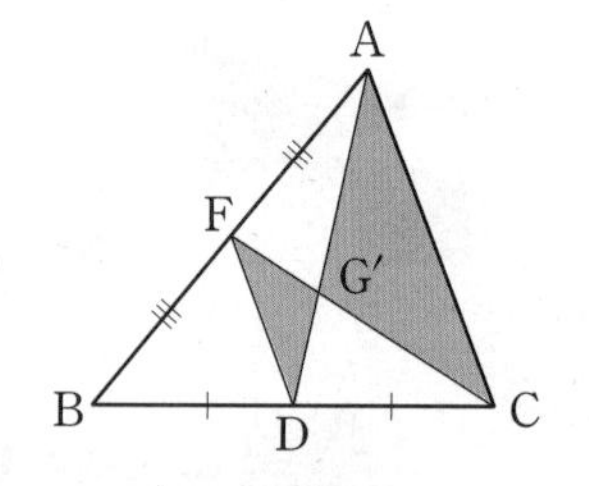

이때 점 G와 G′은 모두 중선 AD를 꼭짓점으로부터 그 길이가 $2:1$이 되도록 나누는 점이므로 점 G와 G′은 일치한다.

무게중심: 삼각형의 세 중선이 만나는 점

따라서 $\triangle$ABC의 세 중선은 한 점 G에서 만나고, 이 점은 세 중선을 각 꼭짓점으로부터 그 길이가 각각 $2:1$이 되도록 나눈다는 것을 알 수 있다. 이와 같이 삼각형의 세 중선이 만나는 점을 그 삼각형의 **무게중심**이라고 한다.

삼각형의 세 중선에 의해 삼각형의 넓이는 6등분된다.

➡ $\triangle GAF=\triangle GBF=\triangle GBD=\triangle GCD=\triangle GCE=\triangle GAE=\frac{1}{6}\triangle ABC$

이상을 정리하면 다음과 같다.

삼각형의 무게중심

삼각형의 세 중선은 한 점(무게중심)에서 만나고, 이 점은 세 중선을 각 꼭짓점으로부터 그 길이가 각각 $2:1$이 되도록 나눈다.

즉, 오른쪽 $\triangle$ABC에서

$$\overline{AG}:\overline{GD}=\overline{BG}:\overline{GE}=\overline{CG}:\overline{GF}=2:1$$

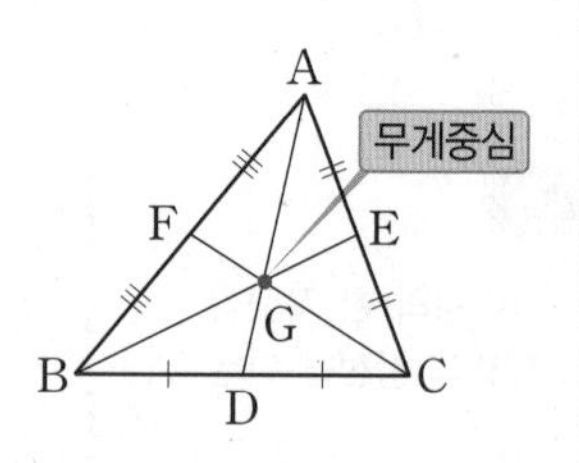

2. 오른쪽 그림에서 점 G가 △ABC의 무게중심일 때, 다음 선분의 길이를 구하시오.

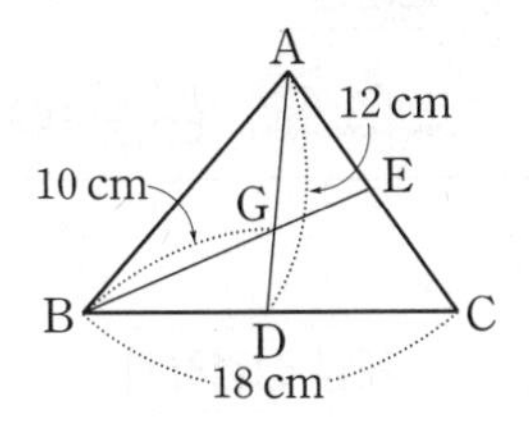

(1) $\overline{BD}$ 9 cm

(2) $\overline{AG}$ 8 cm

(3) $\overline{GE}$ 5 cm

풀이 삼각형의 무게중심은 세 중선의 길이를 각 꼭짓점으로부터 각각 2 : 1이 되도록 나눈다.

(1) $\overline{BD}=\frac{1}{2}\overline{BC}=\frac{1}{2}\times18=9(\text{cm})$

(2) $\overline{AG}=\frac{2}{3}\overline{AD}=\frac{2}{3}\times12=8(\text{cm})$

(3) $\overline{BG}:\overline{GE}=2:1$이므로 $10:\overline{GE}=2:1$, $\overline{GE}=5(\text{cm})$

3. 오른쪽 그림에서 점 G가 △ABC의 무게중심이고 △ABC의 넓이가 36 cm^2일 때, 다음 넓이를 구하시오.

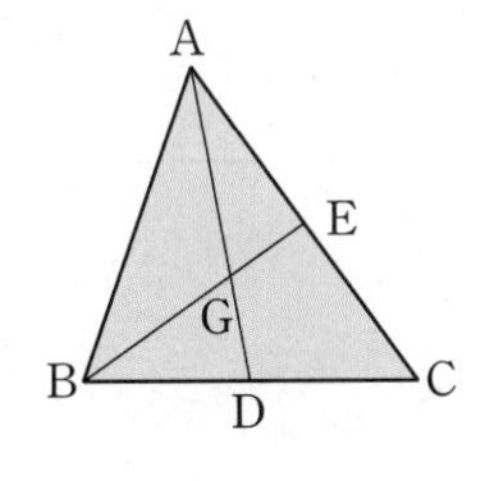

(1) △ABD 18 cm^2

(2) △GBD 6 cm^2

풀이 (1) 삼각형의 중선은 삼각형의 넓이를 이등분하므로

(△ABD의 넓이)$=\frac{1}{2}\times$(△ABC의 넓이)$=\frac{1}{2}\times36=18(\text{cm}^2)$

(2) $\overline{AG}:\overline{GD}=2:1$이므로

(△GBD의 넓이)$=\frac{1}{3}\times$(△ABD의 넓이)$=\frac{1}{3}\times18=6(\text{cm}^2)$

삼각형은 세 꼭짓점과 무게중심을 연결한 세 선분에 의하여 그 넓이가 삼등분된다.

4. 오른쪽 그림에서 점 G가 △ABC의 무게중심일 때, △GAB, △GBC, △GCA의 넓이가 모두 같음을 설명하시오.

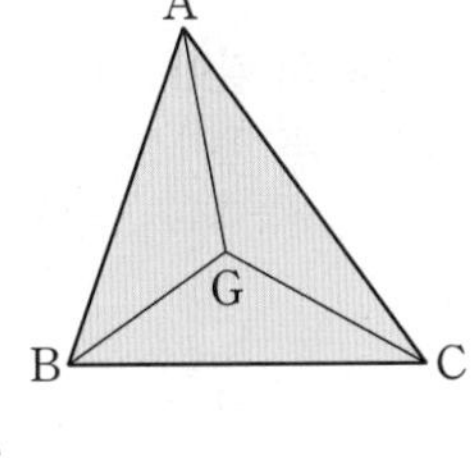

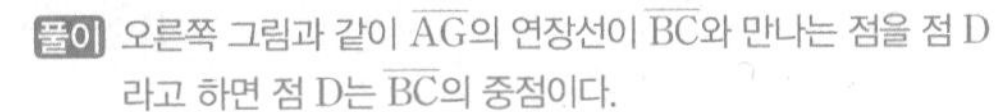

풀이 오른쪽 그림과 같이 $\overline{AG}$의 연장선이 $\overline{BC}$와 만나는 점을 점 D라고 하면 점 D는 $\overline{BC}$의 중점이다.
△GAB : △GBD=2 : 1이고,
△GBD=△GCD이므로 △GAB=△GBC이다.
또, △GCA : △GCD=2 : 1이고,
△GCD=△GBD이므로 △GCA=△GBC이다.
따라서 △GAB=△GBC=△GCA이다.

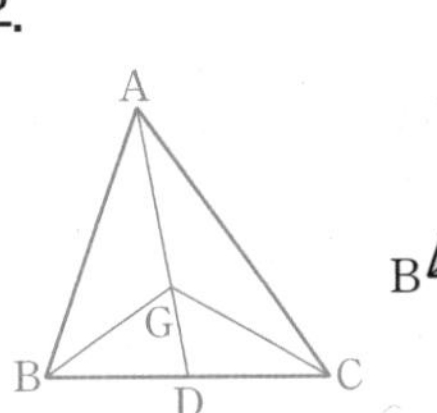

생각 키우기 추론 정보 처리

모눈종이 위에 그린 삼각형 ABC를 잘라 내어 자의 모서리 위에 올려놓아 보고, 삼각형이 평형을 이루는 선들이 무게중심 G를 지나는지 확인하여 보자. 또, 이 선들이 항상 삼각형의 넓이를 이등분하는지 조사하여 보자.

(1)

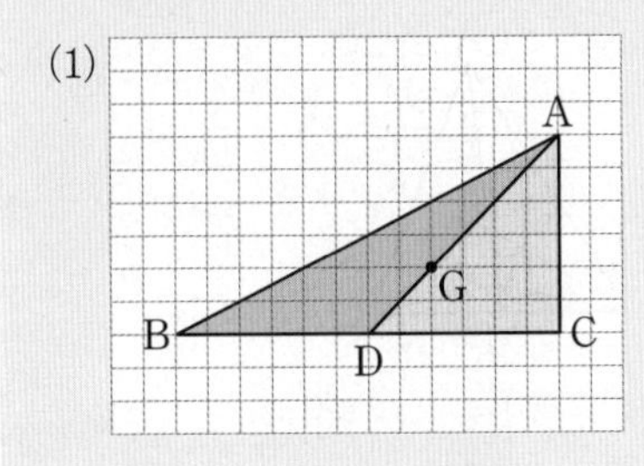

(2)

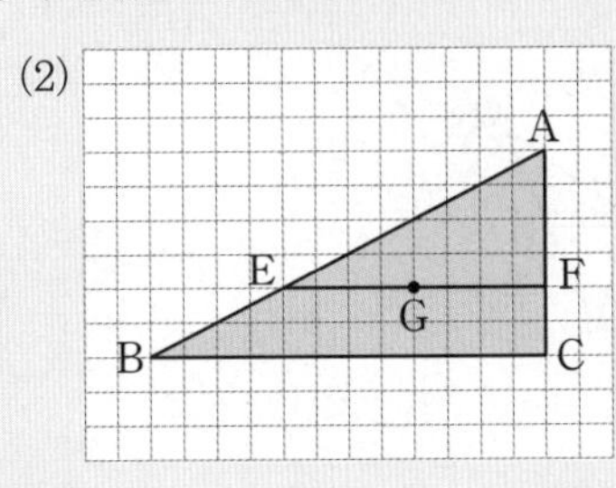

풀이 (1) △ABC는 $\overline{AD}$ 위에서 평형을 이루고, $\overline{AD}$는 무게중심 G를 지난다. 또, $\overline{AD}$는 △ABC의 넓이를 이등분한다.

(2) △ABC는 $\overline{EF}$ 위에서 평형을 이루고, $\overline{EF}$는 무게중심 G를 지난다. 그런데

(△ABC의 넓이)$=\frac{1}{2}\times12\times6=36$, (△AEF의 넓이)$=\frac{1}{2}\times8\times4=16$이므로 $\overline{EF}$는 △ABC의 넓이를 이등분하지 않는다.

스스로 점검하기

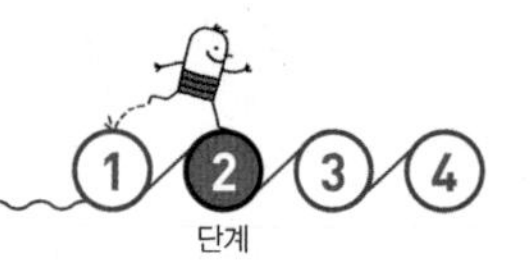

개념 점검하기

(1) [중선] : 삼각형의 한 꼭짓점과 그 대변의 중점을 이은 선분

(2) [무게중심] : 삼각형의 세 중선이 만나는 점

(3) 삼각형의 세 중선은 한 점에서 만나고, 이 점은 세 중선을 각 꼭짓점으로부터 그 길이가 각각 [2] : [1] 이 되도록 나눈다. 즉,

$\overline{AG}:\overline{GD}=\overline{BG}:\overline{GE}=\overline{CG}:\overline{GF}=$ [2] : [1]

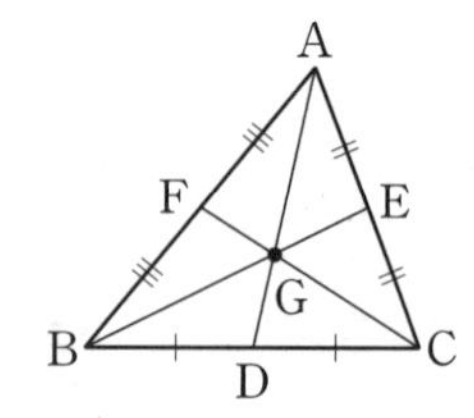

1 ●●● (216쪽)

오른쪽 그림에서 △ABC의 두 점 D, E가 각각 $\overline{AB}$, $\overline{AC}$의 중점일 때, 다음을 구하시오.

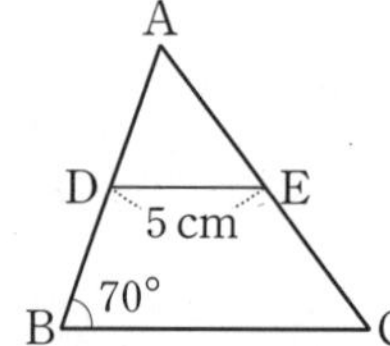

(1) ∠ADE의 크기 70°

(2) $\overline{BC}$의 길이 10 cm

풀이 (1) $\overline{DE}/\!/\overline{BC}$이므로 $\angle ABC=\angle ADE=70°$

(2) $\overline{DE}=\frac{1}{2}\overline{BC}$이므로 $\overline{BC}=2\times5=10(\text{cm})$

2 ●●● (216쪽)

다음 그림에서 두 점 C, D는 각각 $\overline{OA}$, $\overline{OB}$의 중점이고, 두 점 E, F는 각각 $\overline{PA}$, $\overline{PB}$의 중점이다. 또한, 두 점 G, H는 각각 $\overline{QA}$, $\overline{QB}$의 중점이다. $\overline{AB}=10$ cm일 때, $\overline{CD}+\overline{EF}+\overline{GH}$의 길이를 구하시오. 15 cm

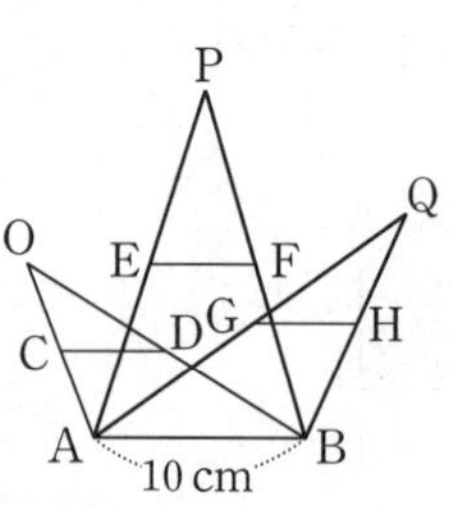

풀이 △OAB에서 두 점 C, D는 각각 $\overline{OA}$, $\overline{OB}$의 중점이므로

$\overline{CD}=\frac{1}{2}\overline{AB}$

$=\frac{1}{2}\times10=5(\text{cm})$이다.

마찬가지로 △PAB에서 두 점 E, F는 각각 $\overline{PA}$, $\overline{PB}$의 중점이므로

$\overline{EF}=\frac{1}{2}\overline{AB}=\frac{1}{2}\times10=5(\text{cm})$이다.

또, △QAB에서 두 점 G, H는 각각 $\overline{QA}$, $\overline{QB}$의 중점이므로

$\overline{GH}=\frac{1}{2}\overline{AB}=\frac{1}{2}\times10=5(\text{cm})$이다.

따라서 $\overline{CD}+\overline{EF}+\overline{GH}=5+5+5=15(\text{cm})$이다.

3 ●●● (218쪽)

다음 그림에서 점 G는 △ABC의 무게중심이고, △GMC의 넓이가 5 cm^2일 때, △ABC의 넓이를 구하시오. 30 cm^2

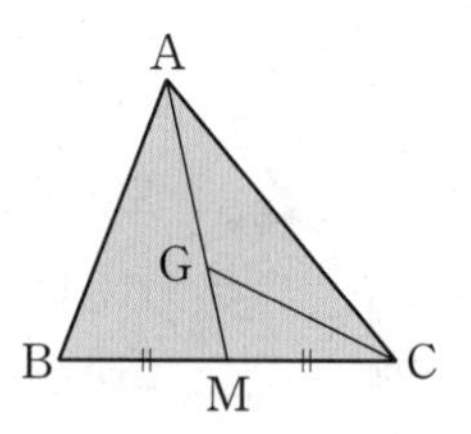

풀이 점 M은 $\overline{BC}$의 중점이므로 △AMB=△AMC,

$\overline{AM}:\overline{GM}=3:1$이므로 △AMC : △GMC=3 : 1

따라서 △AMC=3△GMC이므로

△ABC=2△AMC=2×3△GMC

=6△GMC=6×5=30(cm^2)

4 ●●● (218쪽)

다음 그림에서 점 G와 점 G′은 각각 △ABC와 △GBC의 무게중심이다. △ABC의 넓이가 18 cm^2일 때, △BG′M의 넓이를 구하시오. 1 cm^2

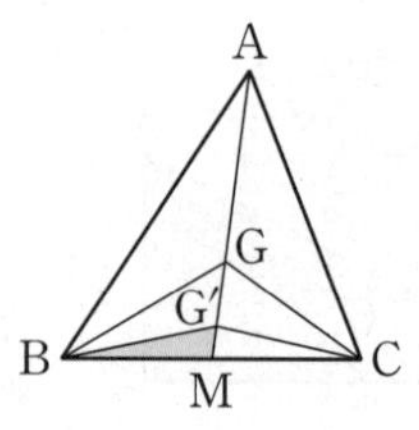

풀이 삼각형의 세 중선에 의해 삼각형의 넓이는 6등분되므로

$\triangle GBM=\frac{1}{6}\triangle ABC=\frac{1}{6}\times18=3(\text{cm}^2)$

이때 $\overline{GG'}:\overline{G'M}=2:1$이므로 $\triangle BG'M=\frac{1}{3}\triangle GBM=\frac{1}{3}\times3=1(\text{cm}^2)$

닮은 도형의 넓이와 부피

학습 목표 | 닮은 도형의 성질을 활용하여 여러 가지 문제를 해결할 수 있다.

닮음비와 넓이의 비 사이에는 어떤 관계가 있을까?

탐구하기

탐구 목표
닮음비와 넓이의 비를 구해 봄으로써 넓이의 비는 닮음비의 제곱과 같음을 알 수 있다.

참고
도형이 서로 겹치지 않으면서 빈틈없이 평면 또는 공간을 전부 채우는 것을 쪽매 맞춤이라고 한다.

다음은 △ABC와 합동인 삼각형으로 △DEF와 △GHI를 완전히 채운 쪽매 맞춤이다. 물음에 답하여 보자.

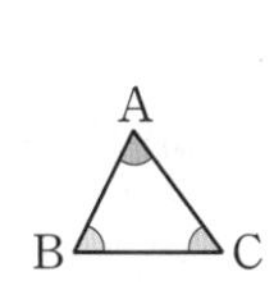

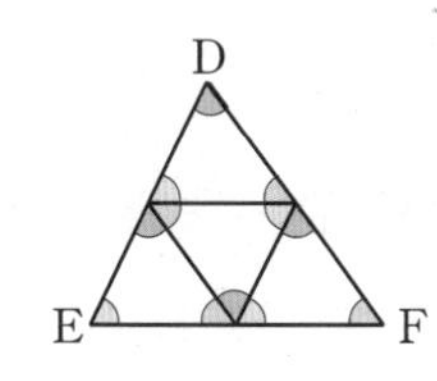

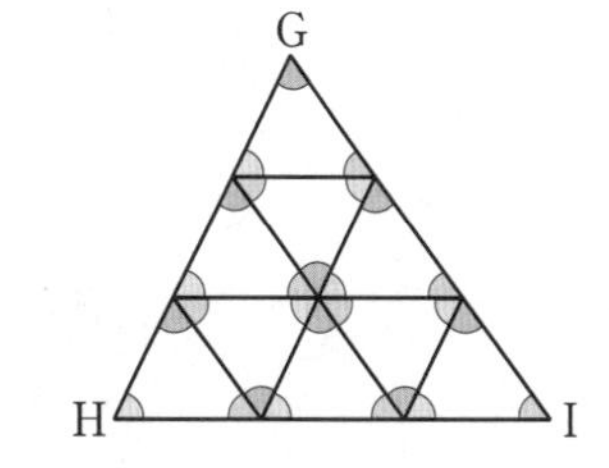

활동 ❶ 다음 표를 완성하여 보자.

도형	닮음비	넓이의 비
△ABC와 △DEF	1 : 2	1 : 4
△ABC와 △GHI	1 : 3	1 : 9
△DEF와 △GHI	2 : 3	4 : 9

활동 ❷ 활동 ❶로부터 알 수 있는 서로 닮은 도형의 닮음비와 넓이의 비 사이의 관계를 말하여 보자.

닮은 도형의 넓이의 비는 닮음비의 제곱과 같다.

탐구하기 에서 두 삼각형 DEF와 GHI는 서로 닮음이며 두 삼각형의 닮음비는

$$\overline{DE} : \overline{GH} = 2 : 3$$

임을 알 수 있다. 또, △DEF에는 △ABC가 4개 들어 있고, △GHI에는 △ABC가 9개 들어 있으므로 두 삼각형의 넓이의 비는

$$\triangle DEF : \triangle GHI = 4 : 9 = 2^2 : 3^2$$

임을 알 수 있다.

닮음비가 $m : n$이면 넓이의 비는 $m^2 : n^2$이다.

이제 닮음비가 $m : n$인 두 삼각형 ABC와 DEF의 넓이의 비를 알아보자.

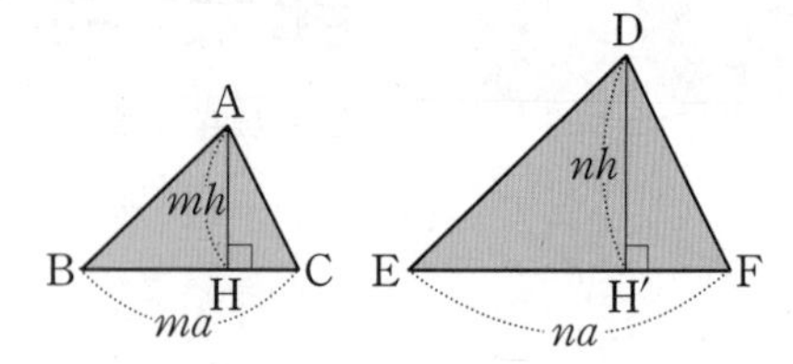

두 삼각형의 닮음비가 $m : n$이므로 △ABC의 밑변의 길이, 높이를 각각 ma, mh라고 하면 △DEF의 밑변의 길이, 높이는 각각 na, nh이다. 따라서

$$\triangle ABC : \triangle DEF = \frac{1}{2}ahm^2 : \frac{1}{2}ahn^2$$
$$= m^2 : n^2$$

이다. 즉, 서로 닮은 두 삼각형의 닮음비가 $m : n$이면 넓이의 비는 $m^2 : n^2$이다.

일반적으로 닮은 두 평면도형의 넓이의 비에는 다음과 같은 성질이 있다.

닮은 평면도형의 넓이의 비

닮은 평면도형의 넓이의 비는 닮음비의 제곱과 같다.

즉, 닮음비가 $m : n$이면 넓이의 비는 $m^2 : n^2$이다.

1. 오른쪽 그림에서 $\triangle ABC \backsim \triangle DEF$이고, $\overline{AB} = 4$ cm, $\overline{DE} = 6$ cm이다. △ABC의 넓이가 24 cm²일 때, △DEF의 넓이를 구하시오. 54 cm²

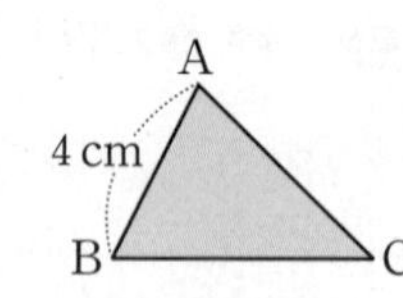

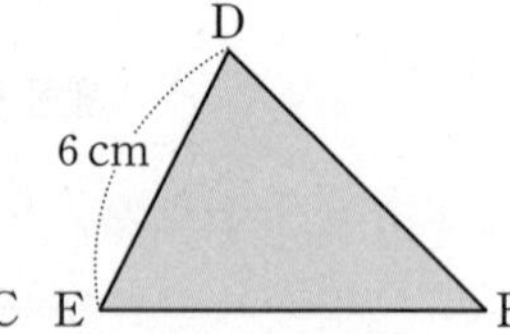

풀이 닮음비가 $\overline{AB} : \overline{DE} = 4 : 6 = 2 : 3$이므로
$\triangle ABC : \triangle DEF = 2^2 : 3^2$에서
$24 : \triangle DEF = 4 : 9$, $\triangle DEF = 54(\text{cm}^2)$이다.

Tip AA 닮음을 이용하여 닮은 도형을 찾는다.

2. 오른쪽 그림과 같이 $\overline{AD} /\!/ \overline{BC}$인 사다리꼴 ABCD에서 △OBC의 넓이가 100 cm²일 때, △ODA의 넓이를 구하시오. 16 cm²

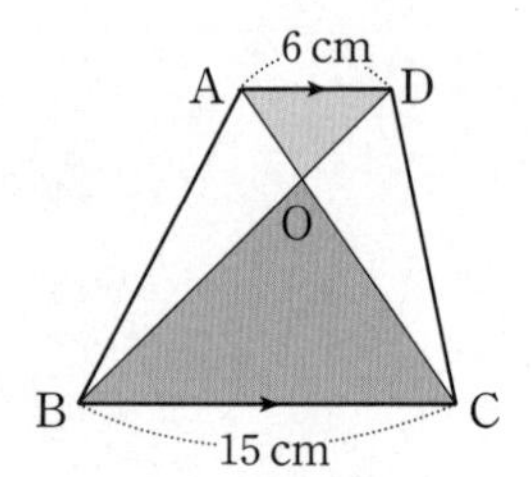

풀이 $\overline{AD} /\!/ \overline{BC}$이므로 $\triangle ODA \backsim \triangle OBC$(AA 닮음)이다.
닮음비는 $6 : 15 = 2 : 5$이므로 $\triangle ODA : \triangle OBC = 2^2 : 5^2$에서
$\triangle ODA : 100 = 4 : 25$, $\triangle ODA = 16(\text{cm}^2)$이다.

닮음비와 부피의 비 사이에는 어떤 관계가 있을까?

탐구하기

탐구 목표
닮음비와 부피의 비를 구해 봄으로써 부피의 비는 닮음비의 세제곱과 같음을 알 수 있다.

다음은 한 모서리의 길이가 1 cm인 쌓기나무를 쌓아서 만든 입체도형이다. 물음에 답하여 보자.

[그림 1] [그림 2] [그림 3] [그림 4]

활동 ① [그림 1]과 닮은 입체도형을 찾고, 그 까닭을 말하여 보자. [그림 4], 풀이 참조

풀이 [그림 1]과 [그림 4]는 대응하는 모서리의 길이의 비가 1 : 2로 일정하고, 대응하는 면이 서로 닮은 도형이므로 서로 닮은 입체도형이다.

활동 ② [그림 1]과 서로 닮은 입체도형의 모서리의 길이의 비와 부피의 비를 각각 구하여 보자.

[그림 1]과 [그림 4]의 모서리의 길이의 비는 1 : 2, [그림 1]과 [그림 4]의 부피의 비는 1 : 8

풀이 [그림 1]과 [그림 4]의 모서리의 길이의 비는 1 : 2이고, [그림 1]과 [그림 4]의 부피의 비는 $5:40=1:8=1^3:2^3$이다.

탐구하기에서 [그림 1]과 닮은 입체도형은 [그림 4]로 닮음비는 1 : 2이고, [그림 1]과 [그림 4]를 만드는 데 사용한 쌓기나무의 개수는 각각 5개, 40개이므로 [그림 1]과 [그림 4]의 부피의 비는 $5:40=1:8=1^3:2^3$임을 알 수 있다.

닮음비가 $m:n$이면 부피의 비는 $m^3:n^3$이다.

이제 닮음비가 $m:n$인 두 직육면체 ㈎와 ㈏의 부피의 비를 알아보자.

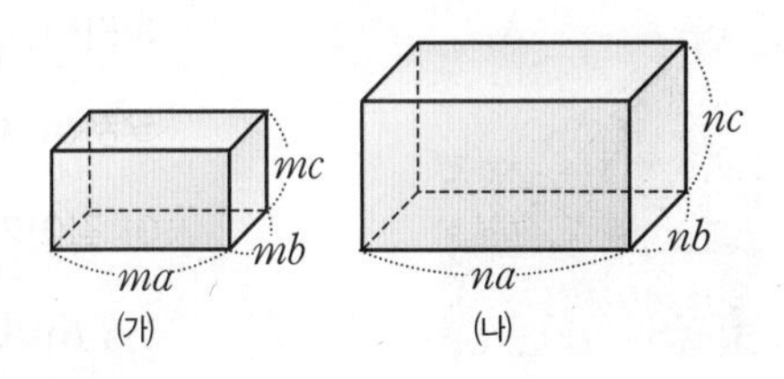

두 직육면체의 닮음비가 $m:n$이므로 직육면체 ㈎의 가로, 세로의 길이, 높이를 각각 ma, mb, mc라고 하면 직육면체 ㈏의 가로, 세로의 길이, 높이는 각각 na, nb, nc이다. 따라서

$$(\text{㈎의 부피}):(\text{㈏의 부피})=m^3abc:n^3abc$$
$$=m^3:n^3$$

이다. 즉, 서로 닮은 두 직육면체의 닮음비가 $m:n$이면 부피의 비는 $m^3:n^3$이다.

일반적으로 닮은 두 입체도형의 부피의 비에는 다음과 같은 성질이 있다.

닮은 입체도형의 부피의 비

닮은 입체도형의 부피의 비는 닮음비의 세제곱과 같다.
즉, 닮음비가 $m:n$이면 부피의 비는 $m^3:n^3$이다.

3. 오른쪽 그림에서 서로 닮은 두 삼각기둥 A와 B의 닮음비가 3 : 5이다. 삼각기둥 A의 부피가 54 cm^3일 때, 삼각기둥 B의 부피를 구하시오. 250 cm^3

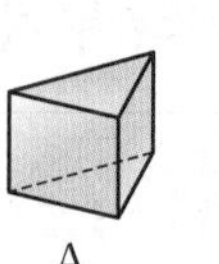

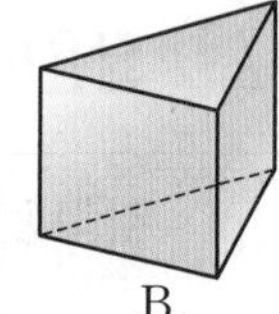

풀이 서로 닮은 두 삼각기둥의 닮음비가 3 : 5이므로 (A의 부피) : (B의 부피)$=3^3:5^3$이다.
따라서 54 : (B의 부피)$=27:125$이므로 (B의 부피)$=250(cm^3)$이다.

Tip 두 구는 항상 서로 닮은 도형이다.

4. 오른쪽 그림과 같이 배구공의 지름의 길이가 21 cm, 농구공의 지름의 길이가 24 cm일 때, 다음을 구하시오.

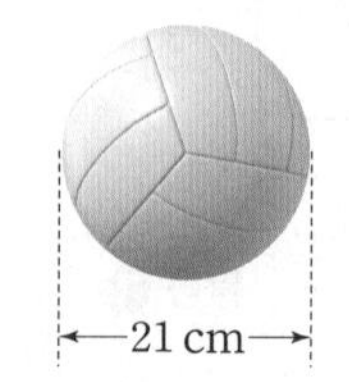

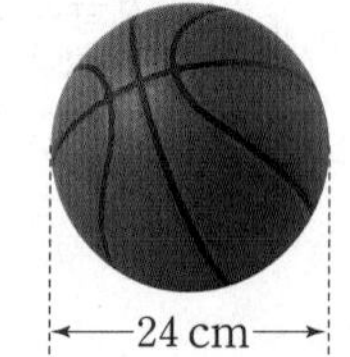

(1) 겉넓이의 비 49 : 64

(2) 부피의 비 343 : 512

풀이 두 구는 항상 서로 닮은 도형이므로 배구공과 농구공의 닮음비는 $21:24=7:8$이다.
(1) 겉넓이의 비는 닮음비의 제곱과 같으므로 배구공과 농구공의 겉넓이의 비는 $7^2:8^2=49:64$이다.
(2) 부피의 비는 닮음비의 세제곱과 같으므로 배구공과 농구공의 부피의 비는 $7^3:8^3=343:512$이다.

닮음을 이용하여 거리나 높이를 어떻게 구할까?

함께해 보기 1

⊕ 지구와 태양 사이가 매우 멀기 때문에 태양이 피라미드와 막대기를 같은 각도로 비춘다고 생각할 수 있다.

그리스의 수학자이자 천문학자인 탈레스(Thales, B.C. 624?~B.C. 546?)는 고대 이집트의 왕 파라오들의 무덤인 거대한 피라미드의 높이를 지팡이와 그림자를 이용하여 재었다고 한다. 오른쪽 그림과 같이 길이가 1 m인 막대의 그림자의 길이가 1.5 m이고, 피라미드 바닥의 중심에서 피라미드의 그림자 끝까지의 거리가 220.5 m라고 할 때, 다음은 피라미드의 높이를 구하는 과정이다. □ 안에 알맞은 것을 써넣어 보자.

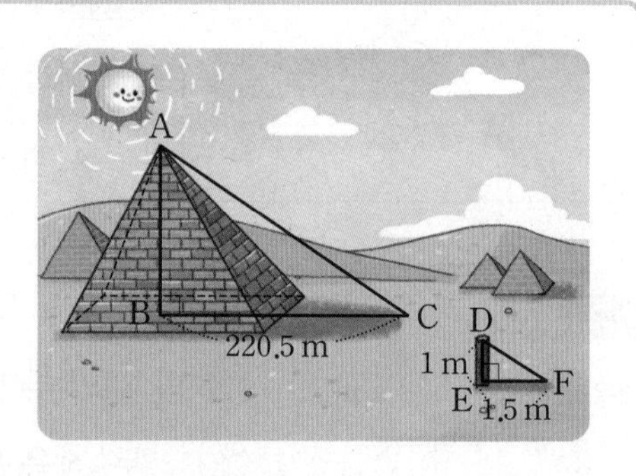

△ABC와 닮은 삼각형 찾기 ▶ △ABC와 △DEF에서

$\angle B=\angle E=90°,\ \angle C=\angle F$

이므로 △ABC∽[△DEF]이다.

피라미드의 높이 구하기 ▶ 피라미드의 높이를 x m라고 하면 $x:1=220.5:1.5$이므로

$x=$[147]

이다. 따라서 피라미드의 높이는 [147] m이다.

함께해 보기 1과 같이 직접 측정하기 어려운 실제 거리나 높이는 닮음을 이용하여 구할 수 있다.

5. 키가 1.6 m인 승희가 나무의 그림자 속으로 들어가 자기 그림자의 끝이 나무 그림자의 끝과 일치하도록 섰더니 오른쪽의 그림과 같았다. $\overline{AD}=1$ m, $\overline{BD}=2$ m일 때, 나무의 높이를 구하시오. 4.8 m

풀이 $\overline{DE} /\!/ \overline{BC}$이므로 $\overline{AB}:\overline{AD}=\overline{BC}:\overline{DE}$에서
$3:1=\overline{BC}:1.6$, $\overline{BC}=4.8$(m)이다.
따라서 나무의 높이는 4.8 m이다.

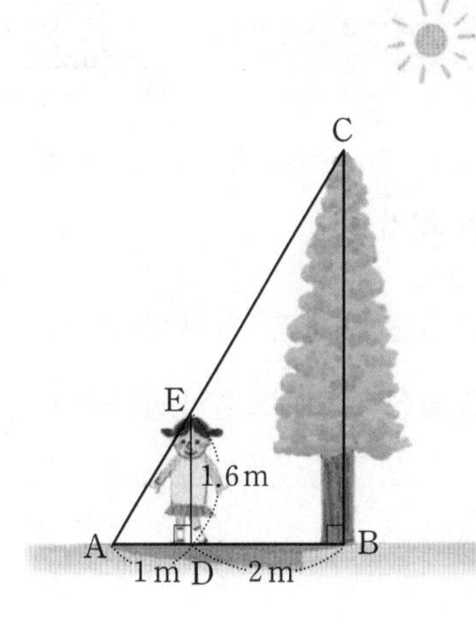

6. 오른쪽 그림은 강의 폭을 구하기 위하여 필요한 거리를 측정하여 나타낸 것이다.
$\overline{BE} /\!/ \overline{CD}$이고, $\overline{BE}=4$ km, $\overline{CD}=6$ km, $\overline{BC}=3$ km일 때, 강의 폭은 몇 km인지 구하시오. (단, 강의 폭은 $\overline{AB}$로 일정하다.) 6 km

풀이 $\overline{BE} /\!/ \overline{CD}$이므로 $\overline{AB}:\overline{AC}=\overline{BE}:\overline{CD}$이다.
강의 폭 $\overline{AB}=x$cm라고 하면
$x:(x+3)=4:6$, $x=6$
따라서 강의 폭은 6 km이다.

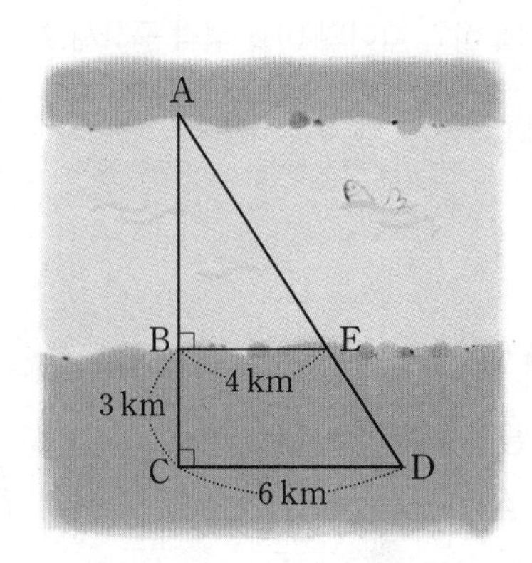

생각 키우기

문제 해결 | 추론 | 의사소통

오른쪽 그림과 같은 원뿔 모양의 아이스크림을 찬희와 채진이가 위와 아래로 나누어 먹으려고 한다. 다음 채진이의 말의 □ 안에 가장 적당한 자연수를 구하여 보고, 그 방법을 친구들과 이야기하여 보자.

우리가 최대한 비슷한 양으로 나누어 먹는 방법은 윗부분과 아랫부분의 높이의 비를 1 : □로 나누는 것이야!

채진

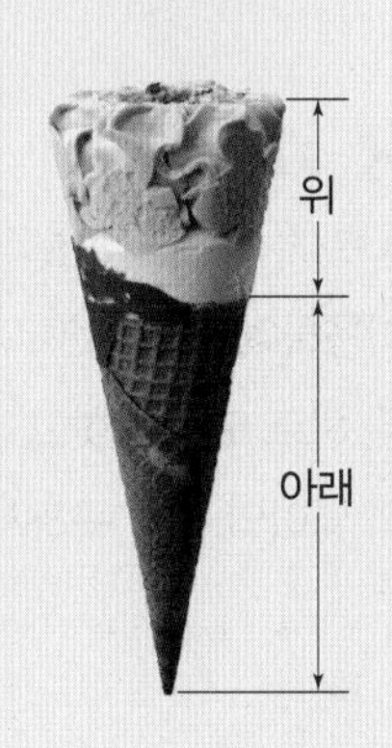

풀이 □=1일 때, 처음 아이스크림과 아랫부분의 닮음비가 2 : 1이므로 (윗부분의 부피) : (아랫부분의 부피)$=(2^3-1^3):1^3=7:1$
□=2일 때, 처음 아이스크림과 아랫부분의 닮음비가 3 : 2이므로 (윗부분의 부피) : (아랫부분의 부피)$=(3^3-2^3):2^3=19:8$
□=3일 때, 처음 아이스크림과 아랫부분의 닮음비가 4 : 3이므로 (윗부분의 부피) : (아랫부분의 부피)$=(4^3-3^3):3^3=37:27$
□=4일 때, 처음 아이스크림과 아랫부분의 닮음비가 5 : 4이므로 (윗부분의 부피) : (아랫부분의 부피)$=(5^3-4^3):4^3=61:64$
□=5일 때, 처음 아이스크림과 아랫부분의 닮음비가 6 : 5이므로 (윗부분의 부피) : (아랫부분의 부피)$=(6^3-5^3):5^3=91:125$
따라서 □=4일 때 찬희와 채진이가 가장 비슷한 양을 먹을 수 있다.

소단원

스스로 점검하기

① ② ③ ④ 단계

개념 점검하기

잘함 보통 모름

(1) 서로 닮은 두 평면도형의 닮음비가 $m:n$이면 넓이의 비는 m^2 : n^2이다.

(2) 서로 닮은 두 입체도형의 닮음비가 $m:n$이면 부피의 비는 m^3 : n^3이다.

1 ●●● (222쪽)

오른쪽 그림과 같이 반지름의 길이가 각각 3 cm, 5 cm인 두 원의 둘레의 길이의 비와 넓이의 비를 각각 구하시오. 둘레의 길이의 비는 3 : 5 넓이의 비는 9 : 25

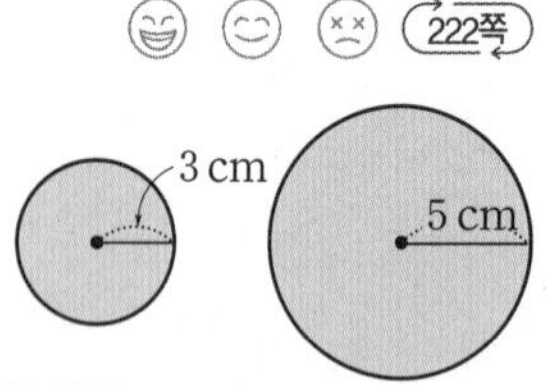

풀이 원은 항상 서로 닮은 도형이고, 닮음비는 반지름의 길이의 비이다.
따라서 두 원의 닮음비는 3 : 5이므로 둘레의 길이의 비는 3 : 5이고,
넓이의 비는 $3^2:5^2=9:25$이다.

2 ●●● (222쪽)

오른쪽 그림의 $\triangle ABC$에서 $\angle ADE=\angle ACB$이고 $\overline{AD}=6$ cm, $\overline{AE}=4$ cm, $\overline{EC}=8$ cm이다. $\triangle AED$의 넓이가 9 cm^2일 때, $\triangle ABC$의 넓이를 구하시오. 36 cm^2

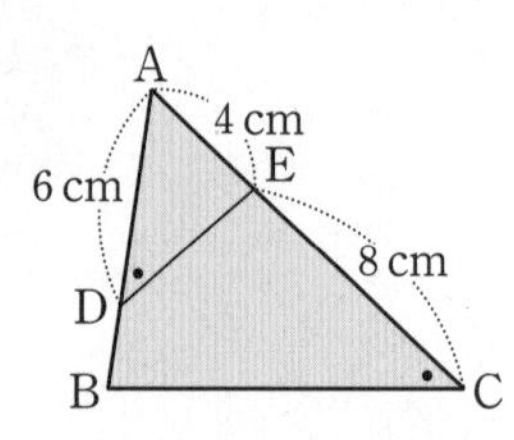

풀이 $\triangle ABC$와 $\triangle AED$에서 $\angle C=\angle ADE$, $\angle A$는 공통이므로
$\triangle ABC \backsim \triangle AED$(AA 닮음)이고 닮음비는 $\overline{AC}:\overline{AD}=12:6=2:1$이다.
따라서 넓이의 비는 $\triangle ABC:\triangle AED=2^2:1^2=4:1$
이므로 $\triangle ABC:9=4:1$에서
$\triangle ABC=36(cm^2)$이다.

3 ●●● (222쪽)

오른쪽 그림은 반원과 정사각형을 이용하여 만든 것이다. 서로 닮은 두 하트 모양을 찾고, 두 하트 모양의 넓이의 비를 구하시오.
(작은 하트) : (큰 하트)=1 : 9

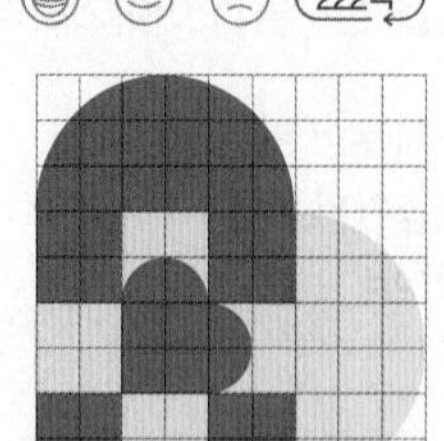

풀이 작은 하트와 큰 하트의 닮음비가 1 : 3이므로
넓이의 비는
$1^2:3^2=1:9$이다.

4 ●●● (223쪽)

다음 두 종이컵 (A), (B)가 서로 닮은 도형일 때, 물음에 답하시오.

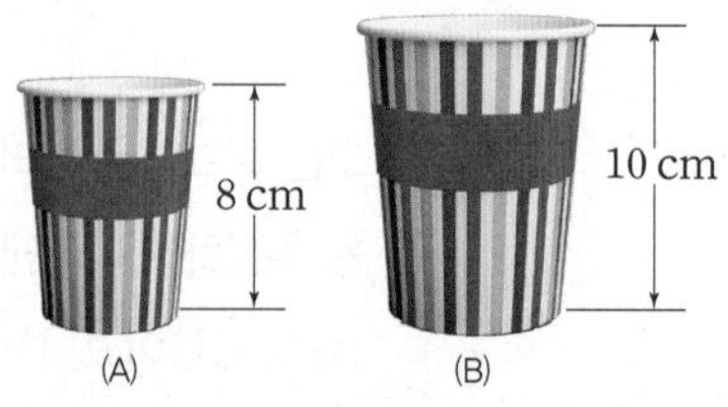

(1) (A)의 겉넓이가 80 cm^2일 때, (B)의 겉넓이를 구하시오. 125 cm^2

(2) 두 종이컵에 물을 가득 채웠을 때, (A)의 물의 부피가 128 cm^3이다. 이때 (B)의 물의 부피를 구하시오. 250 cm^3

풀이 두 종이컵 (A)와 (B)의 닮음비는 8 : 10=4 : 5이다.
(1) ((A)의 겉넓이) : ((B)의 겉넓이)$=4^2:5^2$이므로
80 : ((B)의 겉넓이)=16 : 25, ((B)의 겉넓이)$=125(cm^2)$이다.
(2) ((A)의 물의 부피) : ((B)의 물의 부피)$=4^3:5^3$이므로
128 : ((B)의 물의 부피)=64 : 125, ((B)의 물의 부피)$=250(cm^3)$이다.

5 ●●● (225쪽)

다음 그림은 강을 사이에 둔 두 지점 A와 B 사이의 거리를 구하기 위하여 필요한 거리와 각을 측정한 것이다. 두 지점 A와 B 사이의 거리를 구하시오. 21 m

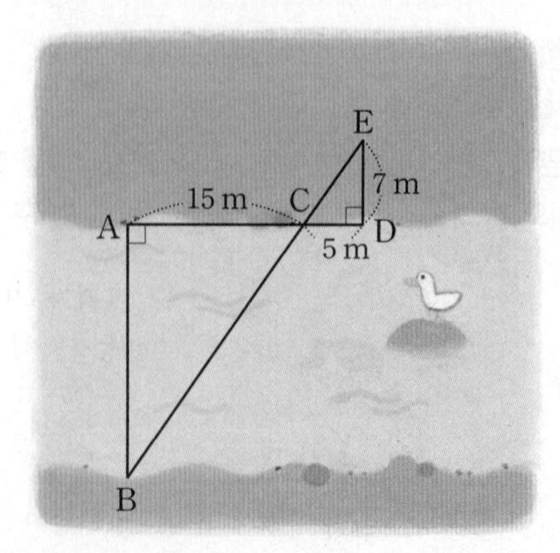

풀이 $\triangle ABC \backsim \triangle DEC$(AA 닮음)이므로
$\overline{AB}:\overline{DE}=\overline{AC}:\overline{DC}$이다.
$\overline{AB}:7=15:5$이므로 $\overline{AB}=21(m)$이다.

북극곰이 덩치가 큰 까닭이 있다!

다른 종류의 곰보다 북극곰의 덩치가 더 크다. 왜 그럴까?

그 해답은 베르그만 법칙에 있다. 이는 일정한 체온을 유지하는 항온 동물은(가까운 종끼리 비교할 때) 일반적으로 추운 곳에 살수록 덩치가 크다는 법칙이다.

이러한 과학적 법칙을 수학적으로 이해해 보자.

(출처: 두산백과사전 두피디아, 2017)

활동 1 다음 그림과 같이 한 변의 길이가 각각 1, 2, 4인 정육면체의 겉넓이와 부피를 각각 구하고, 크기가 커질수록 $\frac{(\text{겉넓이})}{(\text{부피})}$가 어떻게 변하는지 확인하여 보자.

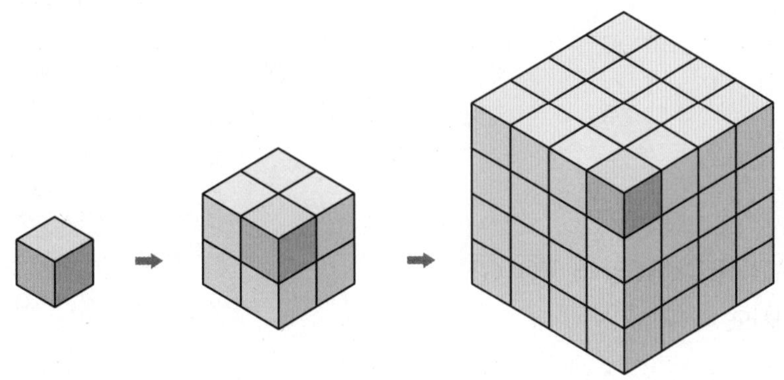

풀이 한 변의 길이가 1, 2, 4인 정육면체의 겉넓이는 각각 6, 24, 96이고, 부피는 각각 1, 8, 64이다.

따라서 $\frac{(\text{겉넓이})}{(\text{부피})}$는 각각 $\frac{6}{1}=6$, $\frac{24}{8}=3$, $\frac{96}{64}=\frac{3}{2}$이므로 점점 작아진다.

활동 2 부피에 대한 겉넓이의 비율이 작을수록 체온을 빼앗기는 넓이가 줄어든다는 과학적 사실을 이용하여 추운 지방에 사는 항온 동물의 덩치가 큰 까닭을 친구들과 이야기하여 보자.

풀이 활동 1 에서 정육면체의 크기가 커질수록 $\frac{(\text{겉넓이})}{(\text{부피})}$가 작아짐을 확인할 수 있다.

따라서 추운 지방에 사는 항온 동물의 덩치가 큰 까닭은 덩치가 클수록 부피에 대한 겉넓이의 비율이 작아지므로 체온을 빼앗기는 넓이가 줄어들기 때문이다.

| 상호 평가표 |

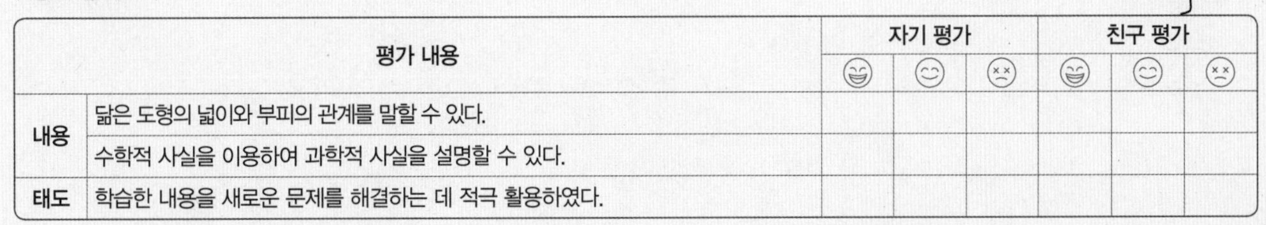

평가 내용		자기 평가			친구 평가		
내용	닮은 도형의 넓이와 부피의 관계를 말할 수 있다.						
	수학적 사실을 이용하여 과학적 사실을 설명할 수 있다.						
태도	학습한 내용을 새로운 문제를 해결하는 데 적극 활용하였다.						

스스로 확인하기

1. 다음 그림과 같이 $l /\!/ m /\!/ n$일 때, x의 값을 구하시오. 6

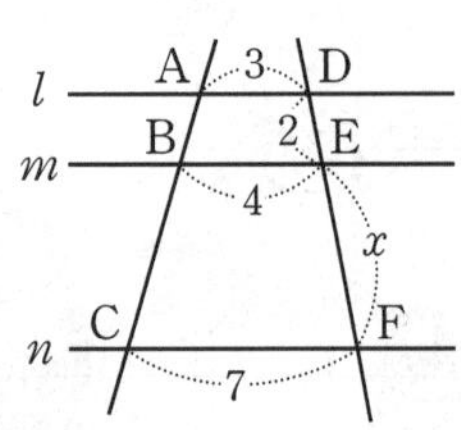

풀이 오른쪽 그림과 같이 점 D를 지나고 직선 AC와 평행한 직선을 그으면
$2:(2+x)=1:4$, $x=6$

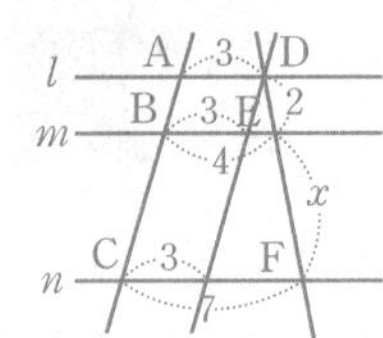

2. 다음 그림과 같이 $\overline{AD} /\!/ \overline{EF} /\!/ \overline{BC}$일 때, $\overline{EG}$, $\overline{GF}$의 길이를 각각 구하시오. $\overline{EG}=6$ cm, $\overline{GF}=4$ cm

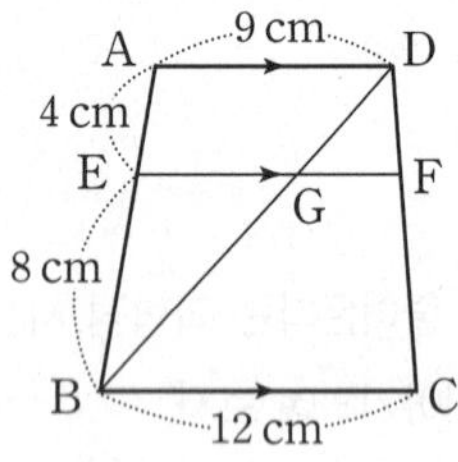

풀이 △ABD에서 $\overline{AD} /\!/ \overline{EG}$이므로 $8:12=\overline{EG}:9$,
$\overline{EG}=6$(cm)이고 $\overline{DG}:\overline{GB}=4:8=1:2$이다.
또, △DBC에서 $\overline{GF} /\!/ \overline{BC}$이고 $\overline{DG}:\overline{GB}=1:2$이므로
$1:3=\overline{GF}:12$, $\overline{GF}=4$(cm)이다.

3. 오른쪽 그림에서 점 G는 △ABC의 무게중심이다. 다음 보기 중에서 옳은 것을 모두 고르시오.

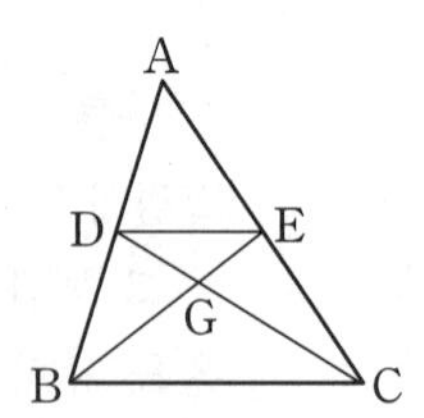

보기
ㄱ. $\triangle GBC=\frac{1}{3}\triangle ABC$
ㄴ. $\triangle DBG=\frac{1}{6}\triangle ABC$
ㄷ. $\triangle GDE=\frac{1}{18}\triangle ABC$
ㄹ. $\triangle DBG=\triangle ECG$
ㅁ. $\triangle EDB\equiv\triangle DEC$

풀이 ㄱ. $\triangle GAB=\triangle GBC=\triangle GCA=\frac{1}{3}\triangle ABC$
ㄴ, ㄹ. $\triangle DBG=\triangle ECG=\frac{1}{6}\triangle ABC$
ㄷ. 점 D, E는 각각 $\overline{AB}$, $\overline{AC}$의 중점이므로 $\overline{DE} /\!/ \overline{BC}$, $\overline{DE}=\frac{1}{2}\overline{BC}$이다.
따라서 $\triangle GED \backsim GBC$(AA 닮음)이고, 두 삼각형의 닮음비는 $2:1$이므로 넓이의 비는 $4:1$이다.
즉, $\triangle GED=\frac{1}{4}\triangle GBC=\frac{1}{4}\times\frac{1}{3}\triangle ABC=\frac{1}{12}\triangle ABC$이다.
따라서 옳은 것은 ㄱ, ㄴ, ㄹ이다.

4. 다음 그림과 같이 직각삼각형 ABC의 꼭짓점 A에서 빗변 BC에 내린 수선의 발을 H라고 할 때, △HBA, △HAC의 넓이의 비를 구하시오. $9:16$

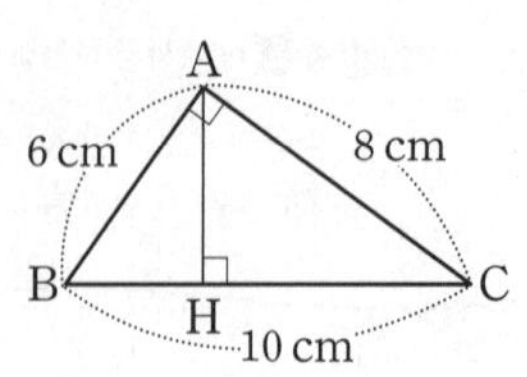

풀이 $\triangle HBA \backsim \triangle HAC$이고,
닮음비는 $6:8=3:4$이므로 넓이의 비는
$3^2:4^2=9:16$이다.

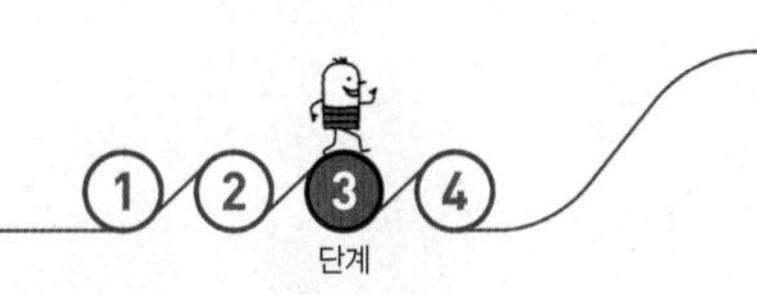

실력 업(UP) 발전 문제

5. 다음 그림과 같은 △ABC에서 $\overline{AD}$가 ∠A의 이등분선일 때, x의 값을 구하시오. 9

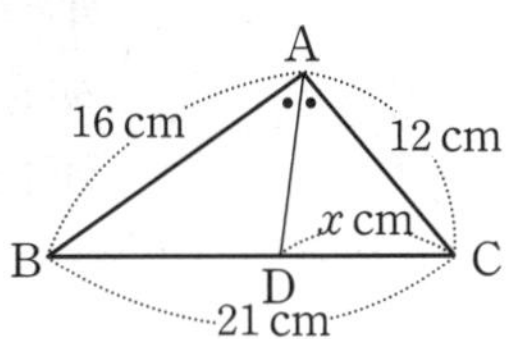

풀이 오른쪽 그림과 같이 점 C를 지나고 $\overline{AD}$에 평행한 직선이 $\overline{BA}$의 연장선과 만나는 점을 E라고 하자.
이때 △ACE는 이등변삼각형이므로 $\overline{AE}=\overline{AC}=12$ cm이다.
△BEC에서 $\overline{AD}$ // $\overline{EC}$이므로
$\overline{BA}:\overline{AE}=\overline{BD}:\overline{DC}$,
$16:12=(21-x):x$, $x=9$이다.

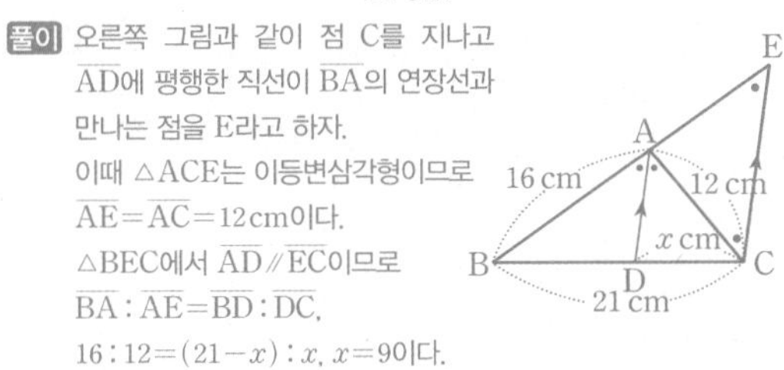

6. 다음 그림과 같이 정팔면체 1개와 작은 정사면체 4개로 큰 정사면체 1개를 만들 수 있다. 작은 정사면체 1개와 정팔면체 1개의 부피의 비를 구하시오. 1 : 4

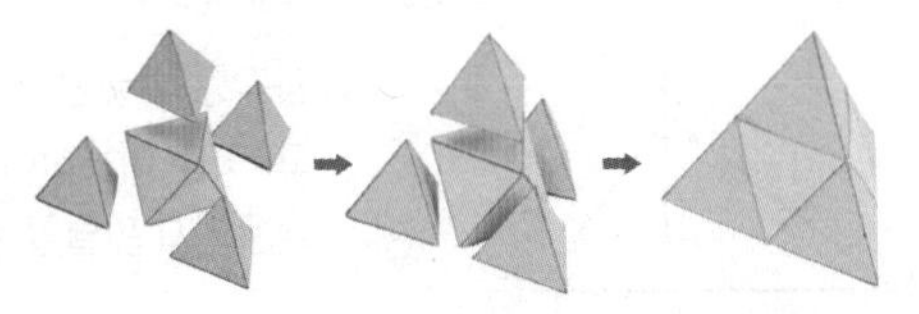

풀이 작은 정사면체의 한 모서리의 길이를 a라고 하면 큰 정사면체의 한 모서리의 길이는 $2a$이다. 이때 작은 정사면체와 큰 정사면체의 닮음비는 $1:2$이고 부피의 비는 $1^3:2^3=1:8$이다. 따라서 작은 정사면체 1개와 정팔면체 1개의 부피의 비는 $1:(8-4)=1:4$이다.

교과서 문제 뛰어 넘기

7. 오른쪽 그림과 같이 평행사변형 ABCD에서 ∠D의 이등분선과 $\overline{BC}$, $\overline{AB}$의 연장선과의 교점을 각각 E, F라고 하자. $\overline{AB}=6$ cm, $\overline{AD}=9$ cm이고 △BFE의 넓이가 4 cm^2일 때, △ECD의 넓이를 구하시오.

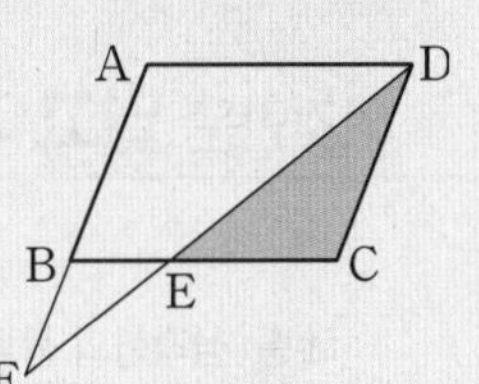

8. 오른쪽 그림과 같이 평행사변형 ABCD에서 두 점 M, N은 각각 $\overline{BC}$, $\overline{CD}$의 중점이고, 점 P와 Q는 각각 $\overline{BD}$와 $\overline{AM}$, $\overline{AN}$과의 교점이다. 평행사변형 ABCD의 넓이가 36 cm^2일 때, 색칠한 부분의 넓이를 구하시오.

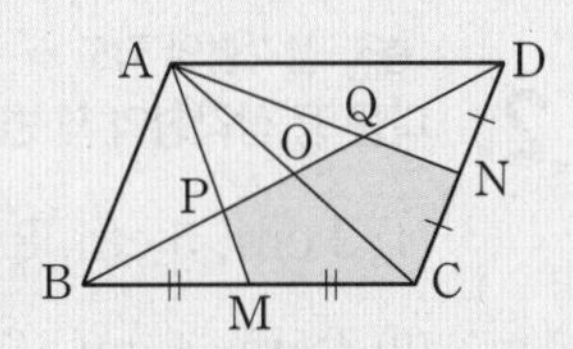

9. 서로 닮은 두 사면체 A, B의 닮음비가 3 : 5이고, 사면체 B의 부피가 500 cm^3일 때, 사면체 A의 부피를 구하시오.

피타고라스 정리

01. 피타고라스 정리

이것만은 알고 가자

초등 삼각형의 종류

1. 다음 삼각형의 이름을 말하시오.

(1) 한 내각의 크기가 90°인 삼각형 직각삼각형

(2) 세 내각의 크기가 모두 90°보다 작은 삼각형 예각삼각형

(3) 한 내각의 크기가 90°보다 큰 삼각형 둔각삼각형

알고 있나요?
직각삼각형, 예각삼각형, 둔각삼각형의 뜻을 알고 있는가?
잘함 보통 모름

중1 삼각형의 작도

2. 다음 중 삼각형의 세 변의 길이가 될 수 없는 것을 찾으시오.

(1) 3 cm, 5 cm, 8 cm

(2) 4 cm, 4 cm, 4 cm

(3) 6 cm, 7 cm, 12 cm

풀이 삼각형의 두 변의 길이의 합은 다른 한 변의 길이보다 커야 하므로 삼각형의 세 변의 길이가 될 수 없는 것은 (1)이다.

알고 있나요?
삼각형을 그릴 수 있는 조건을 알고 있는가?
잘함 보통 모름

중2 삼각형의 닮음 조건

3. 그림과 같이 $\angle A=90^\circ$인 직각삼각형 ABC의 꼭짓점 A에서 빗변 BC에 내린 수선의 발을 D라고 할 때, 직각삼각형 ABC와 서로 닮은 삼각형을 모두 찾으시오. $\triangle DBA$, $\triangle DAC$

A
B D C

| 개념 체크 |
삼각형의 닮음 조건: 두 삼각형은 다음의 각 경우에 서로 닮음이다.
(1) 대응하는 세 쌍의 [변]의 길이의 비가 같을 때
(2) 대응하는 두 쌍의 변의 길이의 비가 같고, 그 [끼인각]의 크기가 같을 때
(3) 대응하는 두 쌍의 [각]의 크기가 각각 같을 때

풀이 $\triangle ABC$, $\triangle DBA$, $\triangle DAC$에서 $\angle ABC=\angle DBA=\angle DAC$,
$\angle BAC=\angle BDA=\angle ADC=90^\circ$이므로
$\triangle ABC \backsim \triangle DBA \backsim \triangle DAC$(AA 닮음)이다.
따라서 $\triangle ABC$와 서로 닮은 삼각형은 $\triangle DBA$, $\triangle DAC$이다.

알고 있나요?
삼각형의 닮음 조건을 이해하고, 이를 이용하여 두 삼각형이 닮음인지 판별할 수 있는가?
잘함 보통 모름

부족한 부분을 보충하고 본 학습을 준비하여 보자.

한 눈에 개념 정리

01 피타고라스 정리

1. 피타고라스 정리

(1) 피타고라스 정리

직각삼각형 ABC에서 직각을 낀 두 변의 길이를 각각 a, b라 하고, 빗변의 길이를 c라고 하면

$a^2+b^2=c^2$

이다.

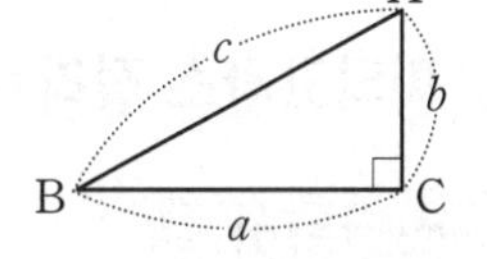

(2) 피타고라스 정리의 확인

① 직각삼각형의 빗변을 한 변으로 하는 정사각형의 넓이는 빗변이 아닌 두 변을 각각 한 변으로 하는 두 정사각형의 넓이의 합과 같다.

➡ $\overline{BC}^2+\overline{CA}^2=\overline{AB}^2$

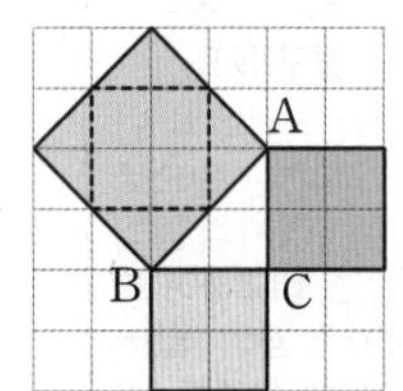

②

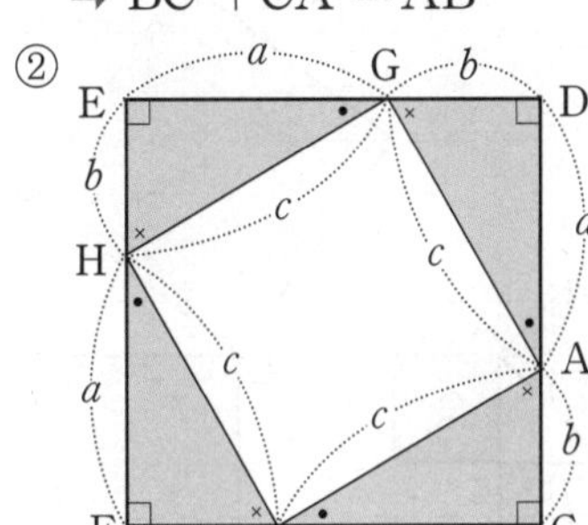

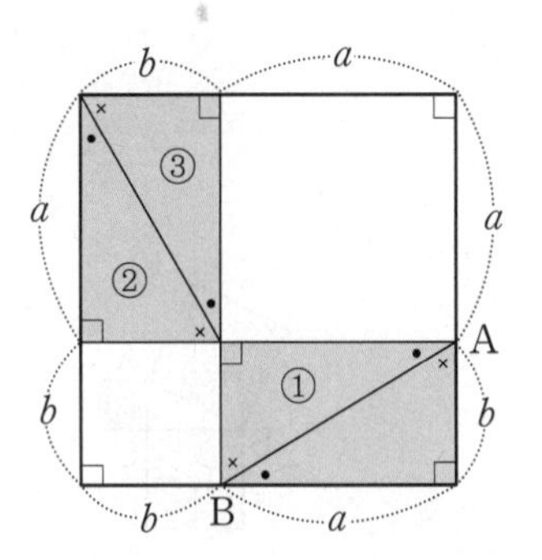

$\angle BAC+\angle GAD=90^\circ$이므로 $\angle BAG=90^\circ$

같은 방법으로 $\angle BAG=\angle AGH=\angle GHB=\angle HBA=90^\circ$

따라서 □AGHB는 한 변의 길이가 c인 정사각형이다.

두 그림을 비교하여 보면 한 변의 길이가 c인 정사각형의 넓이는 한 변의 길이가 각각 a, b인 두 정사각형의 넓이의 합과 같으므로

$a^2+b^2=c^2$

즉, 직각삼각형에서 직각을 낀 두 변의 길이의 제곱의 합은 빗변의 길이의 제곱과 같다.

2. 삼각형의 세 변의 길이를 알 때 직각삼각형이 되는 조건

세 변의 길이가 각각 a, b, c인 $\triangle ABC$에서

$a^2+b^2=c^2$

이면 이 삼각형은 빗변의 길이가 c인 직각삼각형이다.

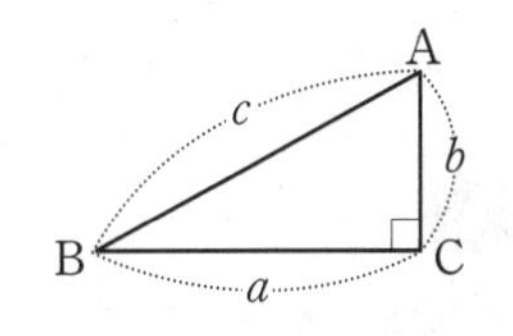

01 피타고라스 정리

이 단원에서 배우는 용어와 기호

피타고라스 정리

학습 목표 ‖ 피타고라스 정리를 이해하고 설명할 수 있다.

피타고라스 정리는 무엇일까?

탐구하기

탐구 목표
직각삼각형의 세 변을 각각 한 변으로 하는 정사각형의 넓이를 비교하여 세 정사각형의 넓이 사이의 관계를 알 수 있다.

다음은 한 눈금의 길이가 1인 모눈종이에 $\angle C=90^\circ$인 직각삼각형 ABC와 그 세 변을 한 변으로 하는 정사각형 ①, ②, ③을 그린 것이다. 물음에 답하여 보자.

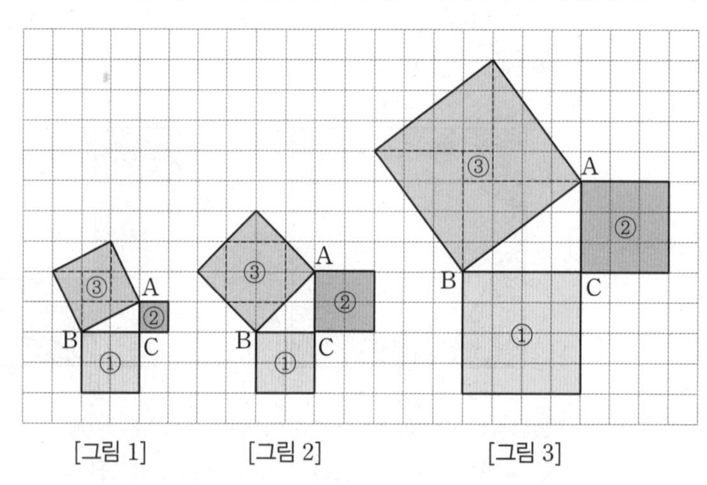

[그림 1] [그림 2] [그림 3]

활동 ❶ 위의 그림에서 정사각형 ①, ②, ③의 넓이를 각각 구하여 다음 표를 완성하여 보자.

	①의 넓이	②의 넓이	③의 넓이
[그림 1]	4	1	5
[그림 2]	4	4	8
[그림 3]	16	9	25

활동 ❷ 세 정사각형 ①, ②, ③의 넓이 사이에는 어떤 관계가 성립하는지 이야기하여 보자.

①의 넓이와 ②의 넓이의 합은 ③의 넓이와 같다.

개념 쏙

직각삼각형에서 직각을 낀 두 변의 길이의 제곱의 합은 빗변의 길이의 제곱과 같다.

탐구하기 에서 직각삼각형의 빗변을 한 변으로 하는 정사각형의 넓이는 빗변이 아닌 두 변을 각각 한 변으로 하는 두 정사각형의 넓이의 합과 같다는 것을 알 수 있다.

즉, 세 정사각형 ①, ②, ③의 넓이는 각각 $\overline{BC}^2$, $\overline{CA}^2$, $\overline{AB}^2$이므로

$$\overline{BC}^2+\overline{CA}^2=\overline{AB}^2$$

이 성립함을 알 수 있다.

이제 $\angle C=90^\circ$인 직각삼각형 ABC에서 $\overline{BC}=a$, $\overline{CA}=b$, $\overline{AB}=c$라고 할 때,

$$a^2+b^2=c^2$$

이 성립하는지 알아보자.

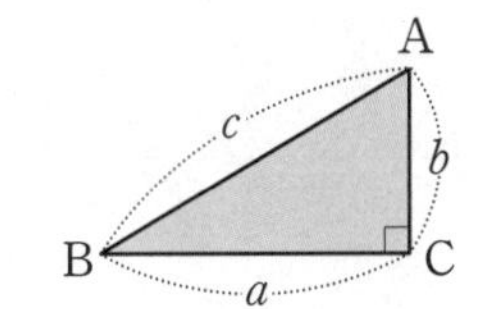

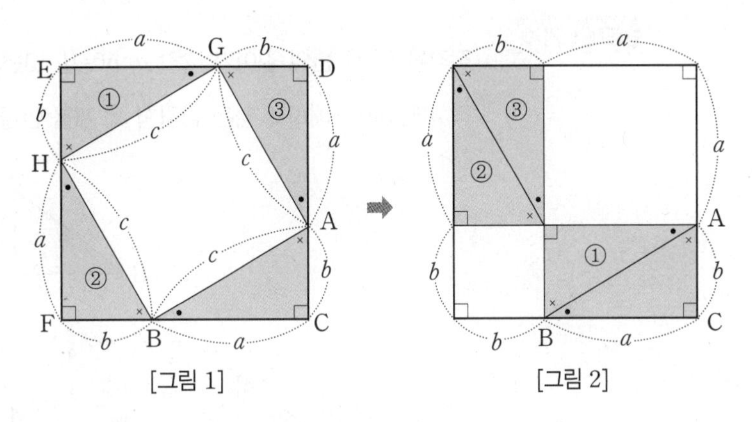

[그림 1] [그림 2]

[그림 1]에서 □AGHB는 한 변의 길이가 c인 마름모이다.

그런데 $\angle BAC+\angle GAD=90^\circ$이므로 $\angle BAG=90^\circ$이다. 한 내각의 크기가 90°인 마름모는 정사각형이므로 □AGHB는 한 변의 길이가 c인 정사각형이다.

또, [그림 1]에서 세 개의 직각삼각형 ①, ②, ③을 옮겨 붙여서 [그림 2]를 만들 수 있다.

두 그림을 비교하여 보면 [그림 1]의 한 변의 길이가 c인 정사각형 AGHB의 넓이는 [그림 2]의 한 변의 길이가 각각 a, b인 두 정사각형의 넓이의 합과 같으므로

$$a^2+b^2=c^2$$

이 된다. 즉, 직각삼각형에서 직각을 낀 두 변의 길이의 제곱의 합은 빗변의 길이의 제곱과 같음을 알 수 있다.

Tip 합동인 직각삼각형을 찾아 피타고라스 정리를 이용한다.

1. **오른쪽 그림에서 □ABCD는 한 변의 길이가 8 cm인 정사각형이고, $\overline{AF}=\overline{BG}=\overline{CH}=\overline{DE}=5$ cm이다. □EFGH의 넓이를 구하시오.** 34 cm^2

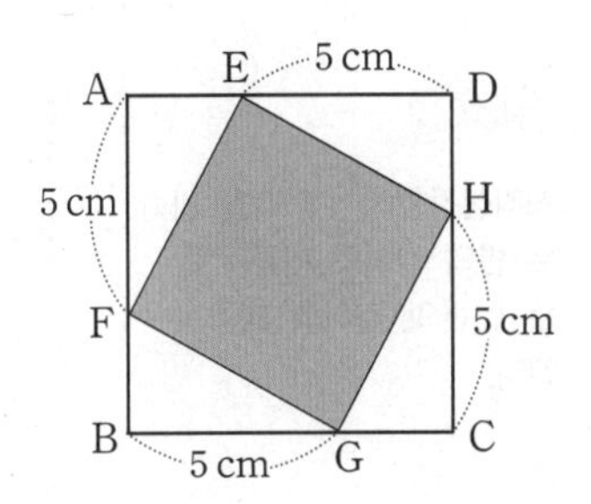

풀이 오른쪽 그림과 같이 네 개의 직각삼각형 AFE, BGF, CHG, DEH는 합동이므로 □EFGH는 정사각형이다. 피타고라스 정리에 의하여 $\overline{EF}^2=\overline{EA}^2+\overline{AF}^2=3^2+5^2=34$ 이므로 □EFGH의 넓이는 34 cm^2이다.

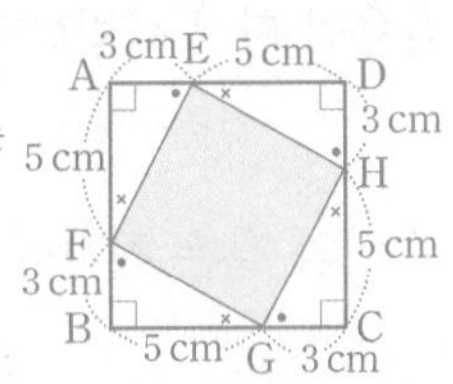

이제 닮음을 이용하여 앞에서 확인한 직각삼각형의 이러한 성질이 성립함을 설명하여 보자.

함께해 보기 1

직각을 낀 두 변의 길이가 각각 a, b이고, 빗변의 길이가 c인 직각삼각형 ABC를 각각 a배, b배, c배하여 닮은 삼각형 세 개를 만들고, 다음 물음에 답하여 보자.

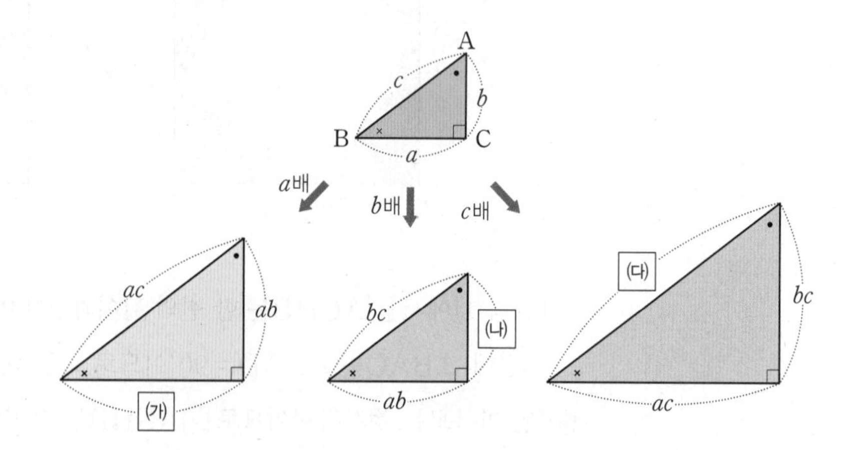

(1) (가), (나), (다)에 들어갈 알맞은 것을 써넣어 보자.
(가) a^2 (나) b^2 (다) c^2

(2) 닮은 세 직각삼각형 중 왼쪽 두 직각삼각형을 오른쪽 삼각형에 겹치지 않게 붙여서 아래 그림과 같이 만들 수 있다. □ 안에 (가), (나), (다) 중 알맞은 것을 써넣어 보자.

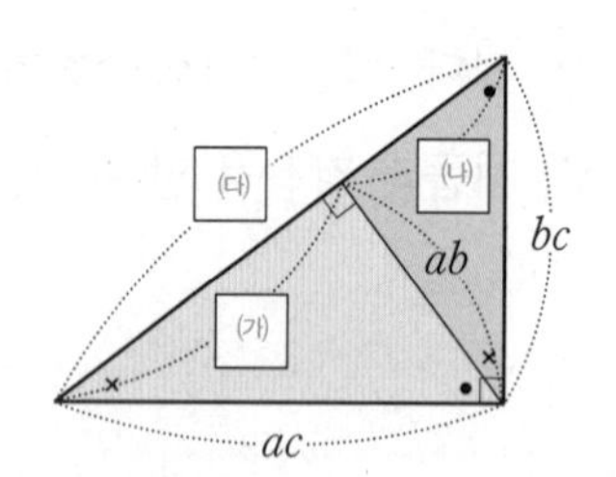

(3) (1), (2)에서 구한 (가), (나), (다)의 관계를 이용하여 $a^2+b^2=c^2$이 성립함을 설명하여 보자. (2)의 그림에서 (가)+(나)=(다)이므로 $a^2+b^2=c^2$이 성립한다.

개념 쏙

직각삼각형에서 직각을 낀 두 변의 길이의 제곱의 합은 빗변의 길이의 제곱과 같다.

직각삼각형에서 직각을 낀 두 변의 길이의 제곱의 합은 빗변의 길이의 제곱과 같음이 항상 성립한다는 것을 여러 가지 방법을 이용하여 확인할 수 있다.

이와 같은 직각삼각형의 성질을 **피타고라스 정리**라고 한다.

수학자 톡톡

피타고라스 정리는 이 정리가 성립함을 보였다고 알려진 그리스의 수학자 피타고라스(Pythagoras, B.C. 569?~B.C. 475?)의 이름에서 따온 것이다.

이상을 정리하면 다음과 같다.

피타고라스 정리

직각삼각형 ABC에서 직각을 낀 두 변의 길이를 각각 a, b라 하고, 빗변의 길이를 c라고 하면

$$a^2+b^2=c^2$$

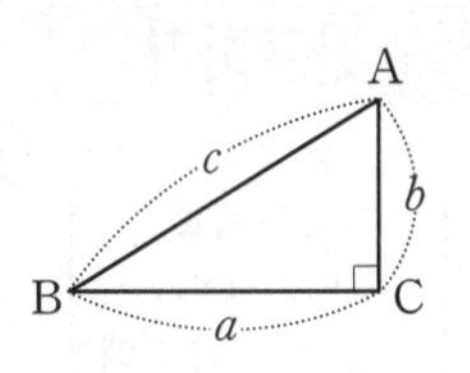

Tip 피타고라스 정리를 이용하여 정사각형의 넓이를 구한다.

2. **오른쪽 그림은 $\angle C=90°$인 직각삼각형 ABC의 각 변을 한 변으로 하는 정사각형을 각각 그린 것이다. $\square ACHI=4\text{ cm}^2$, $\square BFGC=9\text{ cm}^2$일 때, $\square ADEB$의 넓이를 구하시오.** 13 cm^2

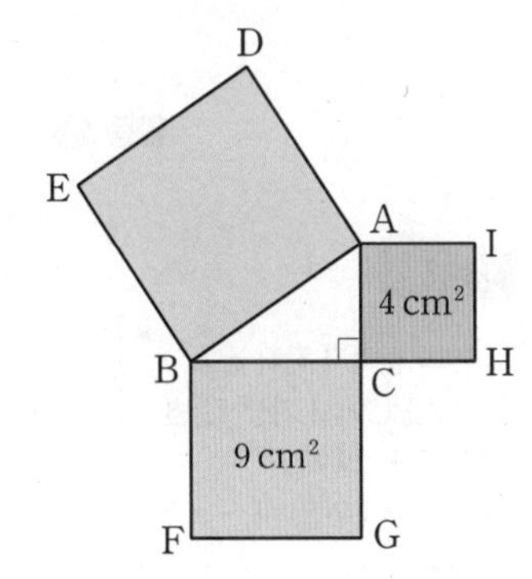

풀이 피타고라스 정리에 의하여
$\square ADEB=\square ACHI+\square BFGC=4+9=13(\text{cm}^2)$

Tip 직각삼각형의 닮음과 피타고라스의 정리를 이용한다.

3. **오른쪽 그림과 같이 $\angle A=90°$인 직각삼각형 ABC의 꼭짓점 A에서 $\overline{BC}$에 내린 수선의 발을 D라고 하자. $\overline{AD}=12$, $\overline{CD}=9$일 때, $\overline{AB}^2+\overline{AC}^2$의 값을 구하시오.** 625

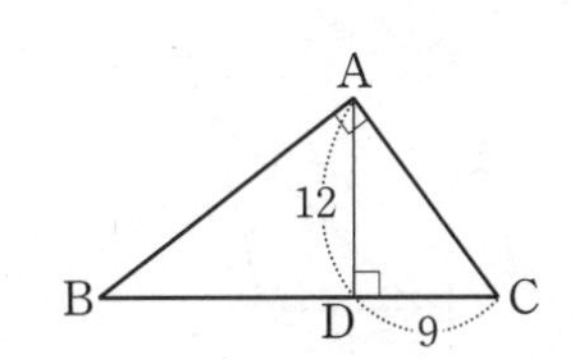

풀이 $\triangle ABD \backsim \triangle CAD$이므로 $\overline{BD}:\overline{AD}=\overline{AD}:\overline{CD}$, $\overline{BD}:12=12:9$, $\overline{BD}=16$이다.
피타고라스 정리에 의하여 $\overline{AB}^2+\overline{AC}^2=\overline{BC}^2$이고,
$\overline{BC}=\overline{BD}+\overline{CD}=16+9=25$이므로 $\overline{AB}^2+\overline{AC}^2=25^2=625$

삼각형의 세 변의 길이를 알 때 직각삼각형이 되는 조건은 무엇일까?

탐구하기

탐구 목표
세 변의 길이가 a, b, c인 $\triangle ABC$에서 $a^2+b^2=c^2$이 성립하면 빗변의 길이가 c인 직각삼각형이 됨을 알 수 있다.

정보처리

다음 그림은 공학적 도구를 이용하여 $\triangle ABC$를 그리고, 삼각형의 각 변을 한 변으로 하는 정사각형을 각각 그린 것이다. $\triangle ABC$에서 $\overline{BC}=a$, $\overline{CA}=b$, $\overline{AB}=c$라고 할 때, 물음에 답하여 보자.

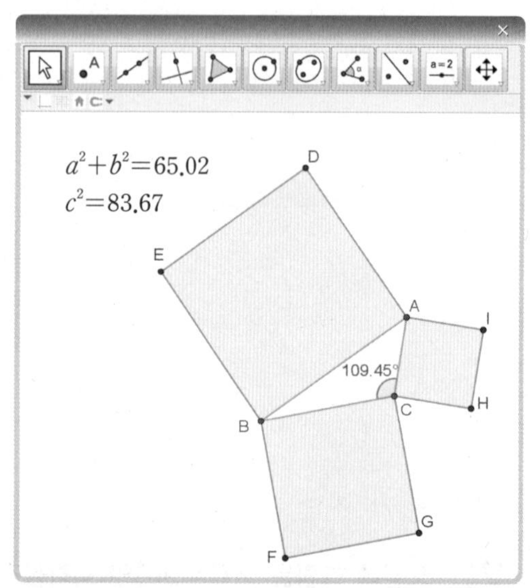

활동 1 세 점 A, B, C 중 한 점을 움직이면서 $a^2+b^2=c^2$이 될 때, $\angle C$의 크기를 확인하여 보자. $\angle C=90°$

풀이 a, b, c의 값이 변하더라도 $a^2+b^2=c^2$이 되면 $\angle C=90°$가 된다.

개념 쏙

세 변의 길이가 각각 a, b, c인 $\triangle ABC$에서 가장 긴 변의 길이가 c일 때,

① $c^2<a^2+b^2$일 때, $\angle C<90°$

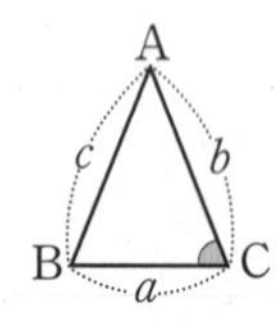

② $c^2=a^2+b^2$일 때, $\angle C=90°$

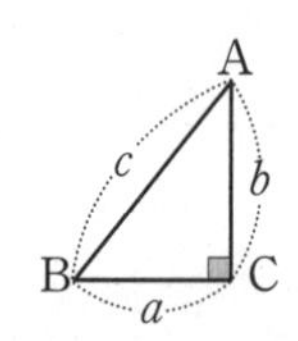

③ $c^2>a^2+b^2$일 때, $\angle C>90°$

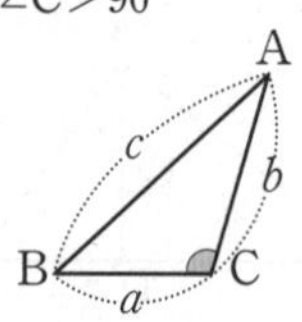

탐구하기 에서 $\triangle ABC$는 $a^2+b^2=c^2$일 때, $\angle C=90°$인 직각삼각형이 됨을 확인할 수 있다.

일반적으로 세 변의 길이가 각각 a, b, c인 삼각형에서

$$a^2+b^2=c^2$$

인 관계가 성립하면, 이 삼각형은 빗변의 길이가 c인 직각삼각형임이 알려져 있다.

이상을 정리하면 다음과 같다.

삼각형의 세 변의 길이를 알 때 직각삼각형이 되는 조건

세 변의 길이가 각각 a, b, c인 $\triangle ABC$에서

$$a^2+b^2=c^2$$

이면 이 삼각형은 빗변의 길이가 c인 직각삼각형이다.

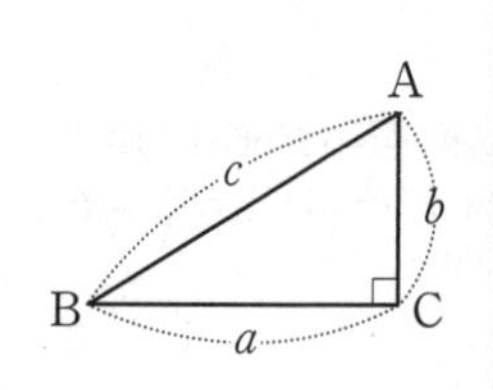

4. **오른쪽 그림의 △ABC가 어떤 삼각형인지 말하고, 그 까닭을 친구들에게 설명하시오.** 직각삼각형, 풀이 참조

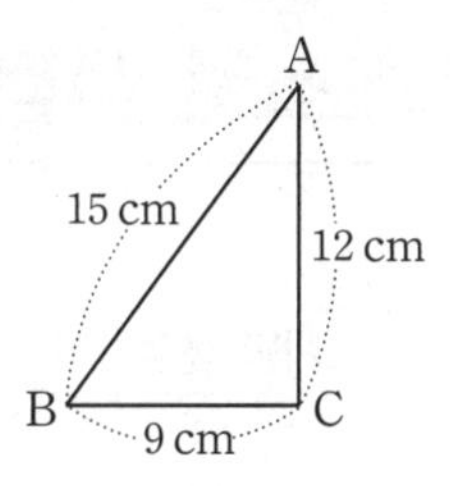

풀이 삼각형의 세 변의 길이가 9 cm, 12 cm, 15 cm이므로 $9^2+12^2=15^2$이 성립한다.
따라서 △ABC는 빗변의 길이가 15 cm인 직각삼각형이다.

5. **세 변의 길이가 각각 다음과 같은 삼각형 중에서 직각삼각형인 것을 모두 찾으시오.**

(1) 2, 3, 4 (2) 4, 5, 7

(3) 5, 12, 13 (4) 6, 8, 10

풀이 (1) $2^2+3^2 \neq 4^2$이므로 이 삼각형은 직각삼각형이 아니다.
(2) $4^2+5^2 \neq 7^2$이므로 이 삼각형은 직각삼각형이 아니다.
(3) $5^2+12^2=13^2$이므로 이 삼각형은 직각삼각형이다.
(4) $6^2+8^2=10^2$이므로 이 삼각형은 직각삼각형이다.
따라서 직각삼각형인 것은 (3), (4)이다.

Tip 삼각형의 두 변의 길이를 알 때 직각삼각형이 되는 조건을 이용하여 나머지 한 변의 길이를 구할 수 있다.

6. **세 변의 길이가 각각 3 cm, 5 cm, x cm인 삼각형이 직각삼각형이 되도록 하는 x의 값에 대하여 x^2의 값을 구하고자 한다. 다음 각 경우에서 x^2의 값을 구하시오.**

(1) 빗변의 길이가 5 cm인 경우 (2) 빗변의 길이가 x cm인 경우

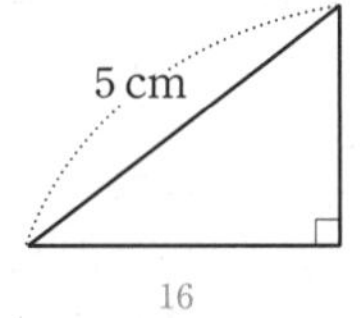

16 34

풀이 (1) $3^2+x^2=5^2$에서 $x^2=16$이다.
(2) $3^2+5^2=x^2$에서 $x^2=34$이다.

생각 나누기 문제 해결 추론 의사소통

오른쪽 그림과 같이 좌표평면 위의 세 점 A(2, 4), B(1, 2), C(5, 0)을 연결한 △ABC가 직각삼각형이 되는지 친구들과 이야기하여 보자.

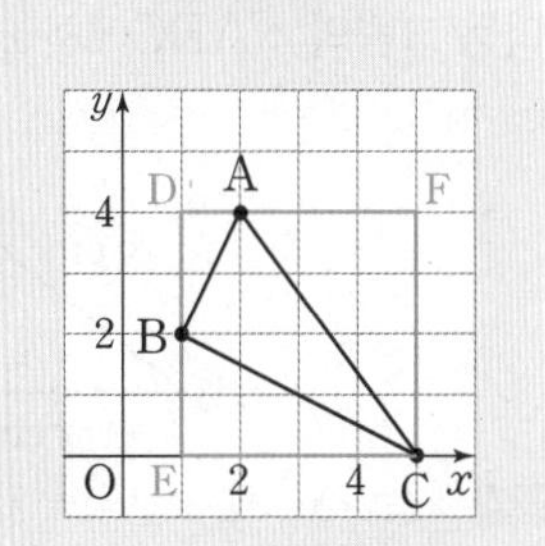

풀이 | 예시 |
오른쪽 그림과 같이 사각형 DECF를 그리면
(i) 직각삼각형 ABD에서 $\overline{AB}^2=\overline{AD}^2+\overline{DB}^2=1^2+2^2=5$
(ii) 직각삼각형 BCE에서 $\overline{BC}^2=\overline{BE}^2+\overline{EC}^2=2^2+4^2=20$
(iii) 직각삼각형 ACF에서 $\overline{AC}^2=\overline{AF}^2+\overline{FC}^2=3^2+4^2=25$
이때 $\overline{AC}^2=\overline{AB}^2+\overline{BC}^2$이 성립하므로 △ABC는 ∠B=90°인 직각삼각형이다.

스스로 점검하기

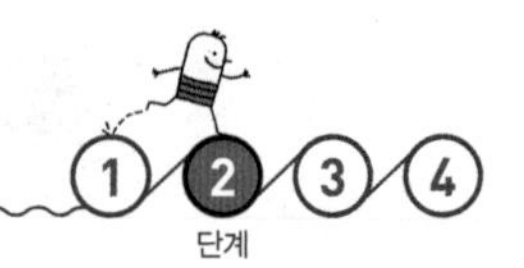

개념 점검하기

(1) 직각삼각형 ABC에서 직각을 낀 두 변의 길이를 각각 a, b라 하고, 빗변의 길이를 c라고 하면 [$a^2+b^2=c^2$]이 성립한다. 이와 같은 성질을 피타고라스 정리라고 한다.

(2) 세 변의 길이가 각각 a, b, c인 △ABC에서 $a^2+b^2=c^2$이면 이 삼각형은 빗변의 길이가 c인 [직각삼각형]이다.

1 ●●●

다음 그림에서 △ABC가 직각삼각형이고 □ACDE가 정사각형일 때, □ACDE의 넓이를 구하시오. 36 cm^2

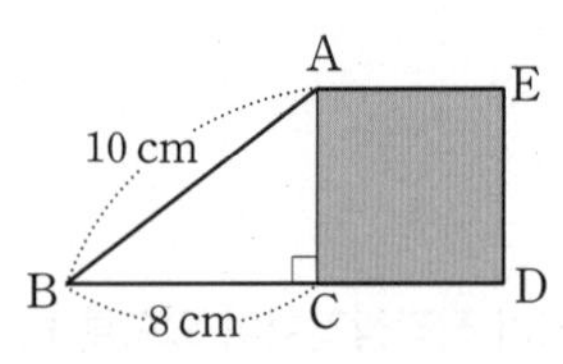

풀이 △ABC가 직각삼각형이므로 $\overline{AC}^2+8^2=10^2$에서
$\overline{AC}^2=100-64=36$이다.
따라서 $□ACDE=\overline{AC}^2=36(\text{cm}^2)$이다.

2 ●●●

가로의 길이와 세로의 길이의 비가 3 : 4인 직사각형의 대각선의 길이가 10 cm이다. 이 직사각형의 넓이를 구하시오. 48 cm^2

풀이 가로의 길이와 세로의 길이의 비가 3 : 4이므로
가로의 길이를 $3k$ cm, 세로의 길이를 $4k$ cm라고 하면 피타고라스 정리에 의하여
$(3k)^2+(4k)^2=10^2$, $25k^2=100$, $k^2=4$이다.
따라서 직사각형의 넓이는
$3k\times4k=12k^2=48(\text{cm}^2)$이다.

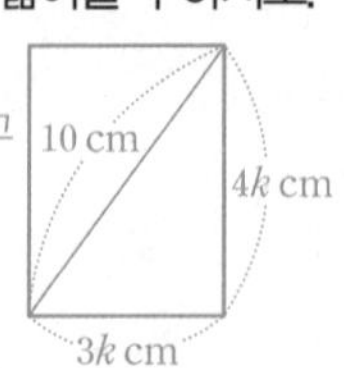

3 ●●●

다음 그림의 △ABC에서 x^2의 값을 구하시오. 256

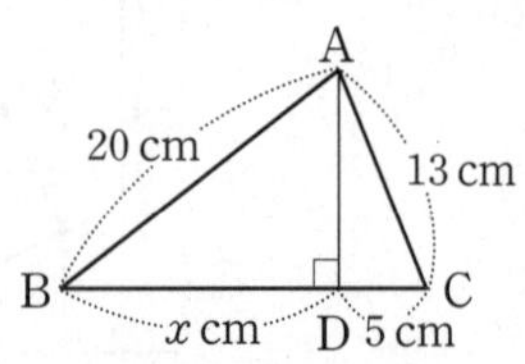

풀이 △ACD에서 $\overline{AD}^2+5^2=13^2$, $\overline{AD}^2=144$이다.
△ABD에서 $\overline{AD}^2+x^2=20^2$이므로 $144+x^2=400$이다.
따라서 $x^2=256$이다.

4 ●●●

다음 그림의 △ABC에서 ∠C의 크기를 구하시오. 90°

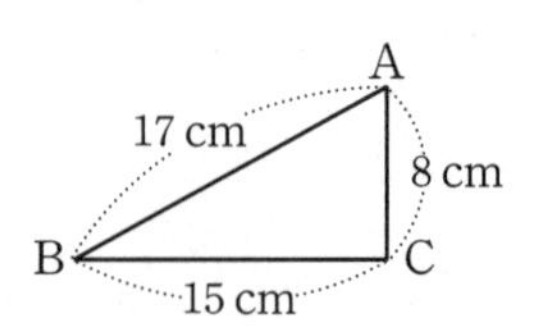

풀이 $\overline{AB}^2=17^2=289$, $\overline{BC}^2=15^2=225$, $\overline{AC}^2=8^2=64$
이므로 $\overline{AB}^2=\overline{BC}^2+\overline{AC}^2$이 성립한다.
따라서 ∠C=90°이다.

풀이 (2) $\overline{CB}=\overline{BE}$이고,
$\angle CBE=180^\circ-(\angle CBA+\angle EBD)$
$=180^\circ-(\angle CBA+\angle BCA)=180^\circ-90^\circ=90^\circ$이므로
△BEC는 직각이등변삼각형이다. 또, $\triangle BEC=\frac{169}{2}\text{ cm}^2$이고,
$\overline{BC}^2=2\triangle BEC$이므로 $\overline{BC}^2=169$이다.
따라서 △ABC에서 $5^2+12^2=169$이므로 $\overline{AC}^2+\overline{AB}^2=\overline{BC}^2$이 성립한다.

5 ●●●

233쪽

오른쪽 그림과 같이 합동인 두 직각삼각형 ABC와 DEB를 그리고 선분 CE를 이어 사다리꼴 ADEC를 만들었을 때, 다음 물음에 답하시오.

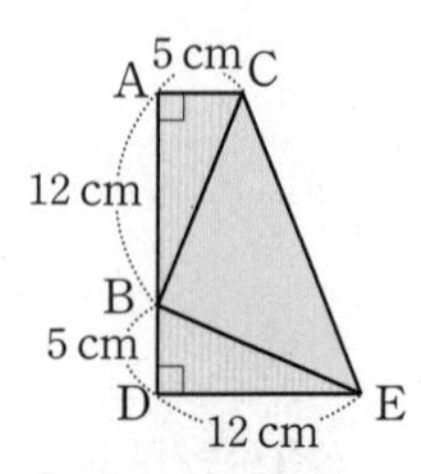

풀이 (1) $\triangle BEC=□ADEC-2\triangle ABC$
$=\frac{(5+12)\times(5+12)}{2}-2\times\frac{5\times12}{2}=\frac{169}{2}(\text{cm}^2)$
따라서 △BEC의 넓이는 $\frac{169}{2}\text{ cm}^2$이다.

(1) 사다리꼴 ADEC와 두 직각삼각형 ABC와 DEB의 넓이를 이용하여 삼각형 BEC의 넓이를 구하시오. $\frac{169}{2}\text{ cm}^2$

(2) (1)의 결과를 이용하여 직각삼각형 ABC에서 피타고라스 정리가 성립하는지 확인하시오.

피타고라스 정리를 퍼즐로

피타고라스 정리가 성립하는 것을 설명하는 방법은 매우 많다고 알려져 있다. 우리가 직접 퍼즐을 만들어 보고, 피타고라스 정리가 성립함을 확인하여 보자.

활동 1 다음과 같이 직각삼각형의 각 변을 한 변으로 하는 정사각형으로 퍼즐을 만들어 보자. 나눈 조각으로 퍼즐의 빗변을 한 변으로 하는 정사각형을 빈틈없이 채워 보자.

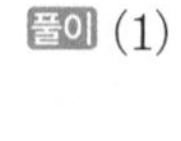

(1)

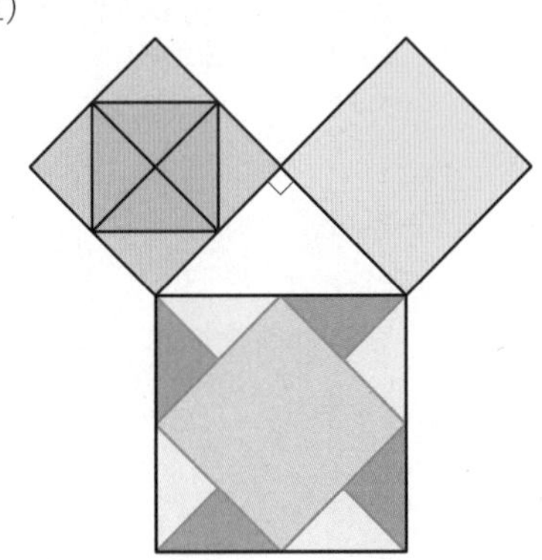

(2)

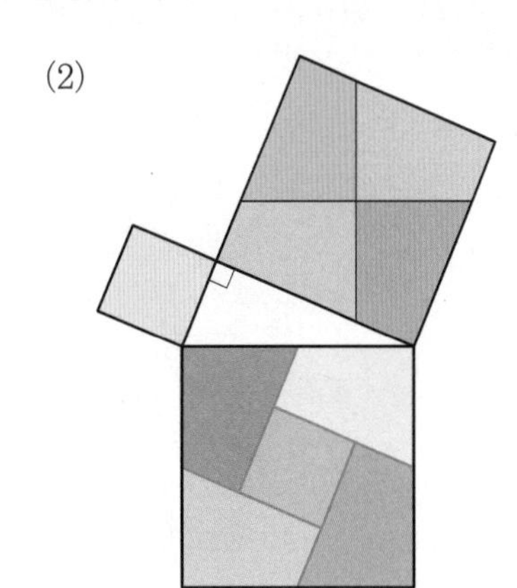

활동 2 다음과 같은 새로운 모양의 퍼즐을 만들고, 나눈 조각으로 작은 두 정사각형을 빈틈없이 채워 보자. 이 그림을 이용하여 피타고라스 정리가 성립하는 것을 설명하여 보자.

(1)

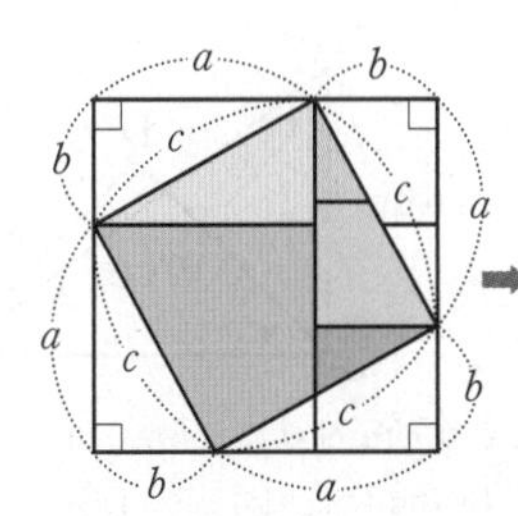

(2)

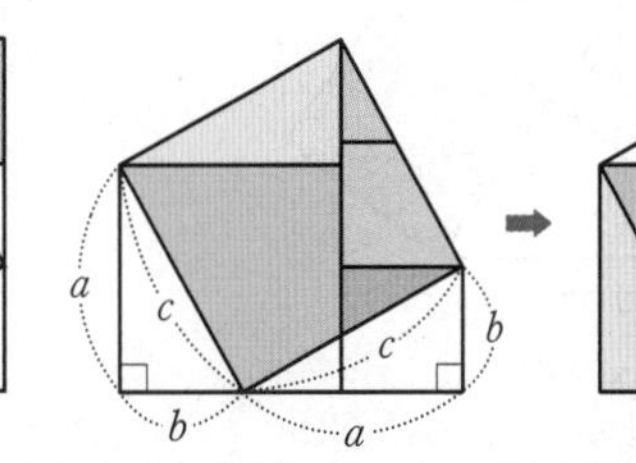

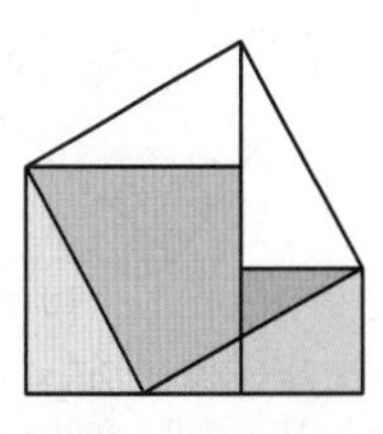

풀이 한 변의 길이가 c인 정사각형을 채우는 조각들을 재배치하면 한 변의 길이가 각각 a, b인 정사각형을 빈틈없이 채울 수 있다.
따라서 빗변의 길이가 c이고 다른 두 변의 길이가 a, b인 직각삼각형에서 $c^2=a^2+b^2$이 성립함을 알 수 있다.

| 상호 평가표 |

평가 내용		자기 평가			친구 평가		
		😄	😊	😵	😄	😊	😵
내용	피타고라스 정리를 이해하고 퍼즐을 만들 수 있다.						
	다양한 방법으로 퍼즐을 만들 수 있다.						
태도	퍼즐을 만들고 피타고라스 정리를 설명하는 데 적극 참여하였다.						

스스로 확인하기

1. 오른쪽 그림은 직각삼각형 ABC의 각 변을 한 변으로 하는 정사각형을 그려 넓이를 나타낸 것이다. x의 값을 구하시오. 36

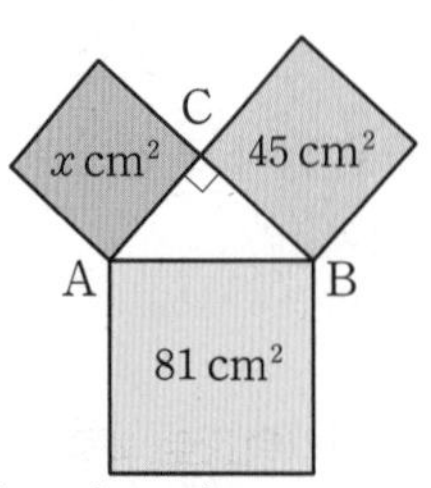

풀이 △ABC가 직각삼각형이므로 $\overline{CA}^2+\overline{CB}^2=\overline{AB}^2$이다.
삼각형의 각 변을 한 변으로 하는 정사각형의 넓이가 x cm², 45 cm², 81 cm²이므로 $x+45=81$, $x=36$이다.

2. 다음 그림은 직각삼각형 ABC의 빗변이 아닌 두 변을 한 변으로 하는 정사각형을 그린 것이다. $\overline{BC}=10$ cm일 때, 두 정사각형의 넓이의 합을 구하시오. 100 cm²

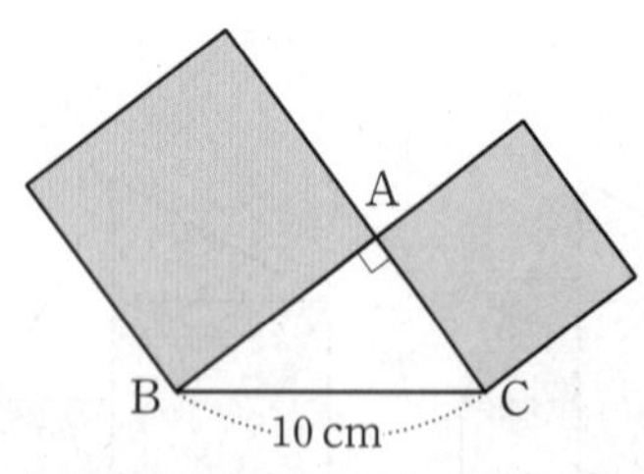

풀이 △ABC가 직각삼각형이므로 $\overline{AB}^2+\overline{AC}^2=\overline{BC}^2$이다.
이때 두 정사각형의 넓이의 합은 $\overline{AB}^2+\overline{AC}^2$이므로
$\overline{AB}^2+\overline{AC}^2=\overline{BC}^2=10^2=100(\text{cm}^2)$이다.

3. 다음 그림에서 x^2의 값을 구하시오. 144

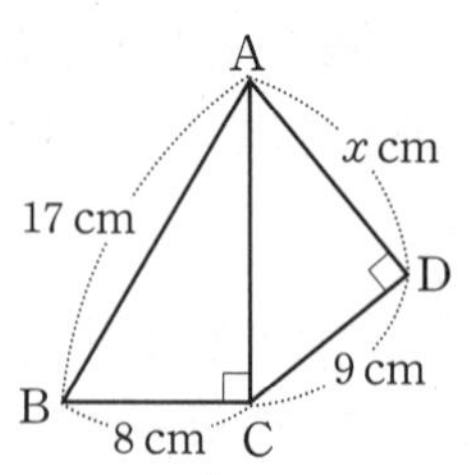

풀이 직각삼각형 ABC에서 $\overline{AC}^2+8^2=17^2$이므로
$\overline{AC}^2=289-64=225$이다.
또, 직각삼각형 ACD에서 $x^2+9^2=\overline{AC}^2$이므로
$x^2+81=225$, $x^2=144$이다.

4. 다음 그림에서 $\angle ABC=\angle BDC=90°$, $\angle DBC=45°$이고 $\overline{AB}=6$ cm, $\overline{AC}=10$ cm일 때, x^2의 값을 구하시오. 32

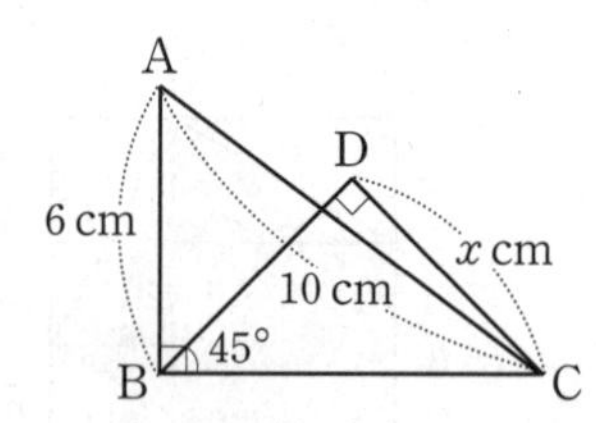

풀이 직각삼각형 ABC에서 $\overline{BC}^2+6^2=10^2$, $\overline{BC}^2=64$이다.
또, 직각삼각형 DBC에서 $\overline{DB}=\overline{DC}$이다.
따라서 $x^2+x^2=64$이므로 $2x^2=64$, $x^2=32$이다.

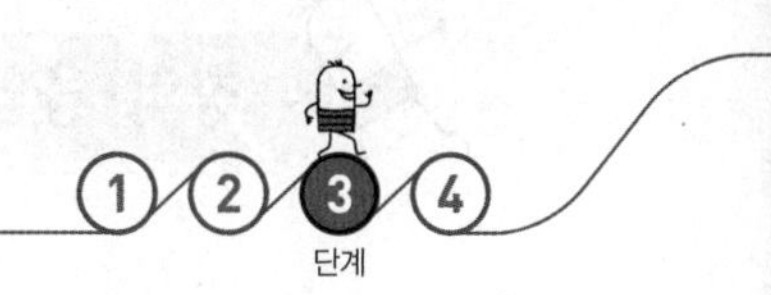

실력 업(UP) 발전 문제

5. 다음 그림은 직각삼각형 ABC의 세 변을 각각 지름으로 하는 반원을 그린 것이다. $\overline{AB}=8$ cm, $\overline{AC}=6$ cm일 때, 색칠한 부분의 넓이를 구하시오. 24 cm²

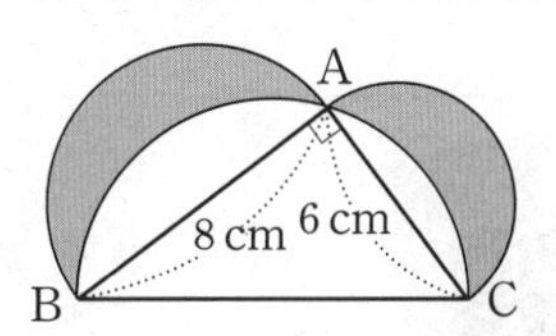

풀이 직각삼각형 ABC에서 $\overline{BC}^2=8^2+6^2=100$이다.

(i) 지름이 $\overline{AB}$인 반원의 넓이: $\frac{1}{2}\times\pi\times4^2=8\pi(\text{cm}^2)$

(ii) 지름이 $\overline{AC}$인 반원의 넓이: $\frac{1}{2}\times\pi\times3^2=\frac{9}{2}\pi(\text{cm}^2)$

(iii) 지름이 $\overline{BC}$인 반원의 넓이:

$\frac{1}{2}\times\pi\times\left(\frac{\overline{BC}}{2}\right)^2=\frac{1}{8}\times\overline{BC}^2\times\pi=\frac{25}{2}\pi(\text{cm}^2)$

(iv) △ABC의 넓이: $\frac{1}{2}\times6\times8=24(\text{cm}^2)$

따라서 색칠한 부분의 넓이는 $8\pi+\frac{9}{2}\pi+24-\frac{25}{2}\pi=24(\text{cm}^2)$이다.

6. 다음 그림과 같이 직각삼각형 ABC의 두 변 AB, AC 위에 각각 점 D, E를 잡았다. $\overline{DE}=5$, $\overline{BC}=10$일 때, $\overline{BE}^2+\overline{CD}^2$의 값을 구하시오. 125

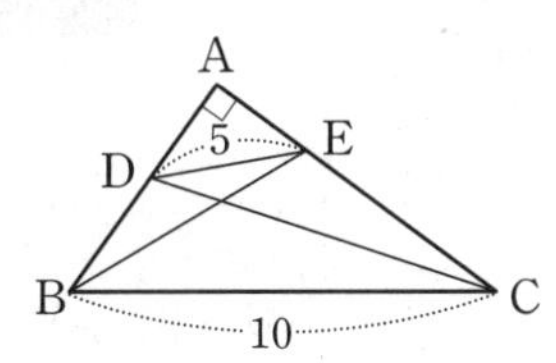

풀이 직각삼각형 ABE에서 $\overline{BE}^2=\overline{AB}^2+\overline{AE}^2$

직각삼각형 ADC에서 $\overline{DC}^2=\overline{AD}^2+\overline{AC}^2$

직각삼각형 ADE에서 $\overline{DE}^2=\overline{AD}^2+\overline{AE}^2$

직각삼각형 ABC에서 $\overline{BC}^2=\overline{AB}^2+\overline{AC}^2$이 성립한다.

따라서

$\overline{BE}^2+\overline{DC}^2=(\overline{AB}^2+\overline{AE}^2)+(\overline{AD}^2+\overline{AC}^2)$

$=(\overline{AB}^2+\overline{AC}^2)+(\overline{AD}^2+\overline{AE}^2)$

$=\overline{BC}^2+\overline{DE}^2=10^2+5^2=125$이다.

교과서 문제 뛰어 넘기

7. 오른쪽 그림은 $\angle A=90°$인 직각삼각형 ABC의 세 변을 각각 한 변으로 하는 세 정사각형을 그린 것이다. $\overline{AC}=3$, $\overline{BC}=5$일 때, △BFL의 넓이를 구하시오.

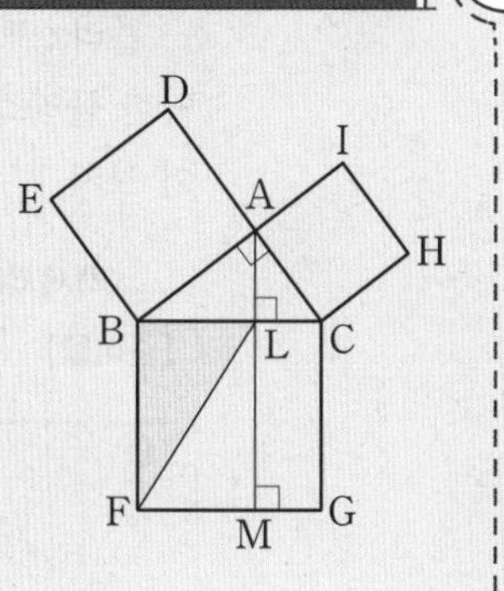

8. 오른쪽 그림과 같은 직사각형 ABCD에서 $\overline{AF}$를 접는 선으로 하여 꼭짓점 D가 $\overline{BC}$ 위의 점 E에 오도록 접었을 때, $\overline{EF}$의 길이를 구하시오.

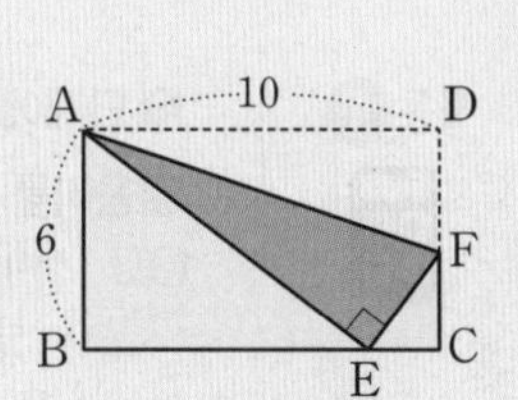

9. 오른쪽 그림에서 곡선은 각각 $\overline{BD}$, $\overline{BF}$, $\overline{BH}$, $\overline{BJ}$를 반지름으로 하는 원의 일부이다. 이때, $\overline{CI}$의 길이를 구하시오.

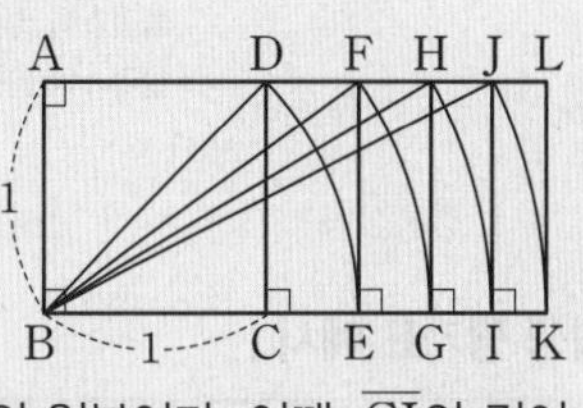

나만의 액세서리 만들기

플라스틱 필름은 그 위에 그림을 그리고 열을 가하면 크기는 축소되고, 모양은 그대로 유지되며 딱딱한 플라스틱으로 변하는 성질을 가지고 있다. 이 플라스틱 필름을 이용하여 나만의 액세서리를 만들어 보자.

액세서리 만들기

【준비물】 플라스틱 필름, 색연필, 가위, 미니 오븐

❶	❷	❸

플라스틱 필름의 거친 면에 원하는 그림을 그리고 오린다.	미니 오븐에 넣고 30초~1분 정도 굽는다.	구워진 플라스틱으로 나만의 액세서리를 만든다.

활동 ❶ **❶단계에서 만든 것과 ❷단계에서 구워진 플라스틱이 서로 닮음임을 친구들에게 설명하여 보자. 또, 두 도형의 닮음비를 구하여 보자.**

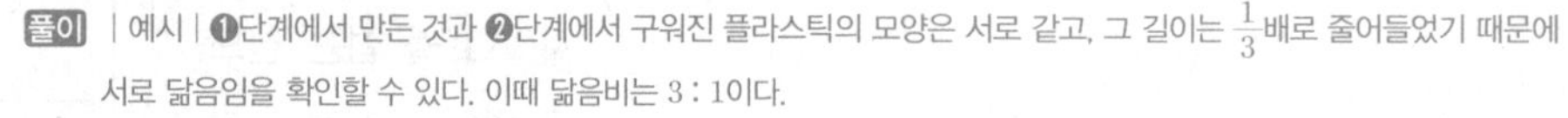

풀이 | 예시 | ❶단계에서 만든 것과 ❷단계에서 구워진 플라스틱의 모양은 서로 같고, 그 길이는 $\frac{1}{3}$배로 줄어들었기 때문에 서로 닮음임을 확인할 수 있다. 이때 닮음비는 $3:1$이다.

활동 ❷ **활동 ❶의 결과를 이용하여 오른쪽과 같은 크기의 액세서리를 만들기 위하여 필요한 플라스틱 필름의 넓이를 구하여 보자.**

풀이 | 예시 | 주어진 액세서리의 가로와 세로의 길이는 각각 4 cm, 3 cm이므로 플라스틱 필름의 가로와 세로의 길이를 각각 3배로 늘린 $4\times3=12$(cm), $3\times3=9$(cm)가 되어야 한다.
따라서 필요한 플라스틱 필름의 넓이는 $9\times12=108$(cm^2)이다.
| **다른 풀이** | ❶단계에서 만든 것과 ❷단계에서 구워진 플라스틱의 닮음비가 $3:1$이므로 넓이의 비는 $3^2:1^2=9:1$이다.
따라서 (플라스틱 필름의 넓이) : (액세서리의 넓이) $=9:1$이므로
(플라스틱 필름의 넓이) : $12=9:1$,
(플라스틱 필름의 넓이) $=12\times9=108$(cm^2)이다.

| 학생 평가표 예시 |

평가내용		잘했어요	보통이에요	노력이 필요해요
문제 해결	일정한 크기의 액세서리를 만들기 위하여 필요한 플라스틱 필름의 크기를 구할 수 있는가?			
창의 · 융합	플라스틱 필름 위에 그린 그림과 오븐에 구워진 작품이 서로 닮은 도형임을 관련지어 생각할 수 있는가?			
의사소통	수학적 표현을 이용하여 두 도형이 서로 닮은 도형임을 설명할 수 있는가?			
태도 및 실천	과제 수행에 관심과 흥미를 갖고, 자율적으로 수행하였는가?			

1. ‘시에르핀스키 삼각형(Sierpinski triangle)’은 폴란드 수학자 바츨라프 시에르핀스키(Waclaw Sierpinski, 1882～1969)의 이름을 딴 프랙털 도형이다. 주어진 정삼각형의 각 변의 중점을 이으면 합동인 4개의 작은 정삼각형이 만들어지는데, 이때 가운데 있는 정삼각형을 제거하여 3개의 정삼각형만 남긴다. 남아 있는 3개의 정삼각형에 대해서도 이런 과정을 반복하면 시에르핀스키 삼각형을 얻을 수 있다.

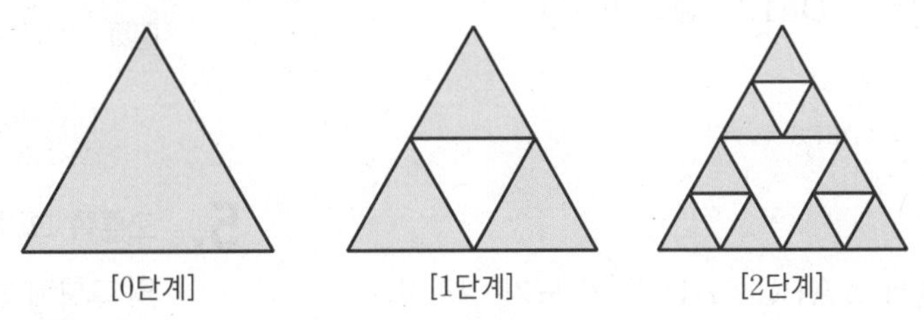

위 그림에서 [0단계]의 정삼각형의 한 변의 길이를 8 cm이라 할 때, [2단계]의 흰 색으로 칠해진 모든 정삼각형의 둘레의 길이의 합을 구하시오.

2. 다음 그림과 같이 원기둥 모양의 그릇 (가)와 원뿔 모양의 그릇 (나)에 각각 일정한 속도로 물을 넣고 있다. 두 그릇의 높이는 12 cm로 같고, 물을 넣기 시작한 지 4분 후 두 그릇의 물의 높이가 모두 4 cm가 되었다. 두 그릇에 물을 가득 채우는 데 몇 분이 더 걸리는지 구하시오.

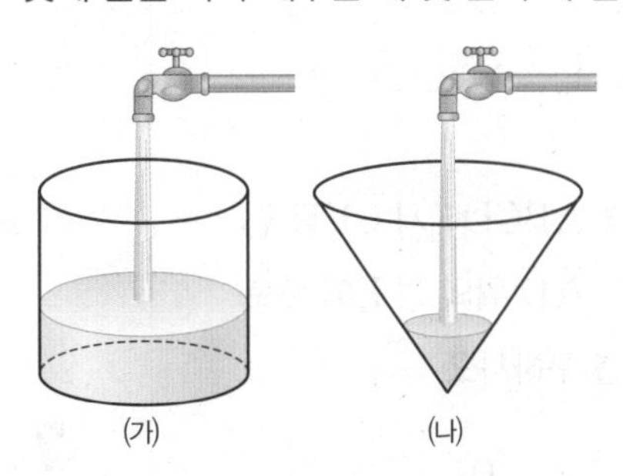

스스로 마무리하기

1. 다음 그림에서 $\triangle ABC \backsim \triangle DFE$일 때, 다음을 구하시오.

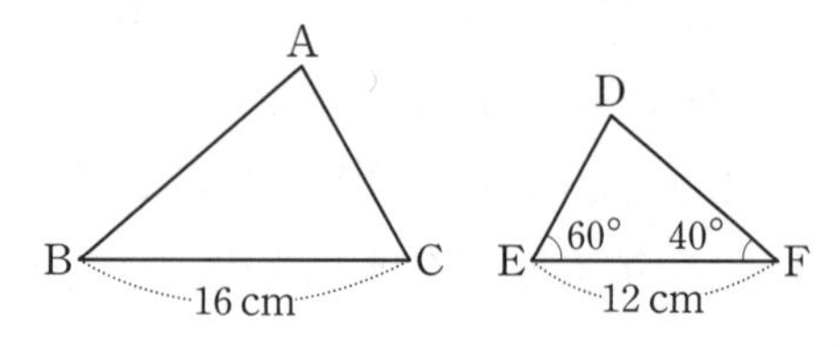

(1) $\triangle ABC$와 $\triangle DFE$의 닮음비 4 : 3

(2) $\angle A$의 크기 80°

풀이 (1) $\triangle ABC$와 $\triangle DFE$의 닮음비는
$\overline{BC} : \overline{FE} = 16 : 12 = 4 : 3$
(2) $\angle A = \angle D = 180° - (60° + 40°) = 80°$

2. 다음 그림에서 $\triangle ABC \backsim \triangle DFE$가 되기 위하여 한 가지 조건이 추가되어야 한다. 보기 중에서 추가될 수 있는 조건을 모두 고르시오.

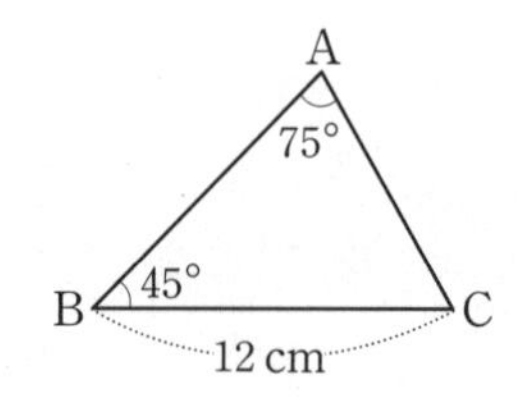

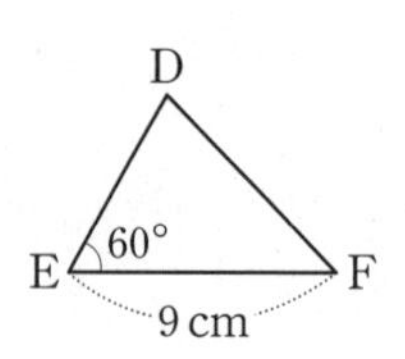

보기
ㄱ. $\angle D = 75°$ ㄴ. $\angle F = 55°$
ㄷ. $\overline{AC} : \overline{DE} = 4 : 3$

풀이 $\triangle ABC$에서 $\angle C = 180° - (75° + 45°) = 60°$이다.
ㄱ. $\angle D = 75°$이면 $\angle A = \angle D$, $\angle C = \angle E$이므로
$\triangle ABC \backsim \triangle DFE$(AA 닮음)이다.
ㄷ. $\overline{AC} : \overline{DE} = 4 : 3$이면 $\angle C = \angle E$이고, $\overline{BC} : \overline{FE} = \overline{AC} : \overline{DE} = 4 : 3$이므로
$\triangle ABC \backsim \triangle DFE$(SAS 닮음)이다.
따라서 추가될 수 있는 조건은 ㄱ, ㄷ이다.

3. 다음 그림과 같은 직사각형 ABCD에서 $\overline{CF}$를 접는 선으로 하여 꼭짓점 B가 $\overline{AD}$ 위의 점 E에 오도록 접었을 때, $\overline{DE}$의 길이를 구하시오. 6 cm

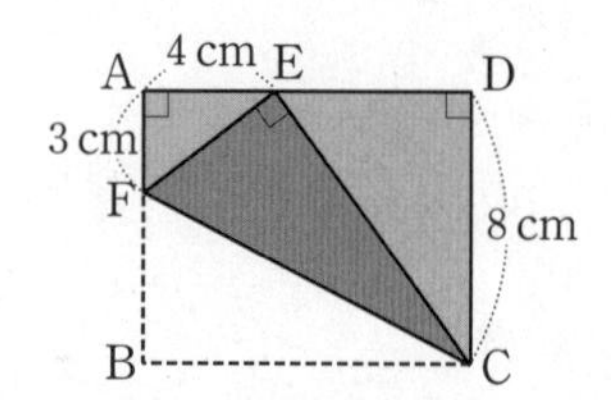

풀이 $\triangle AFE \backsim \triangle DEC$(AA 닮음)이므로
$\overline{AF} : \overline{DE} = \overline{AE} : \overline{DC}$에서
$3 : \overline{DE} = 4 : 8$, $\overline{DE} = 6$ cm이다.

4. 다음 그림에서 $\overline{AB} /\!/ \overline{EF} /\!/ \overline{CD}$일 때, $\overline{EF}$의 길이를 구하시오. 3 cm

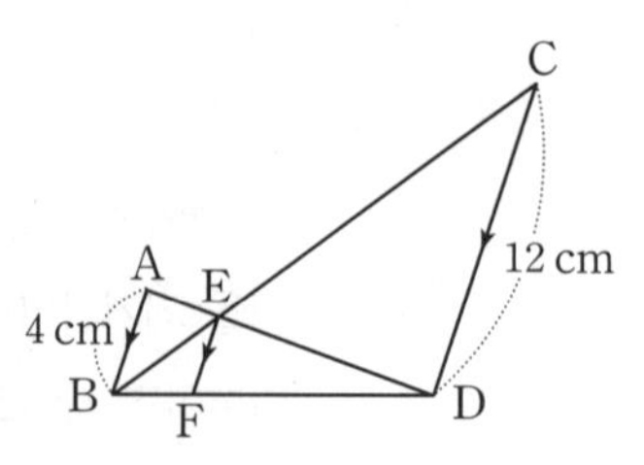

풀이 $\overline{AB} /\!/ \overline{CD}$이므로 $\triangle ABE \backsim \triangle DCE$이다.
따라서 $\overline{AE} : \overline{DE} = \overline{AB} : \overline{DC} = 4 : 12 = 1 : 3$이므로
$\overline{DA} : \overline{DE} = 4 : 3$이다. 또, $\triangle ABD$에서 $\overline{AB} /\!/ \overline{EF}$이므로
$\overline{AB} : \overline{EF} = \overline{DA} : \overline{DE} = 4 : 3$에서 $4 : \overline{EF} = 4 : 3$, $\overline{EF} = 3$ cm이다.

5. 오른쪽 그림과 같은 원뿔 모양의 그릇에 일정한 속도로 물을 채우고 있다. 그릇 높이의 $\frac{1}{3}$만큼 채우는 데 5분이 걸렸다면, 이 그릇에 물을 가득 채우는 데 몇 분이 더 걸리는지 구하시오. 130분

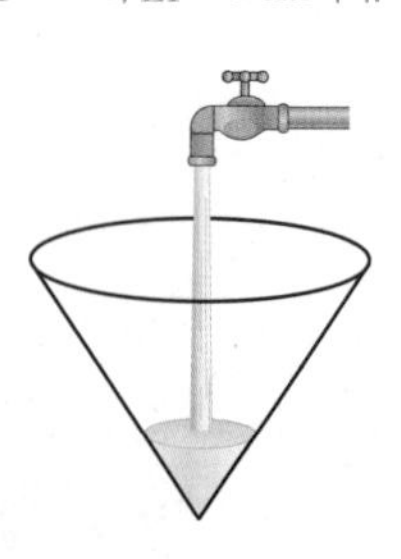

풀이 그릇 높이의 $\frac{1}{3}$만큼 차 있는 물과 원뿔 모양의 그릇은 서로 닮은 도형이므로 닮음비는 1 : 3이고 부피의 비는 $1^3 : 3^3 = 1 : 27$이다.
즉, 그릇에 물을 가득 채우는 데 걸리는 시간은
$5 \times 27 = 135$(분)이다.
따라서 물을 가득 채우는 데 $135 - 5 = 130$(분)이 더 걸린다.

6. 다음 그림에서 정사각형 CDEF의 넓이를 구하시오. 225 cm²

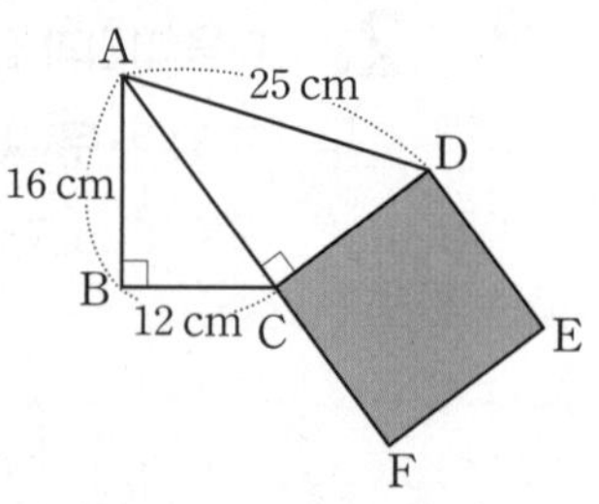

풀이 $\triangle ABC$에서 $\overline{AC}^2 = 16^2 + 12^2 = 400$이고,
$\triangle ACD$에서 $\overline{AC}^2 + \overline{CD}^2 = 25^2$이므로
$400 + \overline{CD}^2 = 625$, $\overline{CD}^2 = 225$이다.
따라서 $\square CDEF = \overline{CD}^2 = 225(cm^2)$이다.

7. 삼각형의 세 변의 길이가 다음과 같을 때, 직각삼각형인 것을 고르면?

① 2, 4, 5   ② 3, 4, 6   ③ 5, 8, 9
④ 7, 8, 10   ⑤ 9, 12, 15

풀이 ① $2^2 + 4^2 \neq 5^2$ ② $3^2 + 4^2 \neq 6^2$ ③ $5^2 + 8^2 \neq 9^2$
④ $7^2 + 8^2 \neq 10^2$ ⑤ $9^2 + 12^2 = 15^2$
따라서 직각삼각형인 것은 ⑤이다.

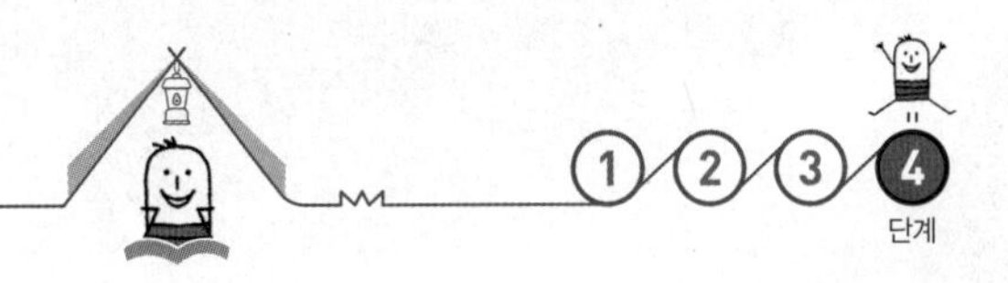

[8~9] **서술형 문제** 문제의 풀이 과정과 답을 쓰고, 스스로 채점하여 보자.

8. 오른쪽 그림의 정오각형 ABCDE에서 두 대각선 $\overline{AC}$와 $\overline{BE}$의 교점을 F라고 할 때, △ABE와 △FAB, △ABE와 △EAF가 각각 닮은 삼각형인지를 판별하고, 그 까닭을 설명하시오. [5점]

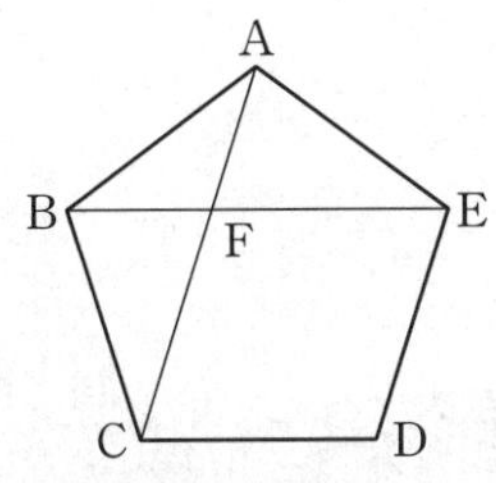

풀이 (i) 정오각형에서 한 내각의 크기가 108°이므로 △ABE는 세 내각의 크기가 각각 108°, 36°, 36°인 이등변삼각형이다.

(ii) △ABE와 △BCA는 서로 합동인 이등변삼각형이고 △FAB에서 ∠FAB=∠FBA=36°이므로 △FAB는 세 내각의 크기가 각각 108°, 36°, 36°인 이등변삼각형이다.

(iii) △EAF에서 ∠EAF=108°−36°=72°, ∠EFA=180°−(36°+72°)=72°이므로 △EAF는 세 내각의 크기가 각각 72°, 72°, 36°인 이등변삼각형이다.

따라서 △ABE와 △FAB는 대응하는 두 쌍의 각의 크기가 각각 같으므로 서로 닮은 도형이다.
즉, △ABE∽△FAB(AA 닮음)이다.
또, △ABE와 △EAF는 대응하는 두 쌍의 각의 크기가 각각 같지 않으므로 서로 닮은 도형이 아니다.

채점 기준	배점
(i) △ABE, △FAB, △EAF의 세 내각의 크기를 각각 구한 경우	각 1점
(ii) △ABE와 △FAB, △ABE와 △EAF가 각각 서로 닮은 삼각형인지 아닌지 옳게 판별하고 그 까닭을 설명한 경우	각 1점

9. 다음 그림과 같이 직각삼각형 ABC의 각 변을 지름으로 하는 반원의 넓이를 각각 P, Q, R라고 할 때, $P+Q=R$임을 설명하시오. [5점]

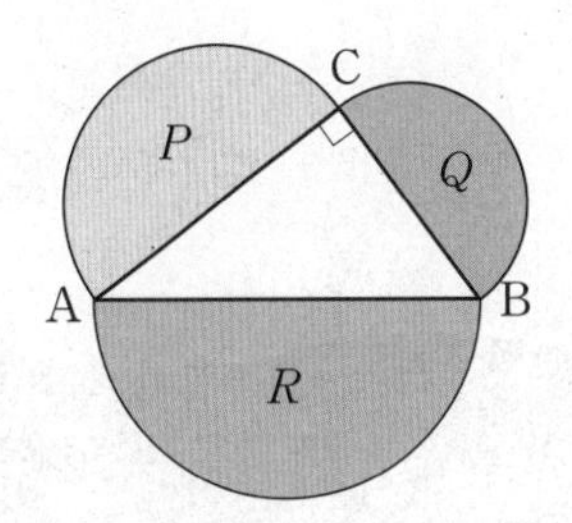

풀이 $\overline{AC}=b$, $\overline{CB}=a$, $\overline{AB}=c$라고 하면 피타고라스 정리에 의하여 $a^2+b^2=c^2$이 성립한다. 이때

$P=\frac{1}{2}\times\pi\times\left(\frac{b}{2}\right)^2=\frac{\pi}{8}b^2$, $Q=\frac{1}{2}\times\pi\times\left(\frac{a}{2}\right)^2=\frac{\pi}{8}a^2$,

$R=\frac{1}{2}\times\pi\times\left(\frac{c}{2}\right)^2=\frac{\pi}{8}c^2$이다.

따라서 $P+Q=\frac{\pi}{8}b^2+\frac{\pi}{8}a^2=\frac{\pi}{8}(a^2+b^2)=\frac{\pi}{8}c^2=R$가 성립한다.

채점 기준	배점
(i) 피타고라스 정리를 서술한 경우	2점
(ii) $P+Q=R$임을 바르게 설명한 경우	3점

오늘 우리 팀이 이길까?

우리는 야구 경기장에서 타석에 들어선 선수의 타율을 찾아보거나, 우리 팀이 이길 확률을 추측한다. 또, 비가 올 확률 등의 일기 예보를 찾아보기도 한다.

이와 같이 우리는 일상생활에서 확률을 이용하여 일이 일어날 가능성을 파악하고 미래를 합리적으로 예측할 수 있다.

VI 확률

1. 경우의 수와 확률

| 단원의 계통도 살펴보기 |

이전에 배웠어요.

| 초등학교 5~6학년군 |
- 비와 비율
- 가능성

이번에 배워요.

이후에 배울 거예요.

| 고등학교 수학 |
- 경우의 수
- 순열과 조합

경우의 수와 확률

01. 경우의 수 | 02. 확률의 뜻과 성질 | 03. 확률의 계산

이것만은 알고 가자

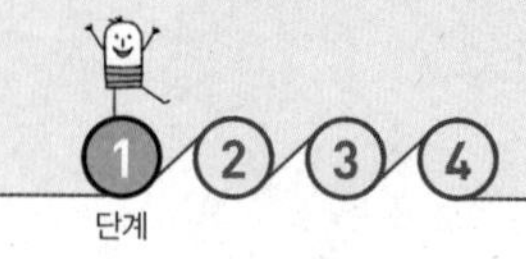

초등 비율

1. 어느 양궁 선수가 화살을 10발 쏘았을 때, 6발을 명중시켰다. 이때 이 선수가 쏜 전체 화살 수에 대한 명중시킨 화살 수의 비율을 기약분수로 나타내시오. $\frac{3}{5}$

풀이 10발을 쏘았을 때, 6발을 명중시켰으므로 전체 화살 수에 대한 명중시킨 화살 수의 비율은 $\frac{6}{10}$이며, 이를 기약분수로 나타내면 $\frac{3}{5}$이다.

알고 있나요?
비율을 분수 또는 소수로 나타낼 수 있는가?
잘함 보통 모름

초등 가능성

2. 다음을 비율로 나타내시오.

(1) 한 개의 동전을 던질 때, 앞면이 나올 가능성 $\frac{1}{2}$

(2) 한 개의 주사위를 던질 때, 7의 눈이 나올 가능성 0

풀이 (1) 한 개의 동전을 던질 때 나오는 경우는 앞면, 뒷면의 두 가지이므로 앞면이 나올 가능성은 $\frac{1}{2}$이다.
(2) 주사위의 눈은 1부터 6까지의 자연수이므로 7의 눈이 나올 가능성은 없다. 따라서 7의 눈이 나올 가능성은 0이다.

알고 있나요?
가능성을 수로 표현할 수 있는가?
잘함 보통 모름

중1 상대도수

3. 오른쪽은 어느 반 학생들의 통학 시간을 조사하여 나타낸 표이다. A, B의 값을 각각 구하시오. $A=\frac{2}{5}$, $B=\frac{1}{5}$

통학 시간

통학 시간(분)	학생 수(명)	상대도수
5이상 ~ 10미만	3	$\frac{1}{10}$
10 ~ 15	12	A
15 ~ 20	6	$\frac{1}{5}$
20 ~ 25	6	B
25 ~ 30	3	$\frac{1}{10}$
합계	30	1

풀이 (어떤 계급의 상대도수) $=\frac{\text{(그 계급의 도수)}}{\text{(도수의 총합)}}$이므로
$A=\frac{12}{30}=\frac{2}{5}$, $B=\frac{6}{30}=\frac{1}{5}$이다.

알고 있나요?
상대도수를 구할 수 있는가?
잘함 보통 모름

| 개념 체크 |
도수의 총합에 대한 그 계급의 도수의 비율을 그 계급의 상대도수라고 한다.

부족한 부분을 보충하고 본 학습을 준비하여 보자.

한 눈에 개념 정리

01 경우의 수

1. 사건과 경우의 수

(1) 사건: 동일한 조건에서 여러 번 반복할 수 있는 실험이나 관찰에 의하여 나타나는 결과

(2) 경우의 수: 사건이 일어나는 가짓수

2. 사건 A 또는 사건 B가 일어나는 경우의 수: 사건 A와 사건 B가 동시에 일어나지 않을 때, 사건 A가 일어나는 경우의 수가 m이고, 사건 B가 일어나는 경우의 수가 n이면

(사건 A 또는 사건 B가 일어나는 경우의 수)$=m+n$

3. 사건 A와 사건 B가 동시에 일어나는 경우의 수: 사건 A가 일어나는 경우의 수가 m이고, 그 각각에 대하여 사건 B가 일어나는 경우의 수가 n이면

(사건 A와 사건 B가 동시에 일어나는 경우의 수)$=m\times n$

02 확률의 뜻과 성질

1. 확률의 뜻

(1) 확률: 각 경우가 일어날 가능성이 같은 어떤 실험이나 관찰에서 일어날 수 있는 모든 경우의 수에 대한 사건 A가 일어나는 경우의 수의 비율

(2) 어떤 실험이나 관찰에서 각 경우가 일어날 가능성이 같다고 할 때, 일어날 수 있는 모든 경우의 수가 n이고 사건 A가 일어나는 경우의 수가 a이면 사건 A가 일어날 확률 p는

$$p=\frac{(\text{사건 }A\text{가 일어나는 경우의 수})}{(\text{모든 경우의 수})}=\frac{a}{n}$$

2. 확률의 기본 성질

(1) 어떤 사건이 일어날 확률을 p라고 하면 $0\le p\le 1$이다.

(2) 절대로 일어나지 않을 사건의 확률은 0이다.

(3) 반드시 일어날 사건의 확률은 1이다.

(4) 사건 A가 일어날 확률을 p라고 하면 (사건 A가 일어나지 않을 확률)$=1-p$이다.

03 확률의 계산

1. 사건 A 또는 사건 B가 일어날 확률: 두 사건 A와 B가 동시에 일어나지 않을 때, 사건 A가 일어날 확률을 p, 사건 B가 일어날 확률을 q라고 하면

(사건 A 또는 사건 B가 일어날 확률)$=p+q$

2. 사건 A와 사건 B가 동시에 일어날 확률: 두 사건 A와 B가 서로 영향을 끼치지 않을 때, 사건 A가 일어날 확률을 p, 사건 B가 일어날 확률을 q라고 하면

(사건 A와 사건 B가 동시에 일어날 확률)$=p\times q$

01 경우의 수

이 단원에서 배우는 용어와 기호
사건

학습 목표 ‖ 경우의 수를 구할 수 있다.

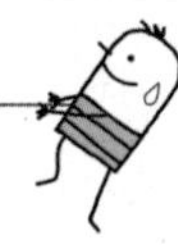

 사건과 경우의 수는 무엇일까?

탐구하기

탐구 목표
사건의 뜻을 이해하고, 그 사건의 경우의 수를 구할 수 있다.

오른쪽 그림과 같은 주사위를 한 번 던질 때, 다음 물음에 답하여 보자.

활동 1 나올 수 있는 모든 경우를 구하여 보자. 1, 2, 3, 4, 5, 6
풀이 나올 수 있는 모든 경우는 1, 2, 3, 4, 5, 6이다.

활동 2 2의 배수의 눈이 나오는 모든 경우를 구하여 보자. 2, 4, 6
풀이 2의 배수의 눈이 나오는 모든 경우는 2, 4, 6이다.

활동 3 6의 약수의 눈이 나오는 경우는 모두 몇 가지인지 구하여 보자. 4가지
풀이 6의 약수의 눈이 나오는 모든 경우는 1, 2, 3, 6의 4가지이다.

탐구하기에서 주사위를 한 번 던질 때, 나올 수 있는 모든 경우는 ⚀, ⚁, ⚂, ⚃, ⚄, ⚅이고, 2의 배수의 눈이 나오는 경우는 ⚁, ⚃, ⚅이다. 또한, 6의 약수의 눈이 나오는 경우는 ⚀, ⚁, ⚂, ⚅이므로 모두 4가지이다.

개념 쏙
사건이 일어나는 가짓수를 경우의 수라고 한다. 경우의 수를 구할 때에는 모든 경우를 빠짐없이 생각하고, 같은 경우를 중복하여 생각하지 않도록 주의한다.

주사위를 한 번 던질 때 '2의 배수의 눈이 나온다.', 동전을 한 번 던질 때 '앞면이 나온다.'와 같이 동일한 조건에서 여러 번 반복할 수 있는 실험이나 관찰에 의하여 나타나는 결과를 **사건**이라고 한다. 그리고 사건이 일어나는 가짓수를 그 사건의 경우의 수라고 한다.

바로 확인 1부터 9까지의 자연수가 각각 하나씩 적힌 카드에서 하나를 뽑을 때, '3의 배수가 적힌 카드가 나온다.'는 하나의 [사건]이다.

사건	경우	경우의 수
3의 배수가 적힌 카드가 나온다.	[3], [6], [9]	[3]

1. 1부터 8까지의 자연수가 각각 적힌 공 8개가 들어 있는 주머니에서 한 개의 공을 꺼낼 때, 다음 사건이 일어나는 경우의 수를 구하시오.

(1) 소수가 적힌 공이 나온다. 4

(2) 3의 배수가 적힌 공이 나온다. 2

풀이 (1) 소수가 적힌 공이 나오는 경우는 2, 3, 5, 7이므로 경우의 수는 4이다.
(2) 3의 배수가 적힌 공이 나오는 경우는 3, 6이므로 경우의 수는 2이다.

사건 A 또는 사건 B가 일어나는 경우의 수는 어떻게 구할까?

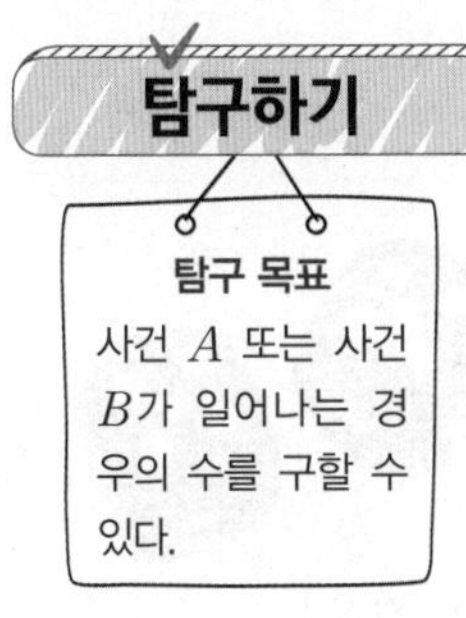

탐구 목표
사건 A 또는 사건 B가 일어나는 경우의 수를 구할 수 있다.

오른쪽은 세영이가 한 학기 동안 요리반에서 실습한 요리들이다. 세영이는 가족들에게 실습한 요리 중 한 가지를 선택하여 만들어 주려고 한다. 다음 물음에 답하여 보자.

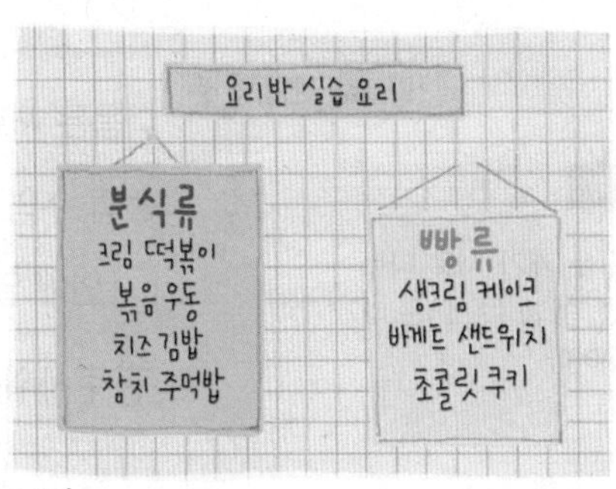

활동 1 분식류 중 한 가지를 선택하는 경우의 수를 구하여 보자. 4

풀이 분식류 중 한 가지를 선택하는 경우의 수는 4이다.

활동 2 빵류 중 한 가지를 선택하는 경우의 수를 구하여 보자. 3

풀이 빵류 중 한 가지를 선택하는 경우의 수는 3이다.

활동 3 분식류 또는 빵류 중 한 가지를 선택하는 경우의 수를 구하여 보자. 7

풀이 분식류 또는 빵류 중 한 가지를 선택하는 경우는 동시에 일어나지 않으므로
분식류 또는 빵류 중 한 가지를 선택하는 경우의 수는 $4+3=7$이다.

탐구하기 에서 분식류 중 한 가지를 선택하는 경우의 수는 4, 빵류 중 한 가지를 선택하는 경우의 수는 3이다. 따라서 분식류 또는 빵류 중 한 가지를 선택하는 경우의 수는

$$4+3=7$$

이다.

사건 A 또는 사건 B가 일어나는 경우의 수는 두 사건 A, B가 동시에 일어나지 않을 때의 각 사건이 일어나는 경우의 수의 합으로 구할 수 있다.

일반적으로 사건 A와 사건 B가 동시에 일어나지 않을 때, 사건 A가 일어나는 경우의 수가 m이고, 사건 B가 일어나는 경우의 수가 n이면 사건 A 또는 사건 B가 일어나는 경우의 수는 다음과 같다.

$$(\text{사건 } A \text{ 또는 사건 } B\text{가 일어나는 경우의 수})=m+n$$

2. 오른쪽 그림과 같이 빨간 공 3개, 파란 공 2개, 노란 공 3개가 들어 있는 주머니에서 한 개의 공을 꺼낼 때, 파란 공 또는 노란 공이 나오는 경우의 수를 구하시오. 5

풀이 주머니에서 한 개의 공을 꺼낼 때 파란 공이 나오는 경우의 수는 2이고, 노란 공이 나오는 경우의 수는 3이다.
이때 두 사건은 동시에 일어나지 않으므로 구하는 모든 경우의 수는 $2+3=5$이다.

함께해 보기 1

주사위 두 개가 서로 다르므로 $(1, 3)$과 $(3, 1)$은 다른 경우이다.

다음은 서로 다른 두 개의 주사위를 동시에 던질 때, 나오는 눈의 수의 합이 4 또는 7인 경우의 수를 구하는 과정이다.

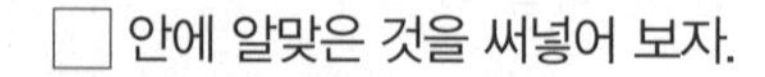

□ 안에 알맞은 것을 써넣어 보자.

두 주사위에서 나오는 눈의 수를 순서쌍으로 나타내면 합이 4인 경우는

$(1, 3), (2, 2),$ [(3, 1)]

의 [3]가지이고, 합이 7인 경우는

$(1, 6), (2, 5), (3, 4),$ [(4, 3), (5, 2), (6, 1)]

의 [6]가지이다.

이때 두 주사위의 눈의 수의 합이 4이면서 동시에 7일 수는 없으므로 구하는 경우의 수는

[3]+[6]=[9]

이다.

3. 다음 그림과 같이 정육각형 모양의 서로 다른 돌림판 두 개에 각각 1부터 6까지, 1부터 3까지의 자연수가 적혀 있다. 두 돌림판이 각각 돌다가 멈출 때, 각 바늘이 가리키는 수의 합이 3 또는 8인 경우의 수를 구하시오. (단, 바늘이 경계선에 놓이는 경우는 생각하지 않는다.) 4

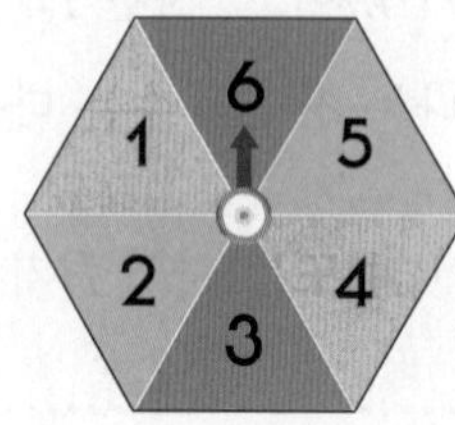

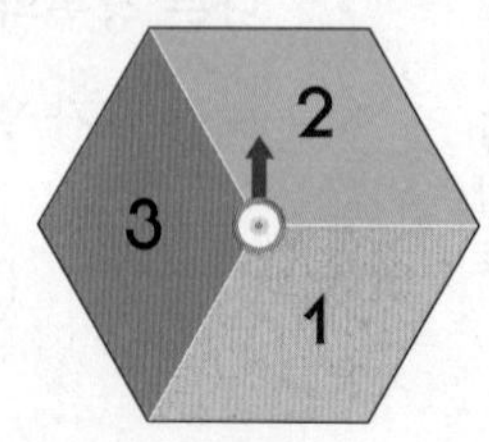

풀이 각 바늘이 가리키는 수의 합이 3인 경우를 순서쌍으로 나타내면 $(1, 2), (2, 1)$이므로 경우의 수는 2이다.
또, 각 바늘이 가리키는 수의 합이 8인 경우를 순서쌍으로 나타내면 $(5, 3), (6, 2)$이므로 경우의 수는 2이다.
이때 두 사건은 동시에 일어나지 않으므로 구하는 모든 경우의 수는 $2+2=4$이다.

사건 A와 사건 B가 동시에 일어나는 경우의 수는 어떻게 구할까?

탐구 목표

사건 A와 사건 B가 동시에 일어나는 경우의 수를 구할 수 있다.

진영이는 평소 좋아하는 가수의 공연에 입고 갈 옷을 고르던 중 옷장에서 오른쪽 그림과 같이 상의 3벌과 하의 2벌을 찾았다. 다음 물음에 답하여 보자.

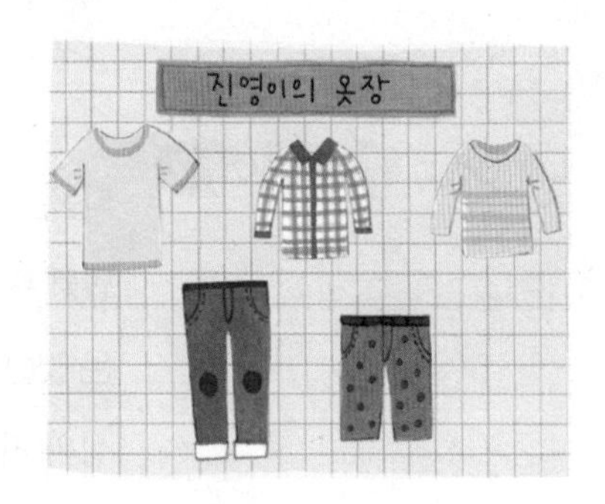

활동 1 상의 중에서 한 벌을 선택하는 경우의 수를 구하여 보자. 3

풀이 상의 중에서 한 벌을 선택하는 경우의 수는 3이다.

활동 2 하의 중에서 한 벌을 선택하는 경우의 수를 구하여 보자. 2

풀이 하의 중에서 한 벌을 선택하는 경우의 수는 2이다.

활동 3 상의와 하의를 각각 한 벌씩 선택하는 경우의 수를 구하여 보자. 6

풀이 상의와 하의를 각각 한 벌씩 선택하는 경우는 동시에 일어나므로 상의와 하의를 각각 한 벌씩 선택하는 경우의 수는 $3\times2=6$이다.

탐구하기 에서 세 가지의 상의 각각에 대하여 두 가지의 하의 중 한 벌을 선택할 수 있으므로 상의와 하의를 각각 한 벌씩 선택하는 경우는 다음과 같다.

Tip 두 사건이 동시에 일어나는 경우의 수를 구할 때, 순서쌍, 수형도, 표 등을 이용하면 각 경우를 체계적으로 분류할 수 있다.

이와 같이 상의 중 한 벌을 선택하는 경우의 수는 3, 그 각각에 대하여 하의 중 한 벌을 선택하는 경우의 수는 2이다. 따라서 상의와 하의를 각각 한 벌씩 선택하는 경우의 수는

$$3\times2=6$$

이다.

개념 쏙

두 사건 A, B가 동시에 일어난다는 것은 두 사건 A, B가 '연달아', '함께', '동시에' 일어난다는 것을 의미한다.

일반적으로 사건 A가 일어나는 경우의 수가 m이고, 그 각각에 대하여 사건 B가 일어나는 경우의 수가 n이면 사건 A와 사건 B가 동시에 일어나는 경우의 수는 다음과 같다.

$$(\text{사건 } A\text{와 사건 } B\text{가 동시에 일어나는 경우의 수})=m\times n$$

4. 가을이와 현웅이가 가위바위보를 한 번 할 때, 일어나는 모든 경우의 수를 구하시오. 9

풀이 두 사람이 가위바위보를 하는 모든 경우는 오른쪽과 같다.
따라서 가위바위보를 한 번 할 때,
일어나는 모든 경우의 수는 $3\times3=9$이다.

함께해 보기 2

다음은 1부터 4까지의 자연수가 각각 적힌 4장의 카드 중에서 동시에 두 장을 뽑아 만들 수 있는 두 자리의 자연수는 모두 몇 가지인지를 구하는 과정이다. □ 안에 알맞은 것을 써넣어 보자.

십의 자리에 오는 수는 [1, 2, 3, 4]의 [4]가지이고, 그 각각에 대하여 일의 자리에 오는 수는 십의 자리에 온 수를 제외한 [3]가지이다.

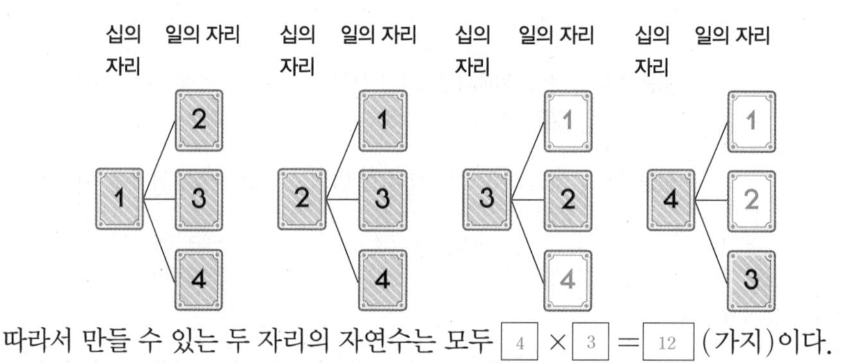

따라서 만들 수 있는 두 자리의 자연수는 모두 [4] × [3] = [12] (가지)이다.

5. 정호네 집에서 청소년 수련관까지 가는 길은 2가지이고, 청소년 수련관에서 학교까지 가는 길은 3가지이다. 정호가 집에서 출발하여 청소년 수련관을 거쳐 학교까지 가는 방법은 모두 몇 가지인지 구하시오. (단, 같은 지점을 두 번 이상 지나지 않는다.) 6가지, 풀이 참조

풀이 정호네 집에서 청소년 수련관을 거쳐 학교까지 가는 방법은 정호네 집에서 청소년 수련관까지 가는 2가지 경우 각각에 대하여 청소년 수련관에서 학교까지 가는 3가지이므로 $2\times3=6$(가지)이다.

생각 키우기 문제 해결 의사소통

빨간색, 파란색, 초록색 물감을 사용하여 오른쪽 세 영역을 칠하려고 한다. 세 영역에 서로 다른 색을 칠하는 방법은 모두 몇 가지인지 구하고, 자신의 풀이 방법을 친구들과 이야기하여 보자. 6가지, 풀이 참조

1 2 3

풀이 사용할 수 있는 색은 빨간색, 파란색, 초록색으로 3가지이고, 세 영역에 서로 다른 색을 칠해야 하므로

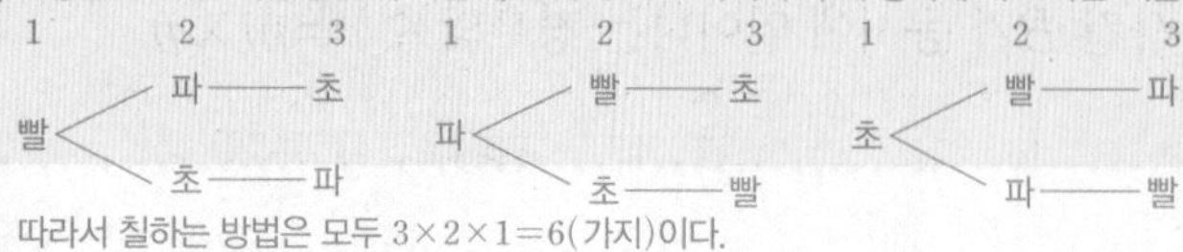

따라서 칠하는 방법은 모두 $3\times2\times1=6$(가지)이다.

스스로 점검하기

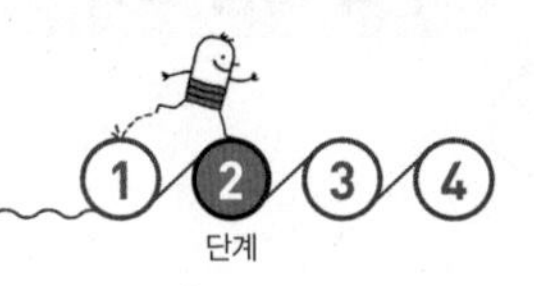

개념 점검하기

잘함 보통 모름

(1) 사건 : 같은 조건에서 여러 번 반복할 수 있는 실험이나 관찰에 의하여 나타나는 결과

(2) 사건 A와 사건 B가 동시에 일어나지 않을 때, 사건 A가 일어나는 경우의 수가 m이고, 사건 B가 일어나는 경우의 수가 n이면

(사건 A 또는 사건 B가 일어나는 경우의 수)$=$ $m+n$

(3) 사건 A가 일어나는 경우의 수가 m이고, 그 각각에 대하여 사건 B가 일어나는 경우의 수가 n이면

(사건 A와 사건 B가 동시에 일어나는 경우의 수)$=$ $m\times n$

1 ●●●

250쪽

오른쪽 그림과 같이 각 면에 1부터 12까지의 자연수가 각각 적힌 정십이면체 모양의 주사위를 한 번 던질 때, 다음 사건이 일어나는 경우의 수를 구하시오.

(1) 홀수가 나온다. 6

(2) 8의 약수가 나온다. 4

풀이 (1) 홀수가 나오는 경우는 1, 3, 5, 7, 9, 11이므로 경우의 수는 6이다.
(2) 8의 약수가 나오는 경우는 1, 2, 4, 8이므로 경우의 수는 4이다.

2 ●●●

251쪽

경재는 학교 매점에서 파는 간식 중 4종류의 빵과 6종류의 과자 중에서 한 가지를 선택하여 사려고 한다. 경재가 간식을 선택할 수 있는 모든 경우의 수를 구하시오. 10

풀이 빵을 사는 경우의 수는 4이고, 과자를 사는 경우의 수는 6이다. 이때 두 사건은 동시에 일어나지 않으므로 구하는 모든 경우의 수는 $4+6=10$이다.

3 ●●●

253쪽

어느 지하철역의 자동판매기에 5종류의 초콜릿과 4종류의 사탕이 들어 있다. 이 자동판매기에서 초콜릿과 사탕을 각각 1종류씩 선택하는 경우의 수를 구하시오. 20

풀이 초콜릿을 선택하는 경우의 수는 5, 그 각각에 대하여 사탕을 선택하는 경우의 수는 4이다. 따라서 초콜릿과 사탕을 각각 1종류씩 선택하는 경우의 수는 $5\times4=20$이다.

4 ●●●

252쪽

건우와 인영이가 가위바위보를 한 번 할 때, 승부가 가려지는 경우의 수를 구하시오. 6

풀이 건우와 인영이가 가위바위보를 한 번 했을 때, 나오는 경우를 표로 나타내면 오른쪽과 같다.

건우 \ 인영	가위	바위	보
가위	(가위, 가위)	(가위, 바위)	(가위, 보)
바위	(바위, 가위)	(바위, 바위)	(바위, 보)
보	(보, 가위)	(보, 바위)	(보, 보)

건우가 이기는 경우는 3가지이고, 인영이가 이기는 경우는 3가지이다. 이때 두 사건은 동시에 일어나지 않으므로 승부가 가려지는 경우의 수는 $3+3=6$이다.

5 ●●●

253쪽

현수네 동아리에서는 2학년 부원 6명 중에서 대표를 뽑으려고 한다. 6명 중에서 기장 1명, 부기장 1명을 뽑는 경우의 수를 구하시오. 30

풀이 2학년 부원 6명 중 기장 1명을 뽑는 경우는 6가지이고, 그 각각에 대하여 부기장 1명을 뽑는 경우는 5가지이다.
따라서 기장 1명과 부기장 1명을 뽑는 경우의 수는 $6\times5=30$이다.

6 ●●●

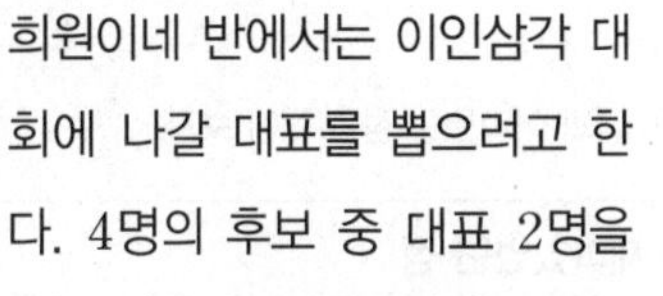

253쪽

희원이네 반에서는 이인삼각 대회에 나갈 대표를 뽑으려고 한다. 4명의 후보 중 대표 2명을 뽑는 경우의 수를 구하시오. 6

풀이 4명의 후보를 A, B, C, D라고 하면 대표 2명을 뽑는 경우는 (A, B), (A, C), (A, D), (B, C), (B, D), (C, D)의 6가지이므로 경우의 수는 6이다.

다른 풀이 대표 2명을 뽑을 때, (A, B)와 (B, A)는 서로 같은 경우이므로 구하는 모든 경우의 수는 $(4\times3)\div2=6$이다.

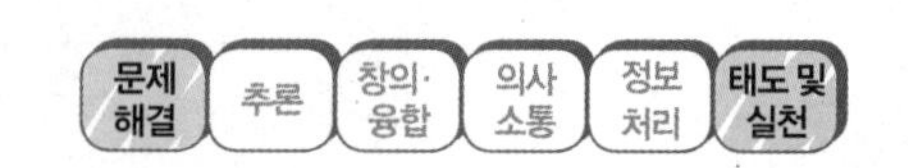

경우의 수 구하고, 별자리 그리기

다음 사건의 경우의 수를 구하고, 출발점과 각 사건의 경우의 수를 번호 순서에 따라 실선으로 연결하여 별자리를 완성하여 보자.

활동 ① 다음 각 사건의 경우의 수를 구하고 케페우스자리를 그려 보자.

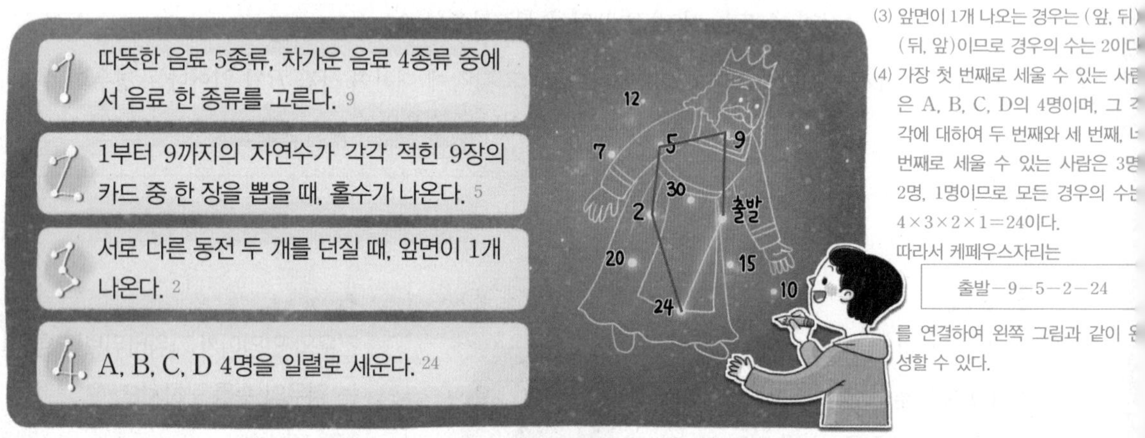

(3) 앞면이 1개 나오는 경우는 (앞, 뒤), (뒤, 앞)이므로 경우의 수는 2이다.
(4) 가장 첫 번째로 세울 수 있는 사람은 A, B, C, D의 4명이며, 그 각각에 대하여 두 번째와 세 번째, 네 번째로 세울 수 있는 사람은 3명, 2명, 1명이므로 모든 경우의 수는 $4\times3\times2\times1=24$이다.
따라서 케페우스자리는

출발−9−5−2−24

를 연결하여 왼쪽 그림과 같이 완성할 수 있다.

풀이 (1) 따뜻한 음료를 고르는 사건과 차가운 음료를 고르는 사건은 동시에 일어나지 않으므로 모든 경우의 수는 $5+4=9$이다.
(2) 홀수가 나오는 경우는 1, 3, 5, 7, 9이므로 경우의 수는 5이다.

활동 ② 오른쪽 그림의 카시오페이아자리를 완성할 수 있도록 빈칸에 알맞은 사건을 만들어 보자.

풀이

이 활동에서 재미있었던 점과 어려웠던 점을 적어 보자.

재미있었던 점	어려웠던 점

02 확률의 뜻과 성질

이 단원에서 배우는 용어와 기호

확률

학습 목표 ‖ 확률의 개념과 그 기본 성질을 이해한다.

확률은 무엇일까?

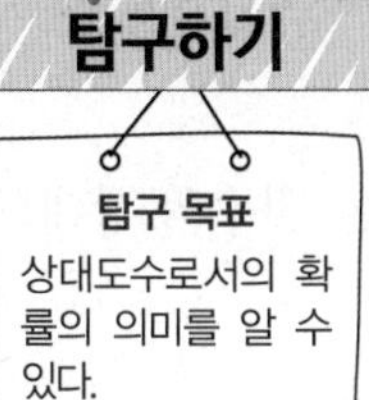

탐구하기

탐구 목표
상대도수로서의 확률의 의미를 알 수 있다.

모둠별로 한 개의 동전을 여러 번 반복하여 던지는 실험을 하고, 다음 물음에 답하여 보자.

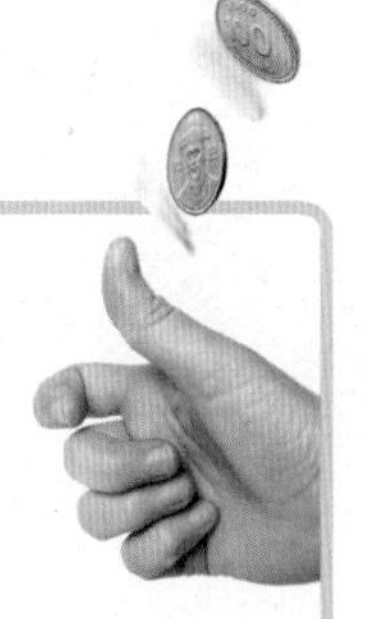

활동 ❶ 2명을 한 모둠으로 만든 다음 각자 한 개의 동전을 100번씩 던져 보고, 총 200번 중에서 앞면이 나온 횟수와 그 상대도수를 구하여 보자.

풀이 | 예시 | 동전을 200번 던졌을 때, 앞면이 112번 나왔다. 이때 상대도수는 $\frac{112}{200}=0.56$이다.

활동 ❷ 다섯 모둠의 실험 결과를 모아서 다음 표를 완성하여 보자.

| 예시 |

던진 횟수(회)	200	400	600	800	1000
앞면이 나온 횟수(회)	112	196	288	396	501
상대도수	0.56	0.49	0.48	0.495	0.501

Tip
$(상대도수)=\frac{(앞면이 나온 횟수)}{(던진 횟수)}$

활동 ❸ 위의 표에서 던진 횟수가 많아질수록 앞면이 나온 횟수의 상대도수는 어떻게 변하는지 말하여 보자.

풀이 동전을 던진 횟수가 많아질수록 앞면이 나온 횟수의 상대도수는 일정한 값 $\frac{1}{2}=0.5$에 가까워질 것으로 예상된다.

탐구하기 에서 다섯 모둠의 동전 던지기 실험 결과가 다음과 같다고 하자.

던진 횟수(회)	200	400	600	800	1000
앞면이 나온 횟수(회)	112	196	288	396	501
상대도수	0.56	0.49	0.48	0.495	0.501

다음은 실험을 세 번 반복하여 앞면이 나온 횟수의 상대도수를 나타낸 그래프이다.

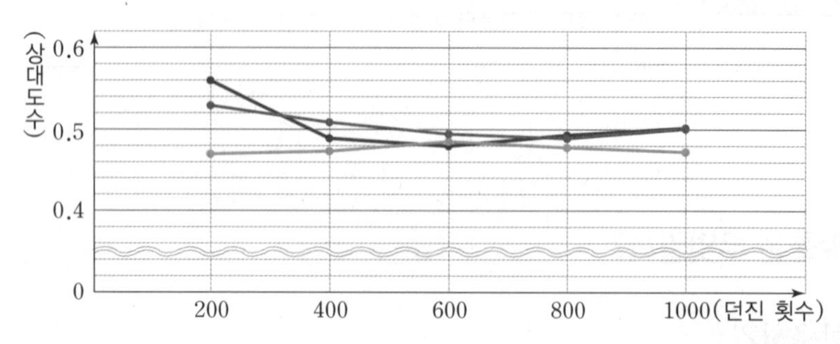

위의 그래프에서 동전을 던진 횟수가 많아질수록 앞면이 나온 횟수의 상대도수는 일정한 값 0.5로 다가간다.

이때 상대도수가 다가가는 값 0.5는 앞면과 뒷면이 나올 가능성이 같은 동전 한 개를 던졌을 때, $\frac{(\text{앞면이 나오는 경우의 수})}{(\text{모든 경우의 수})}$와 같다.

Tip 동전의 앞면이 나올 확률이 $\frac{1}{2}$이라는 것은 동전을 10회 던지면 그 중 5회는 반드시 앞면이 나온다는 의미가 아니다. 동전의 앞면이 나올 확률은 한 개의 동전을 던질 때 일어나는 앞면 또는 뒷면이 나오는 2가지 경우 중 앞면이 나오는 경우 1가지의 비율을 의미한다.

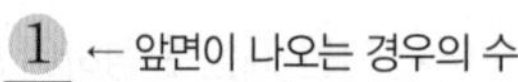

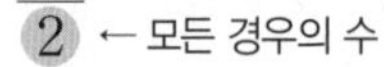

일반적으로 각 경우가 일어날 가능성이 같은 어떤 실험이나 관찰에서 일어날 수 있는 모든 경우의 수에 대한 사건 A가 일어나는 경우의 수의 비율을 **확률**이라고 한다.

이상을 정리하면 다음과 같다.

참고
확률을 뜻하는 영어 단어 probability의 첫 글자 p를 주로 사용하여 확률을 나타낸다.

확률

어떤 실험이나 관찰에서 각 경우가 일어날 가능성이 같다고 할 때, 일어날 수 있는 모든 경우의 수가 n이고 사건 A가 일어나는 경우의 수가 a이면 사건 A가 일어날 확률 p는

$$p=\frac{(\text{사건 }A\text{가 일어나는 경우의 수})}{(\text{모든 경우의 수})}=\frac{a}{n}$$

바로 확인 한 개의 주사위를 던질 때, 나오는 모든 경우의 수는 $\boxed{6}$이고, 5 이하의 눈이 나오는 경우의 수는 $\boxed{5}$이므로 5 이하의 눈이 나올 확률은 $\boxed{\frac{5}{6}}$이다.

1. 1부터 9까지의 자연수가 각각 적힌 9장의 카드 중에서 한 장을 임의로 뽑을 때, 3의 배수가 적힌 카드가 나올 확률을 구하시오. $\frac{1}{3}$

풀이 일어나는 모든 경우는 1, 2, 3, …, 9의 9가지이고, 3의 배수가 나오는 경우는 3, 6, 9의 3가지이다.
따라서 3의 배수가 적힌 카드가 나올 확률은 $\frac{3}{9}=\frac{1}{3}$이다.

2. 1부터 10까지의 자연수가 각각 적힌 공 10개가 들어 있는 상자에서 한 개의 공을 임의로 꺼낼 때, 12의 약수가 적힌 공이 나올 확률을 구하시오. $\frac{1}{2}$

풀이 일어나는 모든 경우는 1, 2, 3, …, 10의 10가지이고, 12의 약수가 나오는 경우는 1, 2, 3, 4, 6의 5가지이다.
따라서 12의 약수가 적힌 공이 나올 확률은 $\frac{5}{10}=\frac{1}{2}$이다.

함께해 보기 1

확률을 구하는 순서
① 모든 경우의 수를 구한다. ➡ n
② 사건 A가 일어나는 경우의 수를 구한다. ➡ a
③ (사건 A가 일어날 확률) $=\frac{a}{n}$

다음은 동전 한 개와 주사위 한 개를 동시에 던질 때, 동전은 앞면이 나오고, 주사위는 2의 배수의 눈이 나올 확률을 구하는 과정이다. □ 안에 알맞은 것을 써넣어 보자.

동전 \ 주사위	1	2	3	4	5	6
앞	(앞, 1)	(앞, 2)	(앞, 3)	(앞, [4])	(앞, 5)	(앞, 6)
뒤	(뒤, 1)	([뒤], 2)	(뒤, 3)	(뒤, 4)	(뒤, 5)	(뒤, 6)

동전 한 개와 주사위 한 개를 동시에 던질 때, 나오는 모든 경우의 수는

$2\times6=12$

이다. 이 중에서 동전은 앞면이 나오고, 주사위는 2의 배수의 눈이 나오는 경우는

(앞, 2), [(앞, 4), (앞, 6)]

의 [3]가지이므로 구하는 확률은

$\frac{3}{12}=\frac{1}{4}$

이다.

풀이 2명이 가위바위보를 한 번 할 때, 일어나는 모든 경우는 $3\times3=9$(가지)이고, 주용이가 이기는 경우는 (가위, 보), (바위, 가위), (보, 바위)의 3가지이다.
따라서 구하는 확률은 $\frac{3}{9}=\frac{1}{3}$이다.

주용 \ 희용	가위	바위	보
가위	(가위, 가위)	(가위, 바위)	(가위, 보)
바위	(바위, 가위)	(바위, 바위)	(바위, 보)
보	(보, 가위)	(보, 바위)	(보, 보)

3. 주용이와 희용이가 가위바위보를 한 번 할 때, 주용이가 이길 확률을 구하시오. $\frac{1}{3}$

추론 의사소통 **4.** 다음은 빨간 공 3개, 파란 공 2개가 들어 있는 주머니에서 한 개의 공을 임의로 꺼낼 때, 빨간 공이 나올 확률을 구한 두 학생의 답안이다. 바르게 구한 학생을 찾고, 그 까닭을 친구들과 이야기하시오.

〈승우의 답안〉

주머니 속의 빨간 공과 파란 공 중에서 한 개가 나오는 것이므로 빨간 공이 나올 확률은 $\frac{1}{2}$이다.

〈민정이의 답안〉

주머니 속의 공은 모두 5개이고, 그 중 빨간 공이 3개이므로 빨간 공이 나올 확률은 $\frac{3}{5}$이다.

풀이 민정, 확률은 각 경우가 일어날 가능성이 같다는 것을 가정한다. 그러나 주머니에서 한 개의 공을 꺼낼 때, 빨간 공과 파란 공이 나올 가능성은 다르므로 승우가 구한 확률은 옳지 않다.
따라서 주머니에 들어 있는 5개의 공 중에서 빨간 공은 3개이므로 빨간 공이 나올 확률은
$\frac{(\text{빨간 공이 나오는 경우의 수})}{(\text{모든 경우의 수})}=\frac{3}{5}$으로 구할 수 있다.

확률에는 어떤 성질이 있을까?

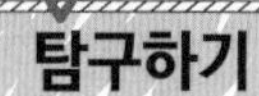

탐구하기

탐구 목표
구체적이고 간단한 예를 통하여 확률의 성질을 직관적으로 이해할 수 있다.

오른쪽 그림과 같이 6등분되어 있는 원판에 포도, 사과, 레몬, 바나나의 4가지 과일이 그려져 있다. 이 원판이 돌다가 멈출 때, 바늘이 가리키는 과일을 조사하려고 한다. 다음 물음에 답하여 보자. (단, 바늘이 경계선에 놓이는 경우는 생각하지 않는다.)

활동 ❶ 바늘이 포도를 가리킬 확률을 구하여 보자. $\frac{1}{3}$

풀이 일어날 수 있는 모든 경우는 포도 2개, 사과 2개, 레몬 1개, 바나나 1개로 6가지이고, 바늘이 포도를 가리키는 경우는 2가지이므로 구하는 확률은 $\frac{2}{6}=\frac{1}{3}$이다.

활동 ❷ 바늘이 자두를 가리킬 확률을 구하여 보자. 0

풀이 원판에 자두는 없으므로 바늘이 자두를 가리키는 경우는 0가지이다. 따라서 구하는 확률은 $\frac{0}{6}=0$이다.

활동 ❸ 바늘이 과일을 가리킬 확률을 구하여 보자. 1

풀이 포도, 사과, 레몬, 바나나는 모두 과일이므로 바늘이 과일을 가리키는 경우는 6가지이다. 따라서 구하는 확률은 $\frac{6}{6}=1$이다.

개념 쏙

바늘이 자두를 가리킬 사건은 절대로 일어나지 않을 사건이고, 바늘이 과일을 가리킬 사건은 반드시 일어날 사건이다.

탐구하기 의 원판에서 포도는 두 곳에 있으므로 바늘이 포도를 가리킬 확률은 $\frac{2}{6}=\frac{1}{3}$이다. 또, 원판에는 자두가 없으므로 바늘이 자두를 가리킬 확률은 $\frac{0}{6}=0$이다. 한편, 원판에 있는 것은 모두 과일이므로 바늘이 과일을 가리킬 확률은 $\frac{6}{6}=1$이다.

일반적으로 어떤 실험이나 관찰에서 각 경우가 일어날 가능성이 같다고 할 때, 일어날 수 있는 모든 경우의 수가 n, 어떤 사건 A가 일어날 경우의 수가 a이면

$$0 \leq a \leq n$$

이다.

따라서 사건 A가 일어날 확률을 p라고 하면 $p=\frac{a}{n}$이므로

$$0 \leq p \leq 1$$

이다.

특히, 절대로 일어나지 않을 사건의 확률은 0이고, 반드시 일어나는 사건의 확률은 1이다.

⊕ $p=\frac{a}{n}$에서
$a=0$이면 $p=0$, 즉 사건 A가 절대로 일어나지 않음을 뜻한다.
또, $a=n$이면 $p=1$, 즉 사건 A가 반드시 일어남을 뜻한다.

이상을 정리하면 다음과 같다.

확률의 성질 (1)

1. 어떤 사건이 일어날 확률을 p라고 하면 $0 \leq p \leq 1$이다.
2. 절대로 일어나지 않을 사건의 확률은 0이다.
3. 반드시 일어날 사건의 확률은 1이다.

풀이 (1) 일어날 수 있는 모든 경우의 수는 $15+12=27$이고, 빨간 카드는 15장이므로 카드 한 장을 꺼낼 때 빨간 카드를 꺼낼 확률은 $\frac{15}{27}=\frac{5}{9}$이다.
(2) 상자 안에 노란 카드가 없으므로 노란 카드를 꺼낼 확률은 $\frac{0}{27}=0$이다.
(3) 상자 안에 들어 있는 카드가 모두 빨간 카드 또는 파란 카드이므로 빨간 카드 또는 파란 카드를 꺼낼 확률은 $\frac{27}{27}=1$이다.

5. **상자 안에 모양과 크기가 같은 빨간 카드 15장과 파란 카드 12장이 들어 있다. 이 상자에서 카드 한 장을 임의로 꺼낼 때, 다음 물음에 답하시오.**

(1) 빨간 카드를 꺼낼 확률을 구하시오. $\frac{5}{9}$

(2) 노란 카드를 꺼낼 확률을 구하시오. 0

(3) 빨간 카드 또는 파란 카드를 꺼낼 확률을 구하시오. 1

어떤 사건이 일어나지 않을 확률은 어떻게 구할까?

탐구하기

탐구 목표
사건 A가 일어날 확률을 p라고 하면 사건 A가 일어나지 않을 확률은 $1-p$임을 이해할 수 있다.

서로 다른 두 개의 주사위를 동시에 던질 때, 다음 물음에 답하여 보자.

활동 ❶ 두 눈의 수의 합이 6일 확률을 구하여 보자. $\frac{5}{36}$

풀이 나오는 모든 경우는 $6\times6=36$(가지)이며 두 눈의 수의 합이 6인 경우는 (1, 5), (2, 4), (3, 3), (4, 2), (5, 1)의 5가지이므로 두 눈의 수의 합이 6일 확률은 $\frac{5}{36}$이다.

활동 ❷ 두 눈의 수의 합이 6이 아닐 확률을 구하여 보자. $\frac{31}{36}$

풀이 두 눈의 수의 합이 6이 아닌 경우는 $36-5=31$(가지)이다.
따라서 두 눈의 수의 합이 6이 아닐 확률은 $\frac{31}{36}$이다.

탐구하기 에서 두 눈의 수의 합이 6인 경우는 (1, 5), (2, 4), (3, 3), (4, 2), (5, 1)의 5가지이므로 두 눈의 수의 합이 6일 확률은 $\frac{5}{36}$이다.

또, 두 눈의 수의 합이 6이 아닌 경우는 $36-5=31$(가지)이므로 두 눈의 수의 합이 6이 아닐 확률은 $\frac{31}{36}$이다.

즉, 다음이 성립함을 알 수 있다.

$$\begin{aligned}(\text{두 눈의 수의 합이 6이 아닐 확률})&=\frac{31}{36}\\&=\frac{36-5}{36}\\&=1-\frac{5}{36}\\&=1-(\text{두 눈의 수의 합이 6일 확률})\end{aligned}$$

개념 쏙

모든 경우의 수를 n, 사건 A가 일어나는 경우의 수를 a라고 하면 사건 A가 일어나지 않는 경우의 수는 $n-a$이다. 따라서
(사건 A가 일어나지 않을 확률)
$=\frac{n-a}{n}=1-\frac{a}{n}$
이다. 즉, 사건 A가 일어날 확률을 p라고 하면 $p=\frac{a}{n}$이므로
(사건 A가 일어나지 않을 확률)
$=1-p$
이다. 또한, 사건 A가 일어날 확률과 사건 A가 일어나지 않을 확률의 합이 1임을 확인할 수 있다.

이상을 정리하면 다음과 같다.

확률의 성질 (2)

사건 A가 일어날 확률을 p라고 하면

(사건 A가 일어나지 않을 확률)$=1-p$

6. 어느 공장에서 만드는 제품 중 불량품은 200개 중 4개 꼴로 나온다. 이 공장에서 만든 제품 중 한 개를 임의로 고를 때, 불량품이 아닐 확률을 구하시오. $\frac{49}{50}$

풀이 이 공장에서 만든 제품 중 한 개를 고를 때, 불량품일 확률은 $\frac{4}{200}=\frac{1}{50}$이다. 따라서
(불량품이 아닐 확률)$=1-$(불량품일 확률)$=1-\frac{1}{50}=\frac{49}{50}$

7. 한 개의 동전을 두 번 던질 때, 적어도 한 번은 뒷면이 나올 확률을 구하시오. $\frac{3}{4}$

풀이 한 개의 동전을 두 번 던질 때, 나오는 경우는 (앞, 앞), (앞, 뒤), (뒤, 앞), (뒤, 뒤)의 4가지이다.

이때 모두 앞면이 나올 확률은 $\frac{1}{4}$이다.

따라서 적어도 한 번은 뒷면이 나올 확률은 $1-(\text{모두 앞면이 나올 확률})=1-\frac{1}{4}=\frac{3}{4}$

8. 두 사람이 가위바위보를 한 번 할 때, 승부가 날 확률을 구하시오. $\frac{2}{3}$

풀이 두 사람이 가위바위보를 할 때, 나오는 모든 경우는 $3\times3=9$(가지)이다. 이때 비기는 경우는 (가위, 가위), (바위, 바위), (보, 보)의 3가지이므로 승부가 날 확률은

$1-(\text{비길 확률})=1-\frac{3}{9}=1-\frac{1}{3}=\frac{2}{3}$이다.

풀이 | 예시 | ㄱ. 서로 같은 눈이 나올 확률은 $\frac{6}{36}=\frac{1}{6}$이므로 서로 다른 눈이 나올 확률은 $1-\frac{1}{6}=\frac{5}{6}$이다.

ㄴ. 20장의 카드 중 소수가 적힌 카드의 수는 2, 3, 5, 7, 11, 13, 17, 19의 8가지이므로 소수가 적힌 카드를 뽑을 확률은 $\frac{8}{20}=\frac{2}{5}$이다.

9. 다음 각 사건의 확률을 구하고, 자신의 풀잇법을 친구들에게 설명하시오.

ㄱ. 서로 다른 두 개의 주사위를 동시에 던질 때, 서로 다른 눈이 나올 확률

ㄴ. 1부터 20까지의 자연수가 각각 적힌 20장의 카드를 뒤집어 놓고 한 장을 임의로 택할 때, 소수가 적힌 카드를 뽑을 확률

풀이 서로 다른 두 개의 주사위를 동시에 던질 때 나오는 모든 경우의 수는 $6\times6=36$이고 모든 경우는 다음 표와 같다.

	1	2	3	4	5	6
1	(1, 1)	(1, 2)	(1, 3)	(1, 4)	(1, 5)	(1, 6)
2	(2, 1)	(2, 2)	(2, 3)	(2, 4)	(2, 5)	(2, 6)
3	(3, 1)	(3, 2)	(3, 3)	(3, 4)	(3, 5)	(3, 6)
4	(4, 1)	(4, 2)	(4, 3)	(4, 4)	(4, 5)	(4, 6)
5	(5, 1)	(5, 2)	(5, 3)	(5, 4)	(5, 5)	(5, 6)
6	(6, 1)	(6, 2)	(6, 3)	(6, 4)	(6, 5)	(6, 6)

(i) 수현이가 사탕을 먹을 확률: 주사위의 두 눈의 수의 합이 7, 8, 9, 10일 때, 수현이가 사탕을 먹을 수 있다. 이때 두 눈의 수의 합이 7, 8, 9, 10인 경우의 수는 각각 6, 5, 4, 3이다.

따라서 수현이가 사탕을 먹을 확률은 $\frac{6+5+4+3}{36}=\frac{18}{36}=\frac{1}{2}$이다.

(ii) 현경이가 사탕을 먹을 확률: 주사위의 두 눈의 수의 합이 2, 3, 4, 5, 6, 11, 12일 때, 현경이가 사탕을 먹을 수 있다. 두 눈의 수의 합은 2부터 12까지 나올 수 있으므로 현경이가 사탕을 먹을 확률은

$1-(\text{수현이가 사탕을 먹을 확률})=1-\frac{1}{2}=\frac{1}{2}$이다.

따라서 현경이와 수현이가 사탕을 먹을 확률이 $\frac{1}{2}$로 같으므로 이 게임은 공정하다.

생각 키우기

의사소통 추론

현경이와 수현이가 다음과 같은 사탕 먹기 게임을 하려고 한다. 이때 이 게임이 공정한지, 공정하지 않은지 확률을 이용하여 설명하여 보자.

사탕 먹기 게임

서로 다른 두 개의 주사위를 동시에 던질 때, 나온 두 눈의 수의 합이

1. 빨간색 칸 안에 있으면 현경이가 사탕을 먹는다.
2. 파란색 칸 안에 있으면 수현이가 사탕을 먹는다.

스스로 점검하기

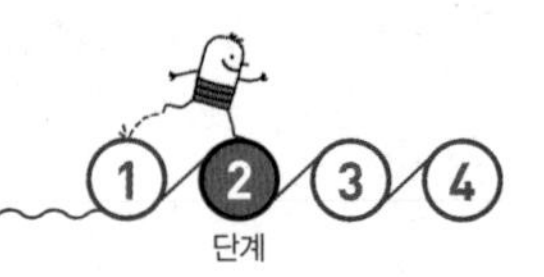

개념 점검하기

(1) 어떤 실험이나 관찰에서 각 경우가 일어날 가능성이 같다고 할 때, 사건 A가 일어날 확률은

$\dfrac{(\text{사건 } A\text{가 일어나는 경우의 수})}{(\boxed{\text{모든 경우의 수}})}$ 이다.

(2) 어떤 사건이 일어날 확률을 p라고 하면 $\boxed{0} \le p \le \boxed{1}$ 이다.

또, 절대로 일어나지 않을 사건의 확률은 $\boxed{0}$ 이고, 반드시 일어날 사건의 확률은 $\boxed{1}$ 이다.

(3) 사건 A가 일어날 확률을 p라고 하면, (사건 A가 일어나지 않을 확률)$=\boxed{1-p}$ 이다.

1 ●●●

다음은 어느 유기견 보호 센터에서 보호하고 있는 유기견 30마리의 나이를 나타낸 도수분포표이다. 유기견 보호소의 강아지 중 한 마리를 임의로 택하였을 때, 나이가 2세 이상 6세 미만일 확률을 구하시오. $\frac{11}{30}$

유기견의 나이

나이(세)	유기견 수(마리)
0이상 ~ 2미만	8
2 ~ 4	6
4 ~ 6	5
6 ~ 8	7
8 ~ 10	4
합계	30

풀이 유기견 보호 센터에서 보호하고 있는 전체 유기견의 수는 30마리이고, 나이가 2세 이상 6세 미만인 유기견의 수는 $6+5=11$(마리)이다.

따라서 구하는 확률은 $\frac{11}{30}$이다.

2 ●●●

서로 다른 두 개의 주사위를 동시에 던질 때, 나오는 눈의 수의 합이 7일 확률을 구하시오. $\frac{1}{6}$

풀이 서로 다른 두 개의 주사위를 동시에 던질 때 일어나는 모든 경우의 수는 $6\times6=36$이고, 두 눈의 수의 합이 7인 경우는

(1, 6), (2, 5), (3, 4), (4, 3), (5, 2), (6, 1)의 6가지이다.

따라서 구하는 확률은 $\frac{6}{36}=\frac{1}{6}$이다.

3 ●●●

1부터 45까지의 자연수가 각각 적힌 45개의 공이 들어 있는 주머니에서 한 개의 공을 임의로 꺼낼 때, 46이 적힌 공이 나올 확률을 구하시오. 0

풀이 주머니에 46이 적힌 공이 없으므로 46이 적힌 공이 나올 확률은

$\frac{0}{45}=0$이다.

4 ●●●

한경이가 만든 50개의 송편 중 5개의 송편에는 콩을 넣지 못했다. 송편 하나를 임의로 선택하였을 때, 그것이 콩을 넣은 송편일 확률을 구하시오. $\frac{9}{10}$

풀이 50개의 송편 중 5개의 송편에 콩을 넣지 못했으므로 송편 하나를 선택했을 때 그것이 콩을 넣은 송편일 확률은

$1-$(콩을 넣지 못한 송편일 확률)$=1-\frac{5}{50}=1-\frac{1}{10}=\frac{9}{10}$

5 ●●●

1부터 5까지의 자연수가 각각 적힌 5장의 카드에서 2장을 임의로 뽑아 두 자리의 정수를 만들 때, 그 수가 40 이하일 확률을 구하시오. $\frac{3}{5}$

풀이 5장의 카드에서 2장을 뽑아 만든 두 자리의 정수는 $5\times4=20$(가지)이다.

이때 그 수가 40 이하일 확률은 $1-$(40을 초과할 확률)이며, 40을 초과하는 경우는 십의 자리에 오는 수가 4 또는 5인 경우이므로 $4+4=8$(가지)이다.

즉, 그 수가 40을 초과할 확률은 $\frac{8}{20}=\frac{2}{5}$이다.

따라서 구하는 확률은 $1-$(40을 초과할 확률)$=1-\frac{2}{5}=\frac{3}{5}$이다.

03 확률의 계산

학습 목표 | 확률을 구할 수 있다.

사건 A 또는 사건 B가 일어날 확률은 어떻게 구할까?

탐구하기

다음은 어느 반 학생 25명이 한 가지씩 가입한 동아리를 나타낸 표이다. 이 반에서 학생 한 명을 임의로 선택할 때, 물음에 답하여 보자.

동아리(반)	독서	미술	노래	농구	탁구
학생 수(명)	3	8	5	6	3

탐구 목표
구체적인 예를 통하여 사건 A 또는 사건 B가 일어날 확률을 구할 수 있다.

활동 ① 선택한 학생이 미술반일 확률과 농구반일 확률을 각각 구하여 보자. $\frac{8}{25}$ $\frac{6}{25}$

활동 ② 선택한 학생이 미술반 또는 농구반일 확률을 구하여 보자. $\frac{14}{25}$

풀이 미술반이면서 동시에 농구반인 경우는 일어나지 않으므로 미술반 또는 농구반일 경우의 수는 $8+6=14$이다. 따라서 미술반 또는 농구반일 확률은 $\frac{14}{25}$이다.

활동 ③ 활동 ①과 활동 ②에서 구한 확률 사이에는 어떤 관계가 있는지 말하여 보자.

풀이 미술반 또는 농구반일 확률은 미술반일 확률과 농구반일 확률의 합과 같음을 알 수 있다.

탐구하기 에서 학생 한 명을 선택할 수 있는 모든 경우는 25가지이다. 이 중에서 선택한 학생이 미술반일 경우는 8가지이고, 농구반일 경우는 6가지이다.

이때 선택한 학생이 미술반일 사건과 농구반일 사건은 동시에 일어나지 않으므로 미술반 또는 농구반일 경우의 수는 $8+6=14$이다. 따라서 선택한 학생이 미술반 또는 농구반일 확률은

$$\frac{8+6}{25}=\frac{14}{25}$$

이다. 이 확률은 선택한 학생이 미술반일 확률과 농구반일 확률의 합과 같음을 알 수 있다.

$$\frac{14}{25}=\frac{8}{25}+\frac{6}{25}$$

($\frac{8}{25}$: 미술반일 확률, $\frac{6}{25}$: 농구반일 확률)

개념 쏙

모든 경우의 수를 n, 사건 A가 일어나는 경우의 수를 a, 사건 B가 일어나는 경우의 수를 b라고 하면, 사건 A 또는 사건 B가 일어나는 경우의 수는 $a+b$이므로 사건 A 또는 사건 B가 일어날 확률은
$\frac{a+b}{n}=\frac{a}{n}+\frac{b}{n}$이다.
즉, 각 사건이 일어날 확률의 합과 같다.

일반적으로 동일한 실험이나 관찰에서 두 사건 A와 B가 동시에 일어나지 않을 때, 사건 A가 일어날 확률을 p, 사건 B가 일어날 확률을 q라고 하면 사건 A 또는 사건 B가 일어날 확률은 다음과 같다.

(사건 A 또는 사건 B가 일어날 확률)$=p+q$

함께해 보기 1

다음은 각 면에 1부터 12까지의 자연수가 각각 적힌 정십이면체 모양의 주사위를 한 번 던질 때, 나오는 수가 6의 배수 또는 9의 약수일 확률을 구하는 과정이다. □ 안에 알맞은 수를 써넣어 보자.

정십이면체 모양의 주사위를 한 번 던질 때, 나오는 모든 경우의 수는 12이다.

6의 배수가 나오는 경우는 6, 12의 2가지이므로 나오는 수가 6의 배수일 확률은

$\frac{\boxed{2}}{\boxed{12}}=\boxed{\frac{1}{6}}$이다.

또, 9의 약수가 나오는 경우는 1, 3, 9의 3가지이므로 나오는 수가 9의 약수일 확률은 $\frac{\boxed{3}}{\boxed{12}}=\boxed{\frac{1}{4}}$이다.

이때 6의 배수가 나오는 사건과 9의 약수가 나오는 사건은 동시에 일어나지 않으므로 구하는 확률은

$$\boxed{\frac{1}{6}}+\boxed{\frac{1}{4}}=\boxed{\frac{5}{12}}$$

이다.

1. 준영이의 필통에는 샤프 2자루, 볼펜 3자루, 형광펜 2자루가 들어 있다. 준영이가 필통에서 필기구 하나를 임의로 꺼낼 때, 샤프 또는 형광펜이 나올 확률을 구하시오. $\frac{4}{7}$

풀이 7자루의 필기구 중에서 샤프는 2자루이므로 샤프가 나올 확률은 $\frac{2}{7}$이고, 형광펜은 2자루이므로 형광펜이 나올 확률은 $\frac{2}{7}$이다. 이때 샤프가 나오는 사건과 형광펜이 나오는 사건은 동시에 일어나지 않으므로 구하는 확률은 $\frac{2}{7}+\frac{2}{7}=\frac{4}{7}$이다.

2. 카드 52장 중에는 K 카드가 4장, Q 카드가 4장 들어 있다. 이 52장의 카드를 잘 섞은 후 한 장을 임의로 선택할 때, K 카드 또는 Q 카드가 나올 확률을 구하시오. $\frac{2}{13}$

풀이 카드 52장 중에서 K 카드는 4장이므로 K 카드가 나올 확률은 $\frac{4}{52}=\frac{1}{13}$이고, Q 카드는 4장이므로 Q 카드가 나올 확률은 $\frac{4}{52}=\frac{1}{13}$이다. 이때 K 카드가 나오는 사건과 Q 카드가 나오는 사건은 동시에 일어나지 않으므로 구하는 확률은 $\frac{1}{13}+\frac{1}{13}=\frac{2}{13}$ 이다.

3. 서로 다른 두 개의 주사위를 동시에 던질 때, 나오는 두 눈의 수의 합이 3 또는 6일 확률을 구하시오. $\frac{7}{36}$

풀이 서로 다른 두 개의 주사위를 동시에 던질 때, 일어나는 모든 경우의 수는 $6\times6=36$이다. 이때 나오는 두 눈의 수의 합이 3인 경우는 (1, 2), (2, 1)의 2가지이므로 두 눈의 수의 합이 3이 될 확률은 $\frac{2}{36}=\frac{1}{18}$이다. 또, 두 눈의 수의 합이 6인 경우는 (1, 5), (2, 4), (3, 3), (4, 2), (5, 1)의 5가지이므로 두 눈의 수의 합이 6이 될 확률은 $\frac{5}{36}$이다. 이때 두 눈의 수의 합이 3인 사건과 두 눈의 수의 합이 6인 사건은 동시에 일어나지 않으므로 구하는 확률은 $\frac{1}{18}+\frac{5}{36}=\frac{7}{36}$이다.

사건 A와 사건 B가 동시에 일어날 확률은 어떻게 구할까?

탐구하기

탐구 목표
구체적인 예를 통하여 사건 A와 사건 B가 동시에 일어날 확률을 구할 수 있다.

어떤 햄버거 가게에서 오른쪽과 같이 4가지 종류의 햄버거와 3가지 종류의 음료수를 판매하고 있다. 이 가게에서 햄버거와 음료수를 각각 한 개씩 임의로 선택할 때, 다음 물음에 답하여 보자.

활동 1 햄버거 중에서 치킨 버거를 선택할 확률을 구하여 보자. $\frac{1}{4}$

풀이 햄버거 중에서 치킨 버거를 선택할 확률은 $\frac{1}{4}$이다.

활동 2 음료수 중에서 주스를 선택할 확률을 구하여 보자. $\frac{2}{3}$

풀이 음료수 중에서 주스 한 개를 선택하는 경우는 오렌지 주스와 포도 주스의 2가지이므로 음료수 중에서 주스 한 개를 선택할 확률은 $\frac{2}{3}$이다.

활동 3 햄버거는 치킨 버거를 선택하고, 음료수는 주스를 선택할 확률을 구하여 보자. $\frac{1}{6}$

풀이 햄버거와 음료수를 각각 한 개씩 선택하는 모든 경우의 수는 $4\times3=12$이다. 이때 치킨 버거와 주스 한 개를 동시에 선택하는 경우의 수는 $1\times2=2$이다. 따라서 햄버거는 치킨 버거를 선택하고, 음료수는 주스를 선택할 확률은 $\frac{2}{12}=\frac{1}{6}$이다.

탐구하기 에서 4가지 종류의 햄버거와 3가지 종류의 음료수 중에서 햄버거와 음료수를 한 개씩 선택하는 경우의 수는 $4\times3=12$이다. 한편, 햄버거는 치킨 버거를 선택하고, 음료수는 주스를 선택하는 경우의 수는 $1\times2=2$이다. 따라서 햄버거는 치킨 버거를 선택하고, 음료수는 주스를 선택할 확률은

$$\frac{1\times2}{4\times3}=\frac{2}{12}=\frac{1}{6}$$

이다. 이 확률은 햄버거 중에서 치킨 버거를 선택할 확률과 음료수 중에서 주스를 선택할 확률의 곱과 같음을 알 수 있다.

$$\frac{1}{6}=\frac{1}{4}\times\frac{2}{3}$$

치킨 버거를 선택할 확률 ($\frac{1}{4}$), 주스를 선택할 확률 ($\frac{2}{3}$)

개념 쏙

두 사건 A, B가 일어나는 모든 경우의 수를 각각 m, n이라 하고 사건 A가 일어나는 경우의 수를 a, 사건 B가 일어나는 경우의 수를 b라고 하면, 사건 A와 사건 B가 동시에 일어나는 경우의 수는 $a\times b$이므로 사건 A와 사건 B가 동시에 일어날 확률은 $\frac{a\times b}{m\times n}=\frac{a}{m}\times\frac{b}{n}$이다. 즉, 각 사건이 일어날 확률의 곱과 같다.

일반적으로 두 사건 A와 B가 서로 영향을 끼치지 않을 때, 사건 A가 일어날 확률을 p, 사건 B가 일어날 확률을 q라고 하면 사건 A와 사건 B가 동시에 일어날 확률은 다음과 같다.

(사건 A와 사건 B가 동시에 일어날 확률)$=p\times q$

함께해 보기 2

다음은 서로 다른 두 개의 주사위 A, B를 동시에 던질 때, 주사위 A는 소수의 눈이 나오고 주사위 B는 짝수의 눈이 나올 확률을 구하는 과정이다. □ 안에 알맞은 수를 써넣어 보자.

주사위 A를 던질 때 소수의 눈이 나오는 경우는 2, 3, 5의 3가지이므로 소수의 눈이 나올 확률은 $\frac{3}{6}=\frac{1}{2}$이다.

또, 주사위 B를 던질 때 짝수의 눈이 나오는 경우는 2, 4, 6의 3가지이므로 짝수의 눈이 나올 확률은 $\frac{3}{6}=\frac{1}{2}$이다.

이때 주사위 A를 던질 때 소수의 눈이 나오는 사건과 주사위 B를 던질 때 짝수의 눈이 나오는 사건은 서로 영향을 끼치지 않으므로 구하는 확률은

$\frac{1}{2}\times\frac{1}{2}=\frac{1}{4}$이다.

4. 다음 그림과 같이 A 상자에는 모양과 크기가 같은 노란 공 3개와 파란 공 5개, B 상자에는 모양과 크기가 같은 노란 공 4개와 파란 공 3개가 들어 있다. 두 상자에서 공을 각각 한 개씩 임의로 꺼낼 때, 두 공이 모두 노란 공일 확률을 구하시오. $\frac{3}{14}$

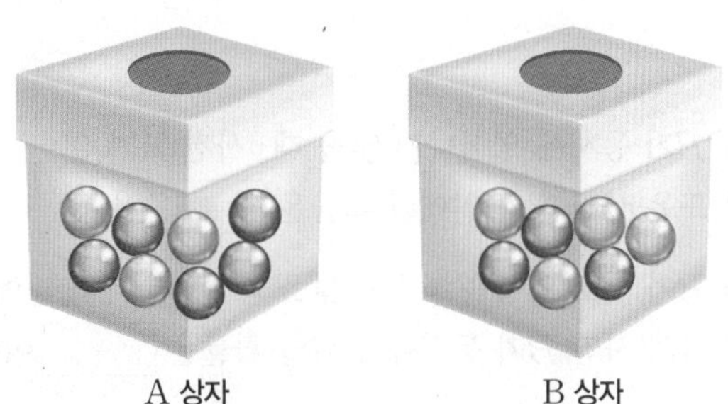

풀이 A 상자에 들어 있는 공 8개 중에서 노란 공은 3개이므로 A 상자에서 노란 공이 나올 확률은 $\frac{3}{8}$이다.

또, B 상자에 들어 있는 공 7개 중에서 노란 공은 4개이므로 B 상자에서 노란 공이 나올 확률은 $\frac{4}{7}$이다.

이때 두 상자에서 공을 각각 한 개씩 꺼내는 사건은 서로 영향을 끼치지 않으므로 구하는 확률은 $\frac{3}{8}\times\frac{4}{7}=\frac{3}{14}$이다.

5. 어느 농구 선수의 자유투 성공 확률이 $\frac{5}{6}$라고 한다. 이 선수가 자유투를 두 번 던질 때, 두 번 모두 성공할 확률을 구하시오. $\frac{25}{36}$

풀이 어느 농구 선수가 자유투를 두 번 던질 때, 첫 번째 던질 때와 두 번째 던질 때는 서로 영향을 끼치지 않으므로 구하는 확률은 $\frac{5}{6}\times\frac{5}{6}=\frac{25}{36}$이다.

생각 나누기 문제 해결 의사소통

다음 문제에 대한 라온이의 풀이가 옳은지 친구들과 이야기하여 보자. 또, 풀이가 옳지 않다면 그 까닭을 이야기하여 보자. 옳지 않다. 풀이 참조

〈문제〉

동전 한 개와 주사위 한 개를 동시에 던질 때, 동전은 앞면이 나오고 주사위는 홀수의 눈이 나올 확률을 구하시오.

〈라온이의 풀이〉

동전의 앞면이 나올 확률은 $\frac{1}{2}$이고,
주사위의 홀수의 눈이 나올 확률은 $\frac{1}{2}$이다.
따라서 구하는 확률은 $\frac{1}{2}+\frac{1}{2}=1$이다.

풀이 라온이의 풀이는 옳지 않다. 라온이는 동전 한 개와 주사위 한 개를 동시에 던질 때 동전은 앞면이 나오고 주사위는 홀수의 눈이 나올 확률을 각 사건의 확률의 합으로 계산하는 오류를 보이고 있다.
동전 한 개를 던지는 사건과 주사위 한 개를 던지는 사건은 서로 영향을 끼치지 않는다. 이때 두 사건이 동시에 일어날 확률은 각 확률의 곱과 같다.
따라서 동전의 앞면이 나올 확률은 $\frac{1}{2}$이고, 주사위의 홀수의 눈이 나올 확률은 $\frac{1}{2}$이므로 구하는 확률은 $\frac{1}{2}\times\frac{1}{2}=\frac{1}{4}$이다.

소단원

스스로 점검하기

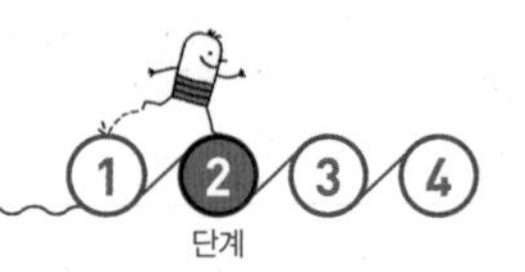

개념 점검하기

(1) 두 사건 A와 B가 동시에 일어나지 않을 때, 사건 A가 일어날 확률을 p, 사건 B가 일어날 확률을 q라고 하면 사건 A 또는 사건 B가 일어날 확률은 [$p+q$] 이다.

(2) 두 사건 A와 B가 서로 영향을 끼치지 않을 때, 사건 A가 일어날 확률을 p, 사건 B가 일어날 확률을 q라고 하면 사건 A와 사건 B가 동시에 일어날 확률은 [$p\times q$] 이다.

1 ●●●    

266쪽

1부터 45까지의 자연수가 각각 적힌 45개의 공이 들어 있는 상자에서 한 개의 공을 임의로 꺼낼 때, 5의 배수 또는 12의 배수가 적힌 공이 뽑힐 확률을 구하시오. $\frac{4}{15}$

풀이 상자에서 한 개의 공을 꺼낼 때, 5의 배수가 나오는 경우는 5, 10, 15, ⋯, 45의 9가지이므로 5의 배수가 나올 확률은 $\frac{9}{45}=\frac{1}{5}$이다. 또, 12의 배수가 나오는 경우는 12, 24, 36의 3가지이므로 12의 배수가 나올 확률은 $\frac{3}{45}=\frac{1}{15}$이다. 이때 두 사건은 동시에 일어나지 않으므로 5의 배수 또는 12의 배수가 나올 확률은 $\frac{1}{5}+\frac{1}{15}=\frac{4}{15}$이다.

2 ●●●

266쪽

오른쪽 그림과 같이 5등분된 원판을 회전시킨 후 화살을 두 번 쏠 때, 첫 번째 나온 수와 두 번째 나온 수의 합이 9 이상일 확률을 구하시오. (단, 화살이 경계선을 맞히거나 원판을 빗나가는 경우는 생각하지 않는다.) $\frac{3}{25}$

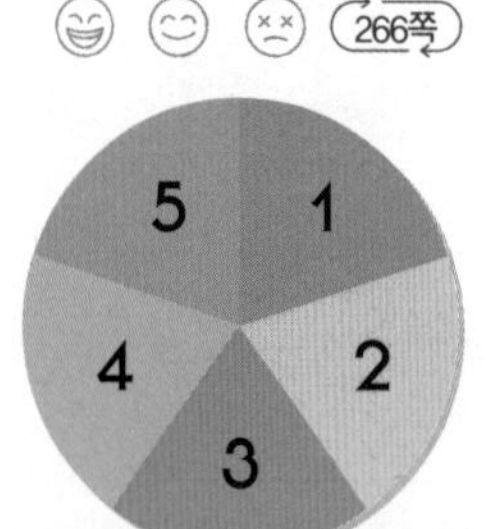

풀이 화살을 두 번 쏘는 모든 경우의 수는 $5\times5=25$이다.

(i) 두 수의 합이 9인 경우는 (4, 5), (5, 4)이므로 두 수의 합이 9일 확률은 $\frac{2}{25}$이다.

(ii) 두 수의 합이 10인 경우는 (5, 5)이므로 두 수의 합이 10일 확률은 $\frac{1}{25}$이다.

이때 두 수의 합이 9 이상인 경우는 합이 9 또는 10인 경우이므로 구하는 확률은 $\frac{2}{25}+\frac{1}{25}=\frac{3}{25}$이다.

3 ●●●   

266쪽

서로 다른 두 개의 주사위를 동시에 던질 때, 나오는 두 눈의 수의 합이 4 또는 8일 확률을 구하시오. $\frac{2}{9}$

풀이 서로 다른 두 개의 주사위를 동시에 던질 때, 두 눈의 수의 합이 4인 경우는 (1, 3), (2, 2), (3, 1)의 3가지이므로 두 눈의 수의 합이 4일 확률은 $\frac{3}{36}=\frac{1}{12}$이고, 두 눈의 수의 합이 8인 경우는 (2, 6), (3, 5), (4, 4), (5, 3), (6, 2)의 5가지이므로 두 눈의 수의 합이 8일 확률은 $\frac{5}{36}$이다. 따라서 구하는 확률은 $\frac{1}{12}+\frac{5}{36}=\frac{2}{9}$이다.

4 ●●●

268쪽

동전 한 개와 주사위 한 개를 동시에 던질 때, 동전은 앞면이 나오고, 주사위는 5 이하의 눈이 나올 확률을 구하시오. $\frac{5}{12}$

풀이 동전의 앞면이 나올 확률은 $\frac{1}{2}$이고, 주사위의 5 이하의 눈이 나올 확률은 $\frac{5}{6}$이다. 이때 두 사건은 서로 영향을 끼치지 않으므로 구하는 확률은 $\frac{1}{2}\times\frac{5}{6}=\frac{5}{12}$이다.

5 ●●●   

268쪽

기상청에서 오늘 비가 내릴 확률이 0.7, 내일 비가 내릴 확률이 0.5라고 예보했다. 이때 오늘과 내일 모두 비가 내릴 확률을 구하시오. 0.35

풀이 오늘 비가 내릴 사건과 내일 비가 내릴 사건은 서로 영향을 끼치지 않으므로 구하는 확률은 $0.7\times0.5=0.35$이다.

6 ●●●   

268쪽

어느 농구 선수의 자유투 성공 확률이 $\frac{4}{5}$라고 한다. 이 선수가 자유투를 두 번 던질 때, 두 번 모두 실패할 확률을 구하시오. $\frac{1}{25}$

풀이 어느 농구 선수의 자유투 성공 확률이 $\frac{4}{5}$이므로 자유투 실패 확률은 $1-\frac{4}{5}=\frac{1}{5}$이다. 첫 번째 자유투가 실패할 사건과 두 번째 자유투가 실패할 사건은 서로 영향을 끼치지 않으므로 구하는 확률은 $\frac{1}{5}\times\frac{1}{5}=\frac{1}{25}$이다.

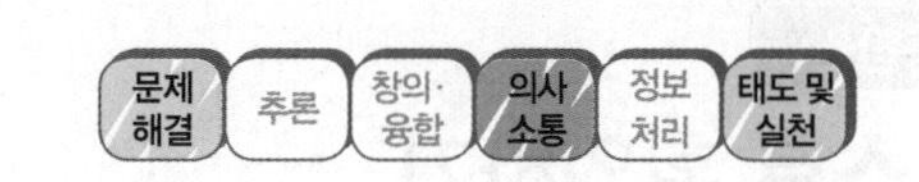

골턴 보드 실험

오른쪽은 영국의 통계학자 골턴(Galton, F., 1822~1911)이 고안한 실험 장치인 골턴 보드(Galton Board)이다. 골턴 보드는 공이 일정한 간격으로 박혀 있는 못을 맞고 떨어져 아래의 칸막이 상자에 담기게 되어 있다. 이때 공이 한 개의 못을 맞을 때 왼쪽으로 떨어질 확률과 오른쪽으로 떨어질 확률은 같다.

다음 물음에 답하여 보자.

활동 ① [그림 1]과 같은 골턴 보드에서 한 개의 공을 떨어트렸을 때, 이 공이 상자 A, 상자 B, 상자 C에 담길 확률을 각각 구하고, 그 과정을 설명하여 보자.

상자 A: $\frac{1}{4}$, 상자 B: $\frac{1}{2}$, 상자 C: $\frac{1}{4}$

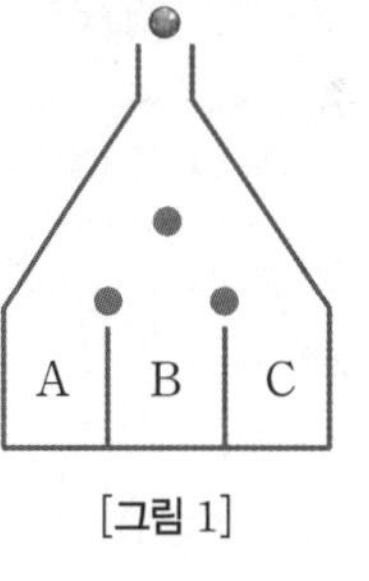

[그림 1]

풀이 골턴 보드에 한 개의 공을 떨어트렸을 때, 공이 못에 맞고 왼쪽으로 떨어질 확률과 오른쪽으로 떨어질 확률이 같으므로 (왼쪽으로 떨어질 확률)=(오른쪽으로 떨어질 확률)$=\frac{1}{2}$이다.

따라서 공이 각 상자에 담길 확률은 다음과 같다.

상자 A: (왼쪽, 왼쪽) ➡ $\frac{1}{2}\times\frac{1}{2}=\frac{1}{4}$

상자 B: (왼쪽, 오른쪽) 또는 (오른쪽, 왼쪽) ➡ $\frac{1}{2}\times\frac{1}{2}+\frac{1}{2}\times\frac{1}{2}=\frac{1}{4}+\frac{1}{4}=\frac{1}{2}$

상자 C: (오른쪽, 오른쪽) ➡ $\frac{1}{2}\times\frac{1}{2}=\frac{1}{4}$

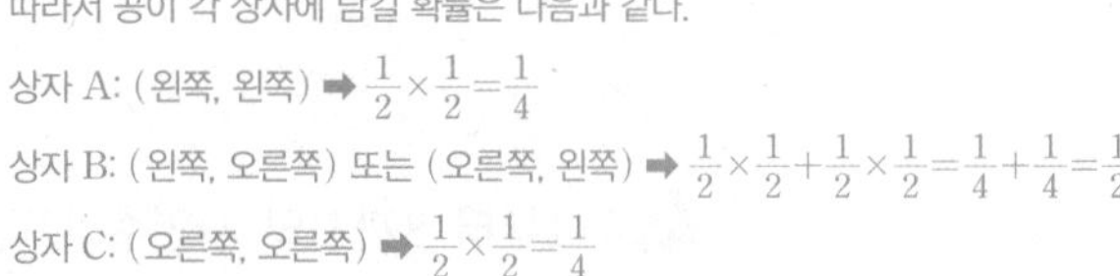

활동 ② 활동 ①의 결과를 이용하여 [그림 2]와 같은 골턴 보드에서 한 개의 공을 떨어트렸을 때, 이 공이 상자 D, 상자 E, 상자 F, 상자 G에 담길 확률을 각각 구하고, 그 과정을 설명하여 보자.

상자 D: $\frac{1}{8}$, 상자 E: $\frac{3}{8}$, 상자 F: $\frac{3}{8}$, 상자 G: $\frac{1}{8}$

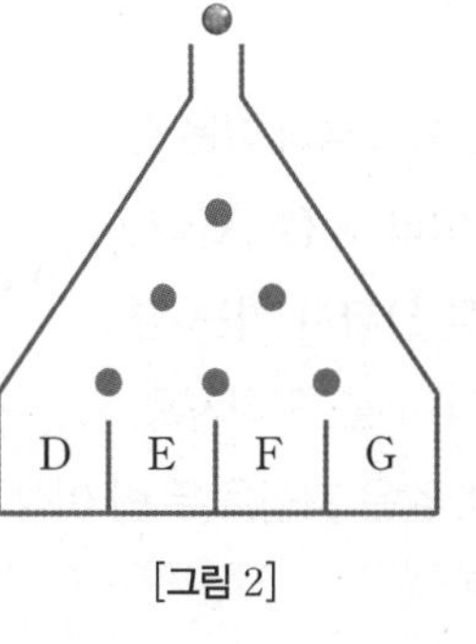

[그림 2]

풀이 활동 ①의 결과를 이용하여 공이 각 상자에 담길 확률을 구할 수 있다. 즉,

상자 D: (상자 A, 왼쪽) ➡ $\frac{1}{4}\times\frac{1}{2}=\frac{1}{8}$

상자 E: (상자 A, 오른쪽) 또는 (상자 B, 왼쪽) ➡ $\frac{1}{4}\times\frac{1}{2}+\frac{1}{2}\times\frac{1}{2}=\frac{1}{8}+\frac{1}{4}=\frac{3}{8}$

상자 F: (상자 B, 오른쪽) 또는 (상자 C, 왼쪽) ➡ $\frac{1}{2}\times\frac{1}{2}+\frac{1}{4}\times\frac{1}{2}=\frac{1}{4}+\frac{1}{8}=\frac{3}{8}$

상자 G: (상자 C, 오른쪽) ➡ $\frac{1}{4}\times\frac{1}{2}=\frac{1}{8}$

| 상호 평가표 |

평가 내용		자기 평가			친구 평가		
		😄	😊	😵	😄	😊	😵
내용	공이 각각의 상자에 담길 확률을 구할 수 있다.						
	이전에 해결한 풀이 방법과 그 결과를 활용하여 더 복잡한 문제를 해결할 수 있다.						
태도	과제 수행에 적극적으로 임하였다.						

스스로 확인하기

1. A 상자 속에는 1부터 10까지의 자연수가 각각 적힌 10장의 카드가 들어 있고, B 상자 속에는 21부터 40까지의 자연수가 각각 적힌 20장의 카드가 들어 있다. A, B 두 상자 속에서 각각 한 장씩 임의로 뽑을 때, 둘 다 짝수가 적힌 카드가 나오는 경우의 수를 구하시오. 50

A 상자

B 상자

풀이 A 상자에서 짝수가 적힌 카드가 나오는 경우는 2, 4, 6, 8, 10의 5가지이고, B 상자에서 짝수가 적힌 카드가 나오는 경우는 22, 24, 26, ⋯, 40의 10가지이다. 이때 두 사건은 서로 영향을 끼치지 않으므로 구하는 모든 경우의 수는 $5\times10=50$이다.

2. 오른쪽 그림과 같은 길을 따라 지점 A에서 지점 D까지 가는 경우의 수를 구하시오. (단, 같은 지점을 두 번 이상 지나지 않는다.) 11

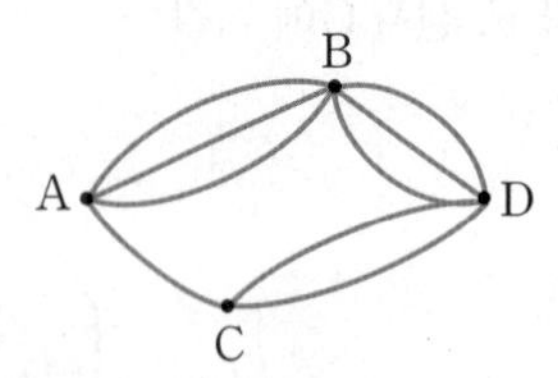

풀이 지점 A에서 지점 D까지 가는 방법은 다음과 같다.
(i) A → B → D로 가는 경우: $3\times3=9$(가지)
(ii) A → C → D로 가는 경우: $1\times2=2$(가지)
따라서 구하는 모든 경우의 수는 $9+2=11$이다.

3. 주머니 속에 빨간 공 3개, 노란 공 x개, 파란 공 2개가 들어 있다. 이 주머니에서 한 개의 공을 임의로 꺼낼 때, 파란 공이 나올 확률이 $\frac{1}{4}$이라고 한다. 주머니 속에 들어 있는 노란 공의 개수를 구하시오. 3

풀이 빨간 공 3개, 노란 공 x개, 파란 공 2개가 들어 있는 주머니에서 한 개의 공을 꺼낼 때, 파란 공이 나올 확률이 $\frac{1}{4}$이므로 전체 공의 수는 8개이어야 한다. 즉, $3+x+2=8$에서 $x=3$이다.
따라서 주머니 속에 들어 있는 노란 공의 개수는 3이다.

4. 1부터 8까지의 자연수가 각 면에 적힌 정팔면체 한 개를 두 번 던졌을 때, 바닥과 닿은 면에 적힌 수의 합이 5가 아닐 확률을 구하시오. $\frac{15}{16}$

풀이 정팔면체를 두 번 던졌을 때, 나오는 모든 경우의 수는 $8\times8=64$이다. 또, 바닥과 닿은 면에 적힌 수의 합이 5인 경우는 (1, 4), (2, 3), (3, 2), (4, 1)의 4가지이다.
따라서 바닥과 닿은 면에 적힌 수의 합이 5가 아닐 확률은
$1-(\text{두 수의 합이 5일 확률})=1-\frac{4}{64}=1-\frac{1}{16}=\frac{15}{16}$이다.

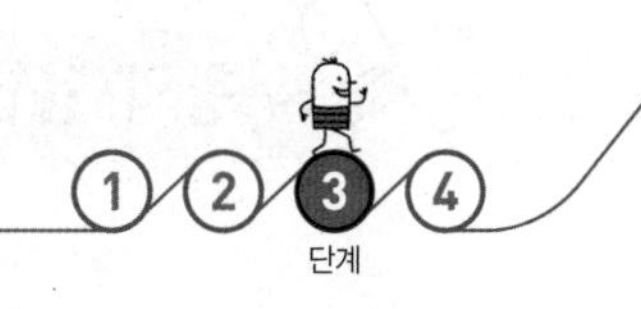

5. 오른쪽 그림은 어느 학교 학생을 대상으로 혈액형을 조사하여 원그래프로 나타낸 것이다. 이 학생들 중 한 명을 임의로 선택할 때, 혈액형이 A형 또는 O형일 확률을 구하시오. 0.59

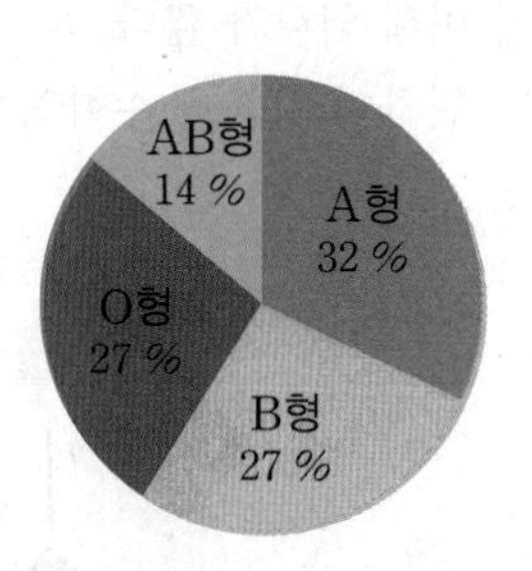

풀이 200명 중 한 명을 선택할 때, A형일 확률은 0.32, O형일 확률은 0.27이다. 따라서 혈액형이 A형 또는 O형일 확률은 $0.32+0.27=0.59$이다.

실력 업(UP) 발전 문제

6. 오른쪽 그림과 같은 장치에서 입구에 공을 넣으면 A, B, C 중 어느 한 곳으로 공이 나온다고 한다. 입구에 공 한 개를 넣을 때, 그 공이 A로 나올 확률을 구하시오. (단, 갈림길에서 양쪽 방향으로 공이 지나갈 확률은 서로 같다.) $\frac{1}{4}$

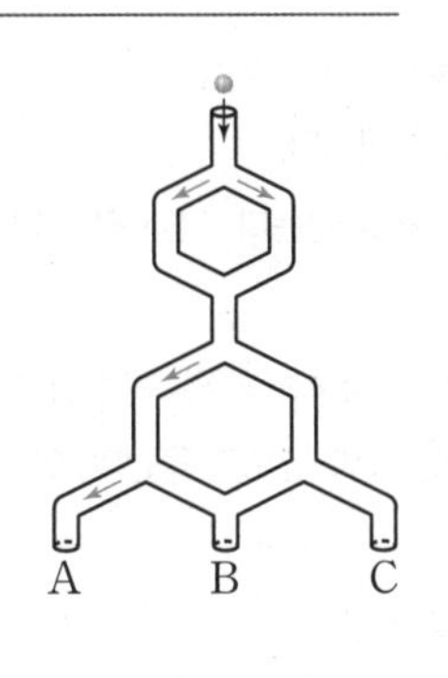

풀이 공이 A로 나오려면 그림의 화살표를 따라 가야 한다.

(i) 공이 입구에서 왼쪽 방향을 지나 A로 들어가는 경우의 확률: $\frac{1}{2}\times\frac{1}{2}\times\frac{1}{2}=\frac{1}{8}$

(ii) 공이 입구에서 오른쪽 방향을 지나 A로 들어가는 경우의 확률: $\frac{1}{2}\times\frac{1}{2}\times\frac{1}{2}=\frac{1}{8}$

따라서 공이 A로 나올 확률은 $\frac{1}{8}+\frac{1}{8}=\frac{1}{4}$이다.

7. 수직선 위를 움직이는 점 P가 원점 위에 있다. 동전 한 개를 던져서 앞면이 나오면 오른쪽으로 1만큼, 뒷면이 나오면 왼쪽으로 1만큼 점 P를 움직이기로 하였다. 동전을 3번 던졌을 때, 점 P가 -1 위에 있을 확률을 구하시오. $\frac{3}{8}$

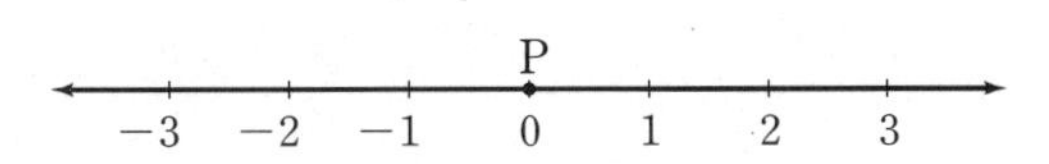

풀이 한 개의 동전을 3번 던졌을 때, 나오는 모든 경우의 수는 $2\times2\times2=8$이다. 동전을 3번 던졌을 때, 점 P가 -1 위에 있는 경우는 앞면이 1번, 뒷면이 2번 나오는 경우이다.
즉, (앞, 뒤, 뒤), (뒤, 앞, 뒤), (뒤, 뒤, 앞)의 3가지이므로
동전을 3번 던졌을 때, 점 P가 -1 위에 있을 확률은 $\frac{3}{8}$이다.

교과서 문제 뛰어 넘기

8. 0, 1, 2, 3, 4가 각각 적힌 5장의 카드 중에서 3장을 뽑아 세 자리의 자연수를 만들 때, 123보다 큰 수의 개수를 구하시오.

9. 서로 다른 두 개의 주사위를 동시에 던질 때, 나오는 두 눈의 수의 차가 1보다 클 확률을 구하시오.

10. 서로 다른 두 개의 주사위를 동시에 던질 때, 나오는 눈의 수를 각각 a, b라고 하자. 이때 좌표평면 위의 세 점 $O(0, 0)$, $A(a, 0)$, $B(a, b)$로 이루어진 삼각형 OAB의 넓이가 6일 확률을 구하시오.

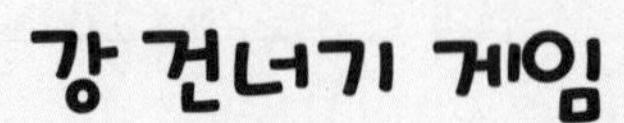

확률은 17세기부터 연구되기 시작하여 다른 수학 분야에 비해 역사가 짧다. 파스칼(Pascal, B., 1623～1662)과 페르마(Fermat, P., 1601～1665)는 게임에서 이기기 위하여 확률을 수학적으로 생각하였다. 우리도 강 건너기 게임을 해 보고, 게임 속에 숨겨진 확률을 생각하여 보자.

강 건너기 게임

【준비물】 주사위 2개, 흰 바둑돌 11개, 검은 바둑돌 11개

❶ 짝과 강의 위, 아래 구역을 나누고, 바둑돌의 색을 선택한다.

❷ 자신의 구역에 놓인 2부터 12까지의 수 위로 바둑돌을 놓는다. 이때 각 수마다 바둑돌을 놓지 않을 수도 있고, 여러 개의 바둑돌을 놓을 수도 있다.

❸ 짝과 교대로 서로 다른 주사위 2개를 동시에 던져서 나오는 눈의 수의 합을 구한다. 자신이 던졌을 때, 자신의 구역의 그 수 위에 바둑돌이 있으면 바둑돌 한 개를 상대편 깃발 옆으로 옮긴다. 이때 바둑돌이 없으면 옮기지 않는다.

❹ ❸의 과정을 총 18회 반복한다.

❺ 자신의 바둑돌을 강 건너로 더 많이 옮긴 사람이 승리한다.

활동 1 **확률을 이용하여 가장 옮기기 쉬운 바둑돌과 가장 옮기기 어려운 바둑돌의 위치를 구하여 보자.**

풀이 서로 다른 주사위 두 개를 동시에 던졌을 때 나오는 모든 경우의 수는 $6\times6=36$이다.
이때 두 눈의 수의 합은 2, 3, 4, $\cdots$, 12가 나올 수 있고 각 사건의 확률은 다음과 같다.

사건	2	3	4	5	6	7	8	9	10	11	12
확률	$\frac{1}{36}$	$\frac{1}{18}$	$\frac{1}{12}$	$\frac{1}{9}$	$\frac{5}{36}$	$\frac{1}{6}$	$\frac{5}{36}$	$\frac{1}{9}$	$\frac{1}{12}$	$\frac{1}{18}$	$\frac{1}{36}$

따라서 가장 옮기기 쉬운 바둑돌의 위치는 확률이 $\frac{1}{6}$로 가장 큰 7 위에 놓인 바둑돌이며, 가장 옮기기 어려운 바둑돌의 위치는 확률이 $\frac{1}{36}$로 가장 작은 2와 12 위에 놓인 바둑돌이다.

활동 2 **위 게임에서 유리하도록 자신의 바둑돌을 배치하는 방법을 친구들과 토론하고, 그 까닭을 설명하여 보자.**

풀이 | 예시 | 서로 다른 두 개의 주사위를 던질 때 두 눈의 수의 합이 7일 확률이 $\frac{1}{6}$로 가장 크므로, 자신의 바둑돌을 5, 6, 8, 9 위에 각각 2개씩 놓고 7 위에 3개를 놓으면 유리하다.

1. 오른쪽 그림과 같이 한 변의 길이가 1인 정오각형 ABCDE가 있다. 점 P는 점 A를 출발하여 한 개의 주사위를 두 번 던져서 나온 눈의 수의 합만큼 화살표 방향으로 각 꼭짓점 위를 이동한다고 할 때, 점 P가 점 B에 놓이게 될 확률과 점 D에 놓이게 될 확률을 비교해 보시오.

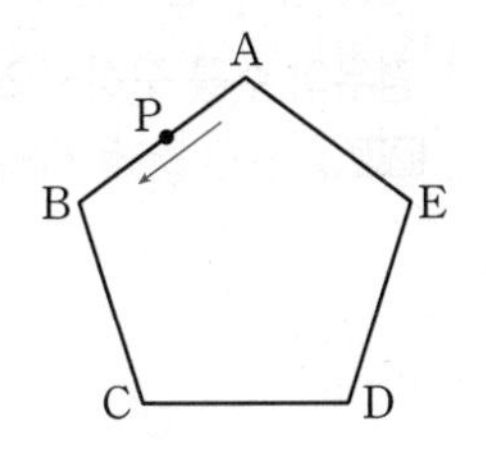

2. 어떤 야구 선수가 상대팀의 투수 A와 대결할 때 안타를 칠 확률이 0.25이고, 투수 B와 대결을 할 때 안타를 칠 확률이 0.2이다. 이 선수가 투수 A와 1회 대결한 후 투수 B와 2회 대결할 때, 3회 중 2회 이상 안타를 칠 확률을 구하시오.

스스로 마무리하기

1. 어느 분식점에서는 라면 4종류와 우동 3종류를 판매한다. 이 분식점에서 한 종류의 음식을 먹는 모든 경우의 수를 구하시오. 7

풀이 한 종류의 음식을 먹는 경우의 수는 $4+3=7$이다.

2. 빨강, 초록, 노랑, 주황의 4가지 색 중 서로 다른 두 가지 색을 골라 오른쪽 그림의 두 영역에 칠하려고 한다. 이때 칠하는 방법은 모두 몇 가지인지 구하시오. 12가지

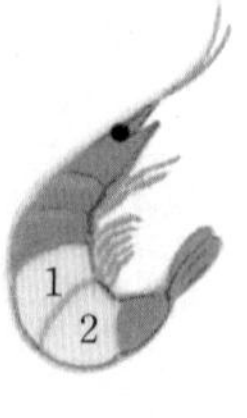

풀이 1에 칠할 수 있는 색은 4가지이고, 그 각각에 대하여 2에 칠할 수 있는 색은 3가지이다. 따라서 색칠하는 방법은 모두 $4\times3=12$(가지)이다.

3. 다음은 어느 학교의 학생 450명을 대상으로 가고 싶은 수학 여행지를 조사하여 나타낸 것이다. 이 학교에서 한 명을 임의로 선택할 때, 그 학생이 통영을 희망할 확률을 구하시오. $\frac{4}{25}$

여행지	서울	경주	제주	통영	전주
희망자 수(명)	124	65	98	72	91

풀이 학생 수는 모두 450명이고 통영을 희망한 학생은 72명이므로 구하는 확률은 $\frac{72}{450}=\frac{4}{25}$이다.

4. 동전 2개와 주사위 1개를 동시에 던질 때, 동전은 모두 앞면이 나오고 주사위는 3의 배수가 나올 확률을 구하시오. $\frac{1}{12}$

풀이 동전 2개와 주사위 1개를 동시에 던질 때, 나오는 모든 경우의 수는 $2\times2\times6=24$이고, 동전은 모두 앞면, 주사위는 3의 배수가 나오는 경우는 (앞, 앞, 3), (앞, 앞, 6)의 2가지이다.
따라서 구하는 확률은 $\frac{2}{24}=\frac{1}{12}$이다.

5. 사건 A가 일어날 확률을 p라고 할 때, 다음 중에서 옳지 않은 것은?

① $p=\frac{(\text{사건 } A\text{가 일어나는 경우의 수})}{(\text{모든 경우의 수})}$

② $0\le p\le1$

③ (절대로 일어나지 않을 사건의 확률)$=0$

④ (반드시 일어날 사건의 확률)$=1$

⑤ (사건 A가 일어나지 않을 확률)$=p-1$

풀이 ⑤ (사건 A가 일어나지 않을 확률)$=1-p$

6. 서로 다른 두 개의 주사위를 동시에 던질 때, 서로 다른 눈의 수가 나올 확률을 구하시오. $\frac{5}{6}$

풀이 서로 다른 두 개의 주사위를 던질 때, 나오는 모든 경우의 수는 $6\times6=36$이고, 서로 같은 눈이 나오는 경우는 (1, 1), (2, 2), (3, 3), …, (6, 6)의 6가지이다. 따라서
(서로 다른 눈의 수가 나올 확률)
$=1-$(서로 같은 눈의 수가 나올 확률)$=1-\frac{6}{36}=1-\frac{1}{6}=\frac{5}{6}$

7. 다음 그림과 같이 흰 공 4개, 검은 공 5개, 노란 공 7개가 들어 있는 주머니에서 한 개의 공을 임의로 꺼낼 때, 검은 공 또는 노란 공이 나올 확률을 구하시오. $\frac{3}{4}$

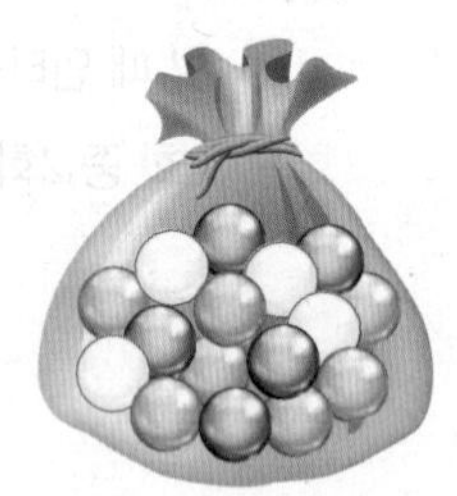

풀이 주머니 속에 들어 있는 공은 모두 $4+5+7=16$(개)이고, 검은 공이 나올 확률은 $\frac{5}{16}$이며 노란 공이 나올 확률은 $\frac{7}{16}$이다.
따라서 구하는 확률은 $\frac{5}{16}+\frac{7}{16}=\frac{12}{16}=\frac{3}{4}$이다.

8. 학교 앞 두 문구점에서 경품 행사를 진행한다. 두 문구점에서 각각 제비를 한 장씩 임의로 뽑을 때, 당첨 제비를 뽑을 확률은 각각 $\frac{1}{6}$, $\frac{3}{8}$이라고 한다. 이 두 문구점에서 각각 제비를 한 장씩 뽑았을 때, 모두 당첨될 확률을 구하시오. $\frac{1}{16}$

풀이 두 문구점에서 당첨 제비를 뽑는 사건은 서로 영향을 끼치지 않으므로 구하는 확률은 $\frac{1}{6}\times\frac{3}{8}=\frac{1}{16}$이다.

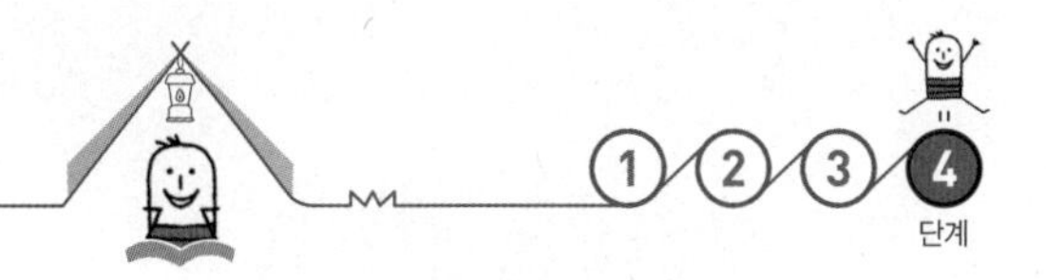

[9~11] 서술형 문제 문제의 풀이 과정과 답을 쓰고, 스스로 채점하여 보자.

9. 다음 그림과 같이 네 지점 A, B, C, D가 길로 연결되어 있다. 지점 A를 출발하여 지점 D로 가는 모든 경우의 수를 구하시오. (단, 같은 지점을 두 번 이상 지나지 않는다.) [6점] 15

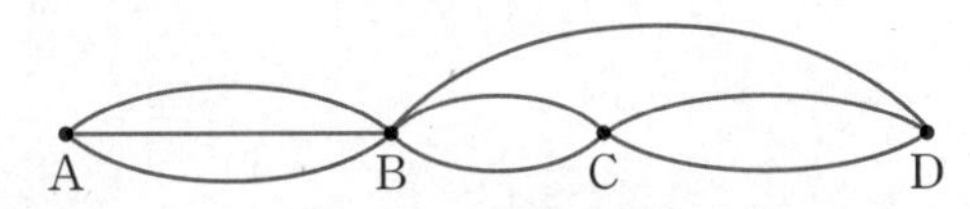

풀이 지점 A에서 지점 D로 가는 방법은 다음과 같다.

(ⅰ) A → B → C → D로 가는 경우: $3\times2\times2=12$(가지)

(ⅱ) A → B → D로 가는 경우: $3\times1=3$(가지)

따라서 구하는 모든 경우의 수는 $12+3=15$이다.

채점 기준	배점
(ⅰ) A → B → C → D로 가는 경우의 수를 바르게 구한 경우	2점
(ⅱ) A → B → D로 가는 경우의 수를 바르게 구한 경우	2점
(ⅲ) 모든 경우의 수를 바르게 구한 경우	2점

10. 서로 다른 두 개의 주사위를 동시에 던질 때, 나오는 두 눈의 수의 합이 6의 배수일 확률을 구하시오. [6점] $\frac{1}{6}$

풀이 서로 다른 두 개의 주사위를 동시에 던질 때 나오는 모든 경우의 수는 $6\times6=36$이고, 두 눈의 수의 합이 6의 배수인 경우는 다음과 같다.

(ⅰ) 합이 6인 경우는 (1, 5), (2, 4), (3, 3), (4, 2), (5, 1)의 5가지이므로 합이 6일 확률은 $\frac{5}{36}$이다.

(ⅱ) 합이 12인 경우는 (6, 6)의 1가지이므로 합이 12일 확률은 $\frac{1}{36}$이다.

따라서 구하는 확률은 $\frac{5}{36}+\frac{1}{36}=\frac{1}{6}$이다.

채점 기준	배점
(ⅰ) 합이 6일 확률을 바르게 구한 경우	2점
(ⅱ) 합이 12일 확률을 바르게 구한 경우	2점
(ⅲ) 합이 6의 배수일 확률을 바르게 구한 경우	2점

11. 초원이는 동전 한 개를 던져서 앞면이 나오면 계단을 2칸 올라가고, 뒷면이 나오면 계단을 1칸 내려가기로 하였다. 동전을 5번 던졌을 때, 초원이가 처음 위치보다 4칸 위에 있을 확률을 구하시오. [6점] $\frac{5}{16}$

풀이 동전을 5번 던져서 앞면이 x번 나온다고 하면 뒷면은 $(5-x)$번 나온다.

이때 초원이는 처음 위치보다 4칸 위에 있어야 하므로

$2x-(5-x)=4$, $3x-5=4$, $3x=9$, $x=3$

즉, 앞면이 3번, 뒷면이 2번 나와야 한다.

동전을 5번 던지는 모든 경우의 수는 $2\times2\times2\times2\times2=32$이고, 앞면이 3번, 뒷면이 2번 나오는 경우의 수는

(앞, 앞, 앞, 뒤, 뒤), (앞, 앞, 뒤, 앞, 뒤), (앞, 뒤, 앞, 앞, 뒤), (뒤, 앞, 앞, 앞, 뒤), (앞, 앞, 뒤, 뒤, 앞), (앞, 뒤, 앞, 뒤, 앞), (뒤, 앞, 앞, 뒤, 앞), (앞, 뒤, 뒤, 앞, 앞), (뒤, 앞, 뒤, 앞, 앞), (뒤, 뒤, 앞, 앞, 앞)으로 10이다.

따라서 구하는 확률은 $\frac{10}{32}=\frac{5}{16}$이다.

채점 기준	배점
(ⅰ) 앞면과 뒷면이 나오는 횟수를 각각 바르게 구한 경우	2점
(ⅱ) 모든 경우의 수를 바르게 구한 경우	1점
(ⅲ) 처음보다 4칸 위에 있을 경우의 수를 바르게 구한 경우	1점
(ⅳ) 확률을 바르게 구한 경우	2점

실전 대비 문제

중단원 평가 문제 I-1. 유리수와 순환소수

정답 및 해설 349쪽

01 다음 중 순환마디를 옳게 나타낸 것은?

① 0.7444⋯ ➡ 44

② 0.636363⋯ ➡ 63

③ 0.28707070⋯ ➡ 707070

④ 0.1594594594⋯ ➡ 1594

⑤ 2.482714827148271⋯ ➡ 248271

02 다음 중 순환소수의 표현으로 옳은 것을 모두 고르면? (정답 2개)

① $1.234123412341\cdots=\dot{1}.23\dot{4}$

② $-0.437437437\cdots=-0.\dot{4}\dot{3}\dot{7}$

③ $0.404040\cdots=0.\dot{4}\dot{0}$

④ $2.415415415\cdots=2.\dot{4}1\dot{5}$

⑤ $0.3656565\cdots=0.36\dot{5}\dot{6}$

03 다음 보기 중에서 유한소수로 나타낼 수 있는 것을 모두 고르시오.

| 보기 |

ㄱ. $\frac{5}{45}$ ㄴ. $\frac{14}{35}$

ㄷ. $\frac{63}{2\times3^2\times7}$ ㄹ. $\frac{84}{2^3\times3\times7^2}$

ㅁ. $\frac{121}{2^2\times5\times11}$ ㅂ. $\frac{30}{2^4\times3\times5}$

04 다음 순환소수를 x라 하고 분수로 나타낼 때, 사용할 수 있는 식을 찾아 각각 연결하시오.

(1) $0.\dot{5}\dot{3}$ • • ㄱ. $1000x-x$

(2) $0.\dot{7}1\dot{3}$ • • ㄴ. $100x-10x$

(3) $4.1\dot{5}$ • • ㄷ. $100x-x$

05 분수 $\frac{4}{7}$를 소수로 나타낼 때, 소수점 아래 100번째 자리까지의 숫자 중 1이 나오는 횟수는?

① 16회 ② 17회 ③ 18회

④ 19회 ⑤ 20회

06 두 분수 $\frac{1}{5}$과 $\frac{2}{3}$ 사이의 정수가 아닌 유리수 중 분모가 15이고, 유한소수로 나타낼 수 있는 모든 분수의 개수는?

① 1 ② 2 ③ 3

④ 4 ⑤ 5

07 분수 $\frac{a}{140}$를 소수로 나타내면 유한소수가 되고, 기약분수로 나타내면 $\frac{13}{b}$이 된다. a, b가 100 이하의 자연수일 때, $a+b$의 값을 구하시오.

08 두 분수 $\frac{9}{280}$, $\frac{7}{352}$에 어떤 자연수 a를 곱하여 소수로 나타내면 두 수 모두 유한소수가 될 때, 이를 만족시키는 a의 값 중 가장 작은 수를 구하시오.

09 다음은 순환소수 $3.72\dot{6}$을 분수로 나타내는 과정이다. (가) ~ (마)에 들어갈 알맞은 수를 구하시오.

> $3.72\dot{6}$을 x라고 하면
> $x=3.72666\cdots$ ······ ①
> ①의 양변에 [(가)], [(나)]을 각각 곱하면
> [(가)]$x=3726.666\cdots$ ······ ②
> [(나)]$x=372.666\cdots$ ······ ③
> ②−③을 하면 [(다)]$x=$[(라)]
> 따라서 $x=$[(마)]

10 순환소수 $0.2\dot{3}$에 어떤 자연수를 곱하여 유한소수가 되게 하려고 한다. 어떤 자연수가 될 수 없는 수는?

① 2　② 3　③ 9　④ 12　⑤ 18

11 다음 보기 중에서 옳지 않은 것을 모두 고르시오.

보기
ㄱ. 순환소수 중에는 유리수가 아닌 것도 있다.
ㄴ. 순환소수 중에는 분모, 분자가 정수인 (분모가 0이 아닌) 분수로 나타낼 수 없는 것도 있다.
ㄷ. 유리수끼리 덧셈, 뺄셈, 곱셈, 나눗셈(0으로 나누는 것은 제외)을 하면 그 결과는 유리수이다.
ㄹ. 모든 유리수는 유한소수로 나타낼 수 있다.
ㅁ. 유리수 중에서 정수 또는 유한소수로 나타낼 수 없는 것은 모두 순환소수로 나타낼 수 있다.

12 x에 대한 일차방정식 $28x-2=5a$의 해를 소수로 나타내면 유한소수가 된다. 이때 가장 작은 자연수 a의 값을 구하시오.

13 어떤 기약분수를 순환소수로 나타내는데 슬기는 분모를 잘못 보고 $1.2\dot{5}$로 나타내고, 동수는 분자를 잘못 보고 $0.\dot{1}\dot{5}$로 나타내었다. 처음의 기약분수를 순환소수로 나타내시오.

14 $\frac{8}{13}$의 소수점 아래 99번째 자리의 숫자를 구하시오.

15 두 분수 $\frac{17}{204}$와 $\frac{7}{110}$에 어떤 자연수 N을 곱하면 두 분수 모두 유한소수로 나타낼 수 있다고 할 때, 100보다 작은 자연수 N의 값을 모두 구하시오.

정답 및 해설 350쪽

01 다음 중 옳은 것은?

① $a^2 \times a^3 = a^6$ ② $a^{12} \div a^4 = a^8$

③ $(a^3)^2 = a^5$ ④ $(ab)^4 = ab^4$

⑤ $\left(\frac{1}{b^3}\right)^2 = \frac{1}{b^5}$

02 $(x^2y^a)^4 = x^b y^{12}$일 때, 자연수 a, b의 값을 각각 구하시오.

03 다음 식을 간단히 하시오.

(1) $(x^3)^5 \times (x^2)^3 \div (x^4)^3$

(2) $x^6 \div x^2 \times x^3 \div x$

04 $(2x^2+5x-10)-(-5x^2+x-2)$를 간단히 하였을 때, 각 항의 계수와 상수항의 합을 구하시오.

05 다음 계산 과정에서 (가), (나)에 알맞은 식을 각각 구하시오.

$\frac{3}{5}x^2y^2$ → $\times \frac{8}{3}x^3y$ → (가) → $\div(-4x^4y)^2$ → (나)

06 $x-y=5$일 때, $3^y \div 3^x$의 값을 구하시오.

07 $16^{3x-2} = 2^{x+4}$를 만족시키는 x의 값을 구하시오.

08 $x=3$, $y=-1$일 때, $(x^2y+2xy^2) \div (-y)$의 값을 구하시오.

09 $(10x^2-15xy)\div 5x+(21y^2-35xy)\div(-7y)$ 를 간단히 하면?

① $7x-6y$　② $7x$
③ $-3x-6y$　④ $x-5y$
⑤ $5x-y$

10 $(ax^2-4xy+b)\times(-2x)=-4x^3+cx^2y-16x$ 일 때, 세 상수 a, b, c에 대하여 $a+b+c$의 값을 구하시오.

11 다음 그림과 같이 윗변의 길이가 $4x^2y$, 아랫변의 길이가 $8x^2y^2$, 높이가 $3y$인 사다리꼴의 넓이를 구하시오.

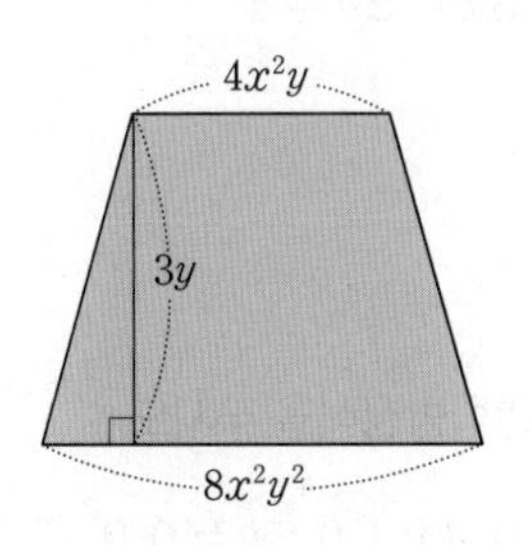

12 $(3x^2-9xy)\div 3x+(12xy-\square)\div(-4y)$ $=-2x-2y$일 때, $\square$ 안에 알맞은 식을 구하시오.

13 $2^{12}\times 5^8$이 n자리의 자연수일 때, 다음 물음에 답하시오.

(1) 자연수 a, k에 대하여 $2^{12}\times 5^8$을 $a\times 10^k$ 꼴로 나타낼 때, a의 최솟값과 그때의 k의 값을 구하시오.

(2) n의 값을 구하시오.

14 다음 그림과 같은 직사각형과 삼각형의 넓이가 서로 같을 때, 삼각형의 밑변의 길이를 구하시오.

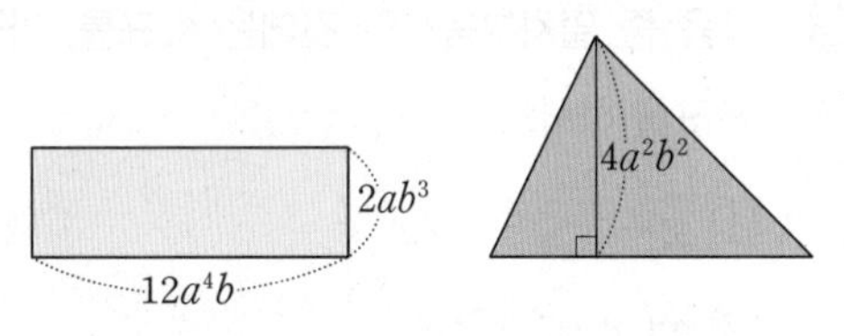

정답 및 해설 352쪽

01 다음 문장을 부등식으로 나타내시오.

(1) x의 3배에 4를 더한 값은 6 이하이다.

(2) 한 개에 a원인 사과 4개의 값은 5500원보다 비싸다.

(3) 길이가 x cm인 끈에서 7 cm만큼 잘라 내고 남은 끈의 길이는 9 cm보다 짧다.

02 x의 값이 4 이하의 자연수일 때, 다음 일차부등식을 푸시오.

(1) $3x-2>1$

(2) $x-1\le 2x-3$

03 다음 중 일차부등식인 것에는 ○표를, 아닌 것에는 ×표를 하시오.

(1) $x-2\le 5-2x$ ( )

(2) $x(x-3)\ge x$ ( )

(3) $x+5<x+10$ ( )

(4) $2x^2+2x\le x(2x-1)+4$ ( )

04 다음 일차부등식을 풀고, 그 해를 수직선 위에 나타내시오.

(1) $x-1>-2$

(2) $x+14\ge -4x-1$

05 다음 일차부등식을 푸시오.

(1) $4(x-2)\ge 12-4x$

(2) $-0.5x+1.5\le 0.1x-0.3$

(3) $\frac{3}{5}x>-\frac{1}{3}x+\frac{2}{15}$

06 x, y가 자연수일 때, 다음 일차방정식을 푸시오.

(1) $x+3y=8$

(2) $5x+y=20$

07 다음 연립방정식을 푸시오.

(1) $\begin{cases} x+2y=-5 \\ x-y=1 \end{cases}$

(2) $\begin{cases} x-4y=-7 \\ 2x+3y=8 \end{cases}$

(3) $\begin{cases} y=x+5 \\ 3x-2y=4 \end{cases}$

08 다음 연립방정식을 푸시오.

(1) $\begin{cases} 0.4x+0.5y=0.9 \\ 0.2x-0.3y=-0.1 \end{cases}$

(2) $\begin{cases} \frac{x}{2}-y=-1 \\ \frac{x}{4}+y=4 \end{cases}$

(3) $\begin{cases} \frac{3}{4}x-\frac{2}{3}y=\frac{5}{12} \\ 0.3x-y=-0.2 \end{cases}$

09 $-5<x\le6$이고 $A=7-\frac{1}{3}x$일 때, A의 값의 범위를 구하시오.

10 일차부등식 $8(2x+8)<7(x+a)$의 해가 $x<-4$일 때, 상수 a의 값을 구하시오.

11 순서쌍 $(-1, 5)$, $(a, 2)$가 일차방정식 $x+by=9$의 해일 때, $a+b$의 값을 구하시오. (단, b는 상수)

12 연립방정식 $\begin{cases} ax-by=-2 \\ ax+by=6 \end{cases}$의 해가 $x=2$, $y=-1$일 때, 상수 a, b의 값을 각각 구하시오.

13 성훈이네 반 학생들이 식물원 견학을 가게 되었다. 입장료는 학생 1인당 5000원인데 30명 이상의 단체는 1인당 4000원이라고 한다. 30명 미만의 단체는 최소한 몇 명 이상일 때, 단체 입장권을 사는 것이 유리한지 구하시오. (단, 30명 미만이어도 30명의 단체 입장권을 살 수 있다.)

14 어느 농장에서 토끼와 닭을 기르고 있는데 그 머리의 수의 합은 80개이고, 다리의 수의 합은 230개이다. 농장에서 기르는 토끼가 x마리, 닭이 y마리라고 할 때, 다음 물음에 답하시오.

(1) 토끼와 닭의 머리의 수의 합에 대한 일차방정식을 세우시오.

(2) 토끼와 닭의 다리의 수의 합에 대한 일차방정식을 세우시오.

(3) 위의 두 일차방정식을 이용하여 연립방정식을 세우고, 그 해를 구하시오.

(4) 이 농장에서 기르는 토끼와 닭은 각각 몇 마리인지 구하시오.

15 은영이가 학교에 가려고 8시에 집을 나섰다. 시속 2 km로 천천히 걷다가 10분 동안 문구점 앞에서 구경을 했더니 학교에 늦을 것 같아 그때부터 시속 6 km로 뛰어 학교에 8시 40분에 도착하였다. 집에서 학교까지의 거리가 2 km일 때, 은영이가 뛰어간 거리를 구하시오.

정답 및 해설 354쪽

01 다음 중 y가 x의 함수가 아닌 것은?

① 절댓값이 자연수 x인 수 y

② 시속 5 km의 속력으로 x시간 동안 걸어간 거리는 y km이다.

③ 100원짜리 지우개 1개와 300원짜리 연필 x자루의 가격의 합은 y원이다.

④ 반지름의 길이가 x cm인 원의 둘레의 길이는 y cm이다.

⑤ 가로, 세로의 길이가 각각 5 cm, $(x+2)$ cm인 직사각형의 넓이는 y cm^{2}이다.

02 함수 $f(x)=-3x+1$에 대하여 다음을 각각 구하시오.

(1) $f(-2)$ (2) $f(0)$

(3) $f(1)$ (4) $f(3)$

03 일차함수 $y=-2x$의 그래프를 y축의 방향으로 -1만큼 평행이동한 그래프는 점 $(2, k)$를 지난다. 이때 k의 값을 구하시오.

04 다음 일차함수의 그래프의 x절편과 y절편을 각각 구하시오.

(1) $y=-x+2$ (2) $y=3x-5$

(3) $y=-\frac{1}{3}x-2$ (4) $y=\frac{2}{3}x+4$

05 다음 두 점을 지나는 직선의 기울기를 구하시오.

(1) $(-1, 1)$, $(1, 4)$

(2) $(-2, 5)$, $(4, 2)$

06 일차함수 $y=2x-5$의 그래프를 y축의 방향으로 -3만큼 평행이동하였더니 일차함수 $y=ax+b$의 그래프가 되었다. 이때 상수 a, b에 대하여 ab의 값을 구하시오.

07 두 점 $(-2, 11)$, $(2, -5)$를 지나는 직선을 y축의 방향으로 -2만큼 평행이동한 그래프가 점 $\left(\frac{3}{4}, k\right)$를 지날 때, k의 값을 구하시오.

08 오른쪽 그림의 직선과 평행하고, y절편이 -3인 직선을 그래프로 하는 일차함수의 식을 구하시오.

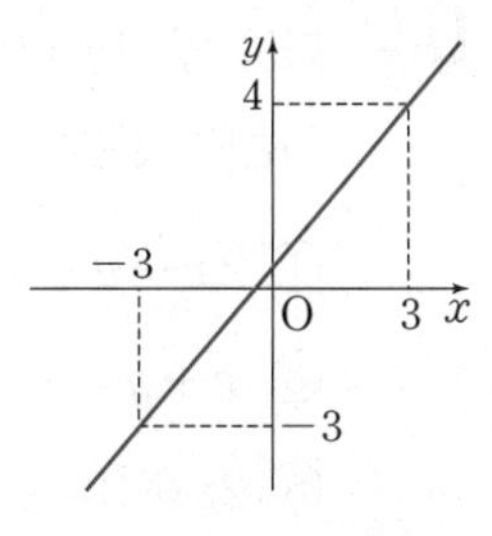

09 다음 표는 기온에 따라 일정하게 증가하는 소리의 속력을 나타낸 것이다. 기온이 x ℃일 때의 소리의 속력은 초속 y m라고 하자. 기온이 25 ℃일 때, 소리의 속력을 구하시오.

x(℃)	0	5	10	15
y(m/s)	331	334	337	340

10 예지는 둘레의 길이가 2400 m인 호수의 둘레를 분속 50 m로 한 바퀴 걸으려고 한다. 예지가 출발한 지 x분 후의 남은 거리를 y m라고 할 때, 출발한 지 25분 후의 남은 거리는?

① 1150 m ② 1000 m ③ 900 m
④ 750 m ⑤ 600 m

11 높이가 1 m인 원기둥 모양의 물통에 물이 들어 있다. 이 물통에 일정한 속도로 물을 더 채우기 시작할 때, 10분 후와 15분 후의 물의 높이는 각각 30 cm, 35 cm이었다. 물통 안에 처음에 들어 있던 물의 높이를 구하시오.

12 다음 그림과 같이 직사각형 ABCD에서 점 P가 점 B를 출발하여 점 C까지 변 BC 위를 초속 2 cm로 움직이고 있다. 점 P가 출발한 지 x초 후의 사다리꼴 APCD의 넓이를 y cm^{2}라고 할 때, 사다리꼴 APCD의 넓이가 60 cm^{2}가 되는 것은 출발한 지 몇 초 후인지 구하시오.

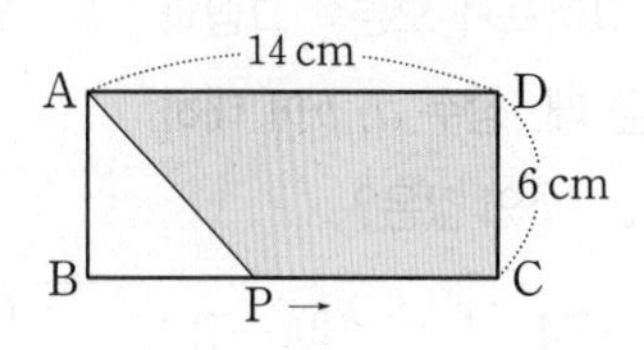

13 다음 그림과 같이 길이가 18 cm인 선분 BC 위를 점 P가 움직이고 있다. $\overline{BP}=x$ cm일 때의 $\triangle ABP$와 $\triangle DPC$의 넓이의 합을 y cm^{2}라고 하자. 두 삼각형의 넓이의 합이 76 cm^{2}일 때, $\overline{BP}$의 길이를 구하시오.

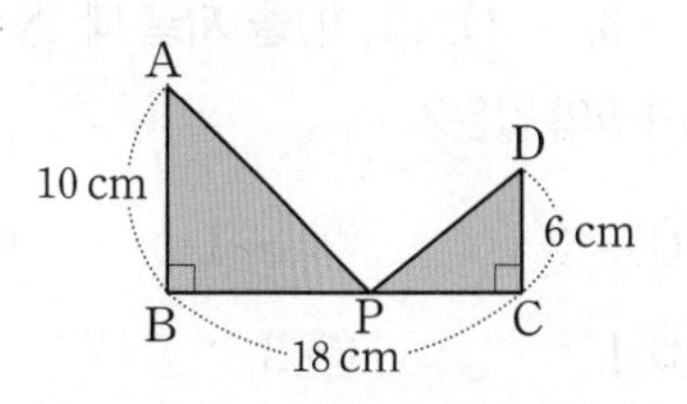

정답 및 해설 355쪽

01 다음 중 일차방정식 $x-3y=1$의 그래프에 대한 설명으로 옳은 것은?

① 기울기는 3이다.

② x절편은 $-\frac{1}{3}$이다.

③ y절편은 1이다.

④ 점 $(4,\ -3)$을 지난다.

⑤ 일차함수 $y=\frac{1}{3}x$의 그래프와 서로 평행하다.

02 일차방정식 $ax+y-b=0$의 그래프가 오른쪽 그림과 같을 때, 상수 a, b에 대하여 $a-b$의 값은?

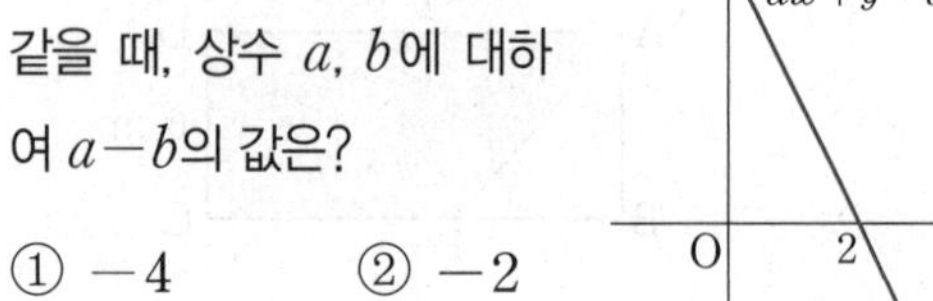

① -4　② -2

③ 0　④ 2

⑤ 4

03 일차방정식 $ax-by=1$의 그래프가 두 점 $(-3,\ -2)$, $(1,\ 0)$을 지날 때, 상수 a, b에 대하여 $a+b$의 값은?

① -3　② -1　③ 0

④ 1　⑤ 3

04 다음 일차방정식 중에서 그 그래프가 x축에 평행한 직선인 것은?

① $2x-y+1=0$　② $x-y=0$

③ $x+y=-2$　④ $3x-5=0$

⑤ $2y+3=0$

05 다음 중 일차방정식 $2x-8=0$의 그래프에 대한 설명으로 옳지 않은 것은?

① 점 $(4,\ 0)$을 지난다.

② 일차방정식 $x=5$의 그래프와 서로 평행하다.

③ x축에 평행하다.

④ 그래프 위의 모든 점의 x좌표가 항상 4이다.

⑤ 직선의 방정식 $x=4$의 그래프와 일치한다.

06 일차방정식 $ax+by-6=0$의 그래프가 오른쪽 그림과 같을 때, 상수 a, b에 대하여 $a+b$의 값은?

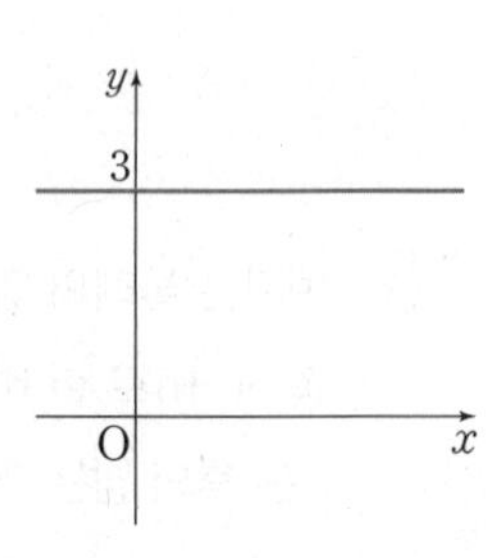

① 1　② 2

③ 3　④ 4

⑤ 5

07 오른쪽 그림은 연립방정식

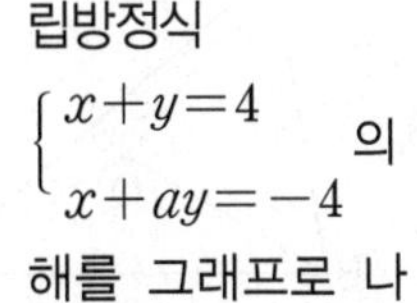

$\begin{cases} x+y=4 \\ x+ay=-4 \end{cases}$ 의

해를 그래프로 나타낸 것이다.
이때 상수 a의 값은?

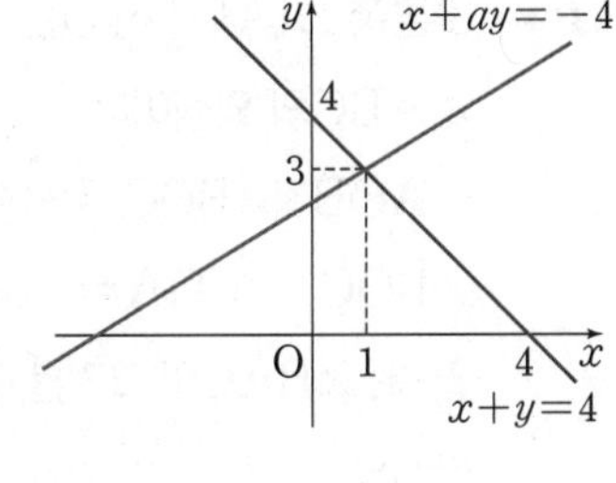

① -2 ② $-\frac{5}{3}$
③ -1 ④ 0
⑤ $\frac{1}{3}$

08 두 일차방정식 $ax-y+3=0$, $-2x+y+b=0$의 그래프의 교점의 좌표가 $(-4,\ -9)$일 때, 상수 a, b에 대하여 $a-b$의 값은?

① -4 ② -2 ③ 0
④ 2 ⑤ 4

09 두 일차방정식 $ax+y=2$, $3y-2x=3$의 그래프의 교점이 존재하지 않을 때, 상수 a의 값은?

① $-\frac{3}{2}$ ② -1 ③ $-\frac{2}{3}$
④ $\frac{2}{3}$ ⑤ $\frac{3}{2}$

10 다음 세 일차방정식의 그래프가 한 점에서 만날 때, 상수 a의 값을 구하시오.

$2x-y=1$, $4x-3y=-1$, $6x+ay=-3$

11 두 일차방정식 $x-y+1=0$, $x+2y-5=0$의 그래프의 교점을 지나고, 일차방정식 $3x+2y-1=0$의 그래프에 평행한 직선의 방정식을 $ax+by-7=0$이라고 하자. 이때 상수 a, b에 대하여 ab의 값은?

① 2 ② 3 ③ 4
④ 5 ⑤ 6

12 두 직선 $ax-y=-2$, $2x+y=b$의 그래프가 오른쪽 그림과 같을 때, 두 직선과 x축으로 둘러싸인 $\triangle$ABC의 넓이를 구하시오. (단, a, b는 상수)

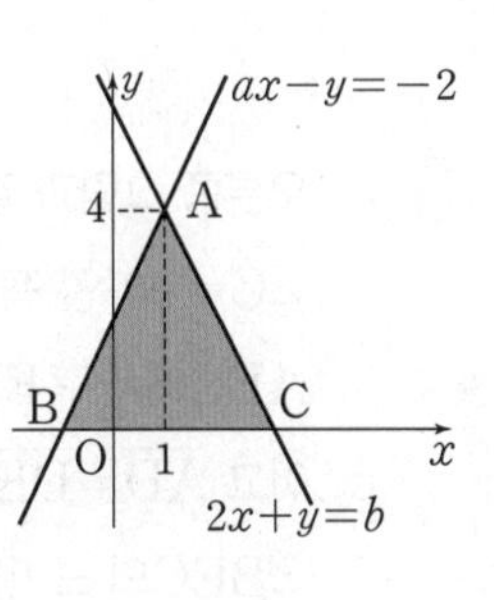

중단원 평가 문제 IV-1. 삼각형의 성질

정답 및 해설 356쪽

01 오른쪽 그림과 같이 $\overline{CA}=\overline{CB}$인 이등변삼각형 ABC에서 $\overline{DA}=\overline{DC}$이고 $\angle DAC=52°$일 때, $\angle DCB$의 크기를 구하시오.

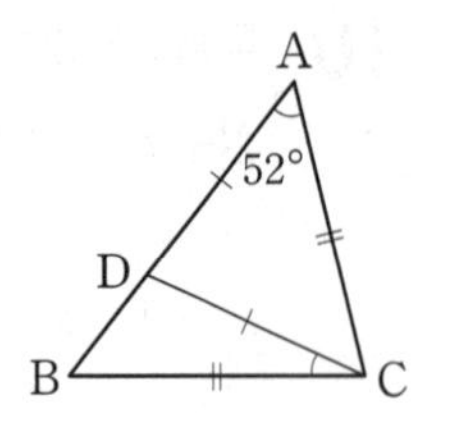

02 다음 그림에서 $\overline{AB}=5$ cm이고, $\angle CAB=20°$, $\angle CBD=40°$, $\angle DCE=60°$, $\angle EDF=80°$일 때, $\overline{ED}$의 길이를 구하시오.

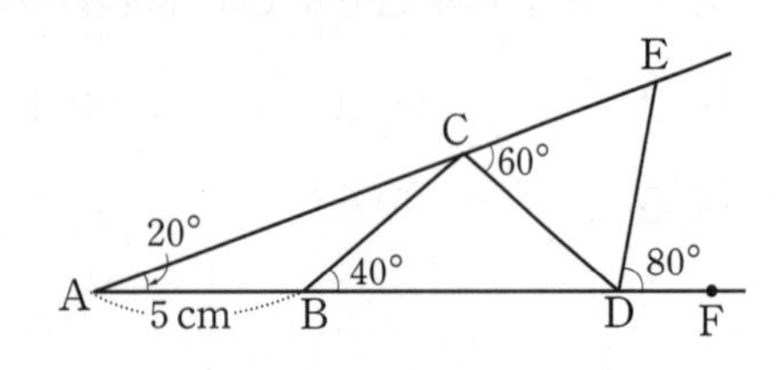

03 오른쪽 그림과 같이 $\angle C=90°$인 직각삼각형 ABC에서 $\angle EDB=90°$이고 $\overline{AD}=\overline{DE}=\overline{EC}$일 때, $\angle BEC$의 크기를 구하시오.

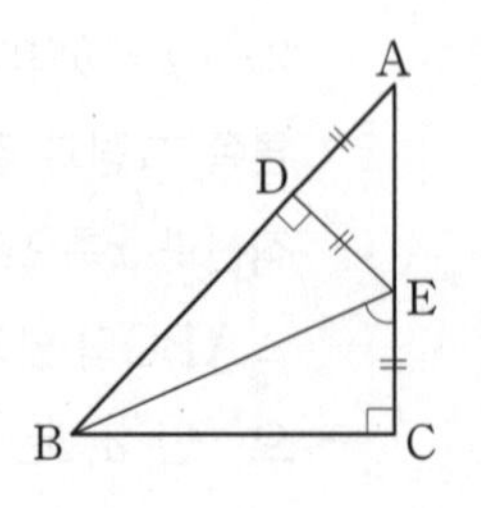

04 오른쪽 그림에서 점 O는 △ABC의 외심이다. $\angle AOB : \angle BOC=2:3$, $\angle BOC : \angle COA=3:4$일 때, $\angle BAC$의 크기를 구하시오.

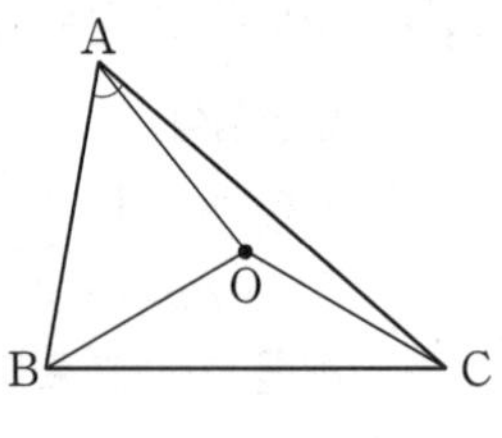

05 오른쪽 그림에서 점 I는 △ABC의 내심이다. $\overline{AB}=26$ cm, $\overline{BC}=30$ cm, $\overline{CA}=28$ cm이고 △ABC의 넓이가 336 cm^2일 때, 내접원의 반지름의 길이를 구하시오.

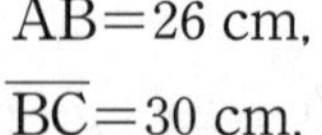

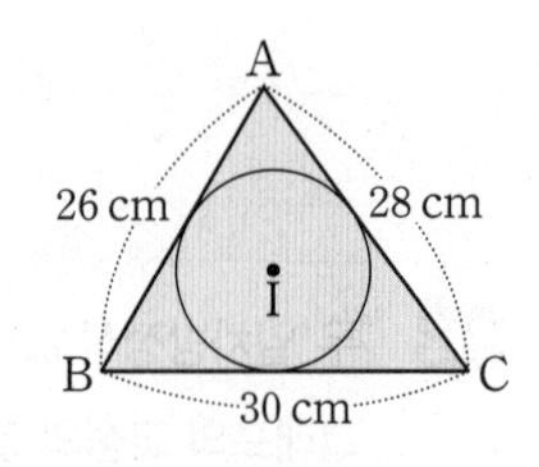

06 오른쪽 그림과 같이 직사각형 ABCD에서 $\angle BDC$의 이등분선과 $\overline{BC}$의 교점을 E, $\overline{BD}$의 중점을 M이라고 하자. $\overline{EB}=\overline{ED}$일 때, $\angle DEM$의 크기를 구하시오.

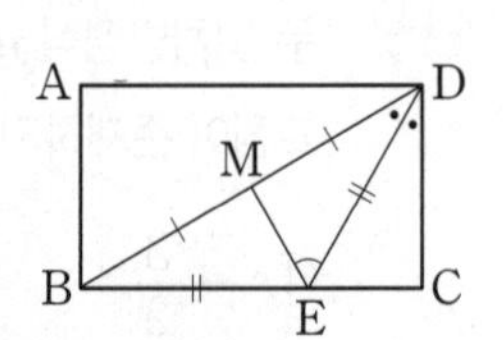

07 오른쪽 그림과 같이 $\angle C=90^\circ$인 직각이등변 삼각형 ABC에서 $\angle B$의 이등분선과 $\overline{AC}$의 교점을 D, 점 D에서 $\overline{AB}$에 내린 수선의 발을 E라고 하자. $\overline{CD}=6\text{ cm}$일 때, $\triangle AED$의 넓이를 구하시오.

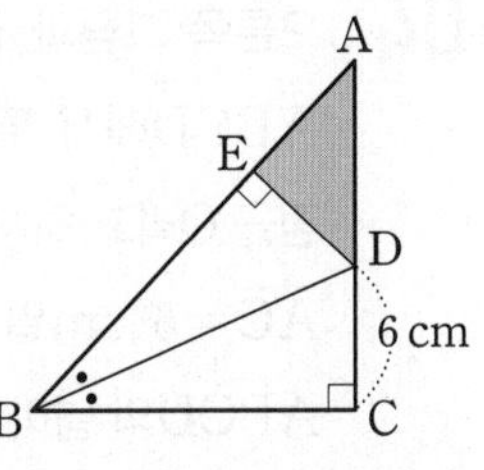

08 다음 그림에서 점 O가 $\angle A=90^\circ$인 직각삼각형 ABC의 외심일 때, $\triangle ABO$의 넓이를 구하시오.

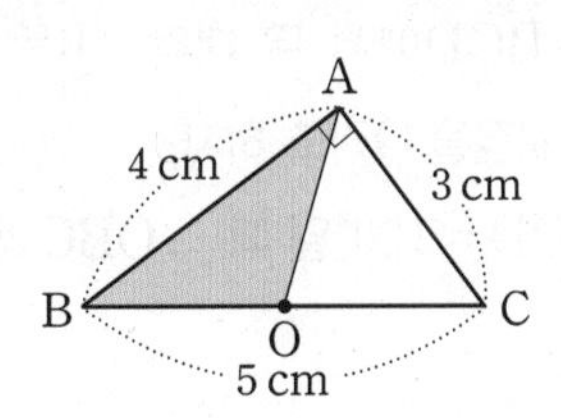

09 오른쪽 그림에서 점 I는 $\triangle ABC$의 내심이고, $\overline{AI}$의 연장선과 $\overline{BI}$의 연장선이 $\overline{BC}$, $\overline{AC}$와 만나는 점을 각각 D, E라고 하자. $\angle C=60^\circ$일 때, $\angle ADB+\angle AEB$의 크기를 구하시오.

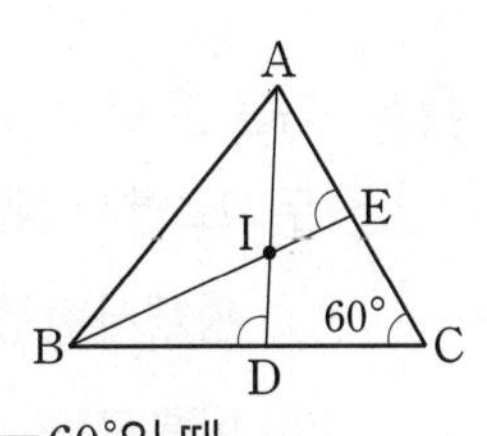

10 오른쪽 그림에서 $\triangle ABC$는 $\angle A=34^\circ$이고 $\overline{AB}=\overline{AC}$인 이등변삼각형이다. $\overline{BD}=\overline{CE}$, $\overline{BE}=\overline{CF}$가 되도록 세 점 D, E, F를 각각 잡을 때, $\angle DEF$의 크기를 구하시오.

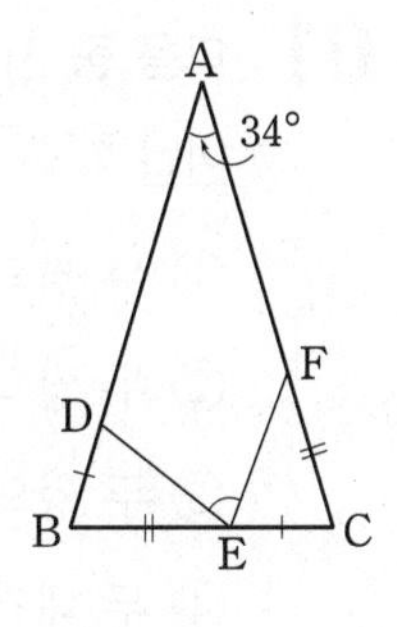

11 다음 그림에서 점 O는 $\triangle ABC$의 외심이다. $\angle ABC=34^\circ$, $\angle OBC=18^\circ$일 때, $\angle A$의 크기를 구하시오.

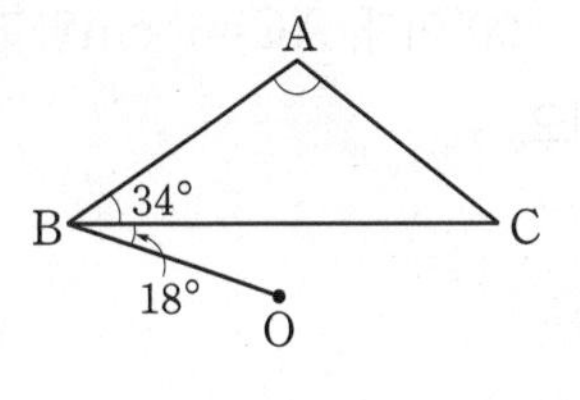

12 다음 그림에서 두 점 O와 I는 각각 $\triangle ABC$의 외심과 내심이다. $\angle B=30^\circ$, $\angle C=74^\circ$일 때, $\angle OAI$의 크기를 구하시오.

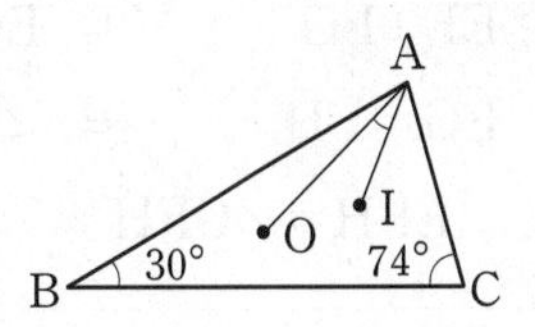

정답 및 해설 358쪽

01 다음 중 사각형이 평행사변형이 되기 위한 조건이 아닌 것은?

① 두 쌍의 대변이 각각 평행하다.

② 두 쌍의 대변의 길이가 각각 같다.

③ 두 쌍의 대각의 크기가 각각 같다.

④ 두 대각선이 서로 다른 것을 이등분한다.

⑤ 한 쌍의 대변이 평행하고 다른 한 쌍의 대변의 길이가 같다.

02 어떤 사각형 ABCD가 $\overline{AB}/\!/\overline{DC}$, $\overline{AD}/\!/\overline{BC}$, $\angle B=90^\circ$이다. $\overline{AC}=5$ cm일 때, $\overline{BD}$의 길이를 구하시오.

03 오른쪽 그림과 같이 직사각형 ABCD의 네 변의 중점을 각각 E, F, G, H라고 할 때, 다음 보기 중 □EFGH에 대한 설명으로 옳은 것을 모두 고르시오.

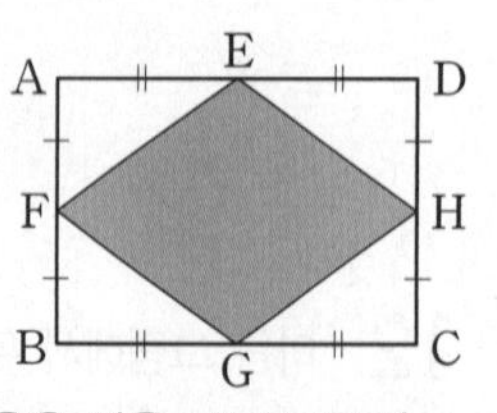

보기

ㄱ. $\overline{EF}\perp\overline{FG}$　　ㄴ. $\overline{EG}\perp\overline{FH}$

ㄷ. $\overline{EG}=\overline{FH}$　　ㄹ. $\angle EFH=\angle EHF$

ㅁ. $\angle EFH=\angle GFH$

04 오른쪽 그림과 같이 정사각형 ABCD에서 두 대각선의 교점을 O라고 하자. $\overline{AC}=6$ cm일 때, 정사각형 ABCD의 넓이를 구하시오.

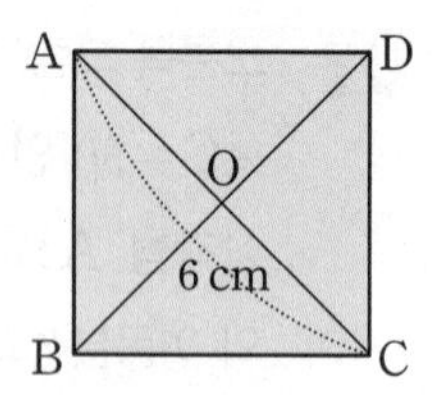

05 오른쪽 그림과 같이 $\overline{AD}/\!/\overline{BC}$인 등변사다리꼴 ABCD에서 두 대각선의 교점을 O라고 하자. $\angle AOD=120^\circ$일 때, $\angle OBC$의 크기를 구하시오.

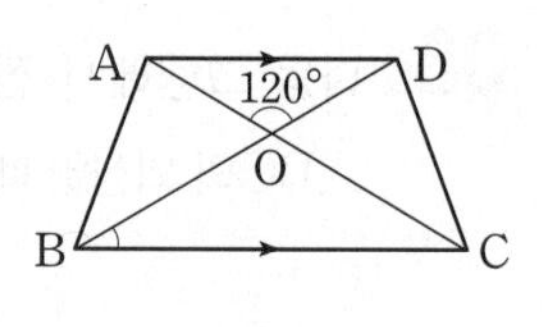

06 다음 중 두 대각선의 길이가 서로 같지 않은 것을 모두 고르면? (정답 2개)

① 평행사변형　② 직사각형

③ 마름모　④ 정사각형

⑤ 등변사다리꼴

07 오른쪽 그림과 같이 평행사변형 ABCD에서 네 내각의 이등분선의 교점을 각각 E, F, G, H라고 할 때, 다음 보기 중 □EFGH에 대한 설명으로 옳은 것을 모두 고르시오.

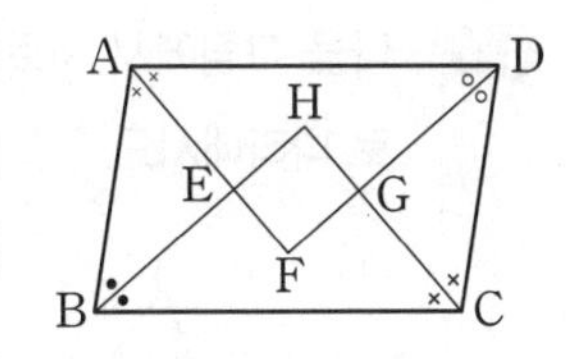

| 보기 |

ㄱ. $\overline{EF}=\overline{EH}$　　ㄴ. $\overline{EG}=\overline{FH}$
ㄷ. $\overline{EG}\perp\overline{FH}$　　ㄹ. $\angle H=90^\circ$
ㅁ. $\angle HEG=\angle FEG$

08 다음 그림과 같이 폭이 같은 2개의 종이테이프를 겹쳤을 때, 겹쳐진 부분에 생긴 사각형 ABCD의 넓이가 48 cm^2이다. $\overline{AC}=8$ cm일 때, $\overline{BD}$의 길이를 구하시오.

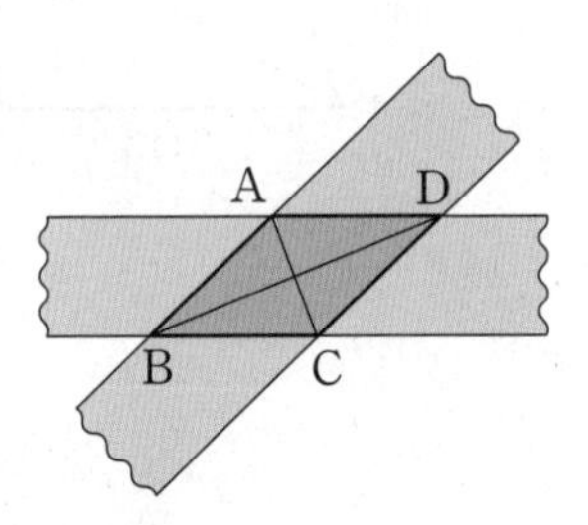

09 오른쪽 그림과 같이 $\overline{AD}/\!/\overline{BC}$인 등변사다리꼴 ABCD에서 $\overline{AB}=\overline{AD}$이고 $\angle DBC=40^\circ$일 때, $\angle BDC$의 크기를 구하시오.

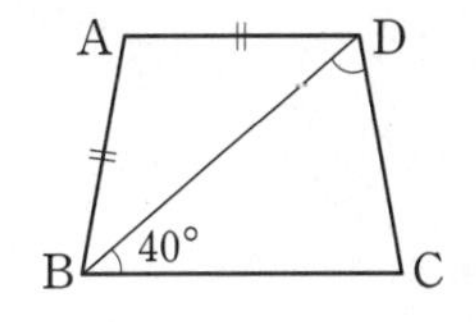

10 오른쪽 그림과 같이 넓이가 40 cm^2인 평행사변형 ABCD의 내부에 있는 한 점 P에 대하여 $\triangle PAB=8$ cm^2이다. 이때 $\triangle PCD$의 넓이를 구하시오.

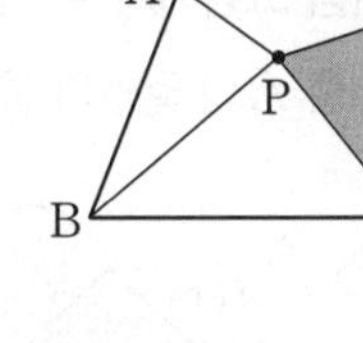

11 오른쪽 그림의 평행사변형 ABCD에서 대각선 BD 위에 $\overline{AE}=\overline{CE}$가 되는 점 E가 2개 이상 존재하고 $\overline{AB}=6$ cm일 때, $\overline{BC}$의 길이를 구하시오.

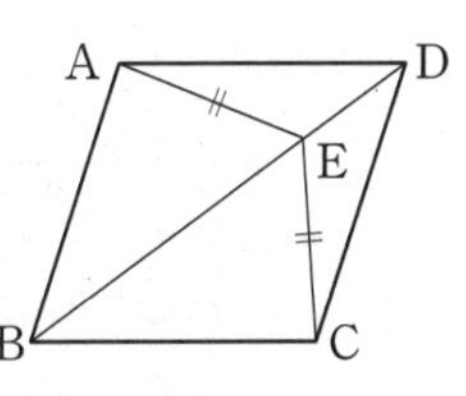

12 다음 직사각형 ABCD의 넓이는 48 cm^2이다. $\overline{AD}$ 위의 점 E와 $\overline{DC}$ 위의 점 F에 대하여 $\overline{AC}/\!/\overline{EF}$, $\overline{DF}:\overline{FC}=3:5$일 때, $\triangle ABE$의 넓이를 구하시오.

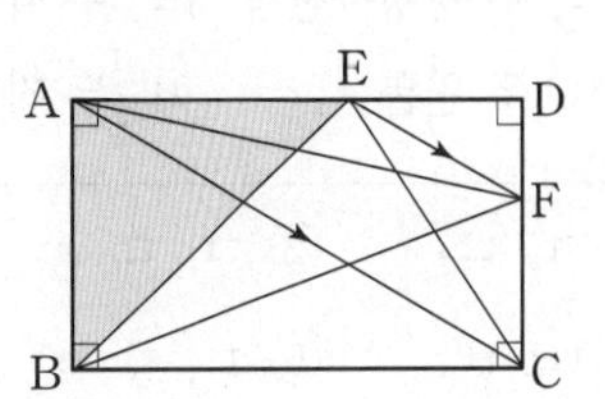

정답 및 해설 359쪽

01 다음 그림에서 두 원뿔 A, B가 서로 닮은 도형일 때, 원뿔 A의 밑면의 둘레의 길이를 구하시오.

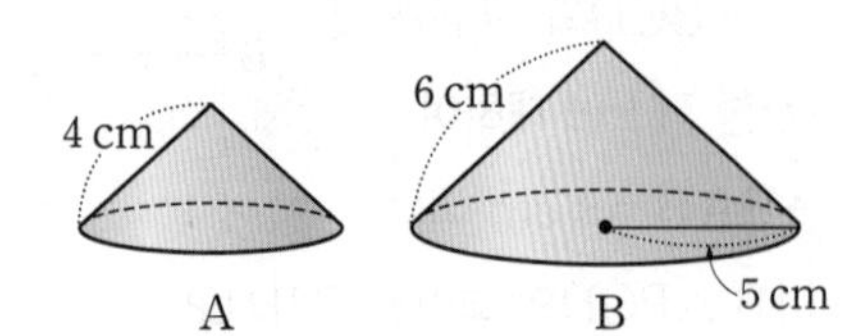

02 다음 그림에서 $\triangle ABC$와 $\triangle DEF$가 서로 닮은 도형이 되기 위해 다음 중 필요한 조건은?

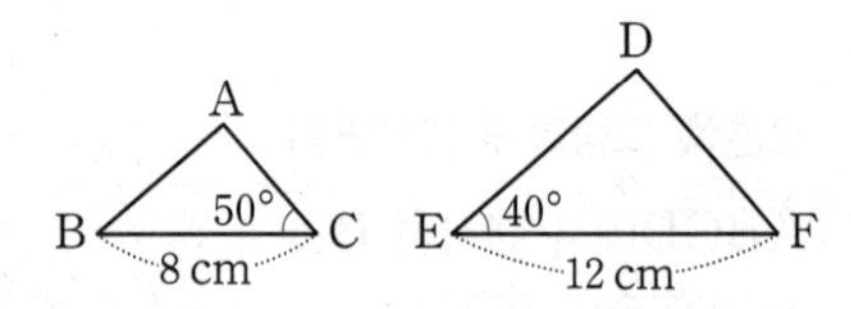

① $\overline{AC}=6$ cm, $\overline{DF}=9$ cm
② $\overline{AB}=10$ cm, $\overline{DE}=15$ cm
③ $\angle A=60°$, $\overline{DF}=6$ cm
④ $\angle A=90°$, $\angle D=90°$
⑤ $\angle A=100°$, $\angle F=50°$

03 다음 보기 중 항상 닮은 도형인 것을 모두 고른 것은?

| 보기 |

ㄱ. 두 직사각형　　ㄴ. 두 정사각형
ㄷ. 두 평행사변형　ㄹ. 두 마름모
ㅁ. 두 원뿔　　　　ㅂ. 두 직각이등변삼각형

① ㄱ, ㄴ　② ㄱ, ㄹ　③ ㄴ, ㄹ
④ ㄴ, ㅂ　⑤ ㄷ, ㅁ, ㅂ

04 다음 그림에서 서로 닮음인 삼각형을 찾아 각각 기호로 나타내시오.

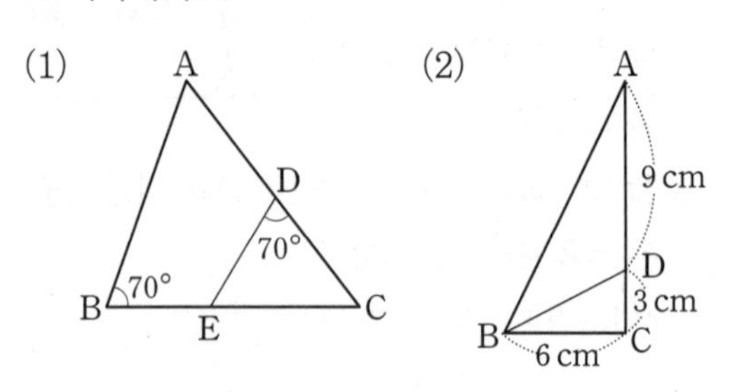

05 다음 그림의 평행사변형 ABCD에서 점 B를 지나는 직선이 $\overline{AD}$와 만나는 점을 E, $\overline{CD}$의 연장선과 만나는 점을 F라고 하자. $\overline{AB}=4$ cm, $\overline{BC}=8$ cm, $\overline{AE}=5$ cm일 때, $\overline{DF}$의 길이를 구하시오.

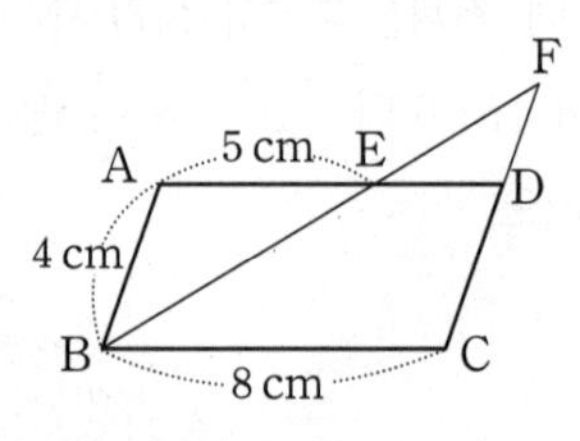

06 다음 그림과 같은 $\triangle ABC$에서 $\overline{AC}$의 길이를 구하시오.

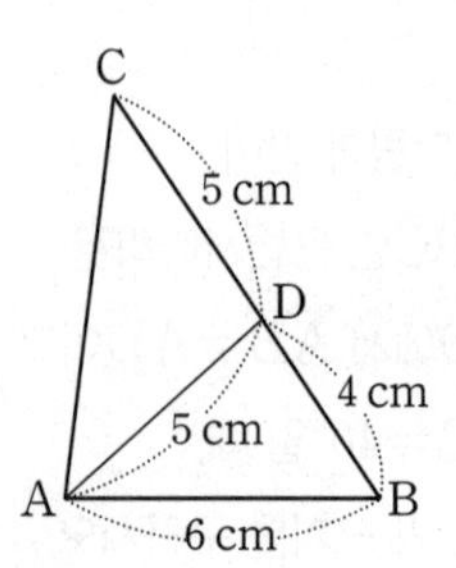

07
오른쪽 그림은 정삼각형 ABC의 꼭짓점 A가 변 BC 위의 점 E에 오도록 접은 것이다. 다음 물음에 답하시오.

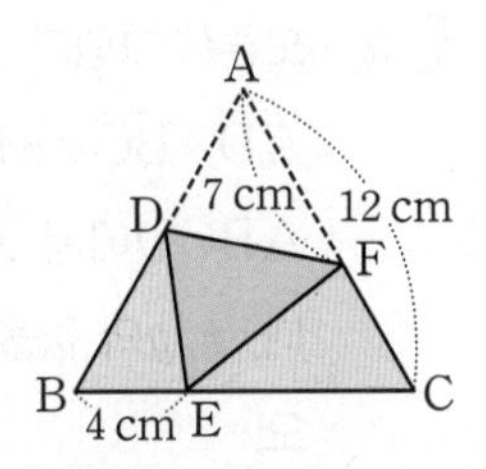

(1) $\triangle$EFC와 서로 닮은 삼각형을 찾아 기호로 나타내시오.

(2) $\overline{\mathrm{DB}}$의 길이를 구하시오.

08
다음 그림과 같이 $\triangle$ABC의 두 점 B, C에서 변 AC, AB에 내린 수선의 발을 각각 D, E라고 할 때, $\overline{\mathrm{BE}}$의 길이를 구하시오.

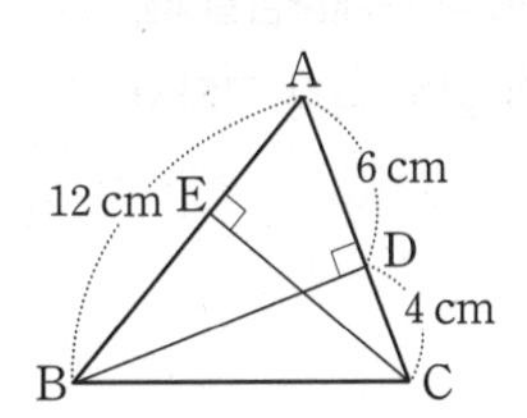

09
다음 그림과 같이 $\angle A=90°$인 직각삼각형 ABC의 점 A에서 $\overline{\mathrm{BC}}$에 내린 수선의 발을 H라고 하자. $\overline{\mathrm{AB}}=5$ cm, $\overline{\mathrm{BH}}=4$ cm일 때, $\overline{\mathrm{CH}}$의 길이를 구하시오.

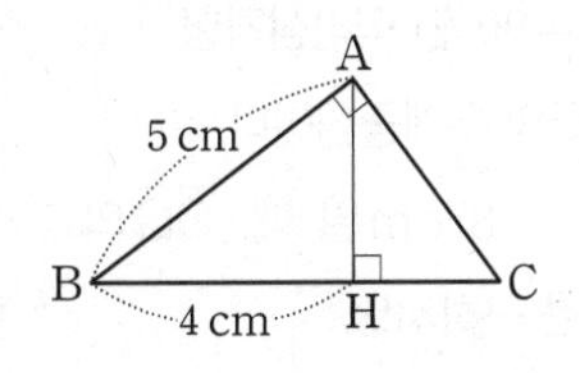

10
다음 그림과 같이 $\triangle$ABC에서 $\overline{\mathrm{AB}}=12$, $\overline{\mathrm{BD}}=9$, $\overline{\mathrm{AC}}=8$, $\overline{\mathrm{DC}}=7$일 때, $\overline{\mathrm{AD}}$의 길이를 구하시오.

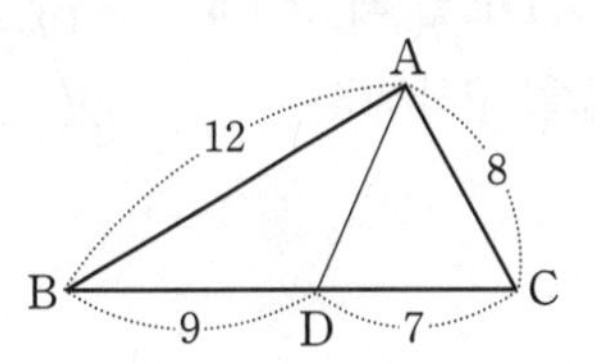

11
다음 그림과 같이 평행사변형 ABCD의 점 A에서 $\overline{\mathrm{BC}}$와 $\overline{\mathrm{CD}}$에 내린 수선의 발을 각각 E, F라고 하자. $\overline{\mathrm{AD}}=6$ cm, $\overline{\mathrm{CD}}=5$ cm, $\overline{\mathrm{AF}}=4.5$ cm일 때, $\overline{\mathrm{AE}}$의 길이를 구하시오.

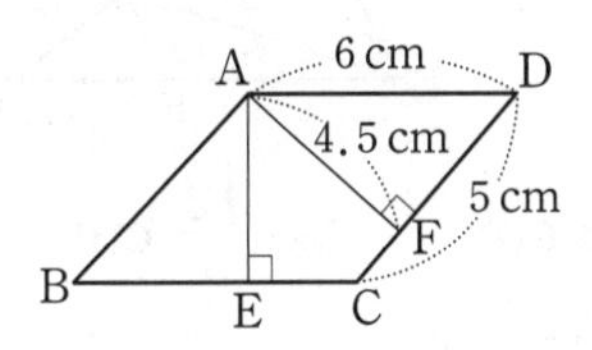

12
다음 그림의 직사각형 ABCD에서 $\overline{\mathrm{EF}}$가 대각선 BD의 수직이등분선일 때, $\overline{\mathrm{AE}}$의 길이를 구하시오.

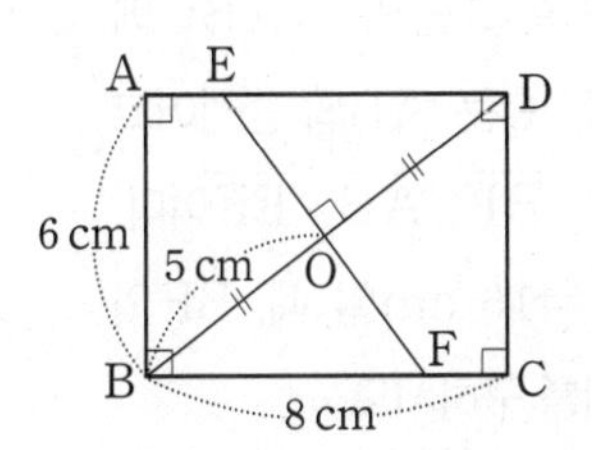

정답 및 해설 360쪽

01 오른쪽 그림의 $\triangle ABC$에서 $\overline{BC} /\!/ \overline{DE}$일 때, $x+y$의 값을 구하시오.

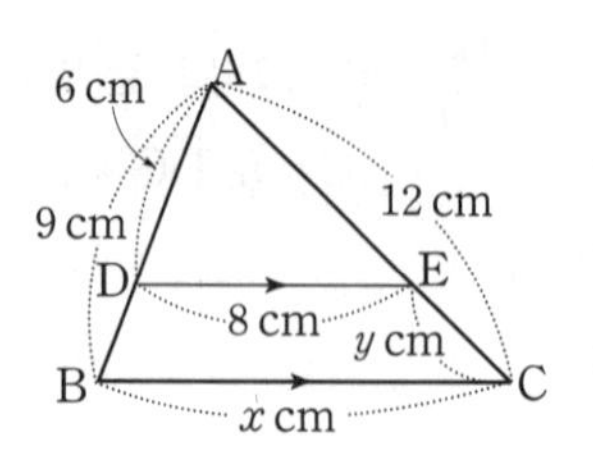

02 다음 그림에서 $\overline{AB} /\!/ \overline{EF} /\!/ \overline{DC}$이고, $\overline{AB}=6$ cm, $\overline{DC}=4$ cm일 때, $\overline{EF}$의 길이는?

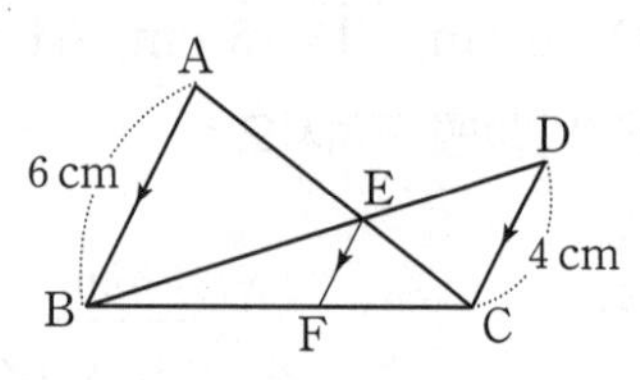

① 2 cm ② $\frac{12}{5}$ cm ③ 3 cm

④ $\frac{17}{5}$ cm ⑤ 4 cm

03 오른쪽 그림의 $\triangle ABC$에서 점 D는 $\overline{AB}$의 중점이고 $\overline{BC} /\!/ \overline{DE}$, $\overline{AB} /\!/ \overline{EF}$이다. $\overline{BC}=16$ cm일 때, $\overline{BF}$의 길이를 구하시오.

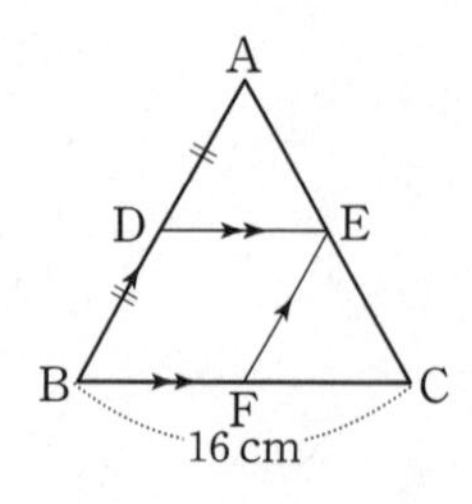

04 오른쪽 그림과 같이 $\overline{AD} /\!/ \overline{BC} /\!/ \overline{EF}$인 사다리꼴 ABCD에서 $\overline{AE}=\overline{EB}$일 때, x, y의 값을 각각 구하시오.

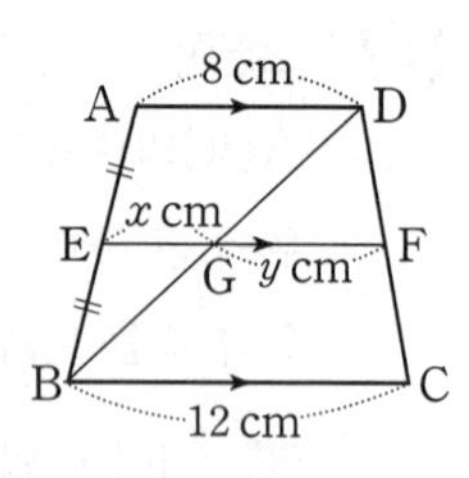

05 오른쪽 그림에서 점 G가 $\triangle ABC$의 무게중심일 때, x, y의 값을 각각 구하시오.

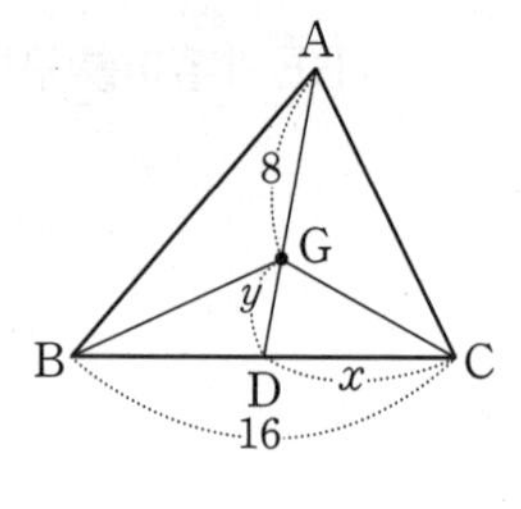

06 오른쪽 그림에서 점 G는 $\angle C=90°$인 직각삼각형 ABC의 무게중심이다. $\overline{AB}=18$ cm일 때, $\overline{CG}$의 길이를 구하시오.

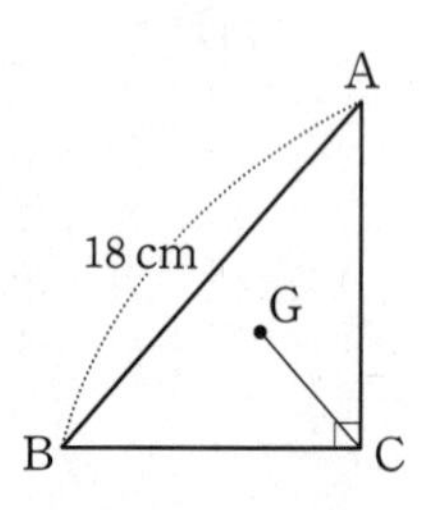

07 오른쪽 그림과 같이 정사각뿔을 밑면에 평행한 두 평면으로 잘라 높이를 삼등분할 때, 입체도형 ㉮, ㉯의 부피의 비를 구하시오.

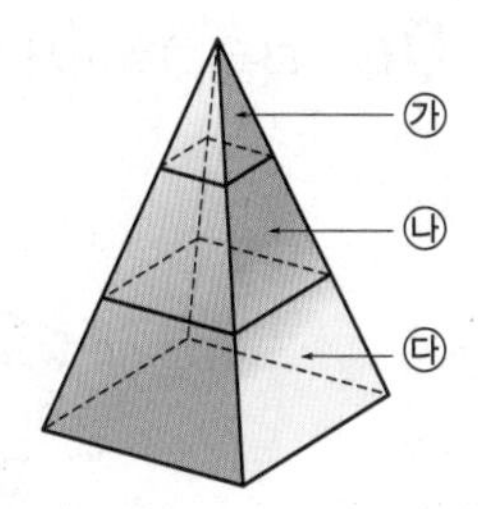

08 다음 그림의 $\triangle ABC$에서 $\overline{BA}$의 연장선 위에 $\overline{BA}=\overline{AD}$가 되도록 점 D를 잡고, 점 D에서 $\overline{AC}$의 중점 M을 지나는 직선을 그어 $\overline{BC}$와 만나는 점을 E라고 하자. $\overline{BE}=6$ cm일 때, $\overline{CE}$의 길이를 구하시오.

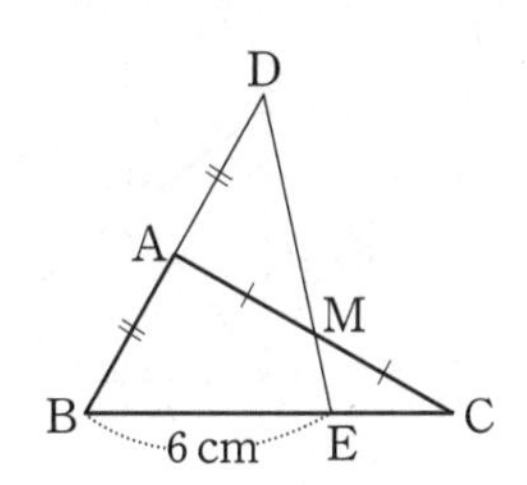

09 나무의 높이를 재기 위해 다음 그림과 같이 막대를 세웠다. 이때 나무의 높이를 구하시오.

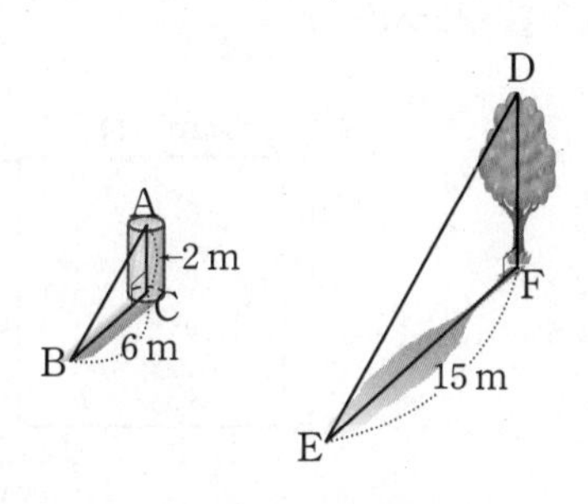

10 오른쪽 그림의 평행사변형 ABCD에서 점 E는 $\overline{AD}$의 중점이고, 점 G는 $\overline{BD}$와 $\overline{CE}$의 교점이다. □ABCD의 넓이가 60 cm^2일 때, $\triangle GDE$의 넓이를 구하시오.

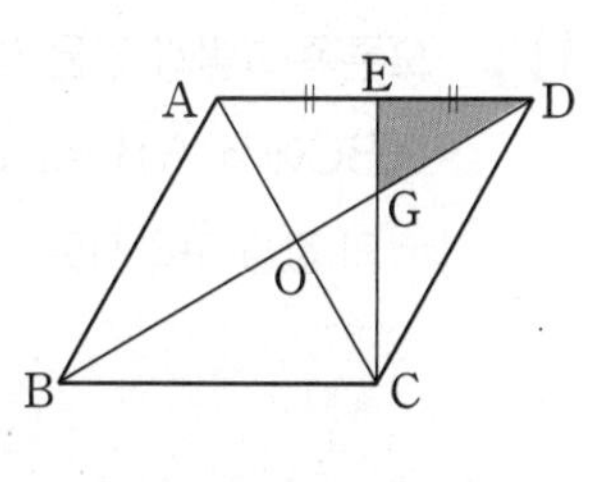

11 오른쪽 그림의 $\triangle ABC$에서 $\overline{AD}$는 $\angle A$의 이등분선이다. 점 C를 지나고 $\overline{AD}$에 평행한 직선과 $\overline{BA}$의 연장선의 교점을 E라고 할 때, $x+y$의 값을 구하시오.

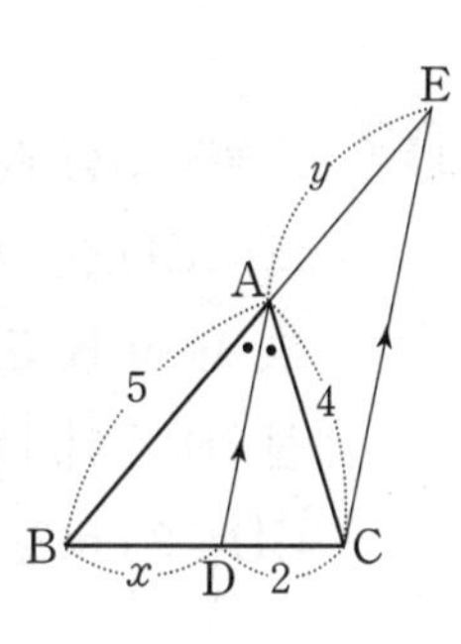

12 다음 그림의 $\triangle ABC$에서 $\angle A$의 외각의 이등분선이 $\overline{BC}$의 연장선과 만나는 점을 D라고 하자. $\overline{AD} /\!/ \overline{EC}$일 때, $\overline{AC}$의 길이를 구하시오.

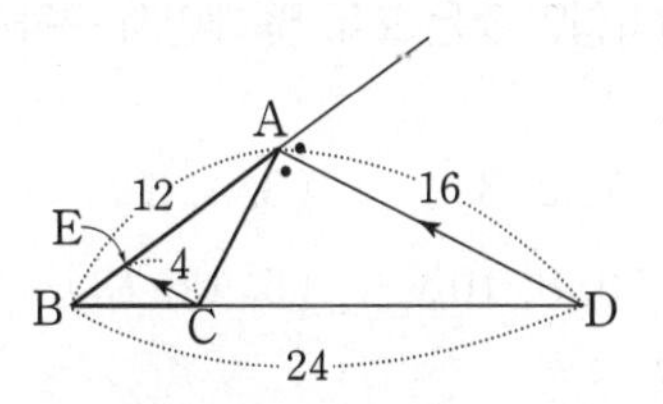

정답 및 해설 361쪽

01 오른쪽 그림과 같은 직각삼각형 ABC에서 $\overline{AB}=x$ cm일 때, x^2의 값을 구하시오.

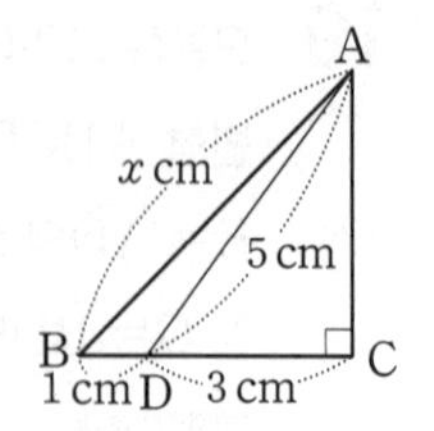

02 오른쪽 그림에서 △ABC와 △CDE는 서로 합동이고, 세 점 B, C, D는 일직선 위에 있다. $\overline{BC}=4$ cm, $\overline{CD}=3$ cm일 때, △ACE의 넓이를 구하시오.

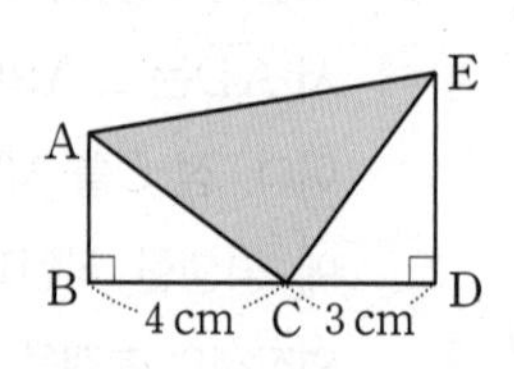

03 세 변의 길이가 각각 다음과 같은 삼각형 중에서 직각삼각형인 것은 모두 몇 개인지 구하시오.

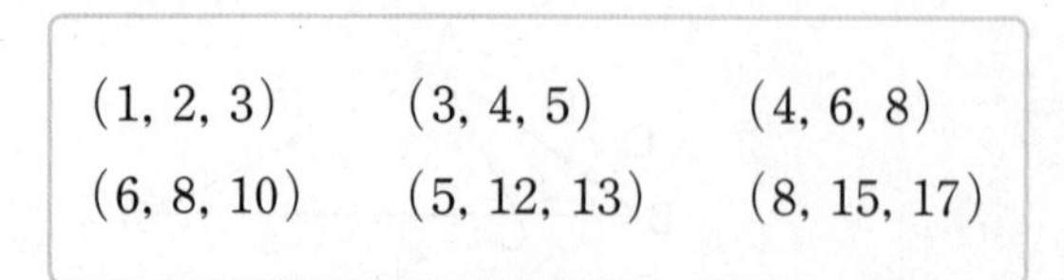
(1, 2, 3) (3, 4, 5) (4, 6, 8)
(6, 8, 10) (5, 12, 13) (8, 15, 17)

04 다음 그림에서 정사각형 AEFG의 넓이를 구하시오.

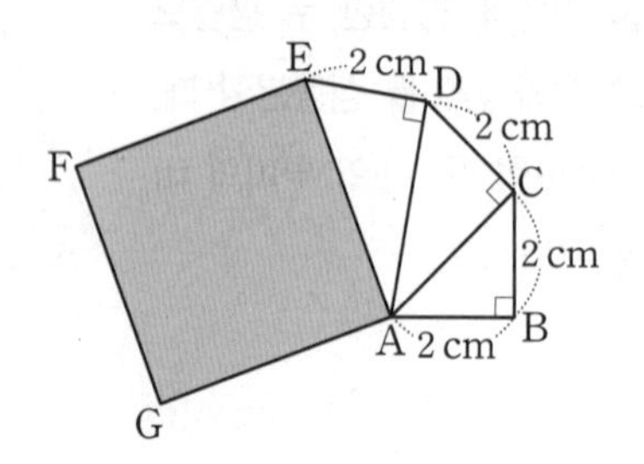

05 다음 그림과 같은 직각삼각형 ABC에서 $\overline{AD}\perp\overline{BC}$이다. $\overline{AB}=4$ cm, $\overline{AC}=3$ cm일 때, $\overline{AD}$의 길이를 구하시오.

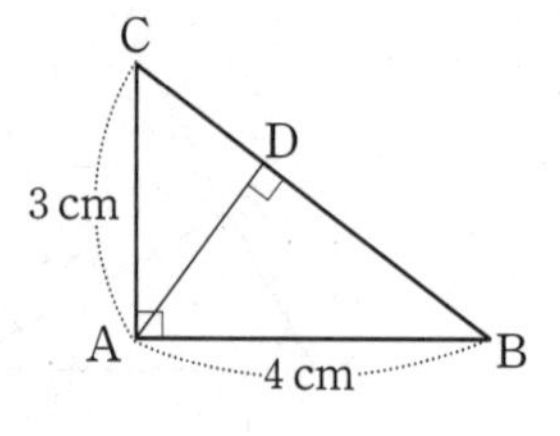

06 다음 그림의 정사각형 ABCD에서 $\overline{AE}=\overline{BF}=\overline{CG}=\overline{DH}=2$ cm, $\overline{AH}=\overline{BE}=\overline{CF}=\overline{DG}=3$ cm일 때, □EFGH의 넓이를 구하시오.

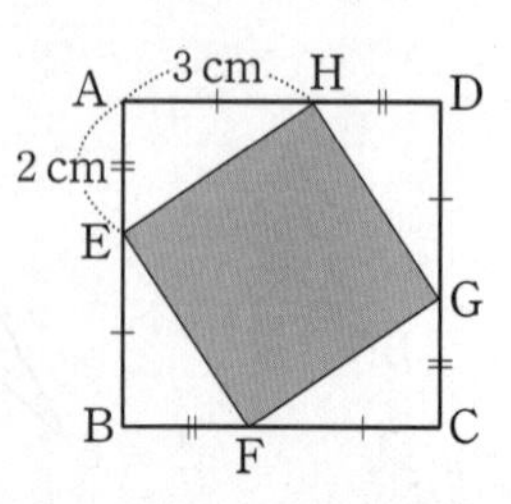

07 오른쪽 그림에서 점 G는 직각삼각형 ABE의 무게중심이고 $\overline{AB}=3\text{ cm}$, $\overline{BG}=\frac{5}{3}\text{ cm}$일 때, 정사각형 BCDE의 넓이를 구하시오.

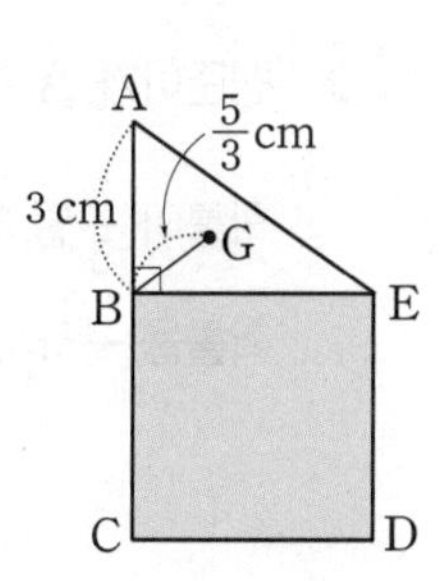

08 다음 그림과 같이 직각삼각형 ABC의 각 변을 지름으로 하는 반원의 넓이를 각각 S_1, S_2, S_3이라고 하자. $\overline{AB}=10\text{ cm}$일 때, S_1+S_2의 값을 구하시오.

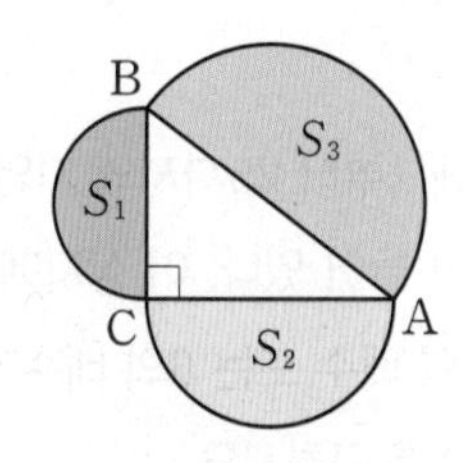

09 다음은 피타고라스 정리를 이용하여 두 대각선이 직교하는 사각형의 성질을 설명하는 과정이다. □ 안에 알맞은 것을 써넣으시오.

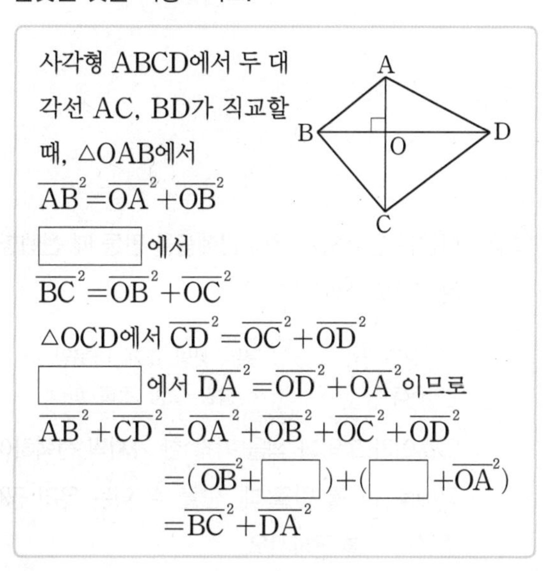
사각형 ABCD에서 두 대각선 AC, BD가 직교할 때, △OAB에서
$\overline{AB}^2=\overline{OA}^2+\overline{OB}^2$
□에서
$\overline{BC}^2=\overline{OB}^2+\overline{OC}^2$
△OCD에서 $\overline{CD}^2=\overline{OC}^2+\overline{OD}^2$
□에서 $\overline{DA}^2=\overline{OD}^2+\overline{OA}^2$이므로
$\overline{AB}^2+\overline{CD}^2=\overline{OA}^2+\overline{OB}^2+\overline{OC}^2+\overline{OD}^2$
$=(\overline{OB}^2+\square)+(\square+\overline{OA}^2)$
$=\overline{BC}^2+\overline{DA}^2$

10 오른쪽 그림과 같이 $\angle A=90°$인 직각삼각형 ABC에서 점 G는 △ABC의 무게중심이다. $\overline{AC}=8$, $\overline{AG}=4$일 때, $\overline{AB}^2$의 값을 구하시오.

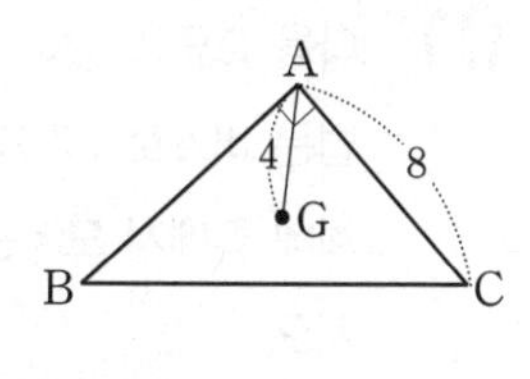

11 다음 그림과 같이 $\overline{AB}=8\text{ cm}$, $\overline{AC}=6\text{ cm}$인 직각삼각형 ABC의 각 변을 지름으로 하는 세 반원을 그렸을 때, 색칠한 부분의 넓이를 구하시오.

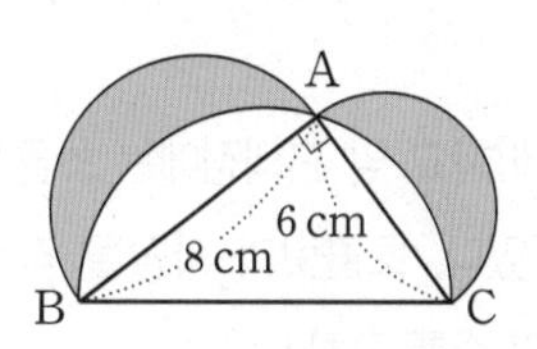

12 다음 그림에서 직사각형 ABCD의 내부에 한 점 P를 잡고 사각형의 각 꼭짓점을 연결하였을 때, 물음에 답하시오.

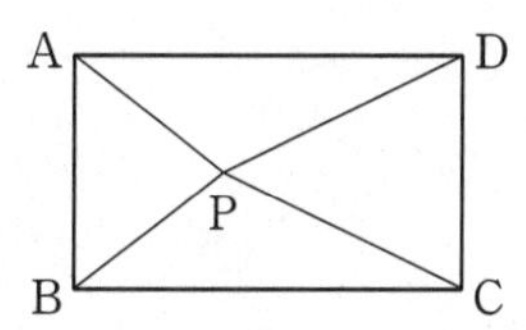

(1) $\overline{PA}^2+\overline{PC}^2=\overline{PB}^2+\overline{PD}^2$이 성립함을 설명하시오.

(2) $\overline{PA}=4\text{ cm}$, $\overline{PB}=5\text{ cm}$, $\overline{PC}=x\text{ cm}$, $\overline{PD}=7\text{ cm}$일 때, x^2의 값을 구하시오.

정답 및 해설 363쪽

01 다음 그림과 같이 민희네 집에서 도서관까지 가는 방법은 버스로 3가지, 지하철로 2가지가 있다. 이때 민희네 집에서 도서관까지 가는 모든 경우의 수를 구하시오.

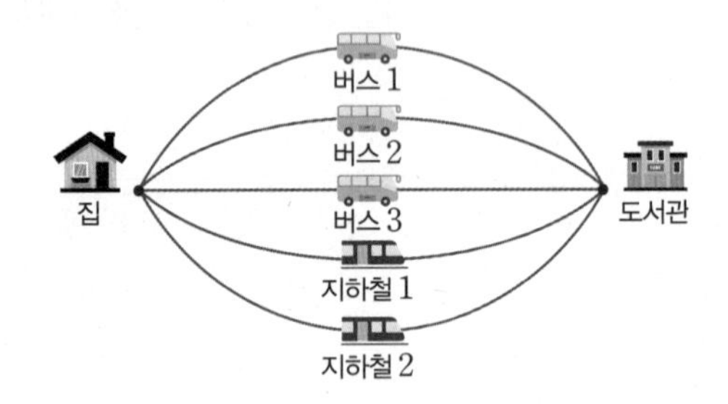

02 영서네 학교 앞 편의점에는 초콜릿 4종류와 사탕 6종류가 있다. 초콜릿과 사탕을 각각 한 종류씩 고르는 경우의 수를 구하시오.

03 상자 속에 1부터 12까지의 자연수가 각각 적힌 12개의 공이 들어 있다. 이 상자에서 한 개의 공을 임의로 꺼낼 때, 12의 약수가 적힌 공이 나올 확률을 구하시오.

04 어느 회사에서 생산되는 제품은 100개 중에서 3개꼴로 불량품이 나온다고 한다. 이 회사에서 생산된 제품 중에서 1개를 임의로 꺼낼 때, 불량품이 나오지 않을 확률을 구하시오.

05 성준이가 A 문제를 맞힐 확률이 $\frac{2}{3}$, B 문제를 맞힐 확률이 $\frac{3}{5}$일 때, 성준이가 두 문제 A, B를 모두 맞힐 확률을 구하시오.

06 상자 속에 1부터 25까지의 자연수가 각각 적힌 25개의 구슬이 들어 있다. 이 상자에서 한 개의 구슬을 꺼낼 때, 5의 배수 또는 6의 배수가 적힌 구슬이 나오는 경우의 수를 구하시오.

07 다음은 영훈이가 유리 공예품을 만들 때 선택할 수 있는 모양과 색이다.

모양	구두, 꽃병, 조개, 나뭇잎, 새
색	빨강, 노랑, 초록, 파랑

영훈이가 모양과 색을 각각 한 가지씩 선택하여 유리 공예품 1개를 만들 때, 만들 수 있는 유리 공예품의 종류의 수를 구하시오.

08 빨간 구슬과 파란 구슬을 합하여 36개가 들어 있는 주머니에서 한 개의 구슬을 임의로 꺼낼 때, 빨간 구슬이 나올 확률은 $\frac{7}{12}$이다. 이 주머니 안에 들어 있는 파란 구슬의 개수를 구하시오.

09 1부터 12까지의 자연수가 각 면에 적힌 정십이면체 모양의 주사위를 한 번 던졌을 때, 4의 배수이거나 소수의 눈이 나올 확률을 구하시오.

10 상자 속에 빨간 구슬 5개와 파란 구슬 3개가 들어 있다. 이 상자에서 구슬을 1개씩 임의로 두 번 꺼낼 때, 첫 번째에는 파란 구슬이 나오고, 두 번째에는 빨간 구슬이 나올 확률을 구하시오. (단, 꺼낸 구슬은 다시 넣는다.)

11 서로 다른 두 개의 주사위 A, B를 던져서 나온 눈의 수를 각각 a, b라고 할 때, $10a+b$가 4의 배수가 되는 경우의 수를 구하시오.

12 다음은 어느 동물원의 안내도이다. 원숭이 우리에서 낙타 우리까지 가는 모든 경우의 수를 구하시오. (단, 사자 우리와 기린 우리를 모두 거칠 때에는 사자 우리를 먼저 가기로 한다.)

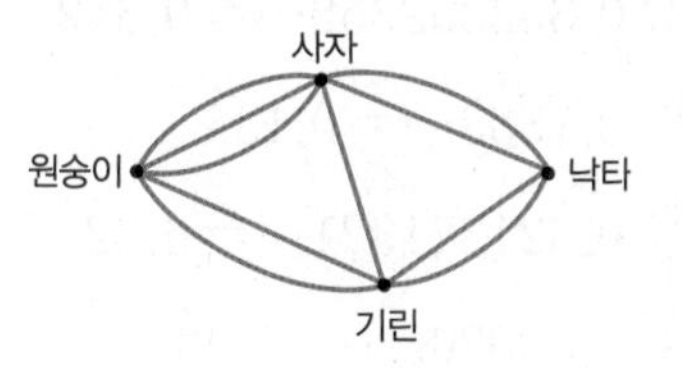

13 이긴 사람만 한 판에 1점을 얻는 게임이 있다. 각 판에서 수빈이가 동현이를 이길 확률은 $\frac{3}{4}$이고 먼저 2점을 얻는 사람이 승리한다고 할 때, 이 게임에서 수빈이가 승리할 확률을 구하시오. (단, 비기는 경우는 없다.)

대단원 평가 문제 I. 수와 식의 계산

정답 및 해설 364쪽

01 다음 중 옳은 것을 모두 고르면? (정답 2개)

① 유한소수 중에는 유리수가 아닌 것도 있다.

② 모든 순환소수는 유한소수로 나타낼 수 있다.

③ 순환소수로 나타 낼 수 있는 수는 모두 유리수이다.

④ 기약분수는 유한소수나 순환소수로 나타낼 수 있다.

⑤ 기약분수의 분모가 15의 배수이면 그 분수는 유한소수로 나타낼 수 있다.

02 다음 중 순환소수의 표현이 옳은 것은?

① $0.352352352\cdots=0.\dot{3}5\dot{2}$

② $0.1333\cdots=0.1\dot{3}\dot{3}$

③ $0.321321321\cdots=0.32\dot{1}$

④ $0.030303\cdots=0.0\dot{3}$

⑤ $1.432143214321\cdots=1.\dot{4}\dot{3}\dot{2}\dot{1}$

03 다음 중 순환소수 $x=1.3222\cdots$에 대한 설명으로 옳은 것은?

① 순환마디는 32이다.

② x를 $1.3\dot{2}\dot{2}$로 나타낼 수 있다.

③ x를 분수로 나타내면 $\dfrac{132-2}{90}$이다.

④ x는 유리수이다.

⑤ $100x-x$의 값은 정수이다.

04 다음 중 보기에 대한 설명으로 옳지 않은 것은?

| 보기 |

ㄱ. $\dfrac{6}{9}$　　ㄴ. $\dfrac{21}{2^3\times3\times5^2}$

ㄷ. $0.6\dot{5}$　　ㄹ. 3.141592

ㅁ. $\pi+1$

ㅂ. $0.31331133311133331111\cdots$

① ㄱ은 순환소수이다.

② ㄴ은 유한소수로 나타낼 수 있다.

③ ㄱ, ㄴ, ㄷ, ㄹ은 유리수이다.

④ ㅁ은 순환소수가 아닌 무한소수이다.

⑤ ㅂ은 순환소수이다.

05 다음은 순환소수 $0.1\dot{2}\dot{3}$을 분수로 나타내는 과정이다. $A\sim E$ 안에 알맞은 수로 옳지 않은 것은?

$x=0.1232323\cdots$ …… ①

①의 양변에 $\boxed{A}$을 곱하면

$\boxed{A}x=1.232323\cdots$ …… ②

①의 양변에 $\boxed{B}$을 곱하면

$\boxed{B}x=123.232323\cdots$ …… ③

③에서 ②를 변끼리 빼면

$\boxed{C}x=\boxed{D}$, $x=\boxed{E}$

따라서 $0.1\dot{2}\dot{3}=\boxed{E}$이다.

① $A=10$　② $B=100$　③ $C=990$

④ $D=122$　⑤ $E=\dfrac{61}{495}$

06 다음 중 유한소수로 나타낼 수 없는 것은?

① $\dfrac{9}{30}$　② $\dfrac{14}{35}$

③ $\dfrac{12}{48}$　④ $\dfrac{6}{2^2\times3\times5\times7}$

⑤ $\dfrac{45}{2^2\times3\times5^2}$

07 $0.1\dot{6}$과 0.6 사이의 분수 중에서 분모가 30이고 유한소수로 나타낼 수 있는 것은 모두 몇 개인가?

① 1 ② 2 ③ 3 ④ 4 ⑤ 5

08 다음 중 옳은 것은?

① $x^2+x^3=x^5$
② $a^2\times a^3=a^6$
③ $x^4\times y^3\times x=x^4\times y^3$
④ $\left(\frac{a^3}{b^2}\right)^4=\frac{a^{12}}{b^8}$ (단, $b\neq0$)
⑤ $\left(-\frac{y}{x^2}\right)^3=\frac{y^3}{x^6}$ (단, $x\neq0$)

09 다음 중 옳지 않은 것을 모두 고르면? (정답 2개)

① $x^2\times x^3=x^5$ ② $x^3\div x^4=\frac{1}{x}$
③ $x^2\div x^2=0$ ④ $\left(\frac{x^3}{y^2}\right)^4=\frac{x^{12}}{y^8}$
⑤ $\left(-\frac{x}{4}\right)^2=\frac{x^2}{8}$

10 다음 □ 안의 수가 나머지 넷과 다른 하나는?

① $a^{\square}\times a^4=a^7$ ② $a^3\div a^6=\frac{1}{a^{\square}}$
③ $\left(\frac{a^2}{b}\right)^3=\frac{a^6}{b^{\square}}$ ④ $a^3\times(-a)^4\div a^{\square}=a^4$
⑤ $(a^{\square})^4\div a^6=a^2$

11 $a^xb\times(a^2b^y)^3=a^7b^{10}$일 때, $x+y$의 값은?

① 1 ② 2 ③ 3 ④ 4 ⑤ 5

12 $4a^2+a-1-(a^2-3a-5)$를 계산하였을 때, a^2의 계수를 m, 상수항을 n이라고 하자. 이때 mn의 값을 구하시오.

13 식 $5x^2-2x+7$에 어떤 식을 더해야 할 것을 잘못하여 빼었더니 $2x^2-x$가 되었다. 이때 바르게 계산한 식은?

① $3x^2-3x-7$ ② $3x^2-3x+7$
③ $8x^2-x+14$ ④ $8x^2-5x$
⑤ $8x^2-3x+14$

14 다음 식을 계산하였을 때, x의 계수와 상수항의 합을 구하시오.

$$4x^2-[2x+2-\{x^2+1-(x^2+x)\}]$$

15 $50^{30}\times4^{16}\times7$은 m자리의 수이고, 각 자리의 숫자의 합은 n이다. 이때 $m-3n$의 값을 구하시오.

16 $a=3^2$일 때, $\left(\frac{1}{81}\right)^5$을 a를 사용하여 $\frac{1}{a^{\square}}$로 나타낼 수 있다. $\square$ 안에 들어갈 자연수를 구하시오.

17 분수 $\frac{5}{13}$를 소수로 나타낼 때, 소수점 아래 첫째 자리의 숫자부터 20번째 자리의 숫자까지의 합을 구하시오.

18 어떤 기약분수를 순환소수로 나타내는데 서진이는 분모를 잘못 보아서 $0.8\dot{3}$이 되었고, 훈식이는 분자를 잘못 보아서 $0.3\dot{8}$이 되었다. 처음 기약분수를 소수로 나타내시오.

19 $A=(-2x^3y)^3\times\left(\frac{3}{2}x^3y^2\right)^2$,
$B=(4xy^3)^2\times\left(-\frac{3}{2}x^5y\right)^3$일 때,
$\frac{B}{A}$의 값을 구하시오.

20 두께가 1 mm인 직사각형 모양의 종이를 반으로 접는 과정을 반복하여 두께 12.8 cm가 되도록 하려면 종이를 몇 번 접어야 하는지 구하시오. (단, 접힌 종이 사이의 공간은 생각하지 않는다.)

서술형 문제

21 분수 $\frac{45}{37}$를 소수로 나타내었을 때, 소수점 아래 30번째 자리의 숫자를 a, 순환소수 $0.00\dot{2}34812\dot{7}$의 소수점 아래 32번째 자리의 숫자를 b라고 하자. 이때 $a+b$의 값을 구하시오.

22 두 분수 $\frac{32}{120}$, $\frac{9}{2^3 \times 3 \times 5^2 \times 7}$에 어떤 자연수 x를 곱하면 모두 유한소수로 나타낼 수 있다. 이를 만족시키는 두 자리의 자연수 x를 모두 구하시오.

23 지구와 태양 사이의 거리는 약 1.6×10^8 km이고, 태양의 빛은 1초에 3.2×10^5 km를 간다고 할 때, 지구에서 사람이 보는 태양의 빛은 몇 초 전에 태양을 출발한 것이라고 할 수 있는지 구하시오.

24 다음 그림과 같이 밑면의 반지름의 길이가 $3a$, 높이가 $2a$인 원기둥 모양의 그릇에 가득 들어 있는 물을 밑면의 반지름의 길이가 $2a$인 원뿔 모양의 그릇에 부었더니 물이 넘치지 않고 가득 찼다. 이때 원뿔 모양의 그릇의 높이를 구하시오.

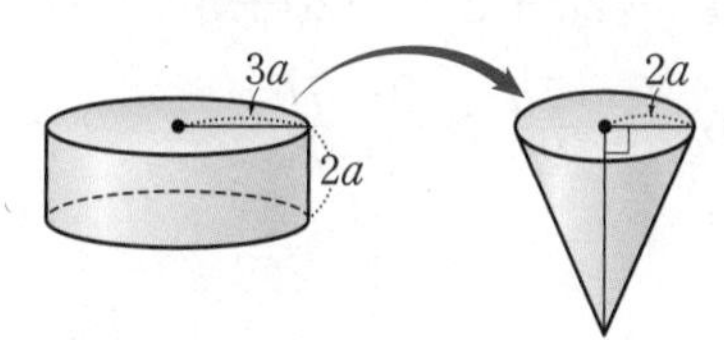

정답 및 해설 366쪽

01 다음 보기 중 일차부등식을 모두 고르면?

보기
ㄱ. $\frac{5}{x}+2=0$
ㄴ. $-x+1<3-2x$
ㄷ. $x^2-x-1<0$
ㄹ. $2(x-3)\le 1+2x$
ㅁ. $y-1<2y$

① ㄱ ② ㄴ ③ ㄴ, ㅁ
④ ㄷ, ㅁ ⑤ ㄴ, ㄹ, ㅁ

02 $a<b$일 때, 다음 중 옳은 것은?

① $5a>5b$
② $a-3<b-3$
③ $\frac{2}{3}a-1>\frac{2}{3}b-1$
④ $-2a+5<-2b+5$
⑤ $\frac{9-7a}{-2}>\frac{9-7b}{-2}$

03 x가 자연수일 때, 부등식 $7+3x\le x+15$를 만족시키는 x의 값이 아닌 것은?

① 1 ② 2 ③ 3
④ 4 ⑤ 5

04 다음 부등식 중 [ ] 안의 수가 해인 것은?

① $2x+5>7$ [1]
② $3x>x+1$ [-1]
③ $6-2x\ge 3$ [2]
④ $3x+1\le 10$ [3]
⑤ $-3x+4\le -2$ [-2]

05 다음 중 오른쪽 그림의 수직선에 나타낸 것과 같은 해를 갖는 부등식은?

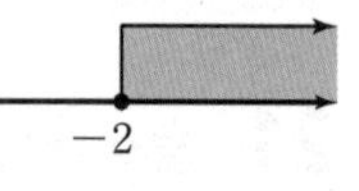

① $\frac{1}{2}x+1\ge 0$ ② $-2x+4\le 0$
③ $\frac{3}{2}+\frac{1}{4}x>-x$ ④ $x-1\le 3x-3$
⑤ $x+8>-2(x-1)$

06 부등식 $3-(x-4)>4x+12$의 해가 $x<a$일 때, 상수 a의 값은?

① -1 ② 1 ③ 2
④ 3 ⑤ 4

07 부등식 $2.1x-0.6\ge 3.6+0.7x$를 풀면?

① $x\ge -3$ ② $x\le -3$
③ $x\ge 3$ ④ $x\le 3$
⑤ $x\ge 4$

08 두 일차부등식 $x-2>2a$, $\frac{1}{2}x-1>\frac{1}{3}x-\frac{1}{3}$의 해가 서로 같을 때, 상수 a의 값은?

① 1 ② 2 ③ 3
④ 4 ⑤ 5

09 현재 형의 예금액은 10000원이고, 동생의 예금액은 30000원이다. 다음 달부터 매달 형은 4000원씩, 동생은 3000원씩 예금하려고 할 때, 형의 예금액이 동생의 예금액보다 많아지는 것은 몇 개월 후부터인가?

① 19개월 후 ② 20개월 후
③ 21개월 후 ④ 22개월 후
⑤ 23개월 후

10 민정이는 두 번의 수학 시험에서 83점과 78점을 받았다. 다음 수학 시험에서 몇 점 이상을 받아야 수학 점수의 평균이 85점 이상이 되겠는가?

① 88점 ② 91점
③ 92점 ④ 94점
⑤ 95점

11 다음 중 미지수가 2개인 일차방정식을 모두 고르면? (정답 2개)

① $x^2=4$
② $x+y=5$
③ $x+3=8$
④ $y+3=7$
⑤ $x-2y+5=0$

12 x, y가 자연수일 때, 일차방정식 $2x+3y=12$를 만족시키는 순서쌍 (x, y)는 모두 몇 개인가?

① 1개 ② 2개 ③ 3개
④ 4개 ⑤ 5개

13 일차방정식 $2x+y+a=0$의 한 해가 $(3, -2)$일 때, 상수 a의 값은?

① -5 ② -4 ③ -3
④ 1 ⑤ 2

14 다음 연립방정식 중 $x=-1$, $y=2$를 해로 갖는 것은?

① $\begin{cases} 2x+y=0 \\ x-2y=3 \end{cases}$ ② $\begin{cases} x-y=-2 \\ 3x+2y=1 \end{cases}$

③ $\begin{cases} x+4y=7 \\ 2x-5y=1 \end{cases}$ ④ $\begin{cases} x-y=4 \\ x-2y=-5 \end{cases}$

⑤ $\begin{cases} x+y=1 \\ -3x+4y=11 \end{cases}$

15 연립방정식 $\begin{cases} y=2x-1 \\ x+ay=8 \end{cases}$을 만족시키는 x의 값이 2일 때, 상수 a의 값은?

① 2 ② 3 ③ 4
④ 5 ⑤ 6

16 연립방정식 $\begin{cases} 2x-5y=-7 & \cdots\cdots ㉠ \\ 3x-2y=-5 & \cdots\cdots ㉡ \end{cases}$를 두 식의 합이나 차를 이용하여 풀 때, x를 없애는 식으로 적당한 것은?

① ㉠$\times 2+$㉡$\times 5$ ② ㉠$\times 3+$㉡$\times 2$
③ ㉠$\times 2-$㉡$\times 5$ ④ ㉠$\times 3-$㉡$\times 2$
⑤ ㉠$\times 2-$㉡$\times 3$

17 연립방정식 $\begin{cases} 0.3(x+y)-0.1y=1.9 \\ \frac{2}{3}x+\frac{3}{5}y=5 \end{cases}$의 해는?

① $(1, 2)$ ② $(1, 3)$ ③ $(3, 1)$
④ $(3, 5)$ ⑤ $(5, 3)$

18 다음 두 연립방정식의 해가 같을 때, 상수 a, b의 값을 각각 구하시오.

$$\begin{cases} ax-by=-6 \\ 2x+7y=34 \end{cases}, \begin{cases} x-3y=-9 \\ 6x+ay=10 \end{cases}$$

19 연립방정식 $\begin{cases} ax-by=7 \\ 3ax+by=-3 \end{cases}$의 해가 $(1, 3)$일 때, 상수 a, b에 대하여 $a+b$의 값을 구하시오.

20 3 %의 소금물과 8 %의 소금물을 섞어서 6 %의 소금물 400 g을 만들려고 한다. 이때 3 %의 소금물과 8 %의 소금물을 각각 몇 g씩 섞으면 되는지 구하시오.

서술형 문제

21 두 일차부등식 $0.3x-2.1\le1.2x+0.6$, $\frac{1}{3}x-2a\le\frac{3}{4}x+\frac{1}{2}$의 해가 서로 같을 때, 상수 a의 값을 구하시오.

22 환호는 제주 올레길을 걷는데, 갈 때는 시속 4 km로, 올 때는 같은 길을 시속 3 km로 걸어서 1시간 45분 이내로 돌아오려고 한다. 이때 환호는 최대 몇 km 지점까지 갔다 올 수 있는지 구하시오.

23 연립방정식 $\begin{cases}-ax+by=8\\bx-ay=-2\end{cases}$의 해를 구하는데 잘못하여 a, b를 바꾸어 놓고 풀었더니 $x=-2$, $y=-1$이었다. 처음 연립방정식의 해를 구하시오.

(단, a, b는 상수)

24 어느 학교의 작년 전체 학생 수는 1000명이었다. 금년에는 작년에 비해 여학생 수는 5 % 증가하고 남학생 수는 2 % 감소하여, 전체 학생 수가 1022명이 되었다. 금년의 여학생 수와 남학생 수를 각각 구하시오.

정답 및 해설 369쪽

01 다음 중 일차함수인 것을 모두 고르면? (정답 2개)

① $y=3$ ② $y=-3x$

③ $y=x^2-2x-1$ ④ $y=\frac{x-4}{4}$

⑤ $y=\frac{1}{x}-2$

02 다음 일차함수의 그래프 중 평행이동하였을 때, 일차함수 $y=-\frac{1}{2}x+3$의 그래프와 포개어지는 것은?

① $y=\frac{1}{2}x$ ② $y=-x+2$

③ $y=-\frac{1}{2}x-3$ ④ $y=-2x+3$

⑤ $y=\frac{1}{3}x+3$

03 일차함수 $y=-3x+b$의 그래프를 y축의 방향으로 5만큼 평행이동하면 점 $(2, -6)$을 지난다. 이때 상수 b의 값은?

① -5 ② -3 ③ -1

④ 0 ⑤ 1

04 다음 중 일차함수 $y=-\frac{3}{2}x+6$의 그래프는?

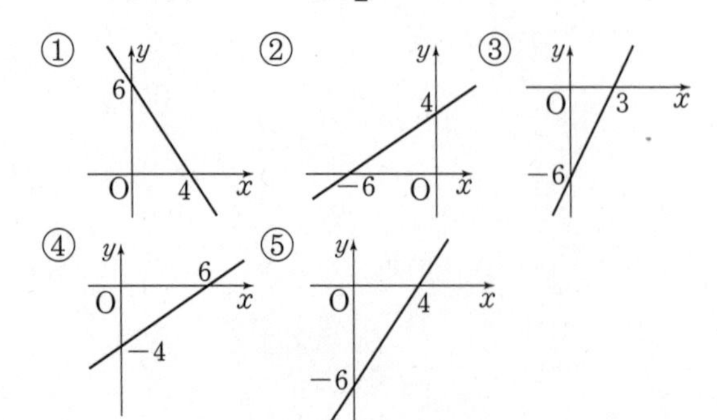

05 일차함수 $y=ax+2$의 그래프의 x절편이 $\frac{2}{3}$일 때, 상수 a의 값은?

① -3 ② $-\frac{1}{2}$ ③ 0

④ $\frac{1}{2}$ ⑤ $\frac{3}{2}$

06 일차함수 $y=-\frac{2}{3}x-6$의 그래프와 x축, y축으로 둘러싸인 삼각형의 넓이는?

① 27 ② 38 ③ 46

④ 52 ⑤ 60

07 오른쪽 그림은 일차함수 $y=ax+b$의 그래프이다. 이때 일차함수 $y=-bx-ab$의 그래프가 지나지 않는 사분면은? (단, a, b는 상수)

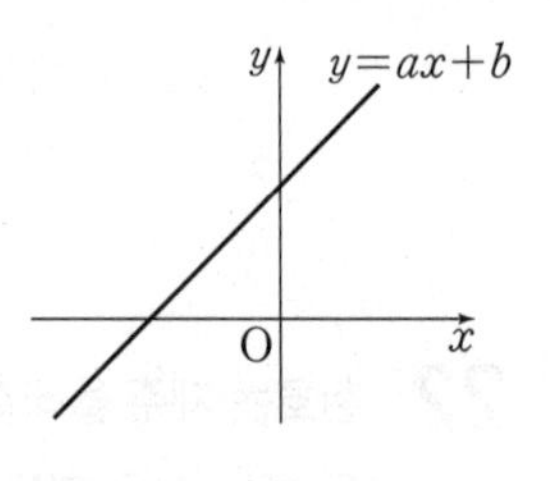

① 제1사분면 ② 제2사분면

③ 제3사분면 ④ 제4사분면

⑤ 없다.

08 다음 중 오른쪽 그림의 일차함수의 그래프에 대한 설명으로 옳은 것은?

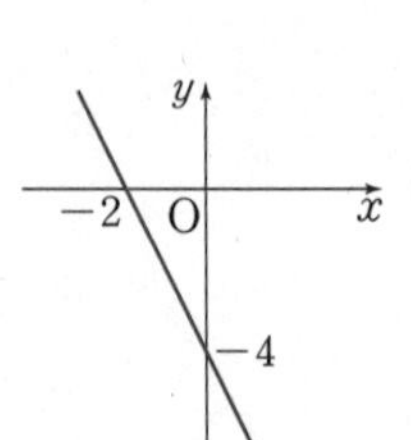

① 기울기는 $-\frac{1}{2}$이다.

② x절편은 2이다.

③ 일차함수 $y=2x$의 그래프와 서로 평행하다.

④ $y=x+1$의 그래프보다 y축에 더 가깝다.

⑤ 점 $(-3, 3)$을 지난다.

09 좌표평면 위의 세 점 $(-1, a)$, $(2, 2)$, $(4, -2)$가 한 직선 위에 있을 때, a의 값은?

① -6 ② -2 ③ 0
④ 4 ⑤ 8

10 일차함수 $y=ax+4$의 그래프가 두 점 $(2, 1)$, $(3, -1)$을 지나는 직선과 평행할 때, 상수 a의 값은?

① -3 ② -2 ③ -1
④ 1 ⑤ 2

11 오른쪽 그림과 같은 일차함수의 그래프의 x절편은?

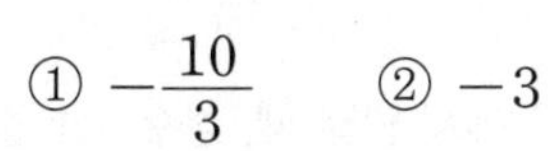
① $-\frac{10}{3}$ ② -3

③ $-\frac{7}{3}$ ④ -2

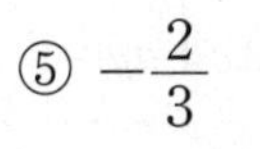
⑤ $-\frac{2}{3}$

12 일차함수 $y=\frac{2}{3}x-1$의 그래프와 평행하고, 일차함수 $y=-2(x-1)$의 그래프를 y축의 방향으로 -5만큼 평행이동한 그래프와 y축 위에서 만나는 직선을 그래프로 하는 일차함수의 식을 구하시오.

13 길이가 15 cm인 용수철의 끝에 매단 물건의 무게가 2 g씩 늘어날 때마다 용수철의 길이가 1 cm씩 늘어난다고 한다. x g의 물건을 달 때의 용수철의 길이를 y cm라고 할 때, x와 y 사이의 관계식은?

① $y=x$ ② $y=x+15$
③ $y=\frac{1}{5}x+15$ ④ $y=\frac{1}{5}x$
⑤ $y=\frac{1}{2}x+15$

14 다음 그림과 같이 길이가 같은 선분을 그려서 여러 개의 정육각형을 그리려고 한다. x개의 정육각형을 그릴 때, 필요한 선분의 개수를 y라고 할 때, 102개의 정육각형을 그릴 때 필요한 선분의 개수는?

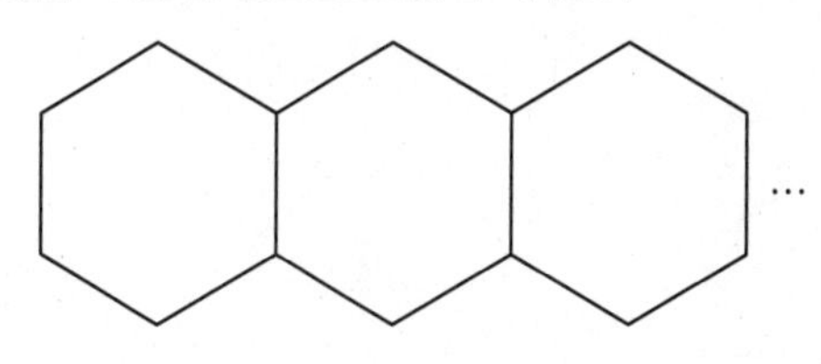

① 499 ② 501 ③ 506
④ 511 ⑤ 516

15 360 L의 물이 들어 있는 물통에서 5분마다 4.5 L씩 의 일정한 속력으로 물이 새어 나가고 있다. 새어 나가기 시작한 지 x분 후에 남아 있는 물의 양을 y L라고 할 때, 다음 물음에 답하시오.

(1) x와 y 사이의 관계식을 구하시오.

(2) 물통에서 물이 다 새어 나갈 때까지 몇 분이 걸리는지 구하시오.

16 일차방정식 $5x-y-3=0$의 그래프가 점 $(a, 7)$을 지날 때, a의 값을 구하시오.

17 직선 $y=-2x+3$ 위의 점 $(-3, k)$를 지나고 y축에 수직인 직선의 방정식을 구하시오.

18 다음 조건을 모두 만족시키는 상수 a, b의 값을 각각 구하시오.

> (가) 연립방정식 $\begin{cases} 4x-y=-1 \\ ax-y=b \end{cases}$ 의 해는 $(-1, -3)$이다.
>
> (나) 직선 $ax+2y+b=0$의 x절편은 -2이다.

19 다음 그림과 같이 두 일차방정식 $-x+2y=4$, $ax+y=-1$의 그래프의 교점의 x좌표가 2일 때, 상수 a의 값을 구하시오.

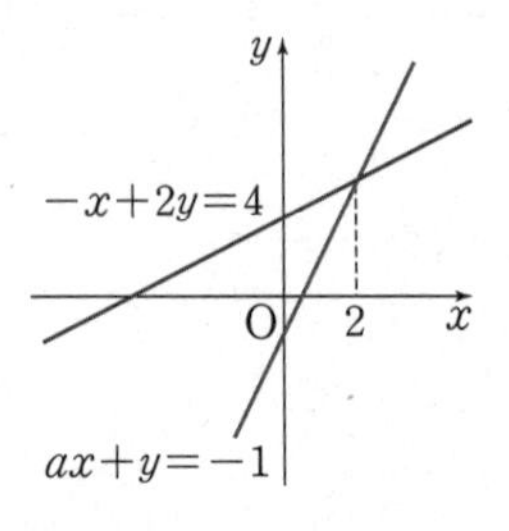

20 다음 세 직선이 한 점에서 만날 때, 상수 a의 값을 구하시오.

> $x-y=6$, $3x+4y=4$, $2x+ay=2$

서술형 문제

21 일차함수 $y=\frac{3}{5}x+1$의 그래프를 y축의 방향으로 n만큼 평행이동한 그래프가 점 $(5, 1)$을 지날 때, n의 값을 구하시오.

22 오른쪽 그림과 같은 직사각형 ABCD에서 점 P가 점 B를 출발하여 점 C까지 변 BC 위를 초속 0.5 cm로 움직이고 있다.

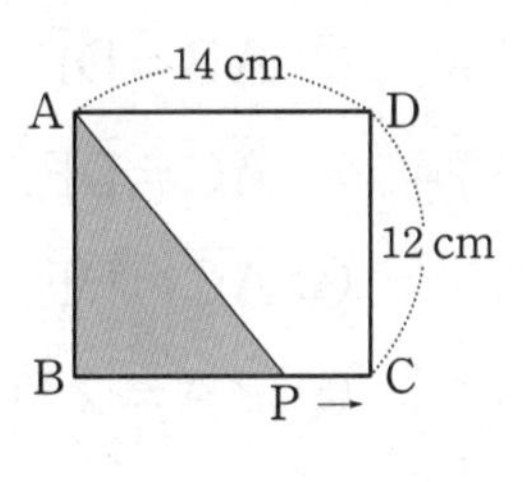

x초 후의 △ABP의 넓이를 y cm^2라고 할 때, 다음 물음에 답하시오.

(1) x와 y 사이의 관계식을 구하시오.

(2) △ABP의 넓이가 60 cm^2가 될 때는 출발한 지 몇 초 후인지 구하시오.

23 일차함수 $y=ax+2$의 그래프와 x축, y축으로 둘러싸인 삼각형의 넓이가 6일 때, 상수 a의 값을 모두 구하시오.

24 두 일차방정식 $2x+ay+b=0$, $4x-5y-5=0$의 그래프의 교점이 무수히 많을 때, 상수 a, b에 대하여 ab의 값을 구하시오.

대단원 평가 문제 IV. 도형의 성질

정답 및 해설 372쪽

01 오른쪽 그림과 같이 $\overline{AB}=\overline{AC}$인 이등변삼각형 ABC에서 $\overline{AD}=\overline{AE}$일 때, 다음 중 옳지 않은 것은?

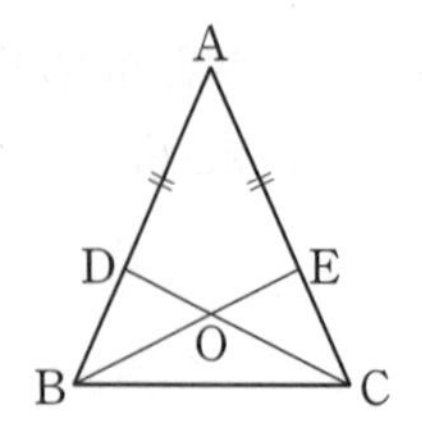

① $\overline{DB}=\overline{EC}$

② $\overline{BE}=\overline{CD}$

③ $\angle BDC=\angle AEB$

④ $\triangle ABE\equiv\triangle ACD$

⑤ $\angle OBC=\angle OCB$

02 오른쪽 그림과 같이 $\overline{AB}=\overline{AC}$인 이등변삼각형 ABC에서 ∠B의 이등분선과 ∠C의 외각의 이등분선의 교점을 D라고 하자. $\angle A=44°$일 때, ∠D의 크기는?

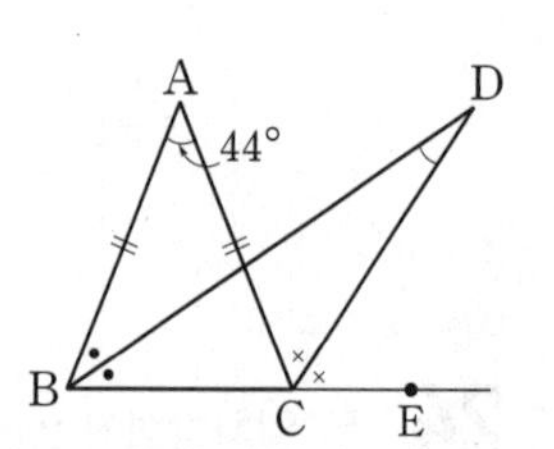

① 20°　② 22°　③ 24°

④ 26°　⑤ 28°

03 오른쪽 그림과 같이 $\overline{AB}=\overline{AC}$인 이등변삼각형 ABC에서 ∠A의 이등분선과 $\overline{BC}$의 교점을 D라고 하자. $\overline{AD}$ 위의 한 점 P에 대하여 다음 중 옳은 것을 모두 고르면? (정답 3개)

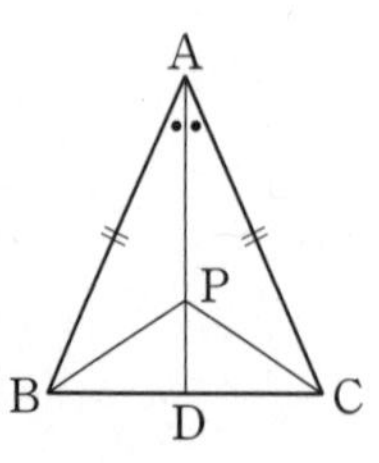

① $\overline{AP}=\overline{CP}$　② $\overline{BD}=\overline{CD}$

③ $\angle PBD=\angle PCD$　④ $\triangle PAB\equiv\triangle PBC$

⑤ $\angle BPD=\angle CPD$

04 오른쪽 그림에서 $\overline{AB}=\overline{AC}=\overline{AD}$이고 $\angle BAD=150°$일 때, ∠BCD의 크기를 구하시오.

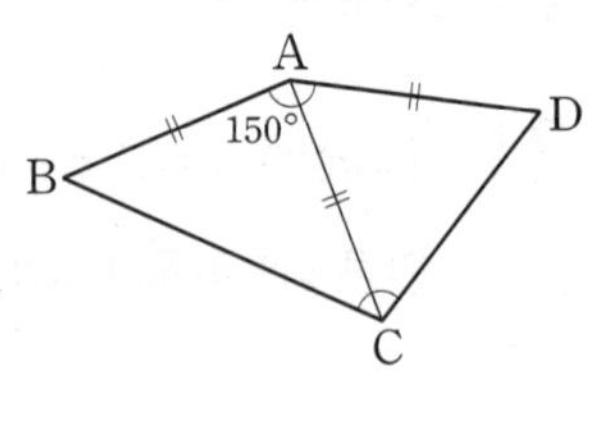

05 다음 중 오른쪽 그림의 두 직각삼각형 ABC, DEF가 서로 합동이 되는 경우가 아닌 것은?

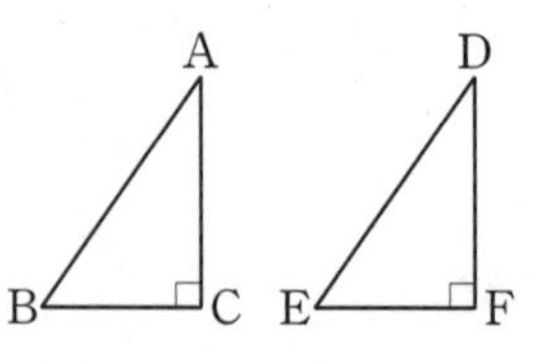

① $\overline{AB}=\overline{DE}$, $\overline{BC}=\overline{EF}$

② $\overline{AB}=\overline{DE}$, $\angle B=\angle E$

③ $\overline{AC}=\overline{DF}$, $\angle A=\angle D$

④ $\overline{AC}=\overline{DF}$, $\angle B=\angle E$

⑤ $\angle A=\angle D$, $\angle B=\angle E$

06 오른쪽 그림과 같이 한 직선 위에 있지 않은 세 점 A, B, C를 지나는 원의 중심 O를 찾는 방법은?

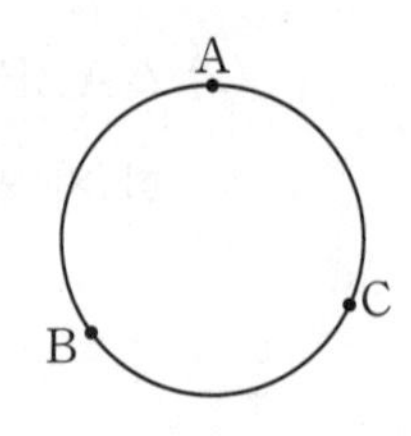

① $\overline{AB}$, $\overline{BC}$의 수직이등분선의 교점

② ∠ABC, ∠BAC의 이등분선의 교점

③ 점 A, C에서 $\overline{BC}$, $\overline{AB}$에 내린 수선의 교점

④ ∠ABC의 이등분선과 $\overline{AC}$의 수직이등분선의 교점

⑤ 점 A와 $\overline{BC}$의 중점, 점 C와 $\overline{AB}$의 중점을 이은 선분의 교점

07 오른쪽 그림에서 점 I는 $\triangle ABC$의 내심이고, $\overline{AI}$의 연장선과 $\overline{BI}$의 연장선이 $\overline{BC}$, $\overline{AC}$와 만나는 점을 각각 D, E라고 하자. $\angle ADB=84°$, $\angle AEB=72°$일 때, $\angle C$의 크기는?

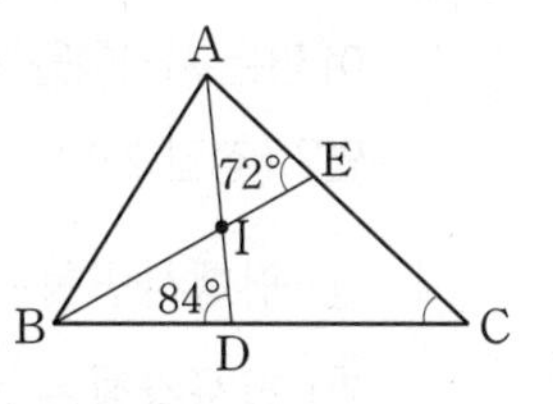

① $38°$ ② $40°$ ③ $42°$
④ $44°$ ⑤ $46°$

08 다음 그림에서 점 I는 $\triangle ABC$의 내심이다.
$\angle AIB : \angle BIC = 10 : 11$,
$\angle BIC : \angle CIA = 11 : 15$일 때, $\angle ABC$의 크기는?

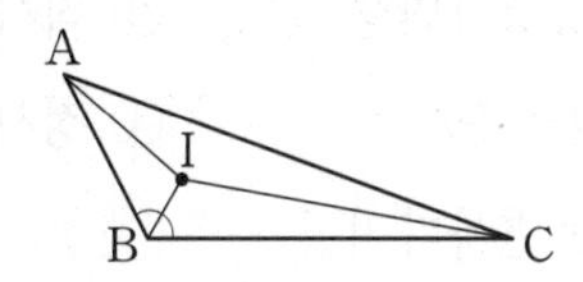

① $100°$ ② $110°$ ③ $120°$
④ $130°$ ⑤ $140°$

09 오른쪽 그림에서 두 점 O와 I는 각각 $\angle B=90°$인 직각삼각형 ABC의 외심과 내심이다.
$\overline{AB}=3$ cm,
$\overline{BC}=4$ cm,
$\overline{CA}=5$ cm일 때, $\triangle ABC$의 외접원의 넓이와 내접원의 넓이의 차는?

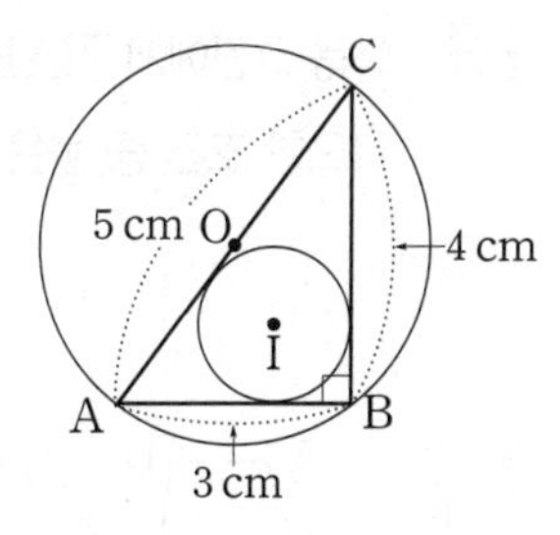

① $\frac{21}{4}\pi$ cm^2 ② $\frac{27}{4}\pi$ cm^2
③ $\frac{33}{4}\pi$ cm^2 ④ $\frac{19}{2}\pi$ cm^2
⑤ $\frac{21}{2}\pi$ cm^2

10 오른쪽 그림의 평행사변형 ABCD에서 점 O가 두 대각선의 교점일 때, 다음 중 옳지 않은 것은?

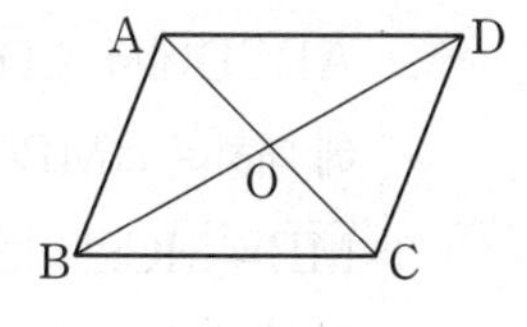

① $\overline{AD}=\overline{BC}$
② $\overline{BO}=\overline{DO}$
③ $\angle BAD=\angle DCB$
④ $\angle ADB=\angle CDB$
⑤ $\triangle ADO \equiv \triangle CBO$

11 다음 중 □ABCD가 평행사변형이 되는 것을 모두 고르면? (정답 2개)

① $\overline{AB} /\!/ \overline{DC}$, $\overline{AD}=\overline{BC}=5$ cm
② $\overline{AD}=\overline{BC}=5$ cm, $\overline{AD} /\!/ \overline{BC}$
③ $\overline{AB}=\overline{BC}=5$ cm, $\overline{AD}=\overline{CD}=6$ cm
④ $\angle A=130°$, $\angle B=50°$, $\overline{AD} /\!/ \overline{BC}$
⑤ $\angle A+\angle B=180°$, $\overline{AB} /\!/ \overline{DC}$

12 다음 그림의 □ABCD가 평행사변형일 때, 색칠한 사각형이 평행사변형이 아닌 것은?

①
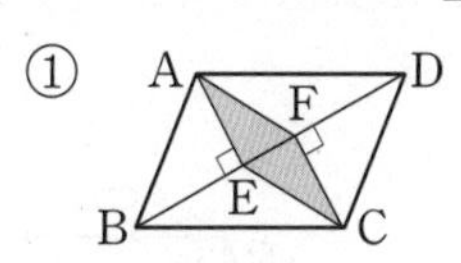

②
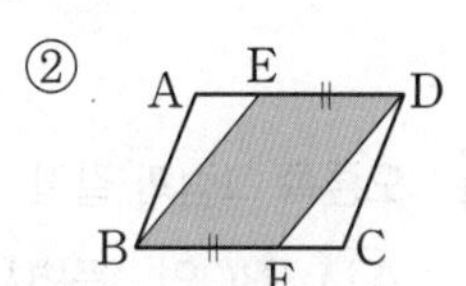

③
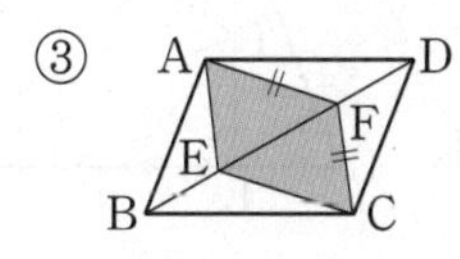

④
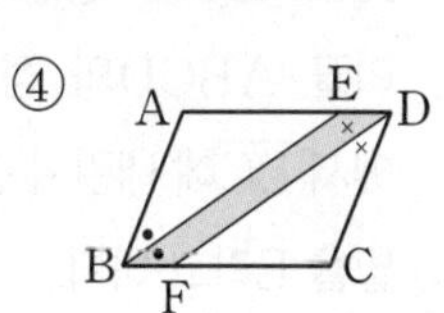

⑤
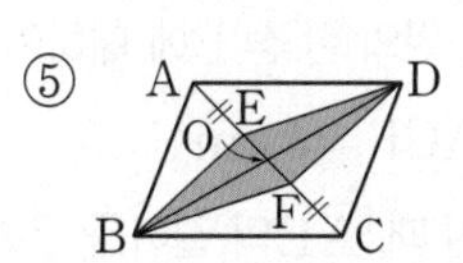

13 오른쪽 그림의 평행사변형 ABCD에서 $\overline{AD}$의 중점 M에 대하여 △MBC가 $\overline{MB}=\overline{MC}$인 이등변삼각형이 될 때, 다음 중 옳지 않은 것은?

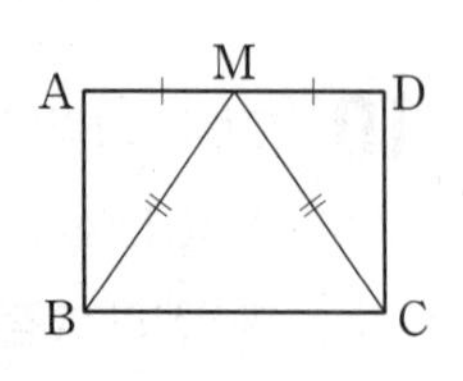

① $\angle ABC=90°$　② $\overline{AC}=\overline{BD}$
③ $\overline{AC}\perp\overline{BD}$　④ $\angle A=\angle D$
⑤ $\angle ABM=\angle DCM$

14 오른쪽 그림의 직사각형 ABCD에서 ∠ABD, ∠CDB의 이등분선이 $\overline{AD}$, $\overline{BC}$와 만나는 점을 각각 E, F라고 하자. $\overline{DC}=6$ cm이고 □EBFD가 마름모일 때, $\overline{BD}$의 길이는?

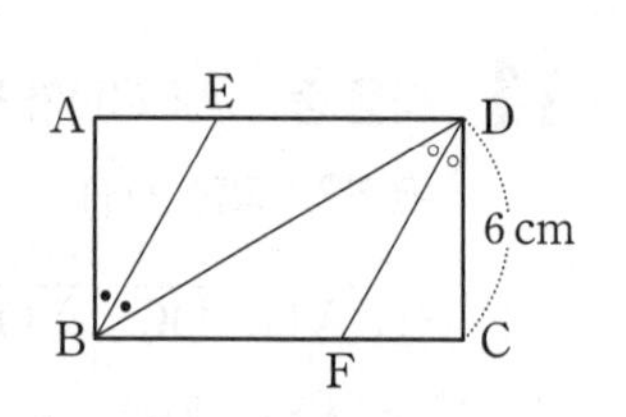

① 8 cm　② 9 cm　③ 10 cm
④ 11 cm　⑤ 12 cm

15 오른쪽 그림과 같이 $\overline{AD}/\!/\overline{BC}$인 등변사다리꼴 ABCD의 점 A에서 $\overline{BC}$에 내린 수선의 발을 E라고 하자.
$\overline{AD}=4$ cm이고 $\overline{AE}$ 위의 한 점 F에 대하여 $\triangle ADF=4\text{ cm}^2$, $\triangle ACF=6\text{ cm}^2$, $\square ABCD=30\text{ cm}^2$일 때, $\overline{AE}$의 길이를 구하시오.

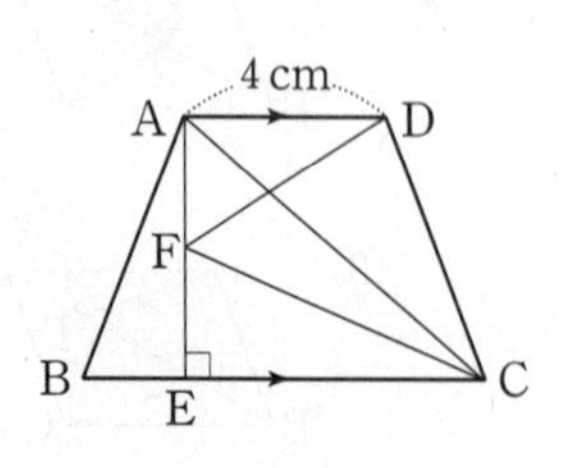

16 다음은 사각형과 그 사각형의 각 변의 중점을 연결하여 만든 사각형을 짝지은 것이다. 옳은 것을 모두 고르면? (정답 2개)

① 평행사변형 — 평행사변형
② 직사각형 — 직사각형
③ 직사각형 — 등변사다리꼴
④ 마름모 — 마름모
⑤ 정사각형 — 정사각형

17 다음 사각형 중에서 두 대각선의 길이가 서로 같은 것을 모두 고르면? (정답 3개)

① 평행사변형　② 직사각형
③ 마름모　④ 정사각형
⑤ 등변사다리꼴

18 다음 그림에서 □ABCD가 화살표 방향으로 변할 때, 필요한 조건 중 옳은 것을 모두 고르면? (정답 3개)

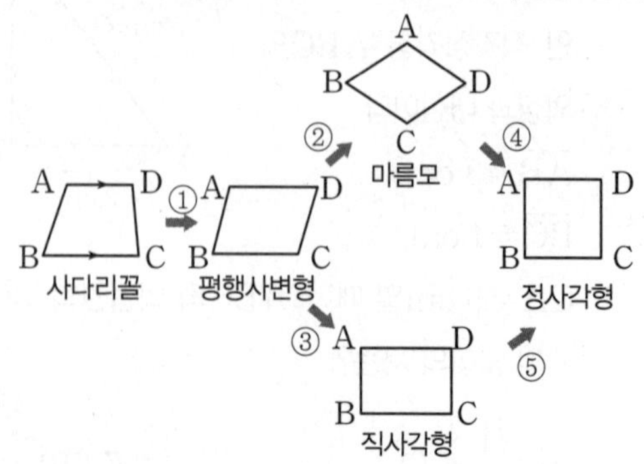

① $\overline{AB}/\!/\overline{DC}$　② $\angle A=\angle D$
③ $\overline{AB}=\overline{BC}$　④ $\angle A=\angle D$
⑤ $\overline{AB}=\overline{BC}$

19 다음 중 □ABCD가 정사각형이 되는 것은?

① $\overline{AB} /\!/ \overline{DC}$, $\overline{AD} /\!/ \overline{BC}$, $\angle A = 90°$

② $\angle A = \angle C$, $\angle B = \angle D$, $\overline{AC} = \overline{BD}$

③ $\overline{AB} = \overline{DC}$, $\overline{AB} /\!/ \overline{DC}$, $\overline{AC} \perp \overline{BD}$

④ $\angle A = \angle B = \angle C = \angle D$, $\overline{AC} \perp \overline{BD}$

⑤ $\overline{AD} /\!/ \overline{BC}$, $\angle B = \angle C$

20 오른쪽 그림의 정사각형 ABCD에서 $\overline{BF} = \overline{DE}$이고, 두 점 G, H는 각각 $\overline{BD}$와 $\overline{AF}$, $\overline{CE}$의 교점이다. $\angle BAF = 25°$일 때, $\angle EHG$의 크기는?

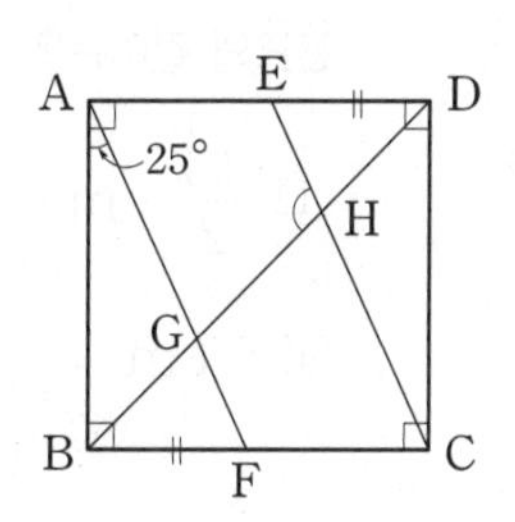

① 100°　② 105°　③ 110°　④ 115°　⑤ 120°

서술형 문제

21 오른쪽 그림에서 △ABC는 $\overline{AB} = \overline{AC}$인 이등변삼각형이다. $\overline{BA} = \overline{BE}$, $\overline{CA} = \overline{CD}$, $\angle DAE = 28°$일 때, $\angle BAD$의 크기를 구하시오.

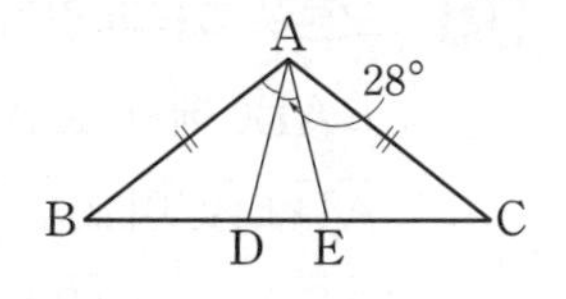

22 오른쪽 그림에서 두 점 O와 I는 각각 △ABC의 외심과 내심이다. $\angle BAC = 36°$일 때, $\angle OBI$의 크기를 구하시오.

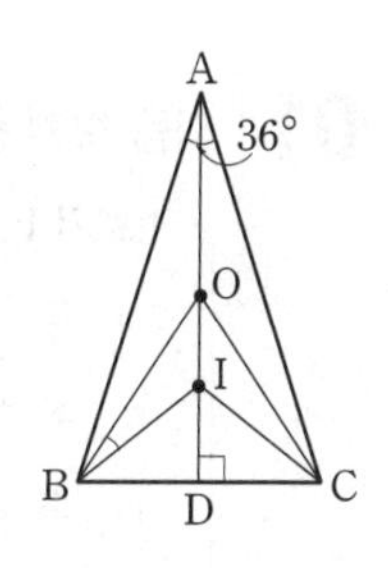

23 오른쪽 그림의 평행사변형 ABCD에서 점 O는 두 대각선의 교점이다. $\overline{CD}$의 중점을 E, $\overline{AE}$와 $\overline{BD}$의 교점을 F라고 하자. $\triangle FAO = 10\ cm^2$, $\triangle FDE = 10\ cm^2$일 때, □ABCD의 넓이를 구하시오.

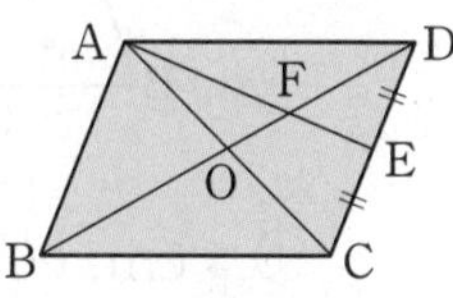

24 오른쪽 그림의 마름모 ABCD에서 두 대각선의 교점을 O라고 하자. $\overline{BE} = \overline{BF} = 8\ cm$, $\overline{BC} = 12\ cm$일 때, $\overline{BD}$의 길이를 구하시오.

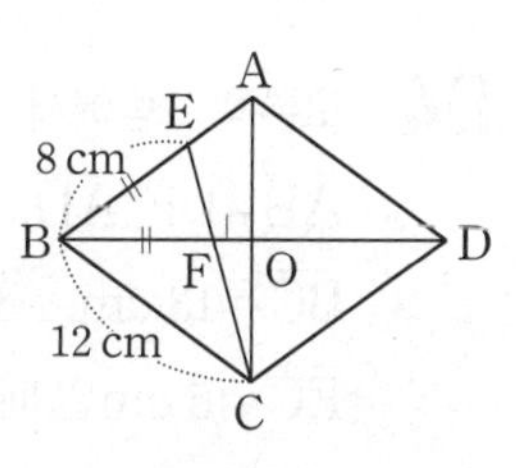

대단원 평가 문제 V. 도형의 닮음

정답 및 해설 375쪽

01 다음 보기 중 항상 닮음인 도형의 개수는?

보기	
ㄱ. 두 정삼각형	ㄴ. 두 정팔각형
ㄷ. 두 원	ㄹ. 두 구
ㅁ. 두 직육면체	ㅂ. 두 원기둥

① 1 ② 2 ③ 3 ④ 4 ⑤ 5

02 다음 그림에서 □ABCD∽□EFGH일 때, $\overline{EF}$의 길이와 ∠F의 크기를 차례로 나열한 것은?

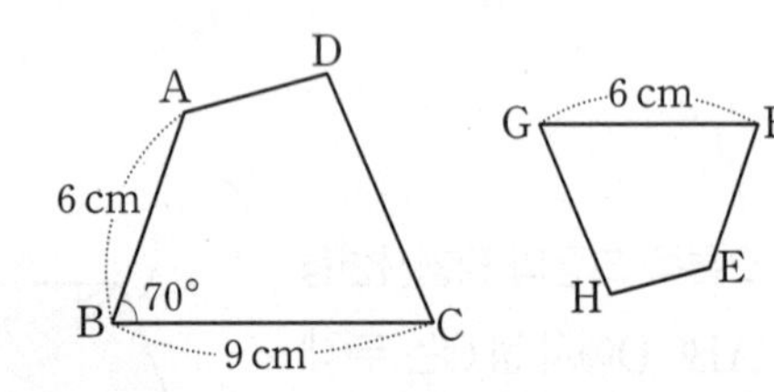

① 4 cm, 60° ② 4 cm, 70° ③ 5 cm, 60° ④ 5 cm, 70° ⑤ 6 cm, 70°

03 오른쪽 그림에서 $\overline{AC}$의 길이는?

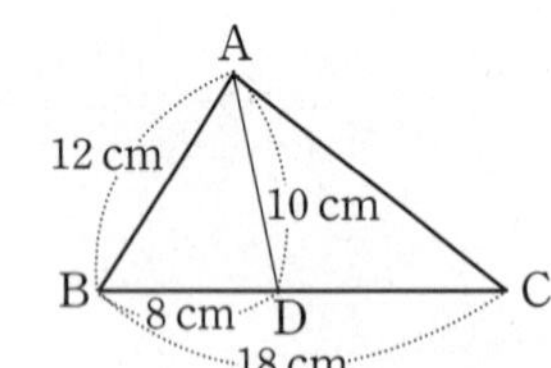

① 11 cm ② 12 cm ③ 13 cm ④ 14 cm ⑤ 15 cm

04 오른쪽 그림에서 $\overline{AB}$∥$\overline{DF}$, $\overline{AD}$∥$\overline{BC}$이고 $\overline{BC}$=13 cm, $\overline{AD}$=7 cm, $\overline{EC}$=5 cm일 때, $\overline{AE}$의 길이를 구하시오.

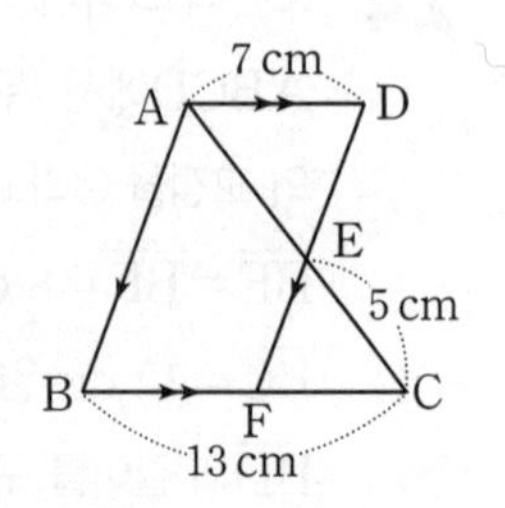

05 오른쪽 그림에서 △ABC와 서로 닮음인 삼각형의 개수는?

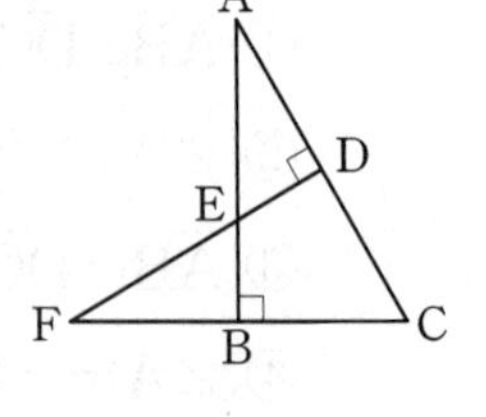

① 0 ② 1 ③ 2 ④ 3 ⑤ 4

06 오른쪽 그림과 같이 △ABC의 두 점 A, C에서 $\overline{BC}$, $\overline{AB}$에 내린 수선의 발을 각각 D, E라고 할 때, $\overline{BE}$의 길이는?

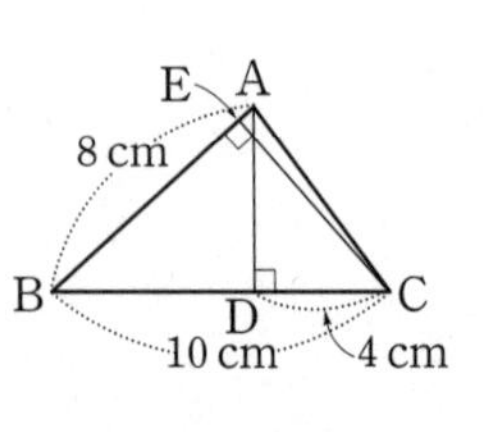

① $\frac{15}{2}$ cm ② 8 cm ③ $\frac{17}{2}$ cm ④ 9 cm ⑤ $\frac{19}{2}$ cm

07 오른쪽 그림과 같이 △ABC에서 ∠A=90°, $\overline{AD}$⊥$\overline{BC}$일 때, $x-y$의 값은?

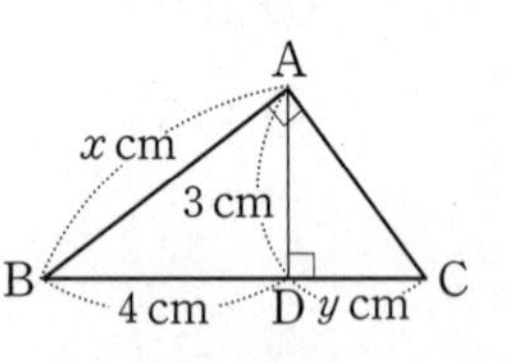

① $\frac{9}{4}$ ② $\frac{11}{4}$ ③ 3 ④ 4 ⑤ 5

08 오른쪽 그림과 같이 △ABC에서 ∠A=90°, $\overline{AD}$⊥$\overline{BC}$이고, $\overline{AC}$=5 cm, $\overline{CD}$=4 cm일 때, △ABC의 넓이를 구하시오.

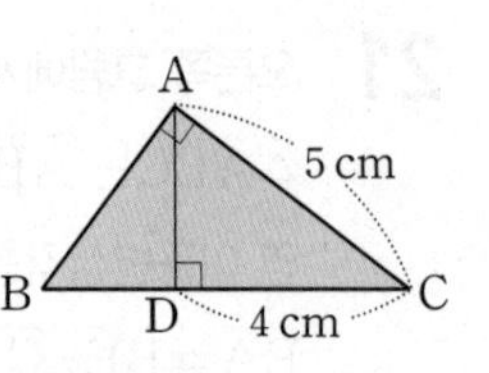

09 오른쪽 그림과 같이 $\triangle ABC$에서 $\overline{DE} /\!/ \overline{BC}$, $\overline{DF} /\!/ \overline{AC}$일 때, x의 값은?

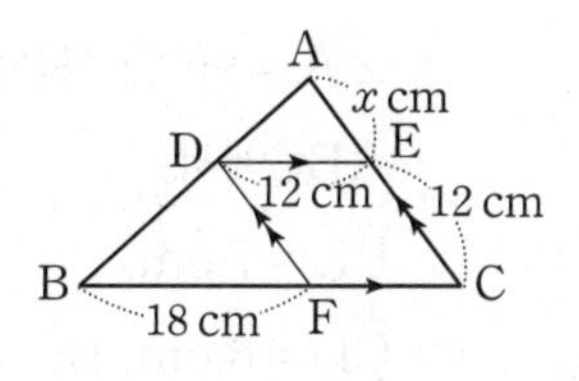

① 8 ② 9 ③ 10
④ 11 ⑤ 12

10 오른쪽 그림에서 $l /\!/ m /\!/ n$일 때, $x+y$의 값은?

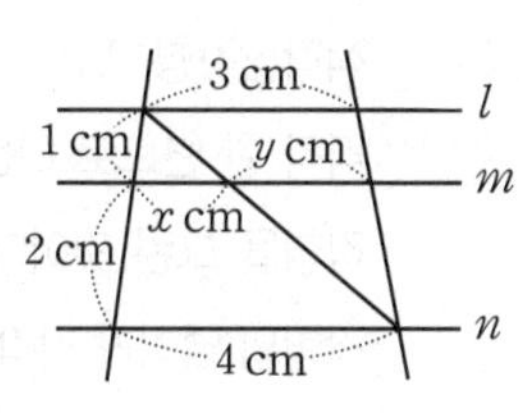

① $\frac{7}{3}$ ② $\frac{8}{3}$ ③ 3
④ $\frac{10}{3}$ ⑤ $\frac{11}{3}$

11 오른쪽 그림과 같이 네 점 M, N, P, Q가 각각 $\overline{AB}$, $\overline{AC}$, $\overline{DB}$, $\overline{DC}$의 중점일 때, 다음 중 옳지 않은 것은?

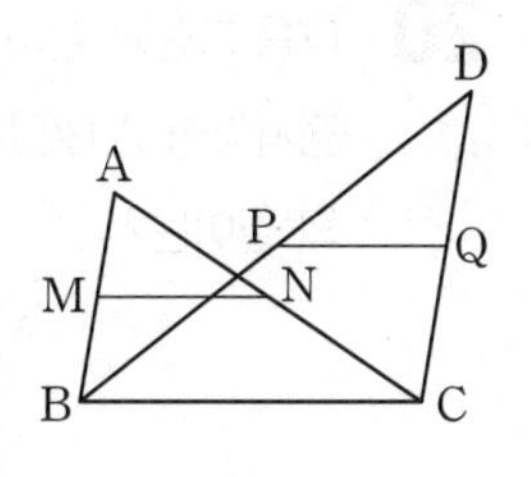

① $\overline{MN} /\!/ \overline{PQ}$ ② $\overline{BC}=\overline{PQ}$
③ $\overline{MN}=\overline{PQ}$ ④ $\overline{MN}=\frac{1}{2}\overline{BC}$
⑤ $\overline{PQ}+\overline{MN}=\overline{BC}$

12 오른쪽 그림과 같이 마름모 ABCD에서 네 점 P, Q, R, S는 각 변의 중점이다. □PQRS의 둘레의 길이가 12 cm일 때, □ABCD의 두 대각선의 길이의 합은?

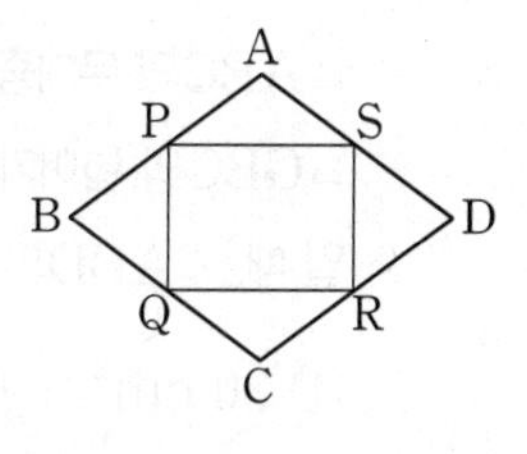

① 12 cm ② 13 cm ③ 14 cm
④ 15 cm ⑤ 16 cm

13 오른쪽 그림과 같이 사다리꼴 ABCD에서 두 점 M, N은 각각 $\overline{AB}$, $\overline{DC}$의 중점이다. $\overline{AD}=2$ cm, $\overline{BC}=6$ cm일 때, $\overline{EF}$의 길이를 구하시오.

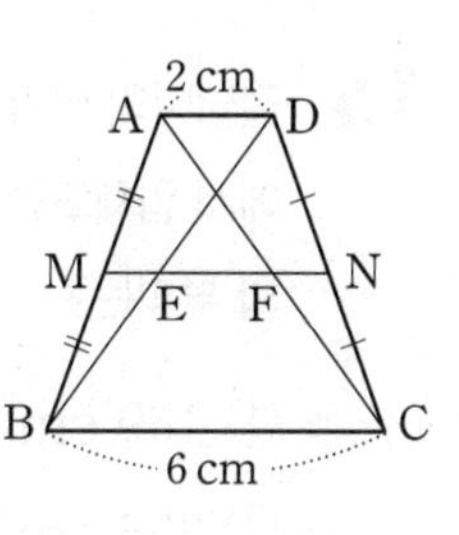

14 오른쪽 그림과 같이 $\triangle ABC$에서 점 G와 G′은 각각 $\triangle ABD$와 $\triangle ADC$의 무게중심이다. $\overline{BD}=6$ cm, $\overline{CD}=9$ cm일 때, $\overline{GG'}$의 길이는?

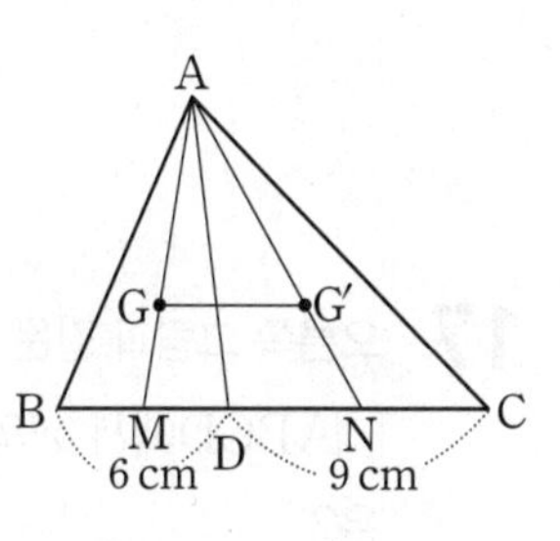

① 3 cm ② 4 cm ③ 5 cm
④ 6 cm ⑤ 7 cm

15 오른쪽 그림에서 점 G는 $\triangle$ABC의 무게중심이다. $\triangle$GBC의 넓이가 24 cm^2일 때, $\triangle$ABD의 넓이는?

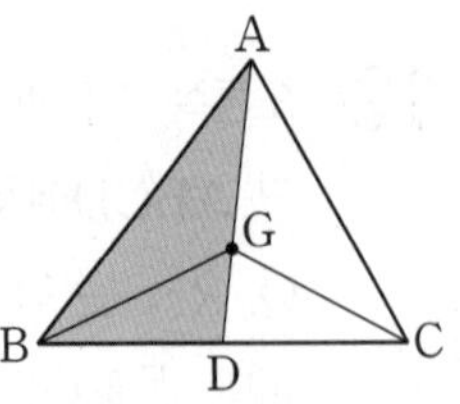

① 30 cm^2 ② 36 cm^2 ③ 42 cm^2
④ 48 cm^2 ⑤ 54 cm^2

16 겉넓이의 비가 9 : 16인 서로 닮은 두 입체도형 P, Q에서 입체도형 P의 부피가 81 cm^3일 때, 입체도형 Q의 부피는?

① 169 cm^3 ② 192 cm^3 ③ 225 cm^3
④ 256 cm^3 ⑤ 289 cm^3

17 오른쪽 그림과 같은 □ABCD에서 x^2의 값은?

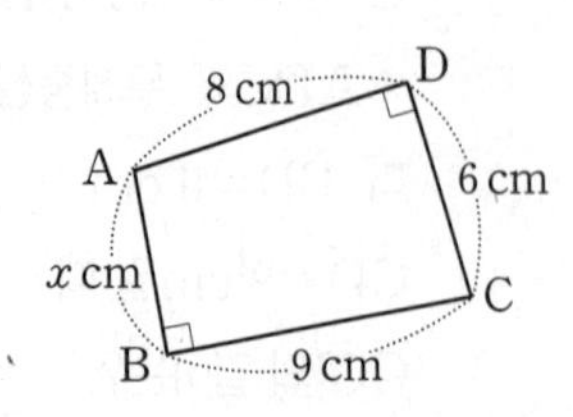

① 15 ② 16 ③ 17
④ 18 ⑤ 19

18 오른쪽 그림과 같이 $\angle A=90°$인 직각삼각형 ABC에서 $\overline{BE}=7$ cm, $\overline{CD}=6$ cm, $\overline{BC}=8$ cm일 때, x^2의 값은?

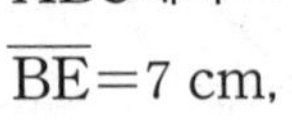
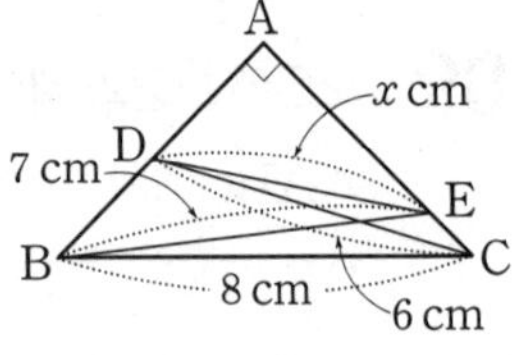

① 19 ② 20 ③ 21
④ 22 ⑤ 23

19 오른쪽 그림은 $\angle C=90°$인 직각삼각형 ABC의 세 변을 각각 한 변으로 하는 세 정사각형을 그린 것이다. 두 정사각형의 넓이가 각각 81 cm^2, 49 cm^2일 때, $\overline{AC}$를 한 변으로 하는 정사각형의 넓이는?

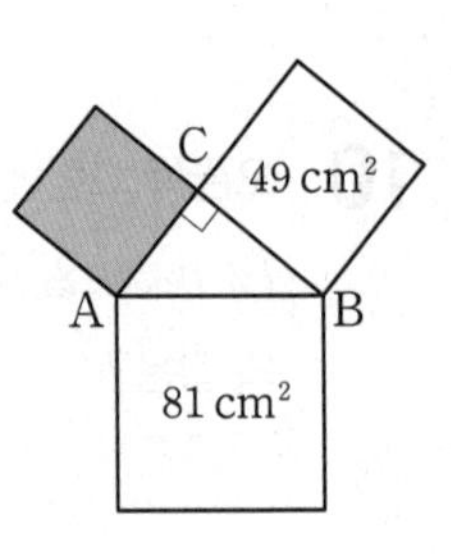

① 32 cm^2 ② 34 cm^2 ③ 36 cm^2
④ 38 cm^2 ⑤ 40 cm^2

20 다음 그림과 같이 넓이가 각각 49 cm^2, 25 cm^2인 두 정사각형 ABCD, ECGF를 붙여 놓았다. 이때 $\overline{BF}$의 길이는?

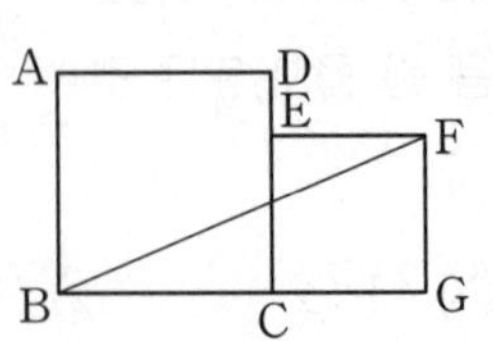

① 11 cm ② 12 cm ③ 13 cm
④ 14 cm ⑤ 15 cm

서술형 문제

21 다음 그림과 같이 $\angle B=90^{\circ}$인 직각삼각형 ABC에서 점 D는 점 B에서 $\overline{AC}$에 내린 수선의 발이고, 점 E는 점 D에서 $\overline{AB}$에 내린 수선의 발이다. 이때 $\overline{BE}$의 길이를 구하시오.

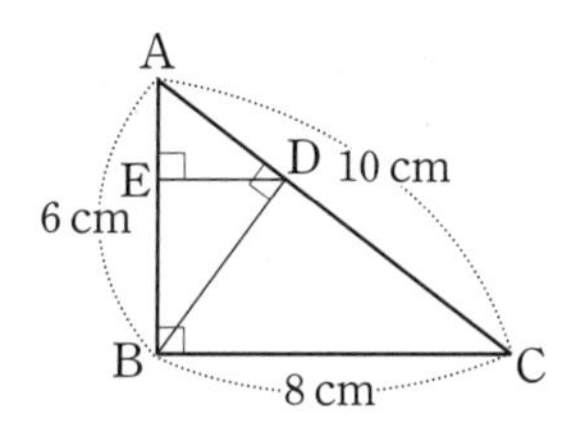

22 다음 그림과 같이 직사각형 ABCD를 대각선 BD를 접는 선으로 하여 접었다. $\overline{AD}$와 $\overline{BC'}$의 교점 P에서 $\overline{BD}$에 내린 수선의 발을 Q라고 할 때, 물음에 답하시오.

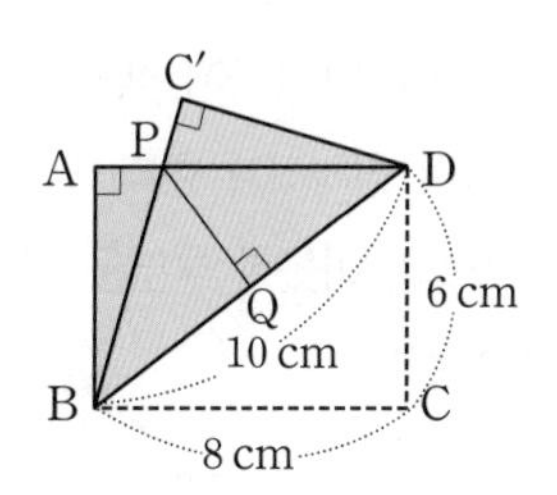

(1) $\overline{BQ}$의 길이를 구하시오.

(2) $\triangle PBQ \backsim \triangle DBC'$임을 설명하시오.

(3) $\overline{PQ}$의 길이를 구하시오.

23 다음 그림에서 점 G는 $\triangle ABC$의 무게중심이다. $\triangle ABC$의 넓이가 120 cm^2일 때, $\triangle DGF$의 넓이를 구하시오.

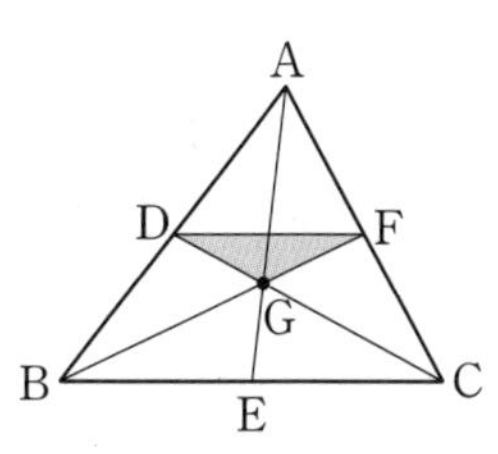

24 다음 그림의 직사각형 ABCD에서 $\overline{BC}$의 중점을 E, $\overline{AC}$와 $\overline{DE}$의 교점을 F, 두 대각선의 교점을 O라고 하자. 이때 □OBEF의 넓이를 구하시오.

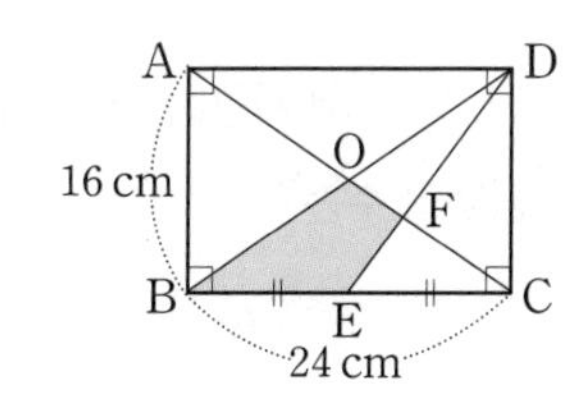

대단원 평가 문제 VI. 확률

정답 및 해설 378쪽

01 서로 다른 두 개의 주사위를 동시에 던질 때, 나온 두 눈의 수의 곱이 3 또는 6이 되는 경우의 수는?

① 4 ② 5 ③ 6
④ 7 ⑤ 8

02 한 개의 주사위를 두 번 던질 때, 첫 번째에 나온 눈의 수를 a, 두 번째에 나온 눈의 수를 b라고 하자. 방정식 $2a+3b=24$를 만족시키는 순서쌍 (a, b)의 개수는?

① 1 ② 2 ③ 3
④ 4 ⑤ 5

03 대한, 민국, 만세 세 사람이 가위바위보를 한 번 할 때, 비기는 경우의 수는?

① 3 ② 6 ③ 9
④ 12 ⑤ 15

04 서로 다른 동전 네 개를 동시에 던졌을 때, 앞면이 2개, 뒷면이 2개 나오는 경우의 수는?

① 1 ② 2 ③ 3
④ 4 ⑤ 6

05 민준이네 반 선거에서 민준이를 포함하여 8명의 후보가 나왔다. 회장, 부회장, 총무를 각각 1명씩 뽑을 때, 민준이가 반드시 회장으로 뽑히는 경우의 수는?

① 12 ② 20 ③ 30
④ 42 ⑤ 56

06 1, 2, 3, 4, 5가 각각 적힌 5장의 카드 중에서 2장을 뽑아 두 자리의 자연수를 만들 때, 홀수의 개수는?

① 4 ② 6 ③ 8
④ 10 ⑤ 12

07 오른쪽 그림과 같이 세 개의 영역 A, B, C에 빨강, 파랑, 노랑, 초록의 4가지 색을 이용하여 칠하려고 한다. 같은 색을 여러 번 사용할 수 있으나, 이웃한 부분은 서로 다른 색을 칠하는 경우의 수는?

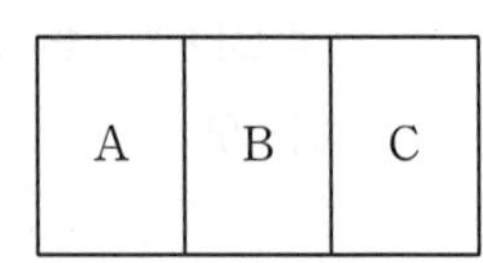

① 12 ② 16 ③ 24
④ 36 ⑤ 48

08 서로 다른 두 개의 주사위를 동시에 던질 때, 나오는 두 눈의 수의 합이 3 이상이 될 경우의 수는?

① 28 ② 30 ③ 31
④ 33 ⑤ 35

09 현석, 경민, 서진이가 수학 시간에 배운 확률에 대해 이야기하고 있다. 다음 중에서 바르게 말한 학생을 모두 고른 것은?

> **현석:** 1에서 20까지의 수가 각각 적힌 20장의 제비 중에서 한 장을 임의로 뽑을 때, 20 이하의 수가 적힌 제비를 뽑을 확률은 1이야.
> **경민:** 2개의 불량품이 섞여 있는 100개의 제품 중에서 한 개를 임의로 택할 때, 불량품이 나오지 않을 확률은 $\frac{4}{5}$야.
> **서진:** 서로 다른 두 개의 주사위를 동시에 던질 때, 두 눈의 수의 합이 1이 될 확률은 0보다 커.

① 현석 ② 경민 ③ 현석, 경민 ④ 경민, 서진 ⑤ 현석, 경민, 서진

10 다음은 나영이네 반 학생들이 발야구, 피구, 농구, 축구 중 가장 좋아하는 한 종목을 선택하여 만든 표이다. 반 학생 중 한 명을 임의로 뽑았을 때, 그 학생이 농구를 선택했을 확률은?

종목	발야구	피구	농구	축구
학생 수(명)	5	7	8	10

① $\frac{1}{6}$ ② $\frac{1}{4}$ ③ $\frac{4}{15}$ ④ $\frac{5}{16}$ ⑤ $\frac{1}{3}$

11 한 개의 주사위를 두 번 던질 때, 첫 번째에 나온 눈의 수를 x, 두 번째에 나온 눈의 수를 y라고 하자. 이때 $\frac{x}{y} \geq 2$일 확률은?

① $\frac{1}{12}$ ② $\frac{1}{9}$ ③ $\frac{1}{6}$ ④ $\frac{2}{9}$ ⑤ $\frac{1}{4}$

12 어느 지역 체육 대회에서 참가자 400명에게 경품권을 임의로 나누어 주었다. 추첨을 통해 오른쪽 표와 같이 상품을 나누어 준다고 할 때, 경품권을 받은 사람이 상품을 받을 확률은?

상품 내역	
1등	1명
2등	4명
3등	10명
4등	15명
5등	30명

① $\frac{3}{20}$ ② $\frac{7}{40}$ ③ $\frac{9}{50}$ ④ $\frac{1}{5}$ ⑤ $\frac{3}{10}$

13 오른쪽 그림과 같이 8등분 된 원판을 돌려 멈춘 후 바늘이 가리키는 부분의 숫자를 읽을 때, 3의 배수 또는 4의 배수를 가리킬 확률은? (단, 경계선을 가리키는 경우는 생각하지 않는다.)

① $\frac{1}{4}$ ② $\frac{3}{8}$ ③ $\frac{1}{2}$ ④ $\frac{5}{8}$ ⑤ $\frac{3}{4}$

14 오른쪽 그림과 같이 크기가 같은 16개의 정사각형으로 이루어진 표적이 있다. 화살을 연속해서 두 번 쏠 때, 첫 번째에는 소수, 두 번째에는 15의 약수가 적힌 부분을 맞힐 확률은? (단, 화살이 경계선을 맞히거나 표적을 빗나가는 경우는 생각하지 않는다.)

1	2	3	4
5	6	7	8
9	10	11	12
13	14	15	16

① $\frac{3}{32}$ ② $\frac{7}{64}$ ③ $\frac{1}{8}$ ④ $\frac{5}{32}$ ⑤ $\frac{5}{8}$

15 당첨 제비 5개를 포함하여 25개의 제비가 들어 있는 상자에서 제비 2개를 연속하여 임의로 꺼낼 때, 적어도 한 개는 당첨 제비가 나올 확률은? (단, 꺼낸 제비는 다시 넣지 않는다.)

① $\frac{9}{25}$ ② $\frac{11}{30}$ ③ $\frac{3}{8}$
④ $\frac{2}{5}$ ⑤ $\frac{19}{30}$

16 아래 그림과 같이 A 주머니에는 1부터 7까지의 자연수가 각각 적힌 구슬 7개가 들어 있고, B 주머니에는 1부터 5까지의 자연수가 각각 적힌 구슬 5개가 들어 있다. 두 주머니에서 각각 한 개의 구슬을 임의로 꺼낼 때, A 주머니에서는 짝수가 적힌 구슬이, B 주머니에서는 소수가 적힌 구슬이 나올 확률은?

[A 주머니]

[B 주머니]

① $\frac{1}{6}$ ② $\frac{1}{5}$ ③ $\frac{9}{35}$
④ $\frac{1}{2}$ ⑤ $\frac{7}{12}$

17 서로 다른 주사위 2개와 동전 1개를 동시에 던질 때, 주사위는 모두 6의 약수의 눈이 나오고 동전은 뒷면이 나올 확률은?

① $\frac{1}{36}$ ② $\frac{1}{12}$ ③ $\frac{1}{8}$
④ $\frac{2}{9}$ ⑤ $\frac{5}{18}$

18 활을 과녁에 10번 쏘아 평균 6번 명중시키는 양궁 선수가 두 번 활을 쏘았을 때, 두 번 모두 명중시킬 확률은?

① $\frac{1}{25}$ ② $\frac{3}{25}$ ③ $\frac{1}{5}$
④ $\frac{8}{25}$ ⑤ $\frac{9}{25}$

19 다음 그림과 같은 전기 회로에서 두 스위치 A, B가 닫힐 확률이 각각 $\frac{1}{2}$, $\frac{3}{4}$일 때, 전구에 불이 들어오지 않을 확률은? (단, 스위치가 모두 닫힐 때 전류가 흐른다.)

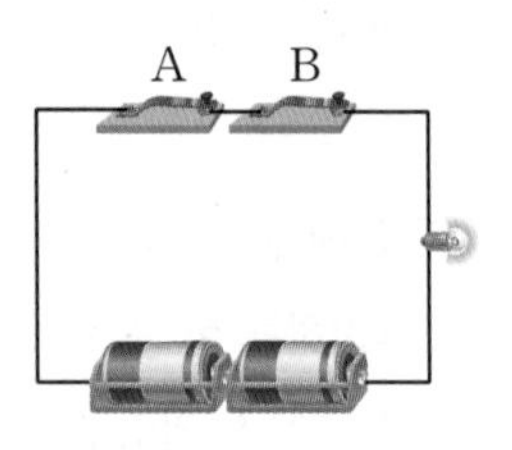

① $\frac{1}{4}$ ② $\frac{1}{2}$ ③ $\frac{7}{12}$
④ $\frac{5}{8}$ ⑤ $\frac{3}{4}$

20 영미와 민규가 오목을 둘 때, 영미가 이길 확률이 $\frac{2}{3}$이다. 두 학생이 오목을 두 게임 둘 때, 영미가 한 번만 이길 확률은? (단, 비기는 경우는 없다.)

① $\frac{1}{9}$ ② $\frac{1}{6}$ ③ $\frac{1}{3}$
④ $\frac{4}{9}$ ⑤ $\frac{1}{2}$

서술형 문제

21 다음 그림과 같은 도로에서 형빈이는 학교에서 출발하여 도서관을 거쳐 집으로 가려고 한다. 최단 거리로 가는 방법은 모두 몇 가지인지 구하시오.

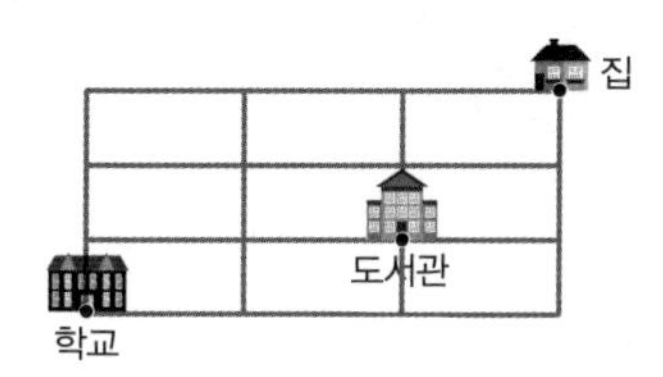

22 영민이는 국어 시험에서 4개의 보기 중 정답 한 개를 고르는 객관식 문제 2개를 풀지 못하였다. 영민이가 이 2문제의 답을 임의로 체크하여 제출하였을 때, 적어도 한 문제는 맞힐 확률을 구하시오.

23 상자 안에 빨간 구슬 5개, 파란 구슬 4개가 들어 있다. 승준이와 지호가 순서대로 구슬을 한 개씩 임의로 꺼낼 때, 지호가 파란 구슬을 꺼낼 확률을 구하시오. (단, 꺼낸 구슬은 다시 넣지 않는다.)

24 다음 그림과 같이 한 변의 길이가 1인 정사각형 ABCD가 있다. 점 P는 점 A를 출발하여 주사위를 던져서 나온 눈의 수만큼 화살표 방향으로 각 꼭짓점 위를 이동한다고 한다. 한 개의 주사위를 두 번 던질 때, 점 P가 첫 번째는 점 A에, 두 번째는 점 C에 놓일 확률을 구하시오.

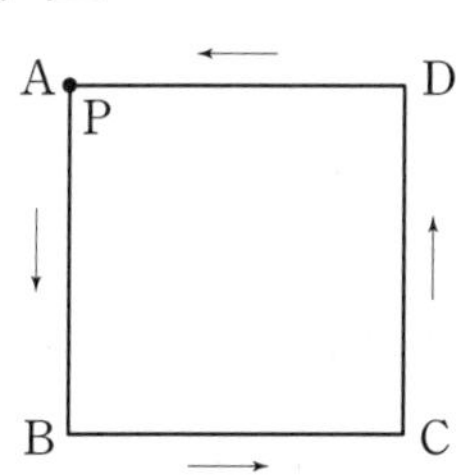

실전 테스트 1회

정답 및 해설 380쪽

01 다음 중 유한소수로 나타낼 수 있는 것은?

① $\frac{5}{7}$　② $\frac{26}{18}$　③ $\frac{20}{9}$

④ $\frac{7}{13}$　⑤ $\frac{9}{2\times5\times3}$

02 다음은 순환소수 $1.2\dot{7}\dot{3}$을 분수로 나타내는 과정이다. ㉠~㉤에 들어갈 수로 알맞은 것은?

> $x=1.2\dot{7}\dot{3}$이라고 하면
> $x=1.2737373\cdots$ ...... ①
> ①의 양변에 ㉠, ㉡을 각각 곱하면
> ㉠ $x=1273.737373\cdots$ ...... ②
> ㉡ $x=12.737373\cdots$ ...... ③
> ②−③를 하면 ㉢ $x=$ ㉣
> 따라서 $x=$ ㉤

① ㉠: 100　② ㉡: 10　③ ㉢: 90

④ ㉣: 1146　⑤ ㉤: $\frac{1261}{90}$

03 분수 $\frac{11}{280}\times n$을 소수로 나타내면 유한소수가 된다고 한다. 이때 가장 작은 자연수 n의 값을 구하면?

① 2　② 5　③ 7

④ 11　⑤ 14

04 다음 중 옳은 것은?

① $0.8\dot{3}=\frac{83}{90}$　② $1.\dot{3}=\frac{13}{9}$

③ $0.\dot{6}2\dot{1}=\frac{23}{37}$　④ $6.0\dot{7}=\frac{60}{9}$

⑤ $0.3=\frac{1}{3}$

05 $0.\dot{6}=\frac{a}{3}$, $0.\dot{1}=\frac{1}{b}$이라고 할 때, $a+b$의 값은?

① 7　② 8　③ 9

④ 10　⑤ 11

06 어떤 수 A에 $0.\dot{3}$을 곱해야 할 것을 잘못하여 0.3을 곱하였더니 바르게 계산한 것보다 0.03만큼 작게 나왔다. 이때 A의 값은?

① 0.3　② 0.5　③ 0.6

④ 0.9　⑤ $1.\dot{3}$

07 다음 중 옳은 것은?

① $a^2 \times a^3 = a^6$　② $a^7 \div a^2 = a^5$

③ $y^2 \div y^2 = 0$　④ $(a^2)^4 = a^6$

⑤ $(ab)^3 = ab^3$

08 다음 중 옳은 것은?

① $2ab \times 5a = 10ab$

② $-27a^3b \div (-9a) = 3a^3b$

③ $-8x \times (-2y^3) = -16xy^3$

④ $(-5a^3b^4)^2 \div 5ab^5 = 5a^5b^3$

⑤ $(-2x)^2 \times 5x^3y = -10x^5y$

09 $3(x^2+2x+4)-(4x^2-3x+5)$를 계산하면?

① $-x^2+9x+7$　② $-x^2+15x+7$

③ $-x^2+5x+7$　④ $-x^2+5x+17$

⑤ $-x^2+3x+17$

10 다음 그림과 같이 책의 겉표지를 만들려고 할 때, 겉표지 전체의 넓이를 다항식으로 나타내면?

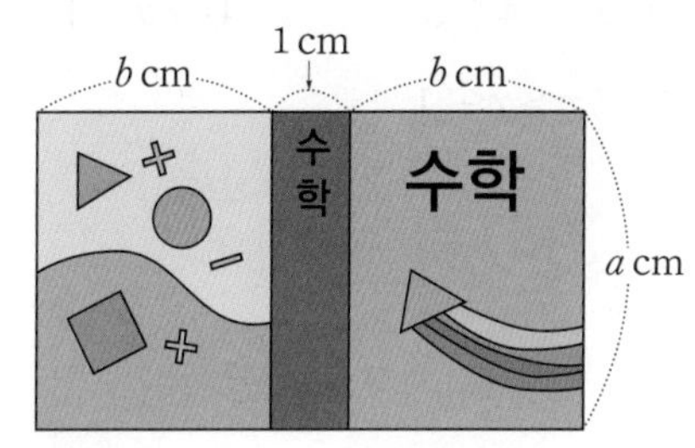

① ab^2 cm²　② $(ab+a)$ cm²

③ $(2ab+1)$ cm²　④ $(a+2b)$ cm²

⑤ $(2ab+a)$ cm²

11 $a=-3$, $b=5$일 때, 다음 식의 값은?

$$\frac{4a^2+2ab}{2a}-\frac{6b^2+9ab}{3b}$$

① 0　② -1　③ -2

④ -3　⑤ -4

12 자연수 n에 대하여 다음 □ 안에 알맞은 수를 각각 A, B라고 할 때, $A+B$의 값은?

$$2^n \times 3^n = \boxed{A}^n$$
$$5^{n+2} = 5^n \times \boxed{B}$$

① 30　② 31　③ 32

④ 33　⑤ 34

13 다음 중 일차부등식인 것을 모두 고르면?(정답 2개)

① $2x+1>5$ ② $1-x\geq-(x-1)$
③ $x^2-4\leq5$ ④ $xy\leq1$
⑤ $3x>x-1$

14 $a>b$일 때, 다음 중 옳지 <u>않은</u> 것을 모두 고르면?
(정답 2개)

① $3a+1>3b+1$
② $\dfrac{a-1}{3}>\dfrac{b-1}{3}$
③ $\dfrac{a}{3}-1<\dfrac{b}{3}-1$
④ $-\dfrac{a}{3}-1<-\dfrac{b}{3}-1$
⑤ $-3a+1>-3b+1$

15 일차부등식 $\dfrac{x}{3}+3\geq\dfrac{8x-3}{5}$을 만족시키는 자연수 x의 개수는?

① 1 ② 2 ③ 3
④ 4 ⑤ 5

16 일차부등식 $\dfrac{5}{4}(x-a)\leq\dfrac{5}{2}x+5$의 해가 $x\geq3$일 때, 상수 a의 값은?

① -6 ② -7 ③ -8
④ -9 ⑤ -10

17 일차부등식 $\dfrac{x-3}{6}>\dfrac{3x-7}{5}$을 만족시키는 x의 값 중 가장 큰 정수는?

① 1 ② 2 ③ 3
④ 4 ⑤ 5

18 부등식 $4x+7\geq2x+5$의 해를 수직선 위에 바르게 나타낸 것은?

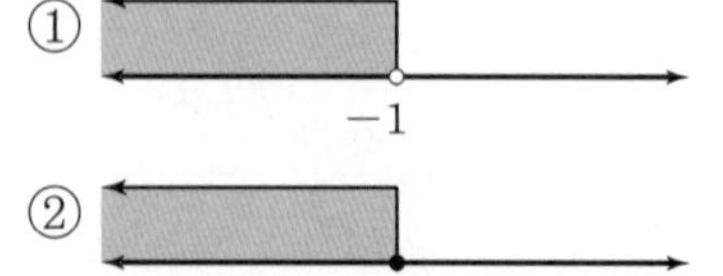

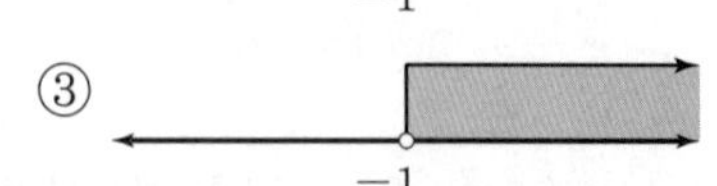

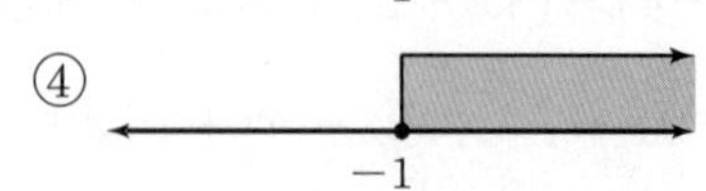

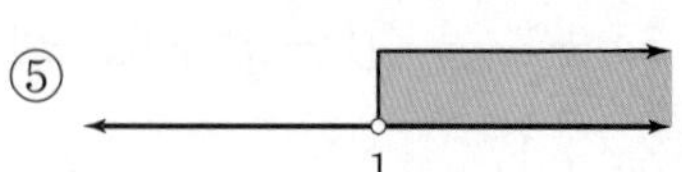

19 연속된 세 자연수의 합이 37보다 클 때, 합이 가장 작은 세 자연수 중 가장 작은 자연수는?

① 9 ② 10 ③ 11
④ 12 ⑤ 13

20 두 일차부등식 $0.3(x-1)+0.2\geq-0.2(1-2x)$, $\frac{2x+a}{3}\leq2-x$의 해가 같을 때, 상수 a의 값은?

① -5 ② -1 ③ $\frac{1}{5}$
④ 1 ⑤ 5

[21~25] 다음 문제를 읽고, 식과 답을 서술하시오.

21 분수 $\frac{10}{27}$을 소수로 나타낼 때, 소수점 아래 37번째 자리의 숫자를 구하시오.

22 순환소수 $1.8\dot{3}$에 자연수를 곱하여 어떤 자연수의 제곱이 되게 하려고 한다. 곱해야 할 가장 작은 자연수를 구하시오.

23 다음은 서하와 한준이의 대화이다. 물음에 답하시오.

> 한준: 서하야, 기약분수를 소수로 나타내는 문제 잘 풀었어?
> 서하: 나는 분모를 잘못 봐서 $0.1\dot{8}$이 나왔어.
> 한준: 나는 분자를 잘못 봐서 $0.\dot{8}\dot{1}$이 나왔는데!
> 서하: 과연 처음 기약분수는 무엇이었을까?

(1) 서하와 한준이가 잘못 본 기약분수를 각각 구하시오.
(2) 처음에 주어진 기약분수를 소수로 나타내시오.

24 현재 통장에 언니는 60000원, 동생은 40000원이 예금되어 있다. 다음 달부터 매달 언니는 5000원씩, 동생은 7000원씩 예금할 때, 다음 물음에 답하시오.

(1) x개월 후 동생이 예금한 돈이 언니가 예금한 돈보다 많아진다고 할 때, 이를 부등식으로 나타내시오.
(2) 몇 개월 후부터 동생이 예금한 돈이 언니가 예금한 돈보다 많아지는지 구하시오.

25 모자는 1개에 6000원, 손수건은 1장에 1200원에 판매하는 할인점이 있다. 모자와 손수건을 합하여 10개를 사고, 전체 가격이 54000원 이하가 되게 하려고 할 때, 다음 물음에 답하시오.

(1) 모자의 개수를 x라 할 때, 이를 부등식으로 나타내시오.
(2) 모자는 최대 몇 개까지 살 수 있는지 구하시오.

실전 테스트 2회

정답 및 해설 382쪽

01 연립방정식 $\begin{cases} ax+y=8 \\ x-by=5 \end{cases}$의 해가 $(3, 2)$일 때, 상수 a, b에 대하여 $a+b$의 값은?

① -3　② -2　③ -1　④ 1　⑤ 2

02 다음 연립방정식을 식의 대입을 이용하여 풀고자 한다. ㉠의 y를 x에 대한 식으로 나타낸 것은?

$\begin{cases} x-y=3 & \cdots\cdots ㉠ \\ 4x-3y=14 & \cdots\cdots ㉡ \end{cases}$

① $y=-x-3$　② $y=-x+3$　③ $y=x-3$　④ $y=x+3$　⑤ $y=-3x$

03 연립방정식 $\begin{cases} \frac{1}{3}(x-y)+2y=-7 \\ x-0.5(3x-2y)=-7 \end{cases}$의 해가 (a, b)일 때, $a+b$의 값은?

① -9　② -1　③ 1　④ 3　⑤ 9

04 다음 연립방정식 중 $x=1$, $y=2$를 해로 갖는 것은?

① $\begin{cases} x+y=4 \\ x-y=2 \end{cases}$　② $\begin{cases} x+2y=5 \\ 2x+3y=8 \end{cases}$

③ $\begin{cases} 2x+y=4 \\ x+y=0 \end{cases}$　④ $\begin{cases} 3x+2y=8 \\ y=x+1 \end{cases}$

⑤ $\begin{cases} x+y=8 \\ 2x+y=11 \end{cases}$

05 연립방정식 $\begin{cases} 2x-3y=4 \\ ax+5y=-14 \end{cases}$에서 x의 값이 -1일 때, 상수 a의 값은?

① -24　② -4　③ 0　④ 4　⑤ 14

06 연립방정식 $\begin{cases} 2x+3y=4 & \cdots\cdots ㉠ \\ 5x+2y=3 & \cdots\cdots ㉡ \end{cases}$을 두 식의 합이나 차를 이용하여 풀 때, y를 없애는 식으로 적당한 것은?

① ㉠$\times 5-$㉡$\times 2$

② ㉠$\times 3-$㉡$\times 2$

③ ㉠$\times 2-$㉡$\times 3$

④ ㉠$\times 3+$㉡$\times 2$

⑤ ㉠$\times 2+$㉡$\times 3$

07 두 자리의 자연수가 있다. 각 자리의 숫자의 합은 7이고, 십의 자리의 숫자와 일의 자리의 숫자를 서로 바꾼 수는 처음 수보다 27만큼 크다. 처음 수를 구하시오.

08 현재 삼촌과 동생의 나이의 합은 28살이고, 3년 뒤 삼촌의 나이는 동생의 나이의 2배보다 4살이 더 많다고 한다. 현재 동생의 나이는?

① 4살　② 5살　③ 7살　④ 8살　⑤ 9살

09 CD에 어떤 가수의 곡이 7곡 녹음되었다. 이 CD는 1곡당 연주 시간이 4분짜리인 곡과 5분짜리인 곡들로 이루어져 있고, 곡과 곡 사이에는 10초씩 쉰다. 첫 곡부터 마지막 곡까지 듣는 데 31분이 걸릴 때, 연주 시간이 4분짜리인 곡은 몇 곡인가?

① 1곡 ② 2곡 ③ 3곡
④ 4곡 ⑤ 5곡

10 함수 $f(x)=\frac{1}{3}x+2$에 대하여 $f(-3)$의 값은?

① -1 ② 0 ③ 1
④ 2 ⑤ 3

11 일차함수 $y=-3x+5$의 그래프와 평행하고, 점 $(1,\ 4)$를 지나는 직선을 그래프로 하는 일차함수의 식은?

① $y=-3x+4$ ② $y=-3x+7$
③ $y=-3x+13$ ④ $y=3x+1$
⑤ $y=3x+7$

12 점 $(0,\ -3)$을 지나고 x축에 평행한 직선의 방정식은?

① $x=3$ ② $y=3$
③ $y=2x-3$ ④ $4y+12=0$
⑤ $4x+12=0$

13 오른쪽 그림의 직선과 평행한 직선을 그래프로 하는 일차함수의 식은?

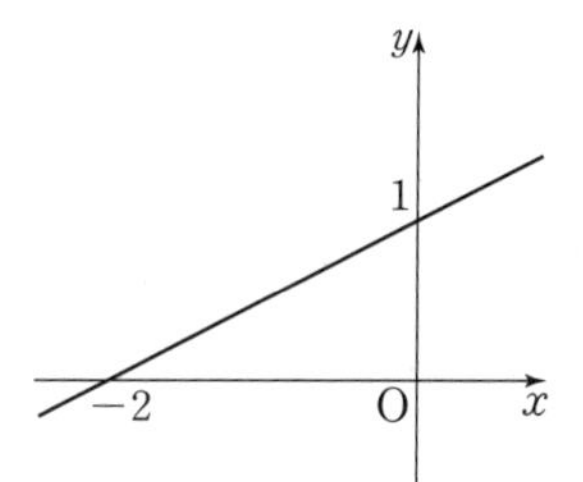

① $y=2x-1$
② $y=-x+1$
③ $y=\frac{1}{2}x+2$
④ $y=x+1$
⑤ $y=2x+1$

14 다음 중 일차함수 $y=-3x+9$의 그래프에 대한 설명으로 옳은 것은?

① 원점을 지나는 직선이다.
② x의 값이 증가하면 y의 값도 증가한다.
③ 제3사분면을 지나지 않는다.
④ x절편은 9이다.
⑤ $y=-2x$의 그래프를 평행이동한 것이다.

15 오른쪽 그림과 같은 직선을 그래프로 하는 일차함수의 식은?

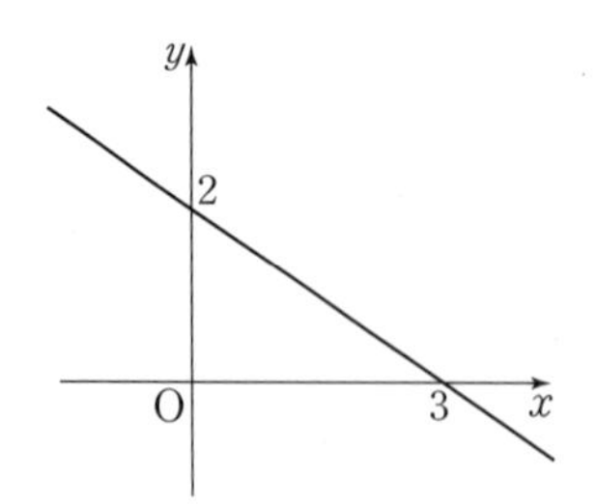

① $y=-\frac{3}{2}x+2$

② $y=-\frac{2}{3}x+2$

③ $y=-\frac{2}{3}x+3$

④ $y=\frac{2}{3}x+2$

⑤ $y=3x+2$

16 50 L들이 물통에 20 L의 물이 들어 있다. 한 쪽에서는 10분에 30 L씩 물을 넣고, 다른 한 쪽에서는 10분에 20 L씩 물을 뺀다면, 몇 분 후에 물통을 가득 채울 수 있겠는가?

① 10분 후 ② 20분 후 ③ 30분 후
④ 40분 후 ⑤ 50분 후

17 알콜 램프로 물을 데우면 물의 온도가 1분에 2 ℃씩 올라가고, 불을 끄고 식히면 3분에 5 ℃씩 내려간다. 25 ℃의 물을 75 ℃까지 데웠다가 식혀서 60 ℃로 만드는 데 몇 분이 걸리겠는가?

① 33분 ② 34분 ③ 35분
④ 36분 ⑤ 37분

18 오른쪽 그림의 직선 l과 평행하고, 직선 m과 y절편이 같은 일차함수의 식은?

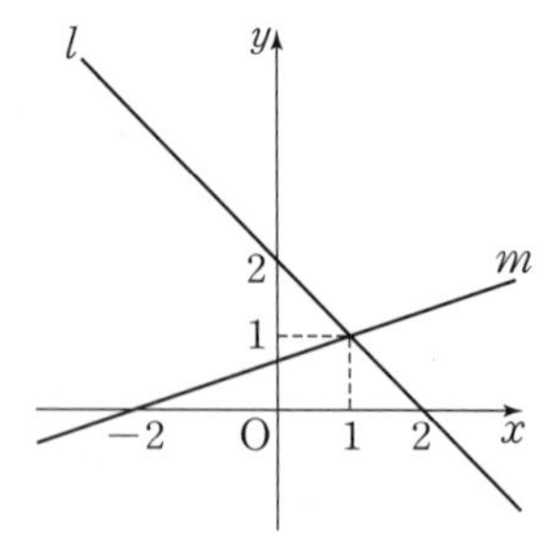

① $y=x+\frac{2}{3}$

② $y=x-\frac{2}{3}$

③ $y=-x+\frac{2}{3}$

④ $y=-x-\frac{2}{3}$

⑤ $y=\frac{1}{3}x+2$

19 오른쪽은 연립방정식 $\begin{cases} x+y=5 \\ ax-y=4 \end{cases}$의 해를 그래프로 나타낸 것이다. 이때 상수 a의 값은?

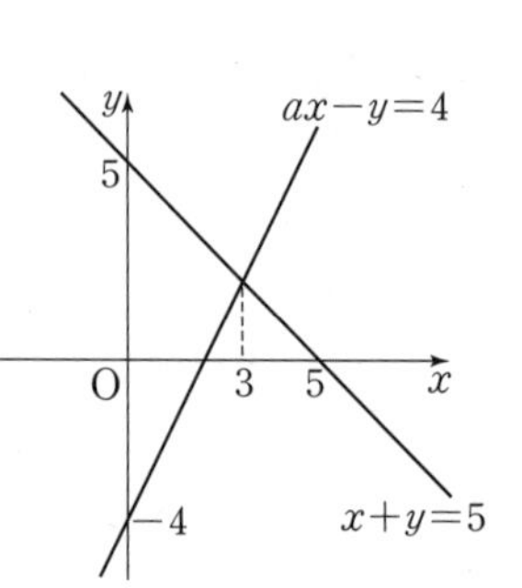

① 1 ② 2
③ 3 ④ 4
⑤ 5

20 두 일차방정식 $2x-3y=16$, $4x+5y=-12$의 그래프의 교점을 지나고, x축에 평행한 직선의 방정식은?

① $x=-2$ ② $x=2$
③ $y=-4$ ④ $y=0$
⑤ $y=4$

[21~25] 다음 문제를 읽고, 식과 답을 서술하시오.

21 민서와 태훈이가 같이 일을 하면 8일이 걸리는 일을 민서가 혼자 4일을 일한 후, 나머지는 태훈이가 혼자 10일을 일하여 끝마쳤다. 다음 물음에 답하시오.

(1) 민서가 하루에 하는 일의 양을 x, 태훈이가 하루에 하는 일의 양을 y라고 할 때, 연립 방정식을 세우시오.

(2) 민서가 혼자서 이 일을 하려면 며칠 동안 일을 해야 하는지 구하시오.

22 어느 고궁의 입장료는 어른이 500원, 어린이가 300원이다. 어느 날 입장권은 모두 200장이 팔렸고, 입장료의 합계는 81000원이었다. 이 날 입장한 어른과 어린이는 각각 몇 명인지 구하시오.

23 오른쪽 그림에서 직선 $y=-\frac{2}{3}x+6$이 x축, y축과 만나는 점을 각각 A, B라고 하자. $\triangle$BOA의 넓이를 이등분하는 직선의 방정식을 $y=ax$라고 할 때, 다음 물음에 답하시오.

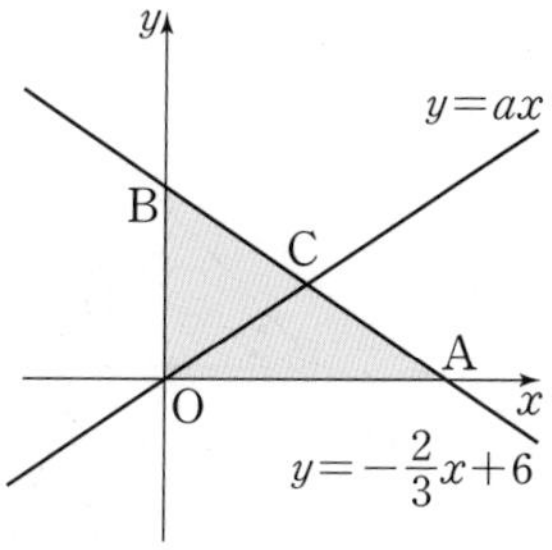

(1) $\triangle$BOA의 넓이를 구하시오.

(2) $C(t, at)$라고 할 때, t의 값을 구하시오.

(3) 상수 a의 값을 구하시오.

24 10 L의 물이 들어 있는 물통에 5분마다 7.5 L씩 물을 채우면 x분 후에 y L가 된다고 한다. 다음 물음에 답하시오.

(1) x와 y 사이의 관계식을 구하시오.

(2) 물의 양이 58 L가 되는 것은 물을 넣기 시작한 지 몇 분 후인지 구하시오.

25 서울에서 외할머니 댁까지의 거리는 350 km이다. 서울에서 출발한 호영이네 가족이 시속 60 km로 일정하게 외할머니 댁을 향하여 갈 때, 외할머니 댁에 도착하는 데 걸리는 시간은 얼마인지 구하시오.

실전 테스트 3회

정답 및 해설 384쪽

01 오른쪽 그림에서 $\triangle ABC$는 $\overline{AB}=\overline{AC}$인 이등변삼각형일 때, $\angle x$의 크기는?

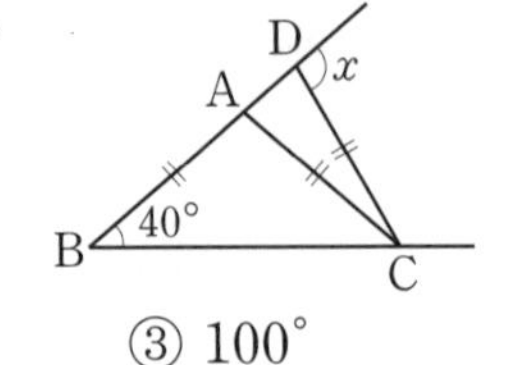

① 90° ② 95° ③ 100°
④ 105° ⑤ 110°

02 오른쪽 그림과 같이 $\overline{AB}=\overline{AC}$인 이등변삼각형 ABC에서 $\overline{AB}$, $\overline{BC}$, $\overline{CA}$ 위에 $\overline{DB}=\overline{EC}$, $\overline{BE}=\overline{CF}$가 되도록 세 점 D, E, F를 잡을 때, $\angle FDE$의 크기는?

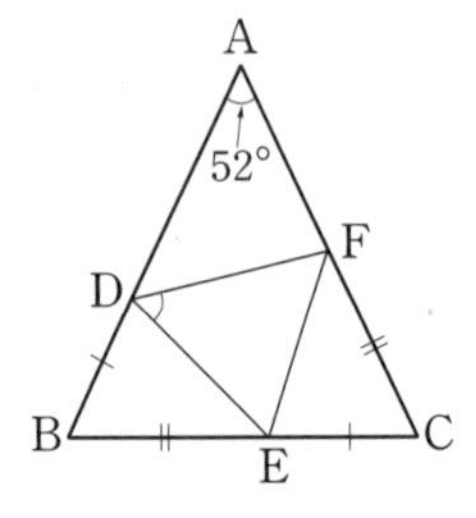

① 52° ② 54° ③ 56°
④ 58° ⑤ 60°

03 다음 그림과 같이 직각이등변삼각형 ABC의 두 꼭짓점 A, C에서 꼭짓점 B를 지나는 직선에 내린 수선의 발을 각각 D, E라고 하자. $\overline{AD}=4$ cm, $\overline{CE}=2$ cm일 때, $\triangle ABC$의 넓이는?

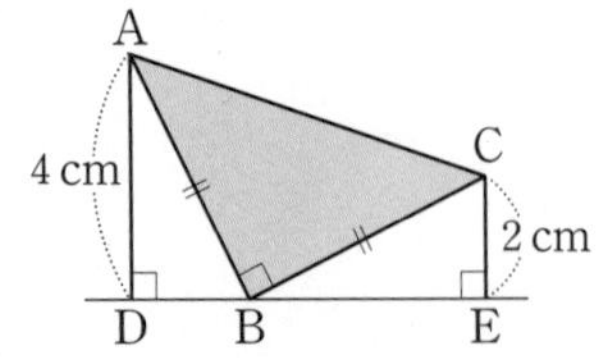

① 10 cm^2 ② 12 cm^2 ③ 15 cm^2
④ 16 cm^2 ⑤ 20 cm^2

04 오른쪽 그림과 같이 $\angle C=90^\circ$인 직각삼각형 ABC에서 $\angle A$의 이등분선과 $\overline{BC}$의 교점을 D라고 하자. $\overline{AB}=12$ cm, $\overline{DC}=4$ cm일 때, $\triangle ABD$의 넓이는?

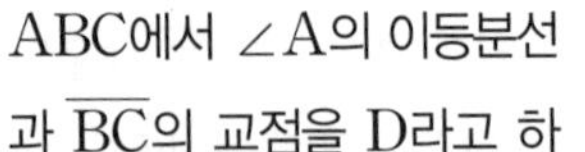

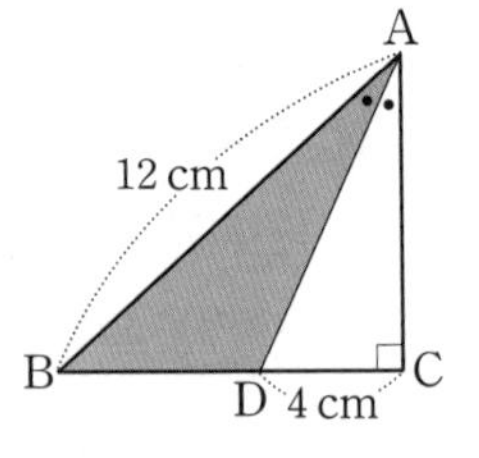

① 20 cm^2 ② 24 cm^2
③ 28 cm^2 ④ 30 cm^2
⑤ 36 cm^2

05 오른쪽 그림에서 점 O가 $\triangle ABC$의 외심일 때, $\angle x$의 크기는?

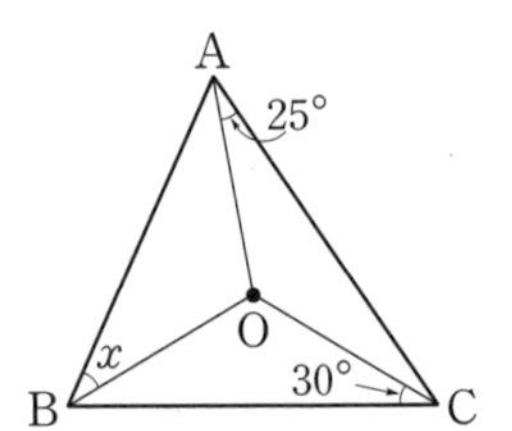

① 25° ② 30°
③ 32° ④ 35°
⑤ 40°

06 다음 중 삼각형의 외심 O를 바르게 나타낸 것을 모두 고르면? (정답 2개)

①
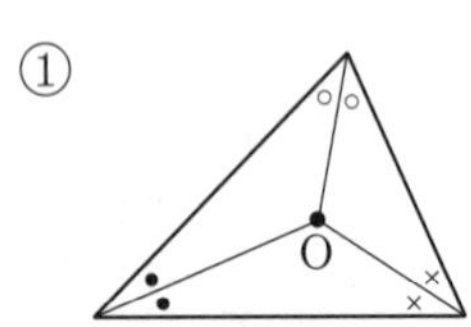

②
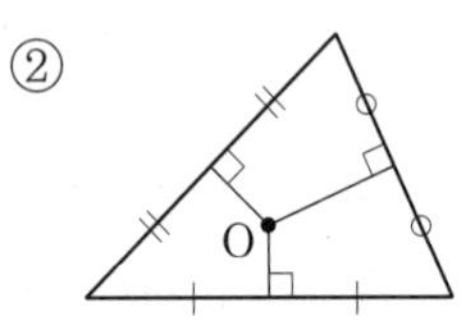

③
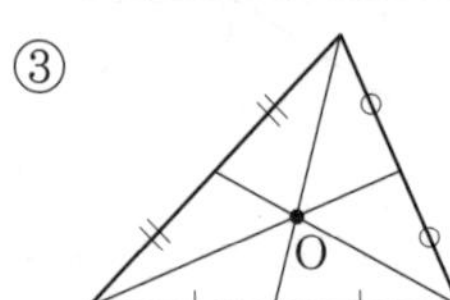

④
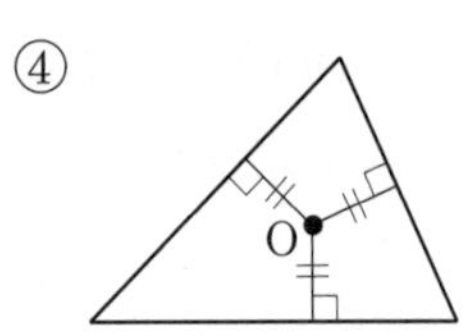

⑤
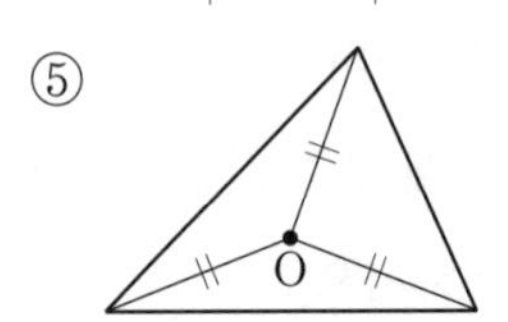

07 오른쪽 그림에서 점 I가 $\triangle ABC$의 내심일 때, $\angle x$의 크기는?

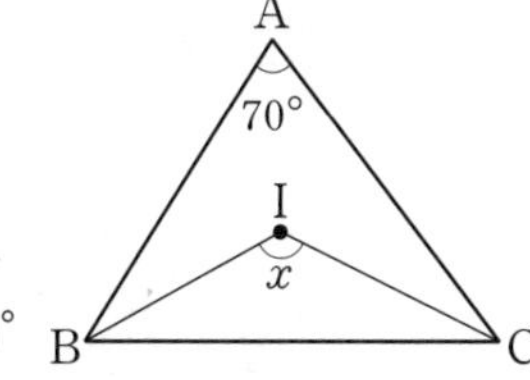

① 105° ② 110° ③ 120° ④ 125° ⑤ 140°

08 다음 그림과 같은 평행사변형 ABCD에서 $x+y$의 값은?

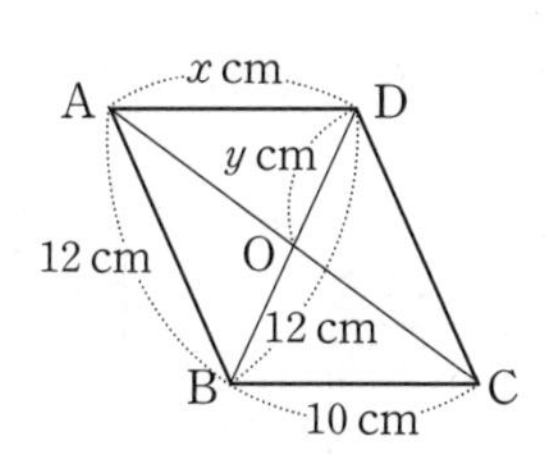

① 10 ② 12 ③ 14 ④ 15 ⑤ 16

09 오른쪽 그림의 평행사변형 ABCD에서 $\angle A : \angle B = 5 : 4$일 때, $\angle D$의 크기는?

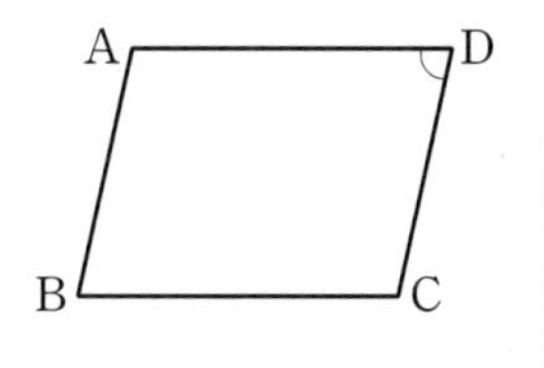

① 65° ② 70° ③ 75° ④ 80° ⑤ 85°

10 다음 중 □ABCD가 평행사변형이 아닌 것은?

① $\overline{AB} /\!/ \overline{DC}$, $\overline{AD} /\!/ \overline{BC}$

② $\angle A=100°$, $\angle B=80°$, $\angle C=100°$

③ $\overline{AB} /\!/ \overline{DC}$, $\overline{AB}=5$ cm, $\overline{DC}=5$ cm

④ $\overline{AB}=3$ cm, $\overline{BC}=3$ cm, $\overline{CD}=5$ cm, $\overline{DA}=5$ cm

⑤ $\angle A=70°$, $\angle B=110°$, $\overline{AD}=3$ cm, $\overline{BC}=3$ cm

11 오른쪽 그림에서 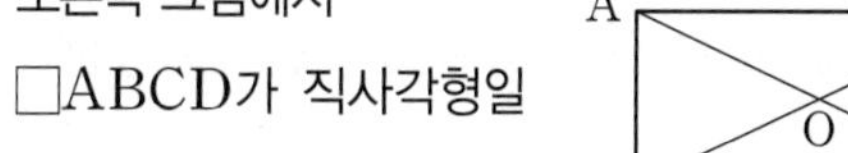□ABCD가 직사각형일 때, $\angle x$의 크기는?

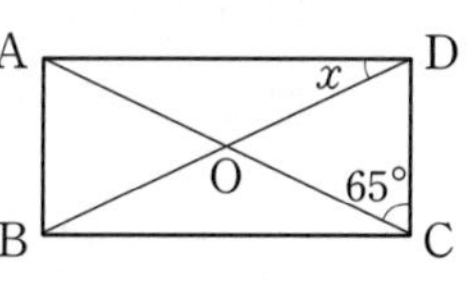

① 15° ② 20° ③ 25° ④ 30° ⑤ 35°

12 다음 그림에서 □ABCD가 마름모일 때, $\triangle ABO$의 넓이는?

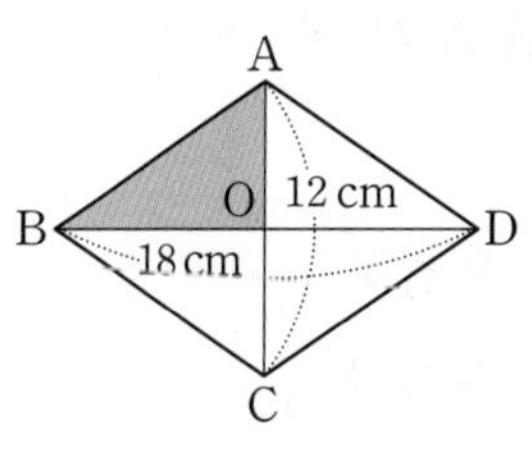

① 24 cm² ② 27 cm² ③ 30 cm² ④ 33 cm² ⑤ 36 cm²

13 오른쪽 그림의 정사각형 ABCD에서 대각선 BD 위의 한 점 E에 대하여 $\angle DAE=30°$일 때, $\angle BEC$의 크기는?

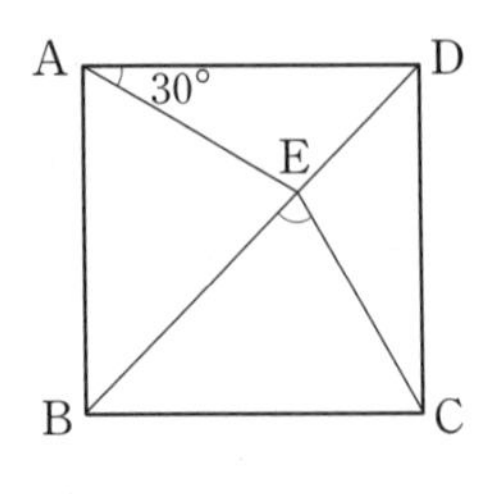

① 60° ② 65° ③ 70°
④ 75° ⑤ 80°

14 다음 중 두 대각선이 서로 다른 것을 이등분하는 사각형의 개수를 x, 두 대각선의 길이가 서로 같은 사각형의 개수를 y, 두 대각선이 서로 수직으로 만나는 사각형의 개수를 z라고 할 때, $x-y+z$의 값은?

사다리꼴	평행사변형	직사각형
마름모	정사각형	등변사다리꼴

① 1 ② 2 ③ 3
④ 4 ⑤ 5

15 다음 중 항상 닮음인 도형을 모두 고르면? (정답 2개)

① 두 원
② 두 마름모
③ 두 부채꼴
④ 두 평행사변형
⑤ 두 직각이등변삼각형

16 아래 그림에서 $\triangle ABC \backsim \triangle DEF$일 때, 다음 중 옳지 않은 것은?

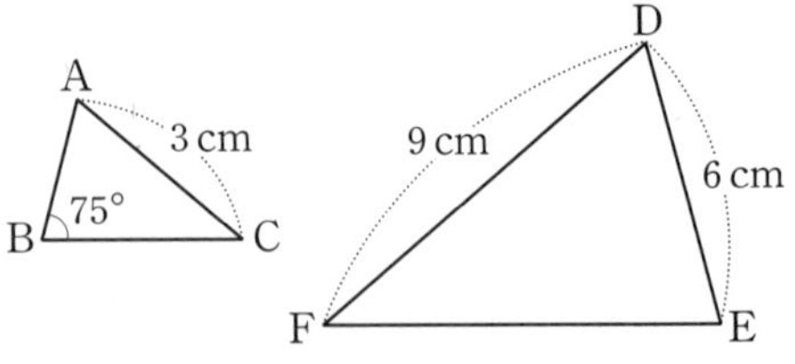

① $\angle D$의 대응각은 $\angle A$이다.
② $\angle E=75°$
③ $\overline{AB}=2$ cm
④ 닮음비는 1 : 2이다.
⑤ 변 BC의 대응변은 변 EF이다.

17 다음 그림에서 두 원기둥이 서로 닮은 도형일 때, 큰 원기둥의 밑면의 둘레의 길이는?

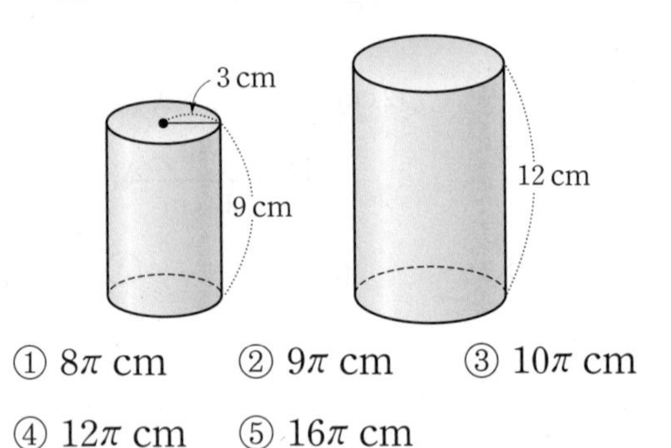

① 8π cm ② 9π cm ③ 10π cm
④ 12π cm ⑤ 16π cm

18 다음 그림의 $\triangle ABC$에서 $\angle B=\angle ACD$일 때, $\overline{BD}$의 길이는?

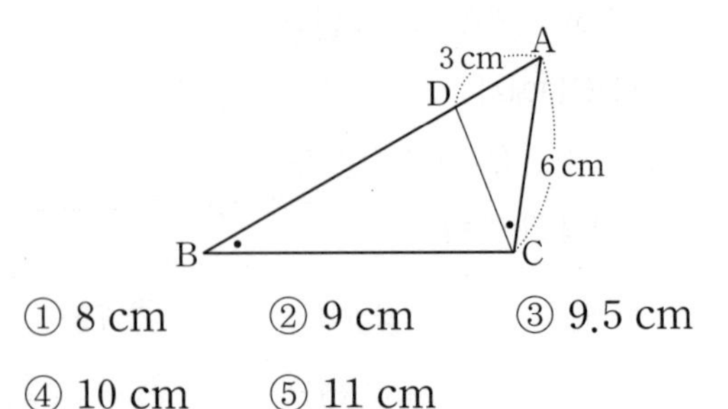

① 8 cm ② 9 cm ③ 9.5 cm
④ 10 cm ⑤ 11 cm

19 오른쪽 그림과 같이 $\triangle ABC$의 두 점 A, B에서 $\overline{BC}$, $\overline{AC}$에 내린 수선의 발을 각각 D, E라고 하자.

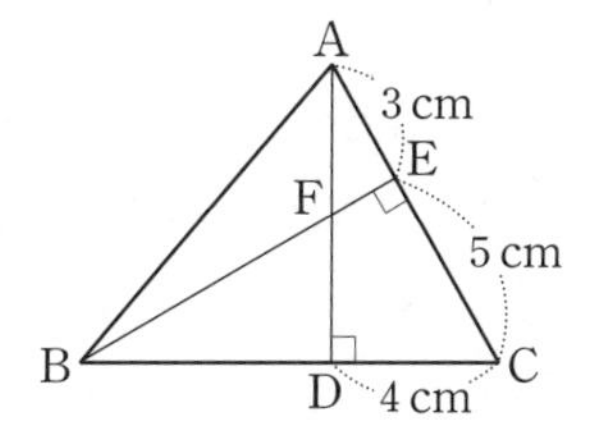

$\overline{AE}=3$ cm, $\overline{CE}=5$ cm, $\overline{CD}=4$ cm일 때, $\overline{BD}$의 길이는?

① 5.5 cm ② 6 cm ③ 6.5 cm
④ 7 cm ⑤ 7.5 cm

20 오른쪽 그림과 같이 $\angle A=90°$인 직각삼각형 ABC에서 $\overline{AH}\perp\overline{BC}$,

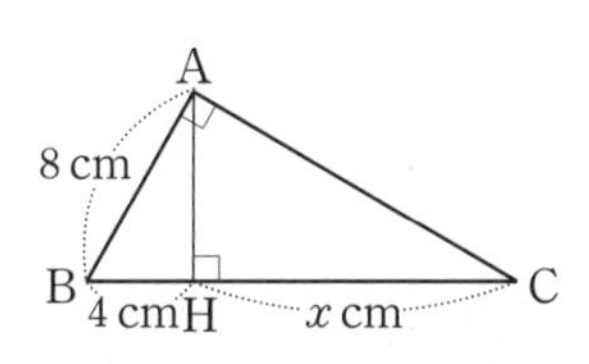

$\overline{AB}=8$ cm, $\overline{BH}=4$ cm, $\overline{CH}=x$ cm일 때, x의 값은?

① 8 ② 9 ③ 10
④ 11 ⑤ 12

[21~25] 다음 문제를 읽고, 식과 답을 서술하시오.

21 오른쪽 그림에서 $\triangle ABC$는 $\overline{AB}=\overline{AC}$인 이등변삼각형이다. $\overline{BD}$는 $\angle B$의 이등분선이고, $\angle A=36°$, $\overline{BC}=7$ cm, $\overline{CD}=a$ cm일 때, 다음 물음에 답하시오.

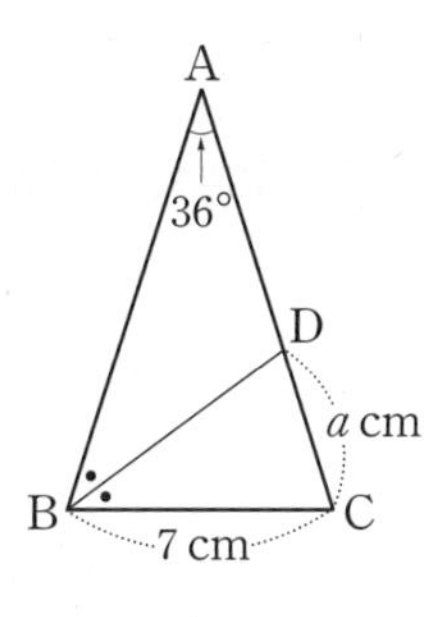

(1) $\angle DBC$의 크기를 구하시오.

(2) $\overline{AD}$의 길이를 구하시오.

(3) $\triangle ABC$의 둘레의 길이를 a에 대한 식으로 나타내시오.

22 오른쪽 그림에서 점 I는 $\triangle ABC$의 내심이고, $\overline{DE}/\!/\overline{BC}$이다. $\overline{AB}=11$ cm, $\overline{AC}=9$ cm이고,

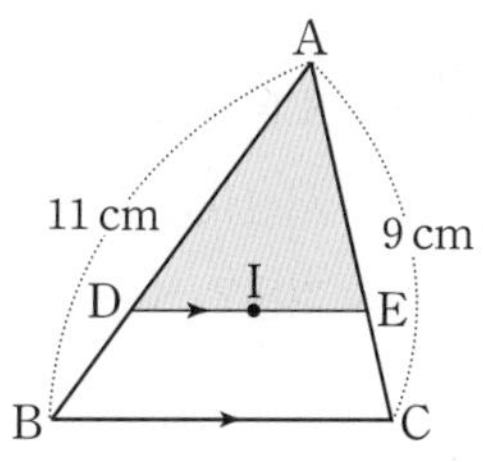

$\triangle ADE$의 내접원의 반지름의 길이가 3 cm일 때, 다음 물음에 답하시오.

(1) $\triangle ADE$의 둘레의 길이를 구하시오.

(2) $\triangle ADE$의 넓이를 구하시오.

23 오른쪽 그림과 같은 평행사변형 ABCD의 넓이가 200 cm^{2}일 때, 색칠한 두 삼각형 BOE와 COF의 넓이의 합을 구하시오.

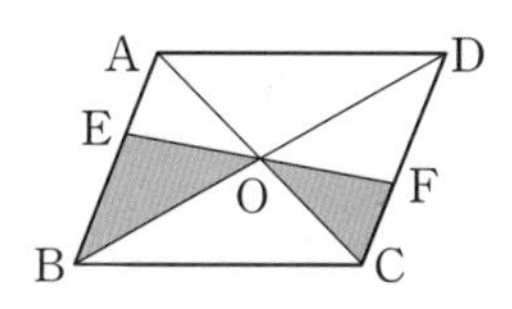

24 오른쪽 그림과 같이 $\overline{AD}/\!/\overline{BC}$인 사다리꼴 ABCD에서 두 대각선의 교점을 O라고 하자. $\overline{BO}:\overline{OD}=3:1$이고 $\triangle OBC=12$ cm^{2}일 때, $\triangle OAB$의 넓이를 구하시오.

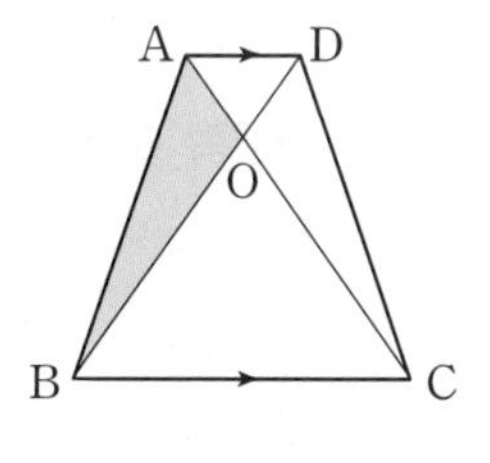

25 오른쪽 그림을 보고 다음 물음에 답하시오.

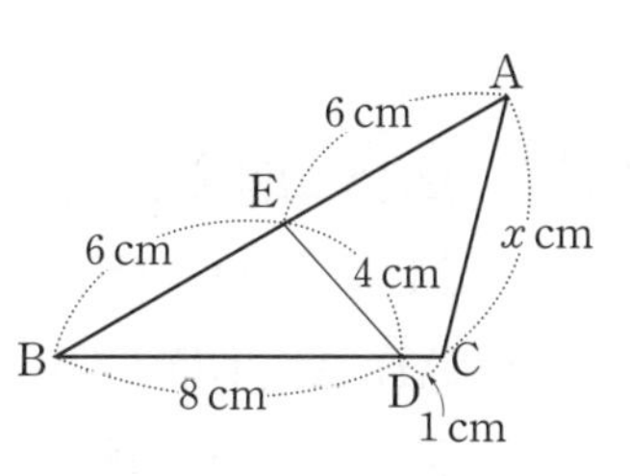

(1) $\triangle ABC$와 닮은 삼각형을 찾아 기호 ∽를 사용하여 나타내시오.

(2) x의 값을 구하시오.

정답 및 해설 387쪽

01 오른쪽 그림의 △ABC에서 $\overline{BC} /\!/ \overline{DE}$일 때, x의 값은?

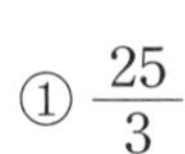
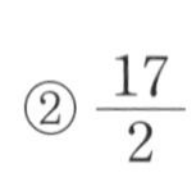

① $\frac{25}{3}$　② $\frac{17}{2}$　③ 10　④ $\frac{32}{3}$　⑤ 12

02 오른쪽 그림에서 $\overline{BC} /\!/ \overline{DE}$일 때, x의 값은?

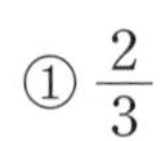

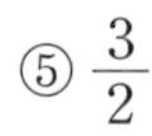

① $\frac{2}{3}$　② $\frac{7}{6}$　③ $\frac{5}{4}$　④ $\frac{4}{3}$　⑤ $\frac{3}{2}$

03 오른쪽 그림에서 $l /\!/ m /\!/ n$일 때, x의 값은?

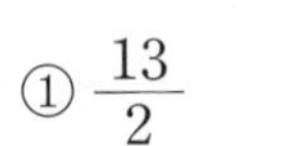

① $\frac{13}{2}$　② 7　③ $\frac{22}{3}$　④ $\frac{15}{2}$　⑤ 8

04 오른쪽 그림에서 네 점 M, N, P, Q가 각각 $\overline{AB}$, $\overline{AC}$, $\overline{BD}$, $\overline{CD}$의 중점일 때, $x+y$의 값은?

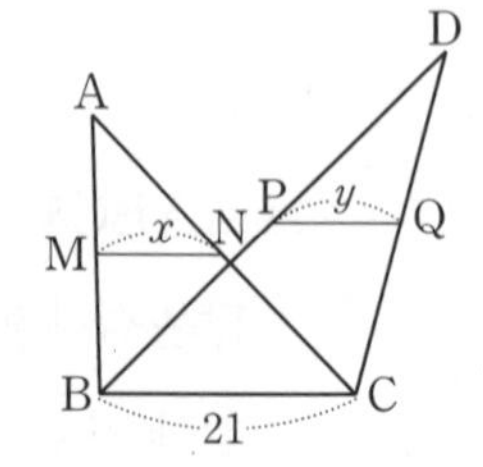

① 17　② 18　③ 19　④ 20　⑤ 21

05 오른쪽 그림에서 점 G가 △ABC의 무게중심이고 $\overline{DE} /\!/ \overline{BC}$일 때, $x+y$의 값은?

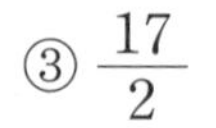
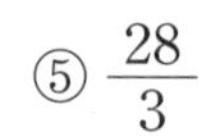

① 8　② $\frac{25}{3}$　③ $\frac{17}{2}$　④ 9　⑤ $\frac{28}{3}$

06 오른쪽 그림에서 점 G가 △ABC의 무게중심이고 △ADG의 넓이가 5 cm²일 때, △ABC의 넓이는?

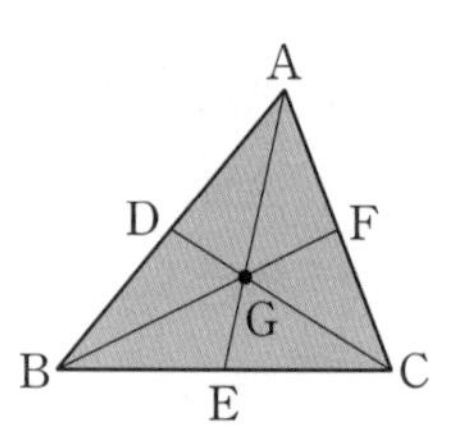

① 25 cm²　② 27 cm²　③ 28 cm²　④ 30 cm²　⑤ 32 cm²

07 오른쪽 그림과 같이 $\overline{AD} /\!/ \overline{BC}$인 사다리꼴에서 $\overline{AD}=9$ cm, $\overline{BC}=12$ cm이고, 두 대각선의 교점을 O라고 하자. △AOD의 넓이가 36 cm²일 때, △COB의 넓이는?

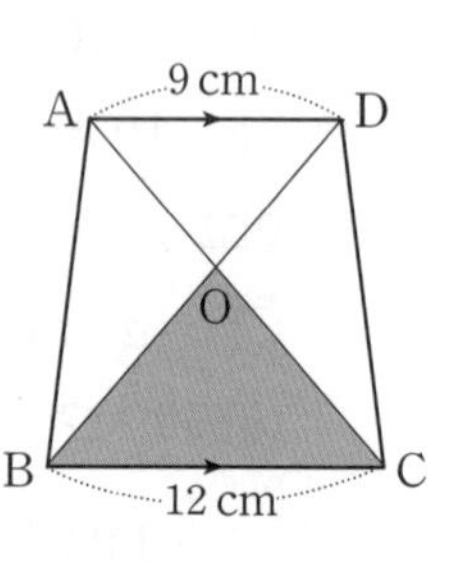

① 48 cm²　② 52 cm²　③ 56 cm²　④ 60 cm²　⑤ 64 cm²

08 오른쪽 그림에서 $\overline{AD}$를 회전축으로 하여 $\triangle ADE$를 1회전 시켰을 때 생기는 원뿔의 부피를 V_1, $\overline{AB}$를 회전축으로 하여 $\triangle ABC$를 1회전 시켰을 때 생기는 원뿔의 부피를 V_2라고 하자. 이때 $V_1 : V_2$는?

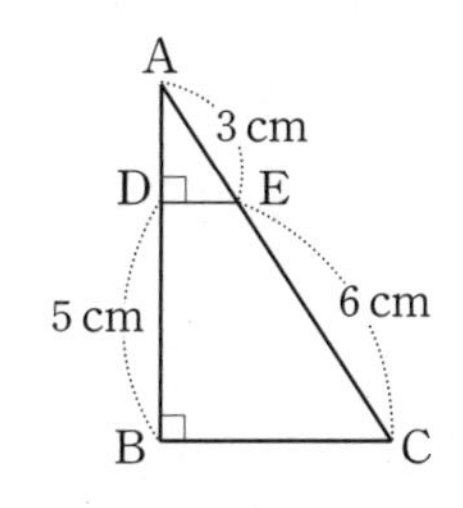

① 1 : 3 ② 1 : 5 ③ 1 : 8
④ 1 : 9 ⑤ 1 : 27

09 다음 그림은 강을 사이에 둔 두 지점 A와 B 사이의 거리를 구하기 위하여 필요한 거리와 각을 측정한 것이다. 두 지점 A와 B 사이의 거리는?

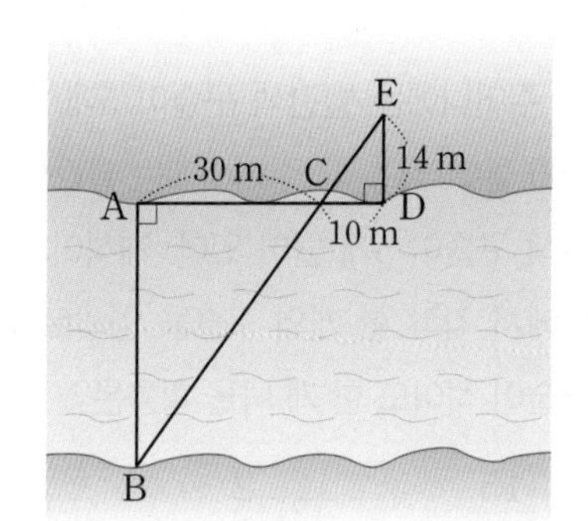

① 38 m ② 40 m ③ 42 m
④ 45 m ⑤ 48 m

10 오른쪽 그림은 $\angle C=90^\circ$인 직각삼각형 ABC의 각 변을 한 변으로 하는 정사각형을 그린 것이다.
□ACHI=5,
□BFGC=12일 때,
□ADEB의 넓이는?

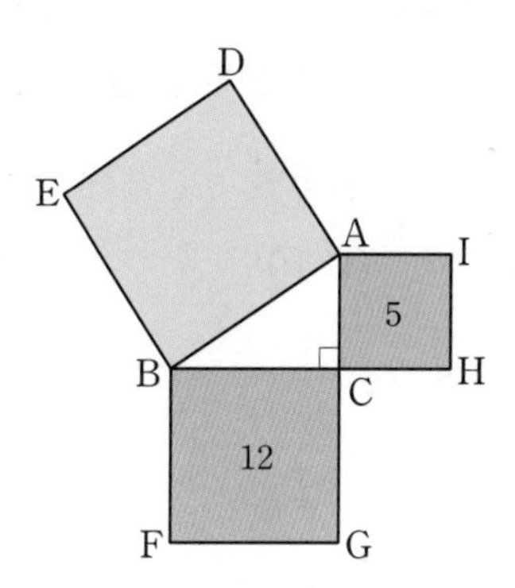

① 16 ② 17 ③ 18
④ 19 ⑤ 20

11 세 변의 길이가 각각 다음과 같은 삼각형 중에서 직각삼각형인 것은?

① 2, 3, 4 ② 3, 4, 6 ③ 4, 5, 7
④ 5, 12, 13 ⑤ 6, 10, 15

12 빗변의 길이가 30 cm이고, 다른 두 변의 길이의 비가 3 : 4인 직각삼각형의 넓이는?

① 216 cm^2 ② 252 cm^2 ③ 360 cm^2
④ 400 cm^2 ⑤ 432 cm^2

13 서로 다른 두 개의 주사위를 동시에 던질 때 나오는 두 눈의 수의 차가 4 또는 5가 되는 경우의 수는?

① 5 ② 6 ③ 7
④ 8 ⑤ 9

14 4명의 학생 A, B, C, D가 서로 한 번씩 탁구 시합을 할 때, 모두 몇 번의 시합이 이루어지는가?

① 6번 ② 8번 ③ 9번
④ 10번 ⑤ 12번

15 빨간 공 5개와 파란 공 x개가 들어 있는 주머니에서 한 개의 공을 임의로 꺼낼 때, 빨간 공이 나올 확률은 $\frac{1}{3}$이다. 이때 x의 값은?

① 7 ② 8 ③ 9
④ 10 ⑤ 11

16 서로 다른 두 개의 주사위를 동시에 던질 때, 나온 두 눈의 수의 합이 6의 배수가 아닐 확률은?

① $\frac{5}{36}$ ② $\frac{1}{6}$ ③ $\frac{1}{4}$
④ $\frac{1}{2}$ ⑤ $\frac{5}{6}$

17 1부터 20까지의 자연수가 각각 적힌 20장의 카드 중에서 한 장의 카드를 임의로 뽑을 때, 5의 배수 또는 7의 배수가 적힌 카드를 뽑을 확률은?

① $\frac{1}{10}$ ② $\frac{1}{5}$ ③ $\frac{3}{10}$
④ $\frac{7}{20}$ ⑤ $\frac{9}{20}$

18 두 사격 선수 정민이와 동원이의 명중률이 각각 $\frac{3}{4}$, $\frac{2}{5}$이다. 두 선수가 한 발씩 쏘았을 때, 두 사람 중 한 사람만 명중시킬 확률은?

① $\frac{1}{5}$ ② $\frac{3}{10}$ ③ $\frac{9}{20}$
④ $\frac{11}{20}$ ⑤ $\frac{3}{5}$

19 한 개의 주사위를 두 번 던져서 첫 번째에 나온 눈의 수를 a, 두 번째에 나온 눈의 수를 b라고 할 때, 다음 중 확률이 가장 큰 것은?

① ab가 짝수일 확률
② ab가 홀수일 확률
③ $a+b$가 짝수일 확률
④ $a+b$가 홀수일 확률
⑤ a와 b가 모두 짝수일 확률

20 A 주머니에는 빨간색 구슬이 5개, 파란색 구슬이 3개가 들어 있고, B 주머니에는 빨간색 구슬이 3개, 파란색 구슬이 5개 들어 있다. 재석이가 A, B 두 주머니에서 각각 한 개의 구슬을 임의로 꺼낼 때, 빨간색 구슬이 적어도 한 개 나올 확률은?

① $\frac{15}{64}$ ② $\frac{2}{5}$ ③ $\frac{5}{8}$
④ $\frac{49}{64}$ ⑤ $\frac{55}{64}$

[21~25] 다음 문제를 읽고, 식과 답을 서술하시오.

21 다음 그림에서 세 선분 AB, EF, DC가 모두 선분 BC와 각각 수직일 때, 다음 물음에 답하시오.

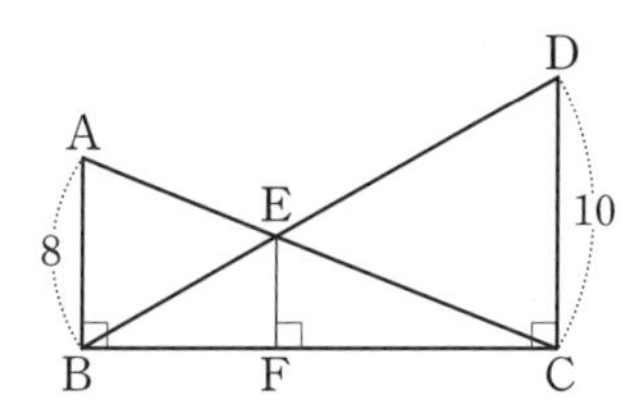

(1) $\overline{BF} : \overline{BC}$를 구하시오.

(2) $\overline{EF}$의 길이를 구하시오.

22 오른쪽 그림에서 점 G는 △ABC의 무게중심이다. △ABC=48 cm^2이고 $\overline{EC}$의 중점을 점 F라고 할 때, 다음을 구하시오.

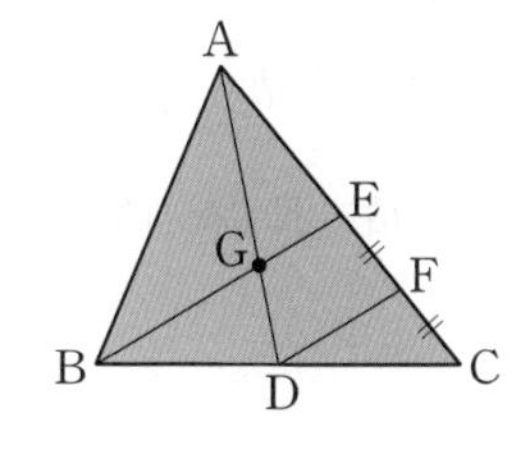

(1) △EBC와 △FDC의 넓이의 비

(2) △AGE의 넓이

(3) □GDFE의 넓이

23 오른쪽 그림과 같이 ∠A=90°인 직각삼각형 ABC의 점 A에서 $\overline{BC}$에 내린 수선의 발을 D라고 하자. $\overline{AB}=6$, $\overline{BC}=12$일 때, $\overline{AD}^2$의 값을 구하시오.

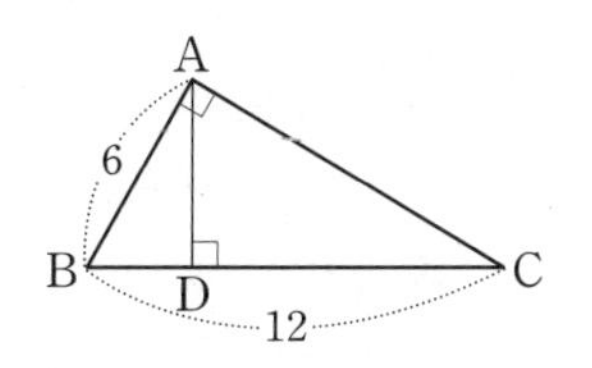

24 한 개의 주사위를 두 번 던져서 첫 번째에 나온 눈의 수를 x, 두 번째에 나온 눈의 수를 y라고 할 때, $2x+y<9$일 경우를 모두 말하고, 그 경우의 수를 구하시오.

25 주머니 A에는 모양과 크기가 같은 노란 공 4개와 파란 공 5개가 들어 있고, 주머니 B에는 모양과 크기가 같은 빨간 공 5개와 파란 공 3개가 들어 있다. 다음 물음에 답하시오.

(1) 주머니 A에서 공을 한 개 꺼낼 때, 파란 공을 꺼낼 확률을 구하시오.

(2) 주머니 B에서 공을 한 개 꺼낼 때, 파란 공을 꺼낼 확률을 구하시오.

(3) 두 주머니 A, B에서 공을 각각 한 개씩 꺼낼 때, 두 공이 모두 파란 공일 확률을 구하시오.

정답 및 해설

교과서 문제 뛰어 넘기

I-1. 유리수와 순환소수 본문 25쪽

9 $1.\dot{1}$

$0.\dot{3}\dot{0}=\frac{30}{99}=\frac{10}{33}$이고 한준이는 분자를 제대로 보았으므로 처음 기약분수의 분자는 10이다.

$2.\dot{7}=\frac{27-2}{9}=\frac{25}{9}$이고 서하는 분모를 제대로 보았으므로 처음 기약분수의 분모는 9이다.

따라서 처음 기약분수는 $\frac{10}{9}$이고, 이것을 순환소수로 나타내면 $1.\dot{1}$이다.

10 4

$0.\dot{a}\dot{b}=\frac{10a+b}{99}$, $0.\dot{b}\dot{a}=\frac{10b+a}{99}$이고 두 수의 합이

$0.\dot{4}=\frac{4}{9}$이므로

$\frac{10a+b}{99}+\frac{10b+a}{99}=\frac{11(a+b)}{99}=\frac{a+b}{9}=\frac{4}{9}$

따라서 $a+b=4$이다.

11 29

$\frac{a}{2^3\times3\times7}$를 유한소수로 나타낼 수 있으므로 a는 3×7의 배수여야 하고, $\frac{a}{2^3\times3\times7}=\frac{1}{b}(b\neq1)$에서 a는 $2^2\times3\times7$의 약수이어야 한다. (단, $a\neq2^3\times3\times7$)

(i) $a=3\times7$, 즉 $a=21$일 때,

$\frac{3\times7}{2^3\times3\times7}=\frac{1}{2^3}=\frac{1}{8}$이므로 $b=8$

(ii) $a=2\times3\times7$, 즉 $a=42$일 때,

$\frac{2\times3\times7}{2^3\times3\times7}=\frac{1}{2^2}=\frac{1}{4}$이므로 $b=4$

(iii) $a=2^2\times3\times7$, 즉 $a=84$일 때,

$\frac{2^2\times3\times7}{2^3\times3\times7}=\frac{1}{2}$이므로 $b=2$

따라서 $a+b$의 최솟값은 $21+8=29$이다.

I-2. 식의 계산 본문 47쪽

9 $\frac{3}{2}ab+\frac{4}{3}b^2$

(직사각형의 넓이)$=a\times4b=4ab$

(삼각형 4개의 넓이의 합)

$=\frac{1}{2}\times\frac{5}{3}b\times2b+\frac{1}{2}\times\left(a-\frac{5}{3}b\right)\times3b+\frac{1}{2}\times b\times b$
$\quad+\frac{1}{2}\times(a-b)\times2b$

$=\frac{5}{3}b^2+\frac{3}{2}ab-\frac{5}{2}b^2+\frac{1}{2}b^2+ab-b^2$

$=\frac{5}{2}ab-\frac{4}{3}b^2$

따라서 (색칠한 부분의 넓이)$=4ab-\left(\frac{5}{2}ab-\frac{4}{3}b^2\right)$

$=\frac{3}{2}ab+\frac{4}{3}b^2$

10 $35a^2b$

$4^{n+1}+3\times4^n=4\times4^n+3\times4^n=7\times4^n$이므로

$5^{n+1}(4^{n+1}+3\times4^n)$

$=5^{n+1}\times(7\times4^n)$

$=5\times5^n\times7\times4^n=35\times(2^n)^2\times5^n$

$=35a^2b$

11 2

$2^1=2$, $2^2=4$, $2^3=8$, $2^4=16$, $2^5=32$, $2^6=64$, $2^7=128$, $\cdots$이므로 2의 거듭제곱의 일의 자리의 숫자는 2, 4, 8, 6의 순서로 4개마다 반복됨을 알 수 있다.

$2^{18}=2^{4\times4+2}$이므로 2^{18}의 일의 자리의 숫자는 4이다.

즉, $\{2^{18}\}=4$

또 $2^{27}=2^{4\times6+3}$이므로 2^{27}의 일의 자리의 숫자는 8이다.

즉, $\{2^{27}\}=8$

따라서 $\{\{2^{18}\}+\{2^{27}\}\}=\{4+8\}=\{12\}=2$이다.

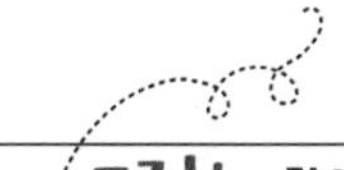

도전! 창의 · 융합 사고력 문제

I. 수와 식의 계산 .... 본문 49쪽

1 $97.\dot{7}$ cm

고무공을 80 cm의 높이에서 떨어뜨리면 다음 번에 고무공은 $80\times\frac{1}{10}=8(\text{cm})$만큼 튀어 오르고, 다시 대리석 바닥에 떨어졌다가 $80\times\frac{1}{100}=0.8(\text{cm})$만큼 튀어 오른다. 고무공은 이러한 과정을 반복하므로 고무공이 움직인 거리의 합은

$80+2\times\left(80\times\frac{1}{10}+80\times\frac{1}{100}+80\times\frac{1}{100}+\cdots\right)$

$=80+2\times80\left(\frac{1}{10}+\frac{1}{100}+\frac{1}{1000}+\cdots\right)$

$=80+160\times(0.1+0.01+0.001+\cdots)$

$=80+160\times0.\dot{1}$

$=80+160\times\frac{1}{9}$

$=\frac{720}{9}+\frac{160}{9}=\frac{880}{9}=97.777\cdots=97.\dot{7}(\text{cm})$

2 4000원

용기 A의 부피는 πa^2b

용기 B의 부피는 $\frac{1}{3}\times\pi a^2\times2b=\frac{2}{3}\pi a^2b$이다.

이때 용기 A와 용기 B의 부피의 비는 $1:\frac{2}{3}$이므로

용기 B에 아이스크림을 가득 담았을 때의 가격은

$6000\times\frac{2}{3}=4000(\text{원})$이 적당하다.

교과서 문제 뛰어 넘기

II-1. 일차부등식과 연립일차방정식 .... 본문 85쪽

9 ㄴ, ㄹ

$-5a+3>-5b+3$에서 $-5a>-5b$, $a<b$

ㄴ. $a<b$에서 $-2a>-2b$

ㄷ. $a<b$에서 $-a>-b$, $3-a>3-b$

ㄹ. $a<b$에서 $\frac{a}{3}<\frac{b}{3}$, $\frac{a}{3}-2<\frac{b}{3}-2$

따라서 옳은 것은 ㄴ, ㄹ이다.

10 7

$\begin{cases}2^x\times8^y=32\\9^x\times3^y=243\end{cases}$에서 $\begin{cases}2^x\times2^{3y}=2^5\\3^{2x}\times3^y=3^5\end{cases}$

즉, $\begin{cases}x+3y=5\\2x+y=5\end{cases}$

연립방정식을 풀면 $x=2$, $y=1$

$2x-ay+3=0$에 $x=2$, $y=1$을 대입하면

$4-a+3=0$, $a=7$

11 호두: 2개, 검은콩: 7개

호두와 검은콩의 개수를 각각 x, y라고 하면

$\begin{cases}2x+4y=32\\6x+2y=26\end{cases}$이므로 $\begin{cases}x+2y=16\\3x+y=13\end{cases}$

연립방정식을 풀면 $x=2$, $y=7$

따라서 호두 2개, 검은콩 7개를 먹어야 한다.

이때 단백질의 양은 $2\times2+4\times7=32(\text{g})$,

지방의 양은 $6\times2+2\times7=26(\text{g})$

이므로 구한 해는 문제의 뜻에 맞는다.

도전! 창의 · 융합 사고력 문제

II. 일차부등식과 연립일차방정식 .... 본문 87쪽

1 풀이 참조

$5x-a\le3x+11$에서 $-a$와 $3x$를 각각 이항하여 정리하면

$x\le\frac{11+a}{2}$

이때 해가 $x\le8$이므로 $\frac{11+a}{2}=8$이다.

이 식을 풀면 $a=5$이므로 자연수 a의 값은 5이다.

2 구미호: 9마리, 봉조: 7마리

구미호를 x마리, 봉조를 y마리라고 하면

$\begin{cases}x+9y=72\\9x+y=88\end{cases}$

연립방정식을 풀면 $x=9$, $y=7$이다.

따라서 구미호는 9마리, 봉조는 7마리이다.

이때 구미호와 봉조의 머리의 개수의 합은

$9+9\times7=72$

구미호와 봉조의 꼬리의 개수의 합은 $9\times9+7=88$

이므로 구한 해는 문제의 뜻에 맞는다.

교과서 문제 뛰어 넘기

III-1. 일차함수와 그래프 본문 121쪽

8 32

$y=-\frac{2}{5}x+4$의 y절편은 4이고, x절편을 구하면

$0=-\frac{2}{5}x+4$, $\frac{2}{5}x=4$, $x=10$

즉, x절편은 10이다.

$y=\frac{2}{3}x+4$의 y절편은 4이고, x절편을 구하면

$0=\frac{2}{3}x+4$, $\frac{2}{3}x=-4$, $x=-6$

즉, x절편은 -6이다.

따라서 두 함수의 그래프를 그리면 오른쪽 그림과 같으므로 구하는 삼각형의 넓이 S는

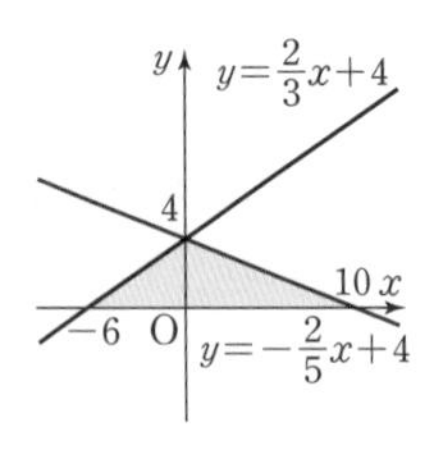

$S=\frac{1}{2}\times16\times4=32$

9 $y=-5x+30\,(0\le x\le6)$

$\triangle APC=\frac{1}{2}\times\overline{PC}\times\overline{AB}$이므로

$y=\frac{1}{2}\times(6-x)\times10$

$y=-5x+30\ (0\le x\le6)$

10 (1) $y=7x+8$ (2) 92 ℃ (3) 9분 후

(1) 시간이 2분씩 지날 때마다 온도가 14 ℃씩 올라가므로 시간이 1분씩 지날 때마다 온도는 7 ℃씩 증가한다. 따라서 x와 y 사이의 관계식은 $y=7x+8$이다.

(2) $y=7x+8$에 $x=12$를 대입하면

$y=7\times12+8=92$(℃)

(3) $y=7x+8$에 $y=71$을 대입하면

$71=7x+8$, $x=9$

따라서 물의 온도가 71 ℃가 되는 것은 물을 가열하기 시작한 지 9분 후이다.

III-2. 일차함수와 일차방정식의 관계 본문 135쪽

9 $-\frac{1}{3}$

y축에 평행한 직선이므로 $b=0$

$ax=1$의 그래프가 점 $(-3,\ 2)$를 지나므로

$-3a=1$에서 $a=-\frac{1}{3}$

따라서 $a+b=-\frac{1}{3}$

10 3

점 $(2,\ -1)$이 두 직선의 교점이므로 두 식에 각각 대입하면

$2a-(-1)=3$, $a=1$

$2+b\times(-1)=4$, $b=-2$

따라서 $a-b=1-(-2)=3$

11 3

두 직선의 교점의 좌표가 $(-1,\ 2)$이므로

$x-ay=-4$에 $x=-1$, $y=2$를 대입하면

$-1-2a=-4$, $2a=3$, $a=\frac{3}{2}$

$x+ay=b$에 $x=-1$, $y=2$를 대입하면

$-1+\frac{3}{2}\times2=b$, $b=2$

따라서 $ab=\frac{3}{2}\times2=3$

도전! 창의 · 융합 사고력 문제

III. 일차함수 본문 137쪽

1 11시 $42\frac{6}{7}$분

x시간 후의 이동 거리를 y km라고 하면 집에서 공원까지의 거리가 30 km이므로

아버지: $y=20x$에 $y=30$을 대입하면

$30=20x$, $x=\frac{3}{2}$

즉, 아버지가 공원에 도착한 시각은 11시 30분이다.

재성: $y=15x$에 $x=\frac{3}{2}$을 대입하면

$y=15\times\frac{3}{2}=22.5$

즉, 재성이가 11시 30분에 집에서 22.5 km 떨어진 지점까지 이동했다.

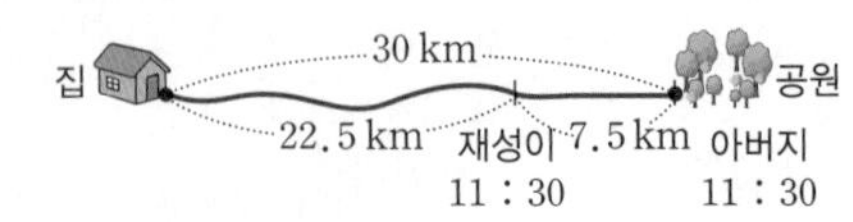

11시 30분에서 a분이 지난 후에 아버지와 재성이가 만났다고 할 때, 아버지의 이동 거리는

$y=20\times\frac{a}{60}=\frac{a}{3}$(km)이고,

재성이의 이동 거리는 $y=15\times\frac{a}{60}=\frac{a}{4}$(km)이므로

재성이와 아버지가 이동한 거리의 합이 7.5 km가 되어야 한다.

즉, $\frac{a}{3}+\frac{a}{4}=7.5$, $a=\frac{90}{7}$

따라서 11시 $\left(30+\frac{90}{7}\right)$분, 11시 $42\frac{6}{7}$분에 마주치게 된다.

2 풀이 참조

상품 포장 건수가 x건일 때 y원을 내야 한다고 하면

A 회사 관계식은 $y=5000+150x$

B 회사 관계식은 $y=8000+100x$

이고, 그 그래프는 다음과 같다.

이때 두 일차함수의 그래프의 교점의 좌표는 (60, 14000)이다.

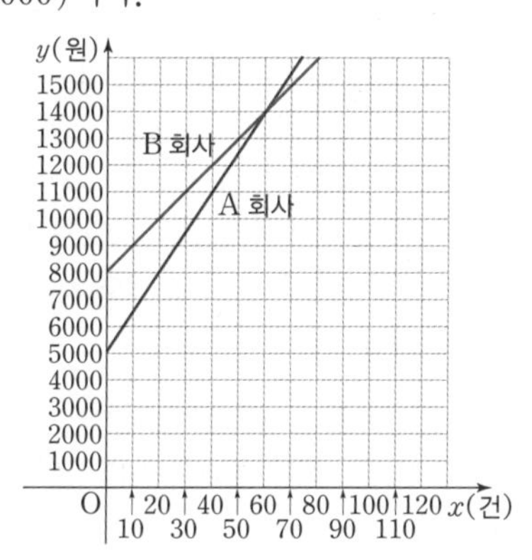

상품 포장 건수가 60건일 때는 A 택배 회사나 B 택배 회사나 가격이 동일하므로 상관이 없다. 그러나 상품 포장 건수가 60건 미만일 경우에는 금액이 더 낮은 A 회사를 이용하는 것이 유리하고, 상품 포장 건수가 60건 초과일 경우에는 금액이 더 낮은 B 회사를 이용하는 것이 유리하다.

교과서 문제 뛰어 넘기

IV-1. 삼각형의 성질 .... 본문 161쪽

7 5 cm

$\triangle$AFD와 $\triangle$AEB에서 $\angle$ADF$=\angle$ABE$=90°$,

$\angle$FAD$=\angle$EAB이므로 $\angle$AFD$=\angle$AEB

$\angle$BFE$=\angle$AFD$=\angle$BEF이므로 $\triangle$BEF는 이등변삼각형이다. 따라서 $\overline{BE}=\overline{BF}=5$ cm

8 $\frac{3}{2}$ cm^2

$\triangle$ABF와 $\triangle$BCG에서 $\angle$AFB$=\angle$BGC$=90°$,

$\overline{AB}=\overline{BC}$, $\angle$BAF$=90°-\angle$ABF$=\angle$CBG

이므로 $\triangle$ABF$\equiv\triangle$BCG

따라서 $\overline{BF}=\overline{CG}=2$ cm, $\overline{BG}=\overline{AF}=3$ cm이므로

$\overline{FG}=\overline{BG}-\overline{BF}=3-2=1$(cm)

따라서 $\triangle$AFG$=\frac{1}{2}\times1\times3=\frac{3}{2}$(cm^2)

9 7 cm

외접원의 반지름의 길이를 R, 내접원의 반지름의 길이를 r라고 하면

$R=\frac{1}{2}\overline{AB}=\frac{1}{2}\times10=5$(cm)

또, $\triangle$ABC의 넓이는

$\frac{1}{2}\times r\times(6+8+10)=\frac{1}{2}\times8\times6$이므로 $r=2$

따라서 구하는 합은 $R+r=5+2=7$(cm)

IV-2. 사각형의 성질 .... 본문 183쪽

7 평행사변형

$\triangle$ABC와 $\triangle$DBE에서 $\overline{AB}=\overline{DB}$, $\overline{BC}=\overline{BE}$

$\angle$ABC$=\angle$EBC$-\angle$EBA$=60°-\angle$EBA$=\angle$DBE

이므로 $\triangle$ABC$\equiv\triangle$DBE(SAS 합동)

즉, $\overline{AC}=\overline{DE}$

같은 방법으로 $\triangle$ABC$\equiv\triangle$FEC(SAS 합동)

즉, $\overline{AB}=\overline{FE}$

이때 $\overline{AC}=\overline{AF}$, $\overline{AB}=\overline{AD}$이므로

$\overline{AF}=\overline{DE}$, $\overline{AD}=\overline{FE}$

따라서 □AFED는 평행사변형이다.

8 60°

오른쪽 그림과 같이 선분 BD를 그으면

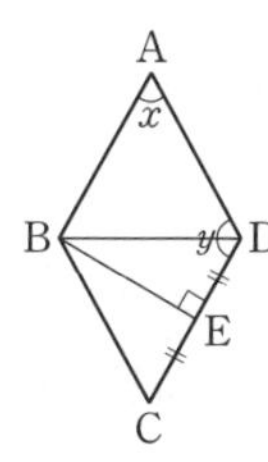

$\triangle$BCE와 $\triangle$BDE에서

$\angle$BEC$=\angle$BED$=90°$, $\overline{CE}=\overline{DE}$,

$\overline{BE}$는 공통이므로 $\triangle$BCE$\equiv\triangle$BDE

즉, $\overline{BC}=\overline{BD}$

□ABCD가 마름모이므로 $\overline{BC}=\overline{CD}$

즉, $\triangle$BCD는 정삼각형이다.

따라서 $\angle$BCD$=60°$이고, $\angle x=\angle$BCD$=60°$

$\angle y=180°-\angle x=180°-60°=120°$

따라서 $\angle y-\angle x=120°-60°=60°$

9 35 cm^2

$\triangle ADF : \triangle AFC = 4 : 7$이므로 $\overline{AD} : \overline{EC} = 4 : 7$이다.

따라서 $\overline{AD} = 4\text{ cm}$이므로 $\overline{EC} = 7\text{ cm}$이다.

오른쪽 그림과 같이 점 D에서 $\overline{BC}$에 내린 수선의 발을 G라고 하면 □AEGD는 직사각형이므로

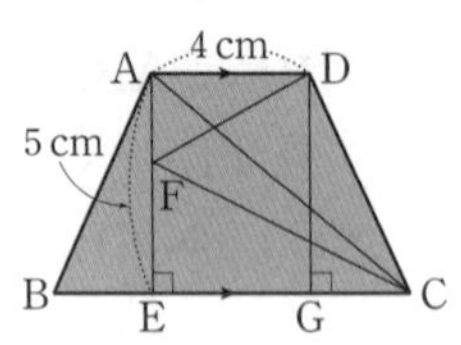

$\overline{GC} = \overline{EC} - \overline{EG} = 7 - 4 = 3(\text{cm})$

$\triangle ABE$와 $\triangle DCG$에서 $\angle AEB = \angle DGC = 90°$,

$\overline{AE} = \overline{DG}$, $\angle ABE = \angle DCG$이므로

$\triangle ABE \equiv \triangle DCG$

따라서 $\overline{BE} = \overline{CG} = 3\text{ cm}$이므로

$\overline{BC} = \overline{BE} + \overline{EC} = 3 + 7 = 10(\text{cm})$

따라서 $□ABCD = \frac{1}{2} \times (4+10) \times 5 = 35(\text{cm}^2)$

도전! 창의 · 융합 사고력 문제

IV. 도형의 성질 .... 본문 185쪽

1 $400\pi\text{ m}^2$

오른쪽 그림과 같이 호수를 $\triangle ABC$라고 할 때, 점 I는 $\triangle ABC$의 내심이다.

내접원의 반지름의 길이가 그물로 만들 수 있는 원 모양의 반지름의 최대 길이이므로 $\triangle ABC$의 내접원의 반지름의 길이를 r m라고 하면 $\triangle ABC$의 넓이는

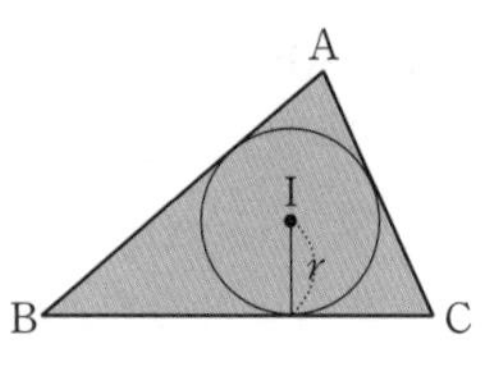

$\frac{1}{2} \times r \times 240 = 2400$이므로 $r = 20$이다.

따라서 그물로 만들 수 있는 가장 큰 원의 넓이는

$\pi \times 20^2 = 400\pi(\text{m}^2)$이다.

2 6초 후

점 P가 출발한 지 x초 후에 □AQCP가 평행사변형이 되었다고 하면

$\overline{AP} = 2x\text{ cm}$, $\overline{QC} = 24 - 4(x-3) = 36 - 4x(\text{cm})$

□AQCP가 평행사변형이 되려면 $\overline{AP} = \overline{QC}$이어야 하므로 $2x = 36 - 4x$, $6x = 36$, $x = 6$

따라서 □AQCP가 평행사변형이 되는 것은 점 P가 출발한 지 6초 후이다.

교과서 문제 뛰어 넘기

V-1. 도형의 닮음 .... 본문 205쪽

7 2 km

(실제 거리) : (지도상 거리) $= 20000 : 1$이므로

(실제 거리) : $10 = 20000 : 1$

따라서 (실제 거리) $= 200000(\text{cm}) = 2000(\text{m})$

$= 2(\text{km})$

8 $7 : 3$

$\triangle BFD$와 $\triangle CEF$에서 $\angle DBF = \angle FCE = 60°$이고

$\angle BFD = \angle CEF$이다.

즉, 대응하는 두 쌍의 각의 크기가 각각 같으므로

$\triangle BFD \backsim \triangle CEF$(AA 닮음)이다.

즉, $\overline{DB} : \overline{FC} = \overline{BF} : \overline{CE}$에서

$8 : 12 = 3 : \overline{CE}$, $\overline{CE} = \frac{9}{2}\text{ cm}$

또, $\triangle ABC$는 한 변의 길이가 15 cm인 정삼각형이므로

$\overline{FE} = \overline{AE} = 15 - \overline{CE} = 15 - \frac{9}{2} = \frac{21}{2}(\text{cm})$

따라서 $\overline{FE} : \overline{CE} = \frac{21}{2} : \frac{9}{2} = 7 : 3$

9 8

$\triangle ABC$와 $\triangle EBD$에서 $\angle A = \angle DEB = 90°$,

$\angle ABC = \angle EBD$는 공통, 즉 대응하는 두 쌍의 각의 크기가 각각 같으므로

$\triangle ABC \backsim \triangle EBD$(AA 닮음)이다.

$\overline{BC} : \overline{BD} = \overline{AC} : \overline{ED}$, $\overline{BC} : 10 = 12 : 6$이므로

$\overline{BC} = 20$이다.

따라서 $\overline{BE} = \overline{BC} - \overline{EC} = 20 - 12 = 8$이다.

V-2. 닮은 도형의 성질 .... 본문 229쪽

7 16 cm^2

$\angle AFD = \angle FDC$(엇각)이고,

$\angle FDA = \angle FDC$이므로 $\angle AFD = \angle FDA$이다.

따라서 $\triangle AFD$는 이등변삼각형이므로

$\overline{AF} = \overline{AD} = 9\text{ cm}$이고, $\overline{BF} = 3\text{ cm}$이다.

$\triangle BFE \backsim \triangle CDE$이고

닮음비는 $\overline{BF} : \overline{CD} = 3 : 6 = 1 : 2$이므로 넓이의 비는

$1^2 : 2^2 = 1 : 4$이다.

$\triangle BFE$의 넓이가 4 cm^2이므로

$1 : 4 = 4 :$ ($\triangle ECD$의 넓이)이다.

따라서 $\triangle ECD$의 넓이는 16 cm^2이다.

8 12 cm^2

점 P는 △ABC의 무게중심이므로

$\square\text{PMCO}=\frac{1}{3}\triangle\text{ABC}=\frac{1}{3}\times\frac{1}{2}\square\text{ABCD}$

$=\frac{1}{3}\times\frac{1}{2}\times 36=6(\text{cm}^2)$

같은 방법으로 점 Q는 △ACD의 무게중심이므로

$\square\text{OCNQ}=6\text{ cm}^2$이다.

따라서 색칠한 부분의 넓이는

$\square\text{PMCO}+\square\text{OCNQ}=6+6=12(\text{cm}^2)$이다.

9 108 cm^3

서로 닮은 두 사면체 A, B의 닮음비가 3 : 5이므로 부피의 비는 $3^3 : 5^3=27 : 125$이다.

사면체 B의 부피가 500 cm^3이므로

27 : 125=(A의 부피) : 500이다.

따라서 사면체 A의 부피는 108 cm^3이다.

V-3. 피타고라스 정리 본문 241쪽

7 8

△ABC에서 $\overline{\text{AB}}^2=5^2-3^2=16$이다.

따라서 $\triangle\text{BFL}=\frac{1}{2}\square\text{BFML}=\frac{1}{2}\square\text{ABED}$

$=\frac{1}{2}\times\overline{\text{AB}}^2=\frac{1}{2}\times 16=8$이다.

8 $\frac{10}{3}$

△ABE에서 $\overline{\text{AE}}=10$이므로

$\overline{\text{BE}}^2=10^2-6^2=64$, $\overline{\text{BE}}=8$이고,

$\overline{\text{EC}}=10-8=2$이다.

$\overline{\text{EF}}=x$라고 하면 $\overline{\text{DF}}=x$이고, $\overline{\text{FC}}=6-x$이다.

△ECF에서 피타고라스 정리에 의하여

$x^2=(6-x)^2+2^2$, $12x=40$, $x=\frac{10}{3}$이다.

따라서 $\overline{\text{EF}}$의 길이는 $\frac{10}{3}$이다.

9 1

정사각형 ABCD에서 $\overline{\text{BD}}^2=1+1=2$이므로

$\overline{\text{BD}}^2=\overline{\text{BE}}^2=2$

또, $\square\text{ABEF}$에서 $\overline{\text{BF}}^2=\overline{\text{EF}}^2+\overline{\text{BF}}^2=1+2=3$이므로

$\overline{\text{BF}}^2=\overline{\text{BG}}^2=3$

마찬가지로 $\square\text{ABGH}$에서

$\overline{\text{BH}}^2=\overline{\text{GH}}^2+\overline{\text{BG}}^2=1+3=4$이고

$\overline{\text{BH}}=2$이다.

따라서 $\overline{\text{BI}}=\overline{\text{BH}}=2$이므로

$\overline{\text{CI}}=\overline{\text{BI}}-\overline{\text{BC}}=2-1=1$

도전! 창의 · 융합 사고력 문제

V. 도형의 닮음 본문 243쪽

1 30 cm

(i) [1단계]에서 흰 색으로 칠해진 정삼각형의 한 변의 길이는 [0단계]의 정삼각형의 한 변의 길이에서 $\frac{1}{2}$로 줄어들어 $8\times\frac{1}{2}=4(\text{cm})$이다.

따라서 [1단계]의 흰 색으로 칠해진 정삼각형의 둘레의 길이는 $4\times 3=12(\text{cm})$이다.

(ii) [2단계]에서 새로 만들어진 3개의 흰 작은 정삼각형의 한 변의 길이는 [1단계]의 흰 색으로 칠해진 정삼각형의 한변의 길이에서 $\frac{1}{2}$로 줄어들어 $4\times\frac{1}{2}=2(\text{cm})$이다.

따라서 [2단계]의 흰 색으로 칠해진 작은 정삼각형의 둘레의 길이는

(새로 생긴 3개의 흰 색으로 칠해진 정삼각형의 둘레의 길이)+(1단계에서 흰 색으로 칠해진 정삼각형의 둘레의 길이)$=(2\times 3)\times 3+4\times 3$

$=30(\text{cm})$

이다.

2 ㈎ 8분 ㈏ 104분

㈎ 원기둥 모양의 그릇의 전체 높이가 12 cm이고 4분 후의 물이 높이가 4 cm이므로 높이 8 cm만큼 물을 더 채우면 된다.

따라서 $8=4\times2$이므로 물이 가득 찰 때까지

$4\times2=8$(분)간 물을 더 넣으면 된다.

㈏ 원뿔 모양의 그릇과 물이 담겨져 있는 원뿔 모양은 서로 닮은 도형이다.

따라서 물과 그릇의 닮음비는 $4:12=1:3$이고, 부피의 비는 $1^3:3^3=1:27$이다.

현재 물의 양과 가득 채우기 위한 물의 양의 비는 $1:26$이므로 $4\times26=104$(분)간 물을 더 넣으면 된다.

교과서 문제 뛰어 넘기

VI-1. 경우의 수와 확률 .... 본문 273쪽

8 43

세 자리의 자연수를 만들 때, 123보다 큰 경우는

4□□의 꼴: $4\times3=12$(개)

3□□의 꼴: $4\times3=12$(개)

2□□의 꼴: $4\times3=12$(개)

14□의 꼴: 3개

13□의 꼴: 3개

124: 1개

따라서 구하는 수는 $12+12+12+3+3+1=43$(개)

[다른 풀이] 서로 다른 숫자로 이루어진 세 자리의 자연수는 $4\times4\times3=48$(개)

123보다 작거나 같은 세 자리의 자연수는 102, 103, 104, 120, 123이므로 5개이다.

따라서 구하는 수는 $48-5=43$(개)

9 $\frac{5}{9}$

서로 다른 두 개의 주사위를 동시에 던질 때,

두 눈의 수의 차가 0인 경우는 (1, 1), (2, 2), (3, 3), (4, 4), (5, 5), (6, 6)의 6가지이므로 두 눈의 수의 차가 0일 확률은 $\frac{6}{36}=\frac{1}{6}$이다.

두 눈의 수의 차가 1인 경우는 (1, 2), (2, 3), (3, 4), (4, 5), (5, 6), (2, 1), (3, 2), (4, 3), (5, 4), (6, 5)의 10가지이므로 두 눈의 수의 차가 1일 확률은 $\frac{10}{36}=\frac{5}{18}$이다. 따라서

(두 눈의 수의 차가 1보다 클 확률)

$=1-$(두 눈의 수의 차가 1 이하일 확률)

$=1-$(두 눈의 수의 차가 0 또는 1일 확률)

$=1-\left(\frac{1}{6}+\frac{5}{18}\right)=1-\frac{4}{9}=\frac{5}{9}$

10 $\frac{1}{9}$

세 점 O(0, 0), A(a, 0), B(a, b)를 좌표평면 위에 나타내면 오른쪽 그림과 같다.

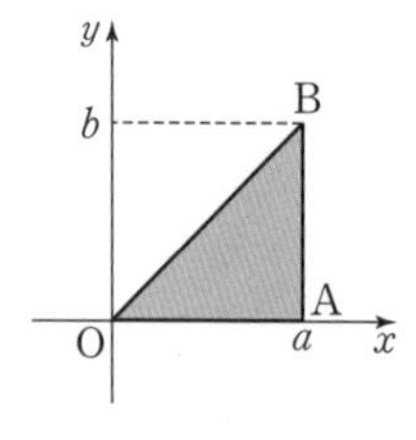

$\triangle OAB=\frac{1}{2}\times a\times b=6$이므로

$ab=12$

서로 다른 두 개의 주사위를 동시에 던질 때, 두 눈의 수의 곱이 12인 경우는 (2, 6), (6, 2), (3, 4), (4, 3)으로 4가지이다.

따라서 구하는 확률은 $\frac{4}{36}=\frac{1}{9}$이다.

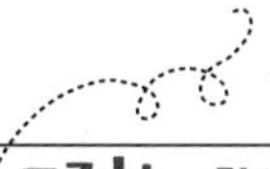

도전! 창의 · 융합 사고력 문제

VI. 확률 본문 275쪽

1 풀이 참조

(i) 주사위를 두 번 던져서 나온 눈의 수의 합이 6 또는 11일 때, 점 P가 점 B에 놓이게 된다.
주사위를 두 번 던져서 나온 눈의 수의 합이 6인 경우는 (1, 5), (2, 4), (3, 3), (4, 2), (5, 1)의 5가지이고, 주사위를 두 번 던져서 나온 눈의 수의 합이 11인 경우는 (5, 6), (6, 5)의 2가지이다.
즉, 점 P가 점 B에 놓이게 될 경우의 수는 $5+2=7$이다. 따라서 점 P가 점 B에 놓이게 될 확률은 $\frac{7}{36}$이다.

(ii) 주사위를 두 번 던져서 나온 눈의 수의 합이 3 또는 8일 때, 점 P가 점 D에 놓이게 된다.
주사위를 두 번 던져서 나온 눈의 수의 합이 3인 경우는 (1, 2), (2, 1)의 2가지이고, 주사위를 두 번 던져서 나온 눈의 수의 합이 8인 경우는 (2, 6), (3, 5), (4, 4), (5, 3), (6, 2)의 5가지이다. 즉, 점 P가 점 D에 놓이게 될 경우의 수는 $2+5=7$이다.
따라서 점 P가 점 D에 놓이게 될 확률은 $\frac{7}{36}$이다.

(i), (ii)에 의하여 점 P가 점 B에 놓이게 될 확률과 점 P가 점 D에 놓이게 될 확률은 $\frac{7}{36}$로 서로 같다.

2 0.12

안타를 치는 경우를 ○, 그렇지 않은 경우를 ×로 놓고 3회의 대결 중 2회 이상 안타를 칠 경우를 표로 나타내면 다음과 같다.

	A	B	
		1회	2회
2회 안타	○	○	×
	○	×	○
	×	○	○
3회 안타	○	○	○

(i) 2회 안타를 칠 확률은
$(0.25\times0.2\times0.8)+(0.25\times0.8\times0.2)+(0.75\times0.2\times0.2)=0.11$

(ii) 3회 안타를 칠 확률은 $0.25\times0.2\times0.2=0.01$

따라서 구하는 확률은 $0.11+0.01=0.12$

중단원 평가 문제

I-1. 유리수와 순환소수 본문 280~281쪽

01 ② **02** ③, ④ **03** ㄴ, ㄷ, ㅁ, ㅂ
04 (1) ㄷ (2) ㄱ (3) ㄴ **05** ② **06** ②
07 111 **08** 77
09 (가) 1000 (나) 100 (다) 900 (라) 3354 (마) $\frac{559}{150}$
10 ① **11** ㄱ, ㄴ, ㄹ **12** 1 **13** $3.\dot{4}\dot{2}$
14 5 **15** 33, 66, 99

01 ① 0.7444⋯ ➡ 4
③ 0.28707070⋯ ➡ 70
④ 0.1594594594⋯ ➡ 594
⑤ 2.482714827148271⋯ ➡ 48271

02 ① $1.234123412341\cdots=1.\dot{2}34\dot{1}$
② $-0.437437437\cdots=-0.\dot{4}3\dot{7}$
⑤ $0.3656565\cdots=0.3\dot{6}\dot{5}$

03 주어진 수를 기약분수로 변형하면 다음과 같다.
ㄱ. $\frac{5}{45}=\frac{1}{3^2}$
ㄴ. $\frac{14}{35}=\frac{2}{5}$
ㄷ. $\frac{63}{2\times3^2\times7}=\frac{1}{2}$
ㄹ. $\frac{84}{2^3\times3\times7^2}=\frac{1}{2\times7}$
ㅁ. $\frac{121}{2^2\times5\times11}=\frac{11}{2^2\times5}$
ㅂ. $\frac{30}{2^4\times3\times5}=\frac{1}{2^3}$
따라서 유한소수로 나타낼 수 있는 것은 ㄴ, ㄷ, ㅁ, ㅂ이다.

05 $\frac{4}{7}=0.\dot{5}7142\dot{8}$이므로 순환마디의 숫자의 개수가 6개이고 소수점 아래 첫 번째 자리에서부터 시작된다.
이때 $100=6\times16+4$이므로 소수점 아래 96번째 자리까지 순환마디의 숫자는 16회 반복되고 97번째부터 100번째 자리까지의 숫자는 각각 5, 7, 1, 4이다.
따라서 1이 나오는 횟수는 $16+1=17$(회)이다.

06 구하는 수를 $\frac{a}{15}$라고 하면

$\frac{1}{5}<\frac{a}{15}<\frac{2}{3}$, $\frac{3}{15}<\frac{a}{15}<\frac{10}{15}$이므로 $3<a<10$이다.

$\frac{a}{15}=\frac{a}{3\times5}$를 유한소수로 나타낼 수 있는 것은 분자인 a가 3의 배수인 분수이다.

따라서 구하는 분수는 $\frac{6}{15}$, $\frac{9}{15}$의 2개이다.

07 $\frac{a}{140}=\frac{a}{2^2\times5\times7}$에서 a는 7의 배수여야 하고,

$\frac{a}{2^2\times5\times7}=\frac{13}{b}$에서 a는 13의 배수여야 한다.

즉, a는 7과 13의 공배수 중 100 이하의 자연수이므로

$a=7\times13=91$

또, $\frac{91}{140}=\frac{13}{20}$에서 $b=20$

따라서 $a+b=91+20=111$이다.

08 $\frac{9}{280}=\frac{9}{2^3\times5\times7}$에 자연수 a를 곱했을 때, 유한소수로 나타내려면 a는 7의 배수이다.

$\frac{7}{352}=\frac{7}{2^5\times11}$에 자연수 a를 곱했을 때, 유한소수로 나타내려면 a는 11의 배수이다.

따라서 a는 7과 11의 공배수이고 이 중 가장 작은 수는 77이다.

10 $0.2\dot{3}=\frac{21}{90}=\frac{7}{2\times3\times5}$이므로

$\frac{7}{2\times3\times5}\times a$가 유한소수가 되려면 a는 3의 배수여야 한다.

따라서 a가 될 수 없는 수는 2이다.

11 ㄱ. 순환소수는 모두 유리수이다.

ㄴ. 순환소수는 모두 유리수이기 때문에 분모, 분자가 정수인(분모가 0이 아닌) 분수로 반드시 나타낼 수 있다.

ㄹ. 분모에 2나 5 이외의 소인수가 있는 기약분수는 유한소수로 나타낼 수 없다.

따라서 옳지 않은 것은 ㄱ, ㄴ, ㄹ이다.

12 $28x-2=5a$에서 $x=\frac{5a+2}{28}$

$x=\frac{5a+2}{28}=\frac{5a+2}{2^2\times7}$가 유한소수가 되려면

$5a+2$가 7의 배수여야 한다.

따라서 가장 작은 자연수 a가 되기 위해서는

$5a+2=7$, 즉 $a=1$이다.

13 $1.2\dot{5}=\frac{113}{90}$이고 슬기는 분자를 제대로 보았으므로 처음 기약분수의 분자는 113이다.

$0.\dot{1}\dot{5}=\frac{15}{99}=\frac{5}{33}$이고 동수는 분모를 제대로 보았으므로 처음 기약분수의 분모는 33이다.

따라서 처음의 기약분수는 $\frac{113}{33}$이고, 이것을 순환소수로 나타내면 $3.\dot{4}\dot{2}$이다.

14 $\frac{8}{13}=0.\dot{6}1538\dot{4}$이므로 6, 1, 5, 3, 8, 4가 반복된다.

이때 $99=6\times16+3$이므로 소수점 아래 99번째 자리의 숫자는 5이다.

15 $\frac{17}{204}=\frac{1}{12}=\frac{1}{2^2\times3}$이므로 $\frac{17}{204}$은 3의 배수를 곱하면 유한소수로 나타낼 수 있다.

$\frac{7}{110}=\frac{7}{2\times5\times11}$이므로 $\frac{7}{110}$은 11의 배수를 곱하면 유한소수로 나타낼 수 있다.

따라서 두 분수를 모두 유한소수로 나타내려면 N은 3과 11의 공배수, 즉 33의 배수가 되어야 하므로 100보다 작은 자연수 N의 값은 33, 66, 99이다.

I-2. 식의 계산

본문 282~283쪽

01 ② **02** $a=3$, $b=8$ **03** (1) x^9 (2) x^6

04 3 **05** (가): $\frac{8}{5}x^5y^3$ (나): $\frac{y}{10x^3}$ **06** $\frac{1}{243}$ **07** $\frac{12}{11}$

08 -3 **09** ① **10** 18 **11** $6x^2y^2+12x^2y^3$

12 $4y^2$ **13** (1) a의 최솟값: 16, $k=8$ (2) 10

14 $12a^3b^2$

01 ① $a^2\times a^3=a^5$

③ $(a^3)^2=a^6$

④ $(ab)^4=a^4b^4$

⑤ $\left(\frac{1}{b^3}\right)^2=\frac{1}{b^6}$

02 $x^8y^{4a}=x^by^{12}$이므로 $8=b$, $4a=12$
따라서 $a=3$, $b=8$

03 (1) $(x^3)^5\times(x^2)^3\div(x^4)^3$
$=x^{15}\times x^6\div x^{12}=x^{15+6}\div x^{12}=x^{21-12}=x^9$
(2) $x^6\div x^2\times x^3\div x=x^6\times\frac{1}{x^2}\times x^3\times\frac{1}{x}$
$=\frac{x^9}{x^3}=x^6$

04 $(2x^2+5x-10)-(-5x^2+x-2)$
$=2x^2+5x-10+5x^2-x+2$
$=7x^2+4x-8$
이때 $7x^2+4x-8$에서 x^2의 계수는 7, x의 계수는 4, 상수항은 -8이므로 각 항의 계수와 상수항의 합은
$7+4-8=3$

05 (가): $\frac{3}{5}x^2y^2\times\frac{8}{3}x^3y=\frac{8}{5}x^5y^3$
(나): $\frac{8}{5}x^5y^3\div(-4x^4y)^2=\frac{8}{5}x^5y^3\div16x^8y^2$
$=\frac{8}{5}x^5y^3\times\frac{1}{16x^8y^2}=\frac{y}{10x^3}$

06 $x-y=5$이므로 $x>y$이다.
따라서 $3^y\div3^x=\frac{1}{3^{x-y}}=\frac{1}{3^5}=\frac{1}{243}$

07 $16^{3x-2}=2^{x+4}$에서 $(2^4)^{3x-2}=2^{x+4}$, $2^{12x-8}=2^{x+4}$
이때 $12x-8=x+4$에서 $11x=12$
따라서 $x=\frac{12}{11}$

08 (주어진 식)$=\frac{x^2y+2xy^2}{-y}=-x^2-2xy$
$=-3^2-2\times3\times(-1)=-3$

09 $(10x^2-15xy)\div5x+(21y^2-35xy)\div(-7y)$
$=\frac{10x^2-15xy}{5x}+\frac{21y^2-35xy}{-7y}$
$=2x-3y-3y+5x$
$=7x-6y$

10 $(ax^2-4xy+b)\times(-2x)=-4x^3+cx^2y-16x$에서
$-2ax^3+8x^2y-2bx=-4x^3+cx^2y-16x$
$-2a=-4$, $8=c$, $-2b=-16$이므로
$a=2$, $b=8$, $c=8$
따라서 $a+b+c=2+8+8=18$

11 (사다리꼴의 넓이)$=\frac{1}{2}\times(4x^2y+8x^2y^2)\times3y$
$=\frac{1}{2}\times4x^2y\times3y+\frac{1}{2}\times8x^2y^2\times3y$
$=6x^2y^2+12x^2y^3$

12 $(3x^2-9xy)\div3x+(12xy-\square)\div(-4y)$
$=-2x-2y$
$3x^2\div3x-9xy\div3x+12xy\div(-4y)-\square\div(-4y)$
$=-2x-2y$
$x-3y-3x-\square\div(-4y)=-2x-2y$
$-\square\div(-4y)=y$
$-\square=y\times(-4y)$
$-\square=-4y^2$
따라서 $\square=4y^2$

13 (1) $2^{12}\times5^8=2^4\times2^8\times5^8$
$=2^4\times(2\times5)^8$
$=2^4\times10^8$
$=16\times10^8$
따라서 a의 최솟값은 16, 그때의 k의 값은 8이다.
(2) $16\times10^8=16\times100000000=1600000000$은 10자리의 자연수이다.
따라서 $n=10$

14 (직사각형의 넓이)$=12a^4b\times2ab^3=24a^5b^4$
(삼각형의 넓이)$=\frac{1}{2}\times$(밑변의 길이)$\times4a^2b^2$이므로
$24a^5b^4=\frac{1}{2}\times$(밑변의 길이)$\times4a^2b^2$
따라서 (밑변의 길이)$=24a^5b^4\times\frac{2}{4a^2b^2}=12a^3b^2$

II-1. 일차부등식과 연립일차방정식

본문 284~285쪽

01 (1) $3x+4\le6$ (2) $4a>5500$ (3) $x-7<9$

02 (1) 2, 3, 4 (2) 2, 3, 4

03 (1) ○ (2) × (3) × (4) ○

04 (1) $x>-1$, 풀이 참조 (2) $x\ge-3$, 풀이 참조

05 (1) $x\ge\frac{5}{2}$ (2) $x\ge3$ (3) $x>\frac{1}{7}$

06 (1) (2, 2), (5, 1) (2) (1, 15), (2, 10), (3, 5)

07 (1) $x=-1$, $y=-2$ (2) $x=1$, $y=2$ (3) $x=14$, $y=19$

08 (1) $x=1$, $y=1$ (2) $x=4$, $y=3$ (3) $x=1$, $y=\frac{1}{2}$

09 $5\le A<\frac{26}{3}$　10 4　11 7

12 $a=1$, $b=-4$　13 25명

14 (1) $x+y=80$ (2) $4x+2y=230$

(3) $\begin{cases} x+y=80 \\ 4x+2y=230 \end{cases}$, $x=35$, $y=45$

(4) 토끼: 35마리, 닭: 45마리　15 $\frac{3}{2}$ km

02 (1) $x=1$일 때, $3\times1-2=1$이므로 $1>1$(거짓)

$x=2$일 때, $3\times2-2>1$이므로 $4>1$(참)

$x=3$일 때, $3\times3-2>1$이므로 $7>1$(참)

$x=4$일 때, $3\times4-2>1$이므로 $10>1$(참)

따라서 주어진 부등식의 해는 2, 3, 4이다.

(2) $x=1$일 때, $1-1>2\times1-3$이므로 $0\le-1$(거짓)

$x=2$일 때, $2-1=2\times2-3$이므로 $1\le1$(참)

$x=3$일 때, $3-1<2\times3-3$이므로 $2\le3$(참)

$x=4$일 때, $4-1<2\times4-3$이므로 $3\le5$(참)

따라서 주어진 부등식의 해는 2, 3, 4이다.

03 (1) $3x-7\le0$은 일차부등식이다.

(2) $x^2-4x\ge0$은 일차부등식이 아니다.

(3) $5<10$은 일차부등식이 아니다.

(4) $3x-4\le0$은 일차부등식이다.

04 (1) $x-1>-2$에서 $x>-2+1$, $x>-1$

이므로 해를 수직선 위에 나타내면 다음과 같다.

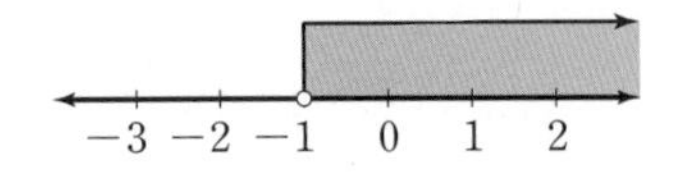

(2) $x+14\ge-4x-1$에서

$x+4x\ge-1-14$, $5x\ge-15$, $x\ge-3$

이므로 해를 수직선 위에 나타내면 다음과 같다.

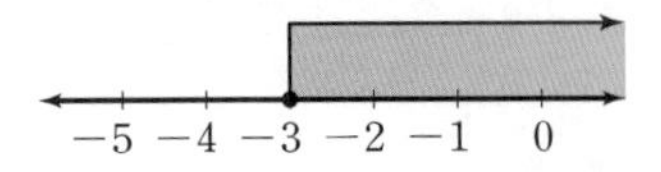

05 (1) 괄호를 풀면 $4x-8\ge12-4x$

$4x+4x\ge12+8$, $8x\ge20$, $x\ge\frac{5}{2}$

(2) 양변에 10을 곱하면 $-5x+15\le x-3$

$-5x-x\le-3-15$, $-6x\le-18$, $x\ge3$

(3) 양변에 15를 곱하면 $9x>-5x+2$

$9x+5x>2$, $14x>2$, $x>\frac{1}{7}$

06 (1) x에 자연수 1, 2, 3, …을 차례대로 대입하면 다음 표와 같다.

x	1	2	3	4	5	6
y	$\frac{7}{3}$	2	$\frac{5}{3}$	$\frac{4}{3}$	1	$\frac{2}{3}$

따라서 구하는 해는 (2, 2), (5, 1)이다.

(2) x에 자연수 1, 2, 3, …을 차례대로 대입하면 다음 표와 같다.

x	1	2	3	4
y	15	10	5	0

따라서 구하는 해는 (1, 15), (2, 10), (3, 5)이다.

07 (1) $\begin{cases} x+2y=-5 & \cdots\cdots ① \\ x-y=1 & \cdots\cdots ② \end{cases}$

①에서 ②를 변끼리 빼면 $3y=-6$, $y=-2$

$y=-2$를 ①에 대입하면

$x+2\times(-2)=-5$, $x=-1$

따라서 구하는 해는 $x=-1$, $y=-2$이다.

(2) $\begin{cases} x-4y=-7 & \cdots\cdots ① \\ 2x+3y=8 & \cdots\cdots ② \end{cases}$

①의 양변에 2를 곱한 식에서 ②를 변끼리 빼면

$(2x-8y)-(2x+3y)=-14-8$

$-11y=-22$, $y=2$

$y=2$를 ①에 대입하면 $x-4\times2=-7$, $x=1$

따라서 구하는 해는 $x=1$, $y=2$이다.

(3) $\begin{cases} y=x+5 & \cdots\cdots ① \\ 3x-2y=4 & \cdots\cdots ② \end{cases}$

①을 ②에 대입하면

$3x-2(x+5)=4$, $x=14$

$x=14$를 ①에 대입하면 $y=14+5=19$

따라서 구하는 해는 $x=14$, $y=19$이다.

08 (1) $\begin{cases} 0.4x+0.5y=0.9 & \cdots\cdots ① \\ 0.2x-0.3y=-0.1 & \cdots\cdots ② \end{cases}$

①과 ②의 양변에 10을 곱하면

$\begin{cases} 4x+5y=9 & \cdots\cdots ③ \\ 2x-3y=-1 & \cdots\cdots ④ \end{cases}$

③에서 ④의 양변에 2를 곱한 식을 변끼리 빼면

$(4x+5y)-(4x-6y)=9-(-2)$

$11y=11$, $y=1$

$y=1$을 ③에 대입하면 $4x+5\times1=9$, $x=1$

따라서 구하는 해는 $x=1$, $y=1$이다.

(2) $\begin{cases} \frac{x}{2}-y=-1 & \cdots\cdots ① \\ \frac{x}{4}+y=4 & \cdots\cdots ② \end{cases}$

①의 양변에 2를 곱하고 ②의 양변에 4를 곱하면

$\begin{cases} x-2y=-2 & \cdots\cdots ③ \\ x+4y=16 & \cdots\cdots ④ \end{cases}$

③에서 ④를 변끼리 빼면 $-6y=-18$, $y=3$

$y=3$을 ③에 대입하면 $x-2\times3=-2$, $x=4$

따라서 구하는 해는 $x=4$, $y=3$이다.

(3) $\begin{cases} \frac{3}{4}x-\frac{2}{3}y=\frac{5}{12} & \cdots\cdots ① \\ 0.3x-y=-0.2 & \cdots\cdots ② \end{cases}$

①의 양변에 12를 곱하고 ②의 양변에 10을 곱하면

$\begin{cases} 9x-8y=5 & \cdots\cdots ③ \\ 3x-10y=-2 & \cdots\cdots ④ \end{cases}$

③에서 ④의 양변에 3을 곱한 식을 변끼리 빼면

$(9x-8y)-(9x-30y)=5-(-6)$

$22y=11$, $y=\frac{1}{2}$

$y=\frac{1}{2}$을 ③에 대입하면

$9x-8\times\frac{1}{2}=5$, $9x=9$, $x=1$

따라서 구하는 해는 $x=1$, $y=\frac{1}{2}$이다.

09 $-5<x\leq6$에서

$\frac{5}{3}>-\frac{1}{3}x\geq-2$

$\frac{26}{3}>7-\frac{1}{3}x\geq5$

따라서 $\frac{26}{3}>A\geq5$, 즉 $5\leq A<\frac{26}{3}$

10 $8(2x+8)<7(x+a)$에서

$16x+64<7x+7a$, $9x<7a-64$

$x<\frac{7a-64}{9}$

주어진 일차부등식의 해가 $x<-4$이므로

$\frac{7a-64}{9}=-4$, $7a-64=-36$, $7a=28$

따라서 $a=4$

11 $x+by=9$에 순서쌍 $(-1, 5)$를 대입하면

$-1+5b=9$, $b=2$

$x+2y=9$에 순서쌍 $(a, 2)$를 대입하면

$a+4=9$, $a=5$

따라서 $a+b=5+2=7$

12 $x=2$, $y=-1$을 주어진 연립방정식에 대입하면

$\begin{cases} 2a+b=-2 & \cdots\cdots ① \\ 2a-b=6 & \cdots\cdots ② \end{cases}$

①과 ②를 변끼리 더하면

$4a=4$, $a=1$

$a=1$을 ①에 대입하면 $2+b=-2$, $b=-4$

13 x명이 입장권을 산다고 하자.

이때 단체 입장권을 사는 것이 유리하려면

$5000x>4000\times30$, $x>24$

따라서 25명 이상일 때 단체 입장권을 사는 것이 유리하다.

이때 25명의 입장료는 $5000\times25=125000$(원)이고,

$125000>120000$이므로 구한 해는 문제의 뜻에 맞는다.

14 (1) 머리의 수의 합은 80개이므로

$x+y=80$

(2) 다리의 수의 합은 230개이므로

$4x+2y=230$

(3) $\begin{cases} x+y=80 \\ 4x+2y=230 \end{cases}$

연립방정식을 풀면 $x=35$, $y=45$

따라서 구하는 해는 $x=35$, $y=45$이다.

(4) 이 농장에서 기르는 토끼는 35마리, 닭은 45마리이다.

15 은영이가 걸어간 거리를 x km, 뛰어간 거리를 y km라고 하면

$\begin{cases} x+y=2 \\ \frac{x}{2}+\frac{10}{60}+\frac{y}{6}=\frac{40}{60} \end{cases}$ 에서 $\begin{cases} x+y=2 \\ 3x+y=3 \end{cases}$

연립방정식을 풀면 $x=\frac{1}{2}$, $y=\frac{3}{2}$

따라서 은영이가 뛰어간 거리는 $\frac{3}{2}$ km이다.

이때 집에서 학교까지의 거리는 $\frac{1}{2}+\frac{3}{2}=2$(km)이고,

집에서 학교까지 가는 데 걸린 시간은

$\frac{1}{2}\div2+\frac{10}{60}+\frac{3}{2}\div6=\frac{2}{3}=40$(분)이므로

구한 해는 문제의 뜻에 맞는다.

III-1. 일차함수와 그래프

본문 286~287쪽

01 ①	02 (1) 7 (2) 1 (3) -2 (4) -8	03 -5
04 풀이 참조	05 (1) $\frac{3}{2}$ (2) $-\frac{1}{2}$	06 -16
07 -2	08 $y=\frac{7}{6}x-3$	09 초속 346 m
10 ①	11 20 cm 12 4초 후 13 11 cm	

01 ① 절댓값이 1인 수는 $+1$과 -1이다.
즉, x의 값 하나에 y의 값이 오직 하나씩 대응하지 않는다.
따라서 y는 x의 함수가 아니다.
②, ③, ④, ⑤는 x의 값이 변함에 따라 y의 값이 하나씩 정해지므로 y는 x의 함수이다.

02 (1) $f(-2)=(-3)\times(-2)+1=7$
(2) $f(0)=(-3)\times0+1=1$
(3) $f(1)=(-3)\times1+1=-2$
(4) $f(3)=(-3)\times3+1=-8$

03 일차함수 $y=-2x$의 그래프를 y축의 방향으로 -1만큼 평행이동하면 $y=-2x-1$이다.
이 식에 $x=2$, $y=k$를 대입하면
$k=(-2)\times2-1=-5$

04 (1) x절편: 2, y절편: 2
(2) x절편: $\frac{5}{3}$, y절편: -5
(3) x절편: -6, y절편: -2
(4) x절편: -6, y절편: 4

05 (1) $(\text{기울기})=\frac{4-1}{1-(-1)}=\frac{3}{2}$
(2) $(\text{기울기})=\frac{2-5}{4-(-2)}=\frac{-3}{6}=-\frac{1}{2}$

06 일차함수 $y=2x-5$의 그래프를 y축의 방향으로 -3만큼 평행이동하면 $y=2x-5-3$, 즉 $y=2x-8$이다.
따라서 $a=2$, $b=-8$이므로
$ab=2\times(-8)=-16$이다.

07 두 점 $(-2, 11)$, $(2, -5)$를 지나는 직선의 기울기는
$\frac{-5-11}{2-(-2)}=-4$이다.
$y=-4x+b$의 그래프가 점 $(2, -5)$를 지나므로
$-5=-8+b$, $b=3$이다.
따라서 두 점 $(-2, 11)$, $(2, -5)$를 지나는 일차함수의 식은 $y=-4x+3$이다.
이 그래프를 y축의 방향으로 -2만큼 평행이동하면
$y=-4x+3-2$, 즉 $y=-4x+1$이다.
따라서 $y=-4x+1$의 그래프가 점 $\left(\frac{3}{4}, k\right)$를 지나므로
$k=(-4)\times\frac{3}{4}+1=-2$이다.

08 주어진 직선이 두 점 $(-3, -3)$, $(3, 4)$를 지나므로
기울기는 $\frac{4-(-3)}{3-(-3)}=\frac{7}{6}$이다.
따라서 일차함수의 그래프의 기울기가 $\frac{7}{6}$이고, y절편이 -3이므로 구하는 일차함수의 식은 $y=\frac{7}{6}x-3$이다.

09 기온이 5 ℃씩 올라갈 때, 소리의 속력은 초속 3 m씩 증가하므로 기온이 1 ℃ 올라갈 때마다 소리의 속력은 초속 $\frac{3}{5}$ m씩 증가한다.
따라서 x와 y 사이의 관계식은 $y=\frac{3}{5}x+331$이다.
위의 식에 $x=25$를 대입하면 $y=346$이다.
따라서 기온이 25 ℃일 때의 소리의 속력은 초속 346 m이다.

10 출발한 지 x분 후의 남은 거리가 y m이므로 x와 y 사이의 관계식은 $y=2400-50x$이다.
$x=25$를 대입하면 $y=2400-50\times25=1150$이다.
따라서 출발한 지 25분 후의 남은 거리는 1150 m이다.

11 물을 채우기 시작한 지 $15-10=5$(분) 동안 물의 높이가 $35-30=5$(cm) 늘어났으므로 물의 높이는 1분에 1 cm씩 늘어난다.
처음에 들어 있던 물의 높이를 b cm, 물을 채우기 시작한 지 x분 후의 물의 높이를 y cm라고 하면 x와 y 사이의 관계식은 $y=x+b$이다.
위의 식에 $x=10$, $y=30$을 대입하면
$30=10+b$, $b=20$
따라서 물통 안에 처음에 들어 있던 물의 높이는 20 cm이다.

12 x초 후 $\overline{BP}=2x$ cm이므로 $\overline{PC}=(14-2x)$ cm이다. 점 P가 출발한 지 x초 후 사다리꼴 APCD의 넓이가 y cm^{2}이므로 x와 y 사이의 관계식은
$y=\frac{1}{2}\times\{14+(14-2x)\}\times 6$,
즉 $y=84-6x(0\le x\le 7)$이다.
위의 식에 $y=60$을 대입하면
$60=84-6x$, $6x=24$이므로 $x=4$이다.
따라서 사다리꼴 APCD의 넓이가 60 cm^{2}가 되는 것은 출발한 지 4초 후이다.

13 $\overline{BP}=x$ cm일 때, $\overline{PC}=(18-x)$ cm이므로
$\triangle ABP=\frac{1}{2}\times x\times 10=5x(\text{cm}^2)$
$\triangle DPC=\frac{1}{2}\times(18-x)\times 6=54-3x(\text{cm}^2)$이다.
즉, x와 y 사이의 관계식은
$y=5x+(54-3x)$, $y=2x+54(0\le x\le 18)$이다.
$y=2x+54$에 $y=76$을 대입하면
$76=2x+54$, $-2x=-22$, $x=11$이다.
따라서 두 삼각형의 넓이의 합이 76 cm^{2}일 때의 $\overline{BP}$의 길이는 11 cm이다.

III-2. 일차함수와 일차방정식의 관계

본문 288~289쪽

01 ⑤	02 ②	03 ⑤	04 ⑤	05 ③
06 ②	07 ②	08 ④	09 ③	10 -5
11 ⑤	12 8			

01 $x-3y=1$ ➡ $y=\frac{1}{3}x-\frac{1}{3}$
① 기울기는 $\frac{1}{3}$이다.
② x절편은 1이다.
③ y절편은 $-\frac{1}{3}$이다.
④ $x=4$일 때, $y=1$이므로 점 $(4, -3)$을 지나지 않는다.

02 $ax+y-b=0$ ➡ $y=-ax+b$
주어진 직선의 기울기가 -2이고, y절편이 4이므로
$-a=-2$, $b=4$에서 $a=2$, $b=4$이다.
따라서 $a-b=-2$이다.

03 $ax-by=1$에 $x=-3$, $y=-2$를 대입하면
$-3a+2b=1$ …… ㉠
$x=1$, $y=0$을 대입하면
$a+0=1$ …… ㉡
㉠, ㉡을 연립하여 풀면 $a=1$, $b=2$이다.
따라서 $a+b=1+2=3$이다.

04 ⑤ $2y+3=0$에서 $y=-\frac{3}{2}$이므로 그래프가 x축에 평행하다.

05 ③ $2x-8=0$에서 $x=4$이므로 y축에 평행하다.

06 주어진 그래프는 점 $(0, 3)$을 지나고 x축에 평행한 직선이므로 직선의 방정식은 $y=3$이다.
즉, $a=0$, $by-6=0$에서 $y=\frac{6}{b}=3$이므로 $b=2$이다.
따라서 $a+b=0+2=2$이다.

07 두 직선의 교점의 좌표가 $(1, 3)$이므로
$x=1$, $y=3$을 $x+ay=-4$에 대입하면
$1+3a=-4$이므로 $a=-\frac{5}{3}$이다.

08 두 일차방정식에 $x=-4$, $y=-9$를 각각 대입하면
$-4a+9+3=0$에서 $a=3$
$8-9+b=0$에서 $b=1$
따라서 $a-b=3-1=2$이다.

09 연립방정식 $\begin{cases} ax+y=2 \\ 3y-2x=3 \end{cases}$ ➡ $\begin{cases} y=-ax+2 \\ y=\frac{2}{3}x+1 \end{cases}$의 해가 없으므로 두 일차방정식 $ax+y=2$, $3y-2x=3$의 그래프가 서로 평행하다.

따라서 $-a=\frac{2}{3}$, $a=-\frac{2}{3}$이다.

10 연립방정식 $\begin{cases} 2x-y=1 \\ 4x-3y=-1 \end{cases}$을 풀면 $x=2$, $y=3$이다.
따라서 세 일차방정식의 그래프의 교점의 좌표는 $(2, 3)$이므로 $x=2$, $y=3$을 $6x+ay=-3$에 대입하면
$12+3a=-3$, $3a=-15$이다.
따라서 $a=-5$이다.

11 (i) 연립방정식 $\begin{cases} x-y=-1 \\ x+2y=5 \end{cases}$를 풀면 $x=1$, $y=2$이므로 두 일차방정식의 교점의 좌표는 $(1, 2)$이다.

(ii) $3x+2y-1=0$ ➡ $y=-\frac{3}{2}x+\frac{1}{2}$과 평행하므로 기울기는 $-\frac{3}{2}$이다.

따라서 구하는 직선은 기울기가 $-\frac{3}{2}$이고 점 $(1, 2)$를 지나므로 $y=-\frac{3}{2}x+k$로 놓고 $x=1$, $y=2$를 대입하면

$2=-\frac{3}{2}+k$, $k=\frac{7}{2}$이다.

즉, $y=-\frac{3}{2}x+\frac{7}{2}$에서 $3x+2y-7=0$

따라서 $a=3$, $b=2$이므로 $ab=3\times2=6$이다.

12 두 직선 $ax-y=-2$, $2x+y=b$의 교점의 좌표가 $(1, 4)$이므로 $x=1$, $y=4$를 두 식에 각각 대입하면
$a-4=-2$에서 $a=2$이고,
$2+4=b$에서 $b=6$이다.
즉, 두 직선 $2x-y=-2$, $2x+y=6$의 x절편은 각각 -1, 3이므로 $B(-1, 0)$, $C(3, 0)$이다.
따라서 $\triangle ABC$의 넓이는 $\frac{1}{2}\times4\times4=8$이다.

IV-1. 삼각형의 성질

본문 290~291쪽

01 $24°$	02 5 cm	03 $67.5°$	04 $60°$	05 8 cm
06 $60°$	07 18 cm^2	08 3 cm^2	09 $180°$	10 $73°$
11 $108°$	12 $22°$			

01 $\triangle ABC$에서 $\overline{CA}=\overline{CB}$이므로
$\angle CBD=\angle CAD=52°$
$\triangle DCA$에서 $\overline{DC}=\overline{DA}$이므로
$\angle DCA=\angle DAC=52°$
$\triangle ABC$의 세 내각의 크기의 합은 $180°$이므로
$\angle DCB=180°-(52°+52°+52°)=24°$

02 $\triangle BCA$에서 $\angle A+\angle ACB=\angle CBD$이므로
$20°+\angle ACB=40°$, $\angle ACB=20°$
즉, $\triangle BCA$는 $\overline{BA}=\overline{BC}$인 이등변삼각형이다.
$\triangle CAD$에서 $\angle A+\angle CDA=\angle DCE$이므로
$20°+\angle CDA=60°$, $\angle CDA=40°$
즉, $\triangle CBD$는 $\overline{CB}=\overline{CD}$인 이등변삼각형이다.
$\triangle DEA$에서 $\angle A+\angle DEA=\angle EDF$이므로
$20°+\angle DEA=80°$, $\angle DEA=60°$
즉, $\triangle DEC$는 $\overline{DC}=\overline{DE}$인 이등변삼각형이다.
따라서 $\overline{ED}=\overline{CD}=\overline{BC}=\overline{AB}=5$ cm

03 $\triangle DAE$는 $\overline{DA}=\overline{DE}$인 직각이등변삼각형이므로
$\angle A=\angle DEA=45°$
$\triangle ABC$의 세 내각의 크기의 합은 $180°$이므로
$\angle ABC=180°-(45°+90°)=45°$
두 직각삼각형 EBD와 EBC에서
$\overline{EB}$는 공통, $\overline{ED}=\overline{EC}$이므로
$\triangle EBD\equiv\triangle EBC$
따라서 $\angle BEC=\frac{1}{2}\times\angle CED$
$=\frac{1}{2}\times(180°-\angle DEA)$
$=\frac{1}{2}\times(180°-45°)=67.5°$

04 점 O는 삼각형의 외심이므로 $\overline{OA}=\overline{OB}=\overline{OC}$이다.
$\angle AOB=360°\times\frac{2}{9}=80°$
$\angle COA=360°\times\frac{4}{9}=160°$
$\triangle OAB$는 이등변삼각형이므로
$\angle OAB=\angle OBA=\frac{1}{2}\times(180°-80°)=50°$

$\triangle OAC$는 이등변삼각형이므로

$\angle OAC = \angle OCA = \frac{1}{2} \times (180^\circ - 160^\circ) = 10^\circ$

따라서 $\angle BAC = \angle OAB + \angle OAC$

$= 50^\circ + 10^\circ = 60^\circ$

05 $\triangle ABC$의 내접원의 반지름의 길이를 r cm라고 하면

$\frac{1}{2} \times r \times (26+30+28) = 336$, $42r = 336$, $r = 8$

따라서 $\triangle ABC$의 내접원의 반지름의 길이는 8 cm이다.

06 $\triangle EBD$에서

$\overline{EB} = \overline{ED}$이므로 $\angle EBM = \angle EDM$이다.

$\angle EBM = \angle x$라고 하면 $\triangle DBC$에서

$3 \times \angle x + 90^\circ = 180^\circ$이므로 $\angle x = 30^\circ$이다.

이때 $\triangle EBM \equiv \triangle EDM$(SSS 합동)이므로

$\angle EMD = 90^\circ$이다.

따라서 $\angle DEM = 180^\circ - (90^\circ + 30^\circ) = 60^\circ$이다.

07 두 직각삼각형 DBE와 DBC에서

$\overline{DB}$는 공통, $\angle DBE = \angle DBC$이므로

$\triangle DBE \equiv \triangle DBC$

따라서 $\overline{DE} = \overline{DC} = 6$ cm이다.

$\triangle ABC$가 $\angle C = 90^\circ$인 직각이등변삼각형이므로

$\angle A = 45^\circ$이고, $\angle ADE = 45^\circ$

즉, $\triangle EDA$는 $\angle AED = 90^\circ$인 직각이등변삼각형이다.

따라서 $\overline{EA} = \overline{ED} = 6$ cm이므로

$\triangle AED = \frac{1}{2} \times 6 \times 6 = 18(\text{cm}^2)$

08 점 O가 직각삼각형 ABC의 외심이므로 점 O는 빗변 BC의 중점이다. 즉, $\overline{OB} = \overline{OC}$

이때 $\triangle ABO = \triangle ACO$이므로

$\triangle ABO = \frac{1}{2} \triangle ABC = \frac{1}{2} \times \left(\frac{1}{2} \times 4 \times 3\right) = 3(\text{cm}^2)$

09 점 I는 $\triangle ABC$의 내심이므로 점 I는 $\angle A$와 $\angle B$의 이등분선의 교점이다.

$\angle IAB = \angle IAE = \angle a$, $\angle IBA = \angle IBD = \angle b$라고 하자. $\triangle ABC$의 세 내각의 크기의 합은 180°이므로

$2 \times \angle a + 2 \times \angle b + 60^\circ = 180^\circ$, $\angle a + \angle b = 60^\circ$

$\angle ADB = \angle a + 60^\circ$, $\angle AEB = \angle b + 60^\circ$

따라서 $\angle ADB + \angle AEB = \angle a + \angle b + 120^\circ$

$= 60^\circ + 120^\circ = 180^\circ$

10 이등변삼각형 ABC에서 $\angle A = 34^\circ$이므로

$\angle B = \angle C = \frac{1}{2} \times (180^\circ - 34^\circ) = 73^\circ$

$\triangle BED$에서

$\angle B = 73^\circ$이므로 $\angle BED + \angle BDE = 107^\circ$이다.

$\triangle BED$와 $\triangle CFE$에서

$\overline{BE} = \overline{CF}$, $\overline{BD} = \overline{CE}$, $\angle B = \angle C$이므로

$\triangle BED \equiv \triangle CFE$(SAS 합동)이다.

따라서 $\angle BDE = \angle CEF$이므로

$\angle DEF = 180^\circ - (\angle BED + \angle CEF)$

$= 180^\circ - (\angle BED + \angle BDE)$

$= 180^\circ - 107^\circ$

$= 73^\circ$

11 점 O는 $\triangle ABC$의 외심이므로 오른쪽 그림과 같이 $\overline{OA}$, $\overline{OC}$를 각각 그으면 $\overline{OA} = \overline{OB} = \overline{OC}$이다.

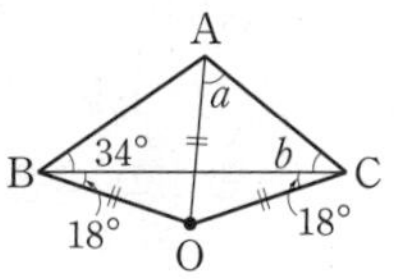

$\triangle OAB$에서

$\angle OAB = \angle OBA = 34^\circ + 18^\circ = 52^\circ$

$\angle OAC = \angle a$, $\angle ACB = \angle b$로 놓으면

$\triangle ABC$에서 $\angle a + \angle b + 52^\circ + 34^\circ = 180^\circ$이므로

$\angle a + \angle b = 94^\circ$ …… ①

$\triangle OBC$에서 $\angle OCB = \angle OBC = 18^\circ$이고

$\triangle OAC$에서 $\angle OAC = \angle OCA$이므로

$\angle a = \angle b + 18^\circ$ …… ②

①, ②를 연립하여 풀면 $\angle a = 56^\circ$, $\angle b = 38^\circ$

따라서 $\angle A = \angle OAB + \angle OAC = 52^\circ + 56^\circ = 108^\circ$

12 $\triangle ABC$에서

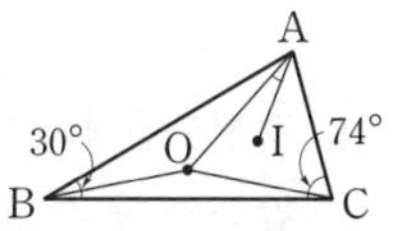

$\angle BAC = 180^\circ - (30^\circ + 74^\circ)$

$= 76^\circ$

이때 점 I가 $\triangle ABC$의 내심이므로

$\angle BAI = \frac{1}{2} \angle BAC = \frac{1}{2} \times 76^\circ = 38^\circ$

$\overline{OB}$, $\overline{OC}$를 그으면 점 O가 $\triangle ABC$의 외심이므로

$\angle OCA + \angle OCB = \angle OAC + \angle OBC = 74^\circ$

$\triangle ABC$에서

$\angle OAB + \angle OBA = 180^\circ - (74^\circ + 74^\circ) = 32^\circ$

이때 $\triangle ABO$는 $\overline{OA} = \overline{OB}$인 이등변삼각형이므로

$\angle OAB = \angle OBA = 16^\circ$

따라서 $\angle OAI = \angle BAI - \angle OAB = 38^\circ - 16^\circ = 22^\circ$

IV-2. 사각형의 성질

본문 292~293쪽

01 ⑤	02 5 cm	03 ㄴ, ㄹ, ㅁ	04 18 cm^2
05 30°	06 ①, ③	07 ㄴ, ㄹ	08 12 cm
09 60°	10 12 cm^2	11 6 cm	12 15 cm^2

01 ⑤ 한 쌍의 대변이 평행하고 다른 한 쌍의 대변의 길이가 같은 사각형은 평행사변형이 되는 조건이 아니다.

02 $\overline{AB}/\!/\overline{DC}$, $\overline{AD}/\!/\overline{BC}$인 □ABCD는 평행사변형이 된다. 또, $\angle B=90°$이면 네 내각이 모두 90°로 같으므로 직사각형이 된다.
따라서 직사각형의 두 대각선의 길이는 같으므로 $\overline{BD}=\overline{AC}=5$ cm이다.

03 $\triangle AFE \equiv \triangle BFG \equiv \triangle CHG \equiv \triangle DHE$(SAS 합동)
따라서 $\overline{EF}=\overline{GF}=\overline{GH}=\overline{EH}$이므로 □EFGH는 마름모이고, 옳은 것은 ㄴ, ㄹ, ㅁ이다.

04 △OAB에서 $\overline{OA}=\overline{OB}=\frac{1}{2}\times\overline{AC}=3$(cm)이고,
$\angle AOB=90°$이므로 $\triangle OAB=\frac{1}{2}\times3\times3=\frac{9}{2}(cm^2)$
따라서 △OAB=△OBC=△OCD=△ODA이므로
$\square ABCD=4\times\triangle OAB=4\times\frac{9}{2}=18(cm^2)$

05 $\angle BOC=\angle AOD=120°$(맞꼭지각)
한편, $\triangle ABC\equiv\triangle DCB$(SAS 합동)이므로
$\angle ACB=\angle DBC$
즉, △OBC에서 $\angle OBC=\angle OCB$이므로
$\angle OBC=\frac{1}{2}\times(180°-120°)=30°$

06 평행사변형과 마름모는 항상 두 대각선의 길이가 서로 같다고 할 수 없다.

07 $\angle A+\angle B=180°$이므로
$\angle EAB+\angle EBA=90°$이다.
$\angle AEB=180°-(\angle EAB+\angle EBA)=90°$이므로
$\angle HEF=\angle AEB=90°$(맞꼭지각)이다.
마찬가지로 $\angle EFG=\angle FGH=\angle GHE=90°$이므로
□EFGH는 직사각형이다.
따라서 옳은 것은 ㄴ, ㄹ이다.

08 $\overline{AD}/\!/\overline{BC}$, $\overline{AB}/\!/\overline{DC}$이므로 □ABCD는 평행사변형이다. 따라서 $\triangle ABC\equiv\triangle CDA$이다.
점 A에서 $\overline{BC}$, $\overline{CD}$에 내린 수선의 발을 각각 E, F라고 하면 2개의 종이테이프의 폭이 같으므로 $\overline{AE}=\overline{AF}$이다.
△ABC와 △CDA에서
△ABC=△CDA이고, $\overline{AE}=\overline{AF}$이므로
$\overline{BC}=\overline{CD}$이다.
즉, □ABCD는 마름모이다.
따라서 $\square ABCD=\frac{1}{2}\times\overline{AC}\times\overline{BD}$이므로
$48=\frac{1}{2}\times8\times\overline{BD}$, $\overline{BD}=12$(cm)이다.

09 $\overline{AD}/\!/\overline{BC}$이므로
$\angle ADB=\angle DBC=40°$(엇각)
△ABD가 이등변삼각형이므로
$\angle ABD=\angle ADB=40°$이다.
□ABCD는 등변사다리꼴이므로
$\angle C=\angle ABC=80°$이다.
따라서 △DBC에서
$\angle BDC=180°-(40°+80°)=60°$

10 $\triangle PAB+\triangle PCD=\triangle PDA+\triangle PBC$
즉, $\triangle PAB+\triangle PCD=\frac{1}{2}\times\square ABCD$이므로
$8+\triangle PCD=20$, $\triangle PCD=12\ cm^2$이다.

11 오른쪽 그림과 같이 평행사변형 ABCD의 두 대각선의 교점을 O라고 하면 △EAO와 △ECO에서

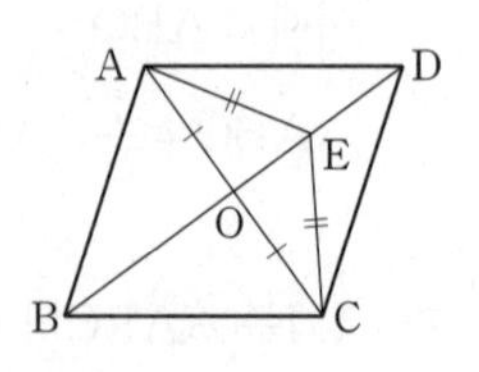

$\overline{EO}$는 공통, $\overline{EA}=\overline{EC}$, $\overline{AO}=\overline{CO}$이므로
$\triangle EAO\equiv\triangle ECO$(SSS 합동)
따라서 $\angle EOA=\angle EOC=90°$이다.
$\overline{BD}$는 $\overline{AC}$의 수직이등분선이므로 □ABCD의 두 대각선은 서로 다른 것을 수직이등분한다. 즉, □ABCD는 마름모이다.
따라서 $\overline{BC}=\overline{AB}=6$ cm이다.

12 $\overline{AC}/\!/\overline{EF}$이므로 $\triangle EAC=\triangle FAC$

한편, $\triangle DAC=\frac{1}{2}\square ABCD=\frac{1}{2}\times 48=24(cm^2)$이고

$\overline{DF}:\overline{FC}=3:5$이므로

$\triangle EAC=\triangle FAC=\frac{5}{8}\triangle DAC$

$=\frac{5}{8}\times 24=15(cm^2)$

따라서 $\overline{AE}/\!/\overline{BC}$이므로 $\triangle ABE=\triangle EAC=15\text{ cm}^2$

V-1. 도형의 닮음

본문 294~295쪽

01 $\frac{20}{3}\pi$ cm 02 ④ 03 ④

04 (1) $\triangle ABC\backsim\triangle EDC$ (2) $\triangle ABC\backsim\triangle BDC$

05 $\frac{12}{5}$ cm 06 $\frac{15}{2}$ cm

07 (1) $\triangle EFC\backsim\triangle DEB$ (2) $\frac{32}{5}$ cm

08 7 cm 09 $\frac{9}{4}$ cm 10 6 11 $\frac{15}{4}$ cm

12 $\frac{7}{4}$ cm

01 두 원뿔 A, B의 닮음비는 모선의 길이의 비와 같으므로

$4:6=2:3$

원뿔 A의 밑면의 반지름의 길이를 r cm라고 하면

$r:5=2:3$, $3r=10$, $r=\frac{10}{3}$

따라서 원뿔 A의 밑면의 둘레의 길이는

$2\pi\times\frac{10}{3}=\frac{20}{3}\pi(cm)$

02 ④ $\angle A=90°$, $\angle D=90°$이면

$\triangle ABC$와 $\triangle DEF$에서

$\angle B=\angle E=40°$, $\angle A=\angle D=90°$이므로

$\triangle ABC\backsim\triangle DEF$(AA 닮음)이다.

03 항상 닮은 도형은 두 정사각형, 두 직각이등변삼각형이다.

04 (1) $\triangle ABC$와 $\triangle EDC$에서

$\angle CBA=\angle CDE=70°$, $\angle C$는 공통이므로

$\triangle ABC\backsim\triangle EDC$(AA 닮음)이다.

(2) $\triangle ABC$와 $\triangle BDC$에서

$\overline{BC}:\overline{DC}=\overline{AC}:\overline{BC}=2:1$, $\angle C$는 공통이므로

$\triangle ABC\backsim\triangle BDC$(SAS 닮음)이다.

05 $\overline{AD}=\overline{BC}=8$ cm이므로

$\overline{DE}=8-5=3(cm)$이다.

$\triangle ABE\backsim\triangle DFE$(AA 닮음)이므로

$\overline{AE}:\overline{DE}=\overline{AB}:\overline{DF}$에서

$5:3=4:\overline{DF}$, $\overline{DF}=\frac{12}{5}$ cm이다.

06 $\triangle ABC$와 $\triangle DBA$에서

$\overline{AB}:\overline{DB}=\overline{BC}:\overline{BA}=3:2$, $\angle B$는 공통이므로

$\triangle ABC\backsim\triangle DBA$(SAS 닮음)이다.

$\overline{AC}:\overline{DA}=3:2$에서 $\overline{AC}:5=3:2$,

$\overline{AC}=\frac{15}{2}$ cm이다.

07 (1) $\angle DEF = \angle DAF = 60^\circ$(접은 각)이다.
$\triangle EFC$와 $\triangle DEB$에서 $\angle FCE = \angle EBD = 60^\circ$,
$\angle CEF = 180^\circ - (60^\circ + \angle BED) = \angle BDE$이므로
$\triangle EFC \backsim \triangle DEB$(AA 닮음)이다.
(2) $\overline{CF} = \overline{AC} - \overline{AF} = 12 - 7 = 5(cm)$이고,
$\overline{EC} = \overline{BC} - \overline{BE} = 12 - 4 = 8(cm)$이므로
$\overline{EC} : \overline{DB} = \overline{CF} : \overline{BE}$에서
$8 : \overline{DB} = 5 : 4$, $\overline{DB} = \frac{32}{5}$ cm이다.

08 $\triangle ABD \backsim \triangle ACE$(AA 닮음)이므로
$\overline{AB} : \overline{AC} = \overline{AD} : \overline{AE}$에서
$12 : 10 = 6 : \overline{AE}$, $\overline{AE} = 5$ cm이다.
따라서 $\overline{BE} = \overline{AB} - \overline{AE} = 12 - 5 = 7(cm)$이다.

09 $\triangle ABC \backsim \triangle HBA$(AA 닮음)이므로
$\overline{AB} : \overline{HB} = \overline{BC} : \overline{BA}$에서
$5 : 4 = \overline{BC} : 5$, $\overline{BC} = \frac{25}{4}$ cm이다.
따라서 $\overline{CH} = \overline{BC} - \overline{BH} = \frac{25}{4} - 4 = \frac{9}{4}(cm)$이다.

10 $\triangle ABC$와 $\triangle DBA$에서
$\overline{AB} : \overline{DB} = \overline{BC} : \overline{BA} = 4 : 3$, $\angle B$는 공통이므로
$\triangle ABC \backsim \triangle DBA$(SAS 닮음)이다.
따라서 $4 : 3 = \overline{CA} : \overline{AD}$에서
$4 : 3 = 8 : \overline{AD}$, $\overline{AD} = 6$이다.

11 $\triangle ABE \backsim \triangle ADF$(AA 닮음)이므로
$\overline{AB} : \overline{AD} = \overline{AE} : \overline{AF}$이다.
$\overline{AB} = \overline{DC} = 5$ cm이므로
$5 : 6 = \overline{AE} : 4.5$, $\overline{AE} = \frac{15}{4}$ cm이다.

12 $\triangle DOE$와 $\triangle DAB$에서
$\angle DOE = \angle DAB = 90^\circ$, $\angle EDO = \angle BDA$이므로
$\triangle DOE \backsim \triangle DAB$(AA 닮음)이다.
$\overline{DO} : \overline{DA} = \overline{DE} : \overline{DB}$이고
$\overline{DO} = \overline{BO} = 5$ cm, $\overline{DA} = \overline{CB} = 8$ cm,
$\overline{DB} = \overline{BO} + \overline{DO} = 5 + 5 = 10(cm)$이므로
$5 : 8 = \overline{DE} : 10$, $\overline{DE} = \frac{25}{4}$ cm이다.
따라서 $\overline{AE} = \overline{AD} - \overline{DE} = 8 - \frac{25}{4} = \frac{7}{4}(cm)$이다.

V-2. 닮은 도형의 성질

본문 296~297쪽

01 16	**02** ②	**03** 8 cm	**04** $x=4$, $y=6$
05 $x=8$, $y=4$		**06** 6 cm	**07** 1 : 7
08 3 cm	**09** 5 m	**10** 5 cm²	**11** $\frac{13}{2}$
12 9			

01 $\overline{AB} : \overline{AD} = \overline{BC} : \overline{DE}$에서
$9 : 6 = x : 8$이므로 $x = 12$
$\overline{AB} : \overline{BD} = \overline{AC} : \overline{CE}$에서
$9 : 3 = 12 : y$이므로 $y = 4$
따라서 $x + y = 12 + 4 = 16$

02 $\triangle ABE \backsim \triangle CDE$(AA 닮음)이므로
$\overline{BE} : \overline{DE} = \overline{AB} : \overline{CD} = 6 : 4 = 3 : 2$이다.
즉, $\overline{BE} : \overline{BD} = 3 : 5$이다.
$\triangle BCD$에서 $\overline{EF} : \overline{DC} = \overline{BE} : \overline{BD}$이므로
$\overline{EF} : 4 = 3 : 5$, $\overline{EF} = \frac{12}{5}$ cm

03 $\triangle ABC$에서 $\overline{AD} = \overline{DB}$, $\overline{BC} /\!/ \overline{DE}$이므로
$\overline{AE} = \overline{EC}$이고, $\overline{DE} = \frac{1}{2}\overline{BC} = \frac{1}{2} \times 16 = 8(cm)$이다.
따라서 $\square DBFE$가 평행사변형이므로
$\overline{BF} = \overline{DE} = 8$ cm이다.

04 $\triangle BDA$에서 $\overline{BE} = \overline{EA}$, $\overline{EG} /\!/ \overline{AD}$이므로
$\overline{BG} = \overline{GD}$이고, $\overline{EG} = \frac{1}{2}\overline{AD} = \frac{1}{2} \times 8 = 4$이다.
따라서 $x = 4$이다.
$\triangle DBC$에서 $\overline{DG} = \overline{GB}$, $\overline{BC} /\!/ \overline{GF}$이므로
$\overline{DF} = \overline{FC}$이고, $\overline{GF} = \frac{1}{2}\overline{BC} = \frac{1}{2} \times 12 = 6$이다.
따라서 $y = 6$이다.

05 $\overline{AD}$가 $\triangle ABC$의 중선이므로
$\overline{CD} = \frac{1}{2}\overline{BC} = \frac{1}{2} \times 16 = 8$이다.
따라서 $x = 8$이다.
$\overline{AG} : \overline{GD} = 2 : 1$이므로 $8 : y = 2 : 1$
따라서 $y = 4$이다.

06 오른쪽 그림과 같이 $\triangle ABC$에서 $\overline{CG}$의 연장선이 $\overline{AB}$와 만나는 점을 M이라고 하면 점 M은 $\triangle ABC$의 외심이므로

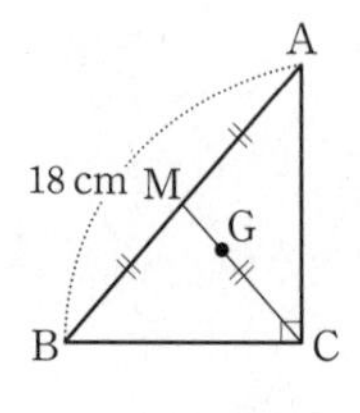

$\overline{CM} = \overline{AM} = \overline{BM}$

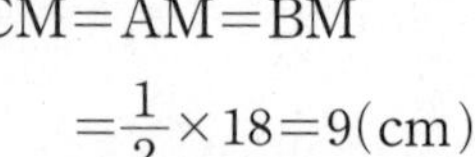
$= \frac{1}{2} \times 18 = 9(cm)$

따라서 $\overline{CG}=\frac{2}{3}\overline{CM}=\frac{2}{3}\times 9=6$(cm)이다.

07 작은 정사각뿔(㉮), 중간 정사각뿔(㉮+㉯), 큰 정사각뿔(㉮+㉯+㉰)은 모두 서로 닮은 도형이다. 이때 ㉮ : (㉮+㉯) : (㉮+㉯+㉰)의 닮음비는 1 : 2 : 3이므로 부피의 비는 $1^3 : 2^3 : 3^3=1 : 8 : 27$이다.
따라서 (㉮의 부피) : (㉯의 부피)
$=1 : (8-1)=1 : 7$이다.

08 오른쪽 그림과 같이 점 A를 지나고 $\overline{BC}$에 평행한 직선이 $\overline{DE}$와 만나는 점을 F라고 하자.

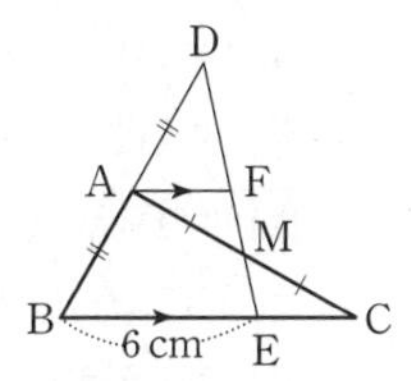

△DBE에서 $\overline{DA}=\overline{AB}$, $\overline{AF}\,/\!/\,\overline{BE}$이므로
$\overline{DF}=\overline{FE}$이고, $\overline{AF}=\frac{1}{2}\overline{BE}=3$(cm)이다.
한편, △AMF≡△CME(ASA 합동)이므로
$\overline{EC}=\overline{FA}=3$ cm

09 △ABC∽△DEF(AA 닮음)이므로
$\overline{AC} : \overline{DF}=\overline{BC} : \overline{EF}$에서
$2 : \overline{DF}=6 : 15$, $\overline{DF}=5$ m
따라서 나무의 높이는 5 m이다.

10 점 G는 △ACD의 무게중심이므로
$$\triangle GDE=\frac{1}{6}\triangle ACD=\frac{1}{6}\times\frac{1}{2}\square ABCD$$
$$=\frac{1}{12}\times 60=5(\text{cm}^2)\text{이다.}$$

11 $\overline{AD}\,/\!/\,\overline{EC}$이므로 ∠BAD=∠AEC(동위각),
∠CAD=∠ACE(엇각)이고,
∠BAD=∠CAD이므로 ∠AEC=∠ACE이다.
따라서 △ACE는 이등변삼각형이다.
즉, $\overline{AE}=\overline{AC}$이므로 $y=4$이다.
△BEC에서 $\overline{AD}\,/\!/\,\overline{EC}$이므로
$\overline{AB} : \overline{AE}=\overline{DB} : \overline{DC}$, $5 : 4=x : 2$, $x=\frac{5}{2}$이다.
따라서 $x+y=\frac{5}{2}+4=\frac{13}{2}$이다.

12 $\overline{AD}\,/\!/\,\overline{EC}$이므로
∠CEA=∠DAF
(동위각),
∠ECA=∠DAC
(엇각)이고,
∠DAF=∠DAC이므로
∠CEA=∠ECA이다.

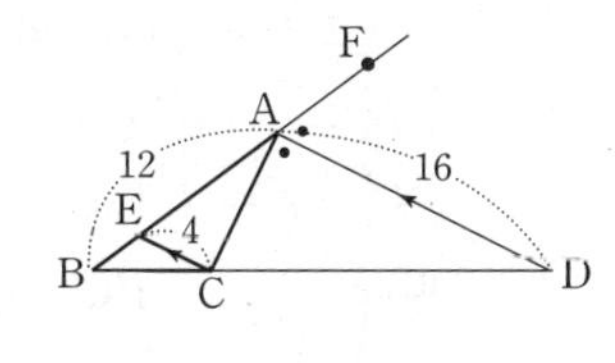

따라서 △AEC는 $\overline{AE}=\overline{AC}$인 이등변삼각형이다.
△ABD에서 $\overline{AD}\,/\!/\,\overline{EC}$이므로
$\overline{BA} : \overline{BE}=\overline{DA} : \overline{CE}$, $12 : \overline{BE}=16 : 4$,
$\overline{BE}=3$이다.
따라서 $\overline{AC}=\overline{AE}=\overline{AB}-\overline{BE}=12-3=9$이다.

V-3. 피타고라스 정리

본문 298~299쪽

01 32	02 $\frac{25}{2}$ cm^2	03 4개	04 16 cm^2
05 $\frac{12}{5}$ cm	06 13 cm^2	07 16 cm^2	08 $\frac{25}{2}\pi$ cm^2
09 △OBC, △ODA, $\overline{OC}^2$, $\overline{OD}^2$			10 80
11 24 cm^2	12 (1) 풀이 참조 (2) 58		

01 △ADC에서 피타고라스 정리에 의해
$3^2+\overline{AC}^2=5^2$, $\overline{AC}^2=16$
△ABC에서 피타고라스 정리에 의해
$\overline{AB}^2=x^2=4^2+16=32$

02 △ABC≡△CDE이므로 $\overline{AB}=\overline{CD}=3$ cm
$\overline{AC}^2=\overline{CE}^2=3^2+4^2=25$
∠BAC+∠ACB=∠DCE+∠ACB=90°
이므로 ∠ACE=90°
따라서 △ACE의 넓이는
$\frac{1}{2}\times\overline{AC}\times\overline{CE}=\frac{1}{2}\overline{AC}^2=\frac{1}{2}\times 25=\frac{25}{2}$(cm^2)

03 $1^2+2^2=5\neq 3^2$이므로 직각삼각형이 아니다.
$3^2+4^2=5^2$이므로 직각삼각형이다.
$4^2+6^2=52\neq 8^2$이므로 직각삼각형이 아니다.
$6^2+8^2=10^2$이므로 직각삼각형이다.
$5^2+12^2=13^2$이므로 직각삼각형이다.
$8^2+15^2=17^2$이므로 직각삼각형이다.
따라서 직각삼각형인 것은 4개이다.

04 $\overline{AC}^2=\overline{AB}^2+\overline{BC}^2=8$
$\overline{AD}^2=\overline{AC}^2+\overline{CD}^2=8+4=12$
$\overline{AE}^2=\overline{AD}^2+\overline{DE}^2=12+4=16$
이므로 선분 AE를 한 변으로 하는 정사각형 AEFG의 넓이는 16 cm^{2}이다.

05 △ABC에서 피타고라스 정리에 의하여
$\overline{BC}^2=\overline{AB}^2+\overline{AC}^2=4^2+3^2=25$, $\overline{BC}=5$ cm이다.
△ABC∽△DBA(AA 닮음)이므로
$\overline{CA}:\overline{AD}=\overline{CB}:\overline{AB}$에서
$3:\overline{AD}=5:4$, $5\overline{AD}=12$, $\overline{AD}=\frac{12}{5}$ cm이다.

06 △AEH, △BFE, △CGF, △DHG가 모두 합동이므로 □EFGH의 네 변의 길이가 같다. 또,
$\angle EFG=180°-(\angle BFE+\angle CFG)$
$=180°-(\angle BFE+\angle BEF)$
$=180°-90°=90°$
같은 방법으로 하면
$\angle EFG=\angle FGH=\angle GHE=\angle HEF=90°$로
□EFGH의 네 내각의 크기도 같다.
따라서 사각형 EFGH는 정사각형이다.
△AEH에서 $\overline{AE}^2+\overline{AH}^2=\overline{EH}^2$이므로
$\overline{EH}^2=2^2+3^2=13(\text{cm}^2)$이다.
즉, □EFGH$=\overline{EH}^2=13(\text{cm}^2)$이다.

07 오른쪽 그림과 같이 $\overline{BG}$의 연장선이 $\overline{AE}$와 만나는 점을 F라고 하자.

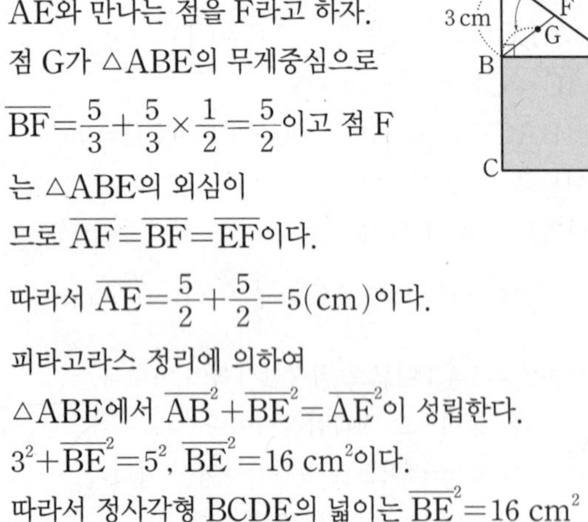

점 G가 △ABE의 무게중심으로
$\overline{BF}=\frac{5}{3}+\frac{5}{3}\times\frac{1}{2}=\frac{5}{2}$이고 점 F는 △ABE의 외심이므로 $\overline{AF}=\overline{BF}=\overline{EF}$이다.
따라서 $\overline{AE}=\frac{5}{2}+\frac{5}{2}=5(\text{cm})$이다.
피타고라스 정리에 의하여
△ABE에서 $\overline{AB}^2+\overline{BE}^2=\overline{AE}^2$이 성립한다.
$3^2+\overline{BE}^2=5^2$, $\overline{BE}^2=16$ cm²이다.
따라서 정사각형 BCDE의 넓이는 $\overline{BE}^2=16$ cm²

08 피타고라스 정리에 의하여 △ABC에서
$\overline{BC}^2+\overline{AC}^2=\overline{AB}^2$이 성립하므로
$S_1+S_2=\frac{\pi}{2}\times\left(\frac{1}{2}\overline{BC}\right)^2+\frac{\pi}{2}\times\left(\frac{1}{2}\overline{CA}\right)^2$
$=\frac{\pi}{8}\times(\overline{BC}^2+\overline{CA}^2)$
$=\frac{\pi}{8}\times\overline{AB}^2=\frac{\pi}{8}\times10^2=\frac{25}{2}\pi(\text{cm}^2)$

09 △OBC, △ODA, $\overline{OC}^2$, $\overline{OD}^2$

10 $\overline{AG}$의 연장선이 $\overline{BC}$와 만나는 점을 D라고 하면

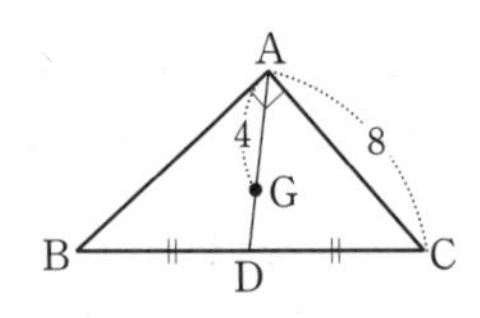

점 G가 △ABC의 무게중심이므로
$\overline{GD}=\frac{1}{2}\overline{AG}=\frac{1}{2}\times4=2$
$\overline{AD}=\overline{AG}+\overline{GD}=4+2=6$이다.
또, 점 G는 직각삼각형 ABC의 외심이므로
$\overline{AD}=\overline{BD}=\overline{CD}$이다.
즉, $\overline{BC}=\overline{BD}+\overline{DC}=6+6=12$
따라서 피타고라스 정리에 의하여 △ABC에서
$\overline{AB}^2=\overline{BC}^2-\overline{AC}^2=12^2-8^2=80$

11 피타고라스 정리에 의하여 △ABC에서
$\overline{AB}^2+\overline{AC}^2=\overline{BC}^2$이 성립하므로
직각삼각형 ABC에서 $\overline{AB}$, $\overline{AC}$, $\overline{BC}$를 지름으로 하는 반원의 넓이를 각각 S_1, S_2, S_3이라고 하면
$S_1+S_2=\frac{\pi}{2}\times\left(\frac{1}{2}\overline{AB}\right)^2+\frac{\pi}{2}\times\left(\frac{1}{2}\overline{AC}\right)^2$
$=\frac{\pi}{8}\times(\overline{AB}^2+\overline{AC}^2)$
$=\frac{\pi}{8}\times\overline{BC}^2=\frac{\pi}{2}\times\left(\frac{1}{2}\overline{BC}\right)^2=S_3$,
즉 $S_1+S_2+S_3$이다.
따라서 색칠된 부분의 넓이는
$S_1+S_2+\triangle ABC-S_3=\triangle ABC$
$=\frac{1}{2}\times8\times6=24(\text{cm}^2)$

12 (1) 오른쪽 그림과 같이 점 P에서 $\overline{AB}$, $\overline{BC}$에 각각 평행한 선분을 긋고, 그 선분의 길이를 각각 a, b, c, d라고 하자.

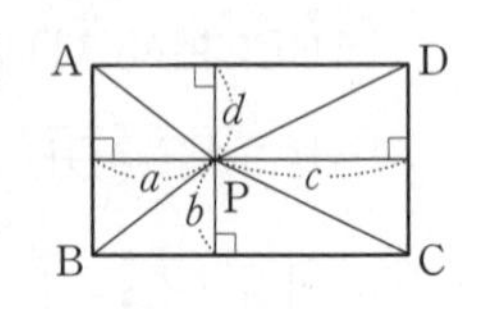

피타고라스 정리에 의하여
$\overline{PA}^2=a^2+d^2$, $\overline{PB}^2=a^2+b^2$, $\overline{PC}^2=b^2+c^2$, $\overline{PD}^2=c^2+d^2$이다.
따라서 $\overline{PA}^2+\overline{PC}^2=(a^2+d^2)+(b^2+c^2)$
$=(a^2+b^2)+(c^2+d^2)$
$=\overline{PB}^2+\overline{PD}^2$
(2) (1)에 의해 $\overline{PA}^2+\overline{PC}^2=\overline{PB}^2+\overline{PD}^2$이므로
$4^2+x^2=5^2+7^2$, $x^2=74-16=58$

VI-1. 경우의 수와 확률

본문 300~301쪽

01 5	02 24	03 $\frac{1}{2}$	04 $\frac{97}{100}$	05 $\frac{2}{5}$
06 9	07 20종류	08 15	09 $\frac{2}{3}$	10 $\frac{15}{64}$
11 9	12 16	13 $\frac{27}{32}$		

01 버스를 타는 경우의 수는 3이고, 지하철을 타는 경우의 수는 2이다. 이때 두 사건은 동시에 일어나지 않으므로 구하는 모든 경우의 수는 $3+2=5$이다.

02 초콜릿을 고르는 경우의 수는 4이고, 각각에 대하여 사탕을 고르는 경우의 수가 6이므로 구하는 경우의 수는 $4\times6=24$이다.

03 전체 12개의 공 중에서 12의 약수가 적힌 공은 1, 2, 3, 4, 6, 12이므로 구하는 확률은 $\frac{6}{12}=\frac{1}{2}$이다.

04 불량품이 나올 확률은 $\frac{3}{100}$이므로 구하는 확률은 $1-\frac{3}{100}=\frac{97}{100}$이다.

05 A 문제를 맞힐 확률이 $\frac{2}{3}$, B 문제를 맞힐 확률이 $\frac{3}{5}$이므로 구하는 확률은 $\frac{2}{3}\times\frac{3}{5}=\frac{2}{5}$이다.

06 5의 배수가 나오는 경우는 5, 10, 15, 20, 25의 5가지, 6의 배수가 나오는 경우는 6, 12, 18, 24의 4가지이므로 구하는 경우의 수는 $5+4=9$이다.

07 선택할 수 있는 모양은 5가지이고, 선택할 수 있는 색은 4가지이므로 만들 수 있는 유리 공예품은 $5\times4=20$(종류)이다.

08 주머니 안에 들어 있는 파란 구슬을 x개라고 하면 빨간 구슬은 $(36-x)$개이다. 빨간 구슬이 나올 확률은 $\frac{36-x}{36}=\frac{7}{12}$이므로 $36-x=21$, $x=15$이다.
따라서 파란 구슬은 15개이다.

09 4의 배수는 4, 8, 12이므로 4의 배수의 눈이 나올 확률은 $\frac{3}{12}=\frac{1}{4}$이고, 소수는 2, 3, 5, 7, 11이므로 소수의 눈이 나올 확률은 $\frac{5}{12}$이다. 이때 두 사건은 동시에 일어나지 않으므로 구하는 확률은 $\frac{1}{4}+\frac{5}{12}=\frac{8}{12}=\frac{2}{3}$이다.

10 첫 번째에 파란 구슬이 나올 확률은 $\frac{3}{8}$이고, 꺼낸 구슬을 다시 넣으므로 두 번째에 빨간 구슬이 나올 확률은 $\frac{5}{8}$이다.
따라서 첫 번째에는 파란 구슬, 두 번째에는 빨간 구슬이 나올 확률은 $\frac{3}{8}\times\frac{5}{8}=\frac{15}{64}$이다.

11 $10a+b$가 4의 배수가 되는 경우의 수는 (1, 2), (1, 6), (2, 4), (3, 2), (3, 6), (4, 4), (5, 2), (5, 6), (6, 4)의 9이다.

12 원숭이 우리에서 낙타 우리로 갈 수 있는 경우는 다음과 같다.
(i) 원숭이—사자—낙타: $3\times2=6$
(ii) 원숭이—기린—낙타: $2\times2=4$
(iii) 원숭이—사자—기린—낙타: $3\times1\times2=6$
따라서 구하는 경우의 수는 $6+4+6=16$이다.

13 수빈이가 먼저 2점을 얻어 승리하는 경우는 다음과 같다.
(i) 승—승의 순서로 승리할 확률:
$\frac{3}{4}\times\frac{3}{4}=\frac{9}{16}$
(ii) 승—패—승의 순서로 승리할 확률:
$\frac{3}{4}\times\left(1-\frac{3}{4}\right)\times\frac{3}{4}=\frac{9}{64}$
(iii) 패—승—승의 순서로 승리할 확률:
$\left(1-\frac{3}{4}\right)\times\frac{3}{4}\times\frac{3}{4}=\frac{9}{64}$
따라서 구하는 확률은 $\frac{9}{16}+\frac{9}{64}+\frac{9}{64}=\frac{54}{64}=\frac{27}{32}$이다.

대단원 평가 문제

I. 수와 식의 계산

본문 302~305쪽

01 ③, ④	**02** ①	**03** ④	**04** ⑤	**05** ②
06 ④	**07** ④	**08** ④	**09** ③, ⑤	**10** ⑤
11 ④	**12** 12	**13** ⑤	**14** −4	**15** 32
16 10	**17** 92	**18** $0.2\dot{7}$	**19** $3x^2y^2$	**20** 7번
21 9	**22** 21, 42, 63, 84	**23** $\frac{1}{2}\times10^3$초		
24 $\frac{27}{2}a$				

01 ① 모든 유한소수는 유리수이다.
② 모든 순환소수는 무한소수이다.
⑤ 기약분수의 분모가 2의 배수 또는 5의 배수이면 그 분수는 유한소수로 나타낼 수 있다.

02 ② $0.1333\cdots=0.1\dot{3}$
③ $0.321321321\cdots=0.\dot{3}2\dot{1}$
④ $0.030303\cdots=0.\dot{0}\dot{3}$
⑤ $1.432143214321\cdots=1.\dot{4}32\dot{1}$

03 ① 순환마디는 2이다.
② x를 $1.3\dot{2}$로 나타낼 수 있다.
③ x를 분수로 나타내면 $\frac{132-13}{90}$이다.
⑤ $100x-10x$의 값은 정수이다.

04 ⑤ ㅂ은 순환소수가 아닌 무한소수이다.

05. $x=0.1232323\cdots$ …… ①
①의 양변에 10을 곱하면
$10x=1.232323\cdots$ …… ②
①의 양변에 1000을 곱하면
$1000x=123.232323\cdots$ …… ③
③에서 ②를 변끼리 빼면
$990x=122,\ x=\frac{122}{990}=\frac{61}{495}$
따라서 $0.1\dot{2}\dot{3}=\frac{61}{495}$이다.

06 ① $\frac{9}{30}=\frac{3}{2\times5}$ ② $\frac{14}{35}=\frac{2}{5}$
③ $\frac{12}{48}=\frac{1}{4}=\frac{1}{2^2}$
④ $\frac{6}{2^2\times3\times5\times7}=\frac{1}{2\times5\times7}$
⑤ $\frac{45}{2^2\times3\times5^2}=\frac{3}{2^2\times5}$
따라서 유한소수로 나타낼 수 없는 것은 ④이다.

07 $0.1\dot{6}=\frac{16-1}{90}=\frac{15}{90}=\frac{5}{30},\ 0.6=\frac{6}{10}=\frac{18}{30}$
즉, $0.1\dot{6}$과 0.6 사이의 분수는 $\frac{6}{30}, \frac{7}{30}, \frac{8}{30}, \cdots, \frac{17}{30}$ 이다.
이때 분모가 $30=2\times3\times5$이므로 유한소수로 나타낼 수 있으려면 분자는 3의 배수여야 한다.
따라서 주어진 조건을 만족시키는 분수는
$\frac{6}{30}, \frac{9}{30}, \frac{12}{30}, \frac{15}{30}$의 4개이다.

08 ① x^2과 x^3은 동류항이 아니므로 계산할 수 없다.
② $a^2\times a^3=a^5$
③ $x^4\times y^3\times x=x^5\times y^3$
⑤ $\left(-\frac{y}{x^2}\right)^3=-\frac{y^3}{x^6}$

09 ③ $x^2\div x^2=1$
⑤ $\left(-\frac{x}{4}\right)^2=\frac{x^2}{16}$

10 ① $a^{\square}\times a^4=a^7,\ a^{\square+4}=a^7$에서
$\square+4=7,\ \square=3$
② $a^3\div a^6=\frac{1}{a^{\square}},\ \frac{1}{a^{6-3}}=\frac{1}{a^{\square}}$
$6-3=\square,\ \square=3$
③ $\left(\frac{a^2}{b}\right)^3=\frac{a^6}{b^{\square}},\ \frac{a^{2\times3}}{b^3}=\frac{a^6}{b^{\square}}$
따라서 $\square=3$
④ $a^3\times(-a)^4\div a^{\square}=a^4,\ a^{3+4-\square}=a^4$에서
$7-\square=4,\ \square=3$
⑤ $(a^{\square})^4\div a^6=a^2,\ a^{\square\times4-6}=a^2$에서
$\square\times4-6=2,\ \square=2$

11 $a^xb\times(a^2b^y)^3=a^xb\times a^6b^{3y}=a^{x+6}b^{1+3y}=a^7b^{10}$이므로
$x+6=7,\ 3y+1=10$이다.
따라서 $x=1,\ y=3$이므로
$x+y=1+3=4$이다.

12 $4a^2+a-1-(a^2-3a-5)$

$=3a^2+4a+4$

이므로 $m=3$, $n=4$이다.

따라서 $mn=3\times4=12$이다.

13 어떤 식을 $\square$로 놓으면

$5x^2-2x+7-\square=2x^2-x$이므로

$\square=(5x^2-2x+7)-(2x^2-x)=3x^2-x+7$이다.

따라서 바르게 계산한 식은

$(5x^2-2x+7)+(3x^2-x+7)=8x^2-3x+14$

14 $4x^2-[2x+2-\{x^2+1-(x^2+x)\}]$

$=4x^2-\{2x+2-(x^2+1-x^2-x)\}$

$=4x^2-\{2x+2-(1-x)\}$

$=4x^2-(2x+2-1+x)$

$=4x^2-3x-1$

따라서 x의 계수는 -3, 상수항은 -1이고 두 수의 합은 $-3+(-1)=-4$이다.

15 $50^{30}\times4^{16}\times7=(2\times5^2)^{30}\times(2^2)^{16}\times7$

$=2^{62}\times5^{60}\times7$

$=2^2\times7\times(2\times5)^{60}=28\times10^{60}$

이므로 이 수는 62자리의 수이고, 각 자리의 숫자의 합은 $2+8=10$이다.

따라서 $m=62$, $n=10$이고,

$m-3n=62-30=32$이다.

16 $\left(\frac{1}{81}\right)^5=\left(\frac{1}{3^4}\right)^5=\frac{1}{3^{20}}=\frac{1}{(3^2)^{10}}=\frac{1}{a^{10}}$이므로

$\square=10$이다.

17 $\frac{5}{13}=5\div13=0.\dot{3}8461\dot{5}$이므로 $\frac{5}{13}$를 소수로 나타내면 소수점 아래 첫 번째 자리에서부터 순환마디 384615가 반복된다.

따라서 소수점 아래 첫째 자리의 숫자부터 20번째 자리의 숫자까지의 합은

$3\times(3+8+4+6+1+5)+3+8=92$

18 $0.8\dot{3}=\frac{83-8}{90}=\frac{75}{90}=\frac{5}{6}$이고 서진이는 분자는 제대로 보았으므로 처음 기약분수의 분자는 5이다.

$0.3\dot{8}=\frac{38-3}{90}=\frac{35}{90}=\frac{7}{18}$이고 훈식이는 분모는 제대로 보았으므로 처음 기약분수의 분모는 18이다.

따라서 처음 기약분수는 $\frac{5}{18}$이고, 이것을 소수로 나타내면

$\frac{5}{18}=5\div18=0.2\dot{7}$

19 $A=(-2x^3y)^3\times\left(\frac{3}{2}x^3y^2\right)^2$

$=-8x^9y^3\times\frac{9}{4}x^6y^4$

$=-18x^{15}y^7$

$B=(4xy^3)^2\times\left(-\frac{3}{2}x^5y\right)^3$

$=16x^2y^6\times\left(-\frac{27}{8}x^{15}y^3\right)$

$=-54x^{17}y^9$

따라서 $\frac{B}{A}=\frac{-54x^{17}y^9}{-18x^{15}y^7}=3x^2y^2$이다.

20 한 번 접으면 두께는 $1\times2=2$(mm)

두 번 접으면 두께는 $1\times2\times2=2^2$(mm)

세 번 접으면 두께는 $1\times2\times2\times2=2^3$(mm)

⋮

n번 접으면 두께는 2^n mm이다.

이때 12.8 cm$=$128 mm$=2^7$ mm이므로

접은 종이의 두께가 12.8 cm가 되려면 7번 접어야 한다.

21 (i) $\frac{45}{37}=45\div37=1.\dot{2}1\dot{6}$은 순환마디가 3개이고,

$30=3\times10$이므로

분수 $\frac{45}{37}$의 소수점 아래 30번째 자리의 숫자는 6이다.

(ii) $0.00\dot{2}34812\dot{7}$에서 순환하지 않는 숫자는 0, 0으로 2개이고, 순환하는 숫자는 2, 3, 4, 8, 1, 2, 7의 7개이다.

$32-2=7\times4+2$이므로

$0.00\dot{2}34812\dot{7}$의 소수점 아래 32번째 자리의 숫자는 3이다.

따라서 $a=6$, $b=3$이므로

$a+b=6+3=9$이다.

채점 기준	배점
두 수의 순환마디를 바르게 구한 경우	2
a와 b의 값을 바르게 구한 경우	2
$a+b$의 값을 바르게 구한 경우	1

22 $\frac{32}{120}=\frac{2^5}{2^3\times3\times5}=\frac{2^2}{3\times5}$이므로 x를 곱하여 유한소수로 나타낼 수 있으려면 x는 3의 배수여야 한다.

$\frac{9}{2^3\times3\times5^2\times7}=\frac{3}{2^3\times5^2\times7}$이므로 x를 곱하여 유한소수로 나타낼 수 있으려면 x는 7의 배수여야 한다.

따라서 x는 3과 7의 공배수, 즉 21의 배수여야 하므로 주어진 조건을 만족시키는 두 자리의 자연수 x는 21, 42, 63, 84이다.

채점 기준	배점
x가 3의 배수인 것을 구한 경우	2
x가 7의 배수인 것을 구한 경우	2
x의 값을 모두 구한 경우	1

23 $(시간)=\frac{(거리)}{(속력)}$이므로

지구와 태양 사이의 거리는 약 1.6×10^8 km, 태양의 빛의 속력은 3.2×10^5 km/s이고 지구에서 사람이 보는 태양의 빛은 $\frac{1.6\times10^8}{3.2\times10^5}=\frac{1}{2}\times10^3$(초) 전에 태양을 출발하는 것이다.

채점 기준	배점
식을 잘 세운 경우	2
지수 법칙을 바르게 적용한 경우	1
정답을 바르게 구한 경우	2

24 원뿔의 높이를 h라고 하면

(원기둥의 부피)$=(3a)^2\pi\times2a=18\pi a^3$

(원뿔의 부피)$=\frac{1}{3}\times(2a)^2\pi\times h=\frac{4}{3}\pi a^2\times h$

이때 원기둥과 원뿔의 부피가 같아야 하므로

$18\pi a^3=\frac{4}{3}\pi a^2\times h$이므로

$h=18\pi a^3\times\frac{3}{4\pi a^2}=\frac{27}{2}a$이다.

채점 기준	배점
원뿔과 원기둥의 부피를 식으로 나타낸 경우	2
원뿔과 원기둥의 부피가 같음을 이용해 식을 세운 경우	1
원뿔 모양의 그릇의 높이를 바르게 구한 경우	2

II. 일차부등식과 연립일차방정식

본문 306~309쪽

01 ③	**02** ②	**03** ⑤	**04** ④	**05** ①
06 ①	**07** ③	**08** ①	**09** ③	**10** ④
11 ②, ⑤	**12** ①	**13** ②	**14** ⑤	**15** ①
16 ④	**17** ④	**18** $a=-2$, $b=0$		**19** -1

20 3 %의 소금물: 160 g, 8 %의 소금물: 240 g

21 $\frac{3}{8}$ **22** 3 km **23** $x=1$, $y=2$

24 여학생: 630명, 남학생: 392명

01 ㄱ, ㄷ. 일차부등식이 아니다.

ㄴ. $x-2<0$이므로 일차부등식이다.

ㄹ. $-6\le1$이므로 일차부등식이 아니다.

ㅁ. $-y-1<0$이므로 일차부등식이다.

따라서 일차부등식인 것은 ㄴ, ㅁ이다.

02 ① $a<b$의 양변에 5를 곱하면 $5a<5b$

② $a<b$의 양변에서 3을 빼면 $a-3<b-3$

③ $a<b$의 양변에 $\frac{2}{3}$를 곱하면 $\frac{2}{3}a<\frac{2}{3}b$

또, 양변에서 1을 빼면 $\frac{2}{3}a-1<\frac{2}{3}b-1$

④ $a<b$의 양변에 -2를 곱하면 $-2a>-2b$

또, 양변에 5를 더하면 $-2a+5>-2b+5$

⑤ $a<b$의 양변에 -7을 곱하면 $-7a>-7b$

또, 양변에 9를 더하면 $9-7a>9-7b$

또, 양변을 -2로 나누면 $\frac{9-7a}{-2}<\frac{9-7b}{-2}$

03 $7+3x\le x+15$에서 $2x\le8$, $x\le4$

따라서 부등식을 만족시키는 자연수 x는 1, 2, 3, 4이다.

04 ① $x=1$을 대입하면 $2\times1+5=7$이므로 해가 아니다.

② $x=-1$을 대입하면 $3\times(-1)=-3<-1+1=0$이므로 해가 아니다.

③ $x=2$를 대입하면 $6-2\times2=2<3$이므로 해가 아니다.

④ $x=3$을 대입하면 $3\times3+1=10\le10$이므로 해이다.

⑤ $x=-2$를 대입하면 $-3\times(-2)+4=10>-2$이므로 해가 아니다.

05 주어진 수직선에 나타난 해는 $x\ge-2$이다.

① 양변에 2를 곱하면 $x+2\ge0$, $x\ge-2$

② $-2x+4\le0$에서 $-2x\le-4$, $x\ge2$

③ 양변에 4를 곱하면 $6+x>-4x$

$5x>-6$, $x>-\frac{6}{5}$

④ $x-1\le 3x-3$에서 $-2x\le -2$, $x\ge 1$
⑤ 괄호를 풀면 $x+8>-2x+2$, $3x>-6$, $x>-2$

06 괄호를 풀면 $3-x+4>4x+12$
$-5x>5$, $x<-1$
따라서 a의 값은 -1이다.

07 양변에 10을 곱하면 $21x-6\ge 36+7x$
$14x\ge 42$, $x\ge 3$

08 $x-2>2a$에서 $x>2a+2$
$\frac{1}{2}x-1>\frac{1}{3}x-\frac{1}{3}$의 양변에 6을 곱하면
$3x-6>2x-2$, $x>4$
해가 서로 같으므로 $2a+2=4$, $2a=2$, $a=1$

09 x개월 후라고 하면 $10000+4000x>30000+3000x$
$1000x>20000$, $x>20$
따라서 21개월 후부터 형의 예금액이 동생의 예금액보다 많아진다.
이때 21개월 후, 형의 예금액은
$10000+4000\times 21=94000$(원)이고,
동생의 예금액은 $30000+3000\times 21=93000$(원)이므로 $94000>93000$이다. 즉, 구한 해는 문제의 뜻에 맞는다.

10 세 번째 수학 시험 점수를 x점이라고 하면 세 번의 수학 점수의 평균이 85점 이상이 되어야 하므로
$\frac{83+78+x}{3}\ge 85$, $161+x\ge 255$, $x\ge 94$
따라서 수학 점수의 평균이 85점 이상이 되려면 세 번째 수학 시험에서 94점 이상을 받아야 한다.
이때 세 번째 시험에서 94점을 받으면 세 번의 수학 점수의 평균은 $\frac{83+78+94}{3}=85$(점)이므로 구한 해는 문제의 뜻에 맞는다.

11 ① $x^2=4$는 일차방정식이 아니다.
③ $x+3=8$은 미지수가 1개인 일차방정식이다.
④ $y+3=7$은 미지수가 1개인 일차방정식이다.

12 x에 자연수 1, 2, 3, …을 차례대로 내입하면 다음 표와 같다.

x	1	2	3	4	5
y	$\frac{10}{3}$	$\frac{8}{3}$	2	$\frac{4}{3}$	$\frac{2}{3}$

이때 y도 자연수이므로 해 (x, y)는 $(3, 2)$의 1개이다.

13 $2x+y+a=0$에 $x=3$, $y=-2$를 대입하면
$6-2+a=0$, $a=-4$

14 각 연립방정식에 $x=-1$, $y=2$를 대입하면
① $\begin{cases} 2\times(-1)+2=0 \\ -1-2\times 2=-5\neq 3 \end{cases}$ 이므로 해가 아니다.
② $\begin{cases} -1-2=-3\neq -2 \\ 3\times(-1)+2\times 2=1 \end{cases}$ 이므로 해가 아니다.
③ $\begin{cases} -1+4\times 2=7 \\ 2\times(-1)-5\times 2=-12\neq 1 \end{cases}$ 이므로 해가 아니다.
④ $\begin{cases} -1-2=-3\neq 4 \\ -1-2\times 2=-5 \end{cases}$ 이므로 해가 아니다.
⑤ $\begin{cases} -1+2=1 \\ -3\times(-1)+4\times 2=11 \end{cases}$ 이므로 해이다.

15 $x=2$를 $y=2x-1$에 대입하면 $y=4-1=3$
$x+ay=8$에 $x=2$, $y=3$을 대입하면
$2+3a=8$, $3a=6$, $a=2$

16 x를 없애기 위하여 두 식의 x의 계수를 같게 만들어 계산하여야 한다.
따라서 ㉠에 3을 곱하고 ㉡에 2를 곱하여 변끼리 빼어야 한다. 즉, ㉠×3−㉡×2이다.

17 $\begin{cases} 0.3(x+y)-0.1y=1.9 & \cdots\cdots ① \\ \frac{2}{3}x+\frac{3}{5}y=5 & \cdots\cdots ② \end{cases}$
①의 양변에 10을 곱하고 ②의 양변에 15를 곱하면
$\begin{cases} 3(x+y)-y=19 & \cdots\cdots ③ \\ 10x+9y=75 & \cdots\cdots ④ \end{cases}$
③에서 괄호를 풀면 $3x+2y=19$ ⋯⋯ ⑤
⑤의 양변에 9를 곱하고 ④의 양변에 2를 곱하여 변끼리 빼면
$(27x+18y)-(20x+18y)=171-150$
$7x=21$, $x=3$
$x=3$을 ⑤에 대입하면
$9+2y=19$, $2y=10$, $y=5$
따라서 연립방정식의 해는 $(3, 5)$이다.

18. 두 연립방정식이 같은 해를 가지므로
$\begin{cases} ax-by=-6 & \cdots\cdots ① \\ 2x+7y=34 & \cdots\cdots ② \end{cases}$, $\begin{cases} x-3y=-9 & \cdots\cdots ③ \\ 6x+ay=10 & \cdots\cdots ④ \end{cases}$
②와 ③을 모두 만족시키는 해는 주어진 연립방정식의 해와 같다.
②에서 ③의 양변에 2를 곱하여 변끼리 빼면

$(2x+7y)-(2x-6y)=34-(-18)$

$13y=52$, $y=4$

$y=4$를 ③에 대입하면

$x-12=-9$, $x=3$

즉, 연립방정식의 해는 $x=3$, $y=4$이다.

이를 ①과 ④에 대입하면 $\begin{cases} 3a-4b=-6 \\ 18+4a=10 \end{cases}$이므로

$a=-2$, $b=0$

19 연립방정식에 $x=1$, $y=3$을 대입하면

$\begin{cases} a-3b=7 \\ 3a+3b=-3 \end{cases}$, 즉 $\begin{cases} a-3b=7 & \cdots\cdots ① \\ a+b=-1 & \cdots\cdots ② \end{cases}$

①에서 ②를 변끼리 빼면

$-4b=8$, $b=-2$

$b=-2$를 ②에 대입하면 $a-2=-1$, $a=1$

따라서 $a+b=1+(-2)=-1$이다.

20 3 %의 소금물을 x g, 8 %의 소금물을 y g 섞는다고 하면

$\begin{cases} x+y=400 \\ \frac{3}{100}x+\frac{8}{100}y=\frac{6}{100}\times 400 \end{cases}$이므로

$\begin{cases} x+y=400 \\ 3x+8y=2400 \end{cases}$

연립방정식을 풀면 $x=160$, $y=240$

따라서 3 %의 소금물 160 g과 8 %의 소금물 240 g을 섞어야 한다.

이때 두 소금물의 양의 합은 $160+240=400$(g), 두 소금물의 소금의 양의 합은

$\frac{3}{100}\times 160+\frac{8}{100}\times 240=\frac{6}{100}\times 400=24$(g)으로 같으므로 구한 해는 문제의 뜻에 맞는다.

21 (ⅰ) $0.3x-2.1\le 1.2x+0.6$의 양변에 10을 곱하면

$3x-21\le 12x+6$, $-9x\le 27$, $x\ge -3$

(ⅱ) $\frac{1}{3}x-2a\le\frac{3}{4}x+\frac{1}{2}$의 양변에 12를 곱하면

$4x-24a\le 9x+6$, $-5x\le 24a+6$, $x\ge\frac{24a+6}{-5}$

(ⅰ), (ⅱ)의 해가 서로 같으므로

$\frac{24a+6}{-5}=-3$, $24a=15-6$, $24a=9$, $a=\frac{3}{8}$

채점 기준	배점
두 일차부등식을 각각 바르게 풀이한 경우	2
두 일차부등식의 해가 같음을 이해하여 a의 값을 바르게 구한 경우	2

22 x km 지점까지 갔다 온다고 하면

$\frac{x}{4}+\frac{x}{3}\le\frac{7}{4}$이므로 양변에 12를 곱하면

$3x+4x\le 21$, $7x\le 21$, $x\le 3$

따라서 최대 3 km 지점까지 갔다 올 수 있다.

이때 $\frac{3}{4}+\frac{3}{3}=\frac{7}{4}$(시간),

즉 1시간 45분이 걸리므로 구한 해는 문제의 뜻에 맞는다.

채점 기준	배점
일차부등식을 활용하는 문제임을 이해한 경우	1
일차부등식을 바르게 구한 경우	2
정답을 바르게 구한 경우	1

23 $\begin{cases} -bx+ay=8 \\ ax-by=-2 \end{cases}$에 $x=-2$, $y=-1$을 대입하면

$\begin{cases} 2b-a=8 \\ -2a+b=-2 \end{cases}$, 즉 $\begin{cases} -a+2b=8 & \cdots\cdots ① \\ -2a+b=-2 & \cdots\cdots ② \end{cases}$

①에서 ②의 양변에 2를 곱한 식을 변끼리 빼면

$(-a+2b)-(-4a+2b)=8-(-4)$

$3a=12$, $a=4$

$a=4$를 ②에 대입하면 $-8+b=-2$, $b=6$

따라서 처음 연립방정식은 $\begin{cases} -4x+6y=8 \\ 6x-4y=-2 \end{cases}$

즉, $\begin{cases} -2x+3y=4 & \cdots\cdots ③ \\ 3x-2y=-1 & \cdots\cdots ④ \end{cases}$

③의 양변에 2를 곱한 식과 ④의 양변에 3을 곱한 식을 변끼리 더하면

$(-4x+6y)+(9x-6y)=8+(-3)$

$5x=5$, $x=1$

$x=1$을 ③에 대입하면

$-2+3y=4$, $3y=6$, $y=2$

따라서 처음 연립방정식의 해는 $x=1$, $y=2$

채점 기준	배점
a와 b의 값을 각각 바르게 구한 경우	2
정답을 바르게 구한 경우	2

24 작년의 여학생 수를 x명, 남학생 수를 y명이라고 하면

$\begin{cases} x+y=1000 \\ \frac{5}{100}x-\frac{2}{100}y=1022-1000 \end{cases}$ 이므로

$\begin{cases} x+y=1000 \\ 5x-2y=2200 \end{cases}$

연립방정식을 풀면 $x=600$, $y=400$

따라서 금년의 여학생 수는

$600\times\left(1+\frac{5}{100}\right)=630$(명),

금년의 남학생 수는

$400\times\left(1-\frac{2}{100}\right)=392$(명)

이다.

이때 작년의 학생 수는 $600+400=1000$(명),

금년의 학생 수는 $630+392=1022$(명)이므로

구한 해는 문제의 뜻에 맞는다.

채점 기준	배점
연립방정식을 활용하는 문제임을 이해한 경우	1
연립방정식을 바르게 구한 경우	2
정답을 바르게 구한 경우	1

III. 일차함수

본문 310~313쪽

01 ②, ④	02 ③	03 ①	04 ①	05 ①
06 ①	07 ①	08 ④	09 ⑤	10 ②
11 ①	12 $y=\frac{2}{3}x-3$		13 ⑤	14 ④
15 (1) $y=360-0.9x$ (2) 400분			16 2	17 $y=9$
18 $a=1$, $b=2$		19 -2	20 3	21 -3
22 (1) $y=3x$ (2) 20초 후	23 $-\frac{1}{3}$, $\frac{1}{3}$			24 $\frac{25}{4}$

01 ②, ④는 y가 x에 대한 일차식이므로 y는 x의 일차함수이다.

02 $y=-\frac{1}{2}x+3$의 그래프의 기울기가 $-\frac{1}{2}$이므로 기울기가 $-\frac{1}{2}$인 것을 찾으면 ③이다.

03 $y=-3x+b$의 그래프를 y축의 방향으로 5만큼 평행이동하면 $y=-3x+b+5$이다.
이 그래프가 점 $(2,\ -6)$을 지나므로
$-6=-6+b+5$, $b=-5$이다.

04 $y=-\frac{3}{2}x+6$의 그래프의 x절편은 4, y절편은 6이므로 구하는 그래프는 ①이다.

05 $y=ax+2$의 그래프가 점 $\left(\frac{2}{3},\ 0\right)$을 지나므로
$x=\frac{2}{3}$, $y=0$을 대입하면 $0=\frac{2}{3}a+2$, $a=-3$이다.

06 $y=-\frac{2}{3}x-6$의 그래프의
x절편은 -9, y절편은 -6이므로
그래프는 오른쪽 그림과 같다.
따라서 구하는 삼각형의 넓이는
$\frac{1}{2}\times9\times6=27$이다.

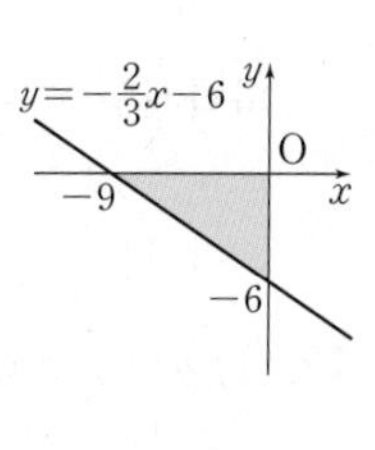

07 주어진 그래프의 기울기는 양수, y절편은 양수이므로 $a>0$, $b>0$이다.
$y=-bx-ab$의 그래프에서 기울기는 $-b<0$, y절편은 $-ab<0$이므로 그래프는 오른쪽 그림과 같다.
따라서 제1사분면을 지나지 않는다.

08 ① 기울기는 $\frac{-4}{2}=-2$

② x절편은 -2이다.

③ 기울기가 다르므로 평행하지 않다.

④ 기울기의 절댓값이 클수록 y축에 더 가까워지므로 $y=x+1$의 그래프보다 y축에 더 가깝다.

⑤ 주어진 직선을 그래프로 하는 일차함수의 식은 $y=-2x-4$이고, $x=-3$을 대입하면 $y=2$이다. 따라서 점 $(-3,\ 2)$를 지난다.

09 세 점이 한 직선 위에 있으므로 두 점 $(-1,\ a)$, $(2,\ 2)$를 지나는 직선의 기울기와 두 점 $(2,\ 2)$, $(4,\ -2)$를 지나는 직선의 기울기가 같다.

따라서 $\frac{2-a}{2-(-1)}=\frac{-2-2}{4-2}$이므로

$\frac{2-a}{3}=-2$, $2-a=-6$, $a=8$이다.

10 두 점 $(2,\ 1)$, $(3,\ -1)$을 지나는 직선의 기울기는 $\frac{-1-1}{3-2}=-2$이고, 이 직선과 평행하므로 일차함수 $y=ax+4$의 기울기는 a, $a=-2$이다.

11 주어진 그래프가 두 점 $(-2,\ -2)$, $(0,\ -5)$를 지나므로

(기울기)$=\frac{-5-(-2)}{0-(-2)}=\frac{-3}{2}$이고,

y절편이 -5이므로

일차함수의 식은 $y=-\frac{3}{2}x-5$이다.

따라서 $y=-\frac{3}{2}x-5$의 x절편은 $-\frac{10}{3}$이다.

12 (i) $y=\frac{2}{3}x-1$의 그래프와 평행하므로 구하는 일차함수의 그래프의 기울기는 $\frac{2}{3}$이다.

(ii) $y=-2(x-1)$, 즉 $y=-2x+2$의 그래프를 y축의 방향으로 -5만큼 평행이동하면 $y=-2x+2-5$, $y=-2x-3$이고, 구하는 일차함수의 그래프와 y축 위에서 만나므로 y절편은 -3으로 같다.

따라서 구하는 일차함수의 식은 $y=\frac{2}{3}x-3$이다.

13 물건의 무게가 2 g씩 늘어날 때마다 용수철의 길이가 1 cm씩 늘어나므로 1 g씩 늘어날 때마다 용수철의 길이는 $\frac{1}{2}$ cm씩 늘어난다.

따라서 x와 y 사이의 관계식은 $y=\frac{1}{2}x+15$이다.

14

x(개)	1	2	3	4	…
y(개)	6	11	16	21	…

x와 y 사이의 관계는 x의 값이 1씩 증가할 때, y의 값이 5씩 증가하는 기울기가 5인 일차함수의 관계이다.

$y=5x+b$로 놓고 $x=1$, $y=6$을 대입하면

$6=5+b$, $b=1$이므로 $y=5x+1$이다.

$x=102$일 때, $y=5\times102+1=511$이다.

따라서 102개의 정육각형을 그릴 때, 필요한 선분의 개수는 511이다.

15 (1) 5분마다 4.5 L의 물이 새어 나가므로 1분마다 $\frac{4.5}{5}=0.9$(L)의 물이 새어 나간다.

따라서 x, y 사이의 관계식은 $y=360-0.9x$이다.

(2) 물이 다 새어 나가면 $y=0$이므로

$y=360-0.9x$에 $y=0$을 대입하면

$0=360-0.9x$, $0.9x=360$, $x=400$이다.

따라서 물이 다 새어 나갈 때까지 400분이 걸린다.

16 일차방정식 $5x-y-3=0$의 그래프가 점 $(a,\ 7)$을 지나므로 $x=a$, $y=7$을 대입하면

$5a-7-3=0$, $5a=10$, $a=2$이다.

17 직선 $y=-2x+3$이 점 $(-3,\ k)$를 지나므로

$k=6+3=9$이다.

따라서 점 $(-3,\ 9)$를 지나고 y축에 수직인 직선의 방정식은 $y=9$이다.

18 연립방정식 $\begin{cases}4x-y=-1\\ax-y=b\end{cases}$ 의 해가 $x=-1$, $y=-3$이므로 $ax-y=b$에 $x=-1$, $y=-3$을 대입하면

$-a+3=b$이고

$-a-b=-3$ …… ㉠

직선 $ax+2y+b=0$의 x절편이 -2이므로

$x=-2$, $y=0$을 대입하면

$-2a+b=0$ …… ㉡

㉠, ㉡을 연립하여 풀면 $a=1$, $b=2$

19 두 일차방정식의 그래프의 교점의 x좌표가 2이므로
$-x+2y=4$에 $x=2$를 대입하면
$-2+2y=4$, $2y=6$, $y=3$
따라서 두 직선의 교점의 좌표는 $(2, 3)$이다.
$ax+y=-1$의 그래프가 점 $(2, 3)$을 지나므로
$x=2$, $y=3$을 대입하면
$2a+3=-1$, $2a=-4$, $a=-2$

20 연립방정식 $\begin{cases} x-y=6 \\ 3x+4y=4 \end{cases}$를 풀면 $x=4$, $y=-2$
즉, 세 직선은 한 점 $(4, -2)$에서 만난다.
$2x+ay=2$에 $x=4$, $y=-2$를 대입하면
$8-2a=2$, $-2a=-6$, $a=3$

21 일차함수 $y=\frac{3}{5}x+1$의 그래프를 y축의 방향으로 n만큼 평행이동하면 $y=\frac{3}{5}x+1+n$이다.
$y=\frac{3}{5}x+1+n$에 $x=5$, $y=1$을 대입하면
$1=\frac{3}{5}\times5+1+n$, $1=4+n$이므로 $n=-3$이다.

채점 기준	배점
일차함수의 식을 바르게 구한 경우	2
n의 값을 바르게 구한 경우	2

22 (1) x초 후 $\overline{BP}=\frac{1}{2}x$ cm이므로
$y=\frac{1}{2}\times\frac{1}{2}x\times12$이다.
따라서 $y=3x$이다.
(2) $y=3x$에 $y=60$을 대입하면 $60=3x$, $x=20$이다.
따라서 $\triangle ABP$의 넓이가 60 cm^2가 되는 것은 출발한 지 20초 후이다.

채점 기준	배점
x와 y 사이의 관계식을 바르게 세운 경우	2
정답을 바르게 구한 경우	2

23 일차함수 $y=ax+2$의 그래프의 y절편이 2이므로 그래프와 x축, y축으로 둘러싸인 삼각형의 넓이가 6이 되는 경우는 다음과 같다.

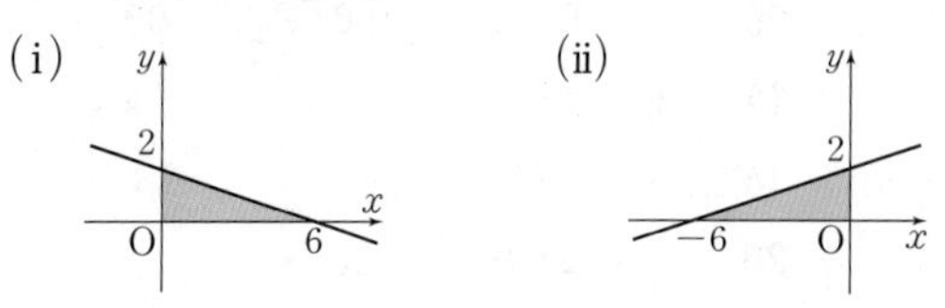

(i) 일차함수 $y=ax+2$의 그래프의 x절편이 6인 경우
$y=ax+2$에 $x=6$, $y=0$을 대입하면
$0=6a+2$이고 $a=-\frac{1}{3}$이다.
(ii) 일차함수 $y=ax+2$의 그래프의 x절편이 -6인 경우
$y=ax+2$에 $x=-6$, $y=0$을 대입하면
$0=-6a+2$이고 $a=\frac{1}{3}$이다.
따라서 (i), (ii)에서 $a=-\frac{1}{3}$ 또는 $a=\frac{1}{3}$이다.

채점 기준	배점
삼각형의 넓이가 6인 경우를 모두 나타낸 경우	2
상수 a의 값을 모두 바르게 구한 경우	2

24 두 일차방정식의 그래프의 교점이 무수히 많으려면 두 일차방정식의 그래프가 일치해야 한다.
$2x+ay+b=0$에서 $y=-\frac{2}{a}x-\frac{b}{a}$이므로
기울기는 $-\frac{2}{a}$, y절편은 $-\frac{b}{a}$이다.
$4x-5y-5=0$에서 $y=\frac{4}{5}x-1$이므로 기울기는 $\frac{4}{5}$,
y절편은 -1이다.
즉, $-\frac{2}{a}=\frac{4}{5}$, $-\frac{b}{a}=-1$이어야 하므로
$a=-\frac{5}{2}$, $b=-\frac{5}{2}$이다.
따라서 $ab=\left(-\frac{5}{2}\right)\times\left(-\frac{5}{2}\right)=\frac{25}{4}$이다.

채점 기준	배점
조건을 만족시키는 a의 값을 바르게 구한 경우	2
조건을 만족시키는 b의 값을 바르게 구한 경우	2
ab의 값을 바르게 구한 경우	1

IV. 도형의 성질

본문 314~317쪽

01 ③	**02** ②	**03** ②, ③, ⑤		**04** $105°$
05 ⑤	**06** ①	**07** ④	**08** ③	**09** ①
10 ④	**11** ②, ⑤	**12** ③	**13** ③	**14** ⑤
15 5 cm	**16** ①, ⑤	**17** ②, ④, ⑤		**18** ①, ④, ⑤
19 ④	**20** ③	**21** $48°$	**22** $18°$	
23 $120\ cm^2$		**24** 20 cm		

01 $\triangle ABE$와 $\triangle ACD$에서
$\overline{AB}=\overline{AC}$, $\overline{AE}=\overline{AD}$, $\angle A$는 공통이므로
$\triangle ABE\equiv\triangle ACD$(SAS 합동)이다.
따라서 $\overline{BE}=\overline{CD}$, $\angle ABE=\angle ACD$이다.
이때 $\angle ABC=\angle ACB$이고 $\angle ABE=\angle ACD$이므로
$\angle OBC=\angle OCB$이다.
따라서 옳지 않은 것은 ③이다.

02 $\triangle ABC$에서
$\angle ABC=\angle ACB=\frac{1}{2}\times(180°-44°)=68°$
$\angle DBC=\frac{1}{2}\angle ABC=\frac{1}{2}\times 68°=34°$
$\angle DCE=\frac{1}{2}\angle ACE=\frac{1}{2}\times(180°-68°)=56°$
따라서 $\angle D=\angle DCE-\angle DBC$
$=56°-34°=22°$

03 이등변삼각형에서 꼭지각의 이등분선은 밑변을 수직이등분하므로 $\overline{BD}=\overline{CD}$, $\angle PDB=\angle PDC=90°$이다.
$\triangle ABP$와 $\triangle ACP$에서
$\overline{AB}=\overline{AC}$, $\angle BAP=\angle CAP$, $\overline{AP}$는 공통이므로
$\triangle ABP\equiv\triangle ACP$(SAS 합동)이다.
즉, $\overline{BP}=\overline{CP}$이다.
두 직각삼각형 PBD와 PCD에서
$\overline{BP}=\overline{CP}$, $\overline{BD}=\overline{CD}$이므로
$\triangle PBD\equiv\triangle PCD$이다.
즉, $\angle PBD=\angle PCD$, $\angle BPD=\angle CPD$이다.
따라서 옳은 것은 ②, ③, ⑤이다.

04 두 이등변삼각형 ABC와 ACD에 대하여
$\angle ABC=\angle ACB=\angle a$, $\angle ACD=\angle ADC=\angle b$
라고 하자.
□ABCD에서 $150°+2\times\angle a+2\times\angle b=360°$이므로
$\angle a+\angle b=105°$이다.
따라서 $\angle BCD=\angle a+\angle b=105°$이다.

05 ⑤의 경우는 합동이 되지 않는다.

06 $\triangle ABC$에서 두 변의 수직이등분선의 교점을 O라고 하면 점 O는 $\triangle ABC$의 외심이므로 $\overline{OA}=\overline{OB}=\overline{OC}$가 되고, 세 점 A, B, C를 지나는 원의 중심이 된다.

07 점 I는 $\triangle ABC$의 내심이므로
$\angle IAB=\angle IAE=\angle a$, $\angle IBA=\angle IBD=\angle b$라고 하자. $\triangle ABD$와 $\triangle ABE$의 세 내각의 크기의 합은 각각 $180°$이므로
$\angle a+2\times\angle b+84°=180°$, $2\times\angle a+\angle b+72°=180°$
따라서 $\angle a=40°$, $\angle b=28°$이다.
$\triangle ABC$에서 $2\times\angle a+2\times\angle b+\angle C=180°$이므로
$\angle C=44°$이다.

08 $\angle CIA=360°\times\frac{15}{10+11+15}=150°$이므로
$\triangle ICA$에서
$\angle IAC+\angle ICA=180°-150°=30°$이다.
점 I는 $\triangle ABC$의 내심이므로
$\angle BAC+\angle BCA=2(\angle IAC+\angle ICA)$
$=2\times 30°=60°$
따라서 $\angle ABC=180°-60°=120°$이다.

09 직각삼각형 ABC의 외심은 빗변의 중점이므로 외접원의 반지름의 길이는
$\frac{1}{2}\overline{AC}=\frac{1}{2}\times 5=\frac{5}{2}$(cm)이다.
$\triangle ABC$의 내접원의 반지름의 길이를 r cm라고 하면
$\triangle ABC$의 넓이는
$\frac{1}{2}\times r\times(3+4+5)=\frac{1}{2}\times 3\times 4$
이므로 $r=1$이다.
즉, 외접원의 넓이는 $\pi\times\left(\frac{5}{2}\right)^2=\frac{25}{4}\pi(cm^2)$이고,
내접원의 넓이는 $\pi\times 1^2=\pi(cm^2)$이다.
따라서 넓이의 차는 $\frac{25}{4}\pi-\pi=\frac{21}{4}\pi(cm^2)$이다.

10 평행사변형은 두 쌍의 대변의 길이가 각각 같고, 두 쌍의 대각의 크기가 각각 같다. 또, 두 대각선은 서로 다른 것을 이등분한다.
그러나 ④는 $\overline{AB}=\overline{BC}$일 때에만 성립한다.

11 ② 한 쌍의 대변이 평행하고, 그 길이가 같다.
⑤ $\angle A+\angle B=180°$이면 $\overline{AD}/\!/\overline{BC}$가 성립하므로 두 쌍의 대변이 각각 평행하다.

12 ① $\overline{AE}/\!/\overline{FC}$, $\overline{AE}=\overline{FC}$이므로 □AECF는 평행사변형이다.
② $\overline{ED}/\!/\overline{BF}$, $\overline{ED}=\overline{BF}$이므로 □EBFD는 평행사변형이다.
④ $\angle EBF=\angle EDF$, $\angle BED=\angle BFD$이므로 □EBFD는 평행사변형이다.
⑤ $\overline{EO}=\overline{FO}$, $\overline{BO}=\overline{DO}$이므로 □EBFD는 평행사변형이다.

13 $\triangle ABM$과 $\triangle DCM$에서
$\overline{AM}=\overline{DM}$, $\overline{MB}=\overline{MC}$, $\overline{AB}=\overline{DC}$이므로
$\triangle ABM\equiv\triangle DCM$(SSS 합동)이다.
따라서 $\angle A=\angle D$이다.
그런데 평행사변형 ABCD에서 $\angle A+\angle D=180°$이므로 $\angle A=\angle D=90°$이다.
즉, □ABCD는 직사각형이므로 옳지 않은 것은 ③이다.

14 □EBFD는 마름모이므로
$\overline{EF}$와 $\overline{BD}$의 교점을 O라고 하면 $\angle DOF=90°$, $\overline{BO}=\overline{DO}$
두 직각삼각형 DFO와 DFC에서

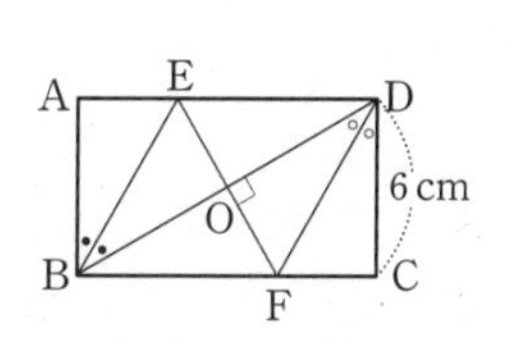

$\angle FDO=\angle FDC$, $\overline{DF}$는 공통이므로
$\triangle DFO\equiv\triangle DFC$이다.
따라서 $\overline{BD}=2\overline{DO}=2\overline{DC}=12$(cm)이다.

15 $\triangle ADF:\triangle AFC=4:6=2:3$이므로
$\overline{AD}:\overline{EC}=2:3$이다.
따라서 $\overline{AD}=4$ cm이므로 $\overline{EC}=6$ cm이다.
점 D에서 $\overline{BC}$에 내린 수선의 발을 G라고 하면
□AEGD는 직사각형이므로
$\overline{EG}=4$ cm, $\overline{GC}=2$ cm,
$\overline{AE}=\overline{DG}$이다.

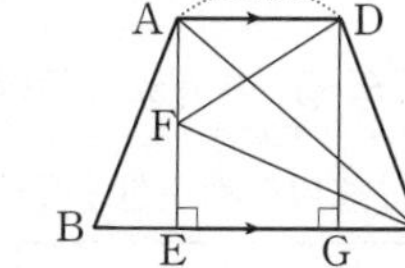

이때 두 직각삼각형 ABE와 DCG에서
$\overline{AB}=\overline{DC}$, $\overline{AE}=\overline{DG}$이므로 $\triangle ABE\equiv\triangle DCG$이다.
즉, $\overline{BE}=\overline{CG}=2$ cm이다.
따라서 $□ABCD=\frac{1}{2}\times(\overline{AD}+\overline{BC})\times\overline{AE}$에서
$30=\frac{1}{2}\times(4+8)\times\overline{AE}$이므로 $\overline{AE}=5$ cm이다.

16 ① 평행사변형 — 평행사변형

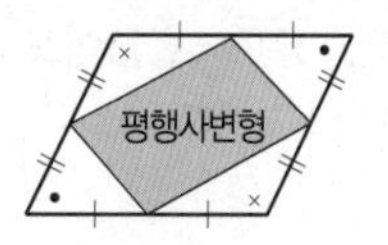

②, ③ 직사각형 — 마름모

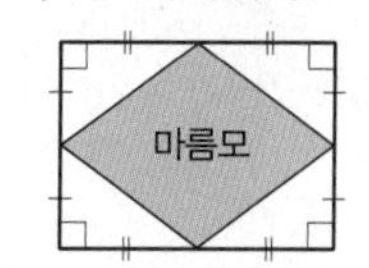

④ 마름모 — 직사각형

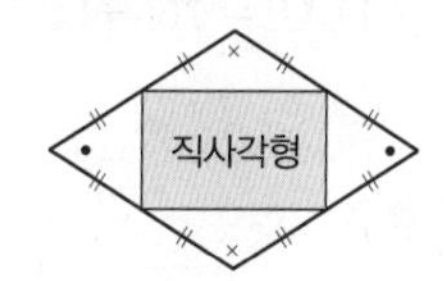

⑤ 정사각형 — 정사각형

17 두 대각선의 길이가 서로 같은 사각형은 직사각형, 정사각형, 등변사다리꼴이다.

18 ② $\overline{AB}=\overline{BC}$
③ $\angle A=\angle D$

19 ① □ABCD는 직사각형
② □ABCD는 직사각형
③ □ABCD는 마름모
④ □ABCD는 정사각형
⑤ □ABCD는 등변사다리꼴

20 $\triangle ABF$와 $\triangle CDE$에서
$\overline{AB}=\overline{CD}$, $\overline{BF}=\overline{DE}$, $\angle ABF=\angle CDE=90°$이므로
$\triangle ABF\equiv\triangle CDE$(SAS 합동)
따라서 $\angle DCE=\angle BAF=25°$
이때 $\angle CDH=\frac{1}{2}\times(180°-90°)=45°$이므로
$\angle EHG=\angle DHC=180°-(\angle DCH+\angle CDH)$
$=180°-(25°+45°)=110°$

21 △BAE와 △CAD에서

$\overline{BA}=\overline{CA}$, $\angle ABE=\angle ACD$, $\overline{BE}=\overline{CD}$이므로

△BAE≡△CAD(SAS 합동)

즉, $\overline{AE}=\overline{AD}$이다.

△ADE는 $\overline{AD}=\overline{AE}$인 이등변삼각형이므로

$\angle ADE=\angle AED=\frac{1}{2}\times(180^\circ-28^\circ)=76^\circ$이다.

△BAE에서 $\overline{BA}=\overline{BE}$이므로

$\angle BAE=\angle BEA=76^\circ$이다.

따라서 $\angle BAD=\angle BAE-\angle DAE=76^\circ-28^\circ=48^\circ$

채점 기준	배점
△ADE가 이등변삼각형임을 확인한 경우	1
∠BAE의 크기를 바르게 구한 경우	2
정답을 바르게 구한 경우	1

22 $\overline{AD}$가 $\overline{BC}$의 수직이등분선이므로 △ABC는 이등변삼각형이다.

즉, $\angle ABC=\frac{1}{2}\times(180^\circ-36^\circ)=72^\circ$이다.

점 O는 △ABC의 외심이므로

$\angle OAB+\angle OAC=\angle OBA+\angle OCA=36^\circ$

△ABC에서

$\angle OBC+\angle OCB=180^\circ-(36^\circ+36^\circ)=108^\circ$

이때 △OBC는 이등변삼각형이므로

$\angle OBC=\frac{1}{2}\times108^\circ=54^\circ$이다.

한편, 점 I는 △ABC의 내심이므로

$\angle IBC=\frac{1}{2}\angle ABC=\frac{1}{2}\times72^\circ=36^\circ$이다.

따라서 $\angle OBI=\angle OBC-\angle IBC$

$=54^\circ-36^\circ=18^\circ$

채점 기준	배점
△ABC가 이등변삼각형임을 확인한 경우	1
∠OBC의 크기를 바르게 구한 경우	1
∠IBC의 크기를 바르게 구한 경우	1
정답을 바르게 구한 경우	1

23 오른쪽 그림과 같이 선분 CF를 그려 보면

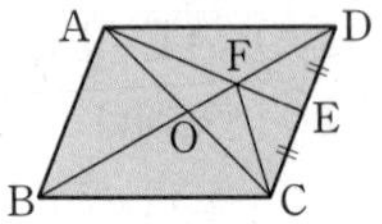

A D F O E B C

△FAC에서 $\overline{OA}=\overline{OC}$이므로

$\triangle FCO=\triangle FAO=10\text{ cm}^2$이다.

△FCD에서 $\overline{EC}=\overline{ED}$이므로

$\triangle FCE=\triangle FDE=10\text{ cm}^2$이다.

따라서 $\triangle OCD=\triangle FCO+\triangle FCE+\triangle FDE$

$=10+10+10=30(\text{cm}^2)$이므로

$\square ABCD=4\times\triangle OCD=4\times30=120(\text{cm}^2)$

채점 기준	배점
선분 CF를 그려 △FCO와 △FCE의 넓이를 바르게 구한 경우	2
△OCD의 넓이를 바르게 구한 경우	1
정답을 바르게 구한 경우	1

24 △BFE에서 $\overline{BE}=\overline{BF}$이므로 $\angle BEF=\angle BFE$이다.

$\overline{AB}/\!/\overline{CD}$이므로 $\angle DCF=\angle BEF$(엇각)이고

$\angle BFE=\angle DFC$(맞꼭지각)이다.

즉, $\angle DFC=\angle DCF$이므로

△DFC는 $\overline{DF}=\overline{DC}$인 이등변삼각형이다.

따라서 $\overline{BD}=\overline{BF}+\overline{DF}$

$=\overline{BE}+\overline{DC}$

$=8+12=20(\text{cm})$

채점 기준	배점
△DFC가 이등변삼각형임을 확인한 경우	2
$\overline{DF}$의 길이를 바르게 구한 경우	1
정답을 바르게 구한 경우	1

Ⅴ. 도형의 닮음

본문 318~321쪽

01 ④	**02** ②	**03** ⑤	**04** $\frac{35}{6}$ cm	**05** ④
06 ①	**07** ②	**08** $\frac{75}{8}$ cm^2	**09** ①	**10** ④
11 ②	**12** ①	**13** 2 cm	**14** ③	**15** ②
16 ②	**17** ⑤	**18** ③	**19** ①	**20** ③

21 $\frac{96}{25}$ cm **22** (1) 5 cm (2) 풀이 참조 (3) $\frac{15}{4}$ cm

23 10 cm^2 **24** 64 cm^2

01 항상 닮음인 도형은 두 정삼각형, 두 정팔각형, 두 원, 두 구의 4개이다.

02 □ABCD와 □EFGH의 닮음비는
$\overline{BC}:\overline{FG}=9:6=3:2$이므로
$\overline{AB}:\overline{EF}=3:2$에서
$6:\overline{EF}=3:2$, $\overline{EF}=4$ cm이고,
$\angle B$에 대응하는 각은 $\angle F$이므로
$\angle F=\angle B=70°$이다.

03 △ABC와 △DBA에서
$\overline{AB}:\overline{DB}=\overline{BC}:\overline{BA}=3:2$, $\angle B$는 공통이므로
$\triangle ABC \backsim \triangle DBA$(SAS 닮음)이다.
이때 $\overline{CA}:\overline{AD}=3:2$에서
$\overline{AC}:10=3:2$, $\overline{AC}=15$ cm이다.

04 □ABFD가 평행사변형이므로 $\overline{BF}=\overline{AD}=7$ cm이다.
따라서 $\overline{FC}=13-7=6$(cm)이다.
△AED와 △CEF에서
$\angle AED=\angle CEF$(맞꼭지각),
$\angle DAE=\angle FCE$(엇각)이므로
$\triangle AED \backsim \triangle CEF$(AA 닮음)이다.
이때 $\overline{AD}:\overline{CF}=\overline{AE}:\overline{CE}$에서
$7:6=\overline{AE}:5$, $\overline{AE}=\frac{35}{6}$ cm이다.

05 (i) △ABC와 △FDC에서
$\angle ABC=\angle FDC=90°$, $\angle C$는 공통이므로
$\triangle ABC \backsim \triangle FDC$(AA 닮음)
(ii) △ABC와 △ADE에서
$\angle ABC=\angle ADE=90°$, $\angle A$는 공통이므로
$\triangle ABC \backsim \triangle ADE$(AA 닮음)
(iii) △ABC와 △FBE에서
$\angle ABC=\angle FBE=90°$,
$\angle BAC=90°-\angle AED$
$=90°-\angle BEF$
$=\angle BFE$
이므로 $\triangle ABC \backsim \triangle FBE$(AA 닮음)
따라서 △ABC와 서로 닮음인 삼각형은 △FDC, △ADE, △FBE의 3개이다.

06 △ABD와 △CBE에서
$\angle ADB=\angle CEB=90°$, $\angle B$는 공통이므로
$\triangle ABD \backsim \triangle CBE$(AA 닮음)이다.
이때 $\overline{AB}:\overline{CB}=\overline{BD}:\overline{BE}$에서
$8:10=6:\overline{BE}$, $\overline{BE}=\frac{15}{2}$ cm이다.

07 $\triangle ABD \backsim \triangle CAD$(AA 닮음)이므로
$\overline{AD}:\overline{CD}=\overline{BD}:\overline{AD}$에서
$3:y=4:3$, $4y=9$, $y=\frac{9}{4}$이다.
또, $\triangle ABC \backsim \triangle DBA$(AA 닮음)이므로
$\overline{AB}:\overline{DB}=\overline{BC}:\overline{BA}$에서
$x:4=\frac{25}{4}:x$, $x^2=25$, $x=5$이다.
따라서 $x-y=5-\frac{9}{4}=\frac{11}{4}$이다.

08 $\triangle ABC \backsim \triangle DAC$(AA 닮음)이므로
$\overline{AC}:\overline{DC}=\overline{BC}:\overline{AC}$에서
$5:4=\overline{BC}:5$, $\overline{BC}=\frac{25}{4}$ cm이다.
$\overline{BD}=\frac{25}{4}-4=\frac{9}{4}$이고,
$\triangle ABD \backsim \triangle CAD$(AA 닮음)이므로
$\overline{AD}:\overline{CD}=\overline{BD}:\overline{AD}$에서
$\overline{AD}:4=\frac{9}{4}:\overline{AD}$, $\overline{AD}^2=9$, $\overline{AD}=3$ cm이다.
따라서 $\triangle ABC=\frac{1}{2}\times\frac{25}{4}\times 3=\frac{75}{8}(cm^2)$이다.

09 $\overline{FC}=\overline{DE}=12$ cm이므로
$\overline{BC}=18+12=30$(cm)이다.
$\overline{BC} /\!/ \overline{DE}$이므로 $\overline{AE} : \overline{AC}=\overline{DE} : \overline{BC}$에서
$x : (x+12)=12 : 30$, $30x=12x+144$,
$18x=144$, $x=8$이다.

10 $1 : 3=x : 4$에서 $x=\frac{4}{3}$
$2 : 3=y : 3$에서 $y=2$
따라서 $x+y=\frac{4}{3}+2=\frac{10}{3}$

11 $\triangle$ABC에서 $\overline{MN}=\frac{1}{2}\overline{BC}$, $\overline{MN} /\!/ \overline{BC}$이고
$\triangle$DBC에서 $\overline{PQ}=\frac{1}{2}\overline{BC}$, $\overline{PQ} /\!/ \overline{BC}$이므로
$\overline{MN}=\overline{PQ}$, $\overline{MN} /\!/ \overline{PQ}$이다.
또, $\overline{MN}+\overline{PQ}=\frac{1}{2}\overline{BC}+\frac{1}{2}\overline{BC}=\overline{BC}$이다.
따라서 옳지 않은 것은 ②이다.

12 오른쪽 그림과 같이 $\overline{AC}$와 $\overline{BD}$를 그으면
$\triangle$BCA에서 $\overline{AC}=2\overline{PQ}$,
$\triangle$ABD에서 $\overline{BD}=2\overline{PS}$이고
직사각형 PQRS의 둘레의 길이가 12 cm이므로 $2\overline{PQ}+2\overline{PS}=12$(cm)이다.
따라서 $\overline{AC}+\overline{BD}=2\overline{PQ}+2\overline{PS}=12$(cm)이다.

13 두 점 M, N이 각각 $\overline{AB}$, $\overline{DC}$의 중점이므로
$\overline{AD} /\!/ \overline{MN} /\!/ \overline{BC}$이다.
$\triangle$ABC에서 $\overline{AM}=\overline{MB}$이고 $\overline{MF} /\!/ \overline{BC}$이므로
$\overline{AF}=\overline{FC}$이고, $\overline{MF}=\frac{1}{2}\overline{BC}=\frac{1}{2}\times 6=3$(cm)이다.
$\triangle$BDA에서 $\overline{BM}=\overline{MA}$이고 $\overline{ME} /\!/ \overline{AD}$이므로
$\overline{BE}=\overline{ED}$이고, $\overline{ME}=\frac{1}{2}\overline{AD}=\frac{1}{2}\times 2=1$(cm)이다.
따라서 $\overline{EF}=\overline{MF}-\overline{ME}=3-1=2$(cm)

14 $\overline{BM}=\overline{MD}=3$ cm, $\overline{DN}=\overline{NC}=\frac{9}{2}$ cm이므로
$\overline{MN}=\overline{MD}+\overline{DN}=3+\frac{9}{2}=\frac{15}{2}$(cm)이다.
$\triangle$AMN에서 $\overline{AG} : \overline{AM}=\overline{AG'} : \overline{AN}=2 : 3$이므로
$\overline{MN} /\!/ \overline{GG'}$이다.
따라서 $\overline{GG'} : \frac{15}{2}=2 : 3$에서 $\overline{GG'}=5$(cm)이다.

15 $\triangle GBD=\frac{1}{2}\triangle GBC=\frac{1}{2}\times 24=12(\text{cm}^2)$이다.
따라서 $\triangle ABD=3\triangle GBD=3\times 12=36(\text{cm}^2)$이다.

16 겉넓이의 비가 $9 : 16=3^2 : 4^2$이므로
닮음비는 $3 : 4$이고 부피의 비는 $3^3 : 4^3=27 : 64$이다.
따라서 $81 :$ (입체도형 Q의 부피) $=27 : 64$이므로
(입체도형 Q의 부피) $=192(\text{cm}^3)$이다.

17 $\overline{AC}$를 그으면 $\triangle$ACD는 직각삼각형이므로
$\overline{AC}^2=8^2+6^2=100$이다.
또, $\triangle$ABC도 직각삼각형이므로
$\overline{AC}^2=x^2+9^2$이다.
따라서 $100=x^2+9^2$, $x^2=19$이다.

18 피타고라스 정리에 의하여
$\overline{BE}^2=\overline{AB}^2+\overline{AE}^2$, $\overline{CD}^2=\overline{AD}^2+\overline{AC}^2$이므로
$$\begin{aligned}\overline{BE}^2+\overline{CD}^2&=\overline{AB}^2+\overline{AE}^2+\overline{AD}^2+\overline{AC}^2\\&=(\overline{AB}^2+\overline{AC}^2)+(\overline{AD}^2+\overline{AE}^2)\\&=\overline{BC}^2+\overline{DE}^2\end{aligned}$$
따라서 $7^2+6^2=8^2+x^2$, $85=64+x^2$, $x^2=21$이다.

19 직각삼각형 ABC에서
$\overline{BC}^2+\overline{AC}^2=\overline{AB}^2$, $49+\overline{AC}^2=81$, $\overline{AC}^2=32$ cm^{2}이다.
따라서 구하는 정사각형의 넓이는 32 cm^{2}이다.

20 $\square$ABCD$=49$ cm^{2}이므로
$\overline{BC}^2=49$, $\overline{BC}=7$ cm이다.
$\square$ECGF$=25$ cm^{2}이므로
$\overline{CG}^2=25$, $\overline{CG}=5$ cm이다.
따라서 $\triangle$BGF에서
$\overline{BF}^2=\overline{BG}^2+\overline{GF}^2=12^2+5^2=169$,
$\overline{BF}=13$(cm)이다.

21 $\triangle ABC$와 $\triangle BDC$에서

$\angle ABC=\angle BDC=90°$, $\angle C$는 공통이므로

$\triangle ABC \backsim \triangle BDC$(AA 닮음)이다.

$\overline{AC} : \overline{BC} = \overline{AB} : \overline{BD}$에서

$10 : 8 = 6 : \overline{BD}$, $\overline{BD}=\frac{24}{5}$ cm

$\triangle ABC$와 $\triangle DEB$에서

$\angle ABC=\angle DEB=90°$,

$\angle ACB=90°-\angle CBD=\angle DBE$이므로

$\triangle ABC \backsim \triangle DEB$(AA 닮음)이다.

$\overline{AC} : \overline{DB} = \overline{CB} : \overline{BE}$에서

$10 : \frac{24}{5} = 8 : \overline{BE}$, $\overline{BE}=\frac{96}{25}$ cm

채점 기준	배점
$\triangle ABC \backsim \triangle BDC$임을 바르게 설명한 경우	2
$\triangle ABC \backsim \triangle DEB$임을 바르게 설명한 경우	2
$\overline{BE}$의 길이를 바르게 구한 경우	1

22 (1) $\angle C'BD=\angle CBD$(접은 각),

$\angle PDB=\angle CBD$(엇각)이므로

$\angle PBD=\angle PDB$이다.

따라서 $\triangle PBD$는 $\overline{PB}=\overline{PD}$인 이등변삼각형이므로

점 Q는 $\overline{BD}$의 중점이다.

즉, $\overline{BQ}=\frac{1}{2}\overline{BD}=\frac{1}{2}\times 10=5$(cm)이다.

(2) $\triangle PBQ$와 $\triangle DBC'$에서

$\angle PQB=\angle DC'B=90°$, $\angle PBQ=\angle DBC'$이므로

$\triangle PBQ \backsim \triangle DBC'$(AA 닮음)

(3) $\overline{BQ} : \overline{BC'} = \overline{PQ} : \overline{DC'}$에서

$5 : 8 = \overline{PQ} : 6$, $\overline{PQ}=\frac{15}{4}$ cm

채점 기준	배점
$\triangle PBD$가 이등변삼각형임을 바르게 설명한 경우	1
$\overline{BQ}$의 길이를 바르게 구한 경우	1
$\triangle PBQ \backsim \triangle DBC'$임을 바르게 설명한 경우	2
$\overline{PQ}$의 길이를 바르게 구한 경우	2

23 $\triangle CGF=\frac{1}{6}\triangle ABC=\frac{1}{6}\times 120=20(cm^2)$이다.

$\overline{CG} : \overline{GD}=2 : 1$이므로

$\triangle CGF : \triangle DGF=2 : 1$이다.

따라서 $\triangle DGF=\frac{1}{2}\triangle CGF=\frac{1}{2}\times 20=10(cm^2)$이다.

채점 기준	배점
$\triangle CGF$의 넓이를 바르게 구한 경우	2
$\triangle CGF : \triangle DGF$를 바르게 구한 경우	2
$\triangle DGF$의 넓이를 바르게 구한 경우	1

24 $\overline{CO}$, $\overline{DE}$가 $\triangle DBC$의 중선이므로 점 F는 $\triangle DBC$의 무게중심이다.

오른쪽 그림과 같이 $\overline{BF}$를 그으면

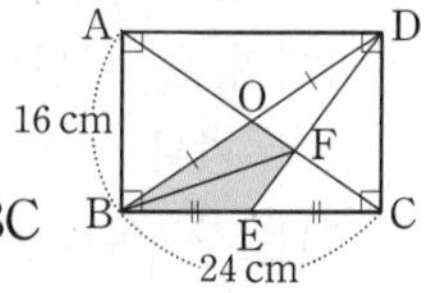

A D O F 16 cm B E C 24 cm

$\square OBEF=\triangle OBF+\triangle FBE$

$=\frac{1}{6}\triangle DBC+\frac{1}{6}\triangle DBC$

$=\frac{1}{3}\triangle DBC$

$=\frac{1}{3}\times\left(\frac{1}{2}\times 24\times 16\right)=64(cm^2)$

채점 기준	배점
점 F가 $\triangle DBC$의 무게중심임을 바르게 설명한 경우	2
$\square OBEF$와 $\triangle DBC$의 넓이 사이의 관계를 바르게 설명한 경우	3
$\square OBEF$의 넓이를 바르게 구한 경우	1

VI. 확률

본문 322~325쪽

01 ③	02 ②	03 ③	04 ⑤	05 ④
06 ⑤	07 ④	08 ⑤	09 ①	10 ③
11 ⑤	12 ①	13 ③	14 ①	15 ②
16 ③	17 ④	18 ⑤	19 ④	20 ④
21 9가지	22 $\frac{7}{16}$	23 $\frac{4}{9}$	24 $\frac{1}{18}$	

01 두 눈의 수의 곱이 3이 되는 경우의 수는 $(1, 3)$, $(3, 1)$의 2이고, 두 눈의 수의 곱이 6이 되는 경우의 수는 $(1, 6)$, $(2, 3)$, $(3, 2)$, $(6, 1)$의 4이므로 구하는 경우의 수는 $2+4=6$이다.

02 a, b의 값이 1부터 6까지이므로 방정식 $2a+3b=24$를 만족시키는 순서쌍 (a, b)는 $(6, 4)$, $(3, 6)$의 2개이다.

03 가위, 바위, 보를 내는 경우를 (대한, 민국, 만세)로 나타낼 때, 비기는 경우는 (가위, 가위, 가위), (바위, 바위, 바위), (보, 보, 보), (가위, 바위, 보), (가위, 보, 바위), (바위, 가위, 보), (바위, 보, 가위), (보, 가위, 바위), (보, 바위, 가위)의 9가지이므로 구하는 경우의 수는 9이다.

04 앞면이 2개, 뒷면이 2개 나오는 경우는 (앞, 앞, 뒤, 뒤), (앞, 뒤, 앞, 뒤), (앞, 뒤, 뒤, 앞), (뒤, 앞, 앞, 뒤), (뒤, 앞, 뒤, 앞), (뒤, 뒤, 앞, 앞)으로 경우의 수는 6이다.

05 민준이는 반드시 회장이 되어야 하므로 나머지 7명의 후보 중에서 부회장 1명과 총무 1명을 뽑으면 된다.
따라서 구하는 경우의 수는 $7\times6=42$이다.

06 홀수이므로 일의 자리의 숫자가 1 또는 3 또는 5이어야 한다.
(i) □1의 꼴: 21, 31, 41, 51의 4개
(ii) □3의 꼴: 13, 23, 43, 53의 4개
(iii) □5의 꼴: 15, 25, 35, 45의 4개
따라서 구하는 홀수는 $4+4+4=12$(개)이다.

07 A, B, C의 순서로 색을 칠하면 A에 칠할 수 있는 색은 4가지, B에 칠할 수 있는 색은 A에 칠한 색을 제외한 3가지, C에 칠할 수 있는 색은 B에 칠한 색을 제외한 3가지이다.
따라서 구하는 경우의 수는 $4\times3\times3=36$이다.

08 서로 다른 두 개의 주사위를 동시에 던질 때, 일어나는 모든 경우의 수는 $6\times6=36$이다. 또한, 두 눈의 수의 합이 3 미만인 경우는 합이 2인 경우 밖에 없으므로 두 눈의 수의 합이 3 미만인 경우의 수는 1이다. 따라서 두 눈의 수의 합이 3 이상이 될 경우의 수는 $36-1=35$이다.

09 현석: 20 이하의 수가 적힌 제비를 뽑을 확률은 $\frac{20}{20}=1$이다.
경민: 불량품이 나오지 않을 확률은 $1-\frac{2}{100}=\frac{49}{50}$이다.
서진: 서로 다른 두 개의 주사위를 동시에 던질 때, 두 눈의 수의 합이 1이 될 확률은 $\frac{0}{36}=0$이다.
따라서 바르게 말한 학생은 현석이다.

10 전체 학생 수는 $5+7+8+10=30$(명)이고, 농구를 선택한 학생 수는 8명이다. 따라서 뽑힌 학생이 농구를 선택했을 확률은 $\frac{8}{30}=\frac{4}{15}$이다.

11 모든 경우의 수는 $6\times6=36$이고, $\frac{x}{y}\geq2$에서 $x\geq2y$이다. 이때 x의 값에 따른 y의 값으로 가능한 수는 다음과 같다.

x	2	3	4	5	6
y	1	1	1, 2	1, 2	1, 2, 3

즉, $\frac{x}{y}\geq2$인 경우의 수는 $1+1+2+2+3=9$이다.
따라서 구하는 확률은 $\frac{9}{36}=\frac{1}{4}$이다.

12 상품을 받는 경우의 수는 $1+4+10+15+30=60$이므로 구하는 확률은 $\frac{60}{400}=\frac{3}{20}$이다.

13 3의 배수는 3, 6의 2개이므로 3의 배수를 가리킬 확률은 $\frac{2}{8}=\frac{1}{4}$이고, 4의 배수는 4, 8의 2개이므로 4의 배수를 가리킬 확률은 $\frac{2}{8}=\frac{1}{4}$이다.
따라서 구하는 확률은 $\frac{1}{4}+\frac{1}{4}=\frac{1}{2}$이다.

14 소수는 2, 3, 5, 7, 11, 13의 6개이므로 소수가 적힌 부분을 맞힐 확률은 $\frac{6}{16}=\frac{3}{8}$이고, 15의 약수는 1, 3, 5, 15의 4개이므로 15의 약수가 적힌 부분을 맞힐 확률은 $\frac{4}{16}=\frac{1}{4}$이다.
따라서 구하는 확률은 $\frac{3}{8}\times\frac{1}{4}=\frac{3}{32}$이다.

15 (적어도 한 개는 당첨 제비가 나올 확률)

$=1-$(2개 모두 당첨 제비가 나오지 않을 확률)

$=1-\dfrac{(20\text{개 중 }2\text{개를 꺼내는 경우의 수})}{(25\text{개 중 }2\text{개를 꺼내는 경우의 수})}$

$=1-\dfrac{20\times19}{25\times24}=1-\dfrac{19}{30}=\dfrac{11}{30}$

16 A 주머니에서 짝수가 적힌 구슬이 나올 확률은 $\dfrac{3}{7}$이고, B 주머니에서 소수가 적힌 구슬이 나올 확률은 $\dfrac{3}{5}$이다.

따라서 구하는 확률은 $\dfrac{3}{7}\times\dfrac{3}{5}=\dfrac{9}{35}$이다.

17 서로 다른 주사위 2개를 던져 모두 6의 약수의 눈이 나올 확률은 $\dfrac{4}{6}\times\dfrac{4}{6}=\dfrac{4}{9}$이고, 동전 1개를 던져 뒷면이 나올 확률은 $\dfrac{1}{2}$이다.

따라서 구하는 확률은 $\dfrac{4}{9}\times\dfrac{1}{2}=\dfrac{2}{9}$이다.

18 활을 한 번 쏘았을 때 명중시킬 확률은 $\dfrac{6}{10}=\dfrac{3}{5}$이다.

따라서 두 번 모두 명중시킬 확률은 $\dfrac{3}{5}\times\dfrac{3}{5}=\dfrac{9}{25}$이다.

19 (전구에 불이 들어오지 않을 확률)

$=1-$(전구에 불이 들어올 확률)

$=1-\dfrac{1}{2}\times\dfrac{3}{4}$

$=1-\dfrac{3}{8}=\dfrac{5}{8}$

20 영미가 한 번만 이기는 경우는 다음과 같다.

(i) 첫 번째에 이기고 두 번째에 지는 경우:

$\dfrac{2}{3}\times\dfrac{1}{3}=\dfrac{2}{9}$

(ii) 첫 번째에 지고 두 번째에 이기는 경우:

$\dfrac{1}{3}\times\dfrac{2}{3}=\dfrac{2}{9}$

따라서 구하는 확률은 $\dfrac{2}{9}+\dfrac{2}{9}=\dfrac{4}{9}$이다.

21 학교에서 도서관까지 최단 거리로 가는 방법은 3가지이고, 도서관에서 집까지 최단 거리로 가는 방법은 3가지이다. 따라서 학교에서 도서관을 거쳐 집으로 가는 방법은 $3\times3=9$(가지)이다.

채점 기준	배점
학교에서 도서관까지 가는 방법의 수를 구한 경우	2
도서관에서 집까지 가는 방법의 수를 구한 경우	2
정답을 바르게 구한 경우	1

22 각 문제를 틀릴 확률은 $1-\dfrac{1}{4}=\dfrac{3}{4}$이므로 두 문제 모두 틀릴 확률은 $\dfrac{3}{4}\times\dfrac{3}{4}=\dfrac{9}{16}$이다.

따라서 적어도 한 문제는 맞힐 확률은

$1-\dfrac{9}{16}=\dfrac{7}{16}$이다.

채점 기준	배점
각 문제를 틀릴 확률을 구한 경우	1
두 문제를 모두 틀릴 확률을 구한 경우	2
정답을 바르게 구한 경우	2

23 지호가 파란 구슬을 꺼내는 경우는 다음과 같다.

(i) 승준이가 파란 구슬을 꺼내고, 지호가 파란 구슬을 꺼내는 경우: $\dfrac{4}{9}\times\dfrac{3}{8}=\dfrac{1}{6}$

(ii) 승준이가 빨간 구슬을 꺼내고, 지호가 파란 구슬을 꺼내는 경우: $\dfrac{5}{9}\times\dfrac{4}{8}=\dfrac{5}{18}$

따라서 구하는 확률은 $\dfrac{1}{6}+\dfrac{5}{18}=\dfrac{8}{18}=\dfrac{4}{9}$이다.

채점 기준	배점
승준이가 파란 구슬을 꺼내고, 지호가 파란 구슬을 꺼낼 확률을 구한 경우	2
승준이가 빨간 구슬을 꺼내고, 지호가 파란 구슬을 꺼낼 확률을 구한 경우	2
정답을 바르게 구한 경우	2

24 (i) 점 P가 점 A에 놓이려면 주사위의 눈이 4가 나와야 하므로 첫 번째에 점 A에 놓일 확률은 $\dfrac{1}{6}$이다.

(ii) 점 A에 놓인 점 P가 점 C에 놓이려면 주사위의 눈이 2 또는 6이 나와야 하므로 두 번째에 점 C에 놓일 확률은 $\dfrac{2}{6}=\dfrac{1}{3}$이다.

따라서 구하는 확률은 $\dfrac{1}{6}\times\dfrac{1}{3}=\dfrac{1}{18}$이다.

채점 기준	배점
점 P가 점 A에 놓일 확률을 구한 경우	2
점 P가 점 C에 놓일 확률을 구한 경우	2
정답을 바르게 구한 경우	2

실전 테스트 1회

본문 326~329쪽

01 ⑤	02 ②	03 ③	04 ③	05 ⑤
06 ④	07 ②	08 ④	09 ①	10 ⑤
11 ③	12 ②	13 ①, ⑤	14 ③, ⑤	15 ②
16 ②	17 ②	18 ④	19 ④	20 ④
21 3	22 66	23 (1) 서하: $\frac{17}{90}$, 한준: $\frac{9}{11}$ (2) $1.\dot{5}\dot{4}$		

24 (1) $60000+5000x<40000+7000x$ (2) 11개월 후

25 (1) $6000x+1200(10-x)\leq 54000$ (2) 8개

01 ② $\frac{26}{18}=\frac{13}{9}=\frac{13}{3^2}$

③ $\frac{20}{9}=\frac{20}{3^2}$

⑤ $\frac{9}{2\times5\times3}=\frac{3}{2\times5}$

이므로 분모의 소인수가 2나 5뿐인 $\frac{9}{2\times5\times3}$는 유한소수로 나타낼 수 있다. 따라서 정답은 ⑤이다.

02 ㉠: 1000 ㉢: 990 ㉣: 1261 ㉤: $\frac{1261}{990}$

03 $\frac{11}{280}\times n=\frac{11}{2^3\times5\times7}\times n$이므로 유한소수가 되려면 n은 7의 배수여야 한다. 따라서 가장 작은 자연수는 7이다.

04 ① $0.8\dot{3}=\frac{83-8}{90}=\frac{75}{90}=\frac{5}{6}$

② $1.\dot{3}=\frac{13-1}{9}=\frac{12}{9}=\frac{4}{3}$

③ $0.\dot{6}2\dot{1}=\frac{621}{999}=\frac{23}{37}$

④ $6.0\dot{7}=\frac{607-60}{90}=\frac{547}{90}$

⑤ $0.3=\frac{3}{10}$

05 $0.\dot{6}=\frac{6}{9}=\frac{2}{3}$, $0.\dot{1}=\frac{1}{9}$

따라서 $a=2$, $b=9$이므로 $a+b=2+9=11$

06 $A\times0.\dot{3}=A\times0.3+0.03$

$\frac{1}{3}A=\frac{3}{10}A+\frac{3}{100}$, $\frac{1}{30}A=\frac{3}{100}$

$A=\frac{3}{100}\times30=\frac{9}{10}=0.9$

07 ① $a^2\times a^3=a^5$

③ $y^2\div y^2=1$

④ $(a^2)^4=a^8$

⑤ $(ab)^3=a^3b^3$

08 ① $2ab\times5a=10a^2b$

② $-27a^3b\div(-9a)=3a^2b$

③ $-8x\times(-2y^3)=16xy^3$

④ $(-5a^3b^4)^2\div5ab^5=25a^6b^8\div5ab^5=5a^5b^3$

⑤ $(-2x)^2\times5x^3y=4x^2\times5x^3y=20x^5y$

09 $3(x^2+2x+4)-(4x^2-3x+5)$

$=3x^2+6x+12-4x^2+3x-5$

$=-x^2+9x+7$

10 겉표지 전체는 직사각형이므로 넓이는

$a(2b+1)=2ab+a(\text{cm}^2)$

11 $\frac{4a^2+2ab}{2a}-\frac{6b^2+9ab}{3b}$

$=(2a+b)-(2b+3a)$

$=2a+b-2b-3a$

$=-a-b=-(-3)-5=-2$

12 $2^n\times3^n=(2\times3)^n=6^n$이므로 $A=6$

$5^{n+2}=5^n\times5^2$이므로 $B=25$

따라서 $A+B=6+25=31$

13 주어진 부등식의 우변의 항을 모두 좌변으로 이항하여 정리하면

① $2x-4>0$ ② $0\times x\geq0$

③ $x^2-9\leq0$ ④ $xy-1\leq0$

⑤ $2x+1>0$

따라서 일차부등식은 ①, ⑤이다.

14 ① $a>b$의 양변에 3을 곱하면 $3a>3b$

또, 양변에 1을 더하면 $3a+1>3b+1$

② $a>b$의 양변에서 1을 빼면 $a-1>b-1$

또, 양변을 3으로 나누면 $\frac{a-1}{3}>\frac{b-1}{3}$

③ $a>b$의 양변을 3으로 나누면 $\frac{a}{3}>\frac{b}{3}$

또, 양변에서 1을 빼면 $\frac{a}{3}-1>\frac{b}{3}-1$

④ $a>b$의 양변을 -3으로 나누면 $-\frac{a}{3}<-\frac{b}{3}$

또, 양변에서 1을 빼면 $-\frac{a}{3}-1<-\frac{b}{3}-1$

⑤ $a>b$의 양변에 -3을 곱하면 $-3a<-3b$

또, 양변에 1을 더하면 $-3a+1<-3b+1$

15 양변에 15를 곱하면 $5x+45\geq24x-9$

$5x-24x\geq-9-45$, $-19x\geq-54$, $x\leq\frac{54}{19}$

따라서 부등식을 만족시키는 자연수 x는 1, 2의 2개이다.

16 괄호를 풀면 $\frac{5}{4}x-\frac{5}{4}a\leq\frac{5}{2}x+5$

양변에 4를 곱하면 $5x-5a\leq10x+20$

$5x-10x\leq5a+20$

$-5x\leq5a+20$

$x\geq-a-4$

즉, $-a-4=3$이므로 $a=-7$

17 양변에 30을 곱하면 $5x-15>18x-42$

$5x-18x>-42+15$, $-13x>-27$, $x<\frac{27}{13}$

따라서 부등식을 만족시키는 가장 큰 정수는 2이다.

18 $4x+7\geq2x+5$에서 $2x\geq-2$, $x\geq-1$

따라서 해를 수직선 위에 나타내면 다음과 같다.

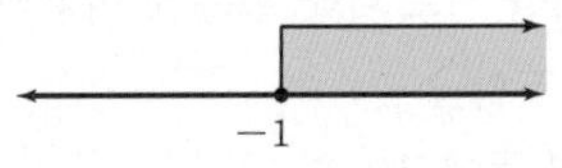

19 연속된 세 자연수를 $x-1$, x, $x+1$이라고 하면

$(x-1)+x+(x+1)>37$, $3x>37$, $x>\frac{37}{3}$

따라서 합이 가장 작은 세 자연수는 12, 13, 14이고, 그 중 가장 작은 자연수는 12이다.

이때 세 자연수의 합은 $12+13+14=39>37$이므로 구한 해는 문제의 뜻에 맞는다.

20 (i) $0.3(x-1)+0.2\geq-0.2(1-2x)$의 양변에 10을 곱하면

$3(x-1)+2\geq-2(1-2x)$

$3x-3+2\geq-2+4x$

$-x\geq-1$

$x\leq1$

(ii) $\frac{2x+a}{3}\leq2-x$의 양변에 3을 곱하면

$2x+a\leq3(2-x)$, $2x+a\leq6-3x$

$5x\leq6-a$, $x\leq\frac{6-a}{5}$

(i), (ii)의 해가 같으므로

$\frac{6-a}{5}=1$, $6-a=5$, $-a=-1$, $a=1$

21 $\frac{10}{27}=0.\dot{3}7\dot{0}$이므로 순환마디 370의 3개의 숫자가 반복된다. 이때 $37=3\times12+1$이므로 소수점 아래 37번째 자리의 숫자는 3이다.

22 $1.8\dot{3}=\frac{165}{90}=\frac{11}{6}$에 자연수를 곱하여 어떤 자연수의 제곱이 되게 하려면 곱해야 할 자연수는 6의 배수와 11의 배수의 공배수, 즉 66의 배수이다.

따라서 구하는 가장 작은 자연수는 66이다.

23 (1) $0.1\dot{8}=\frac{17}{90}$, $0.\dot{8}\dot{1}=\frac{81}{99}=\frac{9}{11}$이므로

서하와 한준이가 잘못 본 기약분수는 각각 $\frac{17}{90}$, $\frac{9}{11}$이다.

(2) $\frac{17}{90}$에서 서하는 분자를 제대로 보았으므로

처음 기약분수의 분자는 17이다.

$\frac{9}{11}$에서 한준이는 분모를 제대로 보았으므로

처음 기약분수의 분모는 11이다.

즉, 처음에 주어진 기약분수는 $\frac{17}{11}$이고, 이것을 소수로 나타내면 $\frac{17}{11}=1.\dot{5}\dot{4}$

24 (1) x개월 후라고 하면

$60000+5000x<40000+7000x$

(2) 부등식을 풀면

$60+5x<40+7x$, $-2x<-20$, $x>10$

따라서 11개월 후부터 동생이 예금한 돈이 언니가 예금한 돈보다 많아진다.

11개월 후, 언니가 예금한 돈은

$60000+5000\times11=115000$(원)이고,

동생이 예금한 돈은

$40000+7000\times11=117000$(원)이므로

$115000<117000$이다.

즉, 구한 해는 문제의 뜻에 맞는다.

25 (1) 모자의 개수를 x라고 하면 손수건의 개수는 $(10-x)$이므로

$6000x+1200(10-x)\leq54000$

(2) 괄호를 풀면 $6000x+12000-1200x\leq54000$

$4800x+12000\leq54000$, $4800x\leq42000$

$x\leq\frac{42000}{4800}$, $x\leq\frac{35}{4}$

따라서 모자는 최대 8개까지 살 수 있다.

이때 전체 가격이 $8\times6000+2\times1200=50400$(원)이므로 구한 해는 문제의 뜻에 맞는다.

실전 테스트 2회

본문 330~333쪽

01 ④	02 ③	03 ②	04 ②	05 ④
06 ③	07 25	08 ③	09 ⑤	10 ③
11 ②	12 ④	13 ③	14 ③	15 ②
16 ③	17 ②	18 ③	19 ②	20 ③

21 (1) 풀이 참조 (2) 24일　22 어른: 105명, 어린이: 95명

23 (1) 27 (2) $\frac{9}{2}$ (3) $\frac{2}{3}$　24 (1) $y=10+1.5x$ (2) 32분 후

25 5시간 50분

01 $x=3$, $y=2$를 각 일차방정식에 대입하면

$3a+2=8$에서 $3a=6$, $a=2$

$3-2b=5$에서 $-2b=2$, $b=-1$

따라서 $a+b=2+(-1)=1$

02 $x-y=3$에서 $-y=-x+3$

따라서 $y=x-3$

03 $\begin{cases} \frac{1}{3}(x-y)+2y=-7 & \cdots\cdots ① \\ x-0.5(3x-2y)=-7 & \cdots\cdots ② \end{cases}$

①의 양변에 3을 곱하고, ②의 양변에 10을 곱하면

$\begin{cases} x-y+6y=-21 \\ 10x-5(3x-2y)=-70 \end{cases}$

즉, $\begin{cases} x+5y=-21 & \cdots\cdots ③ \\ -x+2y=-14 & \cdots\cdots ④ \end{cases}$

③과 ④를 변끼리 더하면 $7y=-35$, $y=-5$

$y=-5$를 ③에 대입하면 $x-25=-21$, $x=4$

따라서 $a=4$, $b=-5$이므로

$a+b=4+(-5)=-1$

04 각 연립방정식에 $x=1$, $y=2$를 대입하면

① $\begin{cases} 1+2=3\neq 4 \\ 1-2=-1\neq 2 \end{cases}$ 이므로 해가 아니다.

② $\begin{cases} 1+2\times 2=5 \\ 2\times 1+3\times 2=8 \end{cases}$ 이므로 해이다.

③ $\begin{cases} 2\times 1+2=4 \\ 1+2=3\neq 0 \end{cases}$ 이므로 해가 아니다.

④ $\begin{cases} 3\times 1+2\times 2=7\neq 8 \\ 2=1+1 \end{cases}$ 이므로 해가 아니다.

⑤ $\begin{cases} 1+2=3\neq 8 \\ 2\times 1+2=4\neq 11 \end{cases}$ 이므로 해가 아니다.

05 $2x-3y=4$에 $x=-1$을 대입하면

$-2-3y=4$, $y=-2$

$ax+5y=-14$에 $x=-1$, $y=-2$를 대입하면

$-a-10=-14$, $a=4$

06 y를 없애기 위해 두 식의 y의 계수를 같게 만들어 계산해야 한다.

따라서 ㉠에 2를 곱하고 ㉡에 3을 곱하여 변끼리 빼어야 한다. 즉, ㉠$\times 2-$㉡$\times 3$이다.

07 십의 자리의 숫자와 일의 자리의 숫자를 각각 x, y라고 하면

$\begin{cases} x+y=7 \\ 10y+x=10x+y+27 \end{cases}$ 이므로 $\begin{cases} x+y=7 \\ -x+y=3 \end{cases}$

연립방정식을 풀면 $x=2$, $y=5$

따라서 처음 수는 25이다.

이때 각 자리의 숫자의 합은 $2+5=7$이고, 십의 자리의 숫자와 일의 자리의 숫자를 서로 바꾼 수는 52이고 이는 처음 수 25보다 27만큼 크다.

따라서 구한 해는 문제의 뜻에 맞는다.

08 현재 삼촌의 나이를 x살, 동생의 나이를 y살이라고 하면

$\begin{cases} x+y=28 \\ x+3=2(y+3)+4 \end{cases}$ 이므로 $\begin{cases} x+y=28 & \cdots\cdots ① \\ x-2y=7 & \cdots\cdots ② \end{cases}$

①에서 ②를 변끼리 빼면 $3y=21$, $y=7$

$y=7$을 ①에 대입하면

$x+7=28$, $x=21$

따라서 현재 동생의 나이는 7살이다.

이때 현재 삼촌과 동생의 나이의 합은 $21+7=28$(살)이고, 3년 뒤 삼촌의 나이는 24살, 동생의 나이는 10살이므로 $24=2\times 10+4$로 구한 해는 문제의 뜻에 맞는다.

09 연주 시간이 4분짜리인 곡을 x곡, 연주 시간이 5분짜리인 곡을 y곡이라고 하면 총 7곡이므로 곡과 곡 사이의 쉬는 시간은 모두 $6\times 10=60$(초)$=1$(분)이다.

$\begin{cases} x+y=7 \\ 4x+5y=31-1 \end{cases}$ 이므로 $\begin{cases} x+y=7 & \cdots\cdots ① \\ 4x+5y=30 & \cdots\cdots ② \end{cases}$

①의 양변에 4를 곱한 식을 ②와 변끼리 빼면

$-y=-2$, $y=2$

$y=2$를 ①에 대입하면

$x+2=7$, $x=5$

따라서 연주 시간이 4분짜리인 곡은 5곡이다.

이때 총 곡 수는 $5+2=7$이고, 첫 곡부터 마지막 곡까지 듣는 데 $4\times 5+5\times 2+1=31$(분)이 걸리므로 구한 해는 문제의 뜻에 맞는다.

10 $f(-3)=\frac{1}{3}\times(-3)+2=1$

11 구하는 일차함수의 식을 $y=ax+b$라고 하자.
$y=-3x+5$의 그래프와 평행하므로 $a=-3$
$y=-3x+b$로 놓으면 점 $(1,\ 4)$를 지나므로
$4=-3+b,\ b=7$
따라서 구하는 일차함수의 식은 $y=-3x+7$

12 점 $(0,\ -3)$을 지나고 x축에 평행한 직선은 $y=-3$
④ $4y+12=0,\ y=-3$

13 주어진 일차함수의 그래프의 기울기는 $\frac{1}{2}$이므로
구하는 그래프는 ③이다.

14 ① 원점을 지나지 않고 점 $(0,\ 9)$를 지난다.
② x의 값이 증가하면 y의 값은 감소한다.
④ x절편은 3이다.
⑤ $y=-3x$의 그래프를 평행이동한 것이다.

15 주어진 그래프는 두 점 $(3,\ 0)$, $(0,\ 2)$를 지나므로
$(\text{기울기})=\frac{2-0}{0-3}=-\frac{2}{3}$이고 y절편은 2이다.
따라서 구하는 일차함수의 식은 $y=-\frac{2}{3}x+2$이다.

16 10분에 30 L 물을 넣고, 20 L 물을 빼므로 10분에 10 L씩 물이 채워진다. 즉, 1분에 1 L씩 채워지므로 물의 양을 y L, 시간을 x분이라고 하면
$y=x+20,\ 50=x+20,\ x=30$
따라서 30분 후에 물통을 가득 채울 수 있다.

17 물을 x분 동안 데울(식힐) 때의 물의 온도를 y ℃라고 하면 물을 데울 때는 $y=2x+25$이므로
$y=75$를 대입하면 $75=2x+25,\ x=25$
즉, 물을 75 ℃까지 데우는 데 걸리는 시간은 25분이다.
또, 물을 식힐 때는 $y=-\frac{5}{3}x+75$이므로
$y=60$을 대입하면 $60=-\frac{5}{3}x+75,\ x=9$
즉, 물을 60 ℃까지 식히는 데 걸리는 시간은 9분이다.
따라서 전체 소요 시간은 $25+9=34$(분)이다.

18 직선 l의 기울기는 $\frac{-2}{2}=-1$이므로
구하는 일차함수의 식을 $y=-x+b$라고 하자.
직선 m의 기울기는 $\frac{1}{3}$이므로
직선 m의 식을 $y=\frac{1}{3}x+b$라고 하자.
점 $(-2,\ 0)$을 대입하면
$0=-\frac{2}{3}+b,\ b=\frac{2}{3}$
즉, 직선 m의 식은 $y=\frac{1}{3}x+\frac{2}{3}$
따라서 구하는 일차함수의 식은 $y=-x+\frac{2}{3}$

19 두 직선의 교점의 x좌표가 3이므로
$x=3$을 $x+y=5$에 대입하면
$3+y=5,\ y=2$
즉, 교점의 좌표는 $(3,\ 2)$이다.
따라서 $x=3,\ y=2$를 $ax-y=4$에 대입하면
$3a-2=4,\ 3a=6,\ a=2$

20 연립방정식 $\begin{cases} 2x-3y=16 \\ 4x+5y=-12 \end{cases}$를 풀면
$x=2,\ y=-4$이다.
따라서 구하는 직선은 점 $(2,\ -4)$를 지나고 x축에 평행하므로 $y=-4$이다.

21 (1) 민서가 하루에 하는 일의 양을 x, 태훈이가 하루에 하는 일의 양을 y, 전체 일의 양을 1이라고 하면
$\begin{cases} 8(x+y)=1 & \cdots\cdots ① \\ 4x+10y=1 & \cdots\cdots ② \end{cases}$
(2) ①의 괄호를 풀면 $8x+8y=1$ $\cdots\cdots$ ③
②의 양변에 2를 곱한 식에서 ③을 변끼리 빼면
$12y=1,\ y=\frac{1}{12}$
$y=\frac{1}{12}$을 ③에 대입하면
$8x+8\times\frac{1}{12}=1,\ 8x=\frac{1}{3},\ x=\frac{1}{24}$
따라서 민서가 혼자서 이 일을 한다면 24일이 걸린다.

22 입장한 어른을 x명, 어린이를 y명이라고 하면

$\begin{cases} x+y=200 \\ 500x+300y=81000 \end{cases}$ 이므로

$\begin{cases} x+y=200 & \cdots\cdots ① \\ 5x+3y=810 & \cdots\cdots ② \end{cases}$

①의 양변에 5를 곱한 식에서 ②를 변끼리 빼면

$2y=190$, $y=95$

$y=95$를 ①에 대입하면 $x+95=200$, $x=105$

따라서 입장한 어른은 105명, 어린이는 95명이다.

이때 팔린 입장권은 $105+95=200$(장)이고, 입장료의 합계는 $500\times105+300\times95=81000$(원)이므로 구한 해는 문제의 뜻에 맞는다.

23 (1) $A(9, 0)$, $B(0, 6)$이므로

$\triangle BOA=\frac{1}{2}\times9\times6=27$

(2) $C(t, at)$라고 하면

$\triangle BOC=\frac{1}{2}\times6\times t=\frac{27}{2}$

따라서 $t=\frac{9}{2}$

(3) 점 C는 $y=-\frac{2}{3}x+6$의 그래프 위의 점이므로

$at=-\frac{2}{3}\times t+6$

$t=\frac{9}{2}$를 대입하면

$\frac{9}{2}a=-3+6$, $\frac{9}{2}a=3$, $a=\frac{2}{3}$

24 (1) 5분마다 7.5 L의 물이 들어가므로 1분마다 1.5 L의 물이 들어간다.

즉, x분 후에는 $1.5x$ L의 물이 들어가므로

$y=10+1.5x$

(2) $y=58$을 대입하면

$58=10+1.5x$, $x=32$

따라서 물의 양이 58 L가 되는 것은 물을 넣기 시작한지 32분 후이다.

25 x시간 달린 후 남은 거리를 y km라고 하면

$y=350-60x$

$y=0$을 대입하면 $0=350-60x$, $60x=350$

$x=\frac{35}{6}$

따라서 외할머니 댁에 도착하는 데 $\frac{35}{6}$시간, 즉 5시간 50분이 걸린다.

실전 테스트 3회

본문 334~337쪽

01 ③	02 ④	03 ①	04 ②	05 ④
06 ②, ⑤	07 ④	08 ⑤	09 ④	10 ④
11 ③	12 ②	13 ④	14 ③	15 ①, ⑤
16 ④	17 ①	18 ②	19 ②	20 ⑤

21 (1) 36° (2) 7 cm (3) $(2a+21)$ cm

22 (1) 20 cm (2) 30 cm² 23 50 cm²

24 4 cm² 25 (1) △ABC∽△DBE (2) 6

01 $\angle CAD=\angle ABC+\angle ACB=40°+40°=80°$

$\triangle CAD$에서 $\angle CDA=\angle CAD=80°$

따라서 $\angle x=180°-\angle CDA=180°-80°=100°$

02 $\overline{AB}=\overline{AC}$이므로

$\angle B=\angle C=\frac{1}{2}\times(180°-52°)=64°$

$\triangle DBE$와 $\triangle ECF$에서

$\overline{DB}=\overline{EC}$, $\overline{BE}=\overline{CF}$, $\angle B=\angle C$이므로

$\triangle DBE\equiv\triangle ECF$(SAS 합동)

따라서 $\angle DEB=\angle EFC$, $\angle BDE=\angle CEF$이므로

$\angle DEF=\angle B=64°$

또, $\overline{DE}=\overline{EF}$이므로 $\triangle DEF$는 이등변삼각형이다.

따라서 $\angle FDE=\frac{1}{2}\times(180°-64°)=58°$

03 $\triangle ADB$와 $\triangle BEC$에서

$\angle D=\angle E=90°$ ······ ①

$\overline{AB}=\overline{BC}$ ······ ②

$\angle DAB+\angle DBA=90°$,

$\angle DBA+\angle EBC=90°$이므로

$\angle DAB=\angle EBC$ ······ ③

①, ②, ③에서 $\triangle ADB\equiv\triangle BEC$이다.

즉, $\overline{DE}=\overline{DB}+\overline{BE}=\overline{EC}+\overline{AD}=6$(cm)

따라서 $\triangle ABC=\square ADEC-2\times\triangle ADB$

$=\frac{1}{2}\times(4+2)\times6-2\times\frac{1}{2}\times2\times4$

$=10(cm^2)$

04 점 D에서 $\overline{AB}$에 내린 수선의 발을 E라고 하면 두 직각삼각형 ACD와 AED에 대하여 빗변의 길이가 같고 한 예각의 크기가 같으므로 $\triangle ACD\equiv\triangle AED$이다.

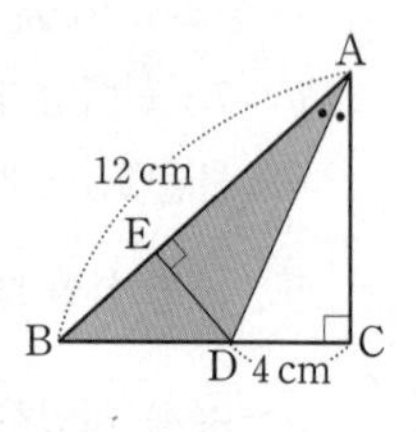

따라서 $\overline{DE}=\overline{DC}=4$ cm이므로

$\triangle ABD=\frac{1}{2}\times12\times4=24(cm^2)$

05 점 O가 $\triangle ABC$의 외심이므로 $\overline{OA}=\overline{OB}=\overline{OC}$이다.
$\angle OAB=\angle OBA=\angle x$,
$\angle OBC=\angle OCB=30^\circ$, $\angle OCA=\angle OAC=25^\circ$
$\triangle ABC$의 세 내각의 크기의 합은 180°이므로
$2\times(\angle x+30^\circ+25^\circ)=180^\circ$, $\angle x+55^\circ=90^\circ$,
$\angle x=35^\circ$

06 삼각형의 외심은 삼각형의 세 변의 수직이등분선의 교점으로 외심에서 삼각형의 세 꼭짓점에 이르는 거리는 같다.
따라서 외심을 바르게 나타낸 것은 ②, ⑤이다.

07 $2\times(\angle a+\angle b)=180^\circ-70^\circ$
$=110^\circ$
$\angle a+\angle b=55^\circ$
따라서 $\triangle IBC$에서
$\angle x=180^\circ-55^\circ=125^\circ$

08 평행사변형의 대변의 길이는 각각 같으므로 $x=10$이고, 평행사변형의 두 대각선은 서로 다른 것을 이등분하므로 $y=6$이다.
따라서 $x+y=10+6=16$이다.

09 $\angle A+\angle B=180^\circ$이므로 $\angle B=180^\circ\times\frac{4}{9}=80^\circ$
따라서 $\angle D=\angle B=80^\circ$

10 ① 두 쌍의 대변이 각각 서로 평행하므로 □ABCD는 평행사변형이다.
② 두 쌍의 대각의 크기가 각각 같으므로 □ABCD는 평행사변형이다.
③ 한 쌍의 대변이 서로 평행하고, 그 길이가 같으므로 □ABCD는 평행사변형이다.
⑤ $\angle A+\angle B=180^\circ$이므로 $\overline{AD}/\!/\overline{BC}$이다.
즉, 한 쌍의 대변이 서로 평행하고, 그 길이가 같으므로 □ABCD는 평행사변형이다.

11 직사각형 ABCD의 두 대각선은 길이가 서로 같고, 서로 다른 것을 이등분하므로 $\triangle OCD$는 $\overline{OC}=\overline{OD}$인 이등변삼각형이다.
따라서 $\angle ODC=\angle OCD=65^\circ$이므로
$\angle x=90^\circ-65^\circ=25^\circ$이다.

12 마름모 ABCD의 두 대각선은 서로 다른 것을 수직이등분하므로 $\overline{AO}=6$ cm, $\overline{BO}=9$ cm, $\angle AOB=90^\circ$이다.
따라서 $\triangle ABO=\frac{1}{2}\times9\times6=27(\text{cm}^2)$

13 $\triangle AED$와 $\triangle CED$에서
$\overline{AD}=\overline{CD}$, $\angle ADE=\angle CDE=45^\circ$, $\overline{DE}$는 공통이므로 $\triangle AED\equiv\triangle CED$(SAS 합동)
따라서 $\angle ECD=\angle EAD=30^\circ$이므로
$\angle BEC=\angle ECD+\angle CDE$
$=30^\circ+45^\circ=75^\circ$

14 두 대각선이 서로 다른 것을 이등분하는 사각형은 평행사변형, 직사각형, 마름모, 정사각형이므로 $x=4$
두 대각선의 길이가 서로 같은 사각형은 직사각형, 정사각형, 등변사다리꼴이므로 $y=3$
두 대각선이 서로 수직으로 만나는 사각형은 마름모, 정사각형이므로 $z=2$
따라서 $x-y+z=4-3+2=3$

15 ① 한 원을 일정한 비율로 확대 또는 축소하면 다른 한 원과 합동이 된다. 따라서 두 원은 항상 닮음인 도형이다.
⑤ 한 직각이등변삼각형을 일정한 비율로 확대 또는 축소하면 다른 한 직각이등변삼각형과 합동이 된다. 따라서 두 직각이등변삼각형은 항상 닮음인 도형이다.

16 ① $\angle D$의 대응각은 $\angle A$이다.
② $\angle E=\angle B=75^\circ$
③ $\overline{AB}:\overline{DE}=\overline{AC}:\overline{DF}$이므로
$\overline{AB}:6=3:9$, $\overline{AB}=2(\text{cm})$
④ 닮음비는 $\overline{AC}:\overline{DF}=3:9=1:3$이다.
⑤ 변 BC의 대응변은 변 EF이다.

17 두 원기둥의 닮음비는 높이의 비와 같으므로
$9:12=3:4$이다.
큰 원기둥의 밑면의 반지름의 길이를 r cm라고 하면
$3:r=3:4$, $r=4$
따라서 큰 원기둥의 밑면의 둘레의 길이는
$2\times\pi\times4=8\pi(\text{cm})$

18 $\triangle ABC$와 $\triangle ACD$에서
$\angle B=\angle ACD$, $\angle A$는 공통이므로
$\triangle ABC\backsim\triangle ACD$(AA 닮음)이다.
$\overline{AB}:\overline{AC}=\overline{AC}:\overline{AD}$에서
$\overline{AB}:6=6:3$, $\overline{AB}=12(\text{cm})$
따라서 $\overline{BD}=\overline{AB}-\overline{AD}=12-3=9(\text{cm})$이다.

19 $\triangle ACD$와 $\triangle BCE$에서
$\angle C$는 공통, $\angle ADC=\angle BEC=90°$이므로
$\triangle ACD \backsim \triangle BCE$(AA 닮음)이다.
$\overline{AC}:\overline{BC}=\overline{CD}:\overline{CE}$에서
$8:(\overline{BD}+4)=4:5$, $\overline{BD}=6$(cm)

20 $\triangle ABC \backsim \triangle HBA$(AA 닮음)이므로
$\overline{AB}:\overline{HB}=\overline{BC}:\overline{BA}$에서
$8:4=(x+4):8$, $x=12$

21 (1) $\angle ABC=\angle ACB=\frac{1}{2}\times(180°-36°)=72°$
$\overline{BD}$는 $\angle B$의 이등분선이므로
$\angle DBC=\frac{1}{2}\times 72°=36°$이다.
(2) $\angle ABD=\angle BAD=36°$이므로
$\triangle ABD$는 이등변삼각형이다.
$\angle CDB=36°+36°=72°$
즉, $\angle BCD=\angle CDB=72°$이므로
$\triangle BCD$는 이등변삼각형이다.
따라서 $\overline{AD}=\overline{BD}=\overline{BC}=7$ cm이다.
(3) $\triangle ABC$는 이등변삼각형이므로
$\overline{AB}=\overline{AC}=a+7$(cm)
따라서 $\triangle ABC$의 둘레의 길이는
$(a+7)+(a+7)+7=2a+21$(cm)이다.

22 (1) 점 I는 내심이고 $\overline{DE}/\!/\overline{BC}$이므로
$\angle DBI=\angle CBI=\angle DIB$
즉, $\overline{DB}=\overline{DI}$
같은 방법으로 하면
$\overline{EC}=\overline{EI}$
따라서 $\triangle ADE$의 둘레의 길이는

A
11 cm
9 cm
D
I
E
B
C

$$\begin{aligned}\overline{AD}+\overline{DE}+\overline{AE}&=\overline{AD}+\overline{DI}+\overline{EI}+\overline{AE}\\&=\overline{AD}+\overline{DB}+\overline{EC}+\overline{AE}\\&=\overline{AB}+\overline{AC}\\&=11+9=20\text{(cm)}\end{aligned}$$

(2) $\triangle ADE$의 내접원의 반지름의 길이가 3 cm이므로

$$\begin{aligned}\triangle ADE&=\frac{1}{2}\times 3\times(\overline{AD}+\overline{DE}+\overline{AE})\\&=\frac{1}{2}\times 3\times 20=30\text{(cm}^2\text{)}\end{aligned}$$

23 $\triangle AOE$와 $\triangle COF$에서
$\overline{AO}=\overline{CO}$, $\angle EAO=\angle FCO$(엇각),
$\angle AOE=\angle COF$이므로
$\triangle AOE \equiv \triangle COF$(ASA 합동)

$$\begin{aligned}\triangle BOE+\triangle COF&=\triangle BOE+\triangle AOE\\&=\triangle ABO\\&=\frac{1}{4}\square ABCD\\&=\frac{1}{4}\times 200=50\text{(cm}^2\text{)}\end{aligned}$$

24 $\overline{BO}:\overline{OD}=3:1$이므로 $\triangle OBC:\triangle ODC=3:1$
$12:\triangle ODC=3:1$, $\triangle ODC=4$(cm^2)
$\overline{AD}/\!/\overline{BC}$인 사다리꼴 ABCD에서
$\triangle ABC=\triangle DBC$이므로

$$\begin{aligned}\triangle OAB&=\triangle ABC-\triangle OBC\\&=\triangle DBC-\triangle OBC\\&=\triangle ODC=4\text{(cm}^2\text{)}\end{aligned}$$

25 (1) $\triangle ABC$와 $\triangle DBE$에서
$\overline{AB}:\overline{DB}=12:8=3:2$,
$\overline{BC}:\overline{BE}=9:6=3:2$,
$\angle B$는 공통이므로
$\triangle ABC \backsim \triangle DBE$(SAS 닮음)
(2) $\triangle ABC$와 $\triangle DBE$의 닮음비가 $3:2$이므로
$3:2=\overline{AC}:\overline{DE}$
$3:2=x:4$
따라서 $x=6$이다.

실전 테스트 4회

본문 338~341쪽

01 ③	02 ③	03 ④	04 ⑤	05 ①
06 ④	07 ⑤	08 ⑤	09 ③	10 ②
11 ④	12 ①	13 ②	14 ①	15 ④
16 ⑤	17 ③	18 ④	19 ①	20 ④

21 (1) 4 : 9 (2) $\frac{40}{9}$　22 (1) 4 : 1 (2) 8 cm^2 (3) 10 cm^2

23 27　24 풀이 참조

25 (1) $\frac{5}{9}$ (2) $\frac{3}{8}$ (3) $\frac{5}{24}$

01 $12:8=15:x$에서 $12x=120$, $x=10$이다.

02 $\overline{AD}:\overline{BD}=\overline{AE}:\overline{CE}$에서

$2:8=x:5$, $8x=10$, $x=\frac{5}{4}$이다.

03 오른쪽 그림과 같이 보조선을 그으면

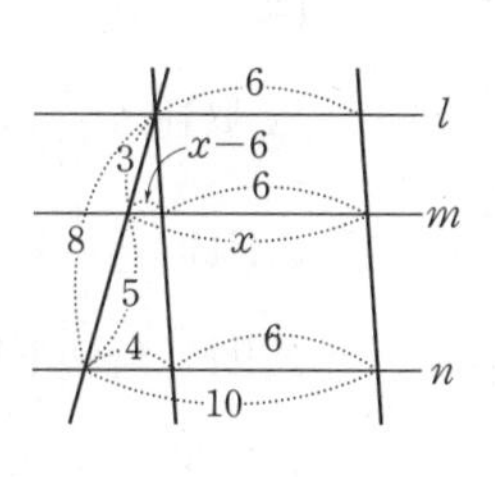

$3:8=(x-6):4$

$8x-48=12$, $8x=60$

따라서 $x=\frac{15}{2}$이다.

04 $\triangle ABC$에서 $\overline{MN}=\frac{1}{2}\overline{BC}$이므로 $x=\frac{1}{2}\times 21=\frac{21}{2}$

$\triangle DBC$에서 $\overline{PQ}=\frac{1}{2}\overline{BC}$이므로 $y=\frac{1}{2}\times 21=\frac{21}{2}$

따라서 $x+y=\frac{21}{2}+\frac{21}{2}=21$

05 $\overline{AG}:\overline{GF}=2:1$이므로 $8:x=2:1$, $x=4$

한편, $\triangle ABF$에서 $\overline{BF}/\!/\overline{DG}$이고, $\overline{BF}=\overline{FC}=6$이므로

$\overline{AF}:\overline{AG}=\overline{BF}:\overline{DG}$, $12:8=6:y$

$12y=48$, $y=4$

따라서 $x+y=4+4=8$

06 $\triangle ABC=6\triangle ADG=6\times 5=30(\text{cm}^2)$

07 $\triangle AOD\backsim\triangle COB$(AA 닮음)이고

닮음비는 $\overline{AD}:\overline{CB}=9:12=3:4$이다.

따라서 넓이의 비는 $3^2:4^2=9:16$이므로

$36:\triangle COB=9:16$, $\triangle COB=64(\text{cm}^2)$이다.

08 $\triangle ADE$와 $\triangle ABC$의 닮음비가

$\overline{AE}:\overline{AC}=3:(3+6)=1:3$이므로 부피의 비는

$1^3:3^3=1:27$이다.

따라서 $V_1:V_2=1:27$이다.

09 $\triangle ABC\backsim\triangle DEC$(AA 닮음)이므로

$\overline{AB}:\overline{DE}=\overline{AC}:\overline{DC}$에서

$\overline{AB}:14=30:10$, $\overline{AB}=42(\text{m})$

따라서 두 지점 A와 B 사이의 거리는 42 m이다.

10 $\square ADEB=\square ACHI+\square BFGC$

$=5+12=17$

11 ① $2^2+3^2=13\neq 4^2$이므로 이 삼각형은 직각삼각형이 아니다.

② $3^2+4^2=25\neq 6^2$이므로 이 삼각형은 직각삼각형이 아니다.

③ $4^2+5^2=41\neq 7^2$이므로 이 삼각형은 직각삼각형이 아니다.

④ $5^2+12^2=13^2$이므로 이 삼각형은 직각삼각형이다.

⑤ $6^2+10^2=136\neq 15^2$이므로 이 삼각형은 직각삼각형이 아니다.

12 빗변이 아닌 두 변의 길이의 비가 3 : 4이므로 각각의 변의 길이를 $3k$ cm, $4k$ cm라고 하면 피타고라스 정리에 의하여

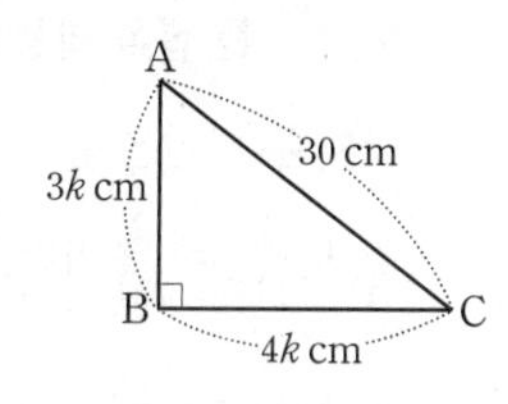

$(3k)^2+(4k)^2=30^2$, $25k^2=900$, $k^2=36$

따라서 직각삼각형의 넓이는

$\frac{1}{2}\times 3k\times 4k=6k^2=6\times 36=216(\text{cm}^2)$

13 두 눈의 수의 차가 4인 경우는 (1, 5), (2, 6), (5, 1), (6, 2)의 4가지이고, 5인 경우는 (1, 6), (6, 1)의 2가지이다.

이때 두 사건은 동시에 일어나지 않으므로 구하는 모든 경우의 수는 $4+2=6$이다.

14 4명의 학생이 서로 한 번씩 시합을 하는 것은 4명의 학생 중 2명의 대표를 뽑는 것과 같다. 대표 2명을 뽑을 때, (A, B)와 (B, A)는 서로 같은 경우이므로 구하는 모든 경우의 수는 $\frac{4\times 3}{2}=6$이다.

따라서 모두 6번의 시합이 이루어진다.

15 주머니에 들어 있는 공은 모두 $(5+x)$개이므로

$\frac{5}{5+x}=\frac{1}{3}$, $x+5=15$, $x=10$이다.

16 두 눈의 수의 합이 6의 배수인 경우는 두 눈의 수의 합이 6 또는 12인 경우이다.

두 눈의 수의 합이 6인 경우는 (1, 5), (2, 4), (3, 3), (4, 2), (5, 1)의 5가지이므로 그 확률은 $\frac{5}{36}$이다.

또, 두 눈의 수의 합이 12인 경우는 (6, 6)의 1가지이므로 그 확률은 $\frac{1}{36}$이다.

따라서 두 눈의 수의 합이 6의 배수가 나올 확률은

$\frac{5}{36}+\frac{1}{36}=\frac{1}{6}$이므로 두 눈의 수의 합이 6의 배수가 아닐 확률은

$1-$(두 눈의 수의 합이 6의 배수일 확률)$=1-\frac{1}{6}=\frac{5}{6}$

이다.

17 5의 배수인 경우는 5, 10, 15, 20의 4가지이므로

5의 배수가 적힌 카드를 뽑을 확률은 $\frac{4}{20}=\frac{1}{5}$이고,

7의 배수인 경우는 7, 14의 2가지이므로 7의 배수가 적힌 카드를 뽑을 확률은 $\frac{2}{20}=\frac{1}{10}$이다.

이때 두 사건은 동시에 일어나지 않으므로 구하는 확률은

$\frac{1}{5}+\frac{1}{10}=\frac{3}{10}$이다.

18 정민이는 명중시키고 동원이는 명중시키지 못할 확률은

$\frac{3}{4}\times\frac{3}{5}=\frac{9}{20}$이고,

정민이는 명중시키지 못하고 동원이는 명중시킬 확률은

$\frac{1}{4}\times\frac{2}{5}=\frac{1}{10}$이다.

따라서 구하는 확률은 $\frac{9}{20}+\frac{1}{10}=\frac{11}{20}$이다.

19 ① $1-$(ab가 홀수일 확률)$=1-\frac{1}{2}\times\frac{1}{2}=\frac{3}{4}$

② $\frac{1}{2}\times\frac{1}{2}=\frac{1}{4}$

③ $\frac{1}{2}\times\frac{1}{2}+\frac{1}{2}\times\frac{1}{2}=\frac{1}{2}$

④ $\frac{1}{2}\times\frac{1}{2}+\frac{1}{2}\times\frac{1}{2}=\frac{1}{2}$

⑤ $\frac{1}{2}\times\frac{1}{2}=\frac{1}{4}$

따라서 확률이 가장 큰 것은 ①이다.

20 A, B 두 주머니에서 두 개 모두 파란색 구슬이 나올 확률은 $\frac{3}{8}\times\frac{5}{8}=\frac{15}{64}$이다.

따라서 A, B 두 주머니에서 빨간색 구슬이 적어도 한 개 나올 확률은

$1-$(두 개 모두 파란색 구슬이 나올 확률)

$=1-\frac{15}{64}=\frac{49}{64}$이다.

21 (1) $\overline{BE}:\overline{DE}=\overline{AB}:\overline{CD}=8:10=4:5$이므로

$\overline{BF}:\overline{BC}=\overline{BE}:\overline{BD}=4:(4+5)=4:9$

(2) $\overline{BF}:\overline{BC}=\overline{EF}:\overline{DC}$에서 $4:9=\overline{EF}:10$

따라서 $\overline{EF}=\frac{40}{9}$이다.

22 (1) $\triangle EBC$와 $\triangle FDC$는 닮음비가 $2:1$인 닮은 도형이므로 넓이의 비는 $2^2:1^2=4:1$이다.

(2) $\triangle ABE=\frac{1}{2}\triangle ABC=\frac{1}{2}\times48=24(cm^2)$

$\overline{BG}:\overline{GE}=2:1$이므로

$\triangle AGE=\frac{1}{3}\triangle ABE=\frac{1}{3}\times24=8(cm^2)$

(3) $\triangle EBC=\frac{1}{2}\triangle ABC=24(cm^2)$

$\triangle EBC$와 $\triangle FDC$의 넓이의 비가 $4:1$이므로

$\triangle FDC=\frac{1}{4}\triangle EBC=\frac{1}{4}\times24=6(cm^2)$

따라서

$\square GDFE=\triangle ADC-\triangle FDC-\triangle AGE$

$=24-6-8=10(cm^2)$

23 오른쪽 그림에서

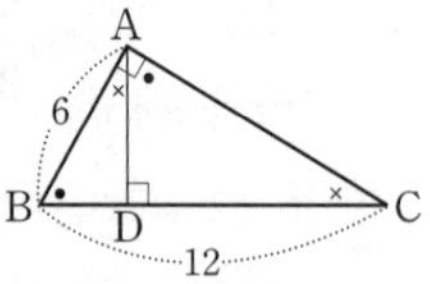

$\triangle ABC\backsim\triangle DBA$(AA 닮음)

이므로

$\overline{AB}:\overline{DB}=\overline{BC}:\overline{BA}$

$6:\overline{DB}=12:6$

$\overline{DB}=3$

$\triangle ABD$에서 $\overline{AD}^2+\overline{DB}^2=\overline{AB}^2$

$\overline{AD}^2+3^2=6^2$, $\overline{AD}^2=27$이다.

24 $2x+y<9$인 경우는 (x, y)가 (1, 1), (1, 2), (1, 3), (1, 4), (1, 5), (1, 6), (2, 1), (2, 2), (2, 3), (2, 4), (3, 1), (3, 2)이므로 그 경우의 수는 12이다.

25 (1) 주머니 A에서 파란 공을 꺼낼 확률은 $\frac{5}{9}$이다.

(2) 주머니 B에서 파란 공을 꺼낼 확률은 $\frac{3}{8}$이다.

(3) 두 공이 모두 파란 공일 확률은 $\frac{5}{9}\times\frac{3}{8}=\frac{5}{24}$이다.